znak uvoz

flat [flæt] *a*
(*hovor.*)
plné pe<

...rida nahrazuje základní heslo.

Středník odděluje slova se vzdálenějšími významy, může po něm také následovat příklad, který se těsně(ji) váže k předcházejícímu významu.

busy [bizi] *adj* **1** ... **2** živý, čilý, rušný; **a ~ day** rušný den **3** (*místnost, telefon*) obsazený ...

Čárka odděluje synonymní výrazy, používá se ale i všude tam, kde si to pravidla jazyka vynucují – k oddělení větných členů, před spojkami atp.

Kolmička odděluje neměnnou část slova od měnící se části.

oblo|ha sky; **na -ze** in the sky

Neměnnou část nahrazuje *oddělovník*, k němuž je připojena změněná koncovka.

ANGLICKO-ČESKÝ
& ČESKO-ANGLICKÝ
STUDENTSKÝ
SLOVNÍK

& ANGLICKO-ČESKÝ
ČESKO-ANGLICKÝ
SLOVNÍK

studentský

Břetislav Hodek
a kolektiv

LEDA 2005

Tato publikace vychází v edici ALFA
– základní jazykové příručky.

© PhDr. Břetislav Hodek a kol., 2005
© LEDA spol. s r. o., 2005

ISBN 80-7335-060-2

PŘEDMLUVA

Tuto příručku vydáváme v naší nové edici ALFA. Obsahuje navíc, kromě údajů které od slovníku běžně očekáváme, výběr z údajů dalších typů: mluvnických, konverzačních, týkajících se reálií atd. Slovníkové údaje a všechny další informace, které jsou zde uvedeny, byly vybrány podle frekvence příslušných jazykových jevů. Příručka tak přináší to nejdůležitější, s čím se při studiu a používání angličtiny běžně setkáte a co nejčastěji hledáte.

Na následující straně je uveden podrobný obsah; seznamte se s ním, umožní vám příručku účinně využívat. Informace o používání slovníku najdete na předsádkách, na prvních stránkách a všechny doplňující údaje jsou soustředěny na konci příručky.

Angličtinu můžete studovat také s našimi učebnicemi, které látku probírají od začátku – **Angličtina nejen pro samouky**, **Angličtina pro věčné začátečníky**.

K prohloubení znalostí poslouží učebnice konverzace **English Conversation Practice**, s gramatikou se podrobně seznámíte v **Mluvnici angličtiny**.

K výuce základní konverzace poslechem a opakováním využijete audio CD publikace **Angličtina? Jednoduše s cédéčkem!**

Velmi účinná i zábavná je výuka na PC – uživatelsky přátelský a technicky velmi vyspělý program nabízíme pod názvem **Tell me More**.

Další informace o studiu angličtiny a dalších jazyků přinášíme na **www.leda.cz**.

OBSAH

SEZNAM ZKRATEK

AU	australský výraz	**n**	*noun*, podstatné jméno
adj	*adjective*, přídavné jméno	**např.**	například
adv	*adverb*, příslovce	**obch.**	obchod
archit.	architektura	**odb.**	odborný výraz
bot.	botanika	**particle**	částice
conj	*conjunction*, spojka	**pl**	*plural*, množné číslo
div.	divadelnictví	**poč.**	výpočetní technika
ekon.	ekonomie	**pojišť.**	pojišťovnictví
elektr.	elektrotechnika	**polit.**	politika
filoz.	filozofie	**polygr.**	polygrafie
fot.	fotografování	**práv.**	právnictví
fyz.	fyzika	**prep**	*preposition*, předložka
GB	britský výraz	**pron**	*pronoun*, zájmeno
geol.	geologie	**přen.**	přenesený význam
geom.	geometrie	**sb.**	*somebody*, někdo
hanl.	hanlivý výraz	**sg**	*singular*, jednotné číslo
hovor.	hovorový výraz	**slang.**	slangový výraz
horn.	hornictví	**sport.**	sportovní výraz
hud.	hudební věda	**sth.**	*something*, něco
chem.	chemie	**tech.**	technický výraz
inf	infinitiv	**telef.**	telefon
-ing	ingový tvar slovesa	**úřed.**	úřední výraz
interj	*interjection*, citoslovce	**US**	americký výraz
jaz.	jazykověda	**v**	*verb*, sloveso
kuch.	kuchařství	**voj.**	vojenství
let.	letectví	**vulg.**	vulgární výraz
mat.	matematika	**zeměp.**	zeměpis
med.	medicína	**zprav.**	zpravidla
motor.	motorismus	**zvl.**	zvláště

VÝSLOVNOST

V angličtině je důležité učit se výslovnost slovíček se správným přízvukem, protože přízvučné slabiky se vyslovují plně, kdežto nepřízvučné oslabeně (většinou jen s [ə] nebo [i]), např. *computer* [kəm'pju:tə]. Ve větě se slova plynule vážou jedno na druhé:

There is an old carpet in the room. [ðə,rizən ˌəuld 'ka:pit inðə'ru:m]

TRANSKRIPČNÍ ZNAKY

odpovídají zavedené praxi v českých slovnících, jedinečné znaky zůstávají:

æ	široké „a" (vyslovované jako „e" s mluvidly nastavenými na výslovnost „a")	man [mæn]
ə	samohláska „e" neurčitého zabarvení (vyslovovaná jako druhé „e" v českém dětském „ee")	sister [sistə]
ŋ	nosová souhláska „ng" (vyslovovaná jako v českém slově „Anka")	song [soŋ]
θ	neznělé „s" (vyslovované se špičkou jazyka opřenou o horní zuby)	thin [θin]
ð	znělé „ (d)z" (vyslovované se špičkou jazyka opřenou o horní zuby)	brother [braðə]
w	obouretné „v" (blížící se k „u")	way [wei]
:	dvojtečka po samohlásce označuje její délku	father [fa:ðə]
'	horní kolmička označuje hlavní přízvuk slova. Pokud je hlavní přízvuk na začátku slova, není značen.	hotel [hou'tel] clean [kli:n]
ˌ	dolní kolmička označuje vedlejší přízvuk slova, který je méně důrazný	irreconcilable [i,rekən'sailəbl]

ANGLICKÁ ABECEDA

A, a	[ei]	H, h	[eič]	O, o	[əu]	V, v	[vi:]
B, b	[bi:]	I, i	[ai]	P, p	[pi:]	W, w	[dablju:]
C, c	[si:]	J, j	[džei]	Q, q	[kju:]	X, x	[eks]
D, d	[di:]	K, k	[kei]	R, r	[a:]	Y, y	[way]
E, e	[i:]	L, l	[el]	S, s	[es]	Z, z	[zed]
F, f	[ef]	M, m	[em]	T, t	[ti:]		
G, g	[dži:]	N, n	[en]	U, u	[ju:]		

ANGLICKO-ČESKÁ ČÁST

A

a, an [ə, ən, *v důrazu* ei, æn]
1 (*člen neurčitý*) **2** jeden
(**a friend of mine** jeden můj
přítel) **3** jakýsi (**a Mr White
has called** byl tu jakýsi pan
White) **4** každý (**twice a month**
dvakrát za měsíc, **three pounds
a week** tři libry týdně)

aback [ə'bæk]: **be taken ~** být
překvapen, být zmaten

abandon [ə'bændən] **1** opustit
2 vzdát se čeho (**~ all hope**
vzdát se veškeré naděje)
3 přerušit (*sportovní zápas*)
4 ~ oneself to oddávat se čemu

abbey [æbi] opatství

abbreviate [ə'bri:vieit] zkrátit;
zestručnit

abbreviation [ə,bri:vi'eišn]
1 zkrácení **2** zkratka

ABC, abc [eibi:'si:] **1** abeceda
2 základy (*oboru*) **3** jízdní řád
(*s abecedním seznamem stanic*)

abdicate [æbdikeit] **1** vzdát se
čeho **2** vzdát se trůnu

abdomen [æbdəmen] břicho

abide* [ə'baid] **1** dodržet (**by
a promise** slib) **2** zůstat

ability [ə'biliti] **1** schopnost
2 inteligence

able [eibl] schopen; **be* ~** moci

abnormal [æb'no:ml] abnormální,
nezvyklý; zvláštní

aboard [ə'bo:d] na palubě, na
palubu (*lodi, letadla*)
♦ **all ~** ! nastupovat!

abolish [ə'boliš] zrušit

abolition [æbə'lišn] zrušení,
odstranění

abominable [ə'bominəbl] odpor-
ný; ohavný (**weather** počasí)

aboriginal [æbə'ridžinl]
domorodec

abortion [ə'bo:šən] (*uměly*) potrat

abound [ə'baund] **1** oplývat **in**
čím **2** hojně se vyskytovat

about [ə'baut] *prep* **1** po, kolem
(**walk ~ the town** chodit po
městě) **2** u, při, na (**I haven't
any money ~ me** nemám u sebe
peníze, **there is nothing strange
~ it** na tom není nic divného)
3 o (**talk ~ the weather** hovořit
o počasí) ♦ **how / what ~ …?**
a co …?; **what is it all ~ ?** co to
má všechno znamenat, oč jde?;
what are you ~ ? co máte za
lubem?; **be ~ to** + *inf* chystat se
• *adv* **1** asi **2** sem a tam, kolem
3 poblíž, nablízku
♦ **A~ turn!** Čelem vzad!

above [ə'bav] *prep* nad ♦ **~ all**
především; **the book is ~ me** ta
kniha je pro mne nesrozumitelná
• *adv* **1** nahoře; **from ~** shora
2 shora, výše, dříve; **as was
stated ~** jak bylo uvedeno shora

abrasion [ə'breižn] odřenina

abreast [ə'brest] v jedné řadě
♦ **keep / be ~ of** držet krok s

abridge [ə'bridž] zkrátit,
zestručnit (*text*)

abroad [ə'bro:d] v cizině, do
ciziny; **travel ~** cestovat do
ciziny; **visitors from ~**
zahraniční návštěvníci

abrupt [ə'brapt] **1** náhlý,
neočekávaný **2** nesouvislý,

trhaný (*styl řeči*) **3** strohý,
příkrý **4** prudký (*svah*)

absence [ˈæbsəns] **1** nepřítomnost
(**from school** ve škole)
2 absence; ~ **without leave** ne-
omluvená absence **3** nedostatek;
in the ~ **of evidence** pro nedosta-
tek důkazů; ~ **of mind** roztržitost

absent [ˈæbsənt] *adj* **1** nepřítomný
(**from school** ve škole)
2 roztržitý • *v* [æbˈsent] ~ **oneself**
nedostavit se, nepřijít **from** kam

absentee [ˌæbsənˈtiː] absentér,
bulač

absent-minded [ˌæbsəntˈmaindid]
roztržitý

absolute [ˈæbsəluːt] *adj*
1 naprostý, úplný **2** absolutní
• *n* **the A~** absolutno

absolutely [ˈæbsəluːtli] **1** naprosto,
úplně (**impossible** nemožné)
2 (*hovor.*) určitě, rozhodně

absolve [əbˈzolv] zprostit **from**
čeho, osvobodit **from** / **of** od

absorb [əbˈsoːb] **1** pohltit **2** sát
3 upoutat (*pozornost*); **be ~ed in**
být upoután čím / ponořen do

absorption [əbˈsoːpʃn] **1** pohlcení;
vstřebávání **2** ponoření **in** do

abstain [əbˈstein] **1** zdržet se
from čeho **2** nepít (*alkohol*)

abstention [əbˈstenʃn] **1** zdržení
se; zdrženlivost **2** zdržení se hla-
sování; kdo se zdržel hlasování

abstinence [ˈæbstinəns] abstinence

abstract [ˈæbstrækt] *adj* abstraktní
• *n* výtah (*z knihy*) • *v* [æbˈ-
ˈstrækt] **1** oddělit **2** shrnout,
pořídit výtah **3** (*hovor.*)
odstranit, přemístit (*ukrást*)

abstraction [əbˈstrækʃn]
1 abstrakce **2** roztržitost

absurd [əbˈsoːd] **1** absurdní,

nesmyslný, nemožný **2** hloupý
3 směšný

absurdity [əbˈsoːditi]
nesmyslnost, absurdita

abundance [əˈbandəns]
1 hojnost; **food in** ~ hojnost
jídla **2** nadbytek (**of food** jídla)

abundant [əˈbandənt] **1** hojný;
be ~ hojně se vyskytovat
2 bohatý **in** na co / čím

abuse *n* [əˈbjuːs] **1** zneužití
2 zlořád **3** nadávky
• *v* [əˈbjuːz] **1** zneužít **2** tupit

abyss [əˈbis] propast, (*též přen.*)

A/C, a/c 1 account current
běžný účet **2 alternating current**
střídavý proud

academic [ˌækəˈdemik]
1 akademický; univerzitní,
vysokoškolský **2** teoretický

academician [əˌkædəˈmiʃn]
akademik, člen Akademie

academy [əˈkædəmi] akademie

accede [əkˈsiːd] **1** souhlasit **to**
s čím, přistoupit na co
2 nastoupit (**to an office** do
funkce, **to the throne** na trůn)

accelerate [əkˈseləreit] zrychlit
(se), urychlit (se)

acceleration [əkˌseləˈreiʃn]
urychlení; zrychlení, akcelerace

accelerator [əkˈseləreitə] (*motor.*)
plynový pedál

accent [ˈæksənt] *n* **1** přízvuk
2 akcent, čárka (*nad písmenem*)
3 akcent, *též* způsob výslovnosti;
speak with a foreign ~ mluvit
s cizím přízvukem
• *v* [əkˈsent] dávat přízvuk na

accentuate [əkˈsentjueit] zdůraz-
nit, vyzdvihnout, klást důraz na

accept [əkˈsept] **1** přijmout
2 akceptovat (**a bill** směnku)

acceptable [ək'septəbl] přijatelný; **prove ~** být přijatelný

acceptance [ək'septəns] **1** přijetí **2** akcept(ace) (*směnky*)

access [ækses] přístup; **easy of ~** snadno přístupný

accessible [ək'sesibl] přístupný, dostupný

accession [æk'sešn] **1** nastoupení **to** do / na **2** přírůstek

accessories [ək'sesəriz] *pl* **1** příslušenství (**of a car** auta) **2** doplňky (**~ of a woman's dress** dámské módní doplňky)

accessory [ək'sesəri] spoluviník (**before / after the fact** před činem / po činu)

accident [æksidənt] **1** náhoda; **by ~** náhodou **2** nehoda; **meet with / have an ~** mít nehodu, být obětí (*dopravní*) nehody

accidental [æksi'dentl] **1** náhodný **2** způsobený nehodou; **~ death** smrtelný úraz **3** vedlejší (**colours** barvy)

accommodate [ə'komədeit] **1** ubytovat, umístit; **a cinema accommodating 2000 spectators** kino pro 2000 diváků **2** vyhovět komu **3** přizpůsobit **to** čemu

accommodation [əˌkomə'deišn] **1** ubytování **2** přizpůsobení **to** čemu

accompaniment [ə'kʌmpənimənt] doprovod (**to the ~ of** s doprovodem koho / čeho)

accompany [ə'kʌmpəni] (do)provázet ♦ **accompanied luggage** spoluzavazadlo

accomplish [ə'kʌmpliš] (*úspěšně*) provést, dokázat

accomplished [ə'kʌmplišt] dokonalý, kvalifikovaný, perfektní

accomplishment [ə'kʌmplišmənt] **1** výkon, čin; (*dosažený*) úspěch **2** ~**s** *pl* znalosti, dovednosti

accord [ə'ko:d] *n* souhlas, shoda ♦ **of one's own ~** sám, samovolně, dobrovolně; **with one ~** jednomyslně • *v* **1** udělit (**he was ~ed a warm welcome** dostalo se mu vřelého uvítání) **2** souhlasit **with** s

accordance [ə'ko:dəns]: **in ~ with** ve shodě s, podle čeho

according to [ə'ko:diŋ] podle koho / čeho

accordingly [ə'ko:diŋli] **1** proto **2** podle toho

account [ə'kaunt] *n* **1** účet (**with a bank** u banky); **current ~, ~ current** běžný účet **2** popis, zpráva; **give an ~ of** popsat, vylíčit co **3** uvážení; **take into ~** vzít v úvahu **4** důvod, příčina **on ~ of** pro, kvůli; **on my ~** kvůli mně; **on no ~** v žádném případě • *v* **1** považovat za **2 ~ for** vysvětlit co

accountable [ə'kauntəbl] zodpovědný **for** za

accountant [ə'kauntənt] účetní, revizor účtů

accredit [ə'kredit]: **be* ~ed** být akreditován / zplnomocněn **to** u

accumulate [ə'kju:mjuleit] nahromadit (se), přirůstat, narůstat

accumulation [əˌkju:mju'leišn] **1** (na)hromadění **2** hromada

accuracy [ækjurəsi] přesnost

accurate [ækjurit] přesný

accusation [ækju'zeišn] obvinění; **bring an ~** vznést obvinění **of sth.** z čeho **against sb.** proti komu

accuse [ə'kju:z] *v* obvinit, obžalo-

vat **sb. of sth.** koho z čeho
● **n the ~d** obžalovaný

accustom [ə'kʌstəm] **oneself to**
zvyknout si na

accustomed [ə'kʌstəmd] navyklý,
obvyklý; **be ~ to** být zvyklý na;
become / get ~ to zvyknout si na na

ache [eik] **n** bolest, bolení; **have**
a head~ mít bolení hlavy ● **v** bo-
let; **my head ~s** bolí mě hlava

achieve [ə'či:v] dosáhnout čeho
(one's aim svého cíle)

achievement [ə'či:vmənt]
1 dosažení, splnění **2** (*velký*)
čin, výkon; úspěch

acid [æsid] **adj 1** kyselý, (*též*
přen.) **2** kousavý, sarkastický
● **n** kyselina

acknowledge [ək'nolidž] **1** uznat,
přiznat **(one's mistake** svou
chybu) **2** potvrdit (*příjem*);
~ his greeting odpovědět mu na
pozdrav

acknowledgement
[ək'nolidžmənt] **1** uznání; **in ~**
of your help jako uznání za vaši
pomoc **2** potvrzení (*příjmu*)

acorn [eiko:n] žalud

acoustic [ə'ku:stik] akustický

acoustics [ə'ku:stiks] **1** *sg* akusti-
ka (*věda*) **2** *pl* akustika (*sálu*)

acquaint [ə'kweint] seznámit;
~ oneself with seznámit se s,
obeznámit se s

acquaintance [ə'kweintəns]
1 obeznámenost, znalost; **make**
sb.'s ~ seznámit se s kým
2 známý; **an ~ of mine** jeden
můj známý

acquire [ə'kwaiə] **1** získat
2 osvojit si

acquisition [ækwi'zišn]

1 získávání, nabývání **2** získaná
věc; přírůstek

acquit [ə'kwit] **(tt) 1** osvobodit,
zprostit **of sth.** čeho **2 ~ oneself**
of sth. zhostit se čeho ♦ **~ one-**
self well osvědčit se **like** jako

acre [eikə] akr (*asi 4000 m²*);
God's A~ boží pole (*hřbitov*)

across [ə'kros] *prep* **1** přes (**the**
river řeku) **2** na druhé straně
(**the street** ulice)
♦ **~ from** *US* naproti čeho / čemu
● *adv* na druhou stranu

act [ækt] **n 1** čin, skutek **2** zákon
3 jednání, dějství (*hry*) ♦ **put**
on an ~ hrát divadlo, předstírat
● *v* **1** jednat ♦ **~ for the best**
mít ten nejlepší úmysl **2** působit
as jako, dělat; **~ as an**
interpreter dělat tlumočníka
3 fungovat **4** hrát (*roli, divadlo*)

action [ækšn] **1** činnost; **take ~**
jednat; **put / set in ~, bring into**
~ uvést v činnost **2** čin, skutek;
a man of ~ muž činu **3** soudní
pře; **bring an ~ against sb.**
žalovat koho **4** bitva

active [æktiv] **1** činný, aktivní; **on**
~ service v činné službě; **~ voice**
(*jaz.*) činný rod **2** čilý, živý

activity [æk'tiviti] **1** aktivita
2 activities *pl* činnost

actor [æktə] herec

actress [æktris] herečka

actual [ækčuəl] skutečný

actuality [ækču'æliti]
1 skutečnost **2** aktualita

actually [ækčuəli] **1** skutečně
2 ve skutečnosti, zatím **3** vlastně

acute [ə'kju:t] **1** ostrý, bystrý
2 akutní, náhlý

A.D. [ei'di:] = **Anno Domini** léta
Páně

Adam [ǽdəm] Adam ♦ ~'s apple
ohryzek (*na hrtanu*); **not know
sb. from** ~ vůbec někoho neznat

adapt [ə'dǽpt] **1** přizpůsobit
2 upravit, adaptovat

adaptation [ǽdæp'teišn]
1 přizpůsobení **2** úprava,
adaptace

adapter, adaptor [ə'dǽptə]
adaptér, rozvodka

add [æd] **1** přidat; přičíst
2 dodat (*v řeči*); připočíst

add up 1 sečíst **2** (*hovor.*) dávat
smysl

adder [ǽdə] zmije

addict [ǽdikt] oběť (*návyku*);
a drug ~ narkoman

addition [ə'dišn] **1** přidání,
připočtení; dodatek; **in** ~ kromě
toho, také; **in** ~ **to sth.** kromě
čeho **2** sčítání **3** přírůstek

additional [ə'dišnl] další

address [ə'dres] *n* **1** adresa
2 projev, proslov **3** oslovení
♦ *v* **1** oslovit **2** pronést projev;
~ **a meeting** mít projev na schůzi
3 adresovat (**a letter** dopis)

addressee [ǽdre'si:] adresát

adequate [ǽdikwət] přiměřený,
dostačující

adhere [əd'hiə] **1** lpět **to** na, držet
na **2** držet se **to** čeho; ~ **to one's
views** držet se svých názorů

adherence [əd'hiərəns] **1** lpění **to**
na **2** zachovávání, dodržování

adhesive [əd'hi:siv] přilnavý,
lepivý; ~ **tape** lepicí páska

adjacent [ə'džeisənt] přilehlý,
sousední, vedlejší

adjective [ǽdžiktiv] přídavné
jméno

adjoin [ə'džoin] sousedit s

adjoining [ə'džoiniŋ] sousedící,
sousední

adjourn [ə'džə:n] **1** odložit, odro-
čit **2** přerušit **3** odebrat se **to** kam

adjust [ə'džast] **1** přizpůsobit;
~ **oneself to the circumstances**
přizpůsobit se okolnostem
2 upravit, regulovat

adjustment [ə'džastmənt]
1 přizpůsobení **2** úprava

administer [əd'ministə]
1 spravovat, řídit **2** poskytnout
(*pomoc*); podat (*lék*)

administration [əd,mini'streišn]
1 správa, řízení **2** **the A~** *US*
vláda, státní správa **3** podání
(*léku*); poskytnutí (*pomoci*)

admirable [ǽdmrəbl]
podivuhodný, vynikající

admiral [ǽdmərl] admirál

admiralty [ǽdmərəlti] admiralita;
the A~ *GB* ministerstvo
námořnictví

admiration [ǽdmi'reišn] obdiv
of / for k; **the** ~ předmět obdivu

admire [əd'maiə] obdivovat se
(*komu / čemu*)

admission [əd'mišn] **1** přístup;
~ **free** vstup volný **2** vstupné
3 přiznání **4** přijetí **into** kam

admit [əd'mit] (**tt**) **1** vpustit
2 přijmout; **be ~ted to a school /
into membership** být přijat do
školy / za člena **3** připustit, uznat

admittance [əd'mitəns] přístup,
vstup; **No** ~ Vstup zakázán

adolescence [ǽdə'lesəns]
dospívání

adolescent [ǽdə'lesənt] *adj*
dospívající
♦ *n* dospívající člověk; výrostek

adopt [ə'dopt] **1** adoptovat

2 přijmout, převzít
3 odhlasovat, schválit

adoption [əˈdɒpšn] **1** adoptování
2 přijetí, převzetí **3** schválení

adore [əˈdoː] zbožňovat

adorn [əˈdoːn] zdobit

adult [ædalt] dospělý
♦ ~ **education** osvěta

adulterate [əˈdaltəreit] **1** falšovat
(*potraviny*) **2** ředit (*nápoj vodou*)

adultery [əˈdaltəri] cizoložství

advance [ədˈvaːns] *n* **1** postup
2 pokrok **3** zvýšení (**in the cost
of living** životní náklady)
4 záloha **on** na **5** ~**s** *pl* pokus o
sblížení; **make** ~**s** ucházet se
o přátelství **to** koho ♦ **(well) in
~** předem, (opravdu) včas ● *v*
1 postoupit, pokročit **2** posunout
vpřed **3** povýšit **4** zvýšit (**prices**
ceny) **5** dát zálohu ● *adj* zaříze-
ný / daný předem / s předstihem;
~ **copies** recenzní výtisky (*knihy*)

advanced [ədˈvaːnst] pokročilý;
~ **in years** v pokročilém věku

advancement [ədˈvaːnsmənt]
1 postup (*vpřed*) **2** povýšení **to**
na **3** záloha

advantage [ədˈvaːntidž] **1** výhoda
2 užitek, zisk; **take** ~ **of** využít,
zneužít čeho

advantageous [ædvənˈteidžəs]
výhodný

adventure [ədˈvenčə]
dobrodružství

adventurer [ədˈvenčərə]
1 dobrodruh **2** hochštapler

adventurous [ədˈvenčərəs]
dobrodružný

adverb [ædvəːb] příslovce

adversary [ædvəsəri] protivník,
odpůrce

adverse [ædvəːs] **1** nepříznivý **to**
čemu **2** nepřátelský **to** komu

adversity [ədˈvəːsiti] **1** nepřízeň
osudu **2** neštěstí

advertise [ædvətaiz] **1** inzerovat,
dát si inzerát **for** na **2** dělat
reklamu čemu

advertisement [ədˈvəːtismənt]
1 inzerát **2** reklama

advice [ədˈvais] **1** rada (**on what
to do** co dělat); **take / follow
sb.'s** ~ dát si poradit od koho;
on the ~ **of sb.** na čí radu;
a piece / a word of good ~
dobrá rada **2** zpráva
♦ **a letter of** ~ návěstí, avízo;
~ **note** návěstí, oznámení, avízo

advisable [ədˈvaizəbl] doporučeni-
hodný; vhodný; rozumný

advise [ədˈvaiz] **1** (po)radit **on**
v čem; **you would be well** ~**d to**
+ *inf* doporučuje se, abyste
2 varovat **against** před
3 (*obch.*) oznámit

adviser [ədˈvaizə] poradce

advisory [ədˈvaizəri] poradní
♦ ~ **opinion** dobrozdání

advocate *n* [ædvəkit] **1** zastánce
2 advokát (*ve Skotsku*)
● *v* [ædvəkeit] **1** obhajovat
2 zasazovat se o

aerial [eəriəl] *adj* **1** vzdušný;
vzduchový **2** visutý **3** letecký
● *n* anténa

aeroplane [eərəplein] *GB* letadlo

aesthetic [iːsˈθetik] estetický

afar [əˈfaː] v dálce; **from** ~ zdaleka

affair [əˈfeə] **1** záležitost, věc;
Ministry of Foreign A~**s**
ministerstvo zahraničních věcí;
state of ~**s** současná situace
2 milostný poměr, pletka **3** aféra

affect [əˈfekt] **1** působit, mít vliv na **2** dojmout **3** postihnout

affection [əˈfekšn] náklonnost, láska

affectionate [əˈfekšənət] láskyplný; milující

affirm [əˈfəːm] potvrdit

affirmation [æfəˈmeišn] tvrzení; ujištění

affirmative [əˈfəːmətiv] kladný; **the answer is in the ~** odpověď je kladná

affix [əˈfiks] **1** připojit **2** přilepit **to** k / na

afflict [əˈflikt] soužit; postihnout **with** čím

affliction [əˈflikšn] **1** soužení, utrpení **2** bída

affluence [æfluəns] hojnost, nadbytek

afford [əˈfoːd] **1** dopřát si, dovolit si; **I can't ~ it** nemohu si to dovolit **2** poskytnout, skýtat, dávat

affront [əˈfrant] n urážka • v urazit

afloat [əˈfləut] **1** plovací, nad vodou; **keep ~** držet se nad vodou **2** nezakotvený, (též přen.) **3** v oběhu

afraid [əˈfreid]: **be ~ of** bát se čeho; **be ~ for** bát se o; **I'm ~** bohužel

afresh [əˈfreš] znovu

Africa [æfrikə] Afrika

African [æfrikən] adj africký • n Afričan

after [aːftə] prep **1** po; **~ dark** po setmění **2** za; **shut the door ~ you** zavři za sebou dveře **3** podle; **a painting ~ Rubens** malba podle Rubense ♦ **~ all** konec konců, přece jenom; **day ~ day** den co den • adv později, potom ♦ conj když

after-effects [aːftəriˈfekts] pl následky

aftermath [aːftəmæθ] (nepříznivé) následky, dozvuky

afternoon [aːftəˈnuːn] odpoledne

afters [aːftəz] (GB, hovor.) zákusek, moučník

afterwards [aːftəwədz] potom, později

again [əˈgen] opět, zase, znovu, ještě jednou ♦ **now and ~** občas; **time and ~** znovu a znovu; **as much / many ~** dvakrát tolik

against [əˈgenst] proti (the stream proudu); před (**pickpockets** kapesními zloději); o (**lean ~ the wall** opírat se o zeď)

age [eidž] n **1** věk **2** stáří **3** ~**s** pl (hovor.) dlouho, věčnost ♦ **at your ~** v tvém věku; **come of ~** dosáhnout zletilosti; **be your ~** chovej se jako dospělý člověk, nedělej hlouposti; **I haven't seen you for ~s** neviděl jsem tě, ani nepamatuji • v stárnout

aged 1 [eidžd] starý; **a boy ~ ten** chlapec starý deset let **2** [eidžid] (velmi) starý, letitý; **an ~ man** stařec

agency [eidžənsi] **1** jednatelství, agentura, zastoupení **2** předprodej (vstupenek) **3** působení, vliv

agenda [əˈdžendə] **1** sg pořad, program (jednání) **2** pl agenda, věci k projednávání

agent [eidžənt] **1** činitel **2** zástupce, agent

aggravate [ægrəveit] **1** zhoršit **2** (hovor.) zlobit, rozčilovat

aggravating [ægrəveitiŋ]: **~ cirumstances** přitěžující okolnosti

agile [ædžail] čilý, živý, bystrý; agilní

agitate [ædžiteit] **1** zmítat (se), lomcovat (sebou), třepat **2** rozrušit **3** agitovat **for** pro, **against** proti

agitated [ædžiteitid] rozrušený

agitation [ædži'teišn] **1** vzrušení **2** agitace

ago [ə'gou] (za určením času) před; **two days ~** před dvěma dny; **(not) long ~** (ne)dávno

agonizing [ægənaiziŋ] nesmírně bolestivý; mučivý

agony [ægəni] muka; agónie

agrarian [ə'greəriən] zemědělský, agrární

agree [ə'gri:] **1** souhlasit **to** / **with** s kým / čím, **about** v čem **2** dohodnout se **on** na **3** svědčit, dělat dobře **with** komu
♦ **coffee does not ~ with me** po kávě mi není dobře; **~ to differ** ponechat si každý svůj názor

agreeable [ə'gri:əbl] **1** příjemný, sympatický **2** svolný, srozumivý; **I'm ~** jsem pro

agreement [ə'gri:mənt] **1** souhlas, shoda; **be in ~ on sth.** souhlasit spolu v čem **2** dohoda; **come to an ~ with sb.** dohodnout se s kým

agriculture [ægrikalčə] zemědělství

ahead [ə'hed] vpřed(u); dopředu; předem ♦ **~ of** před; **get ~ of** předhonit koho; **go ~** pokračovat

aid [eid] **n 1** pomoc; **first ~** první pomoc **2** pomůcka; **teaching ~s** učební pomůcky
♦ **v** pomáhat, podporovat
♦ **~ed student** stipendista

aide [eid] **n** poradce

AIDS [eidz] = **Acquired Immune Deficiency Syndrome** syndrom získaného selhání imunity

ailment [eilmənt] zdravotní potíž; onemocnění, neduh

aim [eim] **n 1** míření; cíl **2** účel
♦ **v 1** mířit, zaměřit (se) **at** na; **~ high** mířit vysoko **2** usilovat **at** o

air [eə] **n 1** vzduch, ovzduší, atmosféra **2** nápěv, melodie **3** vzhled, chování ♦ **in the open ~** pod širým nebem; **be on the ~** vysílat / být vysílán rozhlasem / televizí; **give oneself** / **put on ~s** dělat se důležitým, předvádět se ♦ **v** (pro)větrat, ventilovat, (též přen.)

airbase [eəbeis] letecká základna

airbed [eəbed] nafukovací matrace

air-conditioning [eəkəndišniŋ] klimatizace

aircraft [eəkra:ft] sg,pl letadlo, letadla ♦ **~ carrier** mateřská letadlová loď

aircrew [eəkru:] posádka letadla

airfield [eəfi:ld] letiště (plocha)

airforce [eəfo:s] (voj.) letectvo
♦ **Air Force One** letadlo prezidenta USA

airhostess ['eə,həustis] letuška

airing [eəriŋ] větrání, (též přen.)

airlift [eəlift] **n** doprava leteckým mostem ♦ **v** dopravovat letecky

airline [eəlain] letecká linka; **~s pl** aerolinie

airmail [eəmeil] **n** letecká pošta
♦ **adv** leteckou poštou

airman [eəmən] letec

airplane [eəplein] US letadlo

airport [eəpo:t] letiště (letištní plocha s veškerým zařízením)

air raid [eəreid] nálet

airsick [eəsik]: **get ~** udělat se komu špatně v letadle

airstrip [eəstrip] *(nouzová)*
startovací / přistávací plocha
air terminal [eətə:minl] terminál
aerolinek *(ve středu města)*
air ticket [eətikit] letenka
airtight [eətait] neprodyšný
aisle [ail] ulička *(podél hlavní
lodi kostela, v hledišti divadla)*
ajar [ə'dʒa:] pootevřený
alarm [ə'la:m] **n 1** poplach
2 leknutí; znepokojení
♦ *v* polekat, vylekat; znepokojit
alarm clock [ə'la:mklok] budík
alarmist [ə'la:mist] panikář
Alaska [ə'læskə] Aljaška
Albania [æl'beinjə] Albánie
Albanian [æl'beinjən] *adj* albán-
ský ● *n* **1** Albánec **2** albánština
album [ælbəm] album
alcohol [ælkəhol] alkohol
ale [eil] *(světlé)* pivo
alert [ə'lə:t] *adj* ostražitý
● *n* **1** *(voj.)* pohotovost **2** letecká
výstraha ♦ **on the ~** ve střehu
algebra [ældʒibrə] algebra
Algeria [æl'dʒiəriə] Alžírsko
Algiers [æl'dʒiəz] Alžír
alien [eiljən] *adj* cizí
● *n* cizinec, cizí státní příslušník
alienate [eiljəneit] **1** odcizit
2 zcizit
alight[1] [ə'lait] **1** zapálen,
v plamenech **2** osvětlen
alight[2] [ə'lait] **1** vystoupit, sestou-
pit *(from a bus z autobusu)*
2 snést se *(z výšky)*, přistát
align [ə'lain] vyřídit (se),
seškikovat (se)
alignment [ə'lainmənt]
1 vyřízení, zákryt **2** seskupení
alike [ə'laik] *adj* podobný; stejný
● *adv* podobně; stejně
alive [ə'laiv] žijící, naživu; zaživa;

be ~ to sth. uvědomovat si co; **be
~ and kicking** mít se čile k světu
all [o:l] *adj* celý, všechen, veškerý
♦ **~ day long** celý den; **beyond ~
doubt** nad veškerou pochybnost;
why help him, of ~ people?
proč pomáhat právě jemu?
● *pron* všechno, všichni
♦ **~ of us** my všichni; **(not) at ~**
vůbec (ne); **not at ~** není zač *(od-
pověď na* **thank you***)*; **that's ~
there is to it** v tom to vězí; **from
~ I know** co já vím; **once for ~**
jednou provždy; **~ in** *1.* vyčerpán
2. včetně; **~ in** celkem
● *adv* úplně, docela ♦ **~ along**
(hovor.) od začátku; **the better**
tím lépe; **~ at once** najednou,
náhle; **~ but** téměř; **~ over**
1. celý; **~ over the world** po
celém světě *2.* skončen, u konce
allegation [æli'geišn] tvrzení
allege [ə'ledʒ] tvrdit, uvádět
alleged [ə'ledʒd] domnělý, údajný
allegory [æligəri] alegorie
alleviate [ə'li:vieit] zmírnit
alley [æli] **1** ulička; **blind ~** slepá
ulička, *(též přen.)* **2** alej, stromo-
řadí; zahradní cesta ♦ **~ cat** tou-
lavá kočka; **that's up my ~** *US*
to je něco pro mne, to je moje
alleyway [æliwei] ulička
alliance [ə'laiəns] **1** spojení,
spojenectví **2** příbuznost
allocate [æləkeit] přidělit (**a flat
to sb.** byt komu)
allocation [ælə'keišn] přidělení,
příděl
allot [ə'lot] **(tt)** **1** přidělit
2 vyhradit, vymezit
allotment [ə'lotmənt] *(přidělená)*
parcela, zahrádka

A

all-out [o:l'aut] **1** totální **2** všeobecný, celkový

allow [ə'lau] **1** dovolit, povolit **2** uznat, připustit ♦ **~ for** vzít v úvahu co, počítat s čím; **~ of** připouštět; **be ~ed** smět

allowance [ə'lauəns] **1** příspěvek; renta; kapesné **2** sleva ♦ **family ~** rodinný přídavek; **make ~(s) for** brát ohled na, vzít v úvahu co

alloy [æloi] slitina

all-purpose [o:l'pə:pəs] všestranný, univerzální

all right [o:l'rait] v pořádku, dobrá

all-round [o:l'raund] všestranný

allude [ə'lu:d] narážet **to** na, zmínit se o

allure [ə'ljuə] vábit, lákat

allusion [ə'lu:ʒn] narážka **to** na, zmínka o

ally n [ælai] spojenec
● v [ə'lai] spojit (se)

almighty [o:l'maiti] všemohoucí; (*hovor.*) obrovský

almond [a:mənd] mandle

almost [o:lməust] skoro, téměř

aloft [ə'loft] nahoře, ve výšce; nahoru, do výšky

alone [ə'ləun] *adj* sám, samoten, sám o sobě
● *adv* jenom, jedině, výhradně ♦ **let / leave me ~** nech mě být; **let ~** neřku-li, natož (pak)

along [ə'loŋ] *prep* **1** podél **2** po (**the street** ulici); **~ here** tudy
● *adv* dále, vpřed ♦ **come ~** tak pojď; **~ with** spolu s kým; **get ~ with** vycházet s kým (*dobře / špatně*); **be ~** přijít, přijet, dostavit se

alongside [əloŋ'said] podél, vedle, po straně

aloud [ə'laud] nahlas, hlasitě

alphabet [ælfəbet] abeceda, (*též přen.*)

alpine [ælpain] **1** alpský **2** vysokohorský

Alps [ælps]: **the ~** Alpy

already [o:l'redi] již, už; **have the shops closed ~ ?** to už mají obchody zavřeno?

also [o:lsəu] také; kromě toho, rovněž ♦ **not only ... but ~** nejen ..., ale také

altar [o:ltə] oltář

altar boy [o:ltəboi] (*nedospělý*) ministrant

alter [o:ltə] **1** (z)měnit (se) **2** upravit, přešít

alteration [o:ltə'reišn] **1** (*pravidelné*) střídání **2** přešití **3** (*malá*) změna

alternate *adj* [o:l'tə:nit] **1** střídavý **2** každý druhý; **on ~ days** ob den **3** vzájemný **4** protilehlý (**angles** úhly) ● v [o:l'təneit] **1** střídat (se) **with** s **2** kolísat **between** mezi

alternative [o:l'tə:nətiv] *adj* druhý možný, vzájemně se vylučující ● n volba, alternativa

alternatively [o:l'tə:nətivli] jinak, eventuálně, nebo

although [o:l'ðəu] ačkoli, třebaže, i když

altitude [æltitju:d] výška

alto [æltəu] **1** alt **2** kontratenor **3** viola

altogether [o:ltə'geðə] **1** naprosto, úplně; vůbec **2** dohromady, celkem **3** celkem vzato

aluminium [ælu:'miniəm] GB, **aluminum** [æ'lu:minəm] US aluminium, hliník

always [o:lwəz] vždy(cky), stále; od (samého) začátku

am [æm, əm]: **I am** jsem

a.m., A.M. [ei'em] ráno; dopoledne

amalgamate [ə'mælgəmeit] spojit (se), sloučit (se)

amass [ə'mæs] (na)hromadit

amateur [æmətə] **1** amatér **2** ochotník; ~ **dramatics** ochotnické divadlo **3** diletant

amateurish [æmətəriš] **1** amatérský **2** diletantský

amaze [ə'meiz] udivit, naplnit úžasem; **~d at** udivený čím, užaslý nad

amazement [ə'meizmənt] ohromení, úžas

amazing [ə'meiziŋ] ohromující, úžasný

ambassador [æm'bæsədə] velvyslanec **(to France** ve Francii)

amber [æmbə] **1** jantar(ový) **2** žlutá *(dopravní světlo)*

ambiguous [æm'bigjuəs] **1** dvojsmyslný **2** dvojznačný, nejasný, problematický

ambition [æm'bišn] ctižádost, ambice

ambitious [æm'bišəs] ctižádostivý, ambiciózní

ambulance [æmbjuləns] sanitka

ambush [æmbuš] *n* číhaná, léčka; **lie in ~ for** číhat na
♦ *v* přepadnout ze zálohy

amend [ə'mend] **1** polepšit (se), napravit (se) **2** pozměnit

amendment [ə'mendmənt] **1** náprava; oprava, zlepšení **2** pozměňovací návrh **3** *US* změna, dodatek, doplněk (zákona)

amends [ə'mendz] náhrada škody; **make ~** *1.* napravit *(křivdu)* *2.* nahradit **to sb. for sth.** komu co

amenities [ə'mi:nitiz] *pl* (kulturní) zařízení, vybavení, vybavenost

America [ə'merikə] Amerika

American [ə'merikən] *adj* americký ♦ *n* **1** Američan(ka); občan(-ka) USA **2** americká angličtina

amiable [eimjəbl] roztomilý; laskavý

amicable [æmikəbl] přátelský

amid [ə'mid], **amidst** [ə'midst] uprostřed

amiss [ə'mis] chybně, špatně
♦ **come ~** přijít nevhod; **take sth.** ~ vykládat si co ve zlém; **there is sth.** ~ tady něco neklape

ammonia [ə'məunjə] čpavek

ammunition [æmju'nišn] střelivo, munice

amnesty [æmnisti] amnestie

among(st) [ə'maŋ(st)] mezi *(více než dvěma)*
♦ **who ~ you** kdo z vás; **be ~ the best** patřit k nejlepším; ~ **other things** mezi jiným, kromě jiného; **they had a pound ~ them** měli dohromady jednu libru

amorous [æmərəs] zamilovaný; milostný

amount [ə'maunt] *n* **1** částka **2** množství ♦ *v* **1** činit, obnášet **to** *(kolik)* **2** znamenat; **it ~s to the same thing** to je vlastně totéž

amphibious [æm'fibiəs] obojživelný

ample [æmpl] **1** hojný, *(více než)* postačující **2** rozsáhlý, obsažný

amplifier [æmplifaiə] zesilovač

amplify [æmplifai] **1** rozšířit (si) **2** zesílit, zesilovat; zvýšit, zvětšit **3** zdůraznit, opakovat, říkat více

amply [æmpli] bohatě

amputate [æmpjuteit] amputovat

amuse [ə'mju:z] bavit,
obveselovat **with** čím, rozesmát

amusing [ə'mju:ziŋ] zábavný,
legrační

amusement [ə'mju:zmənt]
1 pobavení **2** zábava,
kratochvíle; **~ park** US zábavní
park (*např. Disneyland*)

an [æn, ən] (*tvar neurč. členu
před samohl., též*) jeden

an(a)emia [ə'ni:mjə]
chudokrevnost

an(a)esthetic [æns'θetik]
anestetikum

ana(e)sthetist [æ'ni:sθətist]
anesteziolog

analogous [ə'næləgəs] analogický,
obdobný

analogy [ə'nælədʒi] analogie,
obdoba **between** mezi, **to** s
♦ **on the ~ of, by ~ with**
analogicky podle

analyse [ænəlaiz] **1** analyzovat, ro-
zebrat **2** podrobit psychoanalýze

analysis [ə'næləsis] analýza, rozbor

analytic [ænə'litik] analytický

anarchy [ænəki] anarchie

anatomy [ə'nætəmi] anatomie

ancestor [ænsistə] předek,
předchůdce, praotec

anchor [æŋkə] *n* kotva; **cast ~**
spustit kotvu; **weigh ~** zvednout
kotvu; **be / lie at ~** kotvit
♦ *v* **1** (za)kotvit **2** US modero-
vat televizní zpravodajství

anchovy [æntʃəvi] sardelka

ancient [einʃənt] *adj* starý,
starobylý, odvěký ♦ *n* **~s** *pl* staří
Řekové / Římané, klasikové

and [ænd, ənd, ən] a; **bread ~
butter** chléb s máslem; **nice ~
warm** hezky teplo, teploučko;
try ~ come snaž se přijít

Andrew [ændru:] Ondřej

anecdote [ænikdəut] anekdota

anemone [ə'neməni] sasanka

anew [ə'nju:] znovu

angel [eindʒəl] anděl, (*též přen.*)

anger [æŋgə] *n* zlost, vztek **with**
na koho, **at** na co
♦ *v* (roz)zlobit se, (roz)hněvat se

angle[1] [æŋgl] **1** úhel (**acute**
ostrý, **obtuse** tupý), (*též přen.*);
hledisko **2** roh (*dvou ploch*)

angle[2] [æŋgl] **1** lovit na udici,
(*též přen.*) **2** lovit, shánět **for** co

Anglican [æŋglikən] *adj*
anglikánský ♦ *n* anglikán

Anglo-Saxon [æŋgləu'sæksən] *n*
Anglosas ♦ *adj* anglosaský

angry [æŋgri] **1** rozhněvaný, roz-
zlobený, zlostný **with** na koho,
at / about na co; **be ~ with** zlo-
bit se na koho; **get ~** rozzlobit se
2 (*zranění*) podebraný

anguish [æŋgwiʃ] úzkost; muka

angular [æŋgjulə] hranatý

animal [æniml] *n* živočich, zvíře
♦ *adj* živočišný

animate *v* [ænimeit] oživit
♦ *adj* [ænimət] živý

animated [ænimeitid] **1** oživený
2 puzený **by** čím **3** živý,
vzrušený (**debate** diskuse)
♦ **~ cartoon** kreslený film

animosity [æni'mositi]
nepřátelství, animozita, zášť

ankle [æŋkl] kotník na noze
♦ **~ socks** (krátké) ponožky

annals [ænəlz] *pl* kronika, anály,
letopisy

annex *v* [ə'neks] **1** připojit,
anektovat **2** zabrat, uchvátit

annexation [ænək'seiʃn]
připojení; anexe

annihilate [ə'naiəleit] (*úplně*) zničit, zprovodit ze světa, rozdrtit

annihilation [ə,naiə'leišn] (*úplné*) zničení

anniversary [æni'və:sri] 1 výročí 2 oslava výročí

announce [ə'nauns] oznámit, ohlásit

announcement [ə'naunsmənt] 1 oznámení, (o)hlášení 2 prohlášení 3 zpráva, sdělení

announcer [ə'naunsə] hlasatel(ka)

annoy [ə'noi] 1 zlobit; **be ~ed** zlobit se **with** na koho, **at** na co 2 obtěžovat, trápit, znepokojovat

annoyance [ə'noiəns] 1 trápení; rozmrzelost, zlost; **much to our ~** k naší velké zlosti 2 mrzutost, otrava (*přen.*), nepříjemná záležitost

annoying [ə'noiiŋ] mrzutý, nepříjemný, otravný

annual [ænjuəl] *adj* 1 roční; **~ ring** letokruh 2 každoroční; celoroční 3 výroční **•** *n* 1 ročenka 2 jednoletá rostlina

annuity [ə'njuiti] roční důchod

annul [ə'nal] (**ll**) anulovat, zrušit

anomalous [ə'nomə́ləs] nenormální, odlišný, anomální, podivný, zvláštní

anonymous [ə'noniməs] anonymní

anorak [ænəræk] GB větrovka s kapucí

another [ə'naðə] 1 jiný; **~ time** jindy 2 ještě jeden, další; **~ cup of tea** ještě jeden šálek čaje; **~ two hours** další dvě hodiny 3 druhý; **he is ~ Einstein** to je druhý Einstein; **• one after ~** jeden po druhém; **in one way or ~** tak či onak, nějak

answer [a:nsə] *n* odpověď; **in ~ to**

your letter v odpověď na Váš dopis **•** *v* 1 odpovědět (**a question** na otázku); opětovat (**the fire** palbu); reagovat; **~ the door** jít otevřít; **~ back** odmlouvat 2 odpovídat, vyhovovat (**a purpose** účelu, **to a description** popisu) 3 (z)odpovídat **for** za

answerable [a:nsərəbl] zodpovědný **to** komu **for** zač

answerphone [a:nsəfəun] telefon se záznamníkem

ant [ænt] mravenec **• ~ hill** mraveniště

antagonize [æn'tægənaiz] znepřátelit si, popudit proti sobě

Antarctic [ænt'a:ktik] *adj* antarktický; **the ~ Circle** jižní polární kruh **•** *n* **the ~** Antarktida

antecedent [ænti'si:dənt] *n* 1 předchůdce 2 předchozí událost 3 **~s** *pl* předkové

antenna [æn'tenə] 1 *pl* **-nae** [ni:] tykadlo 2 *pl* **~s** anténa

anteroom [æntirum] 1 předpokoj, předsíň 2 čekárna

anthem [ænθəm] 1 chorál 2 hymna; **national ~** národní hymna

anti-aircraft [ænti'eəkra:ft] protiletecký

antibiotic [ænti'bai'otik] *n* antibiotikum **•** *adj* antibiotický

anticipate [æn'tisipeit] 1 očekávat 2 předvídat; předcházet čemu 3 předbíhat (*při vyprávění*)

anticipation [æntisi'peišn] 1 očekávání 2 předtucha **• in ~** předem

anticlockwise [ænti'klokwaiz] proti směru otáčení hodinových ručiček

antidote [æntidəut] protilék

antipathy [æn'tipəθi] antipatie

antipodes [æn'tipədi:z] *pl* protinožci

antiquary [æntikwəri] starožitník

antiquated [æntikweitid] zastaralý, staromódní

antique [æn'ti:k] *adj* 1 antický 2 starodávný, starobylý • *n* 1 starožitnost; ~ **shop** obchod se starožitnostmi 2 antické umění

antiquity [æn'tikwiti] 1 starověk, antika 2 stáří, starobylost 3 **antiquities** *pl* starožitnosti, starobylé / starověké památky

anti-Semite [ænti'si:mait] *n* antisemita • *adj* antisemitský

antiseptic [ænti'septik] *adj* antiseptický • *n* antiseptikum

antlers [æntləz] *pl* parohy

anxiety [æŋ'zaiəti] 1 úzkost, starost **for / about** kvůli 2 touha **for** po, to + *inf* aby 3 tísnivý pocit, stres

anxious [æŋkšəs] 1 znepokojený (**about / for one's health** o své zdraví) 2 znepokojivý 3 dychtivý **for** čeho; **be ~** *1.* dělat si starosti **about / for** kvůli *2.* usilovat **for** o, být zvědav na *3.* velmi si přát, snažit se (**to please** vyhovět)

any [eni] *adj, pron* 1 jakýkoli, kterýkoli; každý 2 (*v otázce a při podmínce*) nějaký, některý 3 (*při záporu*) žádný; **at ~ rate** aspoň; **in ~ case** v každém případě • *adv* 1 (o) něco, (o) trochu; **is he ~ better?** je mu trochu lépe? 2 (*při záporu*) o nic 3 vůbec; **if it's ~ good** stojí-li to vůbec za něco; **not in ~ way** nijak

anybody [enibodi] 1 kdokoli, každý 2 někdo 3 **not** ~ nikdo

anyhow [enihau] 1 nedbale, nepořádně 2 ať je to jak chce, stejně, vůbec 3 v každém případě, tak jako tak, stejně

anyone [eniwan] *viz* anybody

anything [eniθiŋ] 1 cokoli, všechno (*v otázce a při podmínce*) něco 3 (*při záporu*) nic; ~ **but** všechno jenom ne / až na

anyway [eniwei] *viz* anyhow

anywhere [eniweə] 1 kdekoli, kamkoli; všude, kde / kam 2 (*v otázce a při podmínce*) někde, někam 3 **not** ~ nikde, nikam; ~ **near** (*hovor.*) zdaleka ne

apart [ə'pa:t] 1 stranou, od sebe 2 odděleně
◆ ~ **from** nehledě na; krom toho, že; **tell / know** ~ rozeznat; **set** ~ vyhradit **for** pro; **take** ~ rozebrat na části; **joking** ~ žerty stranou

apartment [ə'pa:tmənt] 1 pokoj 2 US byt 3 ~**s** *pl* honosný pokoj, komnata; (*hotelové*) apartmá; ~ **house** US činžák; GB penzión

ape [eip] *n* opice, (*též přen.*); lidoop • *v* opičit se po

aperture [æpəčə] 1 otvor, štěrbina 2 (*fot.*) světelnost, závěrka

apiece [ə'pi:s] 1 za kus 2 každému

apologize [ə'polədžaiz] omluvit se **to** komu **for** zač

apology [ə'polədži] 1 omluva 2 obrana 3 (*ubohá*) náhražka **for** za co / čeho

apoplexy [æpəpleksi] mrtvice

apostle [ə'posl] apoštol, (*též přen.*)

appal [ə'po:l] (**ll**) (po)děsit, konsternovat

appalling [ə'po:liŋ] děsivý, úděsný, hrůzný

apparatus [æpə'reitəs] aparát, přístroj

apparent [ə'pærənt] **1** zjevný, jasný, očividný **2** zdánlivý

apparently [ə'pærəntli] jak se zdá, podle všeho

appeal [ə'pi:l] *n* **1** žádost, prosba **to** ke komu **for** o co **2** odvolání, stížnost **3** přitažlivost **to** pro, působivost • *v* **1** apelovat, obrátit se **to** na koho **for** proč; dovolávat se svědectví **2** odvolat se (**to a higher court** k vyšší instanci) **3** přitažlivě působit **to** na koho, dělat dojem na, líbit se komu

appealing [ə'pi:liŋ] **1** prosebný, dojemný **2** půvabný, přitažlivý

appear [ə'piə] **1** objevit se **2** dostavit se **3** vystoupit (**on the stage** na jevišti) **4** vyjít (*tiskem*), objevit se na trhu **5** zdát se, vypadat, jevit se; **it ~s to me that** zdá se mi, že

appearance [ə'piərəns] **1** zjev, vzhled; zdání **2** vystoupení ♦ **to all ~s** podle všeho; **keep up ~s** udržovat zdání; **~s are deceptive** zdání klame; **put in an ~** objevit se, dostavit se

appease [ə'pi:z] **1** zmírnit, uklidnit **2** usmířit, uspokojit

appeasement [ə'pi:zmənt] **1** uklidnění; smiřování **2** politika ústupků

appendix [ə'pendiks] *pl též* **-dices** [-disi:z] **1** přívěsek; dodatek **2** slepé střevo

appetite [æpitait] chuť k jídlu

appetizer [æpitaizə] **1** aperitiv **2** předkrm

applaud [ə'plɔ:d] **1** tleskat **2** chválit, (*vřele*) schvalovat

applause [ə'plɔ:z] potlesk, aplaus

apple [æpl] jablko; jabloň

♦ **upset sb.'s ~cart** (*hovor.*) udělat komu čáru přes rozpočet

appliance [ə'plaiəns] zařízení, přístroj; domácí spotřebič

applicant [æplikənt] žadatel

application [æpli'keišn] **1** žádost **for** o; **on ~** na požádání; **~ form** formulář žádosti; **~s are invited for** vypisuje se konkurs na **2** použití, upotřebení **3** píle **4** obklad; léčebný prostředek

apply [ə'plai] **1** přiložit (**a compress** obklad) **2** (po)žádat **to** koho **for** oč **3** použít, aplikovat **4** týkat se **to** koho / čeho, platit o; **~ oneself to** cele se věnovat čemu

appoint [ə'point] **1** určit, stanovit **2** jmenovat, ustanovit

appointment [ə'pointmənt] **1** ustanovení, určení, jmenování do funkce **2** schůzka, setkání; **have an ~** mít domluvenou návštěvu, být objednán / ohlášen **3** místo, zaměstnání

appraise [ə'preiz] (z)hodnotit, odhadnout

appreciate [ə'pri:šieit] **1** oceňovat, hodnotit **2** vážit si, nepodceňovat; mít porozumění pro, uznávat; být vděčen za

appreciation [ə,pri:ši'eišn] **1** (*kladné*) ocenění, hodnocení **2** uznání of čeho **3** smysl **of** pro, chápání čeho

apprehension [æpri'henšn] **1** pochopení **of** čeho, porozumění čemu **2** ~(**s**) (*zlá*) předtucha, obava, obavy **3** zatčení

apprehensive [æpri'hensiv] obávající se of čeho, **for** o, that že

apprentice [ə'prentis] učeň

apprenticeship [ə'prentisšip] učení, učňovská léta

approach [ə'prəuč] *n* **1** přiblížení;
make ~(es) to začít (*zkusmo*)
hovořit o **2** příchod, přístup;
easy / difficult to ~ snadno /
těžko přístupný **3** poměr,
postoj, vztah (**to work** k práci)
♦ *v* **1** (při)blížit se **2** navázat
styk s (**customers** zákazníky)
3 obrátit se na koho (*s žádostí*)

approbation [æprə'beišn] (*úřední*)
schválení, souhlas

appropriate *adj* [ə'prəupriit]
vhodný, přiměřený (**to** pro koho,
for pro co) ♦ *v* [ə'prəupriieit]
1 přivlastnit si **2** zpronevěřit

approval [ə'pru:vl] souhlas **of**
s čím, schválení čeho; **on ~** na
ukázku, na zkoušku

approve [ə'pru:v] **1** souhlasit **of**
s čím **2** schválit, schvalovat

approximate *adj* [ə'proksimit]
přibližný
♦ *v* [ə'proksimeit] (při)blížit (se)

apricot [eiprikot] meruňka

April [eiprəl] duben; **A~ Fool's
Day** 1. duben, apríla

apt [æpt] **1** schopný, obratný;
inteligentní **2** případný; vhodný,
šikovný, trefný **3** náchylný **to** k

aptitude [æptitju:d] schopnost,
vlohy, talent **for** k

aquatic [ə'kwætik] vodní

Arab [ærəb] **1** Arab **2** arabský
kůň ♦ **street ~** dítě ulice

Arabia [ə'reibjə] Arábie

Arabic [ærəbik] *adj* arabský
♦ *n* arabština

arable [ærəbl] orný

arbiter [a:bitə] rozhodčí, arbiter

arbitrary [a:bitrəri] **1** libovolný
2 svévolný

arc [a:k] oblouk; **~ lamp**
oblouková lampa

arch [a:č] **1** oblouk (*ve
stavitelství*) **2** klenba (*nohy*)

archaeology [a:ki'olədži]
archeologie

archaic [a:'keiik] zastaralý,
archaický

archbishop [a:č'bišəp] arcibiskup

archer [a:čə] lukostřelec

archetype [a:kitaip] prototyp

architect [a:kitekt] architekt,
stavitel

architecture [a:kitekčə]
architektura, stavitelství

archives [a:kaivz] *pl* archív

archway [a:čwei] **1** klenutá chod-
ba, podloubí **2** brána (*vchodu*)

arctic [a:ktik] arktický, polární;
the A~ Circle polární kruh

ardent [a:dənt] **1** horoucí, vřelý,
vášnivý **2** horlivý

arduous [a:djuəs] svízelný,
pracný, náročný

area [eəriə] **1** plocha; plošná
výměra **2** oblast; zóna
3 vyhrazené místo ♦ **grey ~**
(*přen.*) nejistá kompetence

Argentina [a:džn'ti:nə], **the
Argentine** [a:džntain] Argentina

argue [a:gju:] **1** přít se, vyměňo-
vat si názory **2** dokazovat,
argumentovat, tvrdit **3** přemluvit
sb. into doing sth. koho aby, **sb.
out of doing sth.** koho aby ne

argument [a:gjumənt] **1** důvod
2 tvrzení **2** debata **4** spor,
hádka **5** souhrn, synopsis
6 děj, zápletka

arise* [ə'raiz] **1** vzniknout
2 nastat, vyskytnout se

aristocrat [æristəkræt] šlechtic

arithmetic [ə'riθmətik] aritmetika;
počty

A

arithmetical [ærið'metikl]
aritmetický
Arkansas [a:kənso:] *stát a řeka
v USA*
arm[1] [a:m] **1** paže, ruka; **with
open ~s** s otevřenou náručí;
keep sb. at ~'s length držet si
koho od těla **2** rukáv **3** větev
4 rámě, rameno **5** opěradlo
(*křesla*); postranice (*brýlí*)
arm[2] [a:m] *n* **1** zbraň **2** ~s *pl*
zbraně; **take up ~s** chopit se
zbraní; ~ **wrestling** přetlačování
(*s lokty na stole*)
● *v* ozbrojit (se), vyzbrojit (se)
armament [a:məmənt]
1 (*obvykle*) ~s *pl* výzbroj
2 zbrojení
armistice [a:mistis] příměří
armoured [a:məd] obrněný,
pancéřovaný, pancéřový; ~ **car**
obrněné auto
armoury [a:məri] zbrojnice, (*též
přen.*)
armpit [a:mpit] podpaží
army [a:mi] **1** armáda
2 vojenská služba, vojna
around [ə'raund] *prep* kolem (**the
world** světa); za (**the corner**
rohem)
● *adv* **1** kolem dokola **2** poblíž,
nablízku ♦ **he's been ~ a lot**
(*hovor.*) viděl kus světa, vyzná se
arouse [ə'rauz] **1** vzbudit (**from
sleep** ze spánku, **sb.'s suspicion /
anger** něčí podezření / hněv)
2 podnítit, vyvolat **3** vzrušit
arrange [ə'reindž] **1** urovnat,
uspořádat, dát do pořádku
2 zařídit, zorganizovat **sth. / for
sth.** co; **to +** *inf*, **for sth. to +**
inf aby **3** dohodnout se **with
sb.** s kým **for / about sth.** o čem

4 upravit, aranžovat (**a piece of
music** skladbu)
arrangement [ə'reindžmənt]
1 uspořádání, úprava **2** dohoda,
ujednání; **a matter of** ~ věc
dohody **3** ~s *pl* opatření, plán,
příprava, program, dispozice;
make ~s for zařídit, aby; **make
your own transport ~s** dopravu
si zařídit sám **4** úprava,
aranžmá (*hudební skladby*)
arrears [ə'riəz] *pl* nedoplatek,
dluh; **be in ~ with the rent** být
pozadu s placením činže
arrest [ə'rest] *v* **1** zatknout
2 zastavit, zadržet **3** upoutat
(*pozornost*)
● *n* **1** zatčení; **be under** ~ být za-
tčen **2** zastavení, zástava (*srdce*)
arrival [ə'raivl] **1** příchod,
příjezd, přílet **at / in** kam
2 dosažení **at** čeho, dospění
k čemu **3** příchozí, host
arrive [ə'raiv] **1** přijít, přijet,
připlout, přiletět **at / in** kam;
nastat (*událost*) **2** dosáhnout **at**
čeho, dospět k čemu
arrogance [ærəgəns] arogance,
povýšenost, domýšlivost
arrow [ærəu] **1** šíp **2** šipka
arse [a:s] (*vulg.*) *n* **1** prdel
2 blbec, vůl ♦ ~ **about /
around** flákat se, prdelit se
arsenal [a:sənl] **1** skladiště
zbraní, arzenál **2** zbrojovka
arson [a:sn] žhářství
art [a:t] **1** umění (*zvl. výtvarné*);
a work of ~ umělecké dílo;
~ **gallery** obrazárna; **fine ~(s)**
malířství, sochařství, hudba
2 zručnost, technika, umění
(*přen.*) **3** vychytralost, lest, trik
artery [a:təri] tepna (*též dopravní*)

artful [a:tful] prohnaný, rafinovaný

article [a:tikl] **1** předmět; kus; část; **~s of clothing** části oděvu; **toilet ~s** toaletní potřeby **2** článek, stať; **leading ~** úvodník **3** článek, bod **4** (*jaz.*) člen

articulate *adj* [a:'tikjulit] **1** artikulovaný **2** výmluvný ♦ *v* [a:'tikjuleit] artikulovat

articulated [a:'tikjuleitid] kloubový (**bus** autobus); **~ lorry** tahač s návěsem

articulation [a:tikju'leišn] **1** artikulace; dikce **2** (*bot.*) kolénko

artificial [a:ti'fišl] **1** umělý, syntetický **2** vyumělkovaný, falešný, strojený

artisan [a:ti'zæn] řemeslník

artist [a:tist] **1** umělec **2** výtvarník, malíř, sochař

artiste [a:'ti:st] **1** artista **2** estrádní umělec

artistic [a:'tistik] umělecký

artless [a:tlis] naivní, bezelstný

art nouveau [a:nu:'vəu] secese

as [æz, əz] *adv* **1** jako; **~ usual** jako obyčejně; **~ a rule** zpravidla **2** tak; **twice ~ large** dvakrát tak velký; **just ~ good** stejně (tak) dobrý ♦ *conj* **1** jak; **~ I said before** jak už jsem řekl **2** když, zatímco, jak **3** protože **4** ačkoli, i když; **old ~ he is** i když je starý ♦ **~ (old) ~** tak (starý) jako; **~ far ~ Stratford** až do Stratfordu; **~ for** co se týče, pokud jde o; **~ good ~ (new)** téměř (nový); **~ if / though** jako kdyby; **~ it were** jaksi; **~ it is** stejně, beztoho; **~ long ~** pokud; **~ soon ~** jakmile; **~ to** co se tý-

če; **~ well** rovněž, také; **~ well ~** jakož (i), a (také); **~ yet** až dosud

ascend [ə'send] stoupat, vystupovat na; zvedat se; **~ the throne** nastoupit na trůn

ascent [ə'sent] výstup (**of a mountain** na horu)

ascertain [æsə'tein] zjistit

ascetic [ə'setik] *adj* asketický ♦ *n* asketa

ascribe [ə'skraib] připisovat **to** komu / čemu, přisuzovat

ash[1] [æš] jasan

ash[2] [æš] popel; **~es** *pl* popel (člověka)

ashamed [ə'šeimd] zahanbený ♦ **be ~ of** stydět se za; **be ~ of yourself** styď se

ashore [ə'šo:] na břeh(u)

ashtray [æštrei] popelník

Asia [eišə] Asie; **~ Minor** Malá Asie

Asian [eišn] *adj* asijský ♦ *n* Asijec, Asiat

aside [ə'said] stranou; **lay ~** odložit; **put ~** rezervovat; **step ~** ustoupit stranou

ask [a:sk] **1** ptát se; **~ the way** ptát se na cestu; **may I ~ you a question?** smím se vás na něco zeptat?; **~ after sb.** ptát se na koho; **~ sb.'s health** ptát se na čí zdraví; **~ for sb.** ptát se po kom **2** žádat (**for help** o pomoc, **a favour** o laskavost) **3** pozvat (**to dinner** na oběd) ♦ **you have ~ed for it** sám sis o to koledoval; **~ me another** to se mě moc ptáš

askance [ə'skæns] kose, šikmo; **look ~** at dívat se s nedůvěrou na

askew [ə'skju:] nakřivo

aslant [ə'sla:nt] *adv* šikmo ♦ *prep* napříč přes

asleep [ə'sli:p] spící; **be ~** spát; **fall ~** usnout

asparagus [ə'spærəgəs] chřest

aspect [æspekt] **1** vzhled, vzezření **2** vyhlídka; **a southern ~** vyhlídka na jih **3** zřetel, hledisko, stránka

aspiration [æspi'reišn] snaha, úsilí, touha **for / after** po

aspire [ə'spaiə] usilovat **after / to** o co

ass[1] [æs] osel, (*též přen.*)

ass[2] [æs] (*vulg.*) US = **arse**

assail [ə'seil] **1** napadnout **sb.** koho **with** čím **2** pustit se s vervou do (**the task** úkolu)

assassin [ə'sæsin] vrah (*politika*), atentátník

assassinate [ə'sæsineit] zavraždit (*zvl. z polit. důvodů*)

assassination [ə,sæsi'neišn] (*politická*) vražda, atentát **of** na

assault [ə'so:lt] *n* **1** útok **2** přepadení **3** (pokus o) znásilnění ♦ **~ and battery** těžké ublížení na těle • *v* **1** přepadnout **2** (pokus se) znásilnit (*ženu*)

assemblage [ə'semblidž] montáž

assemble [ə'sembl] **1** shromáždit (se) **2** (s)montovat

assembly [ə'sembli] **1** shromáždění; shromažďování **2** montáž **3** US, AU dolní sněmovna ♦ **~ hall** zasedací síň; školní aula; **~ line** montážní linka; **National A~** Národní shromáždění

assent [ə'sent] *n* souhlas **to** s, schválení čeho • *v* souhlasit **to** s, schválit

assert [ə'sə:t] **1** tvrdit **that** že **2** trvat na, prosazovat **3** **~ oneself** prosazovat se, drát se vpřed

assertion [ə'sə:šn] **1** tvrzení **2** prosazování of čeho

assess [ə'ses] odhadnout, ocenit **at** na

assessment [ə'sesmənt] **1** (vy)hodnocení, ocenění, odhad **2** výměr (*daně*)

assets [æsets] *pl* aktiva

assiduous [ə'sidjuəs] pilný, vytrvalý

assign [ə'sain] **1** přidělit koho **to** kam; uložit (*úkol*) **to** komu **2** určit, stanovit (**a limit** hranici) **3** přisuzovat **to** čemu, vysvětlovat čím

assignment [ə'sainmənt] **1** (*zadaný*) úkol, pověření **2** stanovení, specifikace

assimilate [ə'simileit] asimilovat (se), přizpůsobit (se) **to** / **with** čemu

assist [ə'sist] pomoci **sb.** komu **in** / **with** při / v, asistovat **at** při

assistance [ə'sistəns] pomoc, podpora

assistant [ə'sistənt] **1** pomocník **to** koho, spolupracovník **2** náměstek; **~ manager** náměstek ředitele **3** *též* **shop ~** prodavač(ka)

associate *adj* [ə'səušiit] **1** přidružený **2** mimořádný; **~ professor** US docent, mimořádný profesor • *v* [ə'səušieit] **1** spojovat (se), sdružovat (se) **2** stýkat se **with** s

association [ə,səusi'eišn] spojení; sdružení, asociace; **A~ football** kopaná

assort [ə'so:t] roztřídit, uspořádat, sestavit (*sortiment*)

assorted [ə'so:tid] různých druhů, míchaný, smíšený

assortment [ə'so:tmənt]
1 kolekce **2** sortiment

assume [ə'sju:m] **1** předpokládat;
usuzovat, domnívat se **2** převzít
(**full responsibility for** plnou
odpovědnost za) **3** přijmout
(**a new name** nové jméno)

assumption [ə'sʌmpšn]
1 domněnka; předpoklad; **on the
~ that** za předpokladu, že
2 převzetí, uchopení (**of power**
moci) **3 The A~** Nanebevzetí
Panny Marie

assurance [ə'šuərəns] **1** ujištění,
ujišťování **of** čím **2** jistota, dů-
věra **3** sebedůvěra; domýšlivost,
troufalost **4** pojištění; **life ~**
životní pojistka

assure [ə'šuə] **1** ujistit, ujišťovat **of**
čím **2** zajistit, zaručit **3** pojistit
(**sb.'s life** na život **with** u)

asterisk [æstərisk] hvězdička

astonish [ə'stoniš] udivit, naplnit
úžasem, překvapit; **be ~ed to
see** s úžasem vidět; **be ~ed at
the news** být udiven zprávou

astonishment [ə'stoniʃmənt] úžas;
to my ~ k mému úžasu

astray [ə'strei] **go ~** zabloudit,
ztratit se; **lead ~** svést ze
správné cesty

astronaut [æstrəno:t] kosmonaut

astronomer [ə'stronəmə] astronom

astronomic(al) [æstrə'nomik(l)]
astronomický

astronomy [ə'stronəmi]
astronomie

asylum [ə'sailəm] útočiště; azyl

at [ət] **1** (*o místě*) u, v, ve, při, na;
~ the door u dveří; **~ the theatre**
v divadle; **~ the corner** na rohu;
~ a lesson při hodině; **~ table**
při jídle; **~ Reading** v Readingu;

~ the station na nádraží;
~ home doma **2** (*o čase*) v, ve,
o, k, ke; **~ night** v noci; **~ three
o'clock** ve tři hodiny; **~ that
time** v té době, tehdy; **~ the
moment** v tomto okamžiku, teď;
~ Christmas o Vánocích; **~ any
moment** kdykoli; **~ (the age of)
six** v šesti letech; **~ December
31** (*stav*) k 31. prosinci **3** (*o čin-
nosti*) při, v(e); **~ work** při práci,
v zaměstnání **4** (*o stavu*) v(e);
~ war ve válce; **~ peace** v míru
5 (*o ceně*) po; **~ 10 crowns a
piece** po deseti korunách za kus
♦ **what are you ~ now?** čím se
teď zabýváte?; **be hard ~ it** pilně
pracovat; **be ~ one** být zajedno;
~ full speed plnou rychlostí;
~ that (*hovor.*) a k tomu (ještě)

atheist [eiθiist] ateista

athlete [æθli:t] **1** atlet **2** sportovec

athletic [æθ'letik] **1** atletický
2 sportovní

athletics [æθ'letiks] **1** atletika
(*zvl. lehká*) **2** sport(ovní činnost)

Atlantic [ət'læntik] *adj* atlantský,
atlantický
● *n* **the A~** Atlantský oceán

atlas [ætləs] atlas

atmosphere [ætməsfiə] atmosféra,
ovzduší

atmospheric [ætməs'ferik]
atmosférický

atmospherics [ætməs'feriks] *pl*
atmosférické poruchy

atom [ætəm] atom

atomic [ə'tomik] atomový;
~ energy atomová energie;
~ pile atomový reaktor;
~ weight atomová váha

atrocious [ə'trəušəs] **1** surový,

brutální **2** (*hovor.*) odporný, hnusný, ohavný

atrocity [əˈtrositi] krutost, zvěrstvo

attach [əˈtæč] **1** připojit, přilepit **to** k; **~ oneself** připojit se **to** k **2** připisovat, přikládat (**much importance** to sth. velikou důležitost čemu) **3** (*vina*) lpět **to** na; (*hana*) padat **on** na **4** (*práv.*) zabavit, obstavit, zkonfiskovat ♦ be ~**ed** **to** lpět na, lnout k

attachment [əˈtæčmənt] **1** připojení **2** oddanost

attaché [əˈtæšei] ataše, přidělenec; **~ case** příruční kufřík (*na dokumenty*)

attack [əˈtæk] *n* **1** útok **on** na, **against** proti **2** záchvat (*nemoci*), (*též přen.*) ● *v* **1** napadnout, zaútočit na, přepadnout **2** (*nemoc*) postihnout, zachvátit **3** pustit se do

attain [əˈtein] **1** dosáhnout (**one's object** svého cíle) **2** (*vývojem, úsilím*) dospět (**to prosperity** k blahobytu)

attempt [əˈtempt] *n* pokus **at** o ♦ **~ on sb.'s life** (pokus o) atentát na koho ● *v* pokusit se **sth / to do sth.** o co; **~ sb.'s life** spáchat atentát na koho

attend [əˈtend] **1** věnovat se **to** komu / čemu; **have you been ~ed to?** byl jste už obsloužen? **2** navštěvovat (**school** školu), chodit na (**meetings** schůze) **3** léčit, ošetřovat (**patients** pacienty); pečovat, starat se **on** o **4** hledět si **to** čeho; vyřizovat (**one's correspondence** svou korespondenci)

attendance [əˈtendəns] **1** návštěva **at** kde, docházka do **2** péče; ošetření; **medical ~** lé-

kařská péče **3** obsluha ♦ **be in ~** být přítomen **at** kde, mít službu; **hours of ~** návštěvní hodiny / doba; **the doctor in ~** službu mající lékař; **~ list** prezenční listina

attendant [əˈtendənt] *n* **1** sluha, zřízenec; uvaděč, biletář; vrátný, dozorce **2** návštěvník, divák **3** družička ● *adj* **1** mající službu **2** průvodní, s tím spojený (**bad weather and its ~ problems** špatné počasí a s tím spojené problémy)

attention [əˈtenšn] **1** pozornost, zaujetí; **pay ~ to** věnovat pozornost čemu; **call / draw sb.'s ~ to** sth. upozornit koho nač **2** pozor (*též voj.*); **stand at / to ~** stát v pozoru

attentive [əˈtentiv] pozorný **to** na / k

attenuate [əˈtenjueit] zeslabit (se), ztenčit (se), zmírnit (se)

attic [ætik] podkrovní místnost, mansarda

attitude [ætitju:d] **1 to / towards** postoj k, poměr k, osobní reakce na / vůči, stanovisko k / na **2** (*divadelní*) póza

attorney [əˈtə:ni] **1** zmocněnec, plnomocník; **power of ~** plná moc **2** *zvl. US* právní zástupce, advokát; **A~ General** *1.* generální prokurátor *2. US* ministr spravedlnosti

attract [əˈtrækt] **1** přitahovat **2** vábit, soustředit na sebe (**attention** pozornost)

attraction [əˈtrækšn] **1** přitažlivost; půvab **2** atrakce

attractive [əˈtræktiv] přitažlivý, půvabný, lákavý

attribute *n* [ætribju:t] **1** vlastnost, příznak, rys **2** (*jaz.*) přívlastek

- *v* [ə'tribju:t] přisuzovat, připisovat **to** komu / čemu
aubergine [əubəʒi:n] baklažán
auburn [o:bən] (*vlasy*) kaštanový, zlatohnědý
auction [o:kšn] dražba, aukce; **sell by / at ~** prodat v dražbě
audacious [o:'deišəs] 1 odvážný 2 drzý
audible [o:dibl] slyšitelný
audience [o:diəns] 1 posluchači, diváci, obecenstvo, publikum; čtenářská obec 2 audience **with** s
audio-visual [o:diəu'vižuəl] audiovizuální (**aids** pomůcky)
audit [o:dit] revidovat (*účty*)
audition [o:'dišn] konkursní vystoupení (*umělce*), konkurs
auditor [o:'ditə] revizor (*účtů*); auditor
auditorium [o:di'to:riəm] hlediště; posluchárna, sál
August [o:gəst] srpen
aunt [a:nt] teta
au pair [əu'peə] (*zahraniční*) pomocnice v domácnosti (*za byt, stravu a malé kapesné*)
austere [o:'stiə] 1 přísný, strohý, asketický (**life** život) 2 prostý, jednoduchý, střízlivý (**style** sloh)
Australia [o:'streiljə] Austrálie
Australian [o:'streiljən] *adj* australský ● *n* Australan
Austria [o:striə] Rakousko
Austrian [o:striən] *adj* rakouský ● *n* Rakušan
authentic [o:'θentik] 1 autentický, původní, pravý 2 důvěryhodný 3 věrohodný, věrný (**portrait** portrét)
author [o:θə] autor, tvůrce; spisovatel
authoritative [o:'θoritətiv]

1 autoritativní, směrodatný; úřední 2 autoritářský, panovačný
authority [o:'θoriti] 1 autorita; odborník **on** v / na 2 pravomoc, úřední moc 3 **authorities** *pl* úřady
authorize [o:'θəraiz] 1 schválit 2 zmocnit; oprávnit
authorship [o:'θəšip] 1 autorství 2 (*výdělečná*) literární činnost
autobiography [o:təubai'ogrəfi] vlastní životopis
automatic [o:tə'mætik] 1 automatický 2 bezděčný, samovolný ● **~ transmission** automatická převodovka
automation [o:tə'meišn] automatizace
automobile [o:təməu'bi:l] (*zvl. US*) auto
autonomous [o:'tonəməs] samosprávný, autonomní
autonomy [o:'tonəmi] samospráva, autonomie
autopsy [o:'təpsi] soudní pitva
autumn [o:təm] podzim (**in** ~ na podzim), *též přen.:* **in the ~ of one's life** v podzimu svého života
autumnal [o:'tamnl] podzimní (**equinox** rovnodennost)
auxiliar|y [o:g'ziljəri] *adj* pomocný (**verb** sloveso); nápomocný **to** čemu; výpomocný ● *n* 1 pomocník, asistent 2 pomocné zařízení 3 **-ies** *pl* (*voj.*) (*spojenecké*) pomocné sbory
avail [ə'veil] *n* užitek, prospěch; **be of / to no ~** nebýt k ničemu ● *v* ~ **oneself of** použít, využít čeho
available [ə'veiləbl] 1 dostupný, přístupný, po ruce, k dispozici 2 k dostání, na skladě

avalanche [ævəlɑ:nš] lavina

avaricious [ævəˈrišəs] lakomý

avenge [əˈvendž] **1** pomstít

2 ~ **oneself** pomstít se **on** komu **for** za

avenue [ævənju:] **1** alej
2 (*městská*) třída (*zvl. lemovaná stromy*), bulvár **3** (*přen.*) cesta

average [ævəridž] *n* **1** průměr;
above ~ nadprůměrný; **below** ~ podprůměrný; **on** ~ průměrný
2 (*pojišt.*) havárie, pojistná událost • *adj* průměrný
• *v* v průměru obnášet / činit;
~ **out** vyrovnat se na průměr, průměrně činit

aversion [əˈvə:šn] **1** odpor **to** k, nechuť **2** předmět odporu

avert [əˈvə:t] **1** odvrátit **from** od **2** zabránit čemu (**an accident** neštěstí)

aviation [eiviˈeišn] letectví

avoid [əˈvoid] vyhnout se čemu, (vy)varovat se čeho

await [əˈweit] očekávat, čekat na

awake* [əˈweik] *v* **1** probudit (se), procitnout, (*též přen.*)
2 uvědomit si **to** co
• *adj* bdící, vzhůru; **be** ~ **to sth.** uvědomovat si co

awaken [əˈweikn] probudit (se), vzbudit (se)

award [əˈwo:d] *n* **1** rozhodnutí (*poroty*) **2** (*udělená*) cena, odměna • *v* **1** přiznat, udělit (*cenu*) **2** (*soudce, rozhodčí*) udělit, nařídit

aware [əˈweə] **1** uvědomělý, informovaný **2** citlivý • **be** ~ **of** uvědomovat si co, být si vědom čeho

away [əˈwei] *adv* **1** pryč **from** od, (*daleko*) odtud **2** pořád, v jednom kuse, neustále; **he was grumbling** ~ pořád mu nebylo něco po chuti • **an** ~ **match** zápas na cizím hřišti; **right / straight** ~ rovnou, hned; **far and** ~ **the best** daleko nejlepší

awe [o:] *n* (*posvátná*) úcta, bázeň
• *v* naplnit úctou / bázní

awful [o:ful] hrozný, strašný, (*též přen.*)

awfully [o:fli] (*hovor.*) děsně, hrozně, strašně (**cold** studený, **nice** krásný)

awkward [o:kwəd] **1** nešikovný, nevhodný; dělající potíže (**an** ~ **door to open** dveře, které se špatně otvírají) **2** nemotorný, neobratný, nešikovný **3** nepříjemný, trapný (**silence** mlčení)
• **the** ~ **age** telecí léta

awry [əˈrai] nakřivo, křivě
• **go** ~ zhatit se

axe, ax *US* [æks] sekera
• **get the** ~ (*hovor.*) *1.* dostat padáka *2.* (*plán*) být smeten se stolu (*pro nedostatek financí*);
have an ~ **to grind** (*hovor.*) ohřívat si svou polívčičku

axis [æksis] osa

axle [æksl] náprava; nosný hřídel

azure [æžə] *n* blankyt, azur
• *adj* blankytně modrý, azurový

B

B.A. [biːˈei] = **Bachelor of Arts** bakalář svobodných umění

babble [bæbl] **1** blábolit **2** žvatlat **3** ~ (**out**) vyzvonit, vykecat (**a secret** tajemství) **4** bublat

babe [beib] **1** dítě **2** US (slang.) holka, kotě

baboon [bəˈbuːn] pavián

baby [beibi] **1** nemluvně, kojenec **2** benjamínek

baby-minder [beibimaində] osoba k dětem

baby-sit* [beibisit] (tt) hlídat cizí dítě (za odměnu)

baby-sitter [beibisitə] dozor u dítěte

bachelor [bætʃlə] **1** svobodný muž, starý mládenec **2** bakalář; **B~ of Science** bakalář přírodních věd

back [bæk] **n 1** záda; hřbet; **behind one's ~** komu za zády; **turn one's ~ on** obrátit se zády k; **the ~ of one's hand** hřbet ruky **2** opěradlo (**of a chair** židle) **3** druhá / zadní strana, pozadí **4** (sport.) obránce ● **adj 1** zadní **2** prošlý, starší; **a ~ number** starší číslo (časopisu, novin) ● **adv 1** vzadu, dozadu; zpět; **stand** ~ ustupte **2** zpět; **there and** ~ tam a zpět; **be / come** ~ vrátit se; **put it** ~ dejte to zpátky **3** před; **20 years** ~ před 20 lety; **~ in 1900** již v roce 1900 ● **go ~ upon one's word** nedodržet slovo ● **v 1** ~ (**-up**) podporovat **2** sázet (**a horse** na koně)

back away couvnout **from** před, vycouvat z

back down shýbnout se, podrobit se

back out vycouvat, vyvléknout se, vyzout se **of** z

back up 1 podpírat; podložit; podporovat **2** couvat (**the car** s vozem) **3** (poč.) pořídit rezervní kopii, zálohovat

backache [bækeik] bolest v zádech

backbone [bækbəun] páteř
● **to the ~** až do morku kostí

backbreaking [bækbreikiŋ] vyčerpávající

backfire [bækfaiə] **1** (karburátor) střílet **2** selhat

background [bækgraund] **1** pozadí; **against a dark ~** na tmavém pozadí **2** prostředí (společenské, rodinné, kulturní); minulost; výchova, vzdělání

backing [bækiŋ] **1** podpora **2** vyztužení **3** hudební doprovod (zpěváka)

backlash [bæklæʃ] zpětný náraz; prudká reakce

backlog [bæklog] nahromadění práce, nedodělávky

backpack [bækpæk] **n** krosna
● **v** jít (s táborním) s krosnou

backpedal [bækpedl] (ll) **1** šlapat zpět **2** ustoupit **on** od (názoru, slibu)

backside [bæksaid] zadnice

backslide [bækˈslaid] recidivovat

backstage **n** [bækˈsteidʒ] zákulisí ● **adj** [bækˈsteidʒ] zákulisní ● **adv** [bækˈsteidʒ] v zákulisí, (též přen.)

backstairs [bæksteəz] tajný, podloudný, skandální; **~ gossip** pavlačové drby

backstroke [bækstrəuk] (*sport.*)
plavání naznak, znak
backup [bækap] **1** podpora
2 rezerva, náhrada
3 nahromadění, městnání
backward [bækwəd] *adj*
1 opožděný, zaostalý **2** nesmělý
3 obrácený zpět, zpětný
♦ *adv* ~(**s**) **1** zpět, dozadu
2 pozpátku ♦ **bend / lean over ~s**
div se nepřetrhnout (*horlivostí*)
backwater [bækwɔ:tə] **1** stojatá
voda **2** zapadákov
backwoods [bækwudz] kraj, kde
lišky dávají dobrou noc
backyard [bækja:d] dvorek za
domem
bacon [beikn] slanina, špek; ~ **and**
eggs slanina s vejci ♦ **bring**
home the ~ postarat se o rodinu
bad [bæd] *adj* **1** špatný, zlý
2 (*mravně*) špatný, nemravný
3 zkažený; **go** ~ zkazit se
4 nemocný **5** škodlivý **6** vážný,
silný, těžký; **a** ~ **mistake** vážná
chyba; **a** ~ **headache** silné bole-
ní hlavy ♦ ~ **blood / feeling** zlá
krev; ~ **language** *1.* klení, na-
dávky *2.* oplzlé řeči; **call sb.** ~
names nadávat komu; **a** ~ **lot** (*ho-
vor.*) ničema; **that's too** ~ to je
moc zlé; **from** ~ **to worse** od de-
víti k pěti; **feel** ~ cítit se špatně
♦ *n* **the** ~ to zlé; **go to the** ~
chátrat
badge [bædʒ] odznak
badly [bædli] **1** špatně **2** nutně,
naléhavě ♦ **be** ~ **off** mít se špatně
baffle [bæfl] **1** zmást **2** zmařit; **it**
~**s all description** se nedá
popsat
bag [bæg] *n* **1** pytel, vak; brašna,
taška, kabela; pytlík, sáček;

cestovní vak, zavazadlo; váček;
~**s below the eyes** váčky pod
očima **2** lovecká brašna; úlovek
3 (*často*) **old** ~ (*hanl.*) stará ška-
tule / čarodějnice **4** ~**s** *pl* kalhoty
♦ ~ **and baggage** se vším všu-
dy, sakumprask; ~**s of** (*hovor.*)
spousty, moře čeho; ~ **of bones**
kostroun, hubeňour; **it's in the** ~
máme vyhráno; **pack one's** ~**s**
sbalit si kufry (*a odejít*)
♦ *v* (**gg**) **1** dát do pytle, pytlovat
2 ulovit (*zvíře*); sestřelit (*letadlo*)
3 nahrabat si (*jmění*); štípnout,
sebrat, shrábnout (**a prize** cenu)
baggage [bægidʒ] **1** *zvl. US*
zavazadla; ~ **room** úschovna
zavazadel **2** (*voj.*) bagáž
bagpipes [bægpaips] *pl* dudy
bail [beil] kauce; **release on** ~
propustit na kauci; **stand / put**
up / go ~ složit kauci **for** za
bail out 1 vymoci (*komu*)
propuštěním na kauci **2** vybírat
vodu (*z člunu*)
bait [beit] *n* návnada, vnadidlo
♦ *v* **1** nasadit návnadu **2** týrat,
mučit **3** štvát (*zvíře*)
bake [beik] *v* **1** péct (**bread**
chléb); (*přen.*) péct se (*horkem*)
2 pálit (**bricks** cihly) **3** opalovat
se **4** péct, pálit; **it's baking**
today! dneska to ale pálí!
♦ *n* várka, (*jedno*) pečení
baker [beikə] pekař
♦ ~**'s dozen** třináct
bakery [beikəri] pekařství,
pekárna
balance [bæləns] *n* **1** (*misková*)
váha, váhy **2** rovnováha (*též
přen.*) **3** *též* ~ **sheet** rozvaha,
bilance; **strike a** ~ sestavit
bilanci; ~ **of trade** obchodní

bilance **4** zůstatek ♦ **be / hang in the ~** být na vážkách
♦ *v* **1** balancovat **2** vyrovnat (**the budget** rozpočet) **3** být v rovnováze **4** porovnávat **against** s

balcony [bælkəni] balkón

bald [bo:ld] **1** lysý, holý, holohlavý, plešatý **2** (*sloh*) nudný, suchý, suchopárný **3** neomalený (**lie lež**)

baldly [bo:ldli] otevřeně, rovnou

baldness [bo:ldnis] plešatost

bale [beil] žok (**of cotton** vlny)

Balkans [bo:lkənz]: **the ~** *pl* Balkán

ball[1] [bo:l] **1** koule, kulka, kulička **2** míč(ek) **3** klubko **4** **~s** *pl* (*vulg.*) koule (*varlata*)
♦ **~!** (*vulg.*) blbost!, kecy!, hovno!; **the ~ is in your court** teď jsi na řadě ty; **start the ~ rolling** rozjet to; **be on the ~** rozumět své věci; **play ~** hrát s sebou, spolupracovat; **~ of the foot** bříško chodidla; **on the ~** schopný; bdělý

ball[2] [bo:l] **1** ples, bál **2** velmi příjemná zábava

ballad [bæləd] balada

ballast [bæləst] balast, zátěž

ball bearing [bo:l'beəriŋ] kuličkové ložisko

ballet [bælei] balet

ball game [bo:lgeim] (*hovor.*) **1** *US* baseball **2** situace, věc; **that's a different ~** to je úplně jiná věc

ballistic [bə'listik] balistický

ballistics [bə'listiks] *sg* balistika

balloon [bə'lu:n] *n* **1** balón(ek) **2** bublina (*s textem na karikatuře*)
♦ **the ~ goes up** 2. (*přen.*) už to začíná ♦ *v* (*též*) **~ out** nafouknout se, zvětšovat se

ballot [bælət] *n* **1** hlasovací kulič-

ka / lístek, kandidátka **2** tajné hlasování, volby; **take a ~** hlasovat **3** počet odevzdaných hlasů
♦ *v* hlasovat **for** pro

ballot box [bælətboks] volební urna

ballpoint [bo:lpoint], **~ pen** [bo:lpoint'pen] kuličkové pero, propiska

ballroom [bo:lrum] taneční sál

ballyhoo [bæli'hu:] dryáčnická reklama

balm [ba:m] balzám

balmy [ba:mi] hojivý

baloney [bæ'ləuni] nesmysl, kecy

Baltic [bo:ltik] baltský, baltický

bamboo [bæm'bu:] bambus

bamboozle [bæm'bu:zl] (*hovor.*) napálit, (o)balamutit

ban [bæn] *n* **1** (úřední) zákaz **on** čeho **2** klatba ♦ *v* (**nn**) zakázat

banal [bə'na:l] banální

banana [bə'na:nə] banán; **~ skin** banánová slupka

band[1] [bænd] **1** pás(ek), páska; obruč **2** řemen; pouto **3** vlnové pásmo

band[2] [bænd] *n* **1** tlupa, banda houf, parta **2** kapela, orchestr (*zvl. taneční*)
♦ *v* (*často*) **~ together** spojit (se), sdružovat se **against** proti

bandage [bændidž] *n* obvaz
♦ *v* obvázat (**a wound** ránu)

bandmaster [bændma:stə] kapelník

bandstand [bændstænd] hudební pavilón

bang [bæŋ] *n* **1** rána, třesk; exploze **2** (*slang.*) šus (*injekce drogy*) **3** (*vulg.*) šoust ♦ **go off with a ~** mít ohromný úspěch ♦ *v* **1** tlouci, bít; praštit **2** uhodit se (**one's**

head do hlavy); **prásknout čím**
(**the door** dveřmi) **3** bušit **into**
do **4** třesknout, bouchnout **5** zbít
koho **6** (*vulg.*) šoustat **7** (*slang.*)
dát si šus (*injekci drogy*)
• *adv* rovnou, přímo, přesně
• *interj* bum!, bác!, prásk!

banish [bæniʃ] **1** vypovědět (*ze
země*) **2** odstranit; pustit
z hlavy, zahnat (**gloom** chmury)

banisters [bænistəz] *pl* zábradlí
(*schodiště*)

bank¹ [bæŋk] *n* **1** násep, val
2 svah, sklon (*zatáčky*) **3** břeh
(*řeky*) **4** návěj (*sněhu*) **5** hradba
(*mraků*)
• *v* (*též*) ~ **up** nakupit (se)

bank² [bæŋk] **1** banka, (*též
přen.*) **2** (*hry*) bank; **break the
~** rozbít bank

banker [bæŋkə] bankéř

banking [bæŋkiŋ] bankovnictví

banknote [bæŋknəut] bankovka

bankrupt [bæŋkrapt] *n* konkursní
dlužník, bankrotář, (*též přen.*)
• *adj* insolventní, zkrachovaný,
(*též přen.*)
• *v* přivést k úpadku, zkrachovat

bankruptcy [bæŋkrapsi] úpadek,
konkurs, bankrot

bank statement [baŋk 'steitmənt]
výpis z bankovního účtu

banner [bænə] **1** prapor(ec)
2 standarta **3** transparent
(*s heslem*)

banns [bænz] *pl* ohlášky

banquet [bæŋkwit] *n* banket,
hostina • *v* pořádat hostinu;
zúčastnit se hostiny, hodovat

banter [bæntə] *v* žertovat, vtipko-
vat • *n* žertování, vtipkování

baptism [bæptizm] křest

baptize [bæp'taiz] (po)křtít

bar [ba:r] *n* **1** tyč; tyčinka; tabul-
ka (*čokolády*); kousek, kostka
(*mýdla*) **2** závora; trám, břevno
3 překážka **to** čeho **4** (*hud.*) tak-
tová čára; takt **5** výčep, bar **6 the
B~** povolání baristera, právnické
povolání; soud **7** prýmek (*na uni-
formě*) ♦ **behind ~s** za mřížemi
• *v* (**rr**) **1** přehradit, (u)zavřít, za-
tarasit (**the way** cestu) **2** zakázat
(**smoking** kouření) • *prep* kro-
mě, až na; ~ **none** bez výjimky

barbarian [ba:'beəriən] *n* barbar
• *adj* barbarský

barbecue [ba:bikju:] *n* **1** rožeň (*na
pečení celých zvířat*); zvíře peče-
né na rožni **2** posezení (*u táborá-
ku*) s opékáním masa • *v* opékat na rožni / na
otevřeném ohni

barbed wire [ba:bd'waiə] ostnatý
drát

barber [ba:bə] holič

barbershop [ba:bəʃop] *US*
holičství, holírna

bare [beə] *adj* **1** holý; nahý
2 prostý, pouhý; **a ~ majority**
těsná většina; **a ~ 10 pounds** pou-
hých 10 liber • *v* obnažit, odha-
lit, odkrýt; ~ **one's teeth** vycenit
zuby; ~ **one's head** smeknout;
~ **one's heart** otevřít své srdce

barefaced [beəfeist] nestoudný

barefoot [beəfut], ~**ed** [beə'futid]
bos(ý)

bareheaded [beə'hedid]
prostovlasý

barely [beəli] **1** nuzně **2** sotva,
stěží, taktak

bargain [ba:gin] *n* **1** obchodní do-
hoda **2** výhodná koupě; výhodně
koupená věc ♦ **a ~ sale** výprodej;
make / strike a ~ uzavřít dobrý

obchod, dohodnout se; **into the ~** navíc ještě • *v* **1** dohadovat se, vyjednávat **2** smlouvat **3** očekávat **for** co, počítat s

bargain away zašantročit

barge [ba:dž] říční člun

bark[1] [ba:k] kůra (*stromu*)

bark[2] [ba:k] *n* štěkání, štěkot • *v* štěkat, (*též přen.*) • **~ up the wrong tree** být na špatné adrese

barley [ba:li] ječmen

barn [ba:n] stodola

barometer [bə'romitə] tlakoměr, barometr

baron [bærən] **1** baron **2** magnát

baroque [bə'rok] *n* baroko • *adj* barokní

barracks [bæræks] *sg i pl* kasárny

barrage [bæra:ž] **1** přehrada **2** (*voj.*) uzavírací palba

barrel [bærəl] **1** sud **2** hlaveň (*střelné zbraně*)

barren [bærən] **1** neplodný, neúrodný; **~ land** úhor **2** suchopárný, nezajímavý, planý

barricade [bæri'keid] *n* barikáda • *v* zabarikádovat

barrier [bæriə] **1** závora, přepážka, bariéra, přehrada, (*též přen.*); **language ~** jazyková bariéra **2** překážka **to** čeho

barring [ba:riŋ] kromě

barrister [bæristə] *GB* barister, advokát

barrow [bærəu] **1** kolečko, trakař **2** *zvl. GB* kára, dvoukolový vozík (*zvl. jako prodejní stánek s plachtou*)

barter [ba:tə] *v* **1** směňovat zboží **for** za **2** smlouvat • *n* výměnný obchod, směna (*zboží, též přen.*)

base[1] [beis] *n* základ; základna • **be off ~** *US* (*hovor.*) být úplně

vedle (*na omylu, nepřipravený*) • *v* **1** založit, zakládat (**up**)**on** na; **be ~d on** zakládat se na **2 ~ oneself on** spoléhat se na • *adj* **1** základní **2** opěrní

base[2] [beis] **1** nízký, nečestný, podlý **2** falešný (**coin** *mince*)

baseless [beislis] neopodstatněný

baseline [beislain] základní čára (*např. v tenise*)

basement [beismənt] suterén

bash [bæš] (*hovor.*) *v* **1** praštit, bacit; mlátit, bušit do (**the typewriter** *psacího stroje*) **2** narazit **into / against** na / do • *n* **1** úder, šupa **2** zábava, večírek; **have a ~ at** zkusit (si) co

bashful [bæšful] stydlivý, upejpavý

basic [beisik] základní, elementární • **~ industry** těžký průmysl

basically [beisikli] v podstatě

basin [beisn] **1** nádrž, bazén; umyvadlo **2** miska; pánev (*též geol.*) **3** povodí

basis [beisis] základ(na)

bask [ba:sk] slunit se, (*též přen.*)

basket [ba:skit] koš, (*též přen.*), košík

basketball [ba:skitbo:l] košíková, basket(bal)

bass [beis] *n* **1** bas **2** basista • *adj* basový

bassoon [bə'su:n] fagot

bastard [bæstəd] *adj* **1** nemanželský **2** nepravý, falešný; zvrhlý • *n* **1** nemanželské dítě, bastard; křženec **2** (*slang.*) parchant, rošťák, hajzl, pacholek (*často též mazlivě*) **3** nepříjemnost; **a ~ of a rain** potvora déšť

bat[1] [bæt] netopýr

♦ he has ~s in the belfry
přeskočilo mu, straší mu ve věži
bat² [bæt] *(sport.)* pálka
♦ **off one's own** ~ bez cizí
pomoci, z vlastní vůle; **off the** ~
(hovor.) v cuku letu
bat³ [bæt] **(tt): not** ~ **an eyelid**
ani nemrknout
batch [bæč] **1** kupa **2** várka;
skupina, série
bated [beitid]: **with** ~ **breath** se
zatajeným dechem
bath [ba:θ] *n* **1** vana; vanová lá-
zeň, koupel; **have / take a** ~ vy-
koupat se **2** ~**s** [ba:ðz] *pl* lázně
● *v* (vy)koupat se *(ve vaně)*
bathe [beið] *v* **1** (vy)koupat se
(v řece, moři apod.)
2 (vy)koupat *(one's eye* oko)
3 omývat *(břehy)*
● *n* koupel, vykoupání, lázeň; **go
for / have a** ~ jít se koupat
bathing dress / suit [beiðiŋ dres /
sju:t] plavky
bathroom [ba:θrum] **1** koupelna
2 *US* toaleta
bathtub [ba:θtab] vana
baton [bætən] **1** *(policejní)*
obušek, pendrek **2** taktovka, ka-
pelnická hůl **3** *(štafetový)* kolík
battalion [bə'tæljən] *(voj.)* prapor
batter¹ [bætə] **1** bušit **at / on** do
2 tlouct, otloukat
batter² [bætə] šlehané / třené těsto
battered [bætəd] otlučený; opotře-
bovaný, obnošený, pomačkaný
battery [bætəri] *n* baterie ● *adj* ba-
teriový, na baterky **(set** přijímač)
battle [bætl] *n* bitva; boj for o;
the ~ **of Britain** bitva o Británii
● *v* bojovat **against** proti
bawdy [bo:di] rozvrený; *(vesele)*
oplzlý, košilatý **(jokes** vtipy)

bawl [bo:l] křičet, řvát, hulákat
bay¹ [bei] vavřín; ~ **leaf** bobkový
list
bay² [bei] mořský záliv, chobot
bay³ [bei] **1** výklenek **2** *též*
~ **window** arkýřové okno
bay⁴ [bei] *n* štěkot
♦ **hold / keep at** ~ držet v šachu
● *v* štěkat
bayonet [beiənit] bodák, bajonet;
bajonetový uzávěr
bazaar [bə'za:] bazar
BBC [bi:bi:'si:] = **British
Broadcasting Corporation**
Britská rozhlasová společnost
B.C. [bi:'si:] = **Before Christ**
před Kristem *(letopočet)*
B/E = **Bill of Exchange** směnka
be* [bi:] **1** být **2** stát kolik; **how
much is it?** kolik to stojí? ♦ **I am
to see him tomorrow** mám ho
zítra navštívit; **it was not to be
found** nedalo se to najít; **don't ~
long** nebuď tam dlouho; ~ **it ...**
ať už jde o ...; **the mayor to** ~
budoucí starosta; **a would-~ poet**
rádoby básník; **has the postman
been yet?** už tady byl listonoš?
beach [bi:č] pláž
beacon [bi:kən] světelný signál;
světlo na přechodu pro chodce
bead [bi:d] **1** kulička, korálek
2 kapka
beak [bi:k] zobák
beaker [bi:kə] pohárek
beam [bi:m] *n* **1** trám **2** paprsek
● *v* zářit **(with satisfaction**
spokojeností)
bean [bi:n] **1** bob, fazole **2** kávové
zrno **3** *(hovor.)* peníze; **I haven't
a** ~ nemám ani floka **4** *US*
(slang.) palice, kokos *(hlava)*

bear[1] [beə] medvěd; **Great / Little B~** Velká / Malá medvědice

bear[2]* [beə] **1** nést **2** snášet, trpět; **I can't ~ him** nemohu ho vystát **3 ~ oneself** chovat se **4** (po)rodit **5** vést, zahýbat, dát se; **the road ~s to the left** cesta zahýbá vlevo ♦ **~ on sth.** týkat se čeho

bear out potvrdit, podepřít (**a statement** tvrzení)

bearable [beərəbl] snesitelný

beard [biəd] *n* vous, vousy ♦ *v* odvážně se postavit komu

beardless [biədlis] bezvousý

bearer [beərə] **1** nositel **2** doručitel

bearing [beəriŋ] **1** ložisko **2** vztah (**up**)**on** k, spojitost s, dosah *of* čeho **3** držení těla; chování **4** (*zeměp.*) **~s** *pl* poloha, směr; **take one's ~s** orientovat se; **lose one's ~s** ztratit orientaci

beast [bi:st] (*čtvernohé*) zvíře, šelma, bestie, (*též přen.*)

beastly [bi:stli] *adj* **1** zvířecký, surový, brutální, bestiální **2** (*hovor.*) ohavný, mizerný ♦ *adv* ohavně, hnusně, jako zvíře (**drunk** opilý)

beat* [bi:t] *v* **1** bít, tlouct; klepat; šlehat (**the eggs** vejce) **2** (*slunce*) pražit **3** prohledat (**the wood** les); prošlapat (**the path** cestu) **4** porazit, zdolat, zvítězit nad (**at tennis** v tenisu) ♦ **there's nothing to ~ it** tomu se nic nevyrovná; **~ a record** překonat rekord; **~ time** udávat takt; **~ about the bush** chodit okolo horké kaše; **~ it!** *US* (*hovor.*) zmiz! ♦ *n* **1** úder; tep, puls; tikot, tlukot **2** rytmus, takt, tempo; rock, beat **3** obchůzka; obvod

rajón **4** (*hovor.*) píseček, parketa (*obor*); **that is outside my ~ to** není moje parketa ♦ *adj* **1** beatový **2** (*často*) **dead ~** (*slang.*) vyplivnutý, úplně vyčerpaný

beat down 1 vyrazit (**the door** dveře) **2** usmlouvat (**the price** cenu to na)

beat up 1 surově zbít **2** ušlehat (**an egg** vejce) **3** vybičovat (**enthusiasm** nadšení)

beaten [bi:tn] **1** zbitý **2** tepaný **3** vyšlapaný; **keep to the ~ track** jít po vyšlapané cestě

beating [bi:tiŋ] **1** bití, výprask **2** porážka; **take a lot of / some ~** být těžko k překonání

beautician [bju:'tišn] kosmetik, kosmetička

beautiful [bju:tiful] krásný

beauty [bju:ti] **1** krása **2** kráska, krasavec ♦ **Sleeping B~** Šípková Růženka; **~ sleep** první spánek (*před půlnocí*)

beaver [bi:və] bobr

because [bi'kəz] protože; **~ of** pro co, kvůli komu / čemu

beckon [bekn] pokynout, pokývnout ku komu

become* [bi'kam] **1** stát se (*jakým, čím*); **~ accustomed to** zvyknout si na **2** stát se of s, být z; **what will ~ of the child?** co z toho dítěte bude? **3** slušet komu

becoming [bi'kamiŋ] slušivý

bed [bed] *n* **1** postel, lůžko; **go to ~** jít spát; **be in ~** ležet (*pro nemoc*); **take to / keep one's ~** zůstat v posteli (*pro nemoc*); **make one's ~** ustlat **2** dno (*toku, moře*) **3** záhon **4** ložisko, sloj **5** podložka, podklad

B

♦ **~ and board** nocleh se stravou
● *v* (**dd**) **1** uložit, dát nocleh komu; dostat do postele (*dívku*) **2** jít / chodit spát (**early** brzy) **3** pevně usadit, uložit **in** kde

bed-clothes [bedkləuðz] *pl* ložní prádlo, povlečení; lůžkoviny

bedding [bediŋ] **1** lůžkoviny, ložní souprava (*matrace, ložní prádlo atd.*) **2** podestýlka **3** podklad

bedevil [bi'devl] (**ll**) **1** sužovat, trápit **2** zmást, (z)komplikovat

bedfellow [bedfeləu] **1** spolubydlící **2** společník, kamarád

bedridden [bedridn] upoutaný na lůžko; **be ~ with / by flu** ležet s chřipkou

bedroom [bedrum] *n* ložnice ● *adj* **1** ložnicový, jen k přespání **2** postelový (**comedy** komedie)

bedside [bedsaid] *n* místo u lůžka (**at his ~** u jeho postele) ● *adj* (*četba*) lehký, zábavný

bedsitter [bed'sitə] (*hovor.*), **bedsitting room** [ˌbedsitiŋ 'rum] obytná ložnice

bedspread [bedspred] pokrývka na postel, přehoz

bedstead [bedsted] postel (*bez lůžkovin*)

bedtime [bedtaim] doba, kdy je čas jít spát; **~ story** pohádka na dobrou noc

bee [bi:] *n* včela
♦ **have a ~ in one's bonnet about** být posedlý myšlenkou na

beech [bi:č] *n* buk ● *adj* bukový

beef [bi:f] *n* **1** hovězí maso **2** (*hovor.*) svaly, síla ● *v* (*slang.*) runcat **about** kvůli

beef up vylepšit

beefsteak [bi:fsteik] hovězí řízek, biftek, roštěnka

beef stock [bi:fstok] hovězí vývar / bujón

beehive [bi:haiv] úl, (*též přen.*)

beeline [bi:lain] přímá čára, vzdušná čára ♦ **make a ~ for** hnát se přímo kam

beep [bi:p] *v* pípat ● *n* pípání

beer [biə] pivo; **~ mat** pivní tácek ♦ **life is not all ~ and skittles** život není pořád jenom samá zábava

beet [bi:t] **1** červená řepa **2** cukrovka; **~ sugar** řepný cukr

beetle [bi:tl] brouk; šváb

beetroot [bi:tru:t] červená řepa (*stolní*)

before [bi'fo:] *prep* **1** před (*o čase*); **~ the war** před válkou; **the day ~ yesterday** předevčírem; **~ long** zanedlouho, brzy **2** před (*o místě*); **~ my eyes** před mýma očima ● *adv* (již) dříve, předtím; **the day ~** den předtím; **long ~** dávno předtím; **never ~** ještě nikdy ● *conj* (dříve) než, spíše než

beforehand [bi'fo:hænd] **1** předem; **book seats ~** koupit lístky předem **2** předtím, dříve

beg [beg] (**gg**) **1** žebrat **for** o **2** (*naléhavě*) žádat, prosit o; **I ~ your pardon** 1. promiňte 2. prosím? **3** dovolit si; **I ~ to differ** dovoluji si nesouhlasit

beggar [begə] **1** žebrák **2** (*hovor.*) chlapík, človíček; **you lucky ~ !** ty máš z pekla štěstí!

begin* [bi'gin] (**nn**) začít; **to ~ with** předně

beginner [bi'ginə] začátečník

beginning [bi'giniŋ] začátek; **at**

the ~ of na začátku čeho; **in the ~** zpočátku; **from ~ to end** od začátku do konce

behalf [bi'ha:f]: **on / US in ~ of** pro koho, za, v zájmu, jménem; kvůli komu

behave [bi'heiv] **1** chovat se (**well** dobře, **badly** špatně); **~ oneself** chovat se slušně **2** reagovat; (*stroj*) fungovat

behaviour [bi'heivjə] chování **towards** k / vůči

behind [bi'haind] *prep* za; **~ your back** za tvými zády
♦ **~ time** opožděný; **he is ~ the times** zaspal dobu
● *adv* vzadu; **be ~ with / in sth.** být pozadu s čím / v čem
● *n* (*hovor.*) zadek, prdýlka

beige [beiž] béžový

being [bi:iŋ] **1** bytí; **come into ~** vzniknout **2** bytost; **a human ~** člověk

belated [bi'leitid] **1** opožděný **2** pozdní, zastižený tmou

belch [belč] **1** chrlit (**smoke** kouř) **2** říhat

belfry [belfri] **1** zvonice **2** kostelní věž

Belgian [beldžən] *adj* belgický
● *n* Belgičan

Belgium [beldžəm] Belgie

belief [bi'li:f] **1** víra **in** v;
beyond / past ~ neuvěřitelný **2** přesvědčení
♦ **to the best of my ~** podle mého nejlepšího svědomí

believe [bi'li:v] **1** věřit; **~ or not** věřte tomu nebo ne **2** domnívat se, myslit **3** **~ in** věřit v / na; **I don't ~ in sport** já na sport nevěřím

belittle [bi'litl] **1** podceňovat, bagatelizovat **2** zastiňovat

bell [bel] **1** zvon(ek) **2** rolnička **3** (*sport.*) gong

bellboy [belboi] hotelový poslíček, pikolík

bellow [beləu] **1** bučet **2** křičet, řvát

bellows [beləuz] *pl* měch(y)

belly [beli] **1** břicho, (*též přen.*) **2** žaludek

belong [bi'loŋ] náležet, patřit

belongings [bi'loŋiŋz] *pl* majetek

beloved [bi'lavid] milovaný

below [bi'ləu] *prep* pod; **~ zero** pod nulou; **~ the average** pod průměrem; **it is ~ my dignity** je to pod moji důstojnost
● *adv* **1** dole **2** níže, dále v textu; **as stated ~** jak je uvedeno níže

belt [belt] *n* **1** pás, opasek **2** pásmo (**of high pressure** vysokého tlaku) **3** hnací řemen **4** *též* **highway ~** dopravní okruh
● *v* **1** připevnit pásem **2** zbít, spráskat

belt up **1** (*slang.*) zavřít klapačku, kušovat **2** (*hovor.*) připoutat se (*v autě, letadle*)

belting [beltiŋ] výprask

bench [benč] **1** lavice, lavička; (*sport.*) střídačka **2** ponk **3** **the ~** soud

bend* [bend] *v* **1** ohnout (se) **2** shýbnout se **3** zahýbat, odbočovat ● *n* **1** ohyb **2** zatáčka

beneath [bi'ni:θ] *prep* pod
♦ **it is ~ me / my dignity** to je pod moji důstojnost; **~ contempt** pod veškerou kritiku
● *adv* dole, vespod

beneficial [beni'fišl] blahodárný (**to the health** pro zdraví)

B

beneficient [bi'nefišnt] dobročinný

benefit [benifit] *n* **1** užitek, prospěch; **for your ~** ve tvůj prospěch; **of (much) ~ to** prospěch pro; **a ~ performance** benefice; **2** dobrodiní; **a ~ concert** dobročinný koncert **3** podpora; **unemployment ~** podpora v nezaměstnanosti; **sickness ~** nemocenské ● *v* prospět, udělat dobře komu; **fresh air will ~ you** čerstvý vzduch ti prospěje; **~ by / from** mít prospěch z

benevolence [bi'nevələns] blahovůle, laskavost; projev shovívavosti

benign [bi'nain] **1** laskavý, vlídný, dobrotivý **2** (*klima*) mírný **3** (*med.*) benigní, nezhoubný

bent [bent] *adj* **1** ohnutý, zakřivený **2** zaměřený (**up**)**on** na, náchylný k, usilující o; **be ~ on** usilovat o, vzít si do hlavy co **3** (*slang.*) křivácký; zkorumpovaný ● *n* sklon **for / to** k, dispozice pro

bequeath [bi'kwi:ð] odkázat (*závětí*) **to** komu

bequest [bi'kwest] odkaz (*závětí*)

bereavement [bi'ri:vmənt] bolestná ztráta

beret [berei] baret, rádiovka

berry [beri] bobule

berth [bə:θ] **1** lůžko (*na lodi, ve vlaku*) **2** přístaviště, kotviště **3** (*pracovní*) místo, zaměstnání ● **give a wide ~ to sth.** zdaleka se vyhnout čemu

beside [bi'said] vedle, u, při; **sit ~ me** sedni si vedle mne ● **this is ~ the point** to nepatří k věci; **be ~ oneself** být bez sebe (**with joy** radostí)

besides [bi'saidz] *prep* kromě, mimo ● *adv* kromě toho, mimo to, ještě navíc, k tomu; ostatně

besiege [bi'si:dž] obléhat

bespectacled [bi'spektəkld] obrýlený

bespoke [bi'spəuk] zakázkový (**suit** oblek, **tailor** krejčí)

best [best] *adj* nejlepší ● **~ man** ženichův svědek; **the ~ part of an hour** skoro hodina; **do one's ~** snažit se; **to the ~ of my knowledge** pokud vím; **make the ~ of sth.** využít čeho ● *adv* **1** nejlépe; **as ~ you can** jak nejlépe umíš **2** nejvíce, nej-; **the ~ hated man in the country** nejnenáviděnější člověk v zemi ● *n* **1** the ~ to / ten / ta nejlepší **z 2** one's **to nejlepší, maximum** ● **all the ~** všechno nejlepší (*přání*); **at ~** *1.* v nejlepším případě *2.* nanejvýš; **get the ~ of** zvítězit nad; **make the ~ of** *1.* využít čeho *2.* smířit se s čím; **make the ~ of a bad job** zachránit, co se dá; **my (Sunday) ~** moje sváteční šaty ● *v* vyzrát na

bestial [bestiəl] bestiální

bestow [bi'stəu] **1** poskytnout; udělit **2** umístit, položit, složit kam

bestseller [best'selə] **1** bestseller (*kniha, která jde na dračku*) **2** autor bestselleru

bet* [bet] *v* (**tt**) **1** sázet, vsadit (*peníze*) **on** na **2** sázet se ● **~ you** (*hovor.*) to si můžeš být jist; **you can ~ your life** na to můžeš vzít jed ● *n* sázka

betray [bi'trei] **1** zradit **2** prozradit, prozrazovat, dávat najevo

betrayal [bi'treiəl] **1** zrada
2 prozrazení

better [betə] *adj* lepší
♦ **no ~ than** o nic lepší než;
know ~ mít lepší rozum; **he is ~
today** je mu dnes lépe
● *adv* lépe, raději; více; **you had
~ go** bylo by lépe, kdybys šel;
měl bys raději jít
● *n* **the ~** (ten) lepší; **he is my ~**
je lepší než já ♦ **for ~ or worse**
v dobrém i ve zlém; **get the ~ of**
(*city*) přemoci koho, ovládnout
koho, zvítězit nad kým (*v soutěži*)
● *v* zlepšit; **~ oneself** polepšit se

betterment [betəmənt] zlepšení

between [bi'twi:n] *prep* **1** mezi
(*dvěma*); **there is no love lost ~
them** nemají se rádi
2 dohromady; **we had five
pounds ~ us** měli jsme dohro-
mady pět liber ● *adv* **1** mezi
čím **2** uprostřed, doprostřed

beverage [bevəridž] nápoj

beware [bi'weə] dát si pozor **of** na

bewilder [bi'wildə] zmást, vyvést
z míry

bewilderment [bi'wildəmənt]
zmatek

bewitch [bi'wič] očarovat, okouzlit

beyond [bi'jond] *prep* **1** za (**the
bridge** mostem) **2** nad (**one's
income** svoje příjmy) **3** (*po
záporu*) kromě; až na, nic než
♦ **that's going ~ a joke** tady
přestává legrace; **it's quite ~ me**
to mi vůbec nejde na rozum;
~ repair neschopný opravy
● *adv* **1** na druhé straně, v dálce
2 navíc, nadto
● *n* **the** (**great**) **~** onen svět

bias [baiəs] *n* **1** sklon, záliba
toward k / pro **2** předpojatost

against proti ♦ **on the ~** šikmo,
napříč, diagonálně ● *v* ovlivnit
(*zvl. nepříznivě*) **against** proti

bib [bib] slintáček

Bible [baibl] bible

bibliography [bibli'ogrəfi]
bibliografie

bicarb [baika:b] užívací soda

bicycle [baisikl] *n* jízdní kolo
● *v* jezdit na kole

bid* [bid] *v* (**dd**) **1** nabídnout
(*cenu*) **2** (po)přát (**good morn-
ing** dobré jitro); nařídit, přikázat
● *n* **1** nabídka (*při dražbě*) za
kolik **for** za **2** ucházení se **for** o

big [big] (**gg**) *adj* **1** velký **2** starší,
dospělý **3** báječný (**idea** nápad)
♦ **the ~ toe** palec u nohy;
~ business velkopodnikání;
~ with child těhotná
● *adv* **1** velkohuaě; **talk ~**
naparovat se **2** ohromně, skvěle

Big Dipper [big'dipə] **1** horská
dráha **2** (*hvězd.*) Velký vůz

big wheel [big'wi:l] ruské kolo

bike [baik] (*hovor.*) *n* kolo
● *v* jezdit na kole

bilberry [bilbəri] (*evropská*)
borůvka

bile [bail] **1** žluč **2** žlučovitost

bilingual [bai'liŋgwəl]
dvojazyčný

bilious [biljəs] **1** žlučníkový
2 žlučovitý

bill¹ [bil] zobák

bill² [bil] *n* **1** účet; účtenka; **the
~, please** platit! **2** oznámení,
divadelní cedule; plakát; **stick
no ~** lepení plakátů zakázáno
3 návrh zákona **4** *US* bankovka
♦ **~ of exchange** směnka; **~ of
fare** jídelní lístek ● *v*
1 předložit účet komu **2** veřejně

B

oznámit **3** dát na program
4 obsadit *(herce)* do role **as** jako
billboard [bilbo:d] velká
plakátovací plocha, bilbord
billiards [biljədz] *sg* kulečník
billion [biliən] **1** *GB* bilión **2** *US*
miliarda
billy goat [biligəut] kozel
bin [bin] **1** nádoba **2** *též* **dust /**
rubbish ~ popelnice **3** truhla;
koš
bind* [baind] *v* **1** (s)vázat, *(též*
přen.); zavázat **2** spojit
3 vzázat se *(právně)*; ~ **oneself**
to do sth. zavázat se k čemu / že
♦ **I'll be bound** na to dám krk;
he is bound up in his work je
úplně zabrán do práce
● *n (hovor.)* šlamastyka
binding [baindiŋ] *n* **1** vazba
2 vázání *(též lyžařské)*
● *adj* závazný **on** pro
binoculars [bi'nokjuləz] *pl* triedr
biography [bai'ografi] životopis
biology [bai'olədži] biologie
birch [bə:č] *n* bříza ● *adj* březový
● *v* (z)mrskat březovou metlou
bird [bə:d] **1** pták; ~ **of prey** dra-
vý pták; ~ **of passage** stěhovavý
pták ♦ **kill two ~s with one**
stone zabít dvě mouchy jednou
ranou; **~'s-eyeview** pohled
z ptačí perspektivy *(hovor.)*
ptáček, pavouk, patron; **a queer**
~ divný patron
biro [biərəu] kuličkové pero,
propiska
birth [bə:θ] **1** narození; porod;
be present at ~ být přítomen při
porodu; **give** ~ **to** porodit koho
2 vznik, původ; **by** ~ rodem

birth control [bə:θ kən‚trəul]
prevence početí, antikoncepce

birthday [bə:θdei] narozeniny
birthplace [bə:θpleis] rodiště
birthrate [bə:θreit] porodnost
biscuit [biskit] *GB* keks, suchar,
sušenka
bishop [bišəp] **1** biskup **2** střelec
(v šachu)
bit [bit] **1** kousek **2** chvilka, oka-
mžik **3** *US* 1/8 dolaru ♦ ~ **by** ~
kousek po kousku, postupně; **a** ~
tired trochu unaven; **wait a** ~ po-
čkej chvilku; **not a** ~ vůbec ne;
a ~ **of good news** dobrá zpráva
bitch *n* [bič] **1** fen(k)a **2** *(hanl.)*
mrcha, bestie, děvka, čubka
● *v* stále nadávat
bite* [bait] *v* **1** kousat; ~ **one's**
lips kousat se do rtů; ~ **at**
chňapnout po; ~ **off** ukousnout
2 kousnout, štípnout, bodnout
3 štípat, pálit **4** zabrat; **the wheel**
would not ~ kolo nechtělo zabrat
● *n* **1** kousnutí, štípnutí, uštknutí
2 sousto; **I haven't had a** ~ **since**
early morning od rána jsem
neměl v ústech; **have a little** ~
of sth. sněz si něco malého
biting [baitiŋ] řezavý, kousavý,
štiplavý; sarkastický
bitter [bitə] *adj* **1** hořký **2** trpký,
(též přen.); **to the** ~ **end** až do
trpkého konce **3** řezavý **(wind**
vítr) **4** krutý
● *n* **1** *GB (druh světlého piva)*
2 ~s *sg,pl* hořká, žaludeční likér
bituminous coal [bi'tju:minəs
kəul] černé uhlí
B.L. [bi:'el] = **Bachelor of Law**
bakalář práv
black [blæk] *adj* černý ♦ **be** ~ **and**
blue být samá modřina; **in** ~ **and**
white černé na bílém; **give sb.**
a ~ **look** zle se na koho podívat

● *n* 1 čerň; **dressed in ~** oblečený v černém 2 černoch ● *v* načernit; začernit

black out 1 zatemnit 2 omdlít 3 potlačit (*zprávu*)

blackberry [blækbəri] ostružina

blackbird [blækbə:d] kos

blackboard [blækbo:d] školní tabule

blackcurrant [blæk'karənt] černý rybíz

blacken [blækn] 1 černat 2 načernit 3 očernit

blackjack [blækdžæk] 1 pirátská vlajka 2 *US* obušek; zabiják (*obušek plněný olovem*) 3 jednadvacet (*karetní hra*)

blackleg [blækleg] stávkokaz

black-list [blæklist] *n* černá listina ● *v* dát na černou listinu

blackmail [blækmeil] *n* vydírání, vyděračství ● *v* vydírat

blackout [blækaut] *n* 1 dočasná ztráta paměti / vědomí 2 zatemnění; náhlá tma (*na jevišti*); přerušení vysílání 3 potlačení informací ● *v* zatemnit

black pudding [,blæk'pudiŋ] 1 jelito 2 tmavá tlačenka

blacksmith [blæksmiθ] kovář

black tie [,blæk'tai] černý motýlek (*ke smokingu*); (*přen.*) smoking

bladder [blædə] 1 měchýř 2 duše (*míče*)

blade [bleid] 1 čepel, ostří 2 čepelka, žiletka 3 stéblo (**of grass** trávy) 4 list (*pily, vrtule*), lopatka (*vesla*)

blame [bleim] *v* vinit, dávat vinu; svádět **sb. for sth. / sth. on sb.** co na koho; **who is to ~ ?** čí je to vina? ● *n* 1 hana 2 vina;

put / lay the ~ for sth. on sb. dávat vinu komu zač

blameworthy [bleimwə:ði] zasluhující výtku, vinný, odpovědný

bland [blænd] fádní, neslaný nemastný, (*též přen.*)

blank [blæŋk] *adj* 1 prázdný, nepopsaný 2 nevyplněný 3 bezvýrazný
♦ **~ cartridge** slepý náboj ● *n* 1 prázdnota 2 prázdné místo, mezera 3 *US* blanket

blanket [blæŋkit] *n* vlněná přikrývka, houně, (*též přen.*)
♦ **a wet ~** suchý patron, suchar ● *adj* paušální ● *v* přikrýt; pokrýt

blare [bleə] troubit, vřeštět, vřískat; **též ~ out** vyřvávat, vytrubovat

blasphemy [blæsfəmi] rouhání

blast [bla:st] *n* 1 náraz větru 2 výbuch, exploze, (*též přen.*); vzduchová vlna 3 tah (*pece*)
♦ **~ furnace** vysoká pec 4 zvuk (*trubky, rohu*) ♦ **(at / in) full ~** naplno, plnou parou, na celé kolo ● *v* 1 vyhodit do vzduchu, trhat (*trhavinami*) 2 spálit (*mrazem, bleskem*); rozdrtit, (*též přen.*)
♦ **~ it!** (*hovor.*) čert aby to vzal!

blatant [bleitənt] očividný, nehorázný (**lie** lež)

blaze [bleiz] *n* 1 plamen 2 požár 3 záře 4 výbuch (**of anger** vzteku) ♦ **a ~ of lights** moře světel ● *v* 1 plápolat, hořet; *též* **~ up** vzplanout 2 zářit (*barvami*)

blazer [bleizə] sportovní sako, blejzr

bleach [bli:č] *v* 1 bílit (se) 2 odbarvit (*vlasy*) ● *n* bělidlo

bleak [bli:k] 1 pustý, ponurý

2 (*počasí*) syrový, drsný, větrný a studený

bleary [bliəri] (*zrak*) unavený, zakalený

bleed* [bli:d] 1 krvácet; ~ **to death** vykrvácet 2 odebrat krev, pouštět žilou komu

blemish [blemiš] n 1 vada 2 skvrna; **without a** ~ bez poskvrny • v poskvrnit, pošpinit, očernit

blend [blend] v 1 (s)míchat (se), mísit (se) 2 hodit se k sobě, ladit dohromady • n směs

bless [bles] 1 (po)žehnat komu / čemu / co 2 velebit 3 ~ **oneself** pokřižovat se

♦ **B~ me!, B~ my soul!** Můj ty Bože!; **be ~ed with good health** těšit se dobrému zdraví

blessed [blesid] 1 blahoslavený 2 požehnaný 3 (*hovor.*) prokletý

♦ **not a** ~ **soul** ani živá duše

blessing [blesiŋ] 1 požehnání 2 milost; štěstí 3 modlitba před jídlem, (*též přen.*)

♦ ~ **in disguise** štěstí v neštěstí

blind [blaind] adj 1 slepý; ~ **in one eye** slepý na jedno oko; ~ **to sb.'s faults** slepý k něčím chybám 2 nečitelný; (*dopis*) nedoručitelný 3 nevidět, nevidit, přehlížet, zavírat oči **at** před

♦ **turn a** ~ **eye to sth.** přimhouřit oko nad čím, snažit se nevidět co; ~ **drunk** (*slang.*) opilý na mol; ~ **flying** létání naslepo • n 1 roleta; žaluzie 2 **the** ~ pl slepci 3 (*fot.*) clona • v 1 oslepit 2 oslnit, (*též přen.*)

blindfold [blaindfauld] v zavázat oči komu • adv se zavázanýma očima, poslepu

blind spot [blaind 'spot] slepé místo (*na sítnici, špatně vidítel-*

né místo ve zpětném zrcátku), slabina (*mezera ve vědomostech*)

blink [bliŋk] v 1 mrkat, mrknout **at** na 2 mžourat **at** na 3 (*světlo*) blikat 4 nevidět, přehlížet, zavírat oči **at** před • n 1 mrknutí 2 záblesk

blinkers [bliŋkəz] 1 klapky na oči 2 US blinkry (*auta*)

bliss [blis] blaženost, blaho

blister [blistə] puchýř

blistering [blistəriŋ] 1 pekelný (**speed** rychlost, **heat** vedro) 2 sžíravý (**criticism** kritika)

blitz [blic] n bleskový útok (*zvl. letecký*) • v bombardovat

blizzard [blizəd] sněhová bouře, vánice

bloated [bloutid] napuchlý, nadmutý, nafouklý, (*též přen.*); ~ **prices** vyšroubované ceny

block [blok] n 1 špalek 2 blok, kvádr 3 poznámkový blok 4 blok (*sedadel, akcií, domů*); **a** ~ **of flats** nájemní dům, činžák 5 překážka, zátaras, dopravní zácpa 6 stavební / stavebnicová kostka; ~**s** pl stavebnice, kostky (*hračka*) ♦ ~ **letters** tiskací / hůlková písmena • v zatarasit, blokovat, ucpat

block off zablokovat, uzavřít (**the road** silnici)

blockade [blo'keid] n blokáda; **raise / lift the** ~ zrušit blokádu • v uzavřít blokádou

blockage [blokidž] 1 blokování **in** čeho 2 překážka

blockhead [blokhed] hlupák, tupec

bloke [bləuk] GB (*hovor.*) muž, člověk, chlap

blond [blond] plavý, světlovlasý

blonde [blond] plavovláska, blondýna

blood [blad] krev, (*též přen.*)
♦ ~ **count** krevní obraz;
~ **donor** dárce krve; ~ **group** krevní skupina; ~ **poisoning** otrava krve; ~ **vessel** céva

bloodhound [bladhaund] 1 (*rasa psa*) 2 (*přen.*) slídil, čmuchal

bloodshed [bladšed] krveprolití

bloodshot [bladšot] krví podlitý

bloodthirsty [bladθə:sti] krvežíznivý, krvelačný, (*též přen.*); ~ **movie** film-krvák

bloody [bladi] 1 zakrvácený, krvácející 2 potřísněný krví, krvavý 3 zatracený, *pitomý*

bloom [blu:m] n 1 květ • **now** the roses are in full ~ **now** růže jsou teď v plném květu 2 rozkvět, rozmach 3 pel, půvab • v (roz)kvést, (*též přen.*), vykvést **into** v

blossom [blosəm] n květ(y) (*na stromě*); **be in** ~ kvést • v kvést

blossom out rozkvést; rozvinout se (*přen.*)

blot [blot] n 1 skvrna, kaňka 2 škraloup (*přen.*)
• v (tt) 1 poskvrnit, udělat kaňku 2 vysát pijákem (*inkoust*)

blot out přeškrtat, vymazat

blotter [blotə], **blotting paper** [´blotiŋ,peipə] pijavý papír, piják

blouse [blauz] blůza, halenka

blow[1] [bləu] n rána, (*též přen.*); úder; **at one / a single** ~ jednou ranou, rázem

blow[2] [bləu] v foukat, vanout, fičet
♦ ~ **a fuse** spálit pojistku;
~ **one's nose** vysmrkat se

blow out 1 sfouknout, zhasit 2 (*pojistka, pneumatika*) prasknout

blow up 1 vyhodit do vzduchu 2 zvětšit (*fotografii*)

blowlamp [blaulæmp] pájecí lampa

blue [blu:] adj 1 modrý; zmodralý (**with cold** zimou) 2 smutný, sklíčený 3 oplzlý, košilatý (*vtip*), porno-; sprostý, nevymáchaný (**language** jazyk)
♦ **things are looking** ~ vypadá to bledě; **once in a** ~ **moon** jednou za uherský rok
• n 1 modř 2 modré nebe; **out of the** ~ zčistajasna

blueberry [blu:bəri] *US* borůvka

blueprint [blu:print] 1 modrák (*technický výkres*) 2 plán, program, návrh

blues [blu:z] *sg,pl* 1 blues (*hudba*) 2 **the** ~ melancholická nálada, deprese, splín

bluff [blaf] n bluf • v blufovat
• adj drsně upřímný, neotesaný

blunder [blandə] v 1 *též* ~ **about** tápat, motat se 2 dělat hloupé chyby 3 *též* ~ **out** vybreptnout
• n chyba z hlouposti / nedbalosti, bota

blunt [blant] adj 1 tupý, (*též přen.*) 2 neomalený 3 otevřený, upřímný; **speak** ~**ly** mluvit bez obalu
• v otupit

blur [blə:] n skvrna; změť
• v (rr) rozmazat

blurt out [blə:t ´aut] vyhrknout

blush [blaš] v (za)červenat se;
~ **for / with shame** červenat se hanbou • n ruměnec

B.M. [bi:´em] = **Bachelor of Medicine** bakalář lékařství

B-movie [´bi:,mu:vi] laciný / nepříliš dobrý film

B

boa [bəuə] **1** hroznýš královský **2** boa

boar [bo:] kanec

board [bo:d] *n* **1** prkno; **the ~s** *pl* prkna, divadlo **2** bok (*lodi*), roubení (*paluby*); **go on ~** vstoupit na palubu lodi / letadla **3** stůl **4** rada, komise, výbor **5** strava **6** lepenka, deska ♦ **above ~** s otevřenými kartami, čestně; **B~ of Trade** *GB* ministerstvo obchodu; **~ and lodging** byt se stravou; **take on ~** *též* naprosto pochopit / přijmout ● *v* **1** poskytovat stravu komu; stravovat se **at** kde **2** nastoupit (**a train** do vlaku)

board out stravovat se mimo domov

boarder [bo:də] **1** strávník **2** žák v internátní škole

boarding card [bo:diŋka:d] palubní lístek (*v letadle*)

boarding house [bo:diŋhaus] penzión

boarding school [bo:diŋsku:l] internátní škola

boast [bəust] *n* **1** chlouba, chlubení **2** chlouba, pýcha, ozdoba ● *v* **1** chlubit se **about / of** čím, **that** že **2** honosit se čím

boat [bəut] *n* člun, loď ♦ **burn one's ~s** spálit za sebou mosty ● *v* plout člunem, jezdit na loďce

bobsled [bobsled], **bobsleigh** [bobslei] závodní saně, bob

bodily [bodili] *adj* tělesný ● *adv* **1** osobně **2** jako celek

body [bodi] **1** tělo **2** mrtvola **3** těleso; karosérie (*auta*) **4** hlavní voj (*armády*) **5** sbor, soubor, kolektiv, masa ♦ **~ building** kulturistika; **keep**

~ and soul together jakžtakž živořit; **~ stocking** trikot

bodywork [bodiwə:k] karosérie

bog [bog] **1** bahno, močál **2** (*GB, slang.*) hajzl (*záchod*); **~ roll** toaletní papír (*v roli*)

bog down [bog] (**gg**) zůstat trčet, uváznout; **get ~ged down** zabřednout **in** do

bogey [bəugi] strašák

Bohemian [bə'hi:mjən] *n* bohém ● *adj* **1** bohémský **2** český (*týkající se Čech*)

bogus [bəugəs] falešný, vymyšlený

boil[1] [boil] *v* vařit (se), vřít, (*též přen.*); **~ing point** bod varu ● *n* bod varu (*neodb.*) ♦ **go off the ~** *též* ztratit zájem

boil[2] [boil] nežit

boiler [boilə] kotel; **~ room** kotelna; **~ suit** montérky

boisterous [boistrəs] bouřlivý, hlučně veselý

bold [bəuld] **1** odvážný, smělý **2** zřetelný **3** troufalý; drzý

bold-faced [bəuldfeist] **1** drzý **2** (*polygr.*) (polo)tučný

bolster [bəulstə] *n* (*válcový*) podhlavník; polštář ● *v* podepřít

bolt [bəult] *n* **1** závora **2** šroub (*s maticí*) **3** blesk (**from the blue** z čista jasna)
● *v* zavřít, zavírat (se) na závoru

bomb [bom] *n* bomba, puma ● *v* bombardovat

bombardment [bom'ba:dmənt] bombardování

bombshell [bomšel] (*přen.*) bomba

bond [bond] *n* **1** závazek; dohoda, smlouva **2** obligace; cenný papír **3** (*zvl. přen.*) svazek; pouto **4 ~s** *pl* pouta ♦ **in ~** v celním skladišti

• *v* **1** spojit, (s)vázat **2** lpět **to**
na **3** umístit do celního skladiště
bondage [bondidž] poddanství,
otroctví
bone [bəun] *n* **1** kost **2** kostice
♦ **close to / near the ~** téměř
neslušný; **~ of contention** jablko
sváru; **have a ~ to pick with sb.**
mít nevyřízený účet s kým;
make no ~s about sth. neotálet
s čím, nedělat okolky s čím • *v*
1 vykostit **2** vyztužit kosticemi
bonfire [bonfaiə] hranice, oheň
(*v přírodě*), táborák
bonnet [bonit] **1** čepec **2** *GB*
kapota **3** skotská čapka
bonus [bəunəs] prémie
bony [bəuni] kostnatý
book [buk] *n* **1** kniha **on / about**
o; **~ of reference** příručka
2 sešit(ek); **~ of stamps** sešitek
známek **3** the **~s** *pl* účetní knihy
• *v* **1** zapsat do knihy
2 rezervovat (si), objednat (si)
3 koupit si předem (**a theatre
seat** lístek do divadla)
book in 1 rezervovat pokoj
v hotelu **2** (při)hlásit se,
oznámit příchod
bookable [bukəbl]: **seats are not
~ in advance** lístky nelze koupit
v předprodeji
bookbinder [bukbaində] knihař
bookcase [bukkeis] knihovna
(*skříň*)
booking [bukiŋ] *GB* rezervace;
~ office pokladna, předprodej
bookish [bukiš] knižní, (*též přen.*)
odtržený od života ♦ **a ~ person**
knihomol, sčetlý člověk
bookkeeper [bukki:pə] účetní
bookkeeping [bukki:piŋ]
účetnictví

booklet [buklit] knížečka; sešitek,
brožura
bookmark(er) [bukma:k(ə)]
záložka (*v knize*)
bookplate [bukpleit] ex libris
bookworm [bukwə:m] knihomol,
náruživý čtenář
boom [bu:m] *n* **1** rozmach, konjunktura **2** prudké stoupání cen
• *v* letět do výše, prosperovat
boomerang [bu:məræŋ] *n* bumerang • *v* vrátit se jako bumerang
boon [bu:n] dobrodiní
boost [bu:st] *v* **1** zvýšit; stupňovat
2 dělat reklamu pro, propagovat
• *n* podpora, povzbuzení
booster [bu:stə] **1** podporovatel
2 přídatný raketový motor, první
stupeň (*vícestupňové rakety*)
3 *též* **~ shot** druhá injekce (*na
posílení první*)
boot [bu:t] *n* **1** bota **2** *GB* kufr
(*v autě*) **3** kopnutí, kopanec; **get
the ~** (*hovor.*) dostat vyhazov
• *v* **1** kopat **2** *US* dát botičku
(*na kolo auta*)
booth [bu:ð] **1** bouda, budka,
prodejní stánek; kóje **2** box
(*např. v restauraci*)
bootlace [bu:tleis] tkanička,
šněrovadlo
booty [bu:ti] kořist, lup
border [bo:də] *n* **1** okraj, lem;
lemovka **2** pohraničí, pomezí
3 hranice • *v* **1** ovroubit, ohraničit **2** hraničit **upon** s, (*též přen.*)
borderline [bo:dəlain] pomezní čára, hranice ♦ **~ case** mezní případ
bore[1] [bo:] *v* (pro)vrtat • *n* **1** vrt
2 vrtání (*hlavně*), světlost
bore[2] [bo:] *v* nudit, otravovat
• *n* nudná osoba / činnost, otrava
boredom [bo:dəm] nuda

B

boring [bo:riŋ] nudný

born [bo:n] **1** narozen **2** rozený; **be ~** narodit se

borough [barə] město; městská část (*s částečnou samosprávou*)

borrow [borəu] (vy)půjčit si

Borstal [bo:stəl], *též* **Institution** nápravné zařízení pro mladistvé provinilce

bosom [buzəm] prsa, ňadra
♦ **a ~ friend** důvěrný přítel

boss [bos] *n* pán, šéf
● *v* řídit, vést, šéfovat

boss about / around komandovat, sekýrovat koho

botany [botəni] botanika

botch [boč] zpackat, zfušovat

both [bəuθ] oba (dva); **~ of us, we** ~ my oba; **~ you and (I)** jak (ty), tak (i já); nejen (ty), ale také (já); **it is ~ good and cheap** je to nejen dobré, ale také levné

bother [boðə] *v* **1** obtěžovat, rušit, trápit, otravovat **2** trápit se, dělat si starosti **with a, about** kvůli / pro ● *n* obtíž, nesnáz

bottle [botl] láhev
♦ **~ bank** kontejner na odpadové sklo; **hit the ~** dát se na pití

bottom [botəm] *n* **1** dno, (*též přen.*) **2** dolní část; spodek; **at the ~ of the page** dole na stránce **3** (*hovor.*) zadní část těla, zadek
♦ **at the ~** v podstatě; **from the ~ of my heart** z hloubi srdce; **get to the ~ of sth.** dostat se na kloub čemu; **~ line** výsledná částka, (*celkový*) výsledek
● *adj* **1** spodní, dolní **2** nejnižší (*prices* ceny) **3** poslední (*dollar* dolar) **4** základní

bough [bau] (*hlavní / silná*) větev

boulder [bəuldə] balvan

bounce [bauns] *v* **1** skákat, vyskočit; odskočit **2** vřítit se **into** do **3** narazit **against** na / do **4** houpat (*na koleno*) **5** (*šek*) být vrácen bankou ● *n* **1** odraz, odskok **2** verva, elán

bouncer [baunsə] vyhazovač (*z nočního podniku*)

bound[1] [baund] *n* skok
♦ **advance by leaps and ~s** postupovat mílovými kroky
● *v* skočit, skákat, vyskakovat

bound[2] [baund] *n* mez, hranice, (*též přen.*) ● *v* ohraničit; omezit

bound[3] [baund] směřující **for** do, mající namířeno kam; **where are you ~ (for)?** kam máte namířeno?; **a ship ~ for Canada** loď plující do Kanady

bound[4] [baund] **1** vázaný, vázán **2** povinen, nucen; **he is ~ to come** určitě přijde

boundary [baundri] hranice, mez

boundless [baundlis] nekonečný, bezmezný

bounty [baunti] **1** štědrost **2** štědrý dar

bouquet [bu'kei] **1** kytice **2** kytka, buket (*vína*)

bourgeois [buəžwa:] *n* měšťák ● *adj* buržoazní, měšťácký

bourgeoisie [buəžwa:'zi:] buržoazie

bow[1] [bəu] **1** luk **2** smyčec; smyk (*smyčce*) **3** oblouk; obloukový arkýř **4** klička; **tie in a ~** zavázat na kličku **5** stuha; motýlek (*vázanka*) ♦ **have two strings to one's ~** mít dvě železa v ohni

bow[2] [bau] *v* **1** uklonit se, poklonit se **to** před **2** ohnout, sehnout, sklonit ● *n* úklona, poklona

bow[3] [bau] (*často* **~s** *pl*) příď (*lodě*)

bowels [bauəlz] *pl* vnitřnosti; útroby, (*též přen.*)

bowl [bəul] **1** (*hlubší*) mísa **2** miska, šálek, číše **3** amfiteátr

bow-legged [ˌbəu'legid] s nohama do O

bowler [bəulə], *též* ~ **hat** tvrdý klobouk, buřinka

box[1] [boks] **1** krabice, krabička; bedýnka, truhlík; pouzdro, kazeta **2** box (*např. v restauraci*); lóže (*v divadle*); budka **3** (*slang.*) bedna (*televizor*)

box[2] [boks] *n* úder boxera; **a ~ on the ear** pohlavek, facka
• *v* boxovat

boxer [boksə] boxer

boxing [boksiŋ] box

Boxing Day [boksiŋ dei] druhý vánoční svátek, sv. Štěpána

box office [boksofis] pokladna (*divadla, kina apod.*)

boy [boi] *n* chlapec, hoch
• *interj* US (*hovor., vyjadřuje úžas*) páni (*inženýři*)!

boyish [boiiš] chlapecký

boycott [boikot] *n* bojkot
• *v* bojkotovat

boyfriend [boifrend] (*stálý*) přítel, milý (*děvčete*)

bra [bra:] (*hovor.*) podprsenka

brace [breis] **1** podepřít, zpevnit **2** vzpružit, osvěžit **3** ~ **oneself up** vzchopit se, dodat si odvahy

bracelet [breislit] náramek

braces [breisiz] *pl* GB šle

bracket [brækit] *n* **1** podpěra; nosič, držák, konzola **2** závorka **3** skupina, kategorie
• *v* dát do závorky

braid [breid] **1** cop **2** prýmek

brain [brein] **1** mozek; (*často ~s pl*) mozek, rozum, inteligence,

hlava **2** mozeček (*jídlo*)
♦ **rack one's ~s** lámat si hlavu; **turn sb.'s ~** poplést komu hlavu; **~s trust** mozkový trust (*poradní skupina odborníků*)

brain-washing [breinwošiŋ] vymývání mozku (*násilné názorové přeškolování*)

brainy [breini] chytrý, inteligentní

braise [breiz] dusit (*maso*)

brake [breik] *n* brzda
• *v* (za)brzdit, (*též přen.*)

branch [bra:nč] *n* **1** větev, (*též přen.*) **2** pobočka, filiálka **3** odvětví, obor
• *v* větvit se, rozbíhat se

branch off odbočovat **from** odkud **into** kam

branch out rozšířit svou činnost **into** o / na

brand [brænd] *n* **1** vypálené znamení, (*též přen.*); stigma **2** (*obchodní*) značka, známka
• *v* **1** opatřit značkou, označit **2** vypálit znamení komu, (o)cejchovat

brand-new [ˌbrænd'nju:] úplně nový

brandy [brændi] **1** brandy, vínovice, koňak (*nesprávně*) **2** destilát, pálenka; **plum ~** slivovice

brass [bra:s] **1** mosaz **2 the ~** (*hud.*) žestě **3** (*hovor.*) drzost
♦ **~ band** dechová kapela, dechovka; **get down to ~ tacks** přejít k (jádru) věci; **~ hat** (*slang.*) lampasák

brat [bræt] spratek

brave [breiv] *adj* statečný, odvážný
• *v* vzdorovat, čelit čemu

bravery [breivəri] statečnost, odvaha

B

brawl [bro:l] (*hlučná*) hádka, rvačka (*zvl. na veřejnosti*), výtržnost
brazen [breizn] *adj* **1** mosazný; kovový, břeskný (*zvuk*) **2** drzý, nestoudný
• *v* ~ **sth. out** drze zapírat, chovat se (ohledně čeho) jako by nic
Brazil [brə'zil] Brazílie
Brazilian [brə'ziljən] *adj* brazilský
• *n* Brazilec
brazil nut [brə,zil 'nat] para ořech
breach [bri:č] *n* **1** porušení, nedodržení; **a ~ of the peace** porušení veřejného pořádku; **a ~ of promise** nedodržení slibu manželského **2** roztržka, rozvrat **3** průlom **into** do, (*též přen.*)
• *v* **1** nedodržet, porušit **2** prolomit, udělat průlom do
bread [bred] chléb; **a loaf of ~** bochník chleba; **~ and butter** chléb s máslem
breadcrumbs [bredkramz] *pl* strouhanka
breadth [bredθ] **1** šíře, (*též přen.*), šířka; **escape by a hair's ~** uniknout o vlas **2** tolerance, liberálnost, velkorysost
break* [breik] *v* **1** zlomit (se), rozbít (se), přetrhnout (se), prasknout; ~ **(in)to pieces** rozbít se na kusy **2** ulomit **3** porušit, nedodržet (**one's word** slovo) **4** přerušit (**one's journey** cestu) **5** vloupat se **into** do **6** rozejít se **with** s; skončit s ♦ **the day ~s** rozednívá se; ~ **a record** překonat rekord; ~ **the bad news to sb.** šetrně sdělit špatnou zprávu komu; ~ **a horse (in)** zkrotit koně
• *n* **1** prasklé / puklé místo **2** přerušení, přestávka **3** náhlá

změna **4** (*hovor.*) příležitost, šance
break away 1 uniknout **2** zbavit se **from** čeho **3** odpadnout
break down 1 zlomit **2** rozbít se **3** zhroutit se
break off 1 přerušit **2** ustat
break out 1 uprchnout **2** vypuknout
break through prolomit, prorazit
break up 1 rozbít **2** rozptýlit **3** (*škola*) končit **4** rozpadnout se **5** rozorat
breakdown [breikdaun] **1** havárie; ~ **gang** havarijní četa **2** zhroucení
breakfast [brekfəst] *n* snídaně
• *v* snídat
breakneck [breiknek] krkolomný
breakthrough [breikθru:] průlom, (*též přen.*)
breast [brest] **1** prs **2** prsa, hruď ♦ ~ **pocket** náprsní kapsa; ~ **stroke** prsa (*plavecký styl*); **make a clean ~ of sth.** otevřeně přiznat co
breast-feed* [brestfi:d] kojit
breath [breθ] **1** dech; **out of ~** bez dechu; **with bated ~** se zatajeným dechem; **take ~** oddechnout si; **take a deep ~** zhluboka se nadechnout; **take sb.'s ~ away** vzít komu dech, překvapit koho **2** nádech, náznak; **not a ~ of suspicion** ani stín podezření
breathe [bri:ð] **1** dýchat; ~ **down sb.'s neck** dýchat komu na krk, být těsně za kým, ostře sledovat koho **2** vdechnout **3** hlesnout
breathing [bri:ðiŋ] dýchání
breathtaking [breθteikiŋ] **1** úchvatný **2** závratný (**speed** rychlost)
breed* [bri:d] *v* **1** plodit, (*též*

přen.) **2** množit se **3** chovat
zvířata **4** vychovávat
● *n* plemeno, rasa, odrůda

breeding [bri:diŋ] (*dobré*)
vychování

breeze [bri:z] *n* vánek, větřík
● *v* (*hovor.*) ~ **in** přifrčet, vplout
(kam); ~ **out** odfrčet, vyplout **of z**

breezy [bri:zi] **1** svěží **2** žoviální

brevity [breviti] stručnost, krátkost

brew [bru:] **1** vařit (*beer* pivo);
nechat vyluhovat (*tea* čaj)
2 připravovat (se), chystat (se),
hrozit (*bouřka*)

brewery [bruəri] pivovar

bribe [braib] *n* úplatek
● *v* podplácet, korumpovat

bribery [braibəri] podplácení,
úplatkářství, korupce

brick [brik] *n* **1** cihla; **drop a ~**
(*hovor.*) dopustit se netaktnosti
2 kostka (*dětské stavebnice*)
● *adj* cihlový, zděný ● *v* ~ **up** /
in zazdít, vyzdít, obezdít

bricklayer [brikleiə], **brickie**
[briki] (*GB, hovor.*) zedník

brickwork [brikwə:k] zdivo

brickyard [brikja:d] cihelna

bride [braid] **1** nevěsta
2 novomanželka

bridegroom [braidgrum]
1 ženich **2** novomanžel

bridesmaid [braidzmeid] družička

bridge[1] [bridž] *n* **1** most; můstek
2 kobylka (*houslí*); nosník (*brýlí*)
● *v* přemostit; překlenout, (*též
přen.*)

bridge[2] [bridž] bridž

bridgehead [bridžhed] předmostí

bridgework [bridžwə:k] US
(*zubní*) můstek

bridle [braidl] *n* uzda

● *v* **1** držet na uzdě **2** vzdorně
zvednout hlavu

brief[1] [bri:f] krátký, stručný
◆ **be ~** mluvit stručně; **in ~**
zkrátka a dobře

brief[2] [bri:f] *v* instruovat,
informovat **about o**
● *n* **1** informace pro právního
zástupce **2** právní případ

briefcase [bri:fkeis] aktovka

briefs [bri:fs] **1** slipy **2** (*dámské*)
kalhotky

brigade [bri'geid] **1** brigáda
2 (*uniformovaný*) sbor, četa

bright [brait] **1** jasný, zářivý
2 veselý **3** bystrý, chytrý
4 slibný (*future* budoucnost)

brights [braits] US (*hovor.*)
dálková světla

brighten (**up**) [braitən (ap)]
vyjasnit (se); oživit

brilliant [briljənt] *adj* zářivý,
skvělý; brilantní ● *n* briliant

brim [brim] *n* **1** okraj **2** krempa
(*klobouku*) **3** kraj, práh; pokraj
● *v* (**mm**) ~ **over** přetékat

bring* [briŋ] **1** přinést, přivést,
přivézt, dopravit; ~ **to an end**
ukončit; ~ **up-to-date**
1. zmodernizovat 2. dát nejnovější
informace **2** přimět, pohnout
3 vynášet kolik **4** zahájit (*řízení*)

bring about způsobit, přivodit

bring in 1 vynášet kolik **2** uvést
(*důkaz*) **3** rozvinout, uplatnit
4 nosit domů, vydělávat kolik

bring off úspěšně dokončit,
zvládnout

bring out 1 ukázat, zdůraznit
2 vydat, uveřejnit, uvést (*hru*)
3 rozvinout, uplatnit

bring round / to přivést k sobě,
vzkřísit

bring up 1 vychovat **2** dát k úvaze, uvést, nadhodit, zmínit se o **3** zvrátit (*jídlo*)

brink [briŋk] (o)kraj, pokraj; **on the ~ of war** na pokraji války

brisk [brisk] živý, čilý, křepký

Britain [britn] Británie

British [britiš] *adj* britský
● **n the ~** Britové

Briton [britən] (*hovor.*) Brit

brittle [britl] *adj* **1** křehký **2** povrchní ● *n* griliáš

broach [brauč] **1** narazit (*sud*) **2** nadhodit (*téma*), zavést řeč na

broad [bro:d] **1** široký, (*též přen.*), širý **2** úplný; **~ daylight** jasný den **3** přibližný, hrubý; **in ~ outline** v hrubých rysech **4** velkorysý, tolerantní, liberální; **~ views** tolerantní názory

broadcast* [bro:dka:st] *v* **1** vysílat rozhlasem / televizí **2** rozhlásit ● *n* vysílání, přenos

brochure [brəušə] brožura; leták

broil [broil] *US* péct na rožni, grilovat

broke [brəuk]: **be ~** (*hovor.*) být bez haléře, být dutý

broken [brəukn] **1** rozbitý, zlomený **2** nedodržený (*slib*) ● ◆ **~ marriage** ztroskotané manželství; **~ French** lámaná francouzština

broker [brəukə] broker, dohodce, makléř

bronze [bronz] *n* bronz ● *adj* bronzový

brooch [brəuč] brož

brood [bru:d] **1** sedět na vejcích **2** dumat, přemýšlet

brook [bruk] potok

broom [bru:m] koště
◆ **a new ~ sweeps clean** nové koště dobře mete

Bros. = brothers bří, bratři (*v názvu firmy*)

broth [broθ] masový vývar, bujón

brother [braðə] bratr

brotherhood [braðəhud] bratrství; bratrstvo

brother-in-law [braðrinlo:] švagr

brotherly [braðəli] bratrský

brow [brau] **1** (*jedno*) obočí; **knit one's ~s** svraštit obočí **2** čelo **3** vrchol (*kopce*)

browbeat* [braubi:t] zastrašovat

brown [braun] *adj* hnědý
◆ **~ bread** černý chléb; **~ paper** balicí papír; **be ~ed off** (*hovor.*) mít toho po krk, být znechucený / otrávený **with** čím ● *n* hnědá barva, hněď ● *v* obarvit na hnědo; opálit (se) do hněda; opéct

browse [brauz] *v* **1** pást se **2** prohlížet si **through** co, listovat čím ● *n* **1** (*nezávazná*) prohlídka; letmé přečtení **2** pastva

bruise [bru:z] *n* pohmožděnina, modřina **●** *v* pohmoždit (se), zranit (se), (*přen.*) zranit (*čí city*)

brunch [branč] snídaně a oběd v jednom (**breakfast + lunch**)

brunt [brant] plná tíha (**of war** války)

brush[1] [braš] *n* **1** kartáč(ek); smeták, smetáček; **give the clothes a good ~** dobře vykartáčovat šaty **2** štětec, štětka ● *v* **1** kartáčovat, čistit kartáč(k)em **2** (*lehce*) zavadit, otřít se **against** co

brush up oprášit, osvěžit (*znalosti*)

brush[2] [braš] **1** chrastí **2** houští, křoviska

Brussels [braslz] Brusel
◆ **~ sprouts** *pl* růžičková kapusta

brutal [bru:tl] brutální, surový

brutality [bru'tæliti] brutalita, surovost

brute [bru:t] *n* zvíře, hovado; surovec

♦ *adj* zvířecký, hrubý (**force** síla)

B.Sc. [bi:es'si:] = **Bachelor of Science** bakalář přírodních věd

BSkyB [bi:skai'bi:] satelitní televize

BST [bi:es'ti:] = **British Summer Time** britský letní čas

bubble [babl] *n* bublin(k)a

♦ *v* bublat

bubbly [babli] **1** plný bublinek, šumivý **2** překypující energií

buck [bak] *n* **1** kozel; samec **2** US (*hovor.*) dolar

♦ *v* ~ **up 1** vyskočit; pospíšit si **2** vzpružit (se), dát hlavu vzhůru

bucket [bakit] vědro, kbelík, džber

♦ ~ **and spade** GB / **sand pail** US kyblíček a lopatička

buckle [bakl] *n* přezka, spona ♦ *v* **1** zkroutit se **2** ~ **up** připoutat (se)

bud [bad] *n* **1** poupě, pupen **2** zárodek; **nip in the** ~ zničit v zárodku ♦ *v* (**dd**) **1** pučet, klíčit **2** očkovat (*stromy*)

budge [badž] hnout se, ustoupit; **he won't** ~ **an inch** neustoupí o krok

budgerigar [badžəriga:] andulka (*papoušek*)

budget [badžit] rozpočet

buffer [bafə] **1** nárazník **2** výpomoc **3** vyrovnávací paměť (*počítače*)

buffet [bufei] **1** bufet, automat, bistro **2** US příborník

bug [bag] *n* **1** štěnice; US brouk **2** štěnice (*odposlouchávací zařízení*) **3** ~**s** *pl* mouchy (*vady*)

♦ **big** ~ (*hovor.*) velké zvíře

♦ *v* (**gg**) **1** instalovat

odposlouchávací zařízení kde **2** štvát, namíchnout koho

bugger [bagə] **1** chudák, chudinka **2** (*vulg.*) buzerant, teplouš

♦ ~ **all** hovno (*nic*)

build* [bild] *v* **1** stavět, postavit **2** ~ **up** (vy)budovat, vytvářet

♦ *n* tělesná konstituce, postava

builder [bildə] stavitel; budovatel

♦ ~**'s merchant** obchodník se stavebninami

building [bilding] stavba, budova; stavění; ~ **block** (kostka) stavebnice

built-in [bilt'in] vestavěný

built-up [bilt'ap] (*prostor*) zastavěný

bulb [balb] **1** hlíza, cibule, bulva **2** kulička (*teploměru*) **3** žárovka

Bulgaria [bal'geəriə] Bulharsko

Bulgarian [bal'geəriən] *adj* bulharský ♦ *n* **1** Bulhar **2** bulharština

bulge [baldž] *v* **1** nacpat **2** vydouvat se; **his eyes** ~**d** oči mu vylézaly z důlků

♦ *n* náhlý nárůst **in** čeho

bulk [balk] *n* **1** hromada, masa, kvanta **of** čeho; většina **2** lodní náklad **3** objem

♦ *v* zdát se, jevit se; ~ **large** zdát se velkým / důležitým

bulky [balki] **1** velký, objemný **2** neskladný

bull [bul] **1** býk **2** samec

bulldozer [buldəuzə] buldozer, (*též přen.*)

bullet [bulit] střela, kulka

bullhorn [bulho:n] US megafon

bully [buli] *n* tyran, postrach (*slabších*) ♦ *v* zastrašovat, tyranizovat, šikanovat

bulwark [bulwək] val, bašta, (*též přen.*)

B

bum[1] [bam] *n US* (*slang.*) tulák, vandrák, pobuda ● *adj* (*slang.*) mizerný, pitomý, bezcenný ● *v* loudit o

bum[2] [bam] (*slang.*) zadek, prdýlka

bump [bamp] *n* 1 rána, náraz 2 boule 3 hrbol(ek) ● *v* 1 narazit **into / against** do / na, vrazit **against** do; uhodit se **against** o 2 kodrcat

bumper [bampə] *n* nárazník (*auta*) ● *adj* neobvykle velký; **a ~ harvest** rekordní sklizeň

bun [ban] 1 *GB* rozinkový bochánek 2 *US* žemle 3 drdol

bunch [banč] 1 svazek, chomáč, hrozen 2 skupina, parta ♦ **a ~ of flowers** kytice; **a ~ of keys** svazek klíčů

bundle [bandl] *n* ranec, uzel; otýpka ● *v* 1 nacpat, naházet 2 *též* ~ **up** svázat do rance

bungalow [baŋgələu] *n* přízemní domek, bungalov

bunk [baŋk] palanda

buoy [boi] bóje, plavatka

burden [bə:dn] *n* 1 břemeno, přítěž 2 hlavní bod, těžiště (*přen.*) ● *v* obtížit, zatížit **with** čím

bureau [bjuərəu] 1 *GB* americký psací stůl (*s roletou*) 2 úřad, agentura, byró 3 *US* prádelník 4 *US* odbor (*státní instituce*)

bureaucracy [bju'rokrəsi] (*hanl.*) byrokracie

burger [bə:gə] 1 hamburger 2 karbanátek; **cheese~** sýrový karbanátek

burglar [bə:glə] lupič

burial [beriəl] pohřeb

Burma [bə:mə] Barma

burn* [bə:n] *v* 1 (s)pálit

2 (s)hořet 3 propálit; upálit ● *n* 1 popálenina, spálenina 2 zažehnutí motoru rakety

burn up 1 rozhořet se 2 spálit; shořet 3 (*slang.*) dožírat, štvát ♦ **be ~ed up** (*slang.*) být posedlý

burner [bə:nə] hořák ♦ **put sth. on the back ~** odložit co na neurčito

burst* [bə:st] *v* 1 prasknout, puknout 2 protrhnout, prorazit; vrazit 3 překypovat **with** čím ♦ ~ **into tears** propuknout v pláč; ~ **out laughing** dát se do smíchu ● *n* 1 výbuch, bouře, (*též přen.*); záchvat; nával 2 prasknutí, prasklina

bury [beri] 1 pohřbít, pochovat, zakopat, (*též přen.*) 2 skrýt, schovat

bus [bas] autobus ♦ **go by ~** jet autobusem; **miss the ~** zmeškat autobus, (*přen.*) propást příležitost

bush [buš] keř ♦ ~ **telegraph** tamtamy, šeptanda

bushel [bušl] bušl (*asi 36 l*)

business [biznis] 1 zaměstnání; **on ~** služebně, úředně 2 záležitost, věc; starost, povinnost, úkol 3 obchod 4 branže, řemeslo, (*též přen.*) ♦ **let's get down to ~** přistupme k věci; **mind your own ~** starejte se o sebe; ~ **as usual** normálka, vše je v pohodě, stav normální

businessman [biznismən] obchodník, podnikatel

bust[1] [bast] 1 bysta 2 ženské poprsí

bust[2] [bast] (*hovor.*) *v* 1 rozbít 2 zašit, sebrat 3 udělat razii kde 4 degradovat ● *interj* šmytec, utrum (*je po všem*) ● *n US* krach

bustle [basl] *n* hemžení, shon

- v **1** činit se, hodit sebou **2** ~ **about** pobíhat (hlučně)

busy [bizi] adj **1** (zcela) zaměstnaný **at / in / with / over** čím; **be** ~ mít mnoho práce **2** živý, čilý, rušný; **a** ~ **day** rušný den **3** (místnost, telefon) obsazený
- v ~ **oneself with** zaměstnávat se čím

busybody [bizibodi] kdo do všeho strká nos, všetečka

but [bat, bət] conj ale, avšak, nýbrž, jenomže
- adv jenom, teprve; aspoň
- prep kromě ♦ **all** ~ skoro; **nothing** ~ nic než; **the last lesson** ~ **one** předposlední lekce; ~ **for your help** nebýt tvé pomoci

butcher [bučə] n řezník; ~'**s** řeznictví • v **1** porážet (dobytek), zabíjet (drůbež) **2** (brutálně) povraždit, (z)masakrovat

butt [bat] hlavou narazit, vrazit **against** do

butt in plést se do něčeho; **excuse my** ~**ing in** promiňte, že vám skáču do řeči

butter [batə] n máslo
- v (na)mazat máslem

butterfly [batəflai] motýl

buttocks [bataks] pl hýždě

button [batn] n **1** knoflík; tlačítko **2** pupen • v zapnout (se)

buy* [bai] v koupit (si); ~ **up** skoupit
♦ ~ **for a song** koupit za babku
- n (hovor.) koupě

buyer [baiə] kupec, kupující; nákupčí

buzz [baz] v bzučet; hučet; **my**

ears ~ hučí mi v uších
- n **1** bzukot, hučení **2** (hovor.) brnknutí (zatelefonování); **give me a** ~ brnkni mi

buzzer [bazə] bzučák

by [bai] prep **1** vedle, u, blízko **2** pomocí, prostřednictvím; ~ **air** letecky **3** do; ~ **tomorrow** do zítřka; **it must be ready** ~ **now** teď už je to jistě hotové **4** podle; **an actor** ~ **profession** povoláním herec **5** za; **take** ~ **the hand** vzít za ruku ♦ ~ **oneself** sám; ~ **night** za noci; **sell** ~ **the yard** prodávat na yardy; **know** ~ **the name** znát jménem; ~ **mistake** omylem; ~ **my watch** podle mých hodinek; **one** ~ **one** jeden po druhém
- adv vedle, kolem, stranou
♦ ~ **and** ~ později, brzy; ~ **the** ~, ~ **the way** mimochodem, ostatně; ~ **and large** všeobecně řečeno

by-election [baii,lekšn] doplňovací volby

bygone [baigon] adj uplynulý, minulý
- n odbytá věc, stará mrzutost; **let** ~**s be** ~**s** odpusťme si, co jsme si

bylaw [bailo:] (místní) nařízení, předpis, regule

bypass [baipa:s] n objížďka
- v objíždět

by-product [baiprodakt] vedlejší produkt

bystander [baistændə] náhodný / nezúčastněný divák

byway [baiwei] vedlejší / postranní cesta

byword [baiwə:d] synonymum (přen.)

C

C/A = **current account** běžný účet

cab [kæb] **1** taxi; **~ rank** stanoviště taxi, štafl (hovor.); drožka **2** kabina pro řidiče

cabbage [kæbidž] **1** kapusta **2** hlávkové zelí

cabin [kæbin] **1** kabina, kajuta **2** chatrč; chata ♦ **log ~** srub

cabinet [kæbinit] **1** skříň, vitrína **2** pokojík; kabinet **3** kabinet, užší vláda

cable [keibl] n **1** lano **2** kabel **3** telegram
♦ **~ car** kabina (visuté lanovky); **~ railway** (pozemní) lanovka
● v kabelovat; telegrafovat

cactus [kæktəs] kaktus

café [kæfei] **1** kavárna (mimo Británii) **2** (nealkoholická) lidová restaurace

cafeteria [kæfi'tiəriə] restaurace se samoobsluhou

cage [keidž] n klec
● v zavřít do klece

cake [keik] n **1** buchta, dort, koláč; moučník **2** (oblý / tvarovaný) kus, kousek; **a ~ of soap** kousek mýdla; **a ~ of chocolate** tabulka čokolády; **a fish ~** rybí karbanátek ♦ **~s and ale** radovánky; **you can't eat your ~ and have it** nemůžete chtít, aby se vlk nažral a koza zůstala celá

calamity [kə'læmiti] pohroma, neštěstí, katastrofa

calculate [kælkjuleit] **1** (vy)počítat, (též přen.) **2** počítat **on** s, spoléhat na

calculating [kælkjuleitiŋ] vypočítavý, rafinovaný

calculation [kælkju'leišn] **1** vypočítání; uvažování **2** výpočet

calculus [kælkjuləs] **1** kámen, kamínek (**renal** ledvinový) **2** počet; **differential ~** diferenciální počet; **integral ~** integrální počet

Calcutta [kæl'katə] Kalkata

calender [kælində] **1** kalendář **2** US diář

calf¹ [ka:f] tele

calf² [ka:f] lýtko

call [ko:l] n **1** volání, (též přen.) **2** (telefonní) rozhovor; **give sb. a ~** zavolat komu **3** krátká návštěva; **pay a ~ on sb.** přijít ke komu na (krátkou) návštěvu **4** potřeba, nutnost **5** poptávka
♦ v **1** volat **2** zavolat, zatelefonovat **3** nazývat, říkat jak; **what is it ~ed in English?** jak se to řekne anglicky? **4** vzbudit **5** svolat (**a meeting** schůzi) **6** přijít; **he was out when I ~ed** byl jsem pryč, když jsem tam přišel **7** zastavit se **at / for** pro, krátce navštívit **on** koho **8** volat **for** po čem, vyžadovat co **9** vyzvat **on** koho, apelovat na ♦ **~ sb. names** nadávat komu; **~ a spade a spade** nazývat věci pravým jménem; **let's ~ it a day** pro dnešek končíme

call down 1 svolávat (hrozby) **2** US (hovor.) zpražit

call in zavolat, přivolat (**the doctor** lékaře)

call off odvolat

call out 1 vykřiknout, zvolat **2** povolat (policii, vojsko)

call up 1 povolat k vojenské

službě **2** *US* telefonovat komu
3 vyvolat (*vzpomínku*)
call box [ko:lboks] telefonní budka
caller [ko:lə] **1** návštěvník
2 telefonující
calling [ko:liŋ] povolání,
zaměstnání; profese
callous [kæləs] **1** (*kůže*) ztvrdlý
2 otrlý, bezcitný
callus [kæləs] ztvrdlá kůže
calm [ka:m] *adj* bezvětrný, klidný,
tichý • *n* bezvětří, klid, ticho
• *v* ~ **(down)** uklidnit (se), utišit
(se)
calorie [kæləri] kalorie
calorific [kælə'rifik] **1** výhřevný
2 (*hovor.*) jdoucí na sádlo
calumny [kæləmni] pomluva
against koho, nactiutrhání koho
camcorder [kæmko:də] přenosná
videokamera
s (video)přehrávačem
camel [kæml] velbloud
camera [kæmərə] kamera; fotoapa-
rát • **in** ~ s vyloučením veřejnosti
cameraman [kæmrəmæn]
kameraman
camomile [kæməmail] heřmánek
camouflage [kæmufla:ž] *n*
kamufláž • *v* zamaskovat
camp [kæmp] *n* tábor, (*též přen.*)
• *v* tábořit • **go ~ing** jet tábořit
camp out spát ve stanu
campaign [kæm'pein] *n* **1** kampaň
2 vojenské tažení • *v* vést
kampaň; (z)účastnit se kampaně
campsite [kæmpsait] kemp,
(auto)kempink
can¹ [kæn] *n* **1** plechovka
2 konzerva • *v* (**nn**) konzervovat
can²* [kæn, kən] **1** moci **2** umět
3 smět; **I ~ hear / see you** já tě
slyším / vidím

Canada [kænədə] Kanada
canal [kə'næl] **1** kanál, průplav
2 trubice
canapé [kænəpei] chuťovka,
jednohubka
canary [kə'neəri] kanár
cancel [kænsl] **(ll)** **1** přeškrtnout;
přerazítkovat **2** zrušit, odvolat,
stornovat
cancel out rušit se navzájem,
vyrovnat se
cancer [kænsə] **1** rakovina **2** C~
Rak (*souhvězdí*)
candid [kændid] upřímný
candidate [kændidət] kandidát,
uchazeč **for** o
candied [kændid] **1** kandovaný
2 (*přen.*) sladký, přeslazený
candle [kændl] svíčka
candour [kændə] upřímnost
candy [kændi] **1** kandysový cukr
2 *US* cukroví
candyfloss [kændiflos] cukrová
vata
cane [kein] **1** třtina; ~ **sugar** třtino-
vý cukr **2** rákoska **3** hůl, hůlka
canine [kænain] psí
• ~ **tooth** špičák
canister [kænistə] plechovka,
dóza (*na potraviny*); kanystr,
plechový sud
cannabis [kænəbis] **1** konopí
2 hašiš
cannibal [kænibl] lidožrout,
kanibal
canning [kæniŋ] (*domácí*)
zavařování
cannon [kænən] dělo, kanón
cannot [kænot] (*zápor slovesa*
can);**I cannot but** musím
canoe [kə'nu:] kánoe
canonize [kænənaiz] svatořečit
can't [ka:nt] (*zápor slovesa* **can**)

canteen [kæn'ti:n] **1** kantýna, závodní jídelna **2** polní láhev **3** příbor (*v kazetě*)

canvas [kænvəs] **1** plátno (*malířské*); obraz na plátně **2** plachta (*stanová, lodní*) ♦ ~ **camp** stanový tábor; ~ **town** stanové městečko; **under** ~ *1.* pod stany *2.* s napjatými plachtami

canvass [kænvəs] **1** prodiskutovat **2** agitovat **for** pro **3** shánět **for** co

canyon [kænjən] kaňon

cap [kæp] **1** čepice; čepec **2** víčko **3** kapsle

capability [keipə'biliti] schopnost

capable [keipəbl] **1** schopný, zdatný, talentovaný **2** schopen **of** čeho

capacity [kə'pæsiti] **1** kapacita **2** obsah, objem **3** chápavost **4** schopnost **5** funkce; **in my ~ of / as** jakožto

cape [keip] mys

capillary [kə'piləri] vlásečnice, kapilára

capital [kæpitl] *n* **1** hlavní město **2** velké písmeno **3** kapitál ● *adj* **1** (*práv.*) hrdelní **2** hlavní, důležitý ♦ **a ~ letter** velké písmeno

capitalism [kæpitəlizm] kapitalismus

capitalist [kæpitəlist] *n* kapitalista ● *adj* kapitalistický

capitulate [kə'pitjuleit] kapitulovat

capricious [kə'prišəs] vrtošivý, vrtkavý

Capricorn [kæpriko:n] Kozoroh

capsize [kæp'saiz] převrhnout (se)

capsule [kæpsju:l] **1** (*bot.*) tobolka **2** (*med.*) oplatka

(*s práškem*), dražé, kapsle **3** kabina (*astronauta, pilota*)

captain [kæptin] kapitán

caption [kæpšn] **1** titulek **2** podtitulek

captivate [kæptiveit] upoutat

captive [kæptiv] *adj* **1** zajatý **2** upoutaný (**balloon** balón) ● *n* zajatec

captivity [kæp'tiviti] zajetí

capture [kæpčə] *v* **1** zajmout **2** dopadnout **3** dobýt **4** zaujmout ● *n* **1** zajetí **2** dobytí **3** kořist

car [ka:] **1** auto **2** (*železniční*) vagón **3** vůz

caravan [kærəvæn] **1** přívěs **2** maringotka **3** karavana

caraway seeds [kærəweisi:dz] *pl* kmín (*koření*)

carbon [ka:bən] **1** uhlík **2** ~ (**paper**) uhlový papír **3** ~ (**copy**) průklep, kopie

carburettor [ka:bəretə] karburátor

carcass, carcase [ka:kəs] **1** poražené dobytče **2** zdechlina, mršina

card [ka:d] **1** kartička, lístek **2** pohlednice, dopisnice **3** legitimace **4** (*hrací*) karta; **play ~s** hrát karty; **show one's ~s** odkrýt karty; **hold all the ~s** (*přen.*) mít všechny trumfy v ruce

cardboard [ka:dbo:d] lepenka, kartón

cardigan [ka:digən] (*zapínací*) svetr, pletená vesta (*s rukávy*)

cardinal [ka:dinl] *adj* základní; ~ **numbers** základní číslovky; ~ **points** hlavní světové strany ● *n* kardinál

care [keə] *n* **1** péče **2** opatrnost; **take ~ (that)** dát pozor (aby) **3** dohled **4** starost; **take ~ of**

postarat se o; **~ of Mr S.** na adresu pana S.
• *v* **1** dbát **for / about** o co, mít rád, chtít co; **I don't ~ for soup** já polévku nerad **2** starat se **for** o
♦ **I couldn't ~ less** mně je to úplně jedno; **she doesn't ~ a hang / pin** je jí to úplně jedno

career [kə'riə] životní dráha, kariéra, profese; **~ woman** žena, pro niž je nejdůležitější zaměstnání

carefree [keəfri:] bezstarostný

careful [keəful] **1** opatrný, dávající si pozor with na; **be ~ (not) to +** *inf* dávat pozor, aby (ne); **be ~ about / while -ing** dávat si pozor při čem; **be ~ of** dbát na co **2** pečlivý

careless [keəlis] **1** neopatrný **2** nedbalý **3** bezstarostný

caretaker [keəteikə] správce domu; domovník

carfare [ka:feə] *US* místní jízdné

cargo [ka:gəu] lodní náklad

caricature [kærikəčuə] *n* karikatura • *v* karikovat

carnation [ka:'neišn] karafiát

carnival [ka:nivl] karneval

carnivorous [ka:'nivərəs] masožravý

carol [kærəl] *též* **Christmas ~** (vánoční) koleda

carousel [kærə'sel] **1** *US* kolotoč **2** karusel, vykladač, odbavovací pás *(na zavazadla)*

carp [ka:p] kapr

carpenter [ka:pintə] tesař

carpet [ka:pit] koberec

carriage [kæridž] **1** vůz, kočár **2** *US* železniční vagón **3** doprava, dopravné; **~ forward** dopravné hradí příjemce; **~ paid /**

free vyplaceně **4** držení těla **5** lafeta; vozík *(psacího stroje)*

carrier [kæriə] **1** nosič; nositel **2** dopravce ♦ **~ bag** nákupní / odnosná taška; **~ pigeon** poštovní holub; **~ rocket** nosná raketa

carrot [kærət] mrkev; **the ~ and stick method** metoda cukru a biče

carry [kæri] **1** nést, nosit; **~ oneself** nést se **2** dopravovat **3** prosadit (**a motion** návrh, **one's point** svoje stanovisko) **4** převést (**to a new account** na nový účet) **5** mít u sebe **6** získat podporu
♦ **~ (a lot of) weight** mít velkou váhu *(důležitost)*; **~ the day** mít úspěch

carry away 1 odnést, odvést **2** strhnout (**the audience** posluchače); **get carried away** dát se strhnout

carry off hladce získat / vyhrát

carry on 1 pokračovat ((**with**) **one's work** v práci) **2** provozovat **3** be ~ing on *(hovor.)* *1.* plkat *2.* mít poměr **with sb.** s kým, tahat se s

carry out 1 provést, vyřídit **2** splnit, uskutečnit

cart [ka:t] *n* kára, vozík; dvoukolák • *v* (od)vézt (jako) na vozíku

cartilage [ka:tilidž] chrupavka

carton [ka:tən] kartón, krabice

cartoon [ka:'tu:n] **1** *(politická)* karikatura **2** (**animated**) **~** kreslený film **3** kartón *(předloha fresky, mozaiky)*

cartridge [ka:tridž] **1** náboj **2** vložka do přenosky *(gramofonu)* **3** náplň do pera; **~ pen** pero s vyměnitelnou náplní

carve [ka:v] **1** vyřezávat **2** krájet (*tepelně zpracované maso*)

case[1] [keis] **1** případ **2** (*soudní*) případ, proces **3** (*jaz.*) pád
♦ **in ~** pro případ, že; jestliže; **in ~ of** v případě (*fire* požáru); **in any ~** v každém případě, rozhodně; **in no ~** za žádných okolností; **if that is the ~** je-li tomu tak; **just in ~** pro každý případ; **as the ~ may be** popřípadě, eventuálně

case[2] [keis] **1** pouzdro **2** krabice; bedna **3** kufr, kufřík

cash [kæʃ] *n* **1** hotové peníze **2** peněžní prostředky
♦ **~ down** za hotové; **~ on delivery** na dobírku; **be short of ~** (*hovor.*) mít málo peněz
♦ *v* **1** proplatit **2** inkasovat

cash in on (*hovor.*) vytlouci kapitál z čeho

cash dispenser ['kæʃ di,spensə] bankomat

cashier [kæ'ʃiə] pokladní(k)

cash register ['kæʃ,redʒistə] pokladna (*v obchodě*)

casket [ka:skit] **1** kazeta, šperkovnice **2** *US* rakev

cassette [kə'set] kazeta (*s magnetickým páskem, filmem*)

cast* [ka:st] *v* **1** házet; vrhat (**a shadow** stín) **2** shodit **3** odevzdat (**a vote** hlas) **4** (od)lít; **~ iron** litina
♦ *n* **1** hod, vrh **2** forma; odlitek; sádrový obvaz **3** obsazení (*hry, filmu*) ♦ **a ~ in the eye** šilhavost

cast about / around poohlížet se for po

cast off 1 odvázat, vyvázat (*loď*) **2** odložit, vyhodit

cast on nahodit (*první řadu při pletení*)

caste [ka:st / kæst] kasta

castle [ka:sl] *n* **1** hrad; zámek; **~s in the air / in Spain** vzdušné zámky **2** věž (*v šachu*)
♦ *v* udělat rochádu

castor oil [,ka:stər'oil] ricinový olej

castor sugar ['ka:stə,ʃugə] práškový cukr

casual [kæʒuəl] **1** náhodný, nahodilý; bezděčný; zběžný; **in a ~ way** jakoby nic, bezděčně **2** nevšímavý **3** nedbalý; **~ clothes** pohodlné / neformální oblečení **4** příležitostný (**labour** práce)

casualty [kæʒuəlti] **1** nehoda, neštěstí **2** oběť nehody, (*též přen.*); **casualties** *pl* ztráty (*při bojové akci*) **3** *GB* pohotovost (*nemocniční oddělení*)

cat [kæt] **1** kočka; kočkovitá šelma **2** (*GB, hanl.*) baba
♦ **it's raining ~s and dogs** lije jako z konve

catalogue [kætəlog] katalog, ceník

catarrh [kə'ta:] katar

catastrophe [kə'tæstrəfi] katastrofa

catcall [kætko:l] pískání, volání (*v divadle / při sportovním utkání*)

catch* [kæʧ] *v* **1** (za)chytit **2** porozumět ♦ **~ me riding a bus!** Já a jet autobusem!; **~ (a) cold** nachladit se; **~ fire** vznítit se; **~ sight / a glimpse of** zahlédnout koho / co ♦ *n* **1** úlovek, kořist **2** háček, zádrhel; **there's a ~ in it somewhere** někde to vázne

catch on 1 ujmout se, zabrat **2** začít chápat

catch out nachytat

catch up dohonit, dohnat, dohánět
  with sb. koho / **on sth.** co
catchphrase [kæčfreiz] (módní)
  fráze
categorical [kæti'gorikl]
  kategorický
category [kætigori] kategorie
cater [keitə] **1** zásobovat
  potravinami **for** koho, starat se
  o pohoštění **pro 2** poskytovat
  zábavu **for** komu, sloužit
caterpillar [kætəpilə] **1** housenka
  2 housenkový pás; **~ tractor**
  pásový traktor
cathedral [kə'θi:drəl] katedrála
Catholic [kæθəlik] n katolík
  • adj katolický
catkin [kætkin] jehněda
cattle [kætl] dobytek
catty [kæti] zlomyslný
Caucasus [ko:kəsəs], **the ~** Kavkaz
cauliflower [koliflauə] květák
causality [ko:'zæliti] příčinná
  souvislost
cause [ko:z] n **1** příčina, důvod
  2 věc **3** předmět sporu; soudní
  pře ♦ **give ~ for concern** vzbu-
  zovat obavy • v **1** způsobit, být
  příčinou čeho **2** přimět **sb. to do**
  sth. koho udělat / aby udělal co
caution [ko:šn] **1** opatrnost
  2 výstraha; napomenutí
  ♦ **with ~** opatrně
cautious [ko:šəs] opatrný,
  obezřelý; dávající pozor
cavalry [kævlri] jezdectvo, jízda
cave [keiv] jeskyně
cavern [kævən] velká jeskyně
cavity [kæviti] dutina; zubní kaz,
  kavita
CD player ['si:di:'pleiə] přehrávač
  kompaktních desek

cease [si:s] v **1** přestat **2** zastavit
  • n: **without ~** bez přestání
ceasefire [si:sfaiə] zastavení
  palby, klid zbraní, příměří
ceaseless [si:slis] neustálý
cedar [si:də] cedr
ceiling [si:liŋ] strop, (též přen.)
celebrate [selibreit] **1** slavit
  (**Christmas** Vánoce) **2** oslavovat
  3 slavit; celebrovat (mši)
celebrated [selibreitid] slavný,
  proslavený **for** čím
celebration [seli'breišn] oslava
celebrity [si'lebriti] **1** sláva
  2 proslulá osobnost, hvězda
celery [seləri] celer (zvl. stonky)
celibacy [selibəsi] celibát
cell [sel] **1** cela **2** článek, baterie
  3 buňka, (též přen.)
cellar [selə] sklep
cello [čeləu] (violon)cello
cellular [seljulə] buněčný
Celt [kelt / selt] Kelt
Celtic [keltik / seltik] keltský
cement [si'ment] n cement
  • v upevnit, stmelit, (též přen.)
cemetery [semitri] hřbitov
censor [sensə] n cenzor
  • v cenzurovat
censorship [sensəšip] cenzura
censure [senšə] v **1** pokárat; odsu-
  zovat **2** vyslovit nedůvěru komu
  • n **1** ostrá výtka, pokárání;
  nepříznivá kritika **2** odsouzení
  ♦ **vote of ~** (odhlasovaný)
  projev nedůvěry
census [sensəs] sčítání lidu
cent [sent] cent (setina dolaru)
centenary [sen'ti:nəri], **centennial**
  [sen'teniəl] US sté výročí
centimetre [sentimi:tə] centimetr
central [sentrəl] **1** střední

2 blízko centra města 3 ústřední
♦ ~ **heating** ústřední topení
centre [sentə] n 1 střed, centrum,
(*též přen*.); ~ **of gravity** těžiště
2 středisko; **a shopping ~**
nákupní středisko
♦ v soustředit (se) **upon** na
century [senčəri] století
ceramic [si'ræmik] keramický
ceramics [si'ræmiks] pl keramika
cereals [siriəlz] pl obilniny,
obiloviny
ceremonial [seri'məuniəl] adj
slavnostní, formální; obřadný
♦ n ceremoniál
ceremony [serimәni] obřad,
ceremonie; **stand on ~** chovat se
s upjatou zdvořilostí
certain [sә:tn] 1 jistý, nezvratný
2 jist, přesvědčen 3 určitý, jakýsi
♦ **on ~ conditions** za určitých
podmínek; **to a ~ extent** do urči-
té míry; **for ~** určitě, s určitostí;
it is ~ to happen určitě se to
stane; **know for ~** s určitostí
vědět; **make ~** 1. přesvědčit se
2. zajistit **of sth.** co; **for a ~**
reason z určitého důvodu
certainly [sә:tnli] 1 jistě, určitě
2 zajisté; prosím (*odpověď na*
prosbu / přání)
♦ ~ **not** v žádném případě
certainty [sә:tnti] jistota, určitost;
for a ~ určitě, s určitostí
certificate [sә'tifikit] vysvědčení,
osvědčení; potvrzení; **a ~ of**
birth / marriage křestní /
oddací list; **a health ~** lékařské
vysvědčení
certify [sә:tifai] 1 potvrdit,
dosvědčit; **this is to ~ that** po-
tvrzuje se, že 2 ověřit správnost
čeho, legalizovat 3 kvalifikovat

(**a physician** lékaře), aprobovat
(**a teacher** učitele)
certitude [sә:titju:d] jistota;
(*pevné*) přesvědčení
cessation [se'seišn] zastavení,
ukončení (**of hostilities**
bojových akcí)
chain [čein] n řetěz, (*též přen*.);
~ **mail** drátěná košile; ~ **reaction**
řetězová reakce; ~ **store** filiální
prodejna, filiálka ♦ v spoutat
chain up přivázat, připoutat
(*řetězem*)
chair [čeә] n 1 židle, křeslo
2 předsednictví 3 stolice, katedra
♦ **take a ~** posadit se; **take the**
~ předsedat ♦ v předsedat (**a meeting** schůzi)
chairman [čeәmәn] předseda
chairwoman [čeәwumәn]
předsedkyně
chalet [šælei] 1 horská bouda
2 chata, bungalov
chalk [čo:k] n křída
♦ v psát / kreslit křídou
chalk up 1 zapsat; připsat
2 vysvětlovat
challenge [čælindž] n 1 výzva,
apel, "hozená rukavice" 2 úkol,
problém ♦ v 1 vyzvat
2 namítat 3 popírat 4 brát
v pochybnost 5 mít námitky
proti, odmítnout (*člena poroty*)
challenge cup [čælindžkap]
putovní pohár
challenging [čælindžiŋ]
1 provokující, vyzývavý
2 fascinující
chamber [čeimbә] n 1 komora; **C~**
of Commerce obchodní komora
2 komnata
chambermaid [čeimbәmeid]
pokojská

chamber music [čeimbəmju:zik] komorní hudba

chamois [šæmwa:] **1** kamzík **2** též ~ **leather** jelenice

champagne [šæm'pein] šampaňské

champion [čæmpjən] *n* **1** zastánce; bojovník **of** za **2** přeborník, šampión

championship [čæmpjənšip] šampionát, přebor, mistrovství

chance [ča:ns] *n* **1** náhoda **2** možnost, příležitost
♦ **by** ~ náhodou; **on the off** ~ co kdyby náhodou; **stand a** ~ mít naději; **take one's** ~ riskovat, pokusit se o štěstí; **the** ~ **of a lifetime** jedinečná příležitost
♦ *adj* náhodný, nahodilý

chancellor [ča:nsələ] kancléř

chandelier [šændə'liə] lustr

change [čeindž] *n* **1** změna, přeměna **2** drobné (*peníze*); nazpět
♦ **for a** ~ pro změnu; **a** ~ **for the better** změna k lepšímu; **a** ~ **of heart** změna smýšlení; **here's your** ~ zde máte nazpět
♦ *v* **1** (z)měnit (se) **2** vyměnit (si) **3** proměnit (*peníze*) ♦ ~ **one's clothes** převléci se; ~ **into** *1.* proměnit (se) v *2.* převléci se do; ~ **hands** změnit majitele; ~ **one's mind** rozmyslit se; ~ **trains** přesednout; ~ **to a bus** přesednout na autobus; ~ **gear** přeřadit rychlost; ~ **up** / **down** zařadit vyšší / nižší rychlost

change over 1 úplně změnit / přeměnit **2** vyměnit si místo

changeable [čeindžəbl] proměnlivý (**weather** počasí)

channel [čænl] **1** řečiště **2** kanál, průliv; **the English C~** průliv La

Manche **3** kanál, záznamová stopa **4** cesta; **through diplomatic** ~**s** diplomatickou cestou

chaos [keios] chaos, zmatek

chaotic [kai'otik] chaotický

chap [čæp] (*hovor.*) člověk, chlapík

chapel [čæpl] **1** kaple **2** modlitebna **3** (*odborové*) sdružení typografů / novinářů

chapter [čæptə] **1** kapitola **2** kapitula

char [ča:] *v* (**rr**) spálit (se) na uhel
● *n* dřevěné / živočišné uhlí

character [kæriktə] **1** charakter, povaha **2** postava (*ve hře*) **3** kádrový posudek **4** pověst, reputace **5** písmeno

characteristic [kærələ'ristik] *adj* charakteristický, typický
● *n* vlastnost

characterize [kærəktəraiz] charakterizovat; **be ~d by sth.** vyznačovat se čím

charcoal [ča:kəul] dřevěné uhlí

charge [ča:dž] *n* **1** nálož, náboj **2** úkol **3** poplatek **4** péče, dozor **5** osoba svěřená něčí péči, svěřenec **6** obvinění (**of murder** z vraždy) **7** útok ♦ **be in** ~ **of** mít na starosti co, být zodpovědný za co; **bring a** ~ **against sb.** obvinit koho; **take** ~ **of** ujmout se čeho; **free of** ~, **without** ~ zdarma
● *v* **1** nabít (*střelnou zbraň*) **2** pověřit **sb.** koho **with sth.** čím **3** obvinit **sb.** koho **with sth.** z čeho **4** účtovat, počítat cenu; **he ~d me two pounds for it** počítal mi za to dvě libry **5** napadnout (**the enemy** nepřítele)

charitable [čæritəbl] dobročinný

charity [čæriti] **1** láska k bližní-

mu **2** dobročinnost ◆ **~ begins
at home** bližší košile nežli i kabát
Charles [ča:lz] Karel
charm [ča:m] *n* **1** kouzlo **2** půvab
◆ **like a ~** dokonale ● *v* okouzlit
charming [ča:miŋ] okouzlující,
roztomilý
chart [ča:t] **1** lodní mapa
2 diagram, tabulka; žebříček
(*popularity*)
charter [ča:tə] *n* charta; listina;
~ flight speciál (*let(adlo) mimo
pravidelný letový řád*)
◆ *v* najmout loď / letadlo
chartered accountant [‚ča:təd
ə'kauntənt] autorizovaný /
přísežný účetní znalec
chary [čeəri] **1** opatrný *of* na
2 skoupý *of* na
chase [čeis] *n* lov, hon(ba); **give
sb. a ~** prohnat koho ● *v* **1** honit,
lovit (**after**) **sb.** koho **2** shánět
chase off rozprchnout se
chasm [kæzm] propast, (*též přen.*)
chaste [čeist] cudný
chastise [čæs'taiz] trestat
chastity [čæstiti] cudnost
chat [čæt] *v* (**tt**) povídat si, hovořit
● *n* hovor, povídání, beseda
chatter [čætə] *v* **1** tlachat, žvanit,
brebentit **2** (*zuby*) cvakat, jektat
● *n* tlachání
chatty [čæti] upovídaný
chauffeur [šoufə] (*profesionální*)
řidič, šofér (*soukromého vozu*)
cheap [či:p] *adj* levný, laciný, (*též
přen.*) ● *adv* lacino
cheapen [či:pn] zlevnit
cheat [či:t] *v* napálit, podvést;
ošidit **sb.** koho **out of sth.** o co
● *n* podvodník
check [ček] *n* **1** zadržení,
zastavení, překážka **2** kontrola,

revize **on** koho / čeho **3** lístek
(*od šatny*); *US* účet v restauraci
4 šach **5** kostkovaný vzor;
kostkovaná látka **6** *US* šek
◆ **hold in ~** držet pod
kontrolou; **run a ~** kontrolovat
● *adj* kostkovaný, károvaný,
pepita ● *v* **1** zastavit, zarazit
2 (*z*)kontrolovat, ověřit si; porov-
nat **3** dát šach **4** dát (si) do šatny
check in 1 ubytovat se v hotelu
2 přihlásit se (*jako přítomný*),
zaregistrovat se
check off 1 zatrhnout, odfajfkovat
(*hovor.*) **2** vyřadit, eliminovat
check out prověřovat; **~ of
a hotel** odhlásit se z hotelu
(*zaplatit účet a odejít*)
check over překontrolovat
check up 1 zkontrolovat **2** ověřit
si **on sth.** co
checked [čekt] kostkovaný, pepita
checkmate [čekmeit] *n* mat
● *v* dát mat
checkup [čekap] (*hovor.*) celkové
lékařské vyšetření
cheek [či:k] **1** tvář, líce; **~ by jowl**
v těsném sousedství **2** (*hovor.*) dr-
zost; **What a ~!** To je ale drzost!
cheekbone [či:kbəun] lícní kost
cheeky [či:ki] (*hovor.*) drzý
cheer [čiə] *n* **1** nálada **2** ovace,
volání slávy
◆ **~s!** na zdraví! (*přípitek*);
three ~s for . . . ať žije . . ., tři-
krát hip hip hurá!; **be of good ~**
být dobré mysli, neztrácet naději
● *v* **1** povzbudit **2** radostně uvítat
cheer up 1 utěšit, povzbudit
2 ~ up! hlavu vzhůru!
cheerful [čiəful] veselý, radostný;
bodrý
cheerio [čiəri'əu] (*hovor.*)

1 nazdar!, ahoj! 2 na tvoje
zdraví!

cheese [či:z] sýr
chef [šef] šéfkuchař
chemical [kemikl] chemický
chemist [kemist] 1 chemik 2 *GB*
lékárník; **~'s (shop)** lékárna
chemistry [kemistri] chemie
cheque [ček] šek
chequered [čekəd] 1 károvaný,
kostkovaný 2 pestrý (**career**
životní dráha)
cherish [čeriš] 1 pečovat o
2 chovat, mít (**hope** naději,
illusions iluze)
cherry [čeri] třešeň; třešně ♦ **lose**
one's ~ ztratit panenství; **~ on**
the cake / top něco příjemného navíc
chess [čes] šachy
chessboard [česbo:d] šachovnice
chessman [česmæn] šachová
figurka
chest [čest] 1 bedna, truhla; **~ of**
drawers prádelník 2 hruď, prsa;
get sth. off one's ~ svěřit se
komu s čím
chestnut [česnat] kaštan
chew [ču:] žvýkat
chewing gum [ču:iŋgam] žvýkací
guma, žvýkačka
chicken [či:kin] 1 slepice 2 kuře
3 (*přen.*) bačkora, bábovka
chicken pox [čikinpoks] plané
neštovice
chief [či:f] *n* 1 náčelník, velitel,
šéf 2 přednosta, představený,
ředitel; **in ~** hlavně, především
♦ *adj* vrchní, nejvyšší, hlavní
♦ **~ constable** policejní ředitel
chiefly [či:fli] hlavně, především,
zejména
chieftain [či:ftən] náčelník
child [čaild] dítě; **be with ~** být

v jiném stavu; **~ benefit** přídavek
na dítě; **~'s play** úplná hračka
childhood [čaildhud] dětství
childish [čaildiš] 1 dětský
2 dětinský, naivní
childlike [čaildlaik] 1 dětský
2 dětsky prostý, upřímný
chill [čil] *n* 1 chlad, zima
2 nachlazení; **catch a ~** nachladit
se ♦ *adj* chladný, studený, mrazi-
vý; **a ~ welcome** mrazivé přijetí
♦ *v* 1 ochladit, zchladit; **~ed to**
the bone promrzlý na kost
2 způsobit, že běhá mráz po
zádech komu
chill out *US* (*hovor.*) uklidnit se
chilly [čili] chladný, studený
chime [čaim] *n* (*často*) **~s** *pl*
zvonková hra, zvonění
♦ *v* 1 vyzvánět 2 odbíjet hodiny
chime in vmísit se do hovoru
chimney [čimni] komín
chimpanzee [čimpæn'zi:] šimpanz
chin [čin] brada ♦ **keep one's ~**
up držet hlavu vzhůru, nedat se
China [čainə] Čína
china [čainə] porcelán
Chinese [čai'ni:z] *n* 1 Číňan
2 čínština
♦ *adj* čínský ♦ **~ lantern** lampión
chink[1] [čiŋk] štěrbina
chink[2] [čiŋk] *v* cinkat ♦ *n* cinkot
chintz [činc] kartoun
chip [čip] *n* 1 tříska, odštěpek
2 **~s** *pl US* smažené brambůrky;
GB hranolky, pomfrity
♦ **he is a ~ of the old block**
jablko nepadlo daleko od stromu
♦ *v* (**pp**) štípat
chip away odlamovat kousek po
kousku, oddrolit
chip in (*hovor.*) 1 přerušit, vmísit

se do hovoru **2** přispět svou
částkou peněz
chiropody [ki'ropədi] pedikúra
chirp [čə:p] *n* cvrkot, cvrlikání
 ● *v* cvrlikat
chisel [čizl] *n* dláto
 ● *v* (ll) vysekat dlátem
chit [čit] **1** krátká (*psaná*) zpráva,
lístek **2** stvrzenka, účtenka,
paragon
chivalrous [šivəlrəs] rytířský,
galantní
chivalry [šivəlri] **1** rytířství
2 rytířskost
chloride [klo:raid] chlorid
chlorine [klo:ri:n] chlór
choc-ice [čokais] nanuk
chock-full [čok'ful] (*hovor.*)
přeplněný, nabitý k prasknutí
chocolate [čoklit] **1** čokoláda (*též
nápoj*) **2** čokoládový bonbón
3 ~s bonboniéra
choice [čois] *n* volba, výběr **of**
čeho; **take your** ~ vyberte si;
~ **of a career** volba povolání
 ● *adj* vybraný; výběrový
choir [kwaiə] **1** pěvecký sbor
2 chór; kněžiště
choke [čəuk] **1** dusit se; zakuckat
se; nebýt schopen slova **2** škrtit
3 ucpat
choke back / down polykat
(**one's tears** slzy)
choke off zarazit *sb.* **from doing
sth.** koho, aby ne
cholera [kolərə] cholera
choose* [ču:z] **1** zvolit si, vybrat
si **2** rozhodnout se; **I cannot** ~
but nezbývá mi, než
choosey, choosy [ču:zi] až příliš
vybíravý, náročný
chop [čop] *n* **1** (*vysoká*) kotleta,
žebírko **2** seknutí, sek; (*šikmá*)

rána, úder ● **get the** ~ (*GB,
hovor.*) *1.* dostat padáka
2. (*plán*) být úředně potopen
 ● *v* (**pp**) sekat, štípat (**wood**
dříví); krájet (**onion** cibuli)
chop off useknout
chop up nasekat
chopper [čopə] **1** sekáček
2 (*hovor.*) helikoptéra
chopstick [čopstik] (*jídelní*)
hůlka, tyčinka
chord [ko:d] **1** akord **2** (*přen.*)
struna ● **strike the right** ~
uhodit na správnou strunu; **vocal**
~s *pl* hlasivky; **spinal** ~ mícha
chorus [ko:rəs] *n* **1** pěvecký sbor
2 refrén ● *v* sborově říkat / zpívat
chorus girl [ko:rəsgə:l] revuální
tanečnice / zpěvačka
Christ [kraist] Kristus
christen [krisn] (po)křtít
christening [krisniŋ] křest
Christian [krisčən] *adj* křesťanský
 ● ~ **name** křestní jméno
 ● *n* křesťan
christianity [kristi'æniti]
křesťanství
Christmas [krisməs] Vánoce; **at** ~
(**time**) o Vánocích ● ~ **Day** Boží
hod vánoční, první vánoční
svátek; ~ **Eve** Štědrý den /
večer; ~ **tree** vánoční stromek
chromium [krəumjəm] chróm
chromium-plated [krəumjəm-
'pleitid] pochromovaný
chronic [kronik] chronický
chronicle [kronikl] kronika
chronological [kronə'lodžikl]
chronologický
chronology [krə'nolədži]
chronologie
chubby [čabi] buclatý
chuck [čak] (*hovor.*) **1** házet

2 nechat čeho; ~ **it!** nech toho!, jdi od toho!; ~ **up one's job** pověsit práci na hřebík

chuckle [čakl] tiše se zasmát **at / over sth.** čemu

chum [čam] kamarád

chunk [čaŋk] kus, špalek

church [čə:č] **1** kostel **2** církev

churchyard [čə:čja:d] hřbitov (u kostela)

chute [šu:t] **1** skluzavka **2** odpadová šachta

cider [saidə] **1** GB jablečné víno, (alkoholický) mošt **2** US (nealkoholický) mošt

c.i.f. = **cost, insurance, freight** výlohy, pojištění, dopravné

cigar [si'ga:] doutník

cigarette [sigə'ret] cigareta; ~ **holder** cigaretová špička

cinch [sinč] (hovor.) **1** hračka **2** hotovka, beton

cinder [sində] **1** struska, škvára **2** ~**s** pl popel

Cinderella [sində'relə] Popelka

cinder track [sində'træk] škvárová dráha

cine-camera [sinikæmərə] (ruční) kinokamera

cine-film [sinifilm] kinofilm

cinemascope [siniməskəup] (promítání na) široké plátno

cinematography [sinimə'tɔgrəfi] kinematografie

cinerama [sini'ra:mə] promítání na trojrozměrné plátno

cinnamon [sinəmən] skořice

cipher [saifə] n **1** nula, (též přen.) **2** cifra, číslice **3** šifra ♦ v **1** počítat **2** šifrovat

circle [sə:kl] n **1** kruh; kroužek **2** balkón (v divadle) **3** cyklus ♦ v kroužit

circuit [sə:kit] **1** obvod **2** okruh **3** okružní cesta **4** (sport.) kolo, kruh, dráha ♦ **make a ~ of** objet co, objet, obeplout; **short ~** zkrat

circular [sə:kjulə] adj **1** kruhový, kulatý (**table** stůl) **2** okružní ♦ ~ **saw** cirkulárka ● n **1** oběžník **2** propagační materiál

circulate [sə:kjuleit] **1** obíhat **2** dávat do oběhu, rozšiřovat **3** pohybovat se od hosta k hostu, cirkulovat

circulating library ['sə:kju:leitiŋ,laibrəri] veřejná knihovna, půjčovna knih

circulation [sə:kju'leišn] **1** oběh **2** průměrný počet prodaných výtisků (novin)

circumference [sə'kamfrəns] obvod (kruhu)

circumspect [sə:kəmspekt] obezřelý

circumstance [sə:kəmstəns] (zprav. pl) ~**s** okolnosti; **in / under the** ~**s** za těchto okolností; **in / under no** ~**s** za žádných okolností

circumstantial [sə:kəm'stænšl] **1** podmíněný okolnostmi; náhodný **2** detailní, rozvláčný **3** obřadný, ceremoniální ♦ ~ **evidence** indicie

circumvent [sə:kəm'vent] objet (**a law** zákon)

circus [sə:kəs] **1** cirkus **2** kruhové náměstí

cistern [sistən] cisterna, rezervoár

citation [sai'teišn] **1** pochvalná zmínka **for** za **2** citát

cite [sait] citovat, uvádět

citizen [sitizn] **1** měšťan **2** občan; státní příslušník

citizenship [sitiznšip] občanství; státní příslušnost

city [siti] město, velkoměsto; **the C~** londýnská City; **the ~ fathers** *US* obecní starší

civic [sivik] občanský

civics [siviks] *sg* občanská výchova

civil [sivil] **1** občanský; **~ law** občanské právo; **~ war** občanská válka **2** civilní; **the C~ Service** státní služba **3** zdvořilý

civilian [si'viljan] *n* civilista ♦ *adj* civilní

civility [si'viliti] zdvořilost

civilization [sivilai'zeišn] civilizace

civvies [siviz] *pl (hovor.)* civilní oděv, civil

claim [kleim] *v* **1** požadovat, činit si nárok na **2** vyžádat si, vyzvednout si **3** tvrdit ● *n* **1** nárok **to** na co; **lay ~ to** činit si nárok na; **put in a ~ for** přihlásit se o **2** požadavek **3** *(obch.)* reklamace

clam [klæm] *n* škeble ♦ *v* **(mm)** sbírat škeble

clam up *(slang.)* zavřít zobák, oněmět

clamber [klæmbə] lézt, šplhat

clamour [klæmə] *n* křik, hluk ♦ *v* křičet, volat

clamp [klæmp] *n* **1** svěrák **2** botička *(na kolo auta)* ♦ *v* **1** sevřít ● *v* **2** dát botičku

clamp down učinit přítrž **on** čemu

clan [klæn] klan, rod

clandestine [klæn'destin] tajný

clap [klæp] *v* **(pp)** **1** klepat, pleskat **2** tleskat, aplaudovat ● *n* **1** rána, úder; **a ~ of thunder** zahřmění **2** zatleskání

clarify [klærifai] **1** vyjasnit (se), objasnit **2** vyčistit

clarity [klæriti] jasnost

clash [klæš] *n* **1** srážka **2** konflikt **3** třesk, (za)řinčení ● *v* **1** srazit se, *(též přen.)* **2** kolidovat **3** narážet na sebe *(s řinkotem)*

clasp [kla:sp] *n* **1** sponka, spona **2** sevření ♦ *v* **1** sevřít, svírat; **with ~ed hands** se sepjatýma rukama **2** zapnout sponkou; upevnit

class [kla:s] *n* **1** třída **2** ročník **3** hodina *(vyučovací)*; **~es** *pl* kurs

classic [klæsik] *adj* klasický *(vzorný)* ● *n* klasik

classical [klæsikl] **1** klasický *(antický)*; **a ~ education** humanitní vzdělání **2** klasický *(na rozdíl od moderního)*

classification [klæsifi'keišn] klasifikace, třídění

classified [klæsifaid] **1** *(úředně)* utajovaný, tajný **2** roztříděný ♦ **~ ad** inzerát v malém oznamovateli

classify [klæsifai] klasifikovat, třídit

classroom [kla:srum] třída *(místnost)*

clatter [klætə] *n* **1** dusot; řinkot, řinčení **2** změť hlasů ♦ *v* řinčet, rachotit

clause [klo:z] *n* **1** klauzule, doložka, odstavec **2** *(jaz.)* vedlejší věta

claw [klo:] *n* dráp, spár ♦ *v* **1** popadnout; chňapnout **at** po **2** škrábat, drápat

clay [klei] hlína, jíl

clean [kli:n] *adj* **1** čistý, *(též přen.)* **2** čistotný ♦ **~ bill of health** *1.* zdravotní pas *2.* osvědčení o bezúhonnosti

● *adv* úplně; **I ~ forgot about it** úplně jsem na to zapomněl

● *v* čistit

clean up vyčistit, uklidit

cleanliness [klenlinis] čistotnost

cleanly [klenli] čistotný

cleanse [klenz] očistit **of / from** od

clear [kliə] *adj* 1 jasný; průzračný; čistý; **a ~ conscience** čisté svědomí 2 zřetelný; **make oneself ~** vyjádřit se jasně 3 (*obch.*) čistý, netto ● *adv* jasně, zřetelně ● *v* 1 vyčistit; uklidit (**the table** stůl / se stolu); **~ one's throat** odkašlat si 2 přeskočit (**six feet šest** stop) 3 těsně minout 4 odbavit (**a ship loď**) 5 vyjasnit (se)

clear away uklidit / sklidit se stolu

clear off vypadnout, zmizet

clear out 1 vybrat (**the ashes** popel) 2 přebrat / uklidit a zbytečné vyhodit 3 (*hovor.*) ztratit se, zmizet

clear up 1 uklidit 2 vyjasnit (se)

clearance sale [kliərəns seil] výprodej

clearing [kliəriŋ] mýtina

clearly [kliəli] 1 jasně, zřetelně 2 samozřejmě

clear-sighted [kliə'saitid] jasnozřivý, bystrozraký, (*též přen.*)

cleave [kli:v] 1 rozštípnout (se) 2 zůstat věrný **to** komu / čemu

cleft stick [,kleft'stik]: **be in a ~** být v prekérní situaci

clemency [klemənsi] mírnost; shovívavost

clench [klenč] sevřít; **~ one's teeth** zatnout zuby

clergy [klə:dži] duchovenstvo

clergyman [klə:džimən] duchovní

clerical [klerikl] 1 kněžský (**collar** kolárek) 2 kancelářský;

a ~ error písařská chyba, přepsání; **~ work** kancelářská práce

clerk [kla:k] (*nižší*) úředník; kancelářský zaměstnanec

clever [klevə] 1 chytrý, inteligentní **at na** 2 obratný ♦ **too ~ by half** (*GB, hovor.*) přechytralý

click [klik] 1 cvaknout; **~ one's fingers** lusknout prsty; **~ one's tongue** mlasknout jazykem 2 (*hovor.*) mít štěstí / úspěch

client [klaiənt] klient, zákazník

cliff [klif] útes

cliffhanger [klifhæŋə] (*hovor.*) 1 nervák 2 (*rozhlasový / televizní*) seriál (*jehož díly končí v okamžiku napětí*)

climate [klaimət] podnebí

climatic [klai'mætik] klimatický

climax [klaimæks] 1 vyvrcholení 2 orgasmus

climb [klaim] *n* výstup kam

● *v* 1 šplhat, lézt ((**up**) **a tree** na strom) 2 stoupat

climb down 1 sešplhat, slézt, lézt dolů 2 uznat chybu

climbing frame [klaimiŋfreim] (*dětská*) prolézačka

clinch [klinč] 1 sevřít 2 rozhodnout; dotvrdit, uzavřít (**smlouvu**)

cling* [kliŋ] 1 lpět **to** na, viset na, lnout k; držet se čeho 2 těsně přiléhat **to** k, lepit se na

cling together (*přátelé*) držet pohromadě

clinic [klinik] klinika

clink [kliŋk] *v* cinkat ● *n* cinkot

clip[1] [klip] *n* svorka, klips

● *v* (**pp**) sepnout

clip[2] [klip] (**pp**) 1 (o)stříhat, zastřihnout; **~ the wings of sb.**

C

přistřihnout křídla komu
2 proštípnout (**a ticket** lístek)

clipper [klipə] 1 rychlá
plachetnice, klipr; dopravní
letadlo 2 ~s *pl* holičský strojek;
kleštičky na nehty

clipboard [klipbo:d] psací deska
s klipsem

clipping [klipiŋ] 1 výstřižek
z novin 2 ústřižek, odstřižek

cloak [kləuk] *n* 1 plášť 2 (*přen.*)
pláštík • *v* zahalit; maskovat

cloakroom [kləukrum] 1 šatna
2 toaleta

clock [klok] *n* hodiny
♦ **around the ~** ve dne v noci, po
celých 24 hodin • *v* měřit (*čas*)

clock in / on píchat příchod do
zaměstnání

clock out / off píchat odchod ze
zaměstnání

clockwise [klokwaiz] ve směru
hodinových ručiček

clockwork [klokwə:k] hodinový
stroj; **run like ~** jít jako hodinky

clod [klod] hrouda

clog [klog] (**gg**) 1 ucpat (se),
zanést (se) 2 přecpat

cloister [kloistə] 1 ambit, křížová
chodba 2 klášter

close[1] [kləus] *adj* 1 blízký
2 těsný 3 podrobný, důkladný
4 dusný 5 tajný
♦ **keep sth. ~** držet co v tajnos-
ti; **a ~ shave / thing** únik o vlas
• *adv* blízko, těsně **to sth.** u če-
ho; **~ by** blízko; **~ (up)on** téměř

close[2] [kləuz] *n* závěr, konec
♦ **draw / bring sth. to a ~**
ukončit co; **~ season** doba hájení
• *v* (u)zavřít (se)

close down 1 zavřít (**a factory**
továrnu) 2 ukončit vysílání

close in 1 stahovat se kolem
2 (*noc*) nastávat

close up uzavřít, zatarasit

closed circuit television
[,kləuzdsə:kit 'telivižn]
průmyslová televize

closely [kləusli] zblízka; pozorně,
přísně

closet [klozit] *US* vestavěná skříň

close-up [kləusap] záběr zblízka

closing time [klouziŋtaim]
zavírací doba (*hostince*)

clot [klot] *n* 1 chuchvalec
2 sedlina, sraženina (*zvl. krve*)
• *v* (**tt**) srážet se

cloth [kloθ] látka, sukno, plátno

clothe [kləuð] obléci, odít

clothes [kləuðz] *pl* šaty; **in
plain ~** v civilu 2 prádlo

clothesline [kləuðzlain] prádelní
šňůra

clothing [kləuðiŋ] šaty, oděv;
articles of ~ kusy oděvu;
~ industry oděvní průmysl

cloud [klaud] *n* mrak, oblak
• *v* potáhnout (se) mraky

cloudburst [klaudbə:st] průtrž
mračen

clouded [klaudid] zamračený

clout [klaut] 1 hadr, hadřík; **a dish
~** hadr na nádobí 2 (*hovor.*) štulec

clover [kləuvə] jetel; **live in ~** mít
se jako prase v žitě

clown [klaun] *n* klaun, šašek
• *v* šaškovat

cloy [kloi] 1 (*sladkost*) přesytit,
zaplácat žaludek 2 přejíst se

club[1] [klab] *n* kyj, hůl
• *v* (**bb**) utloukí holí

club[2] [klab] klub

clue [klu:] 1 stopa (*k záhadě*)
2 legenda (*křížovky*) ♦ **not to
have a ~** nemít zdání / tušení

clump[1] [klamp] skupina (**of trees** stromů)

clump[2] [klamp] belhat se, jít těžkým krokem

clumsy [klamzi] **1** neobratný, nemotorný **2** netaktní

cluster [klastə] *n* trs, chomáč, hrozen; shluk • *v* kupit se

clutch [klač] *v* uchopit; sáhnout **at** po • *n* spojka (*motoru*); **let in the ~** sešlápnout spojku; **let out the ~** pustit spojku

clutter [klatə] *n* nepořádek • *v* ~ (**up**) **1** uvést do nepořádku; zaneřádit **2** přeplnit, přecpat

Co. = Company [kampəni] (*obch.*) společnost

c/o = care of [keərəv] do rukou koho, k rukám koho

coach [kəuč] *n* **1** kočár **2** železniční vagon **3** autokar, autobus; **~ station** autobusové nádraží **4** soukromý učitel **5** trenér • *v* **1** připravovat ke zkoušce **2** trénovat

coal [kəul] uhel; uhlí ♦ **carry ~s to Newcastle** nosit dříví do lesa

coalfield [kəulfi:ld] uhelný revír

coalition [kəuə'lišn] koalice

coalmine [kəulmain] uhelný důl

coarse [ko:s] hrubý, drsný, (*též přen.*)

coast [kəust] mořský břeh, pobřeží ♦ **the ~ is clear** vzduch je čistý (*přen.*)

coastline [kəustlain] pobřežní čára

coat [kəut] *n* **1** kabát, plášť **2** nátěr • *v* pokrýt, natřít; obalit, potáhnout

coating [kəutiŋ] nátěr

coat hanger [kəuthæŋə] ramínko na šaty

coat of arms [kəutəv'a:mz] erb

coatrack ['kəut,ræk] věšák

coax [kəuks] **1** (*lichocením*) přimět **to do / into doing** aby **2** vyloudit, vymámit

cobalt [kəubo:lt] kobalt

cobblestone [koblstaun] oblý dlažební kámen, kočičí hlava

cobweb [kobweb] pavučina

cocaine [kə'kein] kokain

cock [kok] *n* **1** kohout **2** kohoutek **3** (*vulg.*) penis • *v* zvednout, postavit

cockchafer [kokčeifə] chroust

cockney [kokni] **1** rodilý Londýňan **2** lidová londýnská angličtina, londýnské nářečí

cockpit [kokpit] kabina pilota, kokpit

cockroach [kok'šuə] šváb

cocksure [kok'šuə] příliš jistý, domýšlivý

cocktail [kokteil] koktejl (*zprav. alkoholický*)

cocoa [kəukəu] kakao

coconut [kəukənət] kokosový ořech

C.O.D. = cash on delivery na dobírku

cod [kod] treska

cod-liver oil [kodlivər'oil] rybí tuk

code [kəud] *n* **1** zákoník **2** kód; **the Morse ~** Morseova abeceda • *v* šifrovat

co-education [kəuedju'keišn] koedukace

coefficient [kəui'fišnt] koeficient

coerce [kəu'ə:s] donutit **into doing sth.** k čemu

coercion [kəu'ə:šn] přinucení; **under ~** z donucení

coexistence [kəuig'zistəns] koexistence

C

coffee [kofi] káva; **two black ~s** dvě černé kávy

coffee-bar [kofiba:] bistro, menší restaurace (*nealkoholická*)

coffee house [kofihaus] (*středoevropská*) kavárna

coffin [kofin] rakev

cognate [kogneit] *adj* příbuzný

cogwheel [kogwi:l] ozubené kolo

cohabit [kəu'hæbit] žít spolu (*jako druh a družka*)

coherence [kəu'hiərns] souvislost, soudržnost

coherent [kəu'hiərnt] souvislý

cohesion [kəu'hi:žn] koheze, soudržnost; přilnavost

coil [koil] *v* svinout (se), stočit (se)
• *n* **1** kotouč; závit **2** cívka; spirála, vinutí

coin [koin] *n* peníz, mince; ~ **box telephone** telefonní automat
• *v* razit (*mince, nová slova*)

coincide [kəuin'said] **1** spadat v jedno **2** souhlasit

coincidence [kəu'insidns] shoda okolností, náhoda

coke [kəuk] **1** koks **2** (*hovor.*) kola

cold [kəuld] *adj* studený, chladný, (*též přen.*)
♦ **I am / feel** ~ je mi zima; **in ~ blood** chladnokrevně; **have ~ feet** mít strach; ~ **war** studená válka
• *n* **1** chlad, zima **2** nachlazení; **catch (a)** ~ být nachlazený, dostat rýmu; **common ~**, ~ **in the head** rýma **3** (*v dětské hře*) samá voda

cold-blooded [kəuld'bladid] chladnokrevný

cold-shoulder [kəuld'šəuldə] chovat se chladně ke komu, ignorovat koho

collaboration [kə,læbə'reišn] spolupráce

collaborator [kə'læbəreitə] **1** spolupracovník **2** kolaborant

collapse [kə'læps] *v* zhroutit se
• *n* zhroucení

collapsible [kə'læpsibl] skládací (**chair** židle)

collar [kolə] *n* **1** límec **2** objek **3** chomout
♦ ~ **bone** klíční kost; **hot under the** ~ rozzlobený; vzrušený
• *v* **1** chytit (*(jako) za límec*) **2** (*hovor.*) vzít (si) sám

colleague [koli:g] kolega

collect [kə'lekt] **1** sbírat **2** usazovat se; **dust ~s** prach se usazuje **3** (*hovor.*) jít pro, vyzvednout (si) **4** inkasovat **5** soustředit (**one's thoughts** myšlenky)
♦ **call** ~ *US* telefonovat na účet volaného

collection [kə'lekšn] **1** sbírání; sbírka **2** souprava (**of samples** vzorků) **3** *GB* vybírání poštovních schránek **4** inkaso

collective [kə'lektiv] kolektivní, hromadný

collector [kə'lektə] sběratel

college [kolidž] **1** vysoká škola, fakulta, kolej **2** kolegium

collide [kə'laid] srazit se; střetnout se

collier [koliə] **1** (*GB, hovor.*) horník **2** loď pro dopravu uhlí

collision [kə'ližn] srážka **between** čeho s čím, **with** s

colloquial [kə'ləukwiəl] hovorový

cologne [kə'ləun] **1** C~ Kolín nad Rýnem **2** *též* eau de ~ kolínská voda

colon [kələn] dvojtečka

colonel [ka:nl] plukovník

colonial [kə'ləuniəl] koloniální

colony [koləni] kolonie

Colorado [kolə'ra:dəu] *řeka a stát v USA;* ~ **beetle** mandelinka bramborová

colossal [kə'losl] obrovitý

colour [kalə] *n* **1** barva **2** ~s *pl* barvy (*klubu, školy*) **3** ~s vlajka, prapor ♦ **change** ~ změnit barvu; **local** ~ místní kolorit; **be off** ~ necítit se dobře; **join the** ~s dát se na vojnu; **with flying** ~s vítězně ● *v* **1** barvit (se), obarvit, přibarvit **2** červenat se

colour in vybarvit (*omalovánku*)

colour bar [kalə:] rasová diskriminace

colour-blind [kaləblaind] barvoslepý

coloured [kaləd] barevný (*též hanl.*); barevné pleti

colourfast [kalə:st] stálobarevný

colourful [kaləful] **1** pestrý, pestrobarevný **2** barvitý

colt [kault] hříbě

Columbia [kə'lambiə] Kolumbie

column [koləm] **1** sloup **2** sloupec **3** kolona

comb [kaum] *n* hřeben; hřebínek ● *v* (pro)česat

combat *n* [kombat] boj ● *v* [kəm'bæt] bojovat (**diseases** proti nemocem)

combination [kombi'neišn] **1** spojení, kombinace **2** ~s *pl* vlněný trikot (*s rukávy a nohavicemi*)

combine *v* [kəm'bain] spojovat (se) ● *n* [kombain] **1** kombinát **2** kombajn

combustible [kəm'bastibl] *adj* hořlavý ● *n* hořlavina

combustion [kəm'basčn] spalování; ~ **engine** spalovací motor

come* [kam] **1** přijít, přijet

2 pocházet (**from a town** z města, **of a good family** z dobré rodiny) **3** dospět **at k 4** zdědit **into** co (**money** peníze) **5** náhodou potkat **upon** koho, narazit na **6** (*vulg.*) udělat se (*mít orgasmus*) ♦ ~ **and see** navštívit; ~ **and have lunch** jít na oběd s; ~ **expensive** přijít draho; ~ **here** pojď sem; ~ **this way** pojďte tudy; **how** ~ … jak to přijde, že …; (**now that I**) ~ **to think of it** teď mě napadá; ~ **true** vyplnit se

come about 1 přihodit se **2** (*vítr, loď*) otočit se

come across 1 setkat se s **2** mít úspěch

come along 1 zlepšovat se **2** pospíšit si

come away ulomit se

come back 1 vrátit se **2** odseknout

come by 1 získat, přijít k čemu

come down 1 klesnout **2** tradovat se **3** redukovat se **to** na **4** onemocnět **with** čím **5** vrhnout se **on** na; ostře kritizovat, tepat

come forward vystoupit, předstoupit

come in 1 přicházet **2** přijít do módy **3** vstoupit ♦ ~ **handy / useful** přijít vhod

come off 1 utrhnout se **2** spadnout **3** mít úspěch, uskutečnit se ♦ ~ **it!** (*hovor.*) přestaň s tím!, nech toho!

come on postupovat, pokračovat; ~ **!** pospěš si!

come out 1 vypadnout **2** dopadnout **3** vyjít **4** vyjít najevo **5** vstoupit do stávky ♦ ~ **in spots** dostat vyrážku, osypat se

come round 1 nabýt vědomí, přijít k sobě; vzpamatovat se **2** přijít na návštěvu

come to přijít k sobě
come up 1 stát se, přihodit se
2 vynořit se **3** rovnat se **to**
čemu **4** dohonit **with** koho
5 narazit **against** na
comedian [kə'mi:djən] komik
comedy [komidi] komedie
comely [kamli] půvabný
comet [komit] kometa
come-uppance [kam'apəns]
(hovor.) (zasloužený) trest,
(zasloužená) zlá odměna
comfort [kamfət] n **1** pohodlí
2 útěcha ● v utěšit
comfortable [kamftəbl] pohodlný
comfortably off [‚kamftəbli 'of]
zámožný
comforter [kamfətə] utěšitel
comfy [kamfi] (hovor.) pohodlný
comic [komik] adj komický
● n komik
comical [komikl] směšný
comics [komiks] US (nedělní
novinová) příloha s kreslenými
seriály
coming [kamiŋ] nadcházející,
budoucí
comma [komə] čárka
command [kə'ma:nd] v
1 poroučet, rozkazovat **2** velet
3 ovládat **4** disponovat čím
5 vzbuzovat (respect úctu) ● n
1 rozkaz **2** velení **3** ovládání,
znalost (of English angličtiny)
commander [kə'ma:ndə] velitel;
~ **in chief** vrchní velitel
commandment [kə'ma:ndmənt]
přikázání
commando [kə'ma:ndəu]
přepadový oddíl, komando
commemorate [kə'meməreit]
připomínat památku / výročí
commence [kə'mens] začít

commencement [kə'mensmənt]
1 začátek **2** US slavnostní závěr
školního / akademického roku
commend [kə'mend] **1** chválit;
doporučit **2** svěřit
commendable [kə'mendəbl]
doporučeníhodný, chvályhodný
comment [koment] n poznámka;
komentář on k / o; **no ~** nemám
k tomu co říct
● v komentovat **on sth.** co
commentary [komentəri]
komentář on k / o
commentator [komenteitə]
komentátor; reportér
commerce [komə:s] obchod
commercial [kə'mə:šl] adj
obchodní
● n reklama (v rozhlase / televizi)
commission [kə'mišn] n **1** úkol
2 komise **3** provize
● v **1** zmocnit, pověřit
2 objednat si (umělecké dílo)
commissioner [kə'mišənə]
komisař, zmocněnec
commit [kə'mit] (tt) **1** spáchat
(suicide sebevraždu), dopustit se
(a mistake chyby) **2** svěřit; ~ **to**
memory naučit se zpaměti
3 ~ **oneself** zavázat se
commitment [kə'mitmənt]
závazek
committed [kə'mitid] **1** upnutý **to**
na, zanícený pro **2** angažovaný
committee [kə'miti] výbor; komise
commodity [kə'moditi] předmět
spotřeby, zboží
common [komən] adj **1** společný
2 obecný **3** obyčejný, běžný
4 hrubý, nevychovaný; sprostý
♦ **it is ~ knowledge that** je
všeobecně známo, že; **the ~**
people obyčejní lidé; ~ **sense**

zdravý / selský rozum
● *n* **1** náves **2** společenství
♦ **have nothing in ~ with** nemít nic společného s; **in ~ with** spolu s; **out of the ~** nezvyklý, neobyčejný

commonly [kamənli] obvykle, obecně

commons [komənz] *pl* prostí občané; **the House of C~** *GB* Dolní sněmovna

commonwealth [komənwelθ] společenství národů; **the C~** Britské společenství národů

commotion [kə'məušn] **1** otřes **2** zmatek, pozdvižení, rozruch, vzrušení

commune [komju:n] **1** obec **2** komuna

communicate [kə'mju:nikeit] **1** sdělit, oznámit **2** být spojen; souviset **3** dorozumívat se, komunikovat

communication [kə,mju:ni'keišn] **1** sdělení; zpráva; projev **2** spojení, komunikace ♦ **~ cord** *GB* záchranná brzda (*ve vlaku*)

communicative [kə'mju:nikətiv] **1** sdílný, hovorný **2** sdělný

communiqué [kə'mju:nikei] komuniké

community [kə'mju:niti] **1** společenství **2** obec **3** veřejnost

commutation [komju'teišn] **1** změna, zmírnění (*trestu*) **from ~ to** z to na **2** výměna

commute [kə'mju:t] **1** změnit, zaměnit **2** dojíždět (do města) do zaměstnání

commuter [kə'mju:tə] kdo dojíždí pravidelně do zaměstnání

compact[1] *adj* [kəm'pækt] pevný,

kompaktní
● *n* [kompækt] pudřenka

compact[2] [kompækt] smlouva, dohoda

compact disk [,kompækt 'disk] kompakt(ní disk), cédéčko (*hovor.*)

companion [kəm'pænjən] **1** druh, společník **2** průvodce (*kniha*)

company [kampəni] **1** společnost **2** (*voj.*) rota ♦ **~ car** služební auto; **keep sb. ~** dělat komu společníka; **in ~ with** spolu s; **be good ~** být dobrým společníkem; **present ~ excepted** samozřejmě s výjimkou přítomných

comparable [kompræbl] srovnatelný

comparative [kəm'pærətiv] *adj* **1** poměrný **2** srovnávací ● *n* (*jaz.*) komparativ, druhý stupeň

compare [kəm'peə] srovnávat **with** s; přirovnávat **to k**; **~ favourably with** dobře obstát ve srovnání s

comparison [kəm'pærisn] **1** srovnání; **in ~ with** ve srovnání s, v porovnání s; **there's no ~ between them** ty dva nelze srovnávat **2** (*jaz.*) stupňování

compartment [kəm'pa:tmənt] **1** oddělení **2** kupé

compass [kampəs] **1** kompas **2** *též* **–es** *pl* kružítko **3** pole působnosti, okruh

compassion [kəm'pæšn] soucit **for** s

compassionate [kəm'pæšənit] soucitný

compatible [kəm'pætəbl] slučitelný, kompatibilní **with** s

compatriot [kəm'pætriət] krajan

compel [kəm'pel] (**ll**) **1** přinutit **2** vynutit

C

compelling [kəm'peliŋ]
1 udržující pozornost, napínavý
2 nutný, nutkavý

compensate [kompənseit]
nahradit; odškodnit

compensation [kompən'seišn]
náhrada, odškodné

compere [kompeə] *GB n*
konferenciér • *v* konferovat

compete [kəm'pi:t] soutěžit

competence [kompitəns]
1 schopnost, kvalifikace
2 příslušnost, kompetence

competent [kompitənt]
1 kompetentní, příslušný
2 schopný, kvalifikovaný;
šikovný

competition [kompi'tišn]
1 soutěž; konkurence 2 konkurs

competitive [kəm'petitiv]
1 soutěživý 2 konkurenční
(**prices** ceny)

competitor [kəm'petitə] 1 soupeř,
konkurent 2 závodník, soutěžící

compilation [kompi'leišn]
kompilace

compile [kəm'pail] sestavit,
(z)kompilovat

complacence [kəm'pleisəns],
complacency [kəm'pleisənsi]
samolibost

complacent [kəm'pleisənt]
samolibý

complain [kəm'plein] stěžovat si
about / of na, **that** že

complaint [kəm'pleint] 1 stížnost
about na 2 nemoc, neduh; **liver
~** onemocnění jater

complement [komplimənt] *n*
1 (*jaz.*) doplněk 2 plný stav,
plný počet • *v* doplňovat

complementary [kompli'mentəri]
doplňkový (**angle** úhel)

♦ ~ medicine alternativní
lékařství

complete [kəm'pli:t] *adj* 1 úplný,
naprostý 2 dokončený
• *v* 1 doplnit 2 dokončit

completely [kəm'pli:tli] úplně,
naprosto

completion [kəm'pli:šn]
1 doplnění 2 dokončení

complex [kompleks] *adj* složitý
• *n* komplex

complexion [kəm'plekšn] 1 pleť
2 vzhled, vzezření, ráz
3 povaha, dispozice

compliance [kəm'plaiəns]
souhlas, ochota, poddajnost; **in ~
with** v souhlase s, podle

compliant [kəm'plaiənt] ochotný,
poddajný, povolný

complicate [komplikeit]
komplikovat

complicated [komplikeitid] složitý

complication [kompli'keišn]
komplikace

compliment *n* [komplimənt]
1 poklona, pochvala 2 **~s** *pl* bla-
hopřání, pozdrav, přání, poručení
• *v* [kompliment] blahopřát *sb.*
komu **on sth.** k čemu

complimentary [kompli'mentəri]
1 zdvořilý; pochvalný, lichotivý;
zdvořilostní 2 čestný
♦ ~ copy volný / recenzní
výtisk; **~ ticket** čestná vstupenka

comply [kəm'plai] 1 přizpůsobit
se **with sth.** čemu 2 vyhovět

component [kəm'pəunənt] složka

compose [kəm'pəuz] 1 skládat;
komponovat 2 sázet (*rukopis*)
3 ovládnout (**one's feelings** své
city); **~ yourself** uklidněte se
4 urovnat (**a quarrel** spor)

composed [kəm'pəuzd] klidný

composer [kəm'pəuzə] skladatel

composition [kompə'zišn]
1 skladba 2 složení 3 písemná práce, kompozice 4 sazba, sázení

compost [kompost] kompost

composure [kəm'pəužə] klid

compound [kompaund] *n*
1 komplex, areál 2 (*chem.*) sloučenina 3 (*jaz.*) složenina
• *adj* složený; ~ **fracture** komplikovaná zlomenina
• *v* [kəm'paund] 1 sestavit; sloučit, smíchat 2 urovnat (**a quarrel** spor) 3 vyrovnat se (**with one's creditors** s věřiteli)

comprehend [kompri'hend]
1 pochopit 2 zahrnout

comprehensible [kompri'hensəbl] srozumitelný

comprehension [kompri'henšn] chápavost

comprehensive [kompri'hensiv] souhrnný, celkový; ~ **school** *GB* jednotná střední škola

compress *v* [kəm'pres] stlačit, stěsnat • *n* [kompres] obklad; obvaz

comprise [kəm'praiz]
1 obsahovat, zahrnovat, být složen z 2 skládat se z

compromise [komprəmaiz] *n* kompromis • *v* 1 uzavřít kompromis
2 kompromitovat **oneself** se

compulsion [kəm'palšn]
1 donucení; **under** ~ z donucení
2 nutkání

compulsory [kəm'palsri]
1 povinný 2 donucovací

compunction [kəm'paŋkšn] výčitky svědomí

computation [kompju'teišn] výpočet

compute [kəm'pju:t] (vy)počítat, kalkulovat

computer [kəm'pju:tə] počítač

concave [kon'keiv] (vy)dutý

conceal [kən'si:l] skrýt, zatajit **sth. co from sb.** před kým

concede [kən'si:d] připustit, přiznat

conceit [kən'si:t] domýšlivost, ješitnost

conceited [kən'si:tid] domýšlivý

conceive [kən'si:v] 1 počít (*dítě*)
2 vymyslit si; pojmout (**the idea** myšlenku); představit si

concentrate [konsntreit] *v* soustředit (se), koncentrovat (se) **on** na
• *n* koncentrát

concentration [konsn'treišn] soustředění, koncentrace

concept [konsept] pojem
2 pojetí; představa

conception [kən'sepšn] 1 pojetí; ponětí; představa; koncepce
2 počětí

concern [kən'sə:n] *v* 1 týkat se; **as far as I am** ~**ed** pokud jde o mne; **he is** ~**ed with** jde mu o to, aby 2 ~ **oneself with** zajímat se o, zaměstnávat se čím
3 znepokojovat; **be** ~**ed about sth.** být znepokojen čím, dělat si starosti kvůli
• *n* 1 zájem 2 záležitost
3 starost, účast 4 podnik, firma, koncern 5 znepokojení

concerning [kən'sə:niŋ] 1 pokud jde o 2 týkající se čeho

concert [konsət] koncert
♦ ~ **grand** koncertní křídlo;
~ **hall** koncertní síň; **in** ~ společně, v dohodě **with** s

concertina [konsə'ti:nə] malá tahací harmonika

concerto [kən'čə:təu] koncert (*pro sólový nástroj s orchestrem*)

concession [kənˈseʃn] **1** ústupek **2** úleva; sleva **3** koncese, výsada, povolení

conciliate [kənˈsilieit] smířit

conciliation [kənsiliˈeiʃn] smíření

conciliatory [kənˈsiliətri] smířlivý

concise [kənˈsais] stručný, zhuštěný

conclude [kənˈkluːd] **1** skončit, ukončit **2** dohodnout, uzavřít (**a treaty** smlouvu) **3** dospět k názoru

conclusion [kənˈkluːʒn] **1** konec, závěr **2** uzavření (**of a treaty** smlouvy) **3** závěr, úsudek
♦ **come to the ~** that dojít k závěru, že; **in ~** na závěr, závěrem; **jump to ~s** dělat ukvapené závěry

conclusive [kənˈkluːsiv] přesvědčivý, nezvratný (**evidence** důkaz)

concord [ˈkɒŋkɔːd] shoda

concrete [ˈkɒŋkriːt] *adj*
1 konkrétní **2** betonový ● *n* beton

concur [kənˈkəː] (**rr**) **1** sběhnout se, probíhat současně **2** souhlasit, být zajedno

concussion [kənˈkaʃn] otřes mozku

condemn [kənˈdem] **1** odsoudit **as** jako, **to** k **2** určit k demolici

condemnation [kɒndemˈneiʃn] odsouzení

condensation [kɒndenˈseiʃn] zhuštění; sražení, kondenzace

condense [kənˈdens] zhustit, srazit, kondenzovat; **~d milk** (*slazené*) kondenzované mléko

condenser [kənˈdensə] kondenzátor

condition [kənˈdiʃn] *n*
1 podmínka; **on ~ that** pod podmínkou, že; **on this ~** pod touto podmínkou; **on no ~** v žádném

případě **2** stav; **in good ~** v dobrém stavu **3** **~s** *pl* poměry
● *v* **1** podmínit, určit; **~ed reflex** podmíněný reflex **2** upravit (*např. vlasy kondicionérem*)

conditional [kənˈdiʃənl] *adj* podmíněný ● *n* (*jaz.*) podmiňovací způsob, kondicionál

condolence [kənˈdouləns] (*často pl*) **~s** soustrast

condom [ˈkɒndəm] kondom

condone [kənˈdəun] odpustit, přehlédnout

conduct *n* [ˈkɒndʌkt] **1** chování **2** vedení (**of the war** války)
● *v* [kənˈdʌkt] **1** vést, provádět (**visitors** návštěvníky) **2** vést (**electricity** elektřinu) **3** ~ **oneself** vést si, chovat se **4** dirigovat

conductor [kənˈdʌktə] **1** dirigent **2** vodič **3** *US* průvodčí (*ve vlaku*)

cone [kəun] **1** kužel **2** šiška (*jehličnatého stromu*) **3** kornout (*zmrzliny*)

confectioner [kənˈfekʃənə] cukrář

confectionery [kənˈfekʃənəri] **1** cukrářské zboží **2** cukrářství

confederation [kən‚fedəˈreiʃn] konfederace

confer [kənˈfəː] (**rr**) **1** udělit, propůjčit (**a title on sb.** titul komu) **2** mít poradu, konferovat **with** s kým **on** / **about** o čem

conference [ˈkɒnfrəns] porada, jednání, konference; **he is in ~** je na poradě

confess [kənˈfes] **1** přiznat se **2** zpovídat se

confession [kənˈfeʃn] **1** doznání **2** zpověď

confide [kənˈfaid] **1** svěřit **2** důvěřovat **in sb.** komu

confidence [ˈkɒnfidəns] **1** důvěra

2 důvěrnost, tajemství **3** jistota
♦ **in strict** ~ přísně důvěrně; **motion of no** ~ vyslovení nedůvěry; **take sb. into one's** ~ svěřit se komu; ~ **trick** napálení, podvod; **a want of** ~ nedostatek důvěry

confident [konfidənt]
1 přesvědčen **of** o; **feel** ~ **that** být přesvědčen, že **2** důvěřivý **3** sebejistý, sebevědomý; troufalý

confidential [konfi'denšl] důvěrný

confine [kən'fain] **1** omezit;
~ **oneself to** omezit se na
2 zavřít, uvěznit

confinement [kən'fainmənt]
1 uvěznění **2** porod, slehnutí

confines [konfainz] hranice

confirm [kən'fə:m] **1** potvrdit
2 biřmovat; konfirmovat

confirmation [konfə'meišn]
1 potvrzení **2** biřmování; konfirmace

confirmed [kən'fə:md] zatvrzelý, nepolepšitelný

confiscate [konfiskeit] zabavit, (z)konfiskovat

confiscation [konfis'keišn] konfiskace

conflict *n* [konflikt] **1** spor
2 rozpor ● *v* [kən'flikt] být v rozporu **with** s

confluence [konfluəns] soutok

conform [kən'fo:m] **1** být v souladu **to** s **2** přizpůsobit (se)

conformity [kən'fo:miti]
1 přizpůsobení **to sth.** čemu
2 shoda, souhlas; **in** ~ **with** ve shodě s, podle

confound [kən'faund] **1** zmást; splést **2** zaměnit

confront [kən'frant]
1 konfrontovat **2** čelit čemu, stát proti čemu

confuse [kən'fju:z] splést, zmást

confusion [kən'fju:žn] zmatek

congenial [kən'dži:njəl]
1 spřízněný (*zdlibami*)
2 příjemný, sympatický

Congo [koŋgəu] Kongo

congratulate [kən'græčuleit] blahopřát **sb.** komu **on sth.** k čemu

congratulation [kən,græču'leišn]
(*často pl*) ~**s** blahopřání **on** k

congress [koŋgres] sjezd, kongres

conjugation [kondžu'geišn] (*jaz.*) časování

conjunction [kən'džaŋkšn]
1 spojení; spolupráce **2** (*jaz.*) spojka

conjunctivitis [kən,džaŋkti'vaitis] zánět spojivek

conjure (up) [kandžə]
(vy)čarovat, vyvolat

conjurer [kandžərə] kouzelník, eskamotér

conker [koŋkə] (*koňský*) kaštan

connect [kə'nekt] **1** spojovat (se); připojit **2** mít (*dopravní*) přípoj **with / to** na ♦ **be** ~**ed with** *l.* mít vztah k **2.** být rodem spřízněn s

connection, connexion [kə'nekšn]
1 spojení, vztah, styk, známost; **in this** ~ v této souvislosti; **in** ~ **with** ve spojení s **2** (*dopravní*) přípoj

connivance [kə'naivəns] shovívavost **at** k, nadržování čemu

connive [kə'naiv] **1** mlčky trpět **at** co, přimhuřovat oči nad čím **2** tajně spolupracovat **with** s

connoisseur [konə'sə:] znalec

conquer [koŋkə] **1** přemoci
2 dobýt co, zvítězit nad čím

conqueror [koŋkərə] dobyvatel

conquest [koŋkwest] dobytí, zábor

conscience [konšəns] svědomí

C

conscientious [konši'enšəs] svědomitý; ~ **objector** odpůrce vojenské služby z důvodů svědomí

conscious [konšəs] při vědomí
♦ **be** ~ **of sth.** být si vědom čeho, uvědomovat si co

consciousness [konšəsnis] vědomí

conscript v [kən'skript] odvést na vojnu ● n [konskript] branec

conscription [kən'skripšn]
1 odvod **2** všeobecná branná povinnost

consecrate [konsikreit] **1** posvětit **2** zasvětit

consent [kən'sent] n souhlas **to** s
● v souhlasit **to** s

consequence [konsikwəns]
1 následek **2** důležitost, význam
♦ **in** ~ **of** následkem čeho; **it's of no** ~ to není důležité; **take** ~**s** nést důsledky

consequently [konsikwəntli]
proto, tedy

conservation [konsə'veišn]
1 zachování **2** péče o ochranu přírody

conservatism [kən'sə:vətiz]
konzervatismus

conservative [kən'sə:vətiv] adj
1 konzervativní **2** zdrženlivý, umírněný (**estimate** odhad)
● n konzervativec

conservatoire [kən'sə:vətwa:]
konzervatoř

conservatory [kən'sə:vətri]
1 skleník **2** US konzervatoř

conserve [kən'sə:v] zachovat, konzervovat

consider [kən'sidə] **1** uvažovat o **2** brát ohled na **3** považovat **sb.** koho **to be** za / být čím **4** domnívat se
♦ ~**ed opinion** uvážený názor

considerable [kən'sidrəbl] značný

considerate [kən'sidrət]
ohleduplný, pozorný, taktní

consideration [kən,sidə'reišn]
1 ohled, zřetel **2** úvaha ♦ **in** ~ **of** vzhledem k, jako odměna za; **take into** ~ vzít v úvahu, uvážit

considering [kən'sidriŋ]
1 vzhledem k **2** když se to tak vezme, uvážíme-li

consign [kən'sain] **1** svěřit
2 odeslat, konsignovat (zboží)

consignment [kən'sainmənt]
zásilka (zboží); konsignace

consist [kən'sist] **1** skládat se **of** z **2** spočívat **in** v

consistency [kən'sistnsi]
1 důslednost **2** hustota

consistent [kən'sistənt]
1 důsledný **2** v souhlasu **with** s

consolation [konsə'leišn] útěcha;
~ **prize** cena útěchy

console [kən'səul] utěšit **with** čím

consolidate [kən'solideit]
1 upevnit (se) **2** konsolidovat

consonant [konsənənt] n souhláska ● adj v souhlasu **with** / **to** s

conspicuous [kən'spikjuəs]
nápadný **for sth.** čím; **make oneself** ~ upozorňovat na sebe

conspiracy [kən'spirəsi] spiknutí

conspire [kən'spaiə] **1** spiknout se **2** přispět **to** k

constable [kanstəbl] strážník, policista

constabulary [kən'stæbjuləri]
policejní okrsek

constant [konstənt] adj
1 neustálý **2** stejnoměrný; stálý, pevný, věrný ● n konstanta

constantly [konstəntli] neustále

constellation [konstə'leišn]
souhvězdí

consternation [konstə'neišn] úžas, ohromení, zděšení

constipation [konsti'peišn] zácpa

constituency [kən'stičuənsi] *GB* volební okres

constituent [kən'stičuənt] *adj*
1 podstatný 2 ustavující, ústavodárný
● *n* 1 volič 2 složka, člen, prvek

constitute [konstitju:t]
1 ustanovit 2 ustavit 3 tvořit

constitution [konsti'tju:šn]
1 ústava 2 tělesná konstituce
3 složení

constitutional [konsti'tju:šənl] *adj*
1 ústavní 2 vrozený

constrain [kən'strein] (při)nutit;
be / feel ~ed to + *inf* být nucen / muset udělat co

constraint [kən'streint] přinucení, (ná)tlak; **act under ~** jednat z přinucení / pod nátlakem

construct [kən'strakt] stavět, konstruovat, sestrojit

construction [kən'strakšn]
1 stavba, stavění; **under ~** ve výstavbě 2 konstrukce 3 budova 4 výklad; **put a wrong ~ in sth.** špatně si vykládat co

constructive [kən'straktiv] konstruktivní

consul [konsl] konzul

consulate [konsjulit] konzulát

consult [kən'salt] 1 dotázat se na radu, konzultovat (**a teacher** učitele); informovat se u 2 (po)radit se, konferovat **with** s ● **~ a dictionary** podívat se do slovníku

consultant [kən'saltənt]
1 poradce, konzultant
2 konzultující odborník, specialista; konziliář

consultation [konsəl'teišn] porada, konference, konzultace

consume [kən'sju:m]
1 spotřebovat 2 strávit

consumer [kən'sju:mə] spotřebitel
♦ **~ durables** *pl* předměty dlouhodobé spotřeby; **~ goods** *pl* spotřební zboží

consumption [kən'sampšn] spotřeba

contact [kontækt] *n* styk, kontakt;
be in ~ with být ve styku s
● *v* 1 navázat styk s, vejít ve styk s, spojit se s 2 dotýkat se
● *adj* kontaktní

contagious [kən'teidžəs]
1 nakažlivý 2 nemocný infekční chorobou

contain [kən'tein] 1 obsahovat
2 (u)držet na uzdě, ovládnout (**one's wrath** zlost, **oneself** se)

container [kən'teinə] nádoba, kontejner

contaminate [kən'tæmineit] znečistit, nakazit; zamořit

contamination [kən,tæmi'neišn] znečištění, zamoření

contemplate [kontempleit]
1 (*tiše*) pozorovat 2 rozjímat, přemýšlet 3 zamýšlet

contemporaneous [kən,tempə'reiniəs] současný **with** s, souběžný

contemporary [kən'temprəri] *adj* současný, dnešní ● *n* současník

contempt [kən'tempt] 1 pohrdání (**of death** smrtí); **~ of court** urážka soudu, pohrdání soudem 2 opovržení **for** k ♦ **beneath ~** nestojící ani za opovržení

contemptuous [kən'tempčuəs] opovržlivý; **be ~** opovrhovat čím

C

contend [kən'tend] **1** zápasit, bojovat **2** tvrdit

contender [kən'tendə] účastník soutěže; uchazeč

content [kən'tent] *adj* spokojený
• *n* **1** obsah **2** spokojenost; **to one's heart's** ~ do sytosti
• *v* **1** uspokojit **2** ~ **oneself with** spokojit se s

contention [kən'tenšn] **1** svár, spor **2** tvrzení
♦ **be in** ~ být předmětem sporu

contentment [kən'tentmənt] spokojenost

contents [kontents] *pl* obsah (**of a book** knihy, **of the pocket** kapes)

contest *n* [kontest] zápas, závod, soutěž; **a piano** ~ klavírní soutěž
• *v* [kən'test] **1** bojovat, zápasit o **2** soutěžit **for** o **3** popírat, protestovat proti

context [kontekst] souvislost, kontext

continent [kontinənt] světadíl, pevnina; **the C~** (*západní*) Evropa (*bez Británie*)

continental [konti'nentl] **1** pevninský; vnitrozemský **2** kontinentální, evropský (*zvl. italský, francouzský*)

contingency [kən'tindžənsi] eventualita, možnost

continual [kən'tinjuəl] ustavičný, trvalý, neustálý

continuation [kən,tinju'eišn] pokračování

continue [kən'tinju:] pokračovat

continuity [konti'njuiti] souvislost, spojitost, návaznost

continuous [kən'tinjuəs] **1** nepřetržitý **2** (*jaz.*) průběhový

contort [kən'to:t] **1** zkřivit (**the**

face obličej) **2** překroutit (**the meaning** smysl)

contraception [kontrə'sepšn] antikoncepce

contract[1] *n* [kontrækt] smlouva
• *v* **1** smluvně zavázat **to** k **2** smluvně se dohodnout **with** s
contract out **1** vyvázat se ze (*smluvního*) závazku **2** nasmlouvat si externí práce / pracovníky

contract[2] [kən'trækt] **1** stáhnout (se), zmenšit (se) **2** dostat, chytit (**an illness** nemoc)

contraction [kən'trækšn] **1** stah, stažení **2** zmenšení **3** uzavření smlouvy

contractor [kən'træktə] (*stavební*) podnikatel, dodavatel

contradict [kontrə'dikt] **1** popírat (**a statement** tvrzení) **2** odporovat si **3** odmlouvat **sb.** komu

contradiction [kontrə'dikšn] **1** protiklad **2** nesrovnalost, rozpor; ~ **in terms** protimluv **3** popření

contrary [kontrəri] *adj* **1** opačný; ~ **to** v rozporu s, proti (**expectation** očekávání) **2** nepříznivý
• *n* opak; **on the** ~ naopak

contrast *n* [kontra:st] **1** opak, protiklad **2** kontrast **3** rozdíl; **in** ~ **to** na rozdíl od
• *v* [kən'tra:st] **1** kontrastovat, lišit se **2** postavit proti sobě, srovnávat

contribute [kən'tribju:t] **1** přispět **to / towards** k / na **2** posílat články **to** do, přispívat do

contribution [kontri'bju:šn]
příspěvek **to / towards** k / na
contrive [kən'traiv] **1** vynalézt,
vymyslit **2** dokázat (*úsilím*)
control [kən'trəul] *n* **1** dozor
2 vláda, ovládání **3** kontrola
4 ~s *pl* řízení stroje
♦ **bring under** ~ mít opět pod
kontrolou, znovu ovládat; **lose** ~
over přestat ovládat co
● *v* **1** řídit (**traffic** dopravu)
2 ovládat (**the situation** situaci,
one's feelings své city, **oneself**
se) **3** kontrolovat (**the accounts**
účty)
controversial [kontrə'və:šl] sporný
controversy [kontrəvə:si] spor;
polemika
convalescence [konvə'lesəns]
rekonvalescence
convene [kən'vi:n] svolat
(**a meeting** schůzi)
convenience [kən'vi:njəns]
1 pohodlí; **at your earliest** ~ co
nejdříve **2** výhoda **3** ~s *pl*
příslušenství, doplňky (*bytu,
domu*) **4** *GB* (*veřejný*) záchodek
♦ ~ **food** pokrmy v prášku,
konzervách nebo mražené
convenient [kən'vi:niənt]
1 vhodný, příhodný; výhodný
2 blízko **for** čeho
convent [konvənt] (*ženský*) klášter
convention [kən'venšn]
1 shromáždění **2** konvence,
dohoda **3** společenská zvyklost
conventional [kən'venšənl]
konvenční, obvyklý, tradiční
converge [kən'və:dž] **1** sbíhat se
2 soustředit **on** na
conversation [konvə'seišn]
konverzace, rozhovor

converse [kən'və:s] hovořit, poví-
dat si **on / about** o, konverzovat
conversion [kən'və:šn] **1** přeměna
2 konverze, konvertování
convert [kən'və:t] *v* **1** přeměnit,
přestavět (**a house into flats** dům
na byty) **2** obrátit se, konvertovat
(**to Christianity** na křesťanství)
● *n* konvertita
convertible [kən'və:təbl] *adj*
1 přeměnitelný; ~ **bed** rozkláda-
cí gauč **2** (*měna*) konvertibilní
● *n US* kabriolet
convex [konveks] vypouklý
convey [kən'vei] **1** dopravit
2 rozvádět (*teplo*) **3** vyjádřit
(**an idea** myšlenku); **this word**
~**s nothing to me** to slovo mi
nic neříká
conveyance [kən'veiəns]
1 doprava **2** dopravní prostředek
conveyor (belt) [kən'veiə(belt)]
běžící pás, dopravník
convict *n* [konvikt] trestanec
● *v* [kən'vikt] usvědčit **of** z;
odsoudit
conviction [kən'vikšn]
1 usvědčení; uznání vinným
2 přesvědčení
♦ **carry** ~ znít přesvědčivě
convince [kən'vins] přesvědčit **sb.**
koho of čem. o čem; **be** ~**d that**
být přesvědčen, že
convincing [kən'vinsiŋ]
přesvědčivý
convoke [kən'vəuk] svolat
(**Parliament** parlament)
convoy [konvoi] konvoj
convulse [kən'vals] svíjet se,
zmítat se (**jako**) křečí
convulsion [kən'valšn] křeč
cook [kuk] *n* kuchař(ka)
● *v* vařit (se)

cookbook [kukbuk] kuchařka (*kniha*)

cooker [kukə] sporák

cookery [kukəri] kuchařské umění; ~ **book** kuchařka (*kniha*)

cookie [kuki] *US* sušenka, keks

cool [ku:l] *adj* **1** chladný, (*též přen.*) **2** chladnokrevný, klidný
♦ **play it** ~ neztratit nervy
● *v* ochladit (se)

cool down (z)chladnout, (*též přen.*); ochladnout, uklidnit (se)

co-op [kauop] (*hovor.*) družstevní prodejna, konzum

co-operate [kəu'opəreit] spolupracovat

co-operation [kəuopə'reišn] spolupráce

co-operative [kəu'oprətiv] *adj* družstevní ● *n* družstvo

coordinate *adj* [kəu'o:dinit] **1** rovnocenný, stejného významu / řádu **2** (*jaz.*) souřadný
● *n* souřadnice
● *v* [kəu'o:dineit] koordinovat

cop [kop] (*hovor.*) *n* polda

cope [kəup] stačit **with** na, umět si poradit s

copier [kopiə] kopírka, xerox

copper [kopə] měď

copulate [kopjuleit] pářit se

copy [kopi] *n* **1** opis, kopie; **fair** ~ čistopis; **rough** ~ koncept **2** výtisk, exemplář, číslo ● *v* **1** opsat, kopírovat **2** napodobit

copy out doslova přepsat

copyright [kopirait] autorské právo

coral [korəl] korál

cord [ko:d] **1** šňůra; provaz, provázek **2** manšestr; ~**s** (*hovor.*) manšestráky

♦ **vocal** ~**s** hlasivky; **spinal** ~ mícha; **umbilical** ~ pupeční šňůra

cordial [ko:djəl] srdečný

corduroy [ko:dəroi] manšestr

core [ko:] **1** dřeň **2** jaderník **3** jádro; **get to the** ~ **of the subject** dostat se k jádru věci

cork [ko:k] *n* **1** korek **2** zátka
● *v* zazátkovat

corkscrew [ko:kskru:] vývrtka

corn[1] [ko:n] **1** obilí **2** *US* kukuřice

corn[2] [ko:n] kuří oko

corned beef [,ko:nd'bi:f] hruboseškané hovězí v konzervě (*bez šťávy*)

corner [ko:nə] *n* **1** roh; **at the** ~ **of the street** na rohu ulice **2** kout **3** *též* ~ **kick** rohový kop ● *v* **1** zahnat do kouta **2** ovládnout

cornflower [ko:nflauə] chrpa

coronation [korə'neišn] korunovace

coronary thrombosis [,koronri θrom'bəusis] infarkt

coroner [korənə] koroner (*úřední ohledavač mrtvol*)

corporal [ko:pərl] *adj* tělesný
● *n* desátník

corporation [ko:pə'reišn] **1** sdružení **2** obchodní společnost

corps [ko:] (*voj.*) sbor

corpse [ko:ps] mrtvola

corpuscle [ko:pasl] **1** tělísko **2** krvinka

correct [kə'rekt] *adj* **1** správný **2** korektní
● *v* opravit, (z)korigovat

correction [kə'rekšn] oprava
♦ **subject to** ~ nezávazný; nezávazně

correspond [koris'pond] **1** odpovídat, vyhovovat **to sth.**

čemu **2** shodovat se **with** s
3 dopisovat si, korespondovat
correspondence [koris'pondəns]
korespondence
correspondent [koris'pondənt]
dopisovatel
corresponding [koris'pondiŋ]
příslušný
corridor [korido:] chodba
corroborate [kə'robəreit] potvrdit,
dosvědčit
corrode [kə'rəud] rozežírat;
korodovat
corrosion [kə'rəužn] koroze
corrosive [kə'rəusiv] *adj* sžíravý
● *n* žíravina
corrugated [korəgeitid] vlnitý
(**iron** plech)
corrupt [kə'rapt] *adj* **1** zkažený,
(*též přen.*); shnilý
2 úplatný, zkorumpovaný (**judge**
soudce) **3** nemravný
4 zkomolený (**text** text)
● *v* **1** (z)kazit (se) **2** podplácet
corruption [kə'rapšn] **1** zkaženost
2 zkomolenina **3** korupce
cortege [ko:'teiž] pohřební průvod
cosmetic [koz'metik] *adj*
kosmetický
● *n* kosmetický prostředek
cosmic [kozmik] kosmický
cosmopolitan [kozmə'politən]
kosmopolitní
cosmos [kozmos] vesmír, kosmos
cost [kost] *n* **1** cena, náklady
2 ~s *pl* soudní náklady
♦ **at all** ~s za každou cenu; **at
the** ~ **of his own life**
s nasazením života; **the** ~ **of
living** životní náklady
● *v** **1** stát, mít cenu **2** určit
cenu, rozpočtovat ♦ ~ **the earth**
stát majlant (*hovor.*)

coster(monger) [kostə(maŋgə)]
GB (pouliční) prodavač ovoce /
zeleniny (*z vozíku*)
costly [kostli] drahý, nákladný
costume [kostju:m] kostým
♦ ~ **jewellery** bižuterie;
national ~ kroj
cosy [kəuzi] *adj* útulný ● *n* látkový
nebo pletený poklop na konvici
cot [kot] dětská postýlka
cottage [kotidž] **1** chalupa,
chaloupka **2** chata
cottage cheese [,kotidž'či:z] tvaroh
cotton [kotn] *n* **1** bavlna
2 bavlněná látka **3** nit
● *adj* bavlněný
cotton wool [,kotn'wul] vata
♦ **wrap in** ~ chovat ve vatičce
couch [kauč] pohovka, gauč
couchette [ku'šet] lehátko (*ve
spacím voze*)
cough [kof] *n* kašel ● *v* kašlat
council [kaunsl] rada, zasedání
rady; ~ **of war** válečná rada
counsel [kaunsl] **1** (po)rada; **hold
~ with** radit se s **2** advokát,
právní zástupce; ~ **for the
defence** obhájce
counsellor [kaunsələ] poradce
count[1] [kaunt] hrabě (*mimo GB*)
count[2] [kaunt] *n* počítání, počet
● *v* **1** počítat **2** počítat on s,
spoléhat se na **3** počítat se,
patřit **4** být důležitý
♦ **don't ~ your chickens before
they are hatched** neříkej hop,
dokud nepřeskočíš; ~ **for
nothing** nemít žádnou cenu
count down odpočítávat sekundy
(*před startem rakety*)
count out 1 odpočítat (*kus po ku-
se*) **2** odpočítat (*ležícího boxera*)
3 vynechat, nepočítat s

countdown [kauntdaun] odpočítávání směrem k nule (*před startem rakety*)

countenance [kauntənəns] 1 tvář, výraz 2 klid, rozvaha 3 podpora, přízeň, souhlas ♦ **put sb. out of** ~ vyvést koho z míry, uvést koho do rozpaků

counter[1] [kauntə] pult; přepážka ♦ **over the** ~ bez lékařského předpisu; **under the** ~ pod pultem

counter[2] [kauntə] 1 počítač; počítadlo 2 žeton

counteract [kauntər'ækt] mařit; paralyzovat; jednat proti

counterattack [kauntərətæk] protiútok

counterfeit [kauntəfit] padělat

counterfoil [kauntəfoil] ústřižek, kupón

countermeasure [kauntəmežə] protiopatření

counterpart [kauntəpa:t] protějšek

counterpoint [kauntəpoint] kontrapunkt

country [kantri] 1 země; stát; **in this / our country** u nás 2 kraj 3 venkov; **in the** ~ na venkově

country house [,kantri'haus] (*panské*) venkovské sídlo

countryman [kantrimən] 1 venkovan 2 krajan

countryside [kantrisaid] venkov, příroda

county [kaunti] *GB* hrabství

couple [kapl] pár, dvojice; **a married** ~ manželé; **a** ~ **of** pár čeho, několik

coupon [ku:pon] 1 kupón, ústřižek, poukázka 2 tiket, sázenka

courage [karidž] odvaha; **pluck up / take** ~ dodat si odvahy

courageous [kə'reidžəs] odvážný

course [ko:s] 1 běh, chod 2 dráha; směr 3 kurs (*učební*) 4 chod (*při jídle*) ♦ **in (the)** ~ **of time** během času; **in due** ~ v pravý čas; **the** ~ **of events** průběh událostí; **as a matter of** ~ jako samozřejmost; **of** ~ samozřejmě, ovšem

court [ko:t] *n* 1 dvůr 2 soud 3 hřiště, kurt ♦ *v* 1 hledět si to koho 2 dvořit se komu, mít známost s 3 říkat si o, riskovat; ~ **trouble** říci si vítr

courteous [kə:tjəs] zdvořilý

courtesy [kə:təsi] zdvořilost; projev zdvořilosti ♦ **by** ~ **of** s laskavým svolením koho; ~ **call** zdvořilostní návštěva; ~ **sign** pokyn řidiče, že ho lze / nelze předjet

court-martial [,ko:t'ma:šl] válečný soud

courtship [ko:tšip] známost

courtyard [ko:tja:d] dvůr

cousin [kazn] bratranec, sestřenice

cover [kavə] *n* 1 pokrývka, příklop, víko; 'plášťík'; ochrana 2 obal, obálka, deska 3 úkryt, skrýše 4 úhrada, krytí ♦ ~ **charge** kuvert; **read from** ~ **to** ~ přečíst od A až do Zet; **under separate** ~ současnou poštou, jako samostatná zásilka ♦ *v* 1 (při)krýt, zakrýt 2 týkat se, vyčerpávat (**a subject** téma) 3 urazit (**ten miles** deset mil) 4 hradit (**the expenses** výdaje) ♦ ~**ing letter** průvodní dopis

cover up 1 zabalit (se) 2 zastřít, zakrýt 3 (u)tutlat, (za)maskovat; krýt **for** koho

cow [kau] kráva ♦ **till the** ~**s come home** až naprš a uschne

coward [kauəd] zbabělec

cowardice [kauədis] zbabělost

cowardly [kauədli] **1** zbabělý
2 hanebný

cowboy [kauboj] pasák dobytka,
kovboj; **~ hat** stetson

coy [koi] stydlivý; nesmělý

crab [kræb] krab

crack [kræk] *v* **1** prasknout
2 rozbít; rozlousknout **3** práskat
(**a whip** bičem); lusknout
(**fingers** prsty); **~ a joke** udělat
vtip ● *n* **1** trhlina **2** rána
3 drsný vtípek

cracker [krækə] **1** suchar
2 třaskavý bonbón

crackle [krækl] *v* praskat
● *n* praskot

cradle [kreidl] **1** kolébka
2 vidlice (*telefonního přístroje*)

craft [kra:ft] **1** řemeslo **2** cech
3 dovednost **4** prohnanost,
lstivost **5** plavidlo

craftsman [kra:ftsmən] řemeslník,
mistr

cram [kræm] (**mm**) **1** cpát **2** dřít
(**for an exam** na zkoušce)

cramp [kræmp] *n* křeč
● *v* ochromit

cramped [kræmpt] omezený, stěsnaný ● **be ~ for room** mít málo
místa; **a ~ flat** přeplněný byt

cranberry [krænbəri] brusinka

crane [krein] jeřáb

crank [kræŋk] *n* **1** klika
2 pomatenec, potrhlec, snílek;
blázen, nadšenec; **a fresh air ~**
fanda na čerstvý vzduch ● *v* nahodit klikou (**an engine** motor)

crank up *US* chrlit

crash [kræs] *v* **1** spadnout, zřítit
se, havarovat **2** narazit **into** na /
do **3** zhroutit se ● *n* **1** pád
2 rachot **3** havárie, katastrofa

● **an air ~** letecká katastrofa;
~ course intenzivní kurs (*výuky*)

crater [kreitə] kráter, trychtýř

crave [kreiv] toužit **for / after** po

crawl [kro:l] *v* **1** plazit se **2** být zamořen **with** (*hmyzem*), (*též přen.*)
● *n* kraul

crayfish [kreifiš] rak

craze [kreiz] *v* třeštit **about / for**
po ● *n* móda, třeštění

crazy [kreizi] **1** ztřeštěný
2 potřeštěný **about** po, zblázněný
do **3** vratký ● **like ~** jako divý

creak [kri:k] *n* skřípot, vrzání
● *v* skřípat, vrzat

cream [kri:m] *n* **1** smetana; **the ~
of society** smetánka **2** krém
● *v* **1** zpěnit; udělat krém z
2 sesbírat smetanu z
● **~ed potatoes** bramborová kaše

crease [kri:s] *n* záhyb, varhánek;
puk (*na kalhotách*); zmačkanina
● *v* mačkat (se)

create [kri:eit] **1** stvořit; vytvářet
2 vyvolat, způsobit (**a bad impression** špatný dojem) **3** *GB*
(*hovor.*) udělat scénu, vyvádět

creation [kri:eišn] **1** stvoření; **the
C~** stvoření světa **2** vytvoření,
tvorba **3** tvorstvo; výtvor

creative [kri:eitiv] tvořivý; tvůrčí

creator [kri:eitə] tvůrce; **the C~**
Stvořitel

creature [kri:čə] tvor
● **~ comforts** hmotné potřeby

crèche [kreiš] **1** (*dětské*) jesle
2 *US* jesličky, betlém

credentials [kri'denšlz] *pl*
1 pověřovací listiny **2** osobní
doklady

credibility [kredi'biliti]
důvěryhodnost, spolehlivost

credit [kredit] *n* **1** úvěr **2** čest

3 víra ♦ **allow ~** povolit úvěr; **buy on ~** kupovat na úvěr; **be a / do ~ to** dělat čest komu; **be to sb.'s ~** být ke cti komu; **~ card** kreditní karta; **~ letter** akreditiv; **~ note / voucher** US dobropis; **~s =** = **~ titles** úvodní / závěrečné titulky (*filmu, TV pořadu*)
♦ v **1** (u)věřit **2** připsat k dobru

credulity [kri'dju:liti] důvěřivost

credulous [kredjuləs] důvěřivý

creed [kri:d] víra; vyznání víry

creek [kri:k] **1** GB (*úzká*) zátoka **2** US potok, říčka

creep* [kri:p] v lézt, plazit se, plížit se ● n pl **~s** hrůza

creeper [kri:pə] popínavá rostlina

cremate [kri'meit] zpopelnit

crematorium [kremə'to:riəm] krematorium

crescent [kresnt] **1** půlměsíc **2** oblouková ulice

cress [kres] řeřicha

crest [krest] **1** hřebínek; chochol **2** hřeben (*pohoří*), vrchol

crestfallen [krestfo:ln] schlíplý, zpražený

Crete [kri:t] Kréta

crevice [krevis] puklina, štěrbina

crew [kru:] posádka; mužstvo

crib[1] [krib] **1** jesle; GB jeslíčky, betlém **2** dětská postýlka

crib[2] [krib] n (*hovor.*) tahák
♦ v (**bb**) opisovat (*ve škole*)

cricket[1] [krikit] cvrček

cricket[2] [krikit] kriket
♦ **that's not ~ to** není fér

crime [kraim] zločin

criminal [kriminl] adj **1** zločinný **2** trestní ● n zločinec

crimson [krimzn] karmínový

cringe [krindž] hrbit se **before / to** před, podlézat komu

cripple [kripl] n mrzák
♦ v zmrzačit

crisis [kraisis], pl **crises** [kraisi:z] krize

crisp [krisp] n GB bramborový lupínek ● adj **1** křehký, křupavý **2** mrazivý **3** (*styl*) stručný a jasný; suchý

critic [kritik] kritik

critical [kritikl] kritický

criticism [kritisizm] **1** kritika **2** nepříznivá kritika, odsudek

criticize [kritisaiz] kritizovat

croak [krəuk] skřehotat

crockery [krokəri] GB (*kamenné / keramické*) nádobí

crocodile [krokədail] krokodýl

crocus [krəukəs] krokus; šafrán

crony [krəuni] (*hovor.*) kámoš

crook [kruk] n **1** hák; obří, ohyb **2** zátočina **3** (*zahnutá*) hůl (*pastýře*); (*biskupská*) berla **4** (*hovor.*) podvodník, darebák
♦ v ohnout

crooked [krukid] **1** ohnutý, křivý **2** nepoctivý, zkorumpovaný

crop [krop] n **1** sklizeň, úroda **2** vole, volátko
♦ v (**pp**) **1** přistřihnout, zkrátit **2** osít **3** urodit se

crop up (*hovor.*) objevit se, vyskytnout se (*neočekávaně*)

cross[1] [kros] n **1** kříž **2** kříženec
♦ v **1** (pře)křížit; **~ one's legs** dát si nohu přes nohu **2** přeškrtnout **3** přejít napříč, překročit

cross off / out přeškrtnout, vyškrtnout

cross[2] [kros] rozmrzelý; **be ~** zlobit se **with** na

crossbreed [krosbri:d] kříženec

cross-examine [krosig'zæmin] podrobit křížovému výslechu

crossing [krosiŋ] **1** přeplavba
2 křižovatka; přejezd
cross-legged [ˌkros'legd] (*sedící*)
se zkříženýma nohama
crossroads [krosrəudz]
křižovatka; **at a ~** na křižovatce
crossword [kroswə:d] křížovka
crotch [kroč] rozkrok
crouch [krauč] krčit se
crow [krəu] *n* **1** vrána
2 (za)kokrhání **3** (za)broukání
(*nemluvněte*)
♦ **as the ~ flies** vzdušnou čarou
• *v* **1** kokrhat **2** broukat si
(*šťastně*)
crowd [kraud] *n* zástup, tlačenice,
množství
• *v* shromáždit se; nacpat lidmi
crowd out vytlačit, vytísnit; odmít-
nout pro nedostatek místa / času
crowded [kraudid] plný lidí,
nacpaný, přeplněný; **~ out**
(*hovor.*) úplně narvaný
crown [kraun] *n* **1** věnec
2 koruna, korunka **3** vrchol
• *v* **1** korunovat **2** dovršit
3 dát korunku (*na zub*)
♦ **to ~ it all** jako vrchol všeho
crucial [kru:šl] rozhodující **to /**
for pro, kritický
crucifixion [kru:si'fikšn]
ukřižování
crucify [kru:sifai] ukřižovat
crude [kru:d] **1** surový (**sugar**
cukr); syrový, nehotový
2 hrubý, primitivní
cruel [kruəl] krutý **to** na
cruelty [kruəlti] krutost; týrání (**to**
animals zvířat)
cruet [kru:it] **1** (*stolní*) stojánek
s přísadami **2** (*stolní*) karafa,
lahvička

cruise [kru:z] *v* plout bez cíle /
pro zábavu • *n* zábavní plavba
cruiser [kru:zə] křižník
crumb [kram] drobek; **~s** *pl*
strouhanka
crumble [krambl] *v* (roz)drobit
(se), rozpadat se
• *n* drobenkový koláč
crumple [krampl] **1** mačkat (se)
2 zhroutit se
crusade [kru:'seid] **1** křížová
výprava **2** tažení, kampaň
crush [kraš] *v* **1** (roz)mačkat (se);
(roz)drtit • *n* **1** tlačenice
2 (*hovor.*) poblouznění; **have a ~**
on (*hovor.*) být zabouchnutý do
crust [krast] kůra, kůrka
crustacean [kra'steišn] korýš
crutches [kračiz] *pl* berle; **walk**
on ~ chodit o berlích
crux [kraks] jádro / podstata
problému
cry [krai] *n* **1** volání (**for help**
o pomoc) **2** křik, výkřik **3** pláč;
have a good ~ jen se vyplač
• *v* **1** křičet (**with pain** bolestí)
2 plakat (**for joy** radostí) **3** volat
♦ **for ~ing out loud** pro
všechno na světě!; **~ over spilt**
milk pozdě bycha honit; **~ wolf**
volat zbytečně o pomoc, dělat
zbytečný poplach
cry down podceňovat,
bagatelizovat
cry off odvolat (*slib*)
crystal [kristl] **1** krystal **2** křišťál
cub [kab] mládě (*šelmy*): lvíče,
medvídě, lišče, vlče; žraločí
mládě
Cuba [kju:bə] Kuba
cube [kju:b] **1** krychle **2** kostka
3 třetí mocnina
♦ **~ root** třetí odmocnina

cubic [kju:bik] krychlový

cubicle [kju:bikl] kóje, kabina

cuckoo [kuku:] kukačka

cucumber [kju:kʌmbə] okurka

cuddle [kadl] hýčkat, chovat v náručí

cuddle up tulit se **to** k

cue¹ [kju:] **1** narážka (*herci*) **2** pokyn, popud

cue² [kju:] tágo

cuff [kaf] manžeta
♦ ~ **links** *pl* knoflíčky do manžet; **off the** ~ spatra

cuisine [kwi'zi:n] kuchyně (*způsob úpravy pokrmů*)

cul-de-sac [kaldəsæk] slepá ulice

culminate [kalmineit] vrcholit

culprit [kalprit] pachatel, viník

cult [kalt] kult

cultivate [kaltiveit] **1** pěstovat, (*též přen.*) **2** obdělávat

cultivation [kalti'veišn] **1** pěstování **2** obdělávání

cultivator [kaltiveitə] pěstitel

cultural [kalčərl] kulturní

culture [kalčə] kultura

cultured [kalčəd] kultivovaný, vzdělaný

cumbersome [kambəsəm] těžkopádný

cunning [kaniŋ] *adj* vychytralý, mazaný ● *n* vychytralost

cup [kap] **1** šálek, hrnek **2** pohár, číše

cupboard [kabəd] skříň; **kitchen** ~ kuchyňská kredenc

cuppa [kapə] (*GB, hovor.*) šálek čaje

curable [kjuərəbl] vyléčitelný

curb [kə:b] *n* **1** uzda **2** okraj chodníku ● *v* držet na uzdě, brzdit

curdle [kə:dl] (*mléko*) srazit se, (*též přen.*)

curds [kə:dz] *pl* tvaroh

cure [kjuə] *v* **1** (vy)léčit **2** konzervovat; udit ● *n* **1** (vy)léčení; kúra **2** lék **for** proti

curfew [kə:fju:] zákaz vycházení (*z domu*)

curiosity [kjuəri'ositi] **1** zvědavost; ~ **killed the cat** kdo se moc ptá, moc se doví **2** kuriozita

curious [kjuəriəs] **1** zvědavý **as to /** about na **2** podivný, zvláštní

curl [kə:l] *v* kadeřit (se), vlnit (se) ● *n* kadeř, vlna

curler [kə:lə] natáčka (*do vlasů*)

curly [kə:li] kudrnatý

currant [karənt] **1** rozinka **2** rybíz

currency [karənsi] **1** oběh; doba oběhu **2** obeživo, měna

current [karənt] *adj* **1** běžný, obvyklý **2** současný
♦ ~ **account** běžný účet
● *n* **1** proud **2** směr

curriculum [kə'rikjuləm] školní osnovy

curse [kə:s] *n* kletba ● *v* proklínat

curtail [kə:'teil] **1** zkrátit **2** oklestit

curtain [kə:tn] **1** záclona; **draw the** ~**s** zatáhnout záclony **2** opona; **the** ~ **rises / falls** opona jde nahoru / dolů ● **call** "opona" (*klanění herce před oponou*)

curve [kə:v] *n* křivka; zatáčka ● *v* křivit se; zatáčet (se)

cushion [kušn] *n* polštář ● *v* **1** ztlumit, zmírnit **2** chránit **against** před

custard [kastəd] **1** pudink; ~ **powder** pudinkový prášek **2** krém z vajec a mléka

custody [kastədi] **1** opatrování; úschova **2** vyšetřovací vazba

custom [kastəm] **1** zvyk
2 přízeň zákazníků; zákazníci
customary [kastəməri] obvyklý
customer [kastəmə] zákazník
♦ **a queer** ~ divný pavouk
custom-house [kastəmhaus]
celnice
custom-made [‚kastəm'meid] na
objednávku / míru, zakázkový
customs [kastəmz] **1** celnice
2 též ~ **duty** clo
cut* [kat] v (**tt**) **1** řezat, krájet;
2 stříhat **3** sekat **4** snížit (**prices**
ceny) **5** zkrátit (**a speech** řeč);
přerušit (**power** dodávku prou-
du); vynechat (**school** školu)
♦ ~ **one's finger** říznout se do
prstu; ~ **fine** vycházet těsně / jen
taktak; **to** ~ **a long story short**
zkrátka a dobře; ~ **no ice / not
much ice with** nepadat na váhu
u, nechávat chladným koho;
~ **short** přerušit; zkrátit
● n **1** řez, říznutí **2** snížení (**in
prices** cen) **3** škrt (**in an article**
v článku) **4** střih (**of a coat**
kabátu) **5** přerušení (**in power**
v dodávce proudu)
cut away 1 uříznout **2** utéci

cut down snížit, zkrátit
cut off odříznout; přerušit
cut out vyříznout, vystřihnout
♦ ~ **it out!** přestaň!, nech toho!
cut up 1 rozkrájet **2** US řádit
♦ **be** ~ **up** být hluboce dotčen
cutback [katbæk] (*plánované*)
snížení, omezení
cute [kju:t] **1** bystrý **2** US
rozkošný
cut glass [‚kat'gla:s] broušené sklo
cutlery [katləri] příbory
cutlet [katlət] kotleta
cutting [katiŋ] **1** výstřižek **2** řízek
(*rostliny*) **3** US výkop (*zeminy*)
♦ ~ **room** střižna
cwt. = hundredweight (*50,8 kg*)
cycle [saikl] n **1** cyklus **2** jízdní
kolo ● v jet na kole
cyclist [saiklist] cyklista
cylinder [silində] válec
cymbal [simbl] činel
cynical [sinikl] cynický
cypress [saiprəs] cypřiš
Cyprus [saiprəs] Kypr
Czech [ček] n **1** Čech **2** čeština
● adj český; **the** ~ **Republic**
Česká republika

D

dab [dæb] **(bb)** *v* **1** ťuknout
2 nanést
• *n* **1** skvrnka **2** ťuknutí; **be a ~
at sth.** (*hovor.*) vyznat se v čem
dabble [dæbl] **1** šplouchat se
2 fušovat **in / at** do
dad [dæd], **daddy** [dædi] (*hovor.*)
tatínek
daffodil [dæfədil] narcis
daft [da:ft] (*GB, hovor.*) pitomý
dagger [dægə] dýka
dahlia [deiliə] jiřina
daily [deili] *adj* denní
• *adv* denně • *n* **1** deník
2 (*hovor.*) posluhovačka
dainty [deinti] *n* pochoutka
• *adj* **1** jemný; roztomilý
2 vybíravý **3** lahodný
dairy [deəri] mlékárna
dais [deiis] stupínek, pódium
daisy [deizi] sedmikráska
dam [dæm] *n* hráz, přehrada
• *v* (**mm**) přehradit
damage [dæmidž] *n* **1** škoda
2 ~s *pl* odškodné • *v* poškodit
damask [dæməsk] *n* damašek
• *adj* damaškový
dame [deim] dáma (*titul*)
damn [dæm] *v* **1** zatratit, proklít
2 odsoudit ♦ **~ it!** zatraceně!
• *n* (*slang.*) stará bela, houby
damned [dæmd] *adj* zatracený,
prokletý; úplný (**fool** blázen)
• *adv* zatraceně (**hot** horko)
damp [dæmp] *adj* vlhký
• *n* vlhkost
• *v* **1** navlhčit **2** tlumit
dampen [dæmpn] **1** zvlhčit
2 tlumit
dance [da:ns] *n* tanec • *v* tančit

♦ **~ attendance on** obskakovat
koho, tancovat kolem koho
dancer [da:nsə] tanečník,
tanečnice
dandelion [dændilaiən] pampeliš-
ka ♦ **~ clock** chmýří pampelišky
dandruff [dændraf] lupy
dandy [dændi] švihák
Dane [dein] Dán
danger [deindžə] nebezpečí; **out
of ~** mimo nebezpečí
dangerous [deindžrəs] nebezpečný
dangle [dæŋgl] **1** houpat (se),
kývat (se) **2** mávat
Danish [deiniš] *adj* dánský
• *n* dánština
Danube [dænju:b], **the ~** Dunaj
dare [deə] **1** odvážit se; **I ~ say**
troufám si tvrdit, bezpochyby
daring [deəriŋ] *adj* odvážný;
smělý • *n* odvaha
dark [da:k] *adj* tmavý, temný, šerý
♦ **it is getting ~** stmívá se; **keep
sth. ~** udržovat co v tajnosti
• *n* tma ♦ **in the ~** potmě; **before
~** před setměním; **keep sb. in the
~ about sth.** tajit před kým co
darkness [da:knis] tma
darling [da:liŋ] *n* miláček
• *adj* drahý, milý
darn [da:n] *v* látat
dart [da:t] *n* šipka • *v* **1** vyrazit
2 mrštit, vystřelit (*přen.*)
dash [dæš] *n* **1** úprk; **make a ~
for the tram** rozběhnout se
k tramvaji **2** pomlčka
• *v* **1** vrhnout, hodit **2** řítit se
dash off rychle nahodit (**a few
lines** pár řádek)
date¹ [deit] *n* **1** datum **2** období

3 (*hovor.*) schůzka **4** (*hovor.*) mládenec / dívka ♦ **what's the ~ today?** kolikátého je dnes?; **~ as postmark** datum poštovního razítka; **out of ~** zastaralý; **up to ~** moderní, dnešní
● *v* **1** datovat (se) **2** pocházet **back to / from** z doby **3** dát si schůzku s kým **4** zastarávat

date² [deit] datle

daub [do:b] zamazat; potřísnit

daughter [do:tə] dcera

daughter-in-law [do:trinlo:] snacha

dauntless [do:ntlis] neohrožený

dawn [do:n] *n* úsvit; **at ~** za úsvitu
● *v* rozednívat se, svítat, (*též přen.*); **it ~ed on me that** svitlo mi, že

day [dei] den ♦ **all (the) ~** celý den; **~ and night** ve dne v noci; **by ~** za dne; **the ~ before yesterday** předevčírem; **the ~ after tomorrow** pozítří; **~ by ~** den co den; **one ~** jednou; **~ off** volný den, volno; **one of these ~s, some ~** jednou (*v budoucnosti*)

daybreak [deibreik] úsvit

daylight [deilait] bílý den
♦ **~ saving time** letní čas; **see ~** něco pochopit

daytime [deitaim]: **in the ~** za dne

daze [deiz] omámit

dazzle [dæzl] oslnit

dead [ded] *adj* mrtvý; neživý; **go ~** *1.* zdřevěnět *2.* oněmět
● *adv* úplně, naprosto; **~ drunk** zpitý do němoty

deadline [dedlain] (*konečný*) termín

deadlock [dedlok] patová situace (*přen.*); **at a ~** na mrtvém bodě

deadly [dedli] **1** smrtící **2** úhlavní **3** mrtvolný **4** (*hovor.*) nudný

deaf [def] hluchý

deaf-and-dumb [ˌdefənˈdam] hluchoněmý

deafen [defn] ohlušit

deaf-mute [ˌdefˈmju:t] hluchoněmý

deal* [di:l] *v* **1** rozdělit, rozdat (**the cards** karty) **2** zasadit (**a blow** ránu) **3** jednat, vyjednávat **4** obchodovat **in sth.** čím **5** pojednávat **with** o
● *n* **1** dohoda; **it's a ~** dohodnuto **2** množství; **a great / a good ~** mnoho; mnohem

dealer [di:lə] obchodník, dealer

dealings [di:liŋz] *pl* jednání (*zvl. obchodní*)

dean [di:n] děkan

dear [diə] *adj* drahý (*též cena*); milý; **D~ Sir** Vážený pane (*oslovení*) ● *adv* draho
● *n* drahoušek
● *interj* **Oh ~!** / **D~ me!** *1.* pro všechno na světě! *2.* no maucta!

death [deθ] smrt; **put sb. to ~** popravit koho

death duties [deθdju:tiz] *pl* dědická daň

death rate [deθreit] úmrtnost

debase [diˈbeis] znehodnotit

debate [diˈbeit] *n* debata, diskuse
● *v* **1** debatovat **2** uvažovat **about** o, **whether** zdali

debit [debit] *n* dluh; má dáti
● *v* připsat na dluh komu, zatížit účet koho

debrief [di:ˈbri:f] vyslechnout hlášení (*po provedeném úkolu*)

debris [deibri / debri:] trosky

debt [det] dluh; **in ~** zadlužen; **run into ~** zadlužit se

D

debtor [detə] dlužník

decade [dekeid] desítiletí

decanter [di'kæntə] karafa

decathlon [di'kæθlon] desetiboj

decay [di'kei] v 1 rozkládat se, kazit se, hnít 2 rozpadat se, upadat • n 1 rozklad, úpadek 2 kažení (**of the teeth** zubů); zkažené místo, hnilobná tkáň (*zubu*)

decease [di'si:s] zemřít

♦ **the ~d** zesnulý

deceit [di'si:t] klam, podvod

deceive [di'si:v] klamat, podvádět

December [di'sembə] prosinec

decency [di:snsi] slušnost; mravopočestnost

decent [di:snt] 1 slušný 2 pořádný (**dinner** oběd)

decentralization [di:sentrəlai'zeišn] decentralizace

deception [di'sepšn] podvod, klam

deceptive [di'septiv] klamný

decide [di'said] 1 rozhodnout 2 rozhodnout se **on** o čem 3 přimět (k rozhodnutí)

decidedly [di'saididli] rozhodně

deciduous [di'sidjuəs] listnatý

decimal [desiml] desetinný; ~ **point** desetinná čárka

decimetre [desimi:tə] decimetr

decipher [di'saifə] rozluštit, dekódovat

decision [di'sižn] 1 rozhodnutí; **come to / arrive at a ~** dospět k rozhodnutí 2 rozhodnost

decisive [di'saisiv] rozhodný; rozhodující

deck [dek] n 1 paluba; **on ~** na palubě, na palubu 2 plošina (*autobusu*) • v vyzdobit

deckchair [dekčeə] lehátko

declaration [deklə'reišn] prohlášení, vyhlášení

declare [di'kleə] 1 prohlásit (**a meeting open** schůzi za zahájenou); vyhlásit (**war on** válku proti) 2 proclít

decline [di'klain] v 1 naklánět se 2 upadat, chátrat 3 odmítnout • n 1 úpadek 2 pokles (**in prices** cen)

decode [di:'kəud] dekódovat

decompose [di:kəm'pəuz] rozkládat (se), rozložit (se)

décor [deiko:] 1 výzdoba a zařízení interiéru 2 (*div.*) výprava

decorate [dekəreit] 1 ozdobit, vyzdobit 2 malovat (**the flat** byt) 3 vyznamenat (**for bravery** za statečnost)

decoration [dekə'reišn] 1 ozdoba, výzdoba 2 malování (**of the flat** bytu) 3 řád, vyznamenání

decorative [dekərətiv] ozdobný

decorator [dekəreitə] malíř pokojů

decorum [di'ko:rəm] slušnost, slušné chování

decoy [di'koi] n vnadidlo • v navnadit, nalákat

decrease v [di'kri:s] zmenšit (se), ubývat • n [di:kri:s] úbytek, pokles

decree [di'kri:] n dekret; rozhodnutí; nařízení • v nařídit

decrepit [di'krepit] vetchý, sešlý

dedicate [dedikeit] 1 věnovat 2 zasvětit

dedicated [dedikeitid] nadšený (**sportsman** sportovec)

dedication [dedi'keišn] věnování

deduce [di'dju:s] vyvozovat, dedukovat

deduct [di'dakt] odečíst; slevit

deduction [di'dakšn] 1 srážka, sleva 2 závěr, dedukce

deed [di:d] n 1 čin, skutek 2 listina

deejay [di:džei] diskžokej

deep [di:p] *adj* hluboký
● *adv* hluboko ● *n* hlubina

deeply [di:pli] hluboce

deep-rooted [ˌdi:pˈru:tid]
(*hluboce*) zakořeněný

deepen [di:pn] prohloubit (se)

deer [diə] jelen; vysoká zvěř

default [diˈfo:lt] *n* nedodržení
závazku
◆ **win by ~** vyhrát kontumačně
● *v* nedodržet závazek, nesplnit
povinnost

defeat [diˈfi:t] *v* porazit, zničit
● *n* porážka

defect [diˈfekt] *n* nedostatek, vada
● *v* dezertovat

defective [diˈfektiv] vadný

defence [diˈfens] 1 obrana
2 obhajoba

defenceless [diˈfenslis] bezbranný

defend [diˈfend] bránit, hájit

defendant [diˈfendənt]
obžalovaný; odpůrce

defender [diˈfendə] obránce

defensive [diˈfensiv] *adj* obranný
n defenzíva; **be on the ~** být
v defenzívě

defer[1] [diˈfə:] (rr) odložit (**one's
departure** odjezd)

defer[2] [diˈfə:] (rr) podrobit se (**to
one's parents' wishes** přání
rodičů)

deference [defrəns] úcta

deferential [ˌdefəˈrenšl] uctivý

deferment [diˈfə:mənt] odklad;
ask for ~ žádat o odklad
vojenské služby

defiance [diˈfaiəns] vzdor; **in ~ of
sth.** navzdory čemu

defiant [diˈfaiənt] vzdorný

deficiency [diˈfišnsi] nedostatek

defile [diˈfail] 1 znečistit (**a river**

řeku) 2 poskvrnit, kazit
(*nečistotou*)

define [diˈfain] 1 definovat,
vymezit 2 jasně se rýsovat

definite [definit] určitý

definitely [definitli] rozhodně,
určitě

definition [ˌdefiˈnišn] definice

definitive [diˈfinitiv] rozhodný,
konečný, definitivní

deflect [diˈflekt] 1 stočit (se) stra-
nou **from** od, odbočit z 2 odradit

deflection [diˈflekšn] odchylka

deform [diˈfo:m] znetvořit

deformity [diˈfo:miti] deformita

defraud [diˈfro:d] ošidit,
podvodem připravit **of** o,
defraudovat co

defrost [di:ˈfrost] rozmrazit

deft [deft] hbitý, obratný, šikovný

defunct [diˈfaŋkt] 1 mrtvý, zesnu-
lý 2 zaniklý, už neexistující

defy [diˈfai] 1 vyzvat 2 vzpírat
se, vzdorovat čemu

degenerate *adj* [diˈdženərit]
degenerovaný ● *v* [diˈdženəreit]
degenerovat, zvrhnout se

degeneration [diˌdženəˈreišn]
degenerace

degradation [ˌdegrəˈdeišn]
ponížení, degradace

degrade [diˈgreid] 1 degradovat
2 **~ oneself to** snížit se k

degree [diˈgri:] 1 stupeň
2 akademická hodnost ◆ **by ~s**
postupně; **to a (certain) ~** do ur-
čité míry; **take one's ~** promovat

deity [di:iti] božstvo

dejected [diˈdžektid] sklíčený,
deprimovaný

dejection [diˈdžekšn] deprese

delay [diˈlei] *v* 1 zdržet (se),
zpozdit (se) 2 odložit, odsunout

D

3 otálet • *n* odklad, zdržení, prodlení; **without ~** bezodkladně

delegate *n* [deligit] delegát (**to a conference** na konferenci); zástupce
• *v* [deligeit] delegovat, pověřit

delegation [deli'geišn] delegace

Delhi [deli] Dillí

delete [di'li:t] škrtnout; vymazat, (*též přen.*)

deliberate *adj* [di'librit]
1 úmyslný **2** uvážlivý
• *v* [di'libəreit] radit se **upon / over** o; uvažovat **whether** jestli

deliberately [di'librətli] schválně, úmyslně

delicacy [delikəsi] **1** jemnost **2** delikátnost; **for reasons of ~** ze slušnosti **3** lahůdka, delikatesa

delicate [delikit] **1** jemný, delikátní **2** choulostivý, křehký **3** chutný, lahodný

delicatessen [delikə'tesn] **1** *pl* lahůdky **2 ~ (shop)** lahůdkářství

delicious [di'lišəs] lahodný; **taste ~** chutnat báječně

delight [di'lait] *v* těšit (se), mít radost **in** z; **be ~ed to +** *inf* / **that** být potěšen, že
• *n* potěšení, radost, rozkoš; **to my great ~** k mé velké radosti; **take ~ in** mít potěšení z

delightful [di'laitful] rozkošný

delinquency [di'liŋkwənsi] zločinnost, kriminalita (*zvl. mládeže*)

delirious [di'liriəs] v deliriu, třeštící, blouznící

deliver [di'livə] **1** doručit, dodat, odevzdat; vydat **2** pronést (**a lecture** přednášku) **3** zasadit (**a blow** ránu)

delivery [di'livəri] **1** dodání, dodávka **2** doručení, roznáška

(*pošty*) **3** porod **4** přednes
◆ **~ note** dodací list; **~ room** porodní sál, slehárna

deluge [delju:dž] *n* potopa
• *v* zaplavit

delusion [di'lu:žn] přelud, klamná představa
◆ **~ of grandeur** velikášství

de luxe [də'luks / də'laks] luxusní

demagogue [deməgog] demagog

demand [di'ma:nd] *v* **1** žádat **2** vyžadovat • *n* **1** požadavek; **on ~** na požádání **2** poptávka (**for goods** po zboží); **our goods are in ~** po našem zboží je poptávka

demanding [di'ma:ndiŋ] náročný

demarcation [dima:'keišn] vymezení; **a line of ~** demarkační čára

demeanour [di'mi:nə] chování, vystupování

demobilization [di:məubilai'zeišn] demobilizace

democracy [di'mokrəsi] demokracie

democrat [deməkræt] demokrat

democratic [deməˈkrætik] demokratický

demolish [di'moliš] **1** zničit **2** zbourat, strhnout

demolition [demə'lišn] **1** zničení **2** zbourání, stržení, demolice

demonstrate [demənstreit] **1** ukázat, dokázat **2** demonstrovat, manifestovat

demonstration [demən'streišn] **1** důkaz; projev **2** demonstrace, výklad s ukázkami **3** demonstrace, manifestace

demonstrative [di'monstrətiv] **1** upřímný, otevřený (**person** člověk) **2** (*jaz.*) ukazovací **3** (*názorně*) ukazující **of** co, průkazný

demoralization [di͵morəlai'zeišn] demoralizace

demoralize [di'morəlaiz] demoralizovat

demur [di'məː] **(rr)** namítat **to** proti

demure [di'mjuə] **1** skromný **2** upejpavý, stydlivý

den [den] **1** doupě, pelech **2** (*hovor.*) kutloch

denationalize [di:'næšnəlaiz] privatizovat

denial [di'naiəl] **1** popření; **make a ~ of** popřít co; **official ~** dementi **2** odepření, odmítnutí

denims [denimz] *pl* džínsy

Denmark [denmaːk] Dánsko

denomination [di͵nomi'neišn] **1** název **2** hodnota (*mince*) **3** (*náboženské*) vyznání

denominator [di'nomineitə] (*mat.*) jmenovatel

denote [di'nəut] označovat, znamenat

denounce [di'nauns] **1** veřejně odsoudit, (z)kritizovat **2** denuncovat, udat **3** vypovědět (**an agreement** dohodu)

dense [dens] hustý

density [densiti] hustota

dental [dentl] zubní; **a ~ surgeon** zubní lékař

dentist [dentist] zubní lékař, dentista

dentistry [dentistri] zubní lékařství

dentures [denčəz] umělý chrup

denude [di'njuːd] obnažit

denunciation [di͵nansi'eišn] **1** veřejné odsouzení **2** denunciace, udání **3** vypovězení (**of a treaty** smlouvy)

deny [di'nai] **1** zapřít, popřít **2** odepřít **oneself** si

depart [di'paːt] **1** odjet **2** odchýlit se **from** od

department [di'paːtmənt] **1** oddělení; **~ store** obchodní dům **2** *US* ministerstvo

departure [di'paːčə] **1** odjezd **2** odchylka; odchýlení ♦ **~ lounge** odletová hala

depend [di'pend] **1** záviset **on** na; **that ~s, it all ~s** přijde na to **2** spoléhat se **on** na

dependable [di'pendəbl] spolehlivý

dependant [di'pendənt] rodinný příslušník

dependence [di'pendəns] **1** závislost **on** na **2** spolehnutí **on** na

dependent [di'pendənt] závislý **on** na

depict [di'pikt] líčit

deplete [di'pliːt] vyčerpat

deplorable [di'ploːrəbl] **1** politováníhodný **2** žalostný

deplore [di'ploː] želet, litovat (*čeho*)

deploy [di'ploi] rozvinout (se), rozestavit (se), rozmístit (se)

depose [di'pəuz] sesadit

deposit [di'pozit] *n* **1** vklad **2** záloha **3** nános, usazenina **4** bezpečnostní schránka ♦ **leave a ~** dát zálohu ● *v* **1** uložit **2** vložit (**money in a bank** peníze do banky); deponovat **with** u **3** složit (*jako zálohu*)

deposition [depə'zišn] **1** sesazení **2** výpověď (**of a witness** svědka)

depository [di'pozitri] úschovna

depot [depəu] **1** skladiště

2 remíza autobusů, autobusové nádraží 3 [di:pəu] US nádraží

deprecate [deprikeit] odsuzovat

depreciate [di'pri:šieit]
1 podceňovat 2 zlevnit
3 klesnout v ceně

depress [di'pres] 1 stlačit, stisknout 2 snížit 3 deprimovat

depressing [di'presiŋ] chmurný, depresivní

depression [di'prešn] 1 důlek
2 tlaková níže 3 deprese 4 krize

deprive [di'praiv] zbavit **of sth.** čeho

deprived [di'praivd] žijící chudě / bez lásky

depth [depθ] hloubka; hlubina; **be out of / beyond one's ~** nestačit, (*též přen.*)

deputation [depju'teišn] deputace

deputy [depjuti] 1 zástupce, náměstek 2 poslanec (*mimo GB*)

derail [di:'reil] vykolejit; způsobit vykolejení

derelict [derilikt] opuštěný, zpustlý

derision [di'raiv] posměšný, výsměšný

derision [di'rižn] posměch, výsměch

derisory [di'raizəri] směšný, k smíchu

derivation [deri'veišn] 1 původ
2 (*jaz.*) odvozování (**of words** slov)

derive [di'raiv] 1 odvozovat
2 pocházet 3 mít (**pleasure from reading** potěšení z četby)

derogatory [də'rogatri] utrhačný, hanlivý

derrick [derik] 1 jeřáb 2 těžní věž

descend [di'send] 1 sestoupit
(**the stairs** ze schodů); svažovat se 2 dědit se, (*dědictví*) přejít

from z to na 3 vrhnout se **on** na 4 snížit se **to** k

♦ **be ~ed from** pocházet od / z

descendant [di'sendənt] potomek

descent [di'sent] 1 sestup; klesání
2 původ 3 nájezd

describe [di'skraib] 1 popsat, vylíčit 2 opsat (**a circle** kruh)
3 označit **sth.** co as za / jako

description [di'skripšn] 1 popis, líčení 2 druh, typ

♦ **beyond ~** nepopsatelný; **of every ~** všeho druhu

descriptive [di'skriptiv] popisný

desecrate [desikreit] znesvětit

desert *v* [di'zə:t] 1 opustit
2 dezertovat
● *adj* [dezət] pustý, opuštěný
● *n* [dezət] poušť

deserter [di'zə:ta] dezertér

deservedly [di'zə:vidli] zaslouženě

design [di'zain] *v* 1 určit
2 plánovat, projektovat; navrhnout; vymyslit ● *n*
1 návrh, nárys, projekt 2 vzor
3 úmysl, záměr; **by ~** záměrně

designate [dezigneit] 1 určit, označit 2 předurčit, ustanovit

designation [dezig'neišn] označení

designer [di'zainə] *n* 1 návrhář; projektant; konstruktér
2 výtvarník ● *adj* 1 značkový, 'originál' 2 módní

desirable [di'zaiərəbl] žádoucí

desire [di'zaiə] *n* touha **for** po; přání ● *v* toužit po, přát si

♦ **it leaves a lot / much to be ~d** má to ještě mnoho nedostatků, dá se tomu leccos vytknout

desk [desk] 1 psací stůl 2 lavice

desktop publishing
[,desktop'pabliši] stolní publikování, stolní typografie

desolate [desəlit] bezútěšný; opuštěný, pustý

despair [di'speə] n zoufalství
• v vzdát se naděje **of** na

despatch = dispatch

desperate [desprit] zoufalý

desperation [despə'reišn] zoufalství

despicable [di'spikəbl] opovrženíhodný

despise [di'spaiz] opovrhovat čím

despite [di'spait] přes, navzdory čemu

despondency [di'spondənsi] malomyslnost, sklesost, zoufalost, deprese

despondent [di'spondənt] malomyslný, sklesý, zoufalý

despotic [de'spotik] despotický

dessert [di'zə:t] dezert, zákusek; moučník

destination [desti'neišn] místo určení; cíl cesty

destiny [destini] osud

destitute [destitju:t] bez prostředků, ve velké bídě

destroy [di'stroi] 1 zničit 2 utratit (zvíře)

destruction [di'strakšn] zničení, zkáza

destructive [di'straktiv] ničivý, destruktivní

detach [di'tæč] oddělit

detachable [di'tæčəbl] odpínací

detached [di'tæčt] 1 nestranný, objektivní (**opinion** názor) 2 samostatný, izolovaný (**house** dům)

detachment [di'tæčmənt] 1 odloučení, oddělení 2 (voj.) oddíl, detašovaná jednotka 3 nezainteresovanost, nestrannost

detail [di'teil] n podrobnost,

detail; **go into ~s** zacházet do podrobností
• v 1 (voj.) vyčlenit 2 podrobně vylíčit / referovat, specifikovat

detailed [di:teild] podrobný

detain [di'tein] 1 zdržet; **be ~ed somewhere** zdržet se někde 2 zadržet 3 nechat ve vazbě

detect [di'tekt] odkrýt, objevit

detection [di'tekšn] vypátrání (**of crime** zločinu); odhalení

detective [di'tektiv] adj detektivní; **a ~ story / novel** detektivka
• n detektiv

détente [deitont] uvolnění mezinárodního napětí

detention [di'tenšn] 1 zadržení 2 vazba 3 trest „po škole"
♦ **~ camp** internační tábor

deter [di'tə:] (rr) odstrašit **from** od

detergent [di'tə:džnt] saponát

deteriorate [di'tiəriəreit] zhoršit se

determination [di,tə:mi'neišn] rozhodnutí, odhodlání

determine [di'tə:min] 1 (přesně) určit, stanovit 2 rozhodnout (se) 3 mít rozhodující vliv na

determined [di'tə:mind] rozhodný, odhodlaný

deterrent [di'terənt] odstrašující prostředek

detest [di'test] hnusit si

detestable [di'testəbl] odporný

detonation [detə'neišn] výbuch, detonace

detract [di'trækt] umenšovat, zlehčovat **from** co

detrimental [detri'mentl] škodlivý **to** pro

deuce [dju:s] 1 dvě, dvojka (počet ok) 2 shoda, (stav) 40-40 (v tenisu) 3 (hovor.) čert, ďas; **where the ~ …?** kde u čerta …?

D

devaluation [diːˌvæljuˈeiʃn] devalvace

devastate [devəsteit] zpustošit

devastation [devəsˈteiʃn] zpustošení, zkáza

develop [diˈveləp] **1** vyvinout (se) **2** rozvést, rozpracovat **3** dostat, chytit (**a disease** nemoc) **4** (*fot.*) vyvolat **5** zvelebit, využít zlepšením **6** zastavět

developer [diˈveləpə] **1** stavební projektant (*i firma*) **2** (*fot.*) vývojka

development [diˈveləpmənt] **1** vývoj, rozvoj **2** zástavba

deviation [diːviˈeiʃn] odchylka

device [diˈvais] **1** plán, nápad **2** zařízení; prostředek **3** přístroj

devil [devl] **1** ďábel, čert **2** (*hovor.*) dobrodruh; chlap
  ♦ **poor ~** chudinka, ubožák; **where the ~ …?** kde u čerta …?

devise [diˈvaiz] vymyslit, navrhnout

devoid [diˈvoid] zbavený **of** čeho, bez

devote [diˈvəut] věnovat

devoted [diˈvəutid] **1** oddaný **2** nadšený (**admirer** obdivovatel)

devotion [diˈvəuʃn] oddanost

devour [diˈvauə] hltat

devout [diˈvaut] zbožný

dew [djuː] rosa

dexterous [dekstrəs] obratný

diabetes [daiəˈbiːtiːz] cukrovka

diagonal [daiˈægənl] *adj* úhlopříčný, diagonální
  ♦ **~ cloth** šikmo pruhovaná látka
  ● *n* úhlopříčka, diagonála

diagram [daiəgræm] diagram

dial [daiəl] *n* **1** ciferník **2** stupnice (*rozhlasového přijímače*)
  ● *v* (**ll**) vytočit, vyťukat (*číslo*)

dialect [daiəlekt] nářečí

dialogue [daiəlog] dialog

diameter [daiˈæmitə] průměr

diamond [daiəmənd] *n* **1** diamant **2** (*karta*) káro
  ● *adj* károvaný ♦ **~ jubilee** diamantové výročí (*šedesáté*)

diaper [daiəpə] *US* (*dětská*) plenka

diaphragm [daiəfræm] **1** bránice **2** membrána

diary [daiəri] **1** deník **2** diář; kapesní kalendář

dice [dais] *n* kostka
  ● *v* **1** nakrájet na kostičky **2** hrát kostky; hodit si kostkou **for** o

dictate *v* [dikˈteit] diktovat
  ● *n* [dikteit] diktát, příkaz

dictation [dikˈteiʃn] diktát; diktování

dictator [dikˈteitə] diktátor

dictatorship [dikˈteitəʃip] diktatura

dictionary [dikʃənri] slovník

die [dai] zemřít (**of an illness** na nemoc, **from a wound** na zranění) ♦ **never say ~** nikdy neházej flintu do žita; **dying wish** poslední přání (*na smrtelném loži*)

die away odumřít

die out vymřít

diesel [diːzl] **1** (*motorová*) nafta **2** diesel (*auto*)

diet [daiət] **1** strava **2** dieta; **be on a ~** mít dietu; **put sb. on a ~** předepsat dietu komu

differ [difə] **1** lišit se **from** od **2** nesouhlasit **from sb.** s kým **about / on sth.** v čem

difference [difrəns] **1** rozdíl; **it makes no ~ to me** to je mi jedno; **what's the ~?** co na tom záleží? **2** spor; **settle a ~** urovnat spor

different [difrənt] **1** různý

2 odlišný, rozdílný; **be ~ from** lišit se od **3** jiný; **that's a ~ matter** to je něco jiného

differently [difrəntli] jinak

differentiate [difə'renšieit]
1 rozlišovat **2** odlišovat se

difficult [difiklt] těžký, obtížný; problematický (**child** dítě); **he's a ~ person** s ním se dá těžko vyjít; **don't be ~** nedělejte potíže

difficulty [difiklti] obtíž, potíž, nesnáz; **without much ~** bez velkých potíží; **make difficulties** dělat potíže, mít námitky

diffident [difidənt] ostýchavý, skromný

dig* [dig] v (**gg**) **1** kopat; rýt **2** pátrat **for** po **3** rýpnout (**in the ribs** do žeber) **4** pečlivě zkoumat **into** co ● n rýpnutí

dig in 1 zakopat (se) **2** (hovor.) usadit **oneself**

digest v [dai'džest] **1** strávit **2** zestručnit ● n [daidžest] výtah z knihy, zhuštění

digestion [di'džesčn] trávení

digit [didžit] číslice (od 0 do 9)

digital [didžitl] digitální, číslicový

dignified [dignifaid] důstojný

dignify [dignifai] poctít, vyznamenat

dignitary [dignitəri] hodnostář

dignity [digniti] důstojnost; **with ~** důstojně; **beneath my ~** pod moji důstojnost

digress [dai'gres] odbočit, odchýlit se

digression [dai'grešn] odchylka, odbočka

digs [digz] pl (hovor.) kvartýr

dike [daik] hráz

dilapidated [di'læpideitid] polorozpadlý

dildo [dildəu] robertek

dilemma [di'lemə] rozpaky, těžké rozhodování, dilema

diligence [dilidžəns] píle

diligent [dilidžənt] pilný

dill [dil] kopr

dilute [dai'lju:t] zředit

dim [dim] adj **1** šerý, kalný, nejasný, matný **2** (hovor.) přihlouplý
♦ **take a ~ view of** dívat se černě / s nedůvěrou na ● v (**mm**) **1** zakalit, zamlžit **2** pohasínat **3** ztlumit (**the headlights** světla)

dime [daim] US deseticent

dimension [d(a)i'menšn] rozměr

diminish [di'miniš] zmenšit (se)

diminutive [di'minjutiv] adj
1 maličký **2** (jaz.) zdrobnělý
● n (jaz.) zdrobnělina

dimmer [dimə] tlumič světla, reostat

dimple [dimpl] důlek, dolíček (ve tváři)

din [din] n hluk, hřmot
● v (**nn**) **1** hlučet; ~ **in one's ears** znít v uších **2** vtloukat (**into sb.'s ears** komu do hlavy)

dine [dain] večeřet; ~ **out** jít na večeři do restaurace

dinghy [dingi] **1** veslovací člun (lodi) **2** (nafukovací) gumový člun

dingy [dindži] **1** špinavý **2** zašlý, ošumělý

dining car [daininka:] jídelní vůz

dining room [daininrum] jídelna

dining table [dininteibl] jídelní stůl

dinner [dinə] hlavní jídlo dne (oběd / večeře)

dinner jacket [dinədžækit] smokink

dinner lady [dinəleidi] paní rozdávající dětem oběd *(ve škole)*
dioxide [dai'oksaid] kysličník, dioxid
dip [dip] **(pp)** potopit (se), ponořit (se)
diphtheria [dif'θiəriə] záškrt
diphthong [difθɒŋ] dvojhláska
diploma [di'pləumə] diplom
diplomacy [di'pləuməsi] diplomacie
diplomat [dipləmæt] diplomat
diplomatic [diplə'mætik] diplomatický
diplomatist [di'pləumətist] diplomat
Dipper [dipə], *též* **Big ~** *US* Velký vůz
direct [d(a)i'rekt] *adj* přímý
 ♦ **~ current** stejnosměrný proud; **~ dial** *(telefon)* s přímo volitelnou státní linkou ● *adv* přímo ● *v* **1** řídit, vést **2** namířit **3** ukázat směr, cestu **4** adresovat **5** obrátit, zaměřit (**one's attention** pozornost) **6** nařídit, dát pokyn (komu)
direction [d(a)i'rekšn] **1** řízení, vedení, správa **2** směr **3** instrukce, pokyn, návod; **~s for use** *pl* návod k použití
directly [d(a)i'rektli] *adv* **1** přímo **2** ihned **3** za okamžik ● *conj* jakmile
director [d(a)i'rektə] **1** ředitel **2** režisér
directory [d(a)i'rektəri] **1** adresář **2** telefonní seznam
dirt [də:t] špína ♦ **~ cheap** za babku, téměř zadarmo
dirty [də:ti] **1** špinavý **2** *(počasí)* šeredný **3** obscénní
disabled [dis'eibld] invalida, vozíčkář

disabuse [disə'bju:z] vyvést z omylu
disadvantage [disəd'va:ntidž] nevýhoda
disadvantageous [dis,ædvən'teidžəs] nevýhodný
disagree [disə'gri:] **1** nesouhlasit **2** nesvědčit, nedělat dobře **with sb.** komu
disagreeable [disə'griəbl] nepříjemný
disagreement [disə'gri:mənt] neshoda, nesouhlas
disappear [disə'piə] zmizet
disappearance [disə'piərəns] zmizení
disappoint [disə'point] zklamat
disappointment [disə'pointmənt] zklamání
disapproval [disə'pru:vl] nesouhlas **of** s
disapprove [disə'pru:v] neschvalovat **of** co, nesouhlasit s kým / čím
disarm [dis'a:m] odzbrojit
disarmament [dis'a:məmənt] odzbrojení
disaster [di'za:stə] neštěstí, katastrofa, *(též přen.)*
disastrous [di'za:strəs] katastrofální
disband [dis'bænd] rozpustit (**an army** armádu)
disc [disk] **1** terč, kotouč **2** disk, disketa; deska *(též gramofonová)* ♦ **~ jockey** diskžokej
discard [dis'ka:d] **1** vyhodit **2** zbavit se čeho, odložit (**one's winter clothing** zimní oblečení); odhodit *(kartu)*
discern [di'sə:n] rozeznat, rozlišit
discernible [di'sə:nəbl] rozeznatelný

discerning [di'sə:niŋ] pronikavý, bystrý, vytříbený; náročný

discharge [dis'ča:dž] v 1 vyložit (**a cargo** náklad) 2 vylít, vyprázdnit; vypouštět 3 vypálit, vystřelit 4 propustit 5 (vy)konat, (s)plnit (**one's duty** povinnost) 6 zaplatit (**a debt** dluh)
• n [disča:dž] 1 vyložení (**of a cargo** nákladu) 2 výtok 3 odpálení, výstřel 4 propuštění 5 elektrický výboj 6 splnění (**of one's duty** povinnosti)

disciple [di'saipl] žák, učedník

discipline [disiplin] kázeň

disclose [dis'klǝuz] odhalit, prozradit

disclosure [dis'klǝužǝ] odhalení, prozrazení

disco [diskǝu] diskotéka

discomfort [dis'kamfǝt] nepohodlí

disconcert [diskǝn'sǝ:t] 1 vyvést z konceptu; uvést do rozpaků 2 zvrátit, překazit, zhatit (**plans** plány)

disconnect [diskǝ'nekt] vypnout, přerušit spojení

discontent [diskǝn'tent] nespokojenost

discontented [diskǝn'tentid] nespokojený

discontinue [diskǝn'tinju:] přestat s čím, zastavit
♦ **~d line** typ zboží, který se přestal vyrábět; zbytky

discontinuous [diskǝn'tinjuǝs] přerušovaný, nesouvislý

discord [disko:d] 1 nesvár, neshoda 2 disharmonie

discount [diskaunt] n skonto, srážka, sleva; **at a ~** se slevou
• v 1 eskontovat 2 [dis'kaunt] nevšímat si čeho

discourage [dis'karidž] 1 zastrašit, vzít odvahu 2 zrazovat **sb.** koho **from doing sth.** od čeho

discouragement [dis'karidžmǝnt] 1 zrazování 2 překážka

discourse n [disko:s] 1 rozprava; proslov 2 pojednání, stať
• v [dis'ko:s] rozmlouvat; kázat

discover [dis'kavǝ] 1 objevit, odkrýt 2 zjistit

discovery [dis'kavǝri] objev; objevení

discredit [dis'kredit] v 1 (z)diskreditovat, poškodit dobrou pověst koho 2 odmítnout 3 pochybovat o, otřást vírou v
• n špatná pověst, ostuda

discreet [dis'kri:t] taktní, diskrétní

discrepancy [dis'krepǝnsi] nesoulad, nesouzvuk **between** mezi

discretion [dis'krešn] 1 soudnost, rozvaha 2 volnost jednání; **at your ~** podle vašeho uvážení 3 taktnost, diskrétnost 4 shovívavost

discriminate [dis'krimineit] rozlišovat

discrimination [diskrimi'neišn] 1 rozlišování; soudnost 2 diskriminace

discus [diskǝs] (**sport.**) disk

discuss [dis'kas] hovořit, pojednávat o, diskutovat o

discussion [dis'kašn] rozhovor, debata, diskuse

disdain [dis'dein] v 1 pohrdat čím 2 nesnížit se **to** + inf k čemu
• n pohrdání

disease [di'zi:z] choroba, nemoc

disembark [disim'ba:k] vylodit (se)

disenchanted [disin'ča:ntid] rozčarovaný

disfigure [dis'figə] znetvořit

disgrace [dis'greis] **1** nemilost **2** hanba, ostuda ● v uvalit hanbu na; zneuctít

disgraceful [dis'greisful] ostudný, zahanbující

disguise [dis'gaiz] v přestrojit, převléci, zamaskovat; ~ **one's voice** změnit hlas ● n **1** převlek, přestrojení **2** přetvářka

disgust [dis'gast] n odpor, ošklivost ● v pobouřit, zhnusit; **be ~ed** být zhnusen **at** čím

disgusting [dis'gastiŋ] odporný

dish [diš] n **1** mísa; **the ~es** pl nádobí **2** parabolická anténa, talíř **3** jídlo, pokrm; chod ● v ~ **out / up** servírovat

dishcloth [diškloθ] utěrka

dishevelled [di'ševld] rozcuchaný

dishonest [dis'onist] nepoctivý, nečestný

dishonesty [dis'onisti] nepoctivost

dishonour [dis'onə] n hanba ● v **1** zneuctít **2** nezaplatit (*směnku*)

disillusion [disi'lu:žn] rozčarovat

disillusionment [disi'lu:žənmənt] rozčarování

disinclination [disinkli'neišn] nechuť **for / towards** k

disinfect [disin'fekt] dezinfikovat

disinfectant [disin'fektənt] dezinfekční prostředek, dezinfekce

disinformation [disinfə'meišn] lživá informace, (*záměrná*) dezinformace

disinherit [disin'herit] vydědit

disinterested [dis'intristid] **1** nesobecký, nezištný **2** nezaujatý **3** nemající zájem **in** o; **become ~ in** ztratit zájem o

disjointed [dis'džointid] nesouvislý, trhaný

disk [disk] = **disc**

diskette [dis'ket] disketa

dislike [dis'laik] n nechuť, nelibost, odpor **to / of / for** k; **take a ~ to** pojmout odpor k ● v nemít rád

dislodge [dis'lodž] uvolnit (se); vypudit

disloyal [dis'loiəl] neloajální

dismal [dizml] ponurý, zasmušilý; **fail ~ly** žalostně selhat

dismantle [dis'mæntl] rozmontovat, rozebrat

dismay [dis'mei] n hrůza, zděšení ● v polekat, vyděsit

dismember [dis'membə] rozebrat; roztrhat

dismiss [dis'mis] **1** propustit **2** rozpustit; **D~!** (*voj.*) Rozchod! **3** pustit z hlavy, pominout **4** odmítnout; zamítnout projednání **5** jen stručně se zmínit o

dismissal [dis'misl] propuštění

dismount [dis'maunt] **1** sestoupit, slézt **from** z **2** demontovat

disobedience [disə'bi:djəns] neposlušnost

disobey [disə'bei] neposlouchat; neuposlechnout

disorder [dis'o:də] **1** nepořádek **2** porucha **3** ~s pl nepokoje

disorderly [dis'o:dəli] **1** nepořádný **2** vzpurný, výtržnický

disparage [dis'pæridž] **1** odsuzovat **2** zlehčovat

disparate [disprit] neslučitelný, nesourodý

dispassionate [dis'pæšənit] nezúčastněný, bez zaujetí

dispatch [dis'spæč] v odeslat, vypravit ● n **1** odeslání, odbavení; rychlé vyřízení **2** depeše, zpráva ● ~ **rider** (*jízdní /*

motorizovaný) kurýr; **with all ~** s největším urychlením

dispel [di'spel] (**ll**) rozptýlit, rozehnat

dispensable [di'spensəbl] postradatelný

dispense [di'spens] 1 rozdílet, rozdávat 2 vykonávat (**justice** spravedlnost) 3 obejít se with bez; učinit zbytečným co ♦ **~ prescriptions** (*lékárna*) vydávat léky připravené podle receptů

dispenser [di'spensə] 1 lékárník 2 prodejní automat; kontejner, nádobka (*např. s tekutým mýdlem*)

dispensing chemist [di‚spensiŋ 'kemist] lékárník

disperse [dis'pə:s] rozptýlit (se); rozehnat

displace [dis'pleis] 1 vytlačit z místa; **~d person** bezdomovec 2 zaujmout místo koho

display [di'splei] *v* 1 vystavit, vyložit (**goods** zboží); vyvěsit (**a notice** vyhlášku); zobrazit (*na počítači*) 2 projevit ● *n* 1 předvedení, výstava; zobrazení 2 výloha, výklad 3 displej; zobrazení (*na obrazovce*) 4 projev

displease [dis'pli:z] znelíbit se komu

displeasure [dis'pležə] nelibost

disposal [dis'spəuzl] 1 naložení s čím 2 právo disponovat **of** sth. čím ♦ **at my ~** mně k dispozici; **~ of property** disponování majetkem; **~ of rubbish** odvoz odpadků; **~ of troops** rozmístění jednotek

dispose [di'spəuz] 1 uspořádat 2 naladit koho 3 zbavit se **of** čeho; vyřídit co, skoncovat s čím; prodat co ♦ **be well ~d towards**

být nakloněn čemu; **I am ~d to think that** chce se mi věřit, že

disposition [‚dispə'zišn] 1 uspořádání; rozmístění 2 povaha 3 nálada 4 dispoziční právo

disproportion [‚disprə'po:šn] nepoměr

disprove [dis'pru:v] vyvrátit

dispute [di'spju:t] *v* 1 přít se 2 popírat ● *n* spor; **beyond ~** beze sporu

disqualify [dis'kwolifai] 1 učinit nezpůsobilým **for / from** k 2 diskvalifikovat

disregard [‚disri'ga:d] *v* nedbat čeho, přehlížet co ● *n* nedbání, přehlížení; neúcta **for** k

disrespect [‚disris'pekt] neúcta

disrespectful [‚disris'pektful] neuctivý

disrupt [dis'rapt] 1 roztrhnout 2 rozvrátit 3 přerušit 4 zničit

dissatisfaction [dis‚sætis'fækšn] nespokojenost

dissatisfied [dis'sætisfaid] nespokojený

dissection [di'sekšn] rozpitvávání; pitva

dissent [di'sent] *v* nesouhlasit **from** s ● *n* nesouhlas

dissociate [di'səušieit] oddělit, odtrhnout; **~ oneself** distancovat se **from** od

dissolute [disəlu:t] zhýralý, prostopášný

dissolution [‚disə'lu:šn] rozpuštění (*parlamentu*); likvidace (*firmy*); ukončení (*manželství*)

dissolve [di'zolv] 1 rozpustit (se) 2 rozplynout se, ztratit se 3 rozpustit, zlikvidovat, ukončit 4 dojmout, vzít za srdce

distance [distəns] vzdálenost, (*i časová*) doba
♦ **at a ~** opodál, zdálky; **at a ~ of two miles** ve vzdálenost dvou mil; **in the ~** v dálce; **keep sb. at a ~** držet si koho od těla; **a little ~ away from** kousek od

distant [distənt] vzdálený

distaste [dis'teist] nechuť, odpor **for** k

distasteful [dis'teistful] odporný

distil [di'stil] (**ll**) destilovat, pálit

distillation [disti'leišn] destilace

distillery [di'stiləri] lihovar, pálírna

distinct [di'stiŋkt] **1** zřetelný **2** odlišný
♦ **as ~ from** na rozdíl od

distinction [di'stiŋkšn] **1** rozdíl; rozlišování; **draw a ~** dělat rozdíl, rozlišovat; **in ~ to** na rozdíl od **2** výjimečnost; **a writer of ~** vynikající spisovatel **3** vyznamenání

distinguish [di'stiŋgwiš] **1** rozlišovat **between** mezi, rozlišit **from** od **2 ~ oneself** vyniknout

distinguished [di'stiŋgwišt] **1** významný; vynikající **2** elegantní, distingovaný

distort [di'sto:t] **1** zkroutit, zkřivit **2** překroutit, zkreslit (*smysl*)

distortion [di'sto:šn] **1** zkřivení **2** překroucení, zkreslení

distract [di'strækt] **1** odvrátit, odvést (**attention** pozornost) **2** zmást; zneklidnit, rušit

distraction [di'strækšn] **1** rozptýlení **2** vyrušování, zmatek **3** zábava

distress [di'stres] *n* **1** úzkost **2** tíseň **3** nouze, bída **4** tělesné vyčerpání ● *v* rozrušit, sklíčit

distressed [di'strest] postižený, v nouzi; **~ areas** postižené oblasti

distressing [di'stresiŋ] skličující

distribute [di'stribju:t] **1** rozdělit; rozložit, rozmístit **2** roznést, rozeslat, distribuovat

distribution [distri'bju:šn] **1** rozdělení, rozdělování **2** rozšíření **3** distribuce

district [distrikt] okres, obvod, oblast ♦ **~ attorney** *US* okresní návladní / prokurátor; **~ nurse** *GB* ambulantní sestra

distrust [dis'trast] *n* nedůvěra **of** k ● *v* nedůvěřovat, nevěřit komu

distrustful [dis'trastful] nedůvěřivý

disturb [di'stə:b] **1** rušit, vyrušovat **2** rozrušit ♦ **~ the peace** rušit veřejný pořádek

disturbance [di'stə:bəns] **1** výtržnost **2** rušení

ditch [dič] *n* příkop, strouha ● *v* (*hovor.*) hodit přes palubu, pustit k vodě

divan (bed) [di'væn (bed)] divan, válenda

dive [daiv] *v* **1** potápět se **2** skočit do vody ● *n* **1** skok do vody **2** (*hovor.*) putyka

diver [daivə] **1** potápěč **2** skokan do vody

diversion [dai'və:šn] **1** objížďka; odklon **2** rozptýlení; zábava

diversity [dai'və:siti] rozmanitost **of** čeho

divert [dai'və:t] **1** odchýlit (*směr*); odvrátit (*pozornost*) **2** bavit

divide [di'vaid] (roz)dělit (se)

dividend [dividend] dividenda

divine [di'vain] *adj* božský ● *v* **1** věštit, hádat **2** proutkařit

division [di'vižn] **1** (roz)dělení

2 divize 3 hlasování (*v britském parlamentu*) 4 rozkol

divorce [di'vo:s] *n* rozvod; **seek a ~** žádat o rozvod
● *v* 1 rozvést (*manžele*)
2 odloučit **from** od, odtrhnout;
~d from life odtržený od života

Dixie (Land) [diksi(lænd)] *jižní státy USA*

dizzy [dizi] 1 závratný 2 trpící závratěmi; **feel ~** mít závrať

D.M. = Doctor of Medicine doktor lékařství

do* [du:] *v* 1 dělat, činit
2 spokojit se **with** čím, vystačit s 3 obejít se **without** bez
● **that will ~** to bude stačit, to půjde; **he's ~ing well** vede si dobře; **How ~ you ~?** těší mě, dobrý den (*při představování*); **have sth. to ~ with** mít co společného s; **nothing ~ing** nedá se nic dělat; **~ one's best** vynasnažit se, dát si záležet; **~ sb. a favour** prokázat službu komu; **~ one's hair** učesat se; **~ one's homework** udělat domácí úkol; **~ one's lessons** připravit se do školy; **~ one's military service** konat vojenskou službu; **~ the rooms** uklidit byt; **~ a sum** vypočítat příklad; **~ a town** prohlédnout si město; **~ a translation** udělat překlad ● *n* (*hovor.*) 1 *GB* sešlost, mejdan 2 akce

do away with zrušit, odstranit co, skoncovat s čím

do out vyčistit, uklidit (*vyčištěním*)

do over 1 přemalovat, přelakovat 2 *US* předělat, přepracovat

do up 1 zapnout, zavázat, zabalit 2 obléci (se), naparádit (se)

doc [dok] (*hovor.*) doktor

docent [dəu'sent] *US* průvodce

docile [dəusail] učenlivý

dock [dok] 1 dok 2 lavice obžalovaných

docker [dokə] dokař

dockyard [dokja:d] loděnice

doctor [doktə] lékař, doktor

doctrine [doktrin] nauka, doktrína

document [dokjumənt] dokument, listina, doklad

dodge [dodž] 1 vyhnout se čemu 2 klikatit se

dog [dog] pes ● **~ in the manger** nepřející závistník; **let sleeping ~s lie** co tě nepálí, nehas; **things are going to the ~s with me** jde to se mnou z kopce

dog collar ['dog,kolə] 1 obojek 2 (*hovor.*) kolárek

dog-eared [dog'iəd] (*kniha*) s oslíma ušima

dogged [dogid] umíněný, zarputilý

doggy bag, doggie bag [dogibæg] *US* (*restaurací poskytovaná*) igelitka na nedojedený pokrm, sáček na zbytky

dogmatic [dog'mætik] dogmatický

doily [doili] (*ozdobný*) ubrousek (*např. pod dort*)

doings [du:iŋz] *pl* jednání, činy

doldrums [doldrəmz] *pl* deprese
● **be in the ~** stagnovat

dole [dəul] podpora v nezaměstnanosti; **be on the ~** brát podporu

doll [dol] 1 panenka, panáček, loutka 2 (*hovor.*) kus, kočka (*atraktivní mladá žena*)

dollar [dolə] dolar

dolphin [dolfin] delfín

dome [dəum] 1 kupole 2 klenba

domestic [də'mestik] 1 domácí 2 tuzemský, vnitrostátní

domicile [domisail] domov, trvalé bydliště

dominant [dominənt]
1 převládající, dominantní
2 vysoko čnící, dominující

dominate [domineit] 1 ovládat
2 převyšovat; čnět, tyčit se,
dominovat

domination [domi'neišn]
(nad)vláda

dominion [də'minjən] 1 nadvláda
2 dominium

don [don] v (**nn**) obléknout si
◆ n vysokoškolský učitel

done [dan] *minulé příčestí slovesa*
do; D~ ! souhlasím, přijímám;
be ~ for být zničen / vyřízen;
be ~ in být vyčerpán; be ~ up být
vyřízen / zruinován; have ~ with
skoncovat s kým

donkey [doŋki] osel

donor [dəunə] dárce, donátor

doom [du:m] 1 osud 2 záhuba
3 poslední soud

doomed [du:md] odsouzený (**to**
failure k neúspěchu)

Doomsday [du:mzdei] den
posledního soudu, soudný den

door [do:] dveře
◆ answer the ~ jít otevřít; be
on the ~ mít službu u vchodu;
next ~ vedle; out of ~s venku

doorman [do:mən] vrátný

dope [dəup] n narkotikum, droga;
dopingová látka
◆ v podat drogu komu; dopovat

dormer [do:mə] střešní okno

dormitory [do:mitri]
1 (*společná*) ložnice, dormitář
2 US (*studentská*) kolej

dose [dəus] 1 dávka 2 záchvat
(*nemoci*) ◆ like a ~ of salts
(*hovor.*) v cuku letu, natotata

dossier [dosiei] 1 dokumenty,
akta, fascikl 2 kádrový materiál

dot [dot] n tečka; puntík ◆ ~s and
dashes tečky a čárky, morseovka;
on the ~ na vteřinu přesně ◆ v (**tt**)
opatřit tečkou; posázet puntíky

dot down poznamenat si

dote [dəut] nekriticky lpět (**up**)**on**
na, nedat dopustit na

dotted line [,dotid'lain]
1 tečkovaná čára 2 udaná linie,
nalinkovaný směr ◆ sign on the
~ (*přen.*) podrobit se

double [dabl] *adj* dvojitý, dvojná-
sobný; dvakrát větší než ◆ *adv*
dvakrát, dvojnásobně, dvojmo
◆ n 1 dvojnásobek 2 dvojník
3 čtyřka ◆ at / on the ~ (*hovor.*)
poklusem, ihned ◆ v zdvojnáso-
bit (se); zdvojit; složit dvojmo

double up prohýbat se (**laughing**
smíchy)

double bed [dabl'bed] manželská
postel

double bill [dabl'bil] dvouprogram

double-breasted [dabl'brestid]
dvouřadový

double-cross [dabl'kros] (*hovor.*)
podvést, podfouknout

double-decker [dabl'dekə]
patrový autobus

double-dutch [dabl'dač]
hatmatilka

double-quick [dabl'kwik] (*hovor.*)
bleskem, bleskově

doubt [daut] n pochybnost, nejis-
tota; **there is no ~ about it** o tom
není pochyb; **beyond ~** nad veš-
kerou pochybnost; **without / no**
~ bezpochyby ◆ v pochybovat

doubtful [dautful] pochybný; **be ~**
about mít pochybnosti o

doubtless [dautlis] nepochybně,
pravděpodobně

douche [du:š] sprcha

dough [dəu] **1** těsto **2** (*slang.*) prachy

doughnut [dəunat] kobliha

dove [dav] holub; holubice

dovetail [davteil] *n* rybina, rybinové zubování
● *v* **1** spojit na rybinu **2** (*přen.*) přesně do sebe zapadat **with** s

dowdy [daudi] ošumělý, ošoupaný, nemoderní

down [daun] *adv* dolů, dole ◆ **D~ with the government!** Pryč s vládou!; **~ to the last man** až do posledního muže; **be ~ on sb.** mít spadeno na koho; **~ there** tam dole; **be ~ with flu** ležet s chřipkou; **be ~ and out** být na mizině
● *prep* dolů po; **~ the hill** z kopce; **~ the river** po proudu řeky; **~ the street** po ulici

downfall [daunfo:l] **1** pád **2** liják

downhill [daunhil] (*lyžařský*) sjezd

downpour [daunpo:] liják

downright [daunrait] *adj* přímý, vyložený
● *adv* rovnou, přímo, naprosto

downs [daunz] *pl* pahorkatina

downstairs [daunsteəz] dole, dolů (*po schodech*)

downstream [daun'stri:m] po proudu

down-to-earth [dauntə'ə:θ] realistický, věcný

downtown *US* [daun'taun] *adj* v centru města
● *adv* do centra města ● *n* [dauntaun] obchodní centrum města

downtrodden [dauntrodən] ušlapnutý

doze [dəuz] dřímat; **~ off** usnout (*nechtěně*)

dozen [dazn] tucet; **~s of times** ne-

sčetněkrát; **talk nineteen to the ~** mluvit a nevědět, kdy přestat

D.Phil. = Doctor of Philosophy doktor filozofie

drab [dræb] **1** šedavě hnědý **2** jednotvárný

draft [dra:ft] *n* **1** koncept **2** návrh **3** směnka **4** (*voj.*) záloha
● *v* **1** koncipovat **2** *US* povolat do zbraně

drag [dræg] *n* **1** přítěž **2** (*hovor.*) otrava ● *v* (**gg**) táhnout, vléci (se)

drag down vyčerpat

drag in zatáhnout (*do rozhovoru*)

drag out protahovat

drag up **1** stále vytahovat, omílat **2** *GB* špatně vychovat

dragon [drægən] drak; dračice

drain [drein] *n* odtok; odvodňovací stoka; **~s** *pl* kanalizace ◆ **go down the ~** přijít nazmar; **laugh like a ~** řehtat se na celé kolo
● *v* **1** odvodnit, vyprázdnit **2** vysušit se, vyschnout, odkapat

drainpipe [dreinpaip] **1** okapová roura **2 ~s = ~ trousers** trubky (*kalhoty*)

draining board [,dreiniŋ 'bo:d] odkapávací deska

drake [dreik] kačer

drama [dra:mə] drama, činohra

dramatic [drə'mætik] dramatický; divadelní

dramatist [dræmətist] dramatik

drapery [dreipəri] **1** látky, textil **2** drapérie

drastic [dræstik] drastický

draught [dra:ft] **1** tah; zátah; **~ beer** točené pivo **2** průvan **3** doušek **4** skica

draughts [dra:fts] *pl* dáma (*hra*)

draw* [dro:] *v* **1** táhnout, vytáhnout, zatáhnout; přitahovat

D

2 čepovat 3 vyzvednout (*peníze z banky*); čerpat (**on one's savings** z úspor) 4 kreslit 5 vydat směnku (**on sb. for a sum** na koho na částku) 6 (*sport.*) hrát nerozhodně ♦ ~ **one's attention to** upozornit koho na; ~ **lots** losovat; ~ **near** blížit se k; ~ **into** vjet do ● *n* 1 nerozhodná hra; **end in a** ~ skončit nerozhodně 2 lákadlo, tahák

draw off odtáhnout

draw up 1 sestavit, koncipovat 2 zastavit (**at the gate** u brány)

drawback [dro:bæk] stinná stránka; nedostatek

drawer [dro:ə] zásuvka

drawing [dro:iŋ] 1 kreslení 2 kresba ♦ ~ **board** kreslicí prkno; ~ **pin** napínáček

drawing room [dro:iŋrum] přijímací pokoj, salón

dread [dred] *v* bát se čeho ● *n* strach **of** z

dreaded [dredid] obávaný

dreadful [dredful] hrozný, příšerný

dream [dri:m] *n* 1 sen 2 snění ● *v** 1 mít sen 2 snít **of / about** o

dreary [driəri] 1 ponurý, pustý, smutný 2 únavný

dredge[1] [dredž] *v* 1 hloubit pod vodou, bagrovat 2 prohledávat; (vy)lovit (*vlečnou sítí*)

dredge up vylovit, vyšťourat (*informaci, zvl. z minula*)

dredge[2] [dredž] poprášit (*moukou / cukrem*)

dregs [dregs] *pl* 1 usazenina 2 (*společenská*) spodina, bahno (*přen.*)

drench [drenč] zmáčet, promáčet

dress [dres] *n* šaty, oděv ♦ ~ **circle** první balkón; ~ **coat**

frak; **evening** ~ večerní šaty ● *v* 1 obléci (se) 2 upravit, ochutit (**a salad** salát) 3 ošetřit (**a wound** ránu) 4 vyzdobit (**the streets** ulice)

dress down setřít koho, vyhubovat komu

dress up 1 obléci se **as** za 2 obléci se do gala

dresser [dresə] příborník, kredenc

dressing [dresiŋ] 1 obvaz 2 zálivka

dressing gown [dresiŋgaun] župan

dressing room [dresiŋrum] (*herecká*) šatna

dressing table [dresiŋteibl] toaletní stolek, toaletka

dressmaker [dresmeikə] švadlena

dress rehearsal [dresri'hə:sl] generální zkouška (*hry*)

dressy [dresi] elegantní

dried [draid] sušený; zaschlý; ~ **fruit** sušené ovoce; ~ **milk** sušené mléko

drift [drift] *n* 1 závěj 2 tendence ● *v* 1 hnát (se) 2 být unášen; snášet se 3 hromadit se

drift along vznášet se

drill[1] [dril] *n* vrtačka ● *v* vrtat

drill[2] [dril] *n* secí stroj

drill[3] [dril] *n* vojenský výcvik; dril ● *v* podrobit výcviku, cvičit, nacvičovat

drink* [driŋk] *v* pít; ~ **to sb.** připít komu ● *n* nápoj; **have a** ~ napít se; dát si něco k pití

drip [drip] (**pp**) kapat; **he was ~ping sweat** lil z něho pot; **~ping wet** mokrý jako myš, úplně mokrý

drip-dry [drip'drai] *adj* rychle schnoucí, který není zapotřebí žehlit ● *v* sušit vyvěšením

dripping [dripiŋ] vyškvařený tuk
drive* [draiv] *v* 1 hnát 2 řídit
(**a car** auto) 3 jet (*autem*)
4 (s)vézt koho 5 pohánět
(**machinery** stroje) 6 prorazit
(**a tunnel** tunel) 7 narážet **at** na;
what are you driving at? kam
mříte? • *n* 1 jízda, projížďka,
vyjížďka; **go for a** ~ vyjet si
2 vjezd, (soukromá) příjezdová
cesta 3 energie; pud 4 (*sport.*)
úder (*v tenise*) 5 kampaň, akce
drivel [drivl] *US* žvanit nesmysly
driver [draivə] řidič
driving licence [ˈdraiviŋ ˌlaisəns]
řidičský průkaz
driving test [ˈdraiviŋ ˌtest]
řidičská zkouška
drizzle [drizl] mrholit
drool [druːl] slintat
droop [druːp] 1 klesat 2 spustit,
svěsit (**one's head** hlavu)
drop [drop] *n* 1 kapka 2 pokles
čeho • *v* (**pp**) 1 padat, opadávat
2 upustit 3 (po)klesnout, svažo-
vat se 4 vynechat 5 zanechat
čeho 6 ustat 7 utrousit (**a hint**
narážku); vhodit (**a letter in**
a letterbox dopis do schránky)
• ~ **me a line** napiš mi pár řádek
drop in navštívit na chvilku **on sb.**
koho; zaskočit (si) (**to tea** na čaj)
drop off 1 odpadávat 2 usnout
3 vysadit (**sb.** koho **at a stop** na
stanici)
drought [draut] sucho
drown [draun] utopit (se); **be /**
get ~ed utopit se
drowse [drauz] 1 dřímat 2 být
příjemně ospalý
drowsy [drauzi] ospalý
drudge [dradž] *n* dříč, otrok,
nádeník • *v* dřít se

drudgery [dradžəri] dřina,
nádeničina
drug [drag] *n* lék; droga
• *v* (**gg**) otrávit; omámit
drug addict [ˈdrag ˌædikt]
narkoman
druggist [dragist] *US* farmaceut
drugstore [dragstɔː] *US* dragstór
(*prodejna tabáku, cukrovinek*
a základních léků)
drum [dram] *n* buben, bubínek
• *v* (**mm**) 1 bubnovat
2 vtloukat **into** (**sb.'s head** komu
do hlavy); vytloukat **out of** z
drum up (na)verbovat, získat
drumstick [dramstik] 1 palička
(**na buben**) 2 (*smažené*)
stehýnko (*drůbeže*)
drunk [draŋk] *adj* opilý; **get** ~
opít se • *n* opilec
drunkard [draŋkəd] opilec; pijan,
alkoholik
drunkenness [draŋkənnis]
opilost; opilství
dry [drai] *adj* suchý (**as a bone** ja-
ko troud); ~ **as dust** suchopárný
• *v* 1 sušit; utřít (**one's hands**
on a towel si ruce do ručníku)
2 uschnout
dry up 1 vysušit 2 vyschnout
3 přestat mluvit 4 zapomenout
text (*na jevišti*)
dry-clean [draiˈkliːn] chemicky
čistit
dry cleaner's [draiˈkliːnəz]
chemická čistírna
dry goods [draigudz] *pl* 1 *GB*
sypké zboží 2 *US* textil
dryness [drainis] sucho
D.Sc. = Doctor of Science doktor
přírodních věd
dub [dab] (**bb**) dabovat (**a film**
film)

dubious [dju:bjəs] **1** pochybný
2 mající pochybnosti **about** o
duchess [dačis] vévodkyně
duck [dak] *n* **1** kachna **2** (*GB,
hovor.*) zlatíčko ♦ **~s and drakes**
házení „žabiček" ● *v* **1** sehnout
(se); **~ one's head** sehnout hlavu
2 potopit (se) **3** (*hovor.*)
vyhnout se (*nepříjemnosti*)
due [dju:] *adj* **1** patřičný, řádný;
in ~ time, in ~ course v pravý
čas **2** očekávaný (*podle jízdního
řádu*); **the train is ~ at 5.15**
vlak má přijet v 5.15 **3** dlužný;
splatný ● *adv* přímo
● *prep* **~ to** kvůli čemu, pro co,
následkem / vinou čeho
● *n* **1** co komu patří **2** dluh
3 ~s *pl* (*členské*) poplatky
duke [dju:k] vévoda
dull [dal] *n* **1** těžko chápavý, tu-
pý **2** neživý, neslaný nemastný;
nudný ● *v* otupit (*přen.*)
duly [dju:li] řádně, náležitě,
příslušně
dumb [dam] němý; **~ show**
pantomima
dumbbell [dambel] (*sport.*) činka
dummy [dami] **1** atrapa; maketa
2 krejčovská panna, figurina
3 *GB* dudlík
dump [damp] *n* skládka
● *v* **1** odložit na smetiště
2 prodávat pod cenou (*v cizině*)
dumpling [damplin] knedlík
dunce [dans] tupec
dung [dan] hnůj
dungarees [dangə'ri:z] *pl*
montérky
dungeon [dandžən] žalář
dunk [dank] namáčet si **in** do
duodenum [dju:ə'di:nəm]
dvanácterník

dupe [dju:p] *n* hlupák, hejl
● *v* nachytat, vyvést, podvést
duplicate *n* [dju:plikit] duplikát,
opis; **in ~** dvojmo ● *v* [dju:pli-
keit] **1** rozmnožovat **2** udělat
duplikát čeho **3** přesně opakovat
duplicity [dju:'plisiti] obojetnost,
neupřímnost
durability [djuərə'biliti]
trvanlivost
durable [djuərəbl] trvanlivý
duration [dju'reišn] **1** (*doba*)
trvání; **for the ~** po (celou) dobu
2 délka; minutáž
during [djuəriŋ] během,
v průběhu, za
dusk [dask] soumrak, šero
dust [dast] *n* prach
♦ **~ jacket** přebal (*knihy*)
● *v* **1** poprášit **2** oprášit, utřít
prach (**the furniture** z nábytku)
dustbin [dastbin] popelnice
duster [dastə] prachovka
dustman [dastmən] popelář
dustpan [dastpæn] lopatka na
smetí
dusty [dasti] zaprášený; prašný
Dutch [dač] *adj* holandský
♦ **~ courage** odvaha opilce; **go
~** platit každý sám za sebe (*v re-
stauraci*) ● *n* **the ~** Holanďané
Dutchman [dačmən] Holanďan
dutiable [dju:tiəbl] podléhající clu
dutiful [dju:tiful] poslušný, uctivý
duty [dju:ti] **1** povinnost **2** služba;
on ~ ve službě **3** poplatek; clo
duty-free [dju:tifri:] *adj* prostý
cla, osvobozený od cla
● *n* bezcelní zboží
dwarf [dwo:f] trpaslík
dwarfish [dwo:fiš] trpasličí,
zakrslý
dwell* [dwel] **1** bydlit, zdržovat

se (kde) **2** prodlévat (**up**)**on** na, obírat se čím

dwelling [dweliŋ] obydlí

dwindle [dwindl] zmenšovat se, ztrácet se

dye [dai] *n* barva
• *v* (o)barvit (**blue** na modro)

dyke = **dike**

dynamic [dai'næmik] dynamický

dynamite [dainəmait] dynamit

dynasty [dinəsti] dynastie

dysentery [disntəri] úplavice

dyspepsia [dis'pepsiə] porucha trávení

E

E = east východ
each [i:č] každý; **a shilling ~** po šilinku; **~ other** jeden druhého, navzájem
eager [i:gə] dychtivý, rozdychtěný, horlivý
eagerness [i:gənis] dychtivost, horlivost
eagle [i:gl] orel
ear[1] [iə] **1** ucho **2** sluch
  ◆ **be all ~s** napjatě poslouchat; **up to the ~s in work** až po uši v práci; **~ for music** *1.* hudební sluch *2.* záliba v hudbě
ear[2] [iə] klas
eardrum [iədram] ušní bubínek
earl [ə:l] hrabě
early [ə:li] *adj* časný, brzký; urychlený; **in the ~ thirties** na začátku třicátých let ◆ **~ bird** ranní ptáče
  ◆ *adv* časně, brzy; **~ next week** začátkem příštího týdne; **as ~ as May** již v květnu; **as ~ as possible** co nejdříve
earmark [iəma:k] *v* dát stranou (**a sum** částku) **for** na
  ◆ *n* **1** značka na uchu (*domácího zvířete*) **2** znak (**of poverty** chudoby)
earn [ə:n] **1** vydělat si **2** zasloužit si
earnest[1] [ə:nist] vážný; **in ~** vážně, doopravdy; **be in ~** myslit to vážně
earnest[2] [ə:nist] záloha, závdavek
earnings [ə:niŋz] *pl* výdělek
earphones [iəfəunz] sluchátka
earpiece [iəpi:s] **1** sluchátko (*telefonní*) **2** naslouchátko
earring [iəriŋ] náušnice

earth [ə:θ] **1** země **2** hlína **3** svět; **how / what / where ... on ~** jak / co / kde ... pro všechno na světě
earthen [ə:θn] hliněný
earthenware [ə:θnweə] hliněné zboží, kamenina
earthly [ə:θli] pozemský
earthquake [ə:θkweik] zemětřesení
earthy [ə:θi] zemitý; hrubý
ease [i:z] *n* klid, pohoda; lehkost
  ◆ **with ~** lehce; **stand at ~** stát v pohovu; **be / feel at ~** chovat se nenuceně; **put sb. at his ~** zbavit rozpaků koho; **ill at ~** nesvůj; **take one's ~** odpočinout si
  ◆ *v* **1** ulevit, ulehčit **2** povolit; uvolnit (se)
ease off / up polevit
east [i:st] *n* východ; **in the ~** na východě ◆ *adj* východní
  ◆ *adv* na východ **of** od
Easter [i:stə] Velikonoce
eastern [i:stən] východní
easy [i:zi] *adj* **1** snadný, lehký; **buy on ~ terms** kupovat na splátky **2** nenucený (**manners** chování)
  ◆ *adv* lehce, nenuceně; **take it ~** nic si z toho nedělej; **E~!** Pohov!
easygoing [i:zi'gəuiŋ] bezstarostný
eat* [i:t] **1** jíst **2** rozežírat, korodovat **into** co
eat up sníst; dojíst
eater [i:tə] jedlík
eats [i:ts] *pl* (*hovor.*) jídlo
eaves [i:vz] *pl* okap
eavesdrop [i:vzdrop] (**pp**) tajně naslouchat **on sb.** komu, poslouchat za dveřmi

ebb [eb] *n* odliv; ~ **and flow** příliv a odliv ● *v* **1** (*moře*) klesat **2** (*přen.*) ubývat, klesat, upadat

ebony [ebəni] eben

EC = European Community Evropské společenství

eccentric [ik'sentrik] výstřední

echo [ekəu] *n* ozvěna
● *v* **1** vracet se ozvěnou **2** ozývat se (jako) ozvěnou, znít **with** čím **3** souhlasně opakovat

eclipse [i'klips] *n* zatmění
● *v* zastínit

ecology [i'kolədži] ekologie

economic [ekə'nomik / i:kə'-] ekonomický, hospodářský

economical [ekə'nomikl / i:kə'-] **1** hospodárný, úsporný **2** šetrný, skromný

economics [ekə'nomiks / i:kə'-] **1** ekonomie; ekonomika

economy [i'konəmi] **1** hospodaření **2** hospodářství, ekonomie

economy class [i'konəmi ,kla:s] turistická třída (*při cestování letadlem*)

ecstasy [ekstəsi] vytržení, extáze

Eden [i:dn] ráj

edge [edž] **1** ostří; hrot **2** hrana, kraj ♦ **have the ~ on / over** být o poznání lepší než; **on the ~** *US* (*hovor.*) na pokraji šílenství; **set sb.'s teeth on** ~ drásat nervy komu

edgy [edži] podrážděný, popudlivý

edible [edibl] jedlý

edit [edit] redigovat

edition [i'dišn] vydání

editor [editə] redaktor

editorial [edi'to:riəl] *adj* redakční
● *n* úvodník

educate [edjukeit] vychovávat, vzdělávat

education [edju'keišn] **1** výchova, vzdělání **2** školství

eel [i:l] úhoř

eerie [iəri] tajuplný, nahánějící hrůzu

efface [i'feis] **1** vymazat **2** zahladit

effect [i'fekt] *n* **1** účinek, výsledek, následek; vliv **on** na **2** dojem; efekt **3** ~**s** *pl* movitý majetek, svršky ♦ **in** ~ ve skutečnosti, v praxi; **to the** ~ **that** v tom smyslu, že; **to this** ~ v tomto smyslu; **bring / put into** ~ uskutečnit
● *v* **1** uskutečnit, provést, vykonat **2** uzavřít (**an insurance policy** pojistku)

effective [i'fektiv] **1** účinný **2** efektní

effeminate [i'feminit] zženštilý

effervescent [efə'vesnt] šumivý

efficacious [efi'keišəs] účinný

efficiency [i'fišnsi] výkonnost; zdatnost

efficient [i'fišnt] **1** výkonný; zdatný **2** vhodný, účelný

effigy [efidži] portrét; figura, figurina

effort [efət] **1** úsilí, námaha; **make an / every** ~ vynasnažit se **2** výsledek úsilí, pokus

e.g. [i:'dži:] = **for example** např.

egg [eg] *n* vejce ● *v* ~ **on** povzbuzovat (*ke špatnému*)

eggplant [egpla:nt] *zvl. US* baklažán, lilek

egoist [egəuist] sobec

egoistic [egəu'istik] sobecký

Egyptian [i:'džipšn] *adj* egyptský
● *n* Egypťan

eiderdown [aidədaun] prachová
přikrývka
eight [eit] **1** osm **2** osma
eighteen [ei'ti:n] osmnáct
eighteenth [ei'ti:nθ] osmnáctý
eighth [eitθ] osmý
eightieth [eitiiθ] osmdesátý
eighty [eiti] osmdesát
Eire [eərə] Irská republika
either [aiðə] *adj* **1** každý (*ze
dvou*), oba; (*v záporu*) žádný; **in
~ case** v každém případě, tak či
onak; **at ~ end of the bridge** na
obou stranách mostu; **I don't like
it ~ way** nelíbí se mi to tak ani
tak **2** jeden nebo druhý (*ze dvou*)
● *adv* (*v záporu*) také ne; **I don't
like it ~** mně se to také nelíbí
● *conj* **~ ... or** buď ... anebo
eject [i'dʒəkt] **1** vypudit, vyhnat,
vyhodit, vyrazit **from** z **2** být
katapultován
elaborate *adj* [i'læbrit]
1 vypracovaný **2** komplikovaný
3 nákladný ● *v* [i'læbəreit]
1 podrobně vypracovat, rozvést
2 šíře se rozhovořit
elapse [i'læps] uplynout
elastic [i'læstik] *adj* pružný,
elastický ● *n* (*prádlová*) guma
elasticity [ilæs'tisiti] pružnost
elated [i'leitid] hrdý, pyšný;
radostně vzrušený, v povznesené
náladě **at / by** z / nad
Elbe [elb], **the ~** Labe
elbow [elbəu] *n* **1** loket; **at one's
~ po ruce** **2** koleno (*roury*)
● *v* strkat (*loktem*), vytlačit
(*lokty*); **~ one's way through**
prodírat si cestu kudy
elder[1] [eldə] černý bez
elder[2] [eldə] *adj* (*člen rodiny*) star-
ší; **my ~ brother** můj starší bratr

● *n pl* **~s** starší lidé; **my ~s** lidé
starší než já
elderly [eldəli] starší, postarší,
obstarožní
eldest [eldist] (*člen rodiny*)
nejstarší
elect [i'lekt] *v* (z)volit
● *adj* zvolený (*ale ještě
neúřadující*) ● *n* vyvolený
election [i'lekšn] volba; **general
~(s)** všeobecné volby
elective [i'lektiv] **1** volený
2 fakultativní
elector [i'lektə] volič
electric [i'lektrik] elektrický
electrical [i'lektrikl] s elektřinou
související; **~ engineering**
elektroinženýrství; **~ appliance**
elektrospotřebič
electrician [ilek'trišn]
elektrotechnik, elektrikář
electricity [ilek'trisiti] elektřina
electrocution [i,lektrə'kju:šn]
1 zabití elektrickým proudem
2 poprava na elektrickém křesle
electrode [i'lektrəud] elektroda
electron [i'lektron] elektron
elegance [eligəns] elegance
elegant [eligənt] elegantní, vkusný
element [elimənt] **1** prvek
2 živel; **in one's ~** ve svém
živlu **3** žhavicí tělísko (*ve
spotřebiči*) **4** **~s** *pl* základy
(*např. vědy*); živly, příroda
elemental [eli'mentl] živelný
elementary [eli'mentəri] základní
elephant [elifənt] slon
elevate [eliveit] zvednout, zvýšit;
povýšit
elevation [eli'veišn] **1** povýšení;
zvýšení, zvednutí **2** výšina
3 bokorys
elevator [eliveitə] *US* výtah

eleven [i'levn] jedenáct

elevenses [i'levnziz] (dopolední) káva, čaj, svačina

eleventh [i'levnθ] jedenáctý

elicit [i'lisit] vyloudit, vylákat from od

eligible [elidžibl] přicházející v úvahu, vhodný for pro

eliminate [i'limineit] vyloučit from z; odstranit

elimination [i,limi'neišn] vyloučení, odstranění, vypuštění; ~ contest vylučovací soutěž / závod

Elizabeth [i'lizəbeθ] Alžběta

Elizabethan [i,lizə'bi:θən] alžbětinský

elk [elk] los (zvíře)

ellipse [i'lips] elipsa

elm [elm] jilm

elocution [elə'kju:šn] 1 (zřetelná) výslovnost 2 výřečnost 3 řečnické umění

elongate [i:loŋgeit] prodloužit (se)

elongation [i:loŋ'geišn] prodloužení

eloquence [eləkwəns] výmluvnost

eloquent [eləkwənt] výmluvný

else [els] 1 dále, mimoto, ještě 2 (or) ~ jinak, anebo, sice ♦ who ~ kdo jiný, kdo ještě; what ~ co jiného; somebody ~ někdo jiný; nothing ~ už nic; how ~ jak jinak; little ~ už málo; everybody ~ každý jiný

elsewhere [els'weə] (někde) jinde, (někam) jinam

elucidate [i'lu:sideit] vyjasnit, vysvětlit

elude [i'lu:d] 1 uniknout, vyhnout se, vykroutit se 2 vzpírat se, přesahovat 3 nedostávat se, chybět

elusive [i'lu:siv] 1 těžko postižitelný 2 prchavý

emaciated [i'meišieitid] vyhublý, vyzáblý

emancipation [i,mænsi'peišn] emancipace; osvobození

embalm [im'ba:m] balzamovat

embankment [im'bæŋkmənt] nábřeží

embargo [im'ba:gəu] 1 embargo 2 zákaz on / against čeho

embark [im'ba:k] 1 nalodit (se) 2 pustit se (up)on do

embarkation [emba:'keišn] nalodění

embarrass [im'bærəs] 1 uvést do rozpaků, pomást, poplést; become / get ~ed upadnout do rozpaků 2 překážet, vadit

embarrassing [im'bærəsiŋ] trapný

embarrassment [im'bærəsmənt] rozpaky

embassy [embəsi] velvyslanectví, ambasáda

embers [embəz] pl žhavé uhlíky, oharky

embezzle [im'bezl] zpronevěřit

embitter [im'bitə] roztrpčit

emblem [embləm] symbol, znak

embodiment [im'bodimənt] ztělesnění

embody [im'bodi] 1 ztělesňovat 2 vyjádřit, dát konkrétní formu čemu

embrace [im'breis] v 1 objímat, vzít do náručí 2 chopit se čeho 3 zahrnovat, obsahovat 4 (ochotně) přijmout, uvítat ● n objetí

embroider [im'broidə] vyšívat

embroidery [im'broidəri] výšivka

embryo [embriəu] zárodek

emcee [em'si:] (hovor.) n moderátor, konferenciér

● *v* moderovat, konferovat,
uvádět, mít průvodní slovo
emerald [emərəld] smaragd
emerge [i'məːdž] vynořit se,
objevit se
emergency [i'məːdžənsi]
1 nepředvídaná událost 2 případ
nouze, naléhavá potřeba,
naléhavost 3 náhlá příhoda
♦ **in an ~, in case of ~**
v případě nutnosti; **state of ~** vý-
jimečný stav; **~ brake** záchranná
brzda; **~ exit** nouzový východ
emigrant [emigrənt] emigrant,
vystěhovalec
emigrate [emigreit] vystěhovat
(se)
emigration [emi'greišn] emigrace,
vystěhování, vystěhovalectví
eminent [eminənt] skvělý,
vynikající
emission [i'mišn] 1 vyzařování;
vysílání 2 vydání, emise
3 výtok; výpar, pach
emit [i'mit] **(tt)** vyzařovat, vysílat;
vydat (*zvuk*)
emotion [i'məušn] dojetí, cit
emotional [i'məušənl] citový
emperor [empərə] císař
emphasis [emfəsis] důraz; **place /
lay / put special ~ (up)on** klást
zvláštní důraz na
emphasize [emfəsaiz] zdůraznit
emphatic [im'fætik] důrazný
empire [empaiə] císařství, říše,
impérium
employ [im'ploi] 1 zaměstnávat
2 použít; využít
employee [im'ploii: / emploi'i:]
zaměstnanec
employer [im'ploiə] zaměstnavatel
employment [im'ploimənt]
zaměstnání

empower [im'pauə] zmocnit
empress [empris] císařovna
empty [empti] *adj* 1 prázdný
2 bezvýrazný
● *v* vyprázdnit, vylít, vysypat
empty-handed [empti'hændid]
s prázdnýma rukama
emulate [emjuleit] 1 snažit se
dosáhnout čeho / napodobit
koho 2 (*počítač*) emulovat
enable [i'neibl] dát možnost
komu, umožnit
enact [i'nækt] uzákonit, ustanovit
enamel [i'næml] *n* email
● *v* (**ll**) poemalovat
Enc. = **enclosure** příloha
enchant [in'čɑːnt] očarovat,
okouzlit; začarovat
encircle [in'səːkl] 1 obklíčit;
obklopit 2 obejmout
encirclement [in'səːklmənt]
obklíčení
enclose [in'kləuz] 1 ohradit,
obehnat 2 přiložit (*k dopisu*)
enclosure [in'kləužə] 1 ohražení,
ohrada 2 příloha (*dopisu*)
encore [oŋko:] příd davek (*koncertu*)
encounter [in'kauntə] *n* 1 (*náhlé /
nebezpečné*) setkání 2 utkání
● *v* 1 setkat se s 2 utkat se
encourage [in'karidž] povzbuzo-
vat, dodávat odvahu komu
encouragement [in'karidžmənt]
povzbuzení, podpora
encouraging [in'karidžiŋ]
povzbudivý, nadějný, slibný
encumber [in'kambə] zatížit **with**
čím
encyclop(a)edia [in,saiklə'pi:diə]
naučný slovník, encyklopedie
end [end] *n* konec
♦ **at the ~ of sth.** na konci čeho;
in the ~ nakonec; **there is no ~ to**

it nemá to konce; **come to an ~** skončit; **put an ~ to sth.** skončit co; **no ~ of** spousta čeho; **make both ~s meet** vystačit s platem; **for weeks on ~** po celé týdny; **~ game** koncovka (*v šachu*) • *v* (u)končit, skončit (se) **in** čím

end up skončit

endanger [in'deindžə] ohrozit

endear [in'diə] **1** způsobit, že miluje **to** kdo **2 ~ oneself** přirůst k srdci **to sb.** komu

endeavour [in'devə] *v* snažit se, usilovat • *n* snaha, úsilí

ending [endiŋ] **1** konec **2** zakončení, koncovka

endless [endlis] nekonečný

endorse [in'do:s] **1** podepsat na rubu (*směnku*), indosovat **2** potvrdit správnost **3** podporovat, schvalovat (**a view** názor)

endow [in'dau] **1** založit nadaci pro **2** obdařit, vybavit **with** čím (*od narození*)

endurance [in'djuərəns] vytrvalost; trpělivost; **beyond ~** nesnesitelný

endure [in'djuə] vydržet, snést

enduring [in'djuəriŋ] trvalý

enema [enimə] klystýr

enemy [enimi] nepřítel

energetic [enə'džetik] energický, rázný

energy [enədži] energie, síla

enforce [in'fo:s] **1** vynutit (si) **2** prosadit, uvést v platnost (*nařízení*)

engage [in'geidž] **1** najmout, zaměstnat **2** zavázat se **3** (z)účastnit se **in** čeho **4** zasnoubit **5** zapadat **with** do

engaged [in'geidžd] **1** zaměstnán,

be ~ in zaměstnávat se čím, být zabrán do **2** obsazený; zamluvený **3** upoután **by** čím **4** zasnoubený; **become ~** zasnoubit se **to** s

engagement [in'geidžmənt] **1** závazek; **without ~** nezávazně **2** zasnoubení **3** ujednání, schůzka **4** zaměstnání

engaging [in'geidžiŋ] okouzlující, půvabný, podmanivý

engine [endžin] **1** stroj; motor **2** lokomotiva ♦ **~ driver** strojvůdce; **facing the ~** ve směru jízdy

engineer [endži'niə] *n* **1** inženýr, technik **2** ženista **3** *US* strojvůdce • *v* **1** (z)konstruovat **2** zosnovat, zmanipulovat

engineering [endži'niəriŋ] *n* strojírenství; technika; **civil ~** stavební inženýrství, stavitelství • *adj* inženýrský; technický

England [iŋglənd] Anglie

English [iŋgliš] *adj* anglický; **~ Channel** Kanál La Manche • *n* **1 the ~** Angličané **2** angličtina; **in ~** anglicky

Englishman [iŋglišmən] Angličan

Englishwoman [iŋglišwumən] Angličanka

engrave [in'greiv] vyrýt

engraver [in'greivə] rytec

engraving [in'greiviŋ] rytina

engrossed [in'grəust] ponořen, zahloubán **in** do

engulf [in'galf] pohltit

enhance [in'ha:ns] zvýšit, zvětšit

enigma [i'nigmə] záhada

enigmatic [enig'mætik] záhadný

enjoy [in'džoi] **1** mít potěšení / požitek z čeho **2** používat co, těšit se čemu **3 ~ oneself** bavit se, mít se dobře

115

E

enjoyable [in'džoiəbl] příjemný

enjoyment [in'džoimənt] požitek

enlarge [in'la:dž] **1** zvětšit (se), rozšířit **2** rozhovořit se **upon** o

enlargement [in'la:džmənt] zvětšenina

enlighten [in'laitn] osvítit; poučit

enlightenment [in'laitənmənt] **1** osvěta **2 E~** osvícenství

enlist [in'list] **1** odvést (*na vojnu*) **2** odejít (**in the army** na vojnu) **3** *GB* zapsat se **in do 4** zajistit si (**sb.'s help** něčí pomoc) ◆ **~ed men** *US* poddůstojníci a mužstvo

enliven [in'laivn] oživit

enmity [enmiti] nepřátelství

enormity [i'no:miti] **1** nestvůrnost **2** velikost

enormous [i'no:məs] obrovský

enough [i'naf] dosti; **be ~** stačit; **strangely ~** ačkoli je to s podivem, kupodivu

enquire, enquiry *viz* **inquire, inquiry**

enrage [in'reidž] rozzuřit

enrich [in'rič] obohatit

enrol(l) [in'rəul] (**ll**) zapsat se (**in a course** do kursu)

ensemble [on'sombl] **1** soubor **2** komplet, souprava (*oděv*)

ensign [ensain] **1** (*lodní*) státní vlajka **2** *US* podporučík (*námořnictva*)

enslave [in'sleiv] zotročit

ensuing [in'sju:iŋ] následující

ensure [in'šuə] **1** zajistit; zaručit **2** přesvědčit se

entail [in'teil] přinášet s sebou, mít za následek, vyžadovat

entangle [in'tæŋgl] zaplést, zamotat

entanglement [in'tæŋglmənt] **1** zapletení se, komplikace

2 (*voj.*) překážka z ostnatého drátu

enter [entə] **1** vstoupit (**a room** do místnosti) **2** vmísit se (**into a conversation** do rozhovoru) **3** zacházet (**into details** do podrobností) **4** nastupit **upon** co (**one's duties** své povinnosti) **5** zapsat **6** zúčastnit se (**for a competition** soutěže)

enterprise [entəpraiz] **1** podnik; podnikání **2** akce

enterprising [entəpraiziŋ] podnikavý

entertain [entə'tein] **1** přijímat hosty, pořádat večírky **2** bavit **3** udržovat, pěstovat; chovat (**doubts** pochybnosti) **4** vzít v úvahu

entertainment [entə'teinmənt] zábava

enthral(l) [in'θro:l] okouzlovat, uvádět do vytržení

enthuse [in'θju:z] **1** rozplývat se nadšením **over** nad **2** budit nadšení

enthusiasm [in'θju:ziæzm] nadšení

enthusiastic [in,θju:zi'æstik] nadšený

entice [in'tais] velmi půvabný, svůdný

enticing [in'taisiŋ] velmi půvabný, svůdný

entire [in'taiə] veškerý, naprostý, celý

entirely [in'taiəli] naprosto, úplně

entitle [in'taitl] **1** označit názvem, nazvat **2** opravňovat, dát právo komu ◆ **be ~d to** mít nárok na

entrails [entreilz] *pl* vnitřnosti

entrance [entrəns] **1** vchod **2** vstup ◆ **~ fee** vstupné; **~ examination** přijímací zkouška; **no ~** vstup zakázán

entreat [in'tri:t] prosit, naléhat

entrust [in'trast] 1 svěřit 2 pověřit

entry [entri] 1 vchod 2 vstup 3 příspěvek (**for a competition** do soutěže) 4 zápis; položka; (*slovníkové*) heslo

enumerate [i'nju:məreit] 1 vypočítávat 2 spočítat, zjistit počet, napočítat

envelop [in'veləp] za(o)balit, zahalit

envelope [enviləup] 1 obálka 2 (*přen.*) obal, plášť

enviable [enviəbl] záviděníhodný

envious [enviəs] závistivý

environment [in'vaiərənmənt] životní prostředí

environs [in'vaiərənz / envirənz] *pl* okolí

envisage [in'vizidž] 1 představovat si, mít názor na 2 (*realisticky*) předvídat, předpokládat

envoy [envoi] 1 vyslanec 2 posel

envy [envi] *n* 1 závist; **out of ~** ze závisti 2 předmět závisti ● *v* závidět

epidemic [epi'demik] *adj* epidemický ● *n* epidemie

epigram [epigræm] epigram

episcopacy [i'piskəpəsi] 1 biskupství 2 biskupové, episkopát

episode [episəud] epizoda

Epistle [i'pisl] epištola

epoch [i:pok] epocha

epoch-making ['i:pok,meikiŋ] epochální

equal [i:kwl] *adj* stejný, rovný; **be ~ to** rovnat se čemu; **be ~ to the occasion** být na výši situace ● *v* (**ll**) rovnat se komu

equality [i'kwoliti] rovnost

equation [i'kweižn] rovnice

equator [i'kweitə] rovník

equatorial [ekwə'to:riəl] rovníkový

equilibrium [i:kwi'libriəm] rovnováha

equinox [i:kwinoks] rovnodennost

equip [i'kwip] (**pp**) 1 vybavit, zařídit 2 vyzbrojit

equipment [i'kwipmənt] 1 vybavení 2 výstroj, výzbroj

equitable [ekwitəbl] spravedlivý

equivalent [i'kwivələnt] *adj* rovnocenný ● *n* ekvivalent, protihodnota

era [iərə] éra, věk

eradicate [i'rædikeit] vykořenit, vyhubit

erase [i'reiz] 1 vygumovat, vymazat 2 vyhladit

eraser [i'reizə] guma (*na vymazávání*)

erect [i'rekt] *adj* zdvižený, vztyčený; **stand ~** stát zpříma ● *v* 1 vztyčit 2 vystavět, zbudovat

erection [i'rekšn] 1 budova 2 erekce

erotic [i'rotik] erotický

err [ə:] chybovat

errand [erənd] posílka, pochůzka

errant [erənt] 1 bludný, potulný 2 pobloudilý, zbloudilý

erroneous [i'rounjəs] mylný

error [erə] omyl, chyba

eruption [i'rapšn] 1 výbuch 2 vyrážka

escalation [eskə'leišn] eskalace, stupňování (**of war** války)

escalator [eskəleitə] pohyblivé schodiště, eskalátor

escape [i'skeip] *v* uniknout, utéci čemu; **his name ~d my memory** jeho jméno mi vypadlo z paměti

E

• *n* únik, útěk; **a narrow ~** únik o vlas

escort *n* [esko:t] ochranný doprovod, eskorta
• *v* [is'ko:t] (do)provázet

Eskimo [eskiməu] Eskymák

esoteric [esə'terik] srozumitelný jen zasvěcencům, tajný, esoterický

ESP [i:es'pi:] = **extrasensory perception** mimosmyslové vnímání

especial [i'speš] obzvláštní

especially [i'spešəli] obzvláště, zejména

espionage [espiə'na:ž] špionáž

essay [esei] **1** esej **2** písemná práce **3** pokus

essence [esns] **1** podstata, základ **2** esence

essential [i'senšl] *adj* podstatný, hlavní, nezbytný • *n pl* **~s 1** základy **2** nutnost, nezbytnost

essentially [i'senšli] **1** v podstatě **2** nutně

establish [i'stæbliš] **1** založit, zřídit **2** usadit; umístit, etablovat **3** prokázat (**one's innocence** svou nevinu)

establishment [i'stæblišmənt] **1** založení, zřízení **2** podnik, závod **3** E~ vládní orgány, vládnoucí řád

estate [i'steit] **1** pozemkový majetek; statek **2** majetek, jmění; **personal ~** movitosti; **real ~** nemovitosti; **~ agent** realitní agent, obchodník s realitami **3 ~ (car)** *GB (auto)* kombi, stěj **4** stav

esteem [i'sti:m] *v* vážit si koho, ctít
• *n* vážnost, úcta

estimate *n* [estimit] odhad
• *v* [estimeit] odhadnout, ocenit

estranged [i'streindžd] odcizený

from komu **2** (*manželé*) žijící odděleně, separovaný

estuary [estjuəri / escuári] ústí (*řeky*)

etc. = et cetera [et'setrə] atd.

etch [eč] leptat

etching [ečiŋ] lept

eternal [i'tə:nl] věčný

eternity [i'tə:niti] věčnost

ether [i:θə] éter

ethics [eθiks] *pl* etika (*věda*)

Ethiopia [i:θi'əupjə] Etiopie

Europe [juərəp] Evropa

European [juərə'piən] *adj* evropský • *n* Evropan

evacuate [i'vækjueit] vystěhovat, evakuovat

evade [i'veid] vyhnout se čemu

evaluate [i'væljueit] hodnotit

evaluation [i,vælju'eišn] hodnocení

evangelist [i'vændžəlist] **1** hlasatel evangelia, kazatel (*cestující z místa na místo*) **2** E~ evangelista

evaporate [i'væpəreit] vypařit (se); **~d milk** kondenzované mléko (*neslazené*)

evaporation [i,væpə'reišn] vypařování

evasion [i'veižn] **1** únik (*např. daňový*) **2** vyhýbavá odpověď

evasive [i'veisiv] vyhýbavý

Eve [i:v] Eva

eve [i:v] předvečer; **on the ~ of** v předvečer čeho

even [i:vn] *adj* **1** rovný **2** stejný **3** rovnocenný **4** sudý • *adv* **1** dokonce (i); **~ if / though / when** i když **2** ještě; **~ better** ještě lepší; (*v záporné větě*) **~ now** ani teď; **~ so** přesto; **not ~** ani

evening [i:vniŋ] **1** večer **2** večírek
♦ **~ courses** *pl* večerní škola;

~ **clothes** pl / **dress** večerní šaty, frak; ~ **paper** večerník; ~ **long** celovečerní; ~ **star** večernice

event [i'vent] **1** událost **2** případ; **in the ~ of** v případě čeho; **at all ~s** v každém případě **3** sportovní disciplína

even-tempered [i:vn'tempəd] vyrovnaný, klidný

eventful [i'ventful] bohatý na události, rušný; významný

eventual [i'venčuəl] konečný, výsledný

eventually [i'venčuəli] nakonec

ever [evə] **1** kdy; někdy **2** vždy, stále
♦ **an ~ greater number** stále větší počet; **for ~** navždy; **hardly ~** téměř nikdy; ~ **since I was a boy** od malička; ~ **so rich** sebebohatší

evergreen [evəgri:n] **1** vždyzelený strom / keř **2** evrgrýn, šlágr

everlasting [evə'la:stiŋ] věčný

every [evri] každý
♦ ~ **last** (hovor.) úplně každý; ~ **other** každý druhý; ~ **other day** obden; ~ **other line** ob řádek; ~ **now and then** čas od času; ~ **time** pokaždé (když)

everybody [evribodi] každý

everyday [evridei] každodenní

everyone [evriwan] každý

everything [evriθiŋ] všechno

everywhere [evriweə] všude

evict [i'vikt] vystěhovat (soudně)

evidence [evidns] **1** důkaz **2** svědectví; **give ~ in court** vypovídat / svědčit u soudu; **call sb. in ~** povolat koho za svědka

evident [evidnt] zřejmý, jasný

evil [i:vl] adj zlý, špatný ● n zlo

evoke [i'vəuk] vyvolat

evolution [i:və'lu:šn] vývoj

evolutionary [i:və'lu:šnəri] evoluční, vývojový

evolve [i'volv] vyvinout (se)

ewe [ju:] ovce, bahnice

ex [eks] (hovor.) bývalý manžel, bývalá manželka

exacerbate [ig'zæsəbeit] **1** zjitřit, obnovit **2** podráždit

exact [ig'zækt] adj přesný, exaktní
● v vyžadovat; vymáhat, vynucovat

exacting [ig'zæktiŋ] náročný

exactly [ig'zæktli] **1** přesně **2** ano, správně; **not ~** ne tak zcela

exactness [ig'zæktnis] přesnost

exaggerate [ig'zædžəreit] přehánět

exaggeration [ig,zædžə'reišn] přehánění, nadsázka

exalt [ig'zo:lt] **1** povýšit **2** vynášet (chválou)

examination [ig,zæmi'neišn] **1** též **exam** [ig'zæm] zkouška; **sit for / take an ~ in history** dělat zkoušku z dějepisu; **pass an ~** udělat zkoušku; ~ **fever** tréma před zkouškou **2** vyšetření, prohlídka; ~ **of conscience** zpytování svědomí

examine [ig'zæmin] **1** zkoušet **2** vyšetřovat, prohlížet, zkoumat

example [ig'za:mpl] příklad; **for ~** například; **make an ~** udělat varovný příklad; **set an ~** dát příklad

exasperation [ig,za:spə'reišn] podráždění, zlost

excavate [ekskəveit] vyhloubit, vykopat

excavation [ekskə'veišn] vykopávka

excavator [ekskəveitə] exkavátor, bagr

exceed [ik'si:d] překročit, převýšit

exceedingly [ik'si:diŋli] krajně, nesmírně

excel [ik'sel] (ll) vynikat *sb.* nad kým **at / in** v čem; **~ oneself** vytáhnout se, být vynikající

excellent [eksələnt] vynikající, výborný

except [ik'sept] *v* vyjmout
● *prep* kromě, mimo; až na to, že; **~ for** až na

exception [ik'sepšn] výjimka
♦ **without ~** bez výjimky; **an ~ to the rule** výjimka z pravidla; **take ~ to** 1. mít námitky proti, protestovat 2. cítit se uražen čím

exceptional [ik'sepšənl] výjimečný

excess [ik'ses] 1 přemíra; krajnost 2 přebytek; **an ~ of** příliš čeho; **to ~** nadměrně; **in ~ of** více než; nad; **~ fare / postage** příplatek k jízdnému / poštovnému

excessive [ik'sesiv] krajní, přílišný, nadměrný

exchange [iks'čeindž] *n* 1 výměna; **bill of ~** směnka; **rate of ~** devizový kurs 2 burza 3 telefonní ústředna
● *v* vyměnit (si)

Exchequer [iks'čekə] *GB* státní pokladna, ministerstvo financí; **Chancellor of the ~** ministr financí

excite [ik'sait] 1 vzrušit (*zvl. příjemně*) 2 vyvolat (**admiration** obdiv, **riots** nepokoje); vzbudit (**interest** zájem)

excited [ik'saitid] 1 nadšený; **nothing to get ~ about** za moc to nestojí 2 (*US, hovor.*) (*sexuálně*) vzrušený

excitement [ik'saitmənt] vzrušení; nadšení

exciting [ik'saitiŋ] vzrušující, napínavý

exclaim [ik'skleim] zvolat, vykřiknout

exclamation [eksklə'meišn] zvolání ♦ **~ mark** *GB* / **point** *US* vykřičník

exclude [ik'sklu:d] vyloučit

exclusive [ik'sklu:siv] 1 výlučný, výhradní 2 exkluzivní ♦ **~ of** nepočítaje v to co, bez čeho

excursion [ik'skə:šn] výlet; **go on an ~** jet na výlet

excuse *v* [ik'skju:z] 1 omluvit 2 odpustit ♦ **~ me** 1. promiňte 2. dovolte 3. (*oslovení neznámé osoby*); **~ me for living** promiňte, že žiju; **~ sb. from a lesson** omluvit nepřítomnost při vyučování
● *n* [ik'skju:s] omluva; **make ~s for** omlouvat se za

execute [eksikju:t] 1 vyřídit, provést 2 popravit

execution [eksi'kju:šn] 1 vyřízení, provedení 2 poprava

executive [ig'zekjutiv] *adj* výkonný ● *n* 1 výkonná moc, exekutiva 2 vysoký úředník; zodpovědný činitel

exemplary [ig'zempləri] 1 příkladný, vzorný 2 exemplární, výstražný

exempt [ig'zempt] osvobozený **from** od

exercise [eksəsaiz] *n* 1 cvičení 2 vykonávání, provádění; vynaložení; výkon 3 pohyb 4 písemný úkol
● *v* 1 cvičit 2 používat, uplatňovat (**one's rights** svá práva)

exert [ig'zə:t] uplatnit, vynaložit; **~ oneself** namáhat se, snažit se

exertion [ig'zə:šn] námaha

exhale [eks'heil] vydechnout

exhaust [ig'zo:st] *v* vyčerpat
• *n* **1** výfuk **2** výfukový plyn

exhaustion [ig'zo:sčn] vyčerpání

exhaustive [ig'zo:stiv] vyčerpávající

exhibit [ig'zibit] *v* **1** vystavit **2** ukázat, projevit
• *n* **1** exponát **2** doličný předmět

exhibition [eksi'bišn] **1** výstava; expozice **2** projev, ukázka

exile [egzail / eksail] *n* **1** exil, vyhnanství **2** emigrant
• *v* poslat do vyhnanství

exist [ig'zist] existovat, být, trvat

existence [ig'zistəns] existence, bytí, trvání

exit [egzit / eksit] **1** východ **from** (*odkud*) **2** odchod; **~ visa** výjezdní doložka

exorbitant [ig'zo:bitənt] přemrštěný

exotic [eg'zotik] exotický

expand [ik'spænd] rozšířit (se), rozpínat (se)

expansion [ik'spænšn] **1** rozpětí, rozšíření, zvětšení **2** rozpínavost, expanze

expansive [ik'spænsiv] **1** hovorný **2** rozsáhlý **3** blahobytný

expatriate *v* [eks'pætrieit / -'pei-] vypovědět z vlasti • *n* [eks'pætriət / -'pei-] expatriot, exulant

expect [ik'spekt] **1** očekávat **2** domnívat se; **I ~ so** domnívám se, že ano

expectant [ik'spektənt] netrpělivý, netrpělivě očekávající; **~ mother** nastávající matka

expectedly [ik'spektidli] jak se dalo čekat

expectation [ekspek'teišn] očeká-

vání; **contrary to ~** proti všemu očekávání; **~s** *pl* naděje, vyhlídky

expecting [ik'spektiŋ] (*hovor.*) těhotná

expedient [ik'spi:djənt] *adj* vhodný, přiměřený
• *n* pomoc z nouze, trik

expedition [ekspi'dišn] **1** výprava **2** chvat

expel [ik'spel] (**ll**) vyhnat, vypudit; vyloučit

expend [ik'spend] **1** utratit, vydat; spotřebovat **2** vynaložit (**effort** úsilí)

expenditure [ik'spendičə] výdaje, vydání

expense [ik'spens] **1** výdaj, útraty; **at my ~** na můj účet, (*též přen.*) **2** **~s** *pl* náklady

expensive [ik'spensiv] drahý, nákladný

experience [ik'spiəriəns] *n* **1** zkušenost; **know by / from ~** vědět ze zkušenosti **2** zážitek
• *v* zakusit, zažít

experienced [ik'spiəriənst] zkušený

experiment *n* [ik'sperimənt] pokus, experiment
• *v* [ik'speriment] experimentovat, dělat pokusy

experimental [ik'speri'mentl] pokusný, experimentální

expert [ekspə:t] *adj* **1** zručný **2** odborný • *n* odborník

expiration [ekspi'reišn] **1** uplynutí **2** vydechnutí

expire [ik'spaiə] **1** uplynout, vypršet **2** vydechnout; zemřít

expiry [ik'spaiəri] uplynutí; **~ date** konec záruční doby / platnosti

explain [ik'splein] vysvětlit;

~ **oneself** vyjádřit se jasně; ospravedlnit se
explanation [eksplə'neišn] vysvětlení, výklad
explicit [iks'plisit] výslovný; **be ~** vyjádřit se jasně
explode [ik'spləud] **1** vybuchnout, explodovat **2** přivést k výbuchu; zničit **3** vyvrátit
exploit *n* [eksploit] skvělý čin • *v* [ik'sploit] vykořisťovat; využívat
explore [ik'splo:] prozkoumat, probádat
explorer [ik'splo:rə] badatel
explosion [ik'spləužn] exploze, výbuch
explosive [ik'spləusiv] *adj* výbušný • *n* výbušnina
export *v* [ik'spo:t] vyvážet • *n* [ekspo:t] vývoz
expose [ik'spəuz] **1** vystavit (**to the weather** vlivu počasí, **goods in a shop window** zboží ve výkladní skříni, **oneself to danger** se nebezpečí) **2** odhalit (**a plot** komplot); demaskovat **3** (*fot.*) exponovat
exposure [ik'spəužə] **1** vystavení; vystavení vlivu **2** vystavení vlivu povětrnosti **3** odhalení, demaskování **4** (*fot.*) expozice
expound [ik'spaund] vysvětlit, vyložit
express [ik'spres] *v* **1** vyjádřit; ~ **oneself** vyjádřit se **2** poslat expres • *adj* **1** výslovný **2** rychlý, spěšný • *n* expres, rychlík
expression [ik'sprešn] výraz; **give** ~ **to** vyjádřit co; **with** ~ výrazně; **beyond** ~ nevýslovně
expressive [ik'spresiv] **1** vyjadřující **2** výrazný

expressly [ik'spresli] **1** výslovně **2** záměrně, speciálně
expulsion [ik'spalšn] vyloučení; vypuzení
exquisite [ekskwizit] **1** vybraný, skvělý **2** (*bolest*) intenzívní
extemporize [ik'stempəraiz] improvizovat
extend [ik'stend] **1** táhnout se **2** prodloužit; natáhnout do šířky **3** zvýšit (**one's influence** svůj vliv, **one's qualifications** svoji kvalifikaci) **4** poskytnout (**hospitality** pohostinství); vyjádřit, nabídnout **5** vztahovat se **to** na
extension [ik'stenšn] **1** prodloužení (**of one's stay** pobytu, **of delivery time** dodací lhůty) **2** rozšíření **3** (*telefonní*) linka ♦ ~ **lead** *GB* / **cord** *US* prodlužovací šňůra
extensive [ik'stensiv] rozsáhlý
extent [ik'stent] rozloha, rozsah; **to a certain** / **to some** ~ do určité míry; **to such an** ~ **that** natolik / do takové míry, že; **to a great** ~ značně, velmi
extenuating [ik'stenjueitiŋ] **circumstances** polehčující okolnosti
exterior [ik'stiəriə] *adj* vnější • *n* **1** zevnějšek **2** exteriér **3** fasáda
exterminate [ik'stə:mineit] vyhladit, vyhubit
external [ik'stə:nl] **1** vnější **2** externí **3** zahraniční ♦ **for** ~ **use** k zevnímu použití
extinct [ik'stiŋkt] **1** vyhaslý **2** vyhynulý; **become** ~ vyhynout, vymřít
extinction [ik'stiŋkšn] **1** uhašení **2** vyhynutí, vymření

extinguish [ik'stiŋgwiš] uhasit, zhasit

extinguisher [ik'stiŋgwišə] hasicí přístroj

extol [ikstəul] (ll) vynášet, vychvalovat, velebit

extort [ik'sto:t] 1 násilím vynutit 2 vydřít

extortion [ik'sto:šn] vydírání

extortionate [ik'sto:šnit] vyděračský, přemrštěný

extra [ekstrə] adj další, zvláštní, dodatečný; ~ **charges** vedlejší poplatky ● adv 1 obzvláště 2 zvlášť ● n 1 příplatek; **heating and light are** ~s topení a světlo se počítají zvlášť 2 statista 3 zvláštní vydání

extract v [ik'strækt] 1 vytáhnout, vytrhnout (**a tooth** zub) 2 vybrat; excerpovat ● n [ekstrækt] 1 výtažek 2 výtah; ukázka, úryvek

extraction [ik'strækšn] 1 vytažení; vytrhnutí zubu 2 původ

extracurricular [ekstrəkə'rikjulə] **activities** pl mimoškolní činnost

extramural [ekstrə'mjuərəl] **studies** pl dálkové studium

extraordinary [ik'stro:dənri] 1 mimořádný 2 pozoruhodný, zvláštní

extravagant [ik'strævəgənt] 1 marnotratný 2 přemrštěný

extreme [ik'stri:m] adj krajní, extrémní ● n krajnost, extrém; **go to** ~s jít do krajnosti

extremely [ik'stri:mli] nesmírně

extremities [ik'stremitiz] pl 1 končetiny 2 krajní opatření

extremity [ik'stremiti] 1 krajnost 2 krajní nouze, zoufalství

exult [ig'zalt] jásat

exultation [egzal'teišn] radost, jásot, triumf

eye [ai] n 1 oko; **blind in one** ~ slepý na jedno oko; **be all** ~s mít oči na stopkách; **keep an** ~ **on** dohlédnout na, dát pozor na; **make** ~s **at** dělat (zamilované) oči na, koketovat s; **see** ~ **to** ~ (**with**) dobře si rozumět (s); **shut one's** ~s **to** zavírat oči před 2 očko 3 ouško (jehly) ● v pozorovat (**with suspicion** podezíravě, **jealously** žárlivě)

eyeball [aibo:l] bulva

eyebrow [aibrau] obočí

eyelash [ailæš] oční řasa

eyelid [ailid] oční víčko

eye-opener ['ai,əupnə] (poučné) překvapení

eyesight [aisait] zrak

eyewitness [ai'witnis] očitý svědek

F

fable [feibl] bajka

fabric [fæbrik] **1** stavba, budova **2** tkanina

fabricate [fæbrikeit] **1** padělat **2** vymýšlet si

fabrication [fæbri'keišn] **1** padělek **2** výmysl

fabulous [fæbjuləs] **1** báječný **2** bájný

face [feis] *n* **1** obličej, tvář **2** drzost **3** líc, přední strana ♦ **~ to ~** tváří v tvář; **in the ~ of** navzdory čemu; **off the ~ of the earth** z povrchu země; **on the ~ of it** na první pohled; **pull a long ~** protáhnout obličej; **pull ~s** šklebit se ● *v* **1** dívat se tváří v tvář komu, být obrácen čelem k; **facing the house** čelem k domu; **the problems facing us** problémy, které máme před sebou; **let's ~ it** přiznejme si to **2** čelit čemu **3** konfrontovat **with** s

face-cloth [feiskloθ] žínka

face value [feis'vælju:] nominální hodnota

facetious [fə'si:šəs] humorný, šprýmovný, nemístně vtipkující

facilitate [fə'siliteit] usnadnit, ulehčit

facility [fə'siliti] **1** lehkost **2** zručnost **3** facilities *pl* možnosti, příležitost; zařízení **4** výhoda

fact [fækt] skutečnost, fakt; **~s of life** (*hovor.*) (*základní*) poučení o sexu; **know for a ~** bezpečně vědět; **as a matter of ~** ve skutečnosti, vlastně; **in ~** opravdu; vlastně

fact-finding [fæktfaindiŋ] vyšetřující

faction [fækšn] **1** frakce **2** (*politická*) klika **3** literatura faktu

factitious [fæk'tišəs] uměle vytvořený

factor [fæktə] činitel

factory [fæktəri] továrna, závod; **~ floor** tovární dílny / haly

fact sheet [fæktši:t] programový list (*např. TV*)

factual [fækčuəl] konkrétní, věcný

faculty [fæklti] **1** schopnost **2** fakulta

fad [fæd] **1** koníček, libůstka; bláznivý nápad, výstřelek **2** *GB* fanda na jídlo

fade [feid] **1** vadnout **2** ztrácet barvu, blednout, vyrudnout **3** ztrácet se, postupně mizet

fade in zesílit (se), rozetmít (se)

fade out stáhnout, zeslabit (se), zatmít (se)

faeces [fi:si:z] *pl* fekálie, výkaly

fag[1] [fæg] *v* (**gg**) **1** unavit, utahat **2** *GB* posluhovat staršímu spolužáku
● *n* (*GB, hovor.*) **1** otravná dřina **2** ucho, poskok (*posluhující staršímu spolužákovi*) **3** cigareta

fag[2] [fæg] *US* (*slang.*) teplouš

fail [feil] **1** selhat, nepodařit se; nemít úspěch **2** propadnout (**(in) an examination**) při zkoušce) **3** nechat propadnout **4** opominout, zanedbat **5** nechat na holičkách, opustit; **words ~ me** nedostává se mi slov

6 udělat úpadek 7 nemít **in sth.** co 8 *(zdravotní stav)* horšit se
failing [feiliŋ] *n* nedostatek, vada
♦ *prep* není-li
failure [feiljə] *n* 1 nezdar, neúspěch; **crop** ~ neúroda 2 zanedbání, opominutí 3 propadnutí *(při zkoušce)* 4 *(obch.)* úpadek
faint [feint] *adj* 1 slabý, chabý, mdlý 2 dusný, tíživý
♦ *v* 1 omdlít 2 slábnout
♦ *n* bezvědomí
fair[1] [feə] *n* 1 *GB* trh 2 veletrh 3 *GB* lunapark 4 *(dobročinný)* bazar ♦ **come a day after the** ~ přijít s křížkem po funuse
fair[2] [feə] *adj* 1 poctivý, slušný, spravedlivý, čestný, fér 2 slušný, ucházející, dosti značný 3 světlý, blond, světlovlasý 4 krásný, hezký
♦ *adv* 1 slušně, čestně 2 přímo
fair copy [feə'kopi] čistopis
fairly [feəli] dosti, slušně
fairy [feəri] skřítek, víla
♦ ~ **lights** *pl GB (barevná)* světla na stromeček; ~ **tale** pohádka
faith [feiθ] 1 víra; důvěra 2 věrnost 3 slib, ujištění, slovo
faithful [feiθful] *adj* věrný ♦ *n* 1 věřící 2 stoupenec, věrný člen
faithfully [feiθfuli] 1 důrazně, výslovně 2 přesně, věrně ♦ **F~ yours / Yours** ~ S veškerou úctou
faithless [feiθlis] 1 nevěrný 2 nikoliv věrný, zrádný
fake [feik] *v* 1 falšovat, padělat 2 vymyslit si ♦ *n* padělek
♦ *adj* falešný
falcon [fo:kən] sokol
fall* [fo:l] *v* 1 padat, klesat 2 upadnout 3 připadnout (**on a Monday** na pondělí) 4 vlévat se (**into the sea** do moře) 5 padnout, zahynout 6 snést se, nastat 7 dělit se **into** na 8 *(hovor.)* naletět **for** na; zamilovat se **do** ♦ ~ **asleep** usnout; ~ **in love with** zamilovat se do; ~ **short of** nesplnit co
♦ *n* 1 pád 2 pokles 3 dešťové / sněhové srážky 4 ~**s** *pl* vodopád 5 *US* podzim
fall away odpadnout
fall back on spoléhat v
fall behind opožďovat se
fall in 1 zřítit se, propadnout se 2 dát se dohromady **with** s; náhodou potkat koho
fall off klesnout, opadnout
fall out 1 rozkmotřit se **with** s 2 dopadnout, skončit
fall to pustit se do jídla
fall through propadnout, nezdařit se
fallacy [fæləsi] 1 falešná představa, omyl, nesprávný názor 2 klam
fallback [fo:lbæk] rezerva, východisko z nouze
falling-out [fo:liŋ'aut] neshoda *(která může vést k roztržce)*
fallout [fo:laut] radioaktivní spad
fallow [fæləu] ležící ladem
fallow deer [fæləudiə] daněk
false [fo:ls] 1 nesprávný, chybný 2 klamný, falešný, nepravdivý 3 nevěrný, falešný; **play sb.** ~ být nevěrný komu, podvádět
falsehood [fo:lshud] faleš, lež
falsies [fo:lsiz] vycpávky v podprsence
falsify [fo:lsifai] falšovat, padělat
falter [fo:ltə] 1 potácet se, klopýtat 2 zajíkat se; koktat *(rozpaky)*
fame [feim] 1 pověst 2 sláva

famed [feimd] slavný, proslulý, pověstný

familiar [fə'miljə] **1** dobře známý, důvěrný **2** obeznámený **with** s **3** všední

familiarity [fəmili'æriti] **1** důvěrnost **2** obeznámenost **with** s

family [fæmili] **1** rodina **2** rod
♦ ~ **name** příjmení; **be in the** ~ **way** (hovor.) čekat rodinu; **start a** ~ pořídit si dítě / děti; ~ **tree** rodokmen

famine [fæmin] **1** hladomor **2** nedostatek

famish [fæmiš] **1** hladovět **2** vyhladovět; **be ~ed** (hovor.) mít hlad jako vlk

famous [feiməs] slavný

fan[1] [fæn] *n* **1** vějíř **2** ventilátor
• *v* (**nn**) ovívat

fan[2] [fæn] (hovor.) nadšenec, fanoušek

fanatic [fə'nætik] *n* fanatik
• *adj* fanatický

fancy [fænsi] *n* **1** fantazie, obrazotvornost **2** představa **3** touha, vrtoch; **take a** ~ **to** oblíbit si co, zamilovat se do koho; **catch the** ~ **of sb.** zaujmout koho
• *adj* **1** módní, přepychový **2** ozdobný, zdobený
• *v* **1** představit si, pomyslit si; **just** ~ ! jen si představ! **2** mít rád, mít v oblibě

fancy dress [fænsi'dres] maškarní kostým

fancy-free [fænsi'fri:] nezadaný; nezamilovaný

fang [fæŋ] tesák; jedovatý zub (hada)

fantastic [fæn'tæstik]

1 fantastický **2** podivínský, přepjatý

fantasy [fæntəsi] fantazie

far [fa:] *adv* daleko; ~ **and away** zdaleka; ~ **and wide** široko daleko; ~ **better** daleko lepší; **be** ~ **from good** zdaleka nebýt dobrý; **go** ~ dotáhnout to daleko; **go too** ~ zajít příliš daleko, přehnat to; **so** ~ až dosud, zatím; **as** ~ **as the bridge** až k mostu; **as** ~ **back as the 14th century** až do 14. století; **as** ~ **as I know** pokud vím; **so** ~ **so good** zatím to šlo dobře, zatím je vše v pořádku
• *adj* **1** vzdálený **2** dálný; **the** F~ **East** Dálný východ

farce [fa:s] fraška

fare [feə] **1** jízdné; ~ **dodger** černý pasažér **2** zákazník, pasažér (v taxi) **3** strava; **bill of** ~ jídelní lístek

farewell [feə'wel] sbohem;
~ **party** večírek na rozloučenou

far-fetched [fa:'fečt] za vlasy přitažený

far-going [fa:'gəuiŋ] dalekosáhlý

farm [fa:m] *n* hospodářství, statek, farma
• *v* **1** obdělávat **2** hospodařit

farmer [fa:mə] zemědělec, farmář, sedlák, rolník

far-reaching [fa:'ri:čiŋ] dalekosáhlý

far-sighted [fa:'saitid] **1** *US* dalekozraký **2** předvídavý, prozíravý

fart [fa:t] (vulg.) *n* **1** prd **2** prďola
• *v* prdět, uprdnout se

fart about / around prdelit se kde, flákat se

farther [fa:ðə] *adv* dále, déle
• *adj* vzdálenější, druhý

fascinate [fæsineit] fascinovat, okouzlit

fascination [fæsi'neišn] okouzlení

fascist [fæšist] *adj* fašistický
● *n* fašista

fashion [fæšn] *n* **1** způsob; **in
a strange** ~ divně; **after a** ~ jakž
takž **2** móda; **in** ~ módní; **in the
latest** ~ podle poslední módy;
out of ~ nemoderní ● *v* utvářet

fashionable [fæšnəbl] módní,
moderní; elegantní

fast[1] [fa:st] *adj* **1** pevný, stálý,
trvalý **2** rychlý
♦ **be** ~ **asleep** tvrdě spát; **colour**
~ stálobarevný; ~ **food** rychlé
teplé občerstvení; **make** ~
uvázat; ~ **train** rychlík; **the
watch is** ~ hodinky jdou napřed
● *adv* **1** pevně **2** rychle

fast[2] [fa:st] *v* postit se ● *n* půst

fasten [fa:sn] **1** upevnit, připevnit
2 zavírat se, zapínat se

fasten up zapnout, zavázat

fastener [fa:snə] **1** spona; klips
2 patentka, háček **3** olivka,
knoflík, druk **4** zip

fastidious [fæs'tidiəs] vybíravý
1 vkus **2** úrodný

fat [fæt] *adj* **(tt) 1** tlustý, tučný;
bachratý; ~ **chance** nulová šance
2 úrodný
● *n* tuk, sádlo; **the** ~ **is in the
fire** je zle; **run to** ~ tloustnout

fatal [feitl] **1** osudný, fatální;
smrtelný **2** (*hovor.*) nebezpečný

fatality [fə'tæliti] **1** neštěstí,
pohroma **2** smrtelný úraz
3 osudnost; úmrtnost

fate [feit] **1** osud **2** zkáza, zhouba

father [fa:ðə] otec; **F~ Christmas**
Ježíšek

father-in-law [fa:ðrinlo:] tchán

fatherland [fa:ðəlænd] otčina,
vlast

fatigue [fə'ti:g] *n* **1** únava **2** ~**s**
pl pracovní uniforma ● *v* unavit

fatso [fætsəu] (*hovor.*) tlusťoch

fatten [fætn] **1** vykrmit
2 ztloustnout

fatuous [fætjuəs / fæčuəs] hloupý,
nesmyslný

fault [fo:lt] **1** chyba **2** vada **3** vina
♦ **find** ~ **with** *1.* vytýkat něco
komu *2.* stále kritizovat koho /
co *3.* stěžovat si na

faultless [fo:ltlis] bezvadný

faulty [fo:lti] chybný, vadný,
nedokonalý

favour [feivə] *n* **1** přízeň
2 laskavost **3** prokázaná služba
4 prospěch ♦ **be in / out of** ~
být / nebýt populární; **be in** ~ **of**
být pro, být zastáncem čeho; **in**
~ **of** ve prospěch koho / čeho; **do
sb. a** ~ prokázat laskavost komu
● *v* **1** poctít **sb.** koho **with** čím,
laskavě poskytovat komu co
2 favorizovat

favourable [feivrəbl] příznivý

favoured [feivəd] **1** velice výhod-
ný **2** privilegovaný, protekční

favourite [feivrit] *adj* oblíbený
● *n* favorit

fawn [fo:n] *n* kolouch ● *adj* plavý

fax [fæks] *n* fax ● *v* faxovat

fear [fiə] *n* strach, obava; bázeň;
for ~ **of / that** ze strachu před /
že; **No** ~ **!** Žádné strachy!
● *v* bát se čeho

fearful [fiəful] **1** bázlivý; mající
strach **2** strašlivý

fearless [fiəlis] nebojácný

feasible [fi:zəbl] uskutečnitelný,
proveditelný

feast [fi:st] *n* **1** svátek **2** slavnost
3 hostina, hody ● *v* hodovat

feat [fi:t] čin; výkon

feather [feðə] pero, peří; ~ **in one's cap** vyznamenání

feature [fi:čə] *n* **1** rys, charakteristická stránka **2** ~s *pl* rysy obličeje **3** zajímavost (*v tisku, rozhlase apod.*) ● *v* **1** uvést na významném místě **2** uvést v hlavní roli **3** mít významné místo

feature film [fi:čəfilm] (*hraný*) celovečerní film

February [februəri] únor

federal [fedərl] federální, spolkový; *US* celostátní

federation [fedə'reišn] federace

fed up [fed'ap] (*hovor.*) namíchnutý, naštvaný; **be** ~ **with** mít plné zuby koho / čeho

fee [fi:] **1** honorář **2** poplatek

feeble [fi:bl] chabý

feed* [fi:d] **1** krmit, živit **2** pást se **3** zásobovat **4** přisunovat, přivádět; vkládat

feed up vykrmit

feel* [fi:l] *v* **1** cítit (se); **I** ~ **well / cold / hungry** je mi dobře / zima / mám hlad **2** (o)hmatat, tápat **3** cítit **with / for sb.** s kým **4** mít pocit, dojem
  ♦ ~ **like** cítit se na, mít chuť na ● *n* hmat; **tell sth. by the** ~ poznat co po hmatu

feeler [fi:lə] **1** tykadlo **2** (*přen.*) pokusný balónek

feeling [fi:liŋ] **1** cítění; (po)cit **2** pochopení

feet [fi:t] *viz* **foot** *n*

feign [fein] předstírat

feint [feint] *n* finta, trik; přetvářka ● *v* předstírat

felicitate [fi'lisiteit] blahopřát

felicitations [fi,lisi'teišnz] *pl* blahopřání

fell [fel] kácet; porazit

fellow [feləu] **1** druh, kamarád **2** (*hovor.*) člověk **3** člen učené společnosti

fellow citizen [feləu'sitizn] spoluobčan

fellow feeling [feləu'fi:liŋ] pocit sounáležitosti, sympatie, soucit

fellowship [feləušip] **1** družnost, kamarádství **2** členství v učené společnosti

fellow traveller [feləu'trævlə] spolucestující

felt [felt] plsť

felony [feləni] těžký zločin

female [fi:meil] *adj* **1** ženský **2** samičí ● *n* **1** žena **2** samička

feminine [feminin] ženský

femur [fi:mə] stehenní kost

fen [fen] močál, mokřina, bažina

fence¹ [fens] *n* plot
  ♦ **be / sit on the** ~ zaujmout vyčkávací stanovisko; být neutrální; čekat, jak to dopadne ● *v* oplotit

fence in ohradit, obehnat plotem

fence off oddělit plotem, zahradit

fence² [fens] *n* šerm ● *v* šermovat

fender [fendə] **1** ochranná mřížka (*zvl. u krbu*) **2** nárazník, odrazník; *US* blatník

fennel [fenl] fenykl

ferment *n* [fə:ment] kvas, kvašení, (*též přen.*)
  ● *v* [fə'ment] kvasit, (*též přen.*)

fermentation [fə:men'teišn] kvašení

fern [fə:n] kapradí

ferocious [fə'rəušəs] divoký; zuřivý

ferocity [fə'rositi] divokost; zuřivost

ferret [ferit] *n* **1** fretka **2** špeh, čmuchal ● *v* slídit

F

ferret out 1 vyhnat z úkrytu
2 vyčenichat, vyčmuchat
ferry [feri] n **1** převoz
2 přepravní člun / letadlo; trajekt
♦ v **1** převážet **across** přes,
přepravit (se) **2** pravidelně vozit
fertile [fə:tail] úrodný
fertility [fə:ˈtiliti] úrodnost,
plodnost
fertilization [fə:tilaiˈzeišn]
zúrodňování; hnojení
fertilizer [fə:ˈtilaizə] umělé hnojivo
fervent [fə:vənt] vřelý, vášnivý,
zanícený
fervour [fə:və] žár, vroucnost
fester [festə] **1** zanítit se, podebrat
se; hnisat **2** (přen.) hlodat, hrýzt
festival [festivl] **1** svátek
2 festival, slavnost
festive [festiv] **1** slavnostní
2 radostný
festoon [feˈstu:n] girlanda
fetch [feč] **1** dojít pro koho / co;
přinést, přivést **2** vynést kolik
♦ **— and carry** posluhovat **for**
komu
fetch up (hovor.) skončit (cestu)
fete [feit] **1** venkovní slavnost (se
zábavou a prodejem stánkařů),
pouť **2** (církevní) svátek (světce)
feud [fju:d] (dlouhotrvající) svár
feudal [fju:dl] feudální
feudalism [fju:dəlizm]
feudalismus
fever [fi:və] horečka ♦ **— pitch**
vrchol vzrušení / rozčílení
feverish [fi:vriš] **1** horečný;
horečnatý **2** rozčílený
few [fju:] málo, nemnoho
♦ **— and far between** vzácný,
zřídka se vyskytující; **no —er
than** neméně než; **a —** několik;
quite a — nemálo

fiancé [fiˈonsei] snoubenec,
ženich; **—e** snoubenka, nevěsta
fib [fib] (hovor.) v **(bb)** zalhat si
♦ n (drobná) lež
fibre [faibə] **1** vlákno **2** povaha,
jádro
fibreglass [faibəgla:s] laminát
fickle [fikl] nestálý, vrtkavý
fiction [fikšn] **1** beletrie
2 smyšlenka
fictitious [fikˈtišəs] smyšlený
fiddle [fidl] n **1** housle; **as fit as
a —** v dokonalé kondici
2 (hovor.) podvod **3** nimračka
♦ v **1** (po)hrát si **with** s **2** hrát
na housle **3** GB zešvindlovat
fiddle about / around motat se,
marnit čas
fidelity [fiˈdeliti] věrnost
fidget [fidžit] **1** vrtět se **2** hrát si
3 znervózňovat
field [fi:ld] n **1** pole **2** oblast, sféra
♦ **in the —** na místě, v terénu
♦ v **1** zastavit a vrátit míč
2 zachytit, pochytit
field events [ˈfi:ldiˌvents] pl tech-
nické disciplíny (v lehké atletice)
field glasses [fi:ldglaˈsi:z] pl
dalekohled, triedr
fierce [fiəs] prudký, divoký
fiery [faiəri] **1** ohnivý; pálivý,
ostrý, kořeněný **2** výbušný,
vznětlivý
fife [faif] píšťala
fifteen [fifˈti:n] patnáct
fifteenth [fifˈti:nθ] patnáctý
fifth [fifθ] pátý; **— column** pátá
kolona
fiftieth [fiftiiθ] padesátý
fifty [fifti] padesát; **go — — —**
rozdělit se na půl
fig [fig] fík; **not care / give a —**
nedbat ani za mák

fight* [fait] *v* bojovat, zápasit
♦ **~ shy of** vyhnout se komu /
čemu; **~ one's way through**
prodrat se čím / kudy ● *n* **1** boj,
zápas **2** bojovnost, bojechtivost
fight back bojovat, bránit se;
zahánět
fight off zahnat
fight out vybojovat, vyřešit
fighter [faitə] **1** zápasník,
bojovník **2** stíhačka
figure [figə] *n* **1** číslice, cifra
2 částka **3** postava **4** obrazec,
diagram
● *v* **1** vystupovat, figurovat
♦ **that ~s** (*hovor.*) to je
rozumné, s tím jsem počítal
2 *US* usoudit, odhadnout
figure out spočítat, vypočítat
2 vymyslet
figurehead [figəhed] (*přen.*)
loutka, pouhá figura
figure skating [figəskeitiŋ]
krasobruslení
file[1] [fail] *n* pilník ● *v* pilovat
file[2] [fail] *n* **1** pořadač, kartotéka,
šanon, rejstřík; desky, fascikl
2 soubor (*v počítači*)
● *v* řadit do kartotéky, zařadit do
pořadače / desek / souboru
file[3] [fail] *n* šik, řada; **in single /
Indian ~** husím pochodem
● *v* pochodovat v řadě za sebou
fill [fil] **1** naplnit (se)
2 zaplombovat (**a tooth** zub)
3 obsadit (**a vacancy** volné
místo v zaměstnání)
fill in / up vyplnit (**a form**
formulář)
fillet [filit] filé / řízek, plátek
filling [filiŋ] *n* **1** výplň
2 nádivka, plnění **3** plomba
● *adj* (*pokrm*) sytý

filling station [filiŋ͵steišn]
benzinová čerpací stanice
film [film] *n* **1** blána, vrstva **2** film
● *v* filmovat
film strip [filmstrip] pás
diapozitivů
filmy [filmi] (*látka*) průhledný
filter [filtə] *n* filtr
● *v* **1** filtrovat **2** prosakovat
filter out odfiltrovat
filter through proniknout na
veřejnost, rozkřiknout se
filth [filθ] špína, svinstvo
filthy [filθi] **1** špinavý, zamazaný
2 sprostý, obscénní
fin [fin] ploutev
final [fainl] *adj* **1** konečný,
závěrečný; poslední **2** skončený,
uzavřený ● *n* **1** finále **2 ~s** *pl*
závěrečné zkoušky
finally [fainəli] **1** konečně;
nakonec **2** definitivně
finance [fainæns / fi'næns] *n*
finance ● *v* financovat
financial [f(a)i'nænšl] finanční,
peněžní
finch [finč] pěnkava
find [faind] *v* nalézt, najít; shledat
♦ **I ~ it difficult** zdá se mi to těž-
ké; **~ oneself** *1.* uvědomit si své
schopnosti *2.* ocitnout se; **~ one's
feet** usadit se, zakotvit; **~ one's
tongue** najít odvahu říct ● *n* nález
find out zjistit, objevit
finding [faindiŋ] **1** nález
2 rozhodnutí, výrok (*poroty*)
3 ~s *pl* zjištění, výsledky
zkoumání, závěry
fine[1] [fain] *n* pokuta ● *v* pokutovat
fine[2] [fain] *adj* **1** jemný **2** skvělý,
pěkný, hezký; **one ~ day** jednoho
krásného dne **3** vybraný, uhlaze-
ný ♦ **look ~** vypadat skvěle

fine arts [fain'a:ts] *pl* výtvarné umění

finger [fiŋgə] prst (*u ruky, nikoliv palec*) ♦ **be all ~s and thumbs** (*GB, hovor.*) být nešika; **have a ~ in every pie** (*hovor.*) mít ve všem prsty, být do všeho namočený; **keep one's ~s crossed (for)** držet palce (komu); **not lift a ~** nehnout prstem; **pull / take / get one's ~ out** (*GB, hovor.*) dát se do práce; **twist round one's little ~** otočit si kolem prstu

fingerprint [fiŋgəprint] otisk prstu

fingertip [fiŋgətip] špička prstu ♦ **have sth. at one's ~s** mít něco v malíčku

finical [finikl], **finicky** [finiki] příliš vybíravý

finish [finiʃ] *n* **1** konec, závěr **2** konečná úprava **3** apretura ● *v* **1** dokončit **2** skoncovat **with** s

finish off 1 dokončit **2** dorazit

finish up 1 skončit **2** dojít

finite [fainait] konečný; omezený

Finland [finlənd] Finsko

Finn [fin] Fin

Finnish [finiʃ] *adj* finský ● *n* finština

fir [fə:] jedle

fire [faiə] *n* **1** oheň; **be on ~** hořet; **set on ~** zapálit; **set ~ to** zapálit co; **take / catch ~** chytnout **2** požár **3** topení; **make a ~** zatopit **4** palba, střelba; **open ~** zahájit palbu ● *v* **1** zapálit **2** vystřelit; vypálit **3** chytit; podnítit **4** (*hovor.*) propustit z práce, vyhodit

fire up 1 zapálit ohněm, rozčílit se

firearm [faiəra:m] střelná zbraň

fire brigade [faiəbri‚geid] hasičský sbor, hasiči

fire engine [faiə‚rendžin] hasičská stříkačka

fire extinguisher [faiərik‚stiŋwišə] hasicí přístroj

fireman [faiəmən] **1** hasič **2** topič

fireplace [faiəpleis] krb

fireproof [faiəpru:f] ohnivzdorný

firewood [faiəwud] palivové dříví

fireworks [faiəwə:ks] *pl* ohňostroj

firing squad [faiəriŋ‚skwod] popravčí četa

firm[1] [fə:m] firma, podnik

firm[2] [fə:m] *adj* **1** pevný, stálý **2** přísný **3** stálý, věrný; solidní ● *adv* pevně

first [fə:st] *adj* první; **~ thing** hned ● *adv* nejprve, předně; **at ~** zpočátku, nejprve; **~ of all** především

first aid [fə:st'eid] první pomoc

first-class [fə:st'kla:s] prvotřídní

firsthand [fə:st'hænd] *adj* přímý, osobní ● *adv* přímo, z první ruky

firstly [fə:stli] za prvé, předně

first name [fə:stneim] (*křestní*) jméno

first night [fə:st'nait] premiéra

first-rate [fə:st'reit] prvotřídní

first refusal [‚fə:st ri'fju:zl] právo první volby

fish [fiʃ] *n* ryba ● *v* rybařit ♦ **~ for** hledat, lovit co

fisherman [fišəmən] rybář

fishery [fišəri] rybářská oblast

fishing [fišiŋ] rybaření, rybolov

fishing tackle [‚fišiŋ‚tækl] rybářské nářadí

fishmonger [fišmaŋgə] *GB* obchodník s rybami; **~'s** rybárna

fishy [fiši] **1** rybnatý **2** (*hovor.*) pochybný, podezřelý

fission [fišn] štěpení

fissure [fišə] puklina, prasklina, trhlina

fist [fist] pěst

fit[1] [fit] záchvat

fit[2] [fit] *adj* **1** vhodný, schopný **2** zdravý, fit ♦ **~ as a fiddle / flea** zdravý jako řípa; **see / think ~ to do** pokládat za vhodné udělat ● *n* fazóna; **the suit is a good ~** oblek dobře padne ● *v* **1** hodit se, padnout, slušet **2** přizpůsobit, upravit

fit in 1 najít čas, vtěsnat do (*časového programu*); vtlačit, vtěsnat, umístit **2** zapadat **3** odpovídat **with** čemu, souhlasit s **3** dobře vycházet, rozumět si **with** s

fit on 1 zkoušet (*oděv*) **2** přimontovat, namontovat **to** k

fit out vybavit, vystrojit

fitter [fitə] montér, seřizovač, instalatér

fitting [fitiŋ] **1** zkouška (*oděvu*) **2** ~**s** *pl* vybavení, zařízení **3** kování; instalační materiál

five [faiv] pět

fiver [faivə] (*hovor.*) bůr: *GB* pětilibrovka, *US* pětidolarovka

fix [fiks] *n* (*hovor.*) **1** brynda, šlamastika, pěkná kaše **2** dohodnutý výsledek; lumpárna **3** šleh(nutí) (*dávka drogy*) ● *v* **1** upevnit **2** upoutat **3** fixovat, ustálit **4** stanovit **5** zařídit

fix up (*hovor.*) zařídit, dát do pořádku, zorganizovat, sehnat

fixation [fik'seišn] **1** posedlost, obsese **2** zastavení ve vývoji, fixace

fixture [fiksčə] **1** instalované zařízení, příslušenství (*přen.*) 'součást inventáře'

fizz [fiz] bublat, perlit se

fizzy [fizi] perlivý

flabbergast [flæbəga:st] (*hovor.*) ohromit, vyvést z míry

flabby [flæbi] **1** ochablý, schlíplý **2** nijaký, neslaný nemastný

flag[1] [flæg] vlajka

flag[2] [flæg] plochý kámen; kamenná / cementová dlaždice

flagrant [fleigrənt] **1** křiklavý; hrubý **2** nestoudný, nestydatý

flair [fleə] **1** talent, nadání, cit **2** dobrý nos, čich

flake [fleik] vločka

flaky pastry [fleiki'peistri] pečivo z lístkového těsta

flamboyant [flæm'boiənt] **1** hýřící barvami **2** okázalý, skvělý, nápadný

flame [fleim] *n* **1** plamen; **naked ~** otevřený oheň ● *v* plápolat

flame up vzplanout

flank [flæŋk] *n* bok ● *n* lemovat

flannel [flænl] flanel; **~s** *pl* flanelový oblek; flanelové kalhoty (*sportovní*); flanelové prádlo

flap [flæp] *v* (**pp**) třepetat (se); mávat ● *n* **1** pleskání, plácání **2** chlopeň; klapka **3** záložka (*knižního přebalu*)

flare [fleə] *v* **1** plápolat; **~ up** vzplanout **2** střihnout do zvonu; **~d skirt** zvonová sukně ● *n* **1** třepotavé světlo **2** světelný signál, raketa

flash [flæš] *v* **1** zablesknout se; bleksknout; **it ~ed upon me** najednou mi napadlo **2** vyzařovat **3** objevit se jako blesk **4** spěšně odeslat: odtelegrafovat, telegrafovat *atd.* ● *n* **1** zablesknutí, záblesk **2** (*fot.*) blesk **3** okamžik

• *adj* (*hovor.*) vyparáděný, vyfintěný; módní

flashback [flæšbæk] retrospektiva

flashlight [flæšlait] **1** *GB* bleskové světlo **2** *US* baterka

flask [fla:sk] **1** baňka **2** polní láhev **3** termoska

flat [flæt] *adj* **1** plochý **2** nudný **3** naprostý, briskní, kategorický **4** jednotný **5** (*hud.*) snížený; **in a ~ major** v As dur ♦ *adv* **1** nízko; **sing ~** zpívat nízko **2** rovnou **3** (*hovor.*) přesně (*nikoliv později*) ♦ **~ broke** (*hovor.*) úplně švorc / dutý; **~ out** (*hovor.*) plnou parou, na plné pecky ♦ *n* **1** byt **2** (*hud.*) béčko, béčko (*předznamenání*); snížený tón

flatten [flætn] **1** uhladit, vyrovnat **2** srazit k zemi; rozdrtit, zničit **3** snížit (*o půltón*); intonovat nízko

flatter [flætə] lichotit, pochlebovat; **be ~ed** cítit se polichocen; **~ oneself** troufat si tvrdit

flattery [flætəri] lichotky, lichocení

flavour [fleivə] *n* chuť a vůně, aroma ♦ *v* okořenit, ochutit

flaw [flo:] kaz

flawless [flo:lis] bezvadný

flax [flæks] len

flay [flei] **1** stáhnout (*kůži*) **2** strhat (*kriticky*)

flea [fli:] blecha ♦ **get / put a ~ in one's ear** dostat / dát co proto

flee [fli:] utéci, uprchnout

fleet [fli:t] **1** loďstvo, flotila **2** vozový park

fleeting [fli:tiŋ] letmý

flesh [fleš] **1** (*syrové*) maso **2** tělo; smysly **3** dužina ♦ **in the ~** živý, ve skutečnosti;

pleasures of the ~ tělesné rozkoše; **put on ~** tloustnout

fleshy [fleši] **1** masitý; tlustý, korpulentní **2** barvy / chuti masa

flex [fleks] šňůra, kabel

flexible [fleksəbl] ohebný, pružný

flexitime [fleksitaim] *GB* pružná pracovní doba

flick [flik] *n* lehký úder, cvaknutí ♦ *v* **1** klepnout, šlehnout **2** sklepnout, klepnutím odehnat, oklepat (**the ash** popel)

flicker [flikə] *v* blikat ♦ *n* plamínek

flick knife [fliknaif] vystřelovací nůž

flicks [fliks] *pl* (*GB, hovor.*) kino

flier, flyer [flaiə] **1** letec **2** leták (*rozdávaný na ulici*)

flight[1] [flait] **1** let **2** tah (*ptáků*); hejno **3** letka **4** rameno schodů, schody (*mezi patry*)

flight[2] [flait] útěk; **put to ~** zahnat na útěk; **take (to)** ~ dát se na útěk

flight ticket [flaittikit] letenka

flimsy [flimzi] tenký, křehký; slabý

fling* [fliŋ] hodit, mrštit

flip [flip] *n* **1** cvrnknutí **2** salto (*ve vzduchu*) ♦ *v* **1** vyhodit do vzduchu, hodit si (**a coin** mincí) **2** cvrnknout; lusknout **3** vzrušit se; navztekat se

flippant [flipənt] prostořeký; lehkomyslný

flirt [flə:t] koketovat, flirtovat

flit [flit] (*tt*) přelétávat, poletovat

float [fləut] *v* **1** vznášet se, plout **2** spustit na vodu ♦ *n* **1** plovák, splávek **2** vor **3** alegorický vůz **4** *US* nápoj se zmrzlinou

floating capital [‚fləutiŋˈkæpitl] oběžný kapitál

flock [flok] *n* stádo, hejno ♦ *v* shluknout se, (na)hrnout se

flog [flog] **(gg) 1** mrskat
2 (*hovor.*) střelit (*prodat*)
♦ **~ a dead horse** (*hovor.*) marně
se namáhat; **~ to death** (*hovor.*)
zkazit stálým opakováním
flood [flad] *n* **1** záplava, povodeň
2 příliv ● *v* zaplavit
floodlight [fladlait] *n* **1** slavnostní
osvětlení **2** světlomet
● *v* slavnostně osvítit
floodlit [fladlit] slavnostně
osvětlený
floor [flo:] **1** podlaha; **take the ~**
ujmout se slova **2** patro,
poschodí
flooring [flo:riŋ] podlahová
krytina
floor show [flo:šəu] varietní
program (*v nočním podniku*)
flop [flop] *v* zhroutit se; praštit se-
bou ● *n* (*hovor.*) neúspěch, fiasko
florist's [florists] květinářství
flounder [flaundə] *v* **1** házet se-
bou, zmítat se, plácat se **2** dělat
chybu za chybou, 'plavat' ● *n* platýs
flour [flauə] mouka
flourish [flariš] *v* **1** kvést, vzkvé-
tat, prosperovat **2** mávat ● *n*
1 mávnutí, zamávání **2** kudrlinka,
ozdůbka (*při psaní*) **3** fanfáry
flout [flaut] **1** ohrnovat nos nad,
bagatelizovat, tropit si posměch
z **2** snižovat, vysmívat se
3 neuposlechnout (*rady*)
flow [fləu] *v* **1** téci **2** splývat
● *n* tok
flower [flauə] *n* květ, květina
● *v* kvést
flowerbed [flauəbed] záhon květin
flower girl [flauəgə:l] **1** *GB*
pouliční květinářka **2** *US*
družička (*nesoucí květiny*)

flowery [flauəri] květnatý
flu [flu:] (*hovor.*) chřipka; **catch
the ~** dostat chřipku
fluctuate [flakčueit] **1** kolísat
2 fluktuovat
fluent [flu:ənt] plynný, plynulý
fluff [flaf] *n* chmýří
● *v* **1** načepýřit **2** (*hovor.*)
zpackat; (*herec*) mít okno
fluid [flu:id] *adj* **1** tekutý
2 nestálý, proměnlivý ● *n* tekutina
fluke [flu:k] (*hovor.*) šťastná
náhoda
fluorescent [fluə'resnt] zářivkový;
~ lamp zářivka; **~ light**
zářivkové osvětlení
flush [flaš] *v* **1** začervenat se
2 polít červení, rozrušit
3 spláchnout
● *n* **1** nával, příval (*vody, krve
atd.*) **2** zardění **3** splachovadlo
● *adj* **1** ve stejné rovině
2 (*hovor.*) prachatý
● *adv* (*hovor.*) rovnou, přímo
flute [flu:t] flétna
flutter [flatə] *v* třepotat (se)
● *n* vzrušení
fly¹ [flai] moucha
fly² [flai] *v* **1** letět (**high** vysoko,
low nízko) **2** prchat, utéci
3 běžet **4** dopravovat letecky
● *n* poklopec, zapínání (*kalhot*)
flyer, flier [flaiə] letec
flying saucer [flaiiŋ'so:sə] létající
talíř, UFO
flying squad [flaiiŋskwod]
(*policejní*) komando
flyover [flaiəuvə] mimoúrovňová
křižovatka
flypaper [flaipeipə] mucholapka
foal [fəul] hříbě
foam [fəum] *n* pěna; **~ rubber**

pěnová guma
- *v* pěnit se, tvořit pěnu

f.o.b. = free on board vyplaceně na místo určení

focal [fəukl] ohniskový; ~ **length** ohnisková vzdálenost

focus [fəukəs] *n* **1** ohnisko **2** (*přen.*) střed
- *v* zaostřit; soustředit

fodder [fɔdə] píce

fog [fog] *n* mlha • *v* (**gg**) zamlžit

fogey [fəugi] = **fogy**

foggy [fɔgi] mlhavý, zamlžený
♦ **not have the foggiest (idea)** nemít nejmenší tušení

fogy [fəugi] starý morous

foil [fɔil] *v* **1** zabránit **sb.** komu **in sth.** v čem **2** zmařit
- *n* pozadí (*ke zvýšení kontrastu*)

fold [fəuld] *n* záhyb
- *v* složit, přeložit

fold in pomalu vmíchat

fold up **1** zhroutit se **2** zkrachovat

foldaway [fəuldəwei] skládací, sklopný

folder [fəuldə] desky; fascikl, spis

foliage [fəuliidʒ] listí

folk [fəuk] **1** lidé *a* ~**s** *pl* příbuzní, rodina **3** ~ (**song**) národní píseň
♦ ~ **art** lidové umění; ~ **dance** národní tanec

folklore [fəuklo:] folklór

follow [fɔləu] **1** následovat, jít za **2** sledovat co, řídit se čím **3** vyplývat **4** chápat, rozumět komu / čemu ♦ ~ **the steps of sb.** jít ve stopách koho; ~ **suit** *1.* přiznat / ctít barvu (*v kartách*) *2.* řídit se daným příkladem, následovat; ~ **up** jako další chod

follow on pokračovat

follow up **1** vytrvale sledovat **2** dokončit, dovést až do konce

follower [fɔləuə] stoupenec, přívrženec, následovník

following [fɔləuiŋ] *adj* následující, další • *prep* po

follow-up [fɔləuʌp] pokračování (**to sth.** čeho)

folly [foli] bláhovost, pošetilost

fond [fond] **1** laskavý; shovívavý **2** mající rád; příliš milující / zamilovaný ♦ **be ~ of** mít rád koho / co; **be ~ of doing sth.** rád dělat co

food [fu:d] jídlo, potrava

foodstuff [fu:dstʌf] potravina

fool [fu:l] *n* **1** pošetilec, hlupák, pitomec, blázen; **make a ~ of** dělat hlupáka / vola z, zesměšňovat koho; **play the ~** dělat hloupého **2** šašek • *v* **1** žertovat, dělat hlouposti **2** ošidit, napálit

fool about flákat se, flinkat se

fool away hloupě promarnit

foolish [fu:liš] pošetilý

foolproof [fu:lpru:f] **1** spolehlivý, nikdy neselhávající **2** jednoduchý **3** (*stroj*) zabezpečený proti neodbornému zacházení

foot [fut], *pl* **feet** [fi:t] *n* **1** noha, chodidlo **2** stopa (30,5 cm) **3** spodek; úpatí **4** pěchota ♦ **my ~ !** starou belu!; **on ~** pěšky; **put one's ~ in it** *GB* / **in one's mouth** *US* (*hovor.*) šlápnout do toho, udělat faux pas; **put one's ~ down** dupnout si; **set ~ on** vkročit na; **at the ~ of the page** dole na stránce
- *v* **1** ~ **it** jít pěšky; tančit **2** ~ **the bill** (*hovor.*) zatáhnout to, zaplatit účet

footage [futidž] stopáž, metráž

football [futbo:l] **1** kopací / ragbyový míč **2** kopaná
footing [futiŋ] **1** pevná půda pod nohama; postavení, pozice **2** vztah, poměr **3** základ
footlights [futlaits] *pl* světla rampy, rampa
footnote [futnaut] poznámka pod čarou
footpath [futpa:θ] pěšina
footprint [futprint] stopa, šlépěj
footstep [futstep] **1** krok **2** šlépěj
footwear [futweə] obuv
for [fo:/ fə] *prep* **1** pro, za **2** do; leave ~ **Prague** odjet do Prahy **3** po; ~ **two years** po dva roky **4** k; **have ~ breakfast** mít k snídani **5** na; **appoint ~ Monday** určit na pondělí **6** za; **sell ~ 10p** prodat za deset pencí **7** přes, navzdory; ~ **all your money** přes všechny tvoje peníze
♦ ~ **good** nadobro; ~ **all that** přes to přese všechno; ~ **one thing ... and ~ another** za prvé ... a za druhé; ~ **this reason** z tohoto důvodu; ~ **the first time** poprvé
• *conj* neboť
forage [foridž] píce
forbear* [fo:'beə] zdržet se čeho
forbid* [fə'bid] (**dd**) zakázat
forbidden [fə'bidn] zakázaný
force [fo:s] *n* **1** síla, moc **2** the (**armed**) ~**s** *pl* ozbrojené síly **3** násilí **4** platnost
♦ **come into** ~ vstoupit v platnost; **in** ~ ve velkém počtu; **join** ~**s with** spojit se s • *v* nutit
forced [fo:st] (vy)nucený; ~ **landing** nouzové přistání
forcible [fo:səbl] **1** (vy)nucený; násilný **2** účinný
ford [fo:d] *n* brod • *v* přebrodit

forearm [fo:ra:m] předloktí
foreboding [fo:'baudiŋ] předtucha
forecast* *v* [fo:'ka:st] předpovídat • *n* [fo:ka:st] předpověď
forefather [fo:fa:ðə] předek
forefinger [fo:fiŋgə] ukazováček
foreground [fo:graund] popředí
forehead [fo:hed / forid] čelo
foreign [forin] **1** zahraniční **2** cizí
♦ F~ **Legion** cizinecká legie; F~ **Office** *GB* ministerstvo zahraničí; ~ **trade** zahraniční obchod
foreigner [forinə] cizinec
foreman [fo:mən] **1** dílovedoucí, mistr **2** hlavní poradce
foremost [fo:məust] nejprve, napřed
forensic [fə'rensik] soudní
forerunner [fo:ranə] předchůdce
foresee* [fo:'si:] předvídat
foresight [fo:sait] prozíravost
forest [forist] les
forestall [fo:'sto:l] (*včas*) předejít koho / čemu
forestry [foristri] lesnictví
foretell* [fo:'tel] předpovědět
forever [fə'revə] **1** navždy **2** pořád
♦ ~ **take** ~ trvat celou věčnost
foreword [fo:wə:d] předmluva
forfeit [fo:fit] pozbýt čeho, přijít o
forge [fo:dž] *n* kovárna • *v* **1** kovat **2** padělat
forgery [fo:džəri] **1** padělání **2** padělek
forget* [fə'get] (**tt**) zapomenout; ~ **it!** pusť to z hlavy!; ~ **oneself** zapomenout se
forgetful [fə'getful] zapomnětlivý
forget-me-not [fə'getminot] pomněnka
forgive* [fə'giv] odpustit

forgiveness [fə'givnis]
1 odpuštění 2 ochota odpustit
fork [fo:k] *n* 1 (rycí) vidle
2 vidlička 3 vidlice, rozvětvení
• *v* rozbíhat se, větvit se
forlorn [fə'lo:n] 1 opuštěný
2 zoufalý
form [fo:m] *n* 1 tvar, forma
2 formule 3 formulář, blanket
4 formalita 5 způsob, mrav
6 školní lavice; třída
• ~ **teacher** třídní učitel;
matter of ~ formální záležitost
• *v* 1 tvořit (se); utvářet (se)
2 formovat
formal [fo:ml] formální; ~ **dress**
(*večerní*) společenský úbor
formality [fo:'mæliti] formalita
formation [fo:'meišn]
1 (u)tvoření 2 útvar
former [fo:mə] dřívější, dříve
jmenovaný; **the ~ . . . the latter**
první . . . druhý
formerly [fo:məli] dříve
formidable [fo:midəbl] 1 hrozivý
2 obrovský, úžasný
formula [fo:mjulə] 1 formule,
vzorec 2 recept, předpis 3 rčení
formulate [fo:mjuleit] formulovat
fort [fo:t] pevnost
forthcoming [fo:θ'kamiŋ]
1 nadcházející, blížící se
2 vstřícný, ochotný
fortieth [fo:tiiθ] čtyřicátý
fortifications [fo:tifi'keišnz] *pl*
opevnění
fortify [fo:tifai] 1 posílit
2 opevnit; **fortified wine**
alkoholizované víno
fortitude [fo:titju:d] statečnost
fortnight [fo:tnait] čtrnáct dní
fortnightly [fo:tnaitli] *adj*
čtrnáctidenní • *adv* čtrnáctidenně

fortress [fo:tris] pevnost
fortuitous [fo:'tju:itəs] náhodný
fortunate [fo:čnit] šťastný
fortunately [fo:čnitli] naštěstí
fortune [fo:čn] 1 osud; ~ **teller**
věštkyně, kartářka 2 štěstí,
šťastná náhoda 3 majetek,
bohatství, jmění
forty [fo:ti] čtyřicet
• ~ **winks** (*hovor.*) šlofík
forty-five [fo:ti'faiv] 1 čtyřicet
pět 2 (*hovor.*) pětačtyřicítka
(*kolt, gramofonová deska*)
forum [fo:rəm] beseda
forward [fo:wəd] *adj* 1 přední
2 pokročilý 3 pokrokový
4 předčasně zralý 5 drzý
• *adv* vpředu; vpřed, kupředu
• *n* útočník (*v kopané*) • *v*
1 postrčit, popohnat 2 odeslat,
poslat 3 doslat za adresátem
forwards [fo:wədz] vpředu; vpřed
fossil [fosl] 1 fosilní 2 zkostnatělý
foster [fostə] 1 starat se o,
podporovat 2 chovat, pěstovat
foul [faul] *adj* 1 odporný
2 špinavý 3 zkažený 4 nečistý;
nepoctivý 5 sprostý
• *v* znečišťovat
foul up (*hovor.*) zkazit, zvorat
found [faund] založit
foundation [faun'deišn]
1 založení 2 ~s *pl* základy;
~ **stone** základní kámen
• **without** ~
neopodstatněný
founder¹ [faundə] zakladatel
founder² [faundə] slévač
foundling [faundliŋ] nalezenec
foundry [faundri] slévárna
fountain [fauntin] kašna,
vodotrysk

fountain pen [fauntinpen] plnicí pero

four [fo:] čtyři

foureyes [fo:raiz] (*hovor.*) brejloun

fourfold [fo:fəuld] čtyřnásobný

fourteen [fo:'ti:n] čtrnáct

fourteenth [fo:'ti:nθ] čtrnáctý

fourth [fo:θ] čtvrtý

fowl [faul] **1** drůbež: slepice, kohout, kuře, kachna *atd.* **2** pernatá zvěř

fox [foks] liška

fraction [frækšn] zlomek

fractious [frækšəs] svárlivý, hádavý; podrážděný

fracture [frækčə] *n* zlomenina
♦ *v* zlomit (se)

fragile [frædžail] křehký

fragment [frægmənt] **1** zlomek **2** úlomek

fragmentary [frægməntri] zlomkovitý

fragrance [freigrəns] vůně

fragrant [freigrənt] vonný

frail [freil] křehký; útlý

frame [freim] *n* **1** konstrukce, stavba **2** rám, kostra, lešení **3** řád, uspořádání **4** rozpoložení **5** ~s *pl* rámečky (*brýlí*)
♦ ~ **of mind** duševní rozpoložení
♦ *v* **1** vytvořit, utvářet **2** přizpůsobit **3** zarámovat **4** falešně obvinit

frame-up [freimap] (*hovor.*) falešné obvinění, komplot, intrika

framework [freimwə:k] rámec

France [fra:ns] Francie

Francis [fra:nsis] František

franchise [frænčaiz] **1** volební právo, hlasovací právo, licence; franšíza

frank [fræŋk] upřímný

frankfurter [fræŋkfə:tə] klobása

frankly [fræŋkli] upřímně; abych řekl pravdu

frantic [fræntik] šílený (**with pain** bolestí)

fraternal [frə'tə:nl] bratrský

fraternize [frætənaiz] sbratřovat se, přátelit se

fraud [fro:d] *1* podvod **2** podvodník

fraudulent [fro:djulənt] podvodný

fraught [fro:t] plný **with sth.** čeho

fray [frei] třepit se

freak [fri:k] **1** vrtoch **2** podivín

freakish [fri:kiš] podivínský, groteskní

freckle [frekl] piha ♦ ~**d** pihovatý

free [fri:] *adj* **1** svobodný, volný **2** bezplatný **3** dobrovolný
♦ *v* osvobodit

freedom [fri:dəm] svoboda

freelance [fri:la:ns] na volné noze, nezávislý (*novinář*)

freemason [fri:meisn] svobodný zednář

freeway [fri:wei] *US* dálnice

freeze* [fri:z] **1** mrznout, zmrznout **2** zmrazit

freezer [fri:zə] **1** mraznička **2** mrazicí box (*v chladničce*)

freight [freit] **1** náklad **2** doprava **3** dopravné

freighter [freitə] nákladní loď / letadlo

French [frenč] *adj* francouzský
♦ ~ **bread** bageta; ~ **chalk** krejčovská křída; ~ **fries** *US* pomfrity; ~ **letter** (*hovor.*) prezervativ; ~ **window** skleněné dveře; **take** ~ **leave** zmizet po anglicku
♦ *n* **1** the ~ Francouzi **2** francouzština; **in** ~ francouzsky

Frenchman [frenčmən] Francouz

frenzy [frenzi] šílenství; zuřivost

frequency [fri:kwənsi] frekvence
frequent adj [fri:kwənt] častý
• v [fri'kwent] často navštěvovat
fresh [freš] adj **1** čerstvý, svěží
2 nový **3** US (hovor.) dovolený,
drzý • adv čerstvě
freshwater [frešwo:tə]
sladkovodní
friction [frikšn] **1** tření **2** třenice
Friday [fraidi] pátek; **Good ~**
Velký pátek
fridge [fridž] (hovor.) lednička
friend [frend] **1** přítel **2** známý;
make ~s with spřátelit se s;
make ~s again usmířit se
friendly [frendli] adj přátelský;
přívětivý • n přátelské utkání
friendship [frendšip] přátelství
frighten [fraitn] polekat; děsit
frightful [fraitful] strašný
frigid [fridžid] studený, chladný
fringe [fridž] n **1** třepení, třásně
2 okraj **3** GB ofina ♦ ~ **benefits**
vedlejší výhody / požitky
• v (o)lemovat
frisk [frisk] **1** skotačit
2 bleskurychle prohledat
fritter [fritə] n medailonek v těs-
tíčku (ovoce, zeleniny, masa)
• v ~ **(away)** promarnit
frivolous [frivələs] lehkomyslný;
pošetilý; povrchní
fro [frəu]: **to and ~** sem a tam
frog [frog] žába
frogman [frogmən] žabí muž
from [from] **1** od, z **2** podle
♦ ~ **now on** od nynějška;
painted ~ nature malováno
podle přírody; ~ **what I heard**
podle toho, co jsem slyšel
front [frant] n **1** přední strana, prů-
čelí; **in ~** vpředu; **in ~ of** před čím
2 fronta **3** náprsenka **4** smělost,

drzost **5** fasáda, zástěrka (přen.)
• adj přední; ~ **door** domovní
dveře; ~ **runner** 1. vedoucí
závodník 2. nejvážnější uchazeč
• v být obrácen čelem k
frontier [frantiə] hranice
frost [frost] mráz
frostbite [frostbait] omrzlina
frosting [frostiŋ] **1** matný povrch
(skla, kovu) **2** US ledová poleva
frosty [frosti] mrazivý
froth [froθ] n pěna
• v **1** pěnit (se) **2** mít pěnu u úst
frown [fraun] v **1** mračit se **at** na
2 neschvalovat **on** co
• n zamračení; hněvivý pohled
frugal [fru:gl] **1** šetrný **2** skromný
fruit [fru:t] **1** ovoce **2** plod
fruitful [fru:tful] plodný
fruitless [fru:tlis] neplodný;
marný, bezvýsledný
frustrate [fra'streit] zmařit,
zklamat
frustration [fra'streišn] zklamání;
pocit méněcennosti, bezmocnost,
nemohoucnost
fry [frai] smažit (se)
ft. = **foot, feet** stopa, stopy
fuel [fjuəl] **1** palivo **2** pohonná
látka
fuck [fak] (vulg.) souložit (s)
fuck about / around v ~ flinkat se
2 hmoždit se **with** s
fuck off odprejsknout
fuck up zvorat, posrat
fucking [fakiŋ] (vulg.) posraný,
zasraný
fugitive [fju:džitiv] adj uprchlý
• n uprchlík
fulfil [ful'fil] (ll) splnit, vyplnit
full [ful] plný; ~ **stop** tečka;
~ **house** vyprodáno; **in ~** plně,
nezkráceně; ~ **moon** úplněk; **to**

the ~ dokonale, až do dna, úplně, docela; **~ up** obsazeno

full-length [ful'leŋθ] **1** (*film*) celovečerní **2** (*šaty*) dlouhý

fullness [fulnis] plnost

full-time [fultaim] celodenní (*job* zaměstnání)

fully [fuli] plně, úplně, docela

fully-fashioned [fuli'fæšnd] tvarovaný

fully-fledged [fuli'fledžd] **1** (*pták*) opeřený **2** plně kvalifikovaný

fumes [fju:mz] *pl* výpary; výfukové plyny

fun [fan] žert, zábava, legrace ♦ **make ~ of** tropit si žerty z; **for ~, in ~** žertem, z legrace; **What ~!** To je legrace!; **have a ~** dobře se bavit

function [faŋkšn] *n* **1** funkce **2** činnost **3** úřad ● *v* fungovat

fund [fand] **1** fond, zásoba **2 ~s** *pl* peněžní prostředky

fundamental [fandə'mentl] základní

funeral [fju:nərl] *n* pohřeb ● *adj* pohřební

funfair [fanfeə] (*stěhovavý*) lunapark

fungus [faŋgəs], *pl* **fungi** [faŋgi: / fandžai] houba

funicular [fju:'nikjulə] lanová dráha

funnel [fanl] **1** trychtýř **2** lodní komín

funny [fani] **1** komický, zábavný **2** podivný, zvláštní

fur [fə:] kožišina

furious [fjuəriəs] zuřivý, divoký, rozzuřený; **be ~ with** vztekat se na

furnace [fə:nis] pec

furnish [fə:niš] **1** opatřit, zásobit, vybavit **with** čím **2** zařídit (*nábytkem*)

furniture [fə:ničə] nábytek

furrier [fariə] kožešník

furrow [farəu] brázda

further [fə:ðə] *adv* dále; kromě toho ● *adj* **1** další **2** vzdálenější ● *v* podporovat

furtive [fə:tiv] kradmý

fury [fjuəri] zuřivost, zběsilost

fuse[1] [fju:z] *v* **1** fúzovat, spojit (se) **2** (*přístroj*) přestat fungovat (*vyhozením pojistek*), zkratovat ♦ **~ the lights** spálit pojistky **3** svařit; smísit ● *n* pojistka

fuse[2] [fju:z] doutnák, roznětka

fuss [fas] *n* povyk, zbytečný rozruch; **make a ~ over** rozčilovat se kvůli ● *v* dělat zbytečný rozruch **over / about** kvůli

fussy [fasi] **1** nervózní, zbytečně se starající, úzkostlivý **2** vyparáděný, přeplácaný ozdobami

futile [fju:tail] marný, zbytečný

future [fju:čə] *n* budoucnost; **for the ~** pro budoucnost; **in ~** napříště; **in the near ~** v blízké budoucnosti ● *adj* budoucí

F

G

gab [gæb]: (*hovor.*) **the gift of (the)** ~ dar jazyka, výřečnost

gabble [gæbl] brebentit

gable [geibl] lomenice

gadget [gædžit] **1** součástka **2** strojek, zařízení, mechanismus

gag [gæg] *n* **1** roubík **2** zákaz informací **3** (*hovor.*) fór; gag, šprťec, improvizace ● *v* (**gg**) **1** dát roubík, ucpat ústa **2** gagovat

gaggle [gægl] hejno (*hus*)

gaiety [geiəti] veselí

gaily [geili] vesele

gain [gein] *v* **1** získat, dosáhnout čeho **2** přibrat (**weight** na váze) **3** (*hodiny*) předcházet se **4** předhonit (**up)on** koho **5** dostat se kam ● *n* **1** zisk; ~s *pl* zisky, příjmy; vymoženosti **2** přírůstek (**in** čeho)

gainful [geinful] výdělečný; **~ly employed** výdělečně činný

galaxy [gæləksi] galaxie

gale [geil] vichřice **2** výbuch, bouře (**of laughter** smíchu)

gall [go:l] žluč; ~ **bladder** žlučník

gallant 1 [gælənt] statečný **2** [gə'lænt] galantní

gallantry [gæləntri] **1** statečnost **2** galantnost

gallery [gæləri] galerie; **shooting** ~ střelnice

gallop [gæləp] cval

gallows [gæləuz] *sg* šibenice

gallstone [go:lstəun] žlučový kámen

galoshes [gə'lošiz] *pl* gumové přezůvky, holínky

gamble [gæmbl] *v* hrát (o štěstí);

hazardovat ● *n* **1** hazard **2** riziko, riskantní záležitost

gamble away prohrát

gambler [gæmblə] **1** hazardní hráč; karbaník **2** hazardér, spekulant

game [geim] *n* **1** hra (*podle pravidel*); **the Olympic G~s** Olympijské hry **2** zvěřina ● *adj* (*hovor.*) ochoten, svolný; **I'm** ~ jsem pro, souhlasím

gander [gændə] houser ● **take a** ~ (*hovor.*) podívat se, mrknout se

gang [gæŋ] **1** oddíl, parta **2** banda

gangbang [gæŋbæŋ] hromadné znásilnění (*jedné ženy*)

gangster [gæŋstə] gangster, lupič

gangway [gæŋwei] **1** můstek **2** ulička

gaol [džeil] vězení

gap [gæp] **1** otvor **2** mezera

gape [geip] **1** zívat **2** zírat, čumět **3** zet

gaping [geipiŋ] zející

garage [gæra:ž] *n* garáž ● *v* dát do garáže, garážovat

garbage [ga:bidž] **1** odpadky **2** literární brak

garble [ga:bl] překroutit, zkomolit

garden [ga:dn] zahrada ● ~ **party** zahradní slavnost

gardener [ga:dnə] zahradník

gargle [ga:gl] kloktat

gargoyle [ga:goil] chrlič

garish [geəriš] křiklavý

garland [ga:lənd] girlanda, věnec (*kolem krku*)

garlic [ga:lik] česnek

garment [ga:mənt] kus oděvu; ~s *pl* šaty

garnish [ga:niš] ozdobit, obložit (*pokrm*)

garret [gærit] podkrovní místnost, mansarda

garrison [gærisn] *n* posádka
• *v* (*posádka*) střežit

garrulous [gærulas] upovídaný

garter [ga:tə] podvazek; **the G~** Podvazkový řád

gas [gæs] *n* 1 plyn ♦ **~ burner** plynový hořák 2 *US* benzín
♦ **~ guzzler** [gazlə] (*hovor.*) 'chlastoun benzínu' (*auto s velkou spotřebou*)
• *v* (ss) otrávit plynem

gash [gæš] *n* (*hluboká*) řezná / sečná rána ♦ *v* rozříznout, rozseknout

gasoline [gæsəli:n] *US* benzín

gasometer [gæˈsomitə] plynojem

gasp [ga:sp] oddychovat; lapat po dechu

gate [geit] 1 brána, vrata; východ (*na letišti*) 2 **~s** *pl* závory, šraňky 3 počet diváků (*na sportovním utkání*)

gather [gæðə] 1 shromáždit (se); sbírat 2 nabrat (**a skirt** sukni) 3 podebírat se 4 usuzovat

gathering [gæðəriŋ]
1 shromáždění, schůze
2 podebrané místo

gaudy [go:di] křiklavý

gauge, gage [geidž] 1 míra, norma 2 měřič, měřidlo
3 rozchod (*kolejí*)

gaunt [go:nt] hubený, vyzáblý

gauntlet [go:ntlit] (*dlouhá*) ochranná / pracovní rukavice
♦ **throw down / take up the ~** hodit / zvednout rukavici

gay [gei] 1 (*hovor.*) homosexuální
2 veselý, rozpustilý

gaze [geiz] *v* upřeně / pozorně se dívat **at / on na** • *n* pohled

gazette [gəˈzet] noviny

gear [giə] *n* 1 soukolí 2 chod stroje 3 (*motor.*) rychlost; **in ~** zapnut, se spojkou; **out of ~** vypnut, bez spojky; **change ~** řadit
• *v* 1 uvést do chodu 2 řadit

gear up / down zařadit vyšší / nižší rychlost

gearbox [giəboks] rychlostní skříň, převodovka

gee [dži:] *US* (*hovor.*) jémine

gem [džem] drahokam

gender [džendə] (*mluvnický*) rod

general [dženərl] *adj*
1 (vše)obecný, celkový
2 obyčejný; **in ~** (vše)obecně; **the ~ public** široká veřejnost
• *n* generál

generally [dženrəli]
1 (vše)obecně; **~ speaking** (vše)obecně řečeno 2 obyčejně

general practitioner [dženər præk'tišənə] praktický lékař

generate [dženəreit] 1 vytvářet, plodit 2 vyrábět (**electricity** elektřinu)

generation [dženə'reišn] pokolení, generace

generosity [dženə'rositi] 1 ušlechtilost 2 štědrost

generous [dženrəs] 1 ušlechtilý 2 štědrý 3 hojný

Geneva [dži'ni:və] Ženeva

genial [dži:njəl] 1 laskavý, srdečný, žoviální, bodrý 2 (*podnebí*) blahodárný

genius [dži:njəs] 1 genius 2 nadání, talent; **a man of ~** geniální člověk 3 duch; **the ~ of a language** duch jazyka
4 strážný duch / anděl

G

gent [džent] (*hovor.*) džentlas; **G~s** Páni (*označení klozetu*)

gentle [džentl] mírný, jemný, něžný, laskavý; **~ sex** něžné pohlaví (*ženy*)

gentleman [džentlmən] **1** pán **2** vzdělanec **3** džentlmen **4** muž

gently [džentli] jemně; zlehka

genuine [džinjuin] **1** pravý, skutečný, nefalšovaný **2** upřímný

geography [dži'ografi] zeměpis

geology [dži'olədži] geologie

geometry [dži'omətri] geometrie

George [džo:dž] Jiří

Georgia [džo:džjə] **1** Georgia (*v USA*) **2** Gruzie

germ [džə:m] **1** zárodek **2** mikrob; **~ warfare** bakteriologická válka

German [džə:mən] *adj* německý ● *n* **1** Němec **2** němčina; **in ~** německy

Germanic [džə:'mænik] germánský

Germany [džə:məni] Německo

gesture [džesčə] **1** gesto **2** gestikulace; **make ~s in the air** šermovat rukama

get* [get] (**tt**) **1** dostat, obdržet, získat, obstarat (si) **2** (*hovor.*) rozumět **3** + *adj* stát se **4** dostat se (kam)
♦ **have got** mít; **have got to** + *inf* musit; **~ sb. to do sth.** přimět koho k čemu; **~ ready** připravit (se); **~ tired** unavit se; **~ well** uzdravit se; **~ wet** zmoknout; **~ sth. done** dát (si) něco udělat; **~ into one's head** vzít si do hlavy; **~ home** tít do živého; **~ to know** poznat, dozvědět se; **~ to like** oblíbit si; **~ started** vyrazit; **~ going** spustit; **~ the better of** vyzrát

na; **~ rid of** zbavit se koho / čeho; **this won't ~ us anywhere** takhle se nikam nedostaneme

get about cestovat

get across 1 dostat se na druhou stranu **2** (*úspěšně*) vysvětlit, objasnit **3** být jasný / srozumitelný **to** komu

get along 1 dělat pokroky **2** vycházet **with s 3** odejít
♦ **~ along with you!** *1.* ale jděte! *2.* koukejte zmizet!

get away uniknout; odejít
♦ **you won't ~ away with it** to vám neprojde

get back 1 dostat zpět **2** vrátit se **3** (*hovor.*) vyřídit si to **at** s, pomstít se komu

get behind mít zpoždění

get by projít; protloucí se

get down dát se (**to work** do práce)

get in 1 vstoupit **2** stýkat se **with** s

get off 1 vystoupit **2** svléknout; zout

get on 1 pokračovat, mít úspěch **2** nastoupit **3** vycházet **with sb.** s kým
♦ **be ~ting on in years** stárnout; **it's ~ting on for five** jde na pátou

get out 1 odejít **2** pustit (**of one's head** z hlavy) **3** vystoupit (**of the tram** z tramvaje)

get over překonat co, poradit si s

get round 1 obejít **2** najít si čas

get through 1 projít (*u zkoušky*) **2** dostat spojení, dovolat se

get together sejít se

get under zdolat (*požár*); potlačit (*vzpouru*)

get up 1 vstát **2** dávat dohromady, organizovat

geyser [gi:zə] **1** gejzír **2** průtokový ohřívač, karma

ghastly [ga:stli] strašný, příšerný

gherkin [gə:kin] *(nakládaná)* okurka

ghost [gəust] duch, strašidlo

GI [dži:'ai] *US* voják, vojín

giant [džaiənt] obr

gibberish [džibəriš] **1** drmolení, plácání **2** hatmatilka

giblets [džiblits] *pl* droby

giddy [gidi] závratný; **be / feel ~** mít závrať

gift [gift] **1** dar, dárek **2** nadání, talent

gifted [giftid] nadaný

gigantic [džai'gæntik] obrovský

giggle [gigl] hihňat se

gild [gild] pozlatit

gills [gilz] *pl* žábry ♦ **green / white about the ~** *(hovor.)* pobledlý

gilt [gilt] *n* pozlátko ● *adj* pozlacený

gimmick [gimik] *(hovor.)* reklamní trik

gin [džin] džin

ginger [džindžə] zázvor; **~ ale / beer** zázvorová limonáda

gingerbread [džindžəbred] perník

ginseng [džinseŋ] ženšen

gipsy, gypsy [džipsi] cikán

giraffe [dži'ra:f] žirafa

girder [gə:də] nosník, traverza

girdle [gə:dl] **1** pás **2** podvazkový pás; bokovka, návlek

girl [gə:l] dívka, děvče; **~ friend** přítelkyně, kamarádka

gist [džist] jádro věci, podstata

give* [giv] **1** dát, podat, vydat, věnovat **2** povolit **3** vést **(up)on** kam, být obrácen **(to the garden do zahrady)** ♦ **~ a cry** vykřiknout; **~ sb. a smile** usmát se na koho; **~ or take** plus minus; **~ sb. to understand** dát komu na sro-

zuměnou; **~ way** *1.* ustoupit, povolit **to** komu / čemu **2.** povolit, prasknout; **What ~s?** Co se děje?

give away 1 rozdat **2** udat **3** prozradit

give back vrátit

give in 1 povolit, ustoupit, vzdát se **2** odevzdat **(examination papers** kompozice)

give out 1 rozdat **2** oznámit **3** vydat **4** dojít *(zásoby)* **5** *(hovor.)* vyplivnout *(přestat fungovat)*

give over *(hovor.)* nechat toho, přestat

give up 1 vzdát se; vzdát se čeho, přestat, nechat toho **2** vydat, odevzdat

given [givn] **1** určený **2** oddaný, odevzdaný, propadlý

glacier [glæsjə] ledovec

glad [glæd] **1** potěšen, rád; **be ~ about / of sth.** mít radost z čeho; **be ~ to hear** rád slyšet **2** potěšující ♦ **~ rags** *pl* *(hovor.)* sváteční šaty

gladly [glædli] rád

glamorous [glæmərəs] okouzlující, půvabný, sexy

glamour [glæmə] kouzlo, půvab; **~ girl** sexy kráska

glance [gla:ns] *v* zběžně pohlédnout **at** na ● *n* pohled

gland [glænd] žláza

glare [gleə] *v* **1** zářit **2** dívat se zlostně ● *n* **1** záře; oslnění **2** zlostný pohled

glaring [gleəriŋ] **1** oslňující **2** sršící zlobou **3** do očí bijící

glass [gla:s] **1** sklo; skleněné zboží **2** sklenice **3** zrcadlo **4** **~es** *pl* brýle

glasshouse [gla:shaus] skleník

glaze [gleiz] **1** zasklít **2** leštit **3** polít polevou / glazurou

glazier [gleizjə] sklenář

gleam [gli:m] *n* záblesk
- *v* lesknout se

glean [gli:n] **1** paběrkovat **2** sbírat; pochytit

glib [glib] **1** výmluvný, mnohomluvný **2** prázdný, jalový

glide [glaid] **1** klouzat **2** plachtit

glider [glaidə] kluzák, větroň

glimmer [glimə] světélko; blikání, záblesk; **a ~ of hope** jiskřička naděje

glimpse [glimps] záblesk; **get / catch a ~ of** letmo zahlédnout koho / co

glisten [glisn] lesknout se

glitter [glitə] *v* třpytit se • *n* třpyt

gloat [gləut] pást se (*škodolibě*) **over / (up)on** na

globe [gləub] **1** koule **2** zeměkoule **3** globus

gloom [glu:m] **1** temnota, šero **2** melancholie

gloomy [glu:mi] **1** temný **2** ponurý; zasmušilý

glorify [glo:rifai] oslavit, glorifikovat, (z)velebit

glorious [glo:riəs] **1** nádherný, skvělý; (*hovor.*) báječný **2** slavný

glory [glo:ri] *n* **1** sláva **2** nádhera
- *v* radovat se **in** z

gloss [glos] lesk

glossy [glosi] lesklý

glove [glʌv] rukavice; **~ puppet** maňásek

glow [gləu] *v* sálat; žhnout
- *n* žár; zápal

glue [glu:] *n* klih • *v* klížit; přilepit

glum [glʌm] smutný, mrzutý

glutton [glʌtn] nenasyta, hltoun

gluttony [glʌtəni] nenasytnost, žravost; obžerství

gnat [næt] komár

gnaw [no:] hryzat, hlodat; louskat

gnome [nəum] skřítek, trpaslík (*též zahradní*)

go* [gəu] *v* **1** jít, chodit **2** jet **3** cestovat **4** odejít, odjet **5** pokračovat **6** vejít se **7** (vy)stačit **8** povolit, zhroutit se **9** napadnout **for** koho **10** vyšetřit **into** co **11** hodit se **with** k **12** obejít se **without** bez **13** řídit se **by** čím ♦ **~ for a walk** jít na procházku; **~ on a trip** jet na výlet; **~ on a holiday** jet na dovolenou; **~ to the country** jet na venkov; **~ bathing** jít se koupat; **~ shopping** jít nakupovat; **~ bad** zkazit se; **~ blind** oslepnout; **~ to sleep** usnout; **~ to pieces** rozbít se na kusy; **it ~es without saying** rozumí se samo sebou; **be ~ing to** + *inf* hodlat • *n:* **at one ~** na jeden ráz; **have a ~ at sth.** zkusit co

go ahead 1 jít napřed **2** začít

go along 1 pokračovat **2** souhlasit

go away odejít, odjet

go back 1 vrátit se **2** sahat zpátky, pocházet už

go by 1 jet kolem **2** uplynout

go down 1 sestoupit **2** (po)klesnout, **3** zapadat; potopit se, zřítit se **4** dát se spolknout **5** sahat až **to** k **6** onemocnět **with** čím

go in for 1 pěstovat **2** podrobit se (*zkoušce*)

go off 1 odejít **2** (*střelná zbraň*) spustit, vystřelit; (*bomba*) vybuchnout **3** nechat čeho, přestat s

go on 1 konat se **2** začít fungovat **3** pokračovat **4** stále kritizovat

go out 1 vyjít, odejít **2** zhasnout **3** odcestovat; vystěhovat se **4** zveřejnit **5** vyjít z módy **6** (s)končit

go over 1 přejít, přestoupit **2** přepnout

go together 1 jít k sobě **2** chodit spolu, mít známost

go up 1 stoupat, zvedat se **2** vyrůstat, růst **3** vyletět do povětří **4** jít na vysokou školu; (u)dělat kariéru

go-ahead ['gəuə,hed] **1** podnikavý, energický **2** pokrokový

goal [gəul] **1** cíl **2** branka **3** gól

goalkeeper [gəulki:pə] brankář

goalpost [gəulpəust] branková tyč

goat [gəut] koza

go-between ['gəubi,twi:n] prostředník, zprostředkovatel

god [god] bůh

godchild [godčaild] kmotřenec

godfather [godfa:ðə] kmotr

godless [godləs] bezbožný

godmother [godmaðə] kmotra

goggles [goglz] *pl* ochranné brýle

gold [gəuld] *n* zlato ◆ *adj* zlatý

goldbrick [gəuldbrik] (*hovor.*) *n* **1** šunt **2** *US* ulejvák, flákač ● *v* ulejvat se, 'hodit se marod'

golden [gəuldn] zlatý, (*též přen.*)

golf [golf] golf

good [gud] *adj* **1** dobrý; prospěšný, užitečný **2** hodný, laskavý ◆ **have a ~ time** dobře se bavit; **be ~ at sth.** dobře umět co, vynikat v čem; **be ~ for** platit (**a week** týden); **a ~ deal / many of** dosti čeho, mnoho; **as ~ as** téměř, skoro jako; **in ~ time** včas; **it's a ~ thing (that)** je dobře, že ● *n* dobro; prospěch, užitek; **it's**

no ~ saying nemá smysl říkat; **for ~** nadobro, navždy

goodbye [gud'bai] sbohem; **say ~** rozloučit se

good-for-nothing [gudfə'naθiŋ] budižkničemu

good-humoured [gud'hju:məd] v dobré náladě, dobře naložený; snášenlivý

good-looking [gud'lukiŋ] hezký

good-natured [gud'neičəd] dobromyslný, dobrácký

goodness [gudnis] dobrota, laskavost; **my ~!** pro všechno na světě!

goods [gudz] *pl* **1** zboží **2** vlastnictví, statky

goody [gudi] (*hovor.*) **1** dobrota; cukroví **2** kladňas (*ve filmu*)

goose [gu:s], *pl* **geese** [gi:s] husa

gooseberry [guzbəri] angrešt

gooseflesh [gu:sfleš] husí kůže

gorgeous [go:džəs] **1** nádherný, oslnivý **2** (*hovor.*) skvělý, báječný, senzační

gorilla [gə'rilə] gorila

gospel [gospl] evangelium; **~ truth** svatá pravda

gossamer [gosəmə] **1** babí léto; vlákno babího léta **2** pavučinka (*přen.*)

gossip [gosip] *n* **1** klep, kleveta, řeči **2** povídání, kus řeči **3** klepna ● *v* klevetit; povídat si

Gothic [goθik] *adj* gotický ● *n* gotika

gourd [guəd] tykev, dýně

gourmand [guəmænd] velký jedlík, nenasyta

gourmet [guəmei] znalec jídla a pití, labužník

govern [gavən] **1** vládnout **2** řídit **3** ovládat

G

governess [gavənis] vychovatelka, guvernantka

government [gavənmənt] vláda

governor [gavənə] **1** vládce, vladař **2** místodržící, guvernér **3** ředitel; člen řídícího sboru **4** [gavnə] (*GB, hovor.*) šéf

gown [gaun] **1** dámské šaty, róba **2** talár **3** župan **4** plášť (*chirurga*)

grab [græb] (**bb**) popadnout, shrábnout, urvat

grace [greis] *n* **1** půvab, šarm, elegance **2** milost ● *v* **1** poctít **2** zdobit

graceful [greisful] půvabný

gracious [greišəs] **1** milostivý **2** komfortní

grade [greid] *n* **1** stupeň **2** třída (*kvality*) **3** *US* třída, ročník ● *v* třídit

gradual [grædjuəl / grædžuəl] postupný

gradually [grædjuəli / -džuəli] postupně

graduate *v* [grædjueit / -džueit] **1** promovat **2** odstupňovat **3** *US* absolvovat (*školu*) ● *n* [grædjuit / -džuit] absolvent vysoké školy

graduation [grædju'eišn / grædžu'eišn] **1** absolvování **2** promoce **3** kalibrování; stupnice

graffiti [grə'fi:ti] *pl* nápisy, kresby (*na zdech*)

graft¹ [gra:ft] *n* roub ● *v* roubovat

graft² [gra:ft] *n* úplatky ● *v* podplácet

grain [grein] **1** zrno **2** zrní, obilí

grammar [græmə] mluvnice; ~ **school** gymnázium

gramme [græm] gram

gramophone [græməfəun] gramofon

granary [grænəri] sýpka, obilnice

grand [grænd] *adj* **1** veliký **2** velkolepý, skvělý, ohromný ● *n* ~ (**piano**) křídlo

grandchild [græntšaild] vnuk, vnučka

granddaughter [grændo:tə] vnučka

grandfather [grænfa:ðə] dědeček

grandma [grænma] (*hovor.*) babi

grandmother [grænmaðə] babička

grandpa [grænpa:] (*hovor.*) děda

grand prix [gron'pri:] velká cena

grandson [grænsan] vnuk

granite [grænit] žula

granny [græni] (*hovor.*) babička

grant [gra:nt] *v* **1** vyhovět čemu, splnit **2** udělit, poskytnout **3** uznávat;
    ♦ G–ed ano, dobrá; **take for** ~ed považovat za samozřejmé ● *n* dotace, grant

granulated [grænjuleitid] zrnitý; granulovaný

grape [greip] zrnko vína; **a bunch of** ~s hrozen

grapefruit [greipfru:t] grapefruit

grapevine [greipvain] **1** réva **2** (*hovor.*) šeptanda

graphic [græfik] grafický

grasp [gra:sp] *v* **1** uchopit, chopit se **2** sevřít **3** pochopit ● *n* **1** uchopení **2** pochopení, ovládání (*věci*)

grass [gra:s] tráva
    ♦ ~ **roots** obyčejní lidé; ~ **snake** slepýš; ~ **widow** slaměná vdova

grasshopper [gra:shopə] kobylka luční, koník

grate¹ [greit] rošt

grate² [greit] **1** (na)strouhat **2** (za)skřípat

grateful [greitful] vděčný

G

grater [greitə] struhadlo
gratify [grætifai] uspokojit
gratitude [grætitju:d] vděčnost
gratuity [grə'tjuiti] spropitné
grave[1] [greiv] vážný, důstojný
grave[2] [greiv] hrob
gravel [grævl] štěrk; hrubý písek
gravestone [greivstəun] náhrobek
gravitation [grævi'teišn] gravitace
gravity [græviti] **1** vážnost, závažnost **2** zemská tíže
gravy [greivi] šťáva (z masa); omáčka
gray [grei] US = **grey**
graze[1] [greiz] pást (se)
graze[2] [greiz] v **1** zavadit **against** o **2** škrábnout, poškrábat
● n škrábnutí, odřenina
grease [gri:s] n **1** (polotuhé) sádlo; (zvířecí) tuk **2** mastnota; mazadlo
● v mazat, namazat ♦ **~d lightning** (hovor.) namydlený blesk
greasy [gri:zi / -si] **1** mastný **2** kluzký **3** úlisný
great [greit] adj **1** velký **2** důležitý, významný **3** (hovor.) nádherný ♦ **a ~ age** vysoký věk; **~ with child** těhotná; **a ~ deal** velmi mnoho; **no ~ shakes** nic moc, žádný zázrak ● n velikán
greatcoat [greitkəut] (vojenský) zimník
greatgrandfather [greit'grænfa:ðə] pradědeček
greatly [greitli] velice
greatness [greitnis] velikost
Greece [gri:s] Řecko
greedy [gri:di] nenasytný; chamtivý
Greek [gri:k] adj řecký
● n **1** Řek **2** řečtina; **it's ~ to me** to je pro mne španělská vesnice

green [gri:n] adj zelený
● n **1** zelená barva **2** G~ člen strany Zelených
greengrocer's [gri:ngrəusəz] zelinářství
greenhouse [gri:nhaus] skleník
Greenland [gri:nlənd] Grónsko
greet [gri:t] (po)zdravit
greeting [gri:tiŋ] pozdrav
gremlin [gremlin] zlý skřítek (působící poruchy stroje)
grey [grei] adj šedivý ● n šeď
grid [grid] **1** mříž; (elektr.) mřížka **2** síť elektrického vedení **3** rošt; zahrádka (na střeše auta) **4** souřadnicová síť
grief [gri:f] zármutek, hoře
grievance [gri:vəns] stížnost
grieve [gri:v] **1** způsobit bolest komu **2** rmoutit se
grill [gril] n rošt, rožeň, gril
● v GB opékat na rožni, grilovat
grille [gril] **1** okenní mříž **2** zamřížovaná přepážka **3** maska (chladiče)
grim [grim] (mm) **1** zachmuřený **2** zlý, neradostný, chmurný **3** odpudivý, studený **4** krutý, nelítostný ♦ **hold on like ~ death** držet se zuby nehty
grime [graim] (zažraná, mastná) špína
grimy [graimi] špinavý, ulepený
grin [grin] v (nn) **1** (za)zubit se, usmát se zeširoka **2** (za)šklebit se
● n **1** široký úsměv **2** úšklebek
grind* [graind] **1** mlít **2** brousit; **~ one's teeth** skřípat zuby **3** dřít, šprtat, biflovat (**for an exam** se zkoušce)
grind out 1 vyhrávat **2** (mechanicky) chrlit
grindstone [graindstəun] brus

grip [grip] *n* uchopení, stisk
♦ **get / keep a ~ on oneself** vzchopit se, vzpamatovat se
♦ *v* **(pp) 1** uchopit, sevřít **2** zaujmout

gripping [gripiŋ] napínavý, strhující, fascinující

grisly [grizli] příšerný, děsný

grit [grit] *n* drobný písek
● *v* posypat pískem
♦ **~ one's teeth** zatnout zuby

grizzled [grizld] prošedivělý

groan [grəun] *v* sténat
● *n* sténání, zaúpění

grocer [grəusə] obchodník s potravinami

grocery [grəusəri] *n* **1** obchod smíšeným zbožím, hokynářství, koloniál **2** groceries *pl* smíšené zboží; nákup (*smíšeného zboží*)

groin [groin] slabina

groom [gru:m] pečovat o zevnějšek

groove [gru:v] žlábek, drážka; kolej (*přen.*)

grope [grəup] tápat **for / after** po

gross [grəus] *adj* **1** tlustý **2** hrubý **3** celkový ● *n* veletucet
● *v* celkově vynést, přinést tržbu

ground [graund] *n* **1** půda, země **2** hřiště **3** dno **4** ~**s** *pl* důvody **5** ~**s** *pl* zbytky, usazenina
● *v* **1** zakázat / znemožnit start (*letadla*) **2** zakládat se, spočívat **on** na **3** uzemnit

ground floor [graund'flo:] přízemí

grounding [graundiŋ] základní školení; základy

groundless [graundlis] bezdůvodný

group [gru:p] *n* skupina
● *v* seskupit (se)

grove [grəuv] háj

grovel [grovl] plazit se (**to** před kým)

groveller [grovlə] patolízal

grow* [grəu] **1** růst **2** pěstovat **3** stávat se; **~ old** stárnout; **~ pale** zblednout; **~ out of** vyrůst z čeho

grow up vyrůst, dospět

growl [graul] *v* vrčet ● *n* zavrčení

grown-up [graunap] dospělý

growth [grəuθ] **1** růst **2** (*patologický*) výrůstek

grub [grab] *n* **1** ponrava **2** (*hovor.*) bašta, dlabanec

grudge [gradž] *v* nepřát *sb.* komu *sth.* co ● *n* odpor, zášť; **have a ~ against** mít něco proti komu

grumble [grambl] reptat

grunt [grant] *v* chrochtat
● *n* (za)chrochtání

guarantee [gærən'ti:] *n* **1** záruka; **under ~** v záruce **2** ručení **3** ručitel ● *v* ručit za, zaručovat

guard [ga:d] *n* **1** střeh **2** stráž, hlídka; dozorce **3** garda **4** průvodčí (*vlaku*)
● *v* střežit, hlídat

guardian [ga:djən] **1** strážce; **~ angel** anděl strážný **2** poručník

guerilla, guerrilla [gə'rilə] partyzán

guess [ges] *v* **1** hádat, uhádnout **2** tušit **3** *US* myslit
● *n* dohad, odhad

guesswork [geswə:k] dohady

guest [gest] host; **be my ~!** račte si posloužit

guide [gaid] *n* **1** vůdce, průvodce **2** vodítko **3** *též* **~ book** průvodce (*tištěný*) **4** *též* **railway ~** jízdní řád **5** *též* **girl ~** skautka
● *v* vést, řídit

guild [gild] cech

guilt [gilt] vina

guilty [gilti] viný; **plead** ~ cítit se vinen

guinea pig [ginipig] morče

guitar [gi'ta:] kytara

gulf [galf] **1** záliv **2** propast, strž

gulp [galp] (s)polknout

gum[1] [gam] *n* lepidlo
 • *v* (**mm**) lepit

gum[2] [gam] dáseň

gun [gan] střelná zbraň: revolver, puška, dělo

gunpowder [ganpaudə] střelný prach

gurgle [gə:gl] **1** bublat **2** kloktat **3** vrnět

gush [gaš] *v* stříkat
 • *n* (*náhlá*) záplava, proud

gust [gast] závan větru

guts [gats] *pl* **1** vnitřnosti, střeva **2** (*hovor.*) odvaha **3** (*hovor.*) šťáva, říz

gutter [gatə] **1** okap **2** strouha, stoka

guy [gai] (*hovor.*) člověk, osoba

gymnasium [džim'neizjəm] tělocvična

gymnastics [džim'næstiks] *pl* **1** gymnastika **2** tělocvik

gym shoes [džimšu:z] *pl* cvičky, sálové tenisky

gyrate [džai'reit] kroužit, rotovat

H

haberdasher's [hæbədæʃəz] obchod textilní galanterií

haberdashery [hæbədæʃəri] **1** galanterní zboží **2** *US* obchod s pánskými oděvy

habit [hæbit] **1** zvyk; **be in the ~ of** mít ve zvyku co; **get into a ~** navyknout si; **from ~** ze zvyku **2** hábit; oděv

habitual [həˈbičuəl] navyklý, obvyklý, vrozený; ze zvyku

hack[1] [hæk] **1** (roz)sekat **2** získat neoprávněný přístup (**into a computer system** do počítačového systému), (*hovor.*) nabourat se

hack[2] [hæk] **1** skrabálek, pisálek **2** partajník **3** *US* taxi

hackneyed [hæknid] otřelý, otřepaný

hag [hæg] baba, čarodějnice

haggard [hægəd] přepadlý; vychrtlý

haggle [hægl] smlouvat

hail[1] [heil] *n* kroupy
 ◆ *v:* **it is ~ing** padají kroupy

hail[2] [heil] **1** pozdravit **2** zastavit (*kolemjedoucí*), zavolat (**a taxi** taxi) ◆ **H~ Mary** Zdrávas Maria

hair [heə] *n* vlas, chlup; **not turn a ~** nehnout brvou; **to a ~** na vlas přesně **2** vlasy; srst; **it makes my ~ stand on end** hrůzou mi z toho vstávají vlasy ◆ **the / a ~ of the dog (that bit you)** co tě večer porazilo, to tě ráno postaví (*malá sklenka stejného alkoholu*)

haircut [heəkat] stříhání vlasů; sestřih

hairdo [heədu:] (*dámský*) účes

hairdresser [heədresə] kadeřník

hairdryer, -drier [heədraiə] vysoušeč vlasů, fén

hairgrip [heəgrip] pinetka

hairpin [heəpin] vlásenka, sponka

hair-raising [heəreiziŋ] hrůzostrašný

hair slide [heəslaid] spona (*do vlasů*)

hairspray [heəsprei] lak na vlasy

hairy [heəri] vlasatý; chlupatý, zarostlý

half [ha:f] *n* polovina
 ◆ **go halves** dělit se napůl; **by halves** polovičatě; **not ~ bad** ne zcela špatný, výborný ◆ *adj* poloviční; **~ an hour** půl hodiny ◆ *adv* napůl, zpola

half-hearted [ha:fˈha:tid] vlažný, bez nadšení

half moon [ha:fˈmu:n] půlměsíc, srpek

half time [ha:fˈtaim] poločas

halfway [ha:fwei] na půl cestě; **meet sb. ~** vyjít vstříc komu

hall [ho:l] **1** sál, síň, hala, aula, dvorana **2** předsíň **3** (*vysokoškolská*) kolej

hallmark [ho:lma:k] punc

hallo, hello [həˈlou] **1** haló! **2** ahoj, nazdar

halo [heiləu] **1** kruh kolem měsíce / slunce **2** svatozář, gloriola, aureola

halt [ho:lt] *n* zastávka; zastavení; **come to / make a ~** zastavit se ◆ *v* **1** zastavit se **2** váhat

ham [hæm] šunka

hamlet [hæmlit] vesnička

hammer [hæmə] *n* kladivo ◆ **come under the ~** přijít do dražby

• *v* tlouci, bušit; zatloucí
kladivem
hammer out 1 dosáhnout po
dlouhém vyjednávání
2 vyklepat (*kladivem*)
hammock [hæmək] houpací síť
hamper [hæmpə] překážet, vadit
hamster [hæmstə] křeček
hand [hænd] *n* **1** ruka **2** ručička
3 rukopis **4** pracovník, pracovní
síla ♦ **at** ~ po ruce, blízko; **at
first** ~ z první ruky; **by** ~ ručně;
change ~s změnit majitele; **be in**
~ být před dokončením; ~ **in** ~ ru-
ku v ruce; ~ **to mouth** z ruky do
úst; ~**s off!** ruce pryč!; ~**s up!** ru-
ce vzhůru!; **lend / give a** ~ pomo-
ci; **off** ~ spatra; **on** ~ k dispozici;
on the other ~ naproti tomu;
shake ~**s with** podat ruku komu;
an old ~ odborník; **to** ~ na dosah
♦ *v* podat
hand back vrátit
hand down 1 předávat, dědit se,
dochovat se **2** vyhlásit
3 odevzdat, předat, zaslat
hand in 1 předložit, podat
2 odevzdat
hand over odevzdat, předat
hand round podávat kolem,
rozdávat
handbag [hændbæg] kabelka
handbill [hændbil] leták
handbook [hændbuk] příručka
handful [hændful] **1** hrst(ka)
2 (*hovor.*) 'kvítko'; 'fuška'
handicap [hændikæp] (**pp**)
znevýhodnit
handicraft [hændikra:ft] řemeslo
handiwork [hændiwə:k] **1** ruční
práce **2** dílo (**of terrorists**
teroristů)
handkerchief [hæŋkəčif] kapesník

handle [hændl] *n* držadlo, rukojeť;
klika ♦ *v* **1** dotýkat se čeho
2 manipulovat s čím **3** poradit
si, vědět si rady s čím
4 zacházet s **5** obchodovat s čím
hand luggage [hændlagidž]
příruční zavazadlo
handpicked [hænd'pikt] pečlivě
vybraný, výběrový
handsome [hænsəm] hezký
hands-on [hændzon] praktický
(**training** výuka)
handy [hændi] po ruce, vhod;
come in ~ přijít vhod
handyman [hændimæn]
1 údržbář, mechanik **2** kutil
hang* [hæŋ] *v* **1** pověsit, zavěsit;
oběsit **2** viset **3** držet se **on**
čeho, podržet si co
♦ ~ **one's head** sklopit hlavu
• *n* způsob ♦ **get the** ~ **of** přijít
na kloub čemu; **not care a** ~
nedbat ani za mák
hang about / around potloukat
se, postávat kolem, lelkovat
hang on nezavěšovat, zůstat na
telefonu
hang out 1 vyvěsit, vystrčit ven
2 viset ven **3** (*hovor.*) trávit
většinu času (kde)
hang together 1 držet
pohromadě / spolu **2** být
logický, zapadat do sebe
hang up zavěsit (**the receiver**
sluchátko); pověsit na ramínko
(**clothes** šaty)
hangar [hæŋgə] hangár
hanger [hæŋə] ramínko (*na šaty*)
hang gliding ['hæŋ‚glaidiŋ]
závěsné létání, let na rogalu
hangman [hæŋmən] kat
happen [hæpn] stát se, přihodit
se; **I** ~**ed to meet him** náhodou

H

jsem ho potkal; **as it ~s / it just ~s that** náhodou

happening [hæpniŋ] událost, příhoda

happiness [hæpinis] štěstí

happy [hæpi] šťastný

harrass [hærəs] sužovat

harbour [ha:bə] n přístav
- v 1 přechovávat 2 chovat (**thoughts** myšlenky)

hard [ha:d] adj 1 tvrdý; **~ of hearing** nedoslýchavý 2 přísný, krutý; **be ~ on** být tvrdý k 3 těžký, obtížný, namáhavý ◆ adv 1 tvrdě, těžce 2 silně, hustě; **it's raining ~** hustě prší 3 namáhavě, pilně, intenzívně; **work ~** pracovat pilně

hardback [ha:dbæk] vázaná kniha

hard-boiled [ha:d'boild] 1 natvrdo uvařený 2 (hovor.) otrlý; naturalistický, drsný

hard disk [ha:d'disk] pevný disk

harden [ha:dn] 1 učinit tvrdým; zatvrdit 2 ztvrdnout 3 otužit (se)

hard luck [ha:d'lak] smůla

hardly [ha:dli] sotva, stěží; skoro ne

hardship [ha:dšip] strádání, nesnáz

hard up [ha:d'ap] (hovor.) bez peněz, dutý, švorc

hardware [ha:dweə] 1 železářské zboží 2 technické vybavení / prostředky (počítače)

hardy [ha:di] otužilý

hare [heə] zajíc

harebrained [heəbreind] ztřeštěný, potrhlý

harm [ha:m] n škoda
◆ **do more ~ than good** víc uškodit než prospět
- v poškodit, uškodit (komu)

harmful [ha:mful] škodlivý

harmless [ha:mlis] neškodný

harmonious [ha:'məunjəs] harmonický

harmonize [ha:mənaiz] 1 zpívat vícehlasně 2 shodovat se; ladit, jít dohromady

harness [ha:nis] n postroj
- v zapřáhnout; spoutat

harp [ha:p] harfa

harpoon [ha:'pu:n] harpuna

harsh [ha:š] 1 hrubý, drsný, příkrý 2 nevrlý, strohý

harvest [ha:vist] n žně, sklizeň; **~ festival** (církevní) díkůvzdání za sklizeň; **~ home** dožínky
- v sklidit

harvester [ha:vistə] 1 žnec 2 žací stroj; kombajn

hasbeen [hæzbi:n] vyřízená veličina, bývalý někdo

hash [hæš] n haše; **make a ~ of sth.** zpackat co
- v rozsekat na kousky, rozemlít

hash up (hovor.) zkazit, zpackat, zvorat

haste [heist] n spěch, chvat; **make ~** pospíchat ◆ v pospíchat

hasten [heisn] 1 spěchat 2 uspíšit

hasty [heisti] 1 kvapný, chvatný 2 ukvapený

hat [hæt] klobouk
◆ **at the drop of a ~** náhle, zčistajasna; **pass the ~ (around)** udělat sbírku; **talk through one's ~** říkat nesmysly, plácat, kecat

hatch [hæč] 1 vysedět (z vajec) 2 vymyslet

hatchet [hæčit] sekyrka
◆ **~ job** sekernická práce (zdrcující kritika / útok)

hate [heit] v nenávidět; **~ doing**

sth. velmi nerad dělat co
● *n* nenávist **for** k

hateful [heitful] nenáviděný;
protivný

hatred [heitrid] nenávist, zášť **of** /
for k

hatter [hætə] kloboučník

hat trick [hættrik] **1** (*sport.*)
hattrick (*dosažení tří úspěchů za
sebou*) **2** obratný manévr

haughty [ho:ti] povýšený, nadutý

haul [ho:l] *v* táhnout, vléci
● *n* **1** zátah, tah **2** úlovek, kořist

haulage [ho:lidž] (*dálková*)
kamiónová doprava

haunt [ho:nt] **1** neodbytně se
stále vracet **2** strašit; **the house
is ~ed** v domě straší **3** (*hovor.*)
často navštěvovat

have* [hæv / həv] **1** mít **2** dostat
3 vzít si (*k jídlu, na sebe*)
♦ **~ got** mít; **~ to** + *inf* musit;
~ on mít na sobě; **~ a wash** umýt
se; **~ a good time** mít se hezky;
~ sth. done dát si co udělat; **~ sb.
do sth.** přimět koho, aby udělal
co; **~ him come over** ať sem při-
jde; **~ it in for sb.** mít spadeno
na koho, spočítat to komu (*v bu-
doucnosti*); **I've had it** (*hovor.*)
jsem vyřízen; **~ it your own
way** ať je tedy po tvém; **~ sth.
to do with** mít co společného s

have out 1 dát si vytrhnout **2 ~ it
out with** vyřídit si to s

have up (*hovor.*) hnát k soudu

haven [heivn] **1** přístav **2** útočiště

havoc [hævək] zkáza

hawk [ho:k] jestřáb, (*též přen.*)

hay [hei] seno ♦ **make ~** sušit
seno; **make ~ while the sun
shines** kuj železo, dokud je
žhavé; **~ fever** senná rýma

haywire [heiwaiə] popletený,
zmatený **1** (*hovor.*) začít
bláznit; zbláznit se

hazard [hæzəd] *n* **1** hazard, riziko
2 náhoda ● *v* riskovat, odvážit se

hazardous [hæzədəs] hazardní,
riskantní; nebezpečný

haze [heiz] jemná mlha, opar

hazel [heizl] *n* líska
● *adj* oříškově hnědý

hazelnut [heizlnat] lískový oříšek

hazy [heizi] mlhavý, nejasný

he [hi:] on

head [hed] *n* **1** hlava **2** horní /
přední část **3** ředitel; přednosta
♦ **at the ~ of the page** nahoře
na stránce; **at the ~ of the
procession** v čele průvodu;
come to a ~ vyvrcholit; **~ over
heels** *l.* střemhlav *2.* až po uši;
keep one's ~ neztrácet hlavu;
not make ~ or tail of sth. nebýt
moudrý z čeho; **~ over heels** až
po uši; **turn sb.'s ~** *1.* zamotat
hlavu komu *2.* stoupnout do
hlavy komu ● *v* **1** vést co, stát
v čele čeho **2 ~ for** jít vstříc
(**trouble** nesnázím)

headache [hedeik] **1** bolení hlavy
2 (*hovor.*) těžký problém

header [hedə] *GB* **1** 'pohlavár'
(*skok / pád střemhlav*)
2 hlavička (*v kopané*)

heading [hediŋ] záhlaví, nadpis,
hlavička, titul

headlight [hedlait] přední světlo,
reflektor (*auta*)

headline [hedlain] **1** novinový
titulek **2 ~s** *pl* přehled zpráv

headlong [hedloŋ] *adv* po hlavě;
překotně ● *adj* ukvapený

headmaster [hed'ma:stə] ředitel
školy

headphones [hedfəunz] *pl*
sluchátka

headquarters [hedkwo:təz] *pl*
1 velitelství 2 ústředí, centrála

headstrong [hedstroŋ] tvrdohlavý

head waiter [hed'weitə] vrchní
(*v restauraci*)

heal [hi:l] 1 léčit 2 zahojit se

healer [hi:lə] léčitel

health [helθ] zdraví; **in good ~**
zdráv; **drink sb.'s ~** připít komu
na zdraví

healthy [helθi] zdravý

heap [hi:p] *n* hromada; **~s of time**
spousta času; **~s of times**
mnohokrát
• *adv* **~s** mnohem (**better lépe**)
• *v* ~ (**up**) (na)hromadit; naložit
(**a plate with food** talíř jídlem)

hear* [hiə] 1 slyšet 2 poslouchat,
vyslechnout 3 dovědět se;
dostat zprávu **from sb.** od koho
of / about sth. o čem

hear out vyslechnout až do konce

hearer [hiərə] posluchač

hearing [hiəriŋ] 1 sluch
2 slyšení; výslech

hearsay [hiəsei] **know from ~**
vědět z doslechu

hearse [hə:s] pohřební vůz

heart [ha:t] srdce • **at ~** v podstatě,
vlastně; **by ~** zpaměti; **have sth.
at ~** mít na srdci co; **take ~** dodat
si odvahu; **take sth. to ~** brát /
vzít si co k srdci; **the ~ of the
matter** jádro věci; **~ to ~** důvěrný

heartburn [ha:tbə:n] pálení žáhy

heartfelt [ha:tfelt] srdečný,
upřímný

hearth [ha:θ] krb

heartless [ha:tlis] bez srdce, krutý

heartwarming [ha:two:miŋ]
potěšující, oblažující

hearty [ha:ti] 1 srdečný, upřímný
2 (*jídlo*) pořádný, vydatný

heat [hi:t] *n* 1 horko, teplo,
vedro, žár 2 (*sport.*) vylučovací
závod, rozběh
• *v* 1 topit 2 ohřát, rozehřát

heath [hi:θ] 1 vřes 2 vřesoviště

heather [heðə] vřes

heating [hi:tiŋ] topení

heave [hi:v] zvedat (se), dmout se
♦ **be heaving** (*hovor.*) být velice
rušný

heaven [hevn] nebe; nebesa

heavenly [hevnli] nebeský; božský

heavily [hevili] těžce; **pay ~ for**
draze platit za

heavy [hevi] 1 těžký
2 těžkopádný 3 silný;
intenzívní; masívní ♦ ~ **duty**
vysoké clo; ~ **going** obtížný,
namáhavý; ~ **rain** hustý déšť;
a ~ sea rozbouřené moře; **make
~ weather of sth.** nadělat toho z

Hebrew [hi:bru:] 1 Hebrejec,
Izraelita, Žid 2 hebrejština

hectare [hekta:] hektar

hectic [hektik] horečný

hedge [hedʒ] *n* živý plot
• *v* oplotit (*živým plotem*)
♦ ~ **one's bets** 1. mít výhrady
on proti 2. rozdělit / snížit riziko

hedgehog [hedʒhog] ježek

heed [hi:d] *v* dávat pozor na, dbát
čeho ♦ *n* péče, pozornost

heedless [hi:dlis] nepozorný

heel [hi:l] *n* 1 pata 2 podpatek
♦ **at sb.'s ~s** komu v patách;
come to ~ přijít ke křížku; **take
to one's ~s** vzít do zaječích
• *v* dát nové podpatky

height [hait] 1 výška 2 výšina
3 vrchol

heighten [haitn] zvýšit

heinous [heinəs] odporný, hnusný
heir [eə] dědic ♦ ~ **apparent** právoplatný dědic; následník trůnu
heiress [eəris] dědička
helicopter [helikoptə] vrtulník
helium [hi:ljəm] hélium
hell [hel] peklo; **Oh ~**! (*hovor.*) K čertu!
hello [he'ləu] **1** haló! **2** nazdar, ahoj
helm [helm] kormidlo
helmet [helmit] přilba
help* [help] v **1** pomoci **2** posloužit; ~ **oneself** posloužit si, vzít si ♦ **I can't ~ laughing** musím se smát; **it can't be ~ed** nedá se nic dělat
● n **1** pomoc **2** posluhovačka
help out vypomoci
helpful [helpful] prospěšný, užitečný; nápomocný
helping [helpiŋ] porce
helpless [helplis] bezmocný
hem [hem] n lem
● v (**mm**) obroubit
hem in sevřít, obklíčit
hemisphere [hemisfiə] polokoule
hemp [hemp] **1** konopí **2** hašiš
hen [hen] **1** slepice **2** samička (*ptáků*)
hence [hens] **1** odtud **2** proto
her [hə:, hə] **1** ji, jí **2** její
herald [herəld] n herold, posel; hlasatel ● v hlásit, zvěstovat
herb [hə:b] **1** bylina **2** ~**s** koření
herbal [hə:bl] bylinkový (**tea** čaj)
herd [hə:d] stádo
here [hiə] **1** zde **2** sem ♦ ~ **and there** tu a tam; ~ **you are** tady máte, tady je to; **that's neither ~ nor there** *1.* to sem nepatří *2.* na tom nesejde, to je úplně jedno
hereditary [hi'reditri] dědičný

heredity [hi'rediti] dědičnost
heresy [herisi] kacířství, bludařství
heritage [heritidž] dědictví, odkaz
hermetic [hə:'metik] vzduchotěsný, hermeticky uzavřený
hermit [hə:mit] poustevník
hero [hiərəu] hrdina
heroic [hi'rəuik] hrdinský
heroin [herəuin] heroin
heroine [herəuin] hrdinka
heroism [herəuizm] hrdinství
herring [heriŋ] sleď
herself [hə:'self] (ona) sama; se, sebe
hesitant [hezitənt] váhavý
hesitate [heziteit] váhat, zdráhat se
hesitation [hezi'teišn] váhání
heyday [heidei] **1** rozkvět, rozpuk **2** vrchol kariéry
hiccup, hiccough [hikəp] n škytavka ● v škytat
hide[1] [haid] kůže, useň
hide[2]* [haid] **1** skrýt (se), schovat (se) **2** zatajit ♦ ~**-and-seek** schovaná, (*též přen.*)
hideous [hidiəs] šeredný, ohyzdný
hiding [haidiŋ] (*hovor.*) výprask
hierarchy [haiəra:ki] hierarchie
hi-fi [haifai] = **high-fidelity** [haifi'deliti] dokonale reprodukující zvuk, hifi
high [hai] adj **1** vysoký **2** hlavní, důležitý **3** velmi příznivý **4** (*maso*) zamřelý
♦ ~ **opinion of** příznivé mínění o; ~ **street** hlavní třída; ~ **tea** masitá odpolední svačina; **it's ~ time you went** je nejvyšší čas, abys šel
● adv vysoko
highbrow [haibrau] n intelektuál
● adj intelektuálský
high jump [haidžamp] skok vysoký

highland(s) [hailənd(z)] vysočina

highlight [hailait] zlatý hřeb

highly [haili] vysoce, velice;
  speak ~ of uznale mluvit o

highness [hainis] výsost

high school [haisku:l] vyšší /
  střední škola

highway [haiwei] silnice; **~ code**
  pravidla silničního provozu

hijack [haidžæk] unést *(letadlo)*

hike [haik] chodit na výlety
  (pěšky), pěstovat pěší turistiku

hiking [haikiŋ] pěší turistika

hilarious [hi'leəriəs] bujný,
  rozpustilý, rozverný

hill [hil] kopec, vrch

hilly [hili] kopcovitý

him [him] ho, jej; mu

himself [him'self] **1** (on) sám;
  (all) by ~ (úplně) sám **2** se

hind[1] [haind] zadní

hind[2] [haind] laň

hinder [hində] překážet, bránit,
  být na překážku

hindrance [hindrəns] překážka

hinge [hindž] závěs, stěžej

hint [hint] *n* **1** *(nepřímý)* pokyn,
  narážka **2** *(přímý)* pokyn,
  upozornění **on** na
  ♦ *v* **1** naznačit, udělat narážku
  2 pokynout, upozornit **at** na

hip[1] [hip] bok, kyčel

hip[2] [hip] šípek

hippopotamus [hipə'potəməs]
  hroch

hire [haiə] *v* najmout (si)
  ● *n* pronájem; **car ~** půjčovna aut

hire out pronajmout

hire purchase [haiə'pə:čəs] koupě
  na splátky

his [hiz] jeho
  ♦ **he did ~ best** dělal, co mohl

hiss [his] *v* syčet; **~ sb. off the**

stage vypískat *(herce)*
  ● *n* syčení, sykot

historian [hi'sto:riən] historik

historic [hi'storik] historický
  (památný); **a ~ spot** historické
  místo

historical [hi'storikl] historický
  (námětem); **a ~ novel** historický
  román

history [histəri] **1** historie, dějiny,
  dějepis **2** historka, příběh

hit* [hit] *v* **(tt)** **1** udeřit; napálit,
  odpálit **2** zasáhnout, trefit
  ♦ **~ and run** zavinit nehodu
  a ujet; **~ the hay / sack** jít na kutě
  ● *n* **1** úder **2** zásah **3** trefa
  4 šlágr
  ● *adj (hovor.)* velmi populární

hitch [hič] zádrhel; **where's the
  ~?** kde to vázne?; **without a ~**
  bez problémů, hladce

hitchhike [hičhaik] jet
  (auto)stopem

hive [haiv] úl

hive off [haiv'of] **1** oddělit,
  osamostatnit **2** *(GB, hovor.)*
  zmizet, ztratit se

hoarding [ho:diŋ] **1** dřevěná
  ohrada **2** plakátovací plocha

hoarfrost [ho:frost] jinovatka

hoarse [ho:s] chraplavý, ochraptělý

hoax [həuks] švindl, kanadský
  žertík

hobble [hobl] kulhat, belhat se

hobby [hobi] koníček, libůstka

hobo [həubəu] *US (hovor.)* tulák,
  vagabund

hockey [hoki] hokej

hoe [həu] *n* motyka
  ● *v* okopávat, plít

hog [hog] vepř

hoist [hoist] zvednout, vytáhnout
  do výše

hold[1]* [həuld] *v* 1 držet; ~ **tight!** pevně se držte! 2 pojmout 3 považovat za, domnívat se 4 zastávat 5 trvat 6 pořádat ♦ ~ **good** *(dohodnuté)* platit; ~ **it!** *US* pozor! ● *n*: **get** ~ **of** *1.* sehnat co *2.* uchopit co

hold back 1 zadržet 2 nechávat si pro sebe; tajit

hold down 1 potlačovat 2 udržet si

hold off 1 zadržet 2 odložit

hold on držet se **to** čeho; vydržet; ~ **on!** nepokládejte sluchátko!, nezavěšujte!

hold out 1 vydržet 2 nabízet

hold over odložit

hold up 1 podpírat 2 zastavit 3 přepadnout

hold[2] [həuld] lodní prostor

holdall [həuldɔ:l] *(objemná)* kabela, kufr

holder [həuldə] 1 držitel 2 držák, držadlo 3 špička *(na cigarety)*

holding [həuldiŋ] 1 *(držená)* půda, statek 2 investice

holdup [həuldʌp] 1 zpoždění, zdržení; dopravní zácpa 2 loupežné přepadení

hole [həul] 1 díra, otvor 2 jamka

holiday [holid(e)i] 1 den pracovního volna 2 dovolená 3 svátek

holidays [holid(e)iz] prázdniny

Holland [holənd] Holandsko

hollow [holəu] *adj* dutý ● *n* dutina ● *v* vydlabat

holly [holi] cesmína

holy [həuli] svatý

homage [homidʒ] pocta

home [həum] *n* 1 domov; byt; **at** ~ doma; **make oneself at** ~ udělat si pohodlí, chovat se jako doma 2 domovina, vlast ● *adj* 1 domácí, domovský

2 vnitřní, tuzemský ● *adv* domů; doma; **Is he** ~ **yet?** Je už doma?

homeland [həumlænd] vlast

homeless [həumlis] *adj* bez domova; nebydlící ● *n* bezdomovec

homely [həumli] domácký, útulný

home rule [ˌhəum'ru:l] *(politická)* samospráva

homesick [həumsik]: **I am** ~ stýská se mi po domově

homespun [həumspʌn] *adj* 1 ručně předený, domácí, rukodělný 2 vesnický, lidový 3 prostý, upřímný ● *n* hrubá vlněná látka

homework [həumwə:k] domácí úkol

homicide [homisaid] zabití člověka, vražda

homing pigeon [həumiŋpidʒn] poštovní holub

honest [onist] *adj* počestný, čestný, poctivý ● *interj (hovor.)* čestné slovo

honesty [onisti] poctivost

honey [hani] 1 med 2 miláček, drahoušek

honeycomb [hanikəum] plástev

honeymoon [hanimu:n] svatební cesta; líbánky

honorary [onrəri] čestný; honorární

honour [onə] *n* 1 čest 2 počest 3 ~**s** *pl* pocty ● *v* 1 ctít 2 poctít 3 proplatit (**a bill** směnku)

honourable [onrəbl] 1 čestný; ~ **mention** čestné uznání 2 ctihodný

hood [hud] 1 kapuce; pláštěnka 2 kapota

hoof [hu:f] kopyto

hook [huk] *n* 1 hák, háček 2 vidlice *(telefonu)* ♦ **by** ~ **or by crook** po dobrém nebo po

zlém; **swallow ~, line and sinker** spolknout i s navijákem
• v 1 zaháknout; zachytit; zapnout na háček 2 ulovit

hooligan [hu:ligən] chuligán

hoop [hu:p] 1 obruč 2 koš (*basketbalový*)

hoover [hu:və] n vysavač
• v čistit vysavačem, (vy)luxovat

hop¹ [hop] chmel (*rostlina*); **~s** p chmel (*plodina*)

hop² [hop] v (**pp**) poskakovat
• n 1 skok 2 krátký let, etapa (*dlouhého letu*)

hope [həup] n naděje **of** na
• v doufat; **~ for the best** doufat v nejlepší; **~ against ~** kojit se marnými nadějemi, přece jenom doufat (*v beznadějné situaci*)

hopeful [həupful] 1 plný naděje 2 nadějný

hopeless [həuplis] 1 beznadějný 2 nenapravitelný

horizon [hə'raizn] obzor

horizontal [hori'zontl] horizontální, vodorovný

hormone [ho:məun] hormon

horn [ho:n] 1 roh; růžek 2 paroh 3 rohovina 4 tykadlo

horny [ho:ni] 1 rohovitý; z rohoviny 2 mozolnatý 3 (*vulg.*) sexuálně vzrušený

horrible [horibl] hrozný, strašný; odporný

horrify [horifai] poděsit, vyděsit

horror [horə] hrůza

horse [ho:s] kůň; **(straight) from the ~'s mouth** (*informace*) přímo od pramene

horsehair [ho:sheə] žíně

horseman [ho:smən] jezdec

horseshoe [ho:ššu:] podkova

hose [həuz] 1 hadice 2 punčochové zboží, punčochy

hosiery [həužəri] 1 stávkové zboží, punčochy 2 oddělení punčoch (*v obchodě*)

hospitable [hospitəbl] pohostinný

hospital [hospitl] nemocnice

hospitality [hospi'tæliti] pohostinnost, pohostinství

host¹ [həust] zástup; spousta

host² [həust] n hostitel
• v 1 dělat hostitele 2 konferovat

host³ [həust] hostie

hostage [hostidž] rukojmí

hostel [hostl] 1 studentská kolej 2 noclehárna, ubytovna

hostess [həustis] 1 hostitelka 2 hosteska

hostile [hostail] nepřátelský

hostility [ho'stiliti] nepřátelství

hot [hot] (**tt**) 1 horký; **I feel ~** je mi horko 2 (*chuť*) ostrý, pálivý

hotbed [hotbed] pařeniště; semeniště (**of crime** zločinu)

hotel [həu'tel] hotel; **put up at a ~** ubytovat se v hotelu; **stay at a ~** bydlit v hotelu

hothouse [hothaus] 1 skleník 2 (*přen.*) živná půda; pařeniště, semeniště

hound [haund] lovecký pes

hour [auə] 1 hodina; **on the ~** každou celou hodinu; **in the small ~s** brzy po půlnoci 2 **~** p pracovní doba; **after ~s** po pracovní době

hourglass [auəgla:s] přesýpací hodiny

hourly [auəli] adv každou hodinu
• adj hodinový; **~ wages** hodinová mzda

house n [haus] 1 dům; **a ~ of cards** domek z karet; **on the ~** (jako) pozornost podniku

2 sněmovna; **the H~ of Commons** GB Poslanecká sněmovna 3 domácnost; **keep ~** vést domácnost 4 rod, dynastie 5 divadlo; obecenstvo, návštěva; **a full ~** vyprodané hlediště ● v [hauz]
1 vytvořit, umístit 2 bydlit
household [haushəuld] domácnost
house husband [haushazbənd] muž v domácnosti
housekeeper [hauski:pə]
1 hospodyně 2 US správce domu, domovník, vrátný
housemaid [hausmeid] služebná
housewife [hauswaif] paní domu, hospodyně; žena v domácnosti
housing [hauziŋ] 1 bydlení 2 bytová výstavba; **~ estate** GB / **development** US sídliště
hover [hovə] vznášet se
hovercraft [hovəkra:ft] vznášedlo (dopravní prostředek)
how [hau] jak; **~ much / many** kolik; **~ about ...?** a co ...?; **H~ are you?** Jak se máte?; **H~ come?** Jak je to možné?
however [hau'evə] adv jakkoli; **~ hard he tries** ať se snaží sebevíc ● conj přece jenom, avšak, nicméně, jenomže
howl [haul] v výt
● n (za)vytí; pískání; řev
HP, h.p. [eič'pi:] 1 **horse power** koňská síla 2 **hire purchase** koupě na splátky
hue [hju:] barva, barevný odstín
♦ **~ and cry** pokřik, hlasitý protest
hug [hag] v (**gg**) vzít do náruče, obejmout
● n 1 objetí 2 (sport.) chvat
huge [hju:dž] obrovský
hull[1] [hal] trup (lodi)

hull[2] [hal] n slupka ● v oloupat
hum [ham] (**mm**) 1 bzučet
2 mumlat ♦ **~ and haw** dělat stále „ehm, ehm", zajíkat se, koktat
human [hju:mən] lidský; **~ being** lidský tvor, člověk
humane [hju:'mein] humánní
humanity [hju:'mæniti] 1 lidství 2 lidstvo 3 lidskost, humanita
humble [hambl] 1 ponížený, pokorný 2 skromný
humbug [hambag] 1 podvod 2 nesmysl 3 podvodník; pokrytec 4 GB větrový bonbon
humiliate [hju'milieit] ponížit, pokořit
humorous [hju:mərəs] humorný, směšný
humour [hju:mə] 1 nálada; **out of ~** ve špatné náladě 2 humor; **sense of ~** smysl pro humor
hump [hamp] 1 hrb 2 hrbol; (oblá) vyvýšenina (v terénu)
humpback [hampbæk] = **hunchback**
hunch [hanč] 1 hrb 2 velký kus 3 tušení, předtucha
hunchback [hančbæk] hrbatý člověk, hrbáč
hundred [handrəd] sto
hundredth [handrədθ] stý
hundredweight [handrədweit] anglický cent (50,8 kg)
Hungarian [haŋ'geəriən] adj maďarský
● n 1 Maďar 2 maďarština
Hungary [haŋgəri] Maďarsko
hunger [haŋgə] n hlad; **~ strike** hladovka ● v žíznit, dychtit, toužit **after / for** po
hungry [haŋgri] hladový; **be ~** mít hlad; **as ~ as a hunter / bear** hladový jako vlk

H

hunk [haŋk] kus, špalek, flák

hunt [hant] *n* lov
• *v* **1** lovit **2** shánět, hledat **for sth.** co **3** pronásledovat

hunter [hantə] **1** lovec
2 lovecký pes

hurdle [hə:dl] **1** překážka, (*též přen.*) **2** ~s překážkový běh

hurl [hə:l] mrštit

hurrah [hu'ra:], **hurray** [hu'rei] hurá

hurricane [harikən] hurikán, uragán, vichřice, orkán

hurried [harid] kvapný, chvatný, uspěchaný

hurry [hari] *n* spěch; **in a ~** spěšně, ve spěchu; **be in a ~** mít naspěch, spěchat
• *v* pospíchat; ~ **up!** pospěš si!

hurt* [hə:t] **1** (po)ranit **2** ublížit komu **3** bolet
♦ **feel** ~ cítit se dotčen

husband [hazbənd] manžel;
~ **and wife** manželé

hush [haš] **1** požádat o ticho, umlčet, utišit; **H~!** Pst! **2** zmlknout

hush up ututlat

husky[1] [haski] **1** chraplavý
2 (*hovor.*) silný, mohutný

husky[2] [haski] eskymácký pes, husky

hustle [hasl] **1** (*rychle*) strčit (**in(to)** do); vrazit (**against** do koho) **2** získat, sehnat **3** činit se **4** pospíšit si

hut [hat] **1** chatrč, bouda **2** (*voj.*) provizorní ubikace

hydrogen [haidrədžən] vodík

hydroplane [haidrəplein] hydroplán

hyena [hai'i:nə] hyena

hygiene [haidži:n] hygiena

hygienic [hai'dži:nik] hygienický

hymn [him] hymnus, církevní píseň

hyperbole [hai'pə:bəli]
1 hyperbola **2** přehánění

hyphen [haifn] spojovací čárka

hyphenate [haifəneit] opatřit spojovací čárkou

hypnosis [hip'nousis] hypnóza

hypocrisy [hi'pokrisi] pokrytectví, licoměrnost

hypocrite [hipəkrit] pokrytec, licoměrník

hypocritical [hipə'kritikl] pokrytecký, licoměrný

hypothesis [hai'poθisis] hypotéza

hysteria [hi'stiəriə] hysterie

hysterical [hi'sterikl] hysterický

hysterics [hi'steriks] hysterický záchvat

I

I [ai] já

ice [ais] *n* led ♦ ~ **cream** zmrzlina; ~ **rink** kluziště ● *v* **1** dát vychladit **2** pokrýt (se) ledem **3** *US* dát polevu (*na dort*)

iceberg [aisbə:g] ledovec

Iceland [aislənd] Island

icicle [aisikl] rampouch

icing [aisiŋ] **1** cukrová poleva; ~ **sugar** moučkový cukr **2** zakázané uvolňování (*v hokeji*)

icy [aisi] ledový

idea [ai'diə] **1** pojem **2** idea, myšlenka, nápad; **that's a good** ~ / **quite an** ~ to je dobrý nápad **3** představa *of* o; **have no** ~ netušit, nemít ani ponětí

ideal [ai'diəl] *adj* ideální ● *n* ideál

identical [ai'dentikl] totožný

identify [ai'dentifai] **1** ztotožnit **2** identifikovat, určit

identity [ai'dentiti] totožnost; ~ **card** občanský průkaz

ideology [aidi'olədži] ideologie

idiom [idiəm] **1** jazyk (*zejména zvláštní*) **2** idiomatické spojení, idiom

idiot [idiət] **1** idiot **2** hlupák

idiotic [idi'otik] **1** idiotský **2** slabomyslný, hloupý

idle [aidl] *adj* **1** nečinný, zahálející **2** líný, zahálčivý **3** neúčinný, marný (**attempt** pokus) ● *v* **1** lenošit **2** (*motor*) běžet naprázdno

idleness [aidlnis] nečinnost, zahálka

idler [aidlə] lenoch, povaleč

idol [aidl] modla

idyl(l) [idil] idyla

i.e. = **that is** to jest, tj.

if [if] **1** jestliže, -li **2** (*hovor.*) jestli, zdali **3** kdyby ♦ **as** ~ jako by; ~ **only** jen aby; ~ **only because** už jen proto, že

ignition [ig'nišn] **1** vznícení **2** (*motor.*) zapalování

ignoble [ig'nəubl] **1** sprostý, nízký **2** plebejský

ignorance [ignərəns] **1** nevědomost **2** neinformovanost, neznalost

ignorant [ignərənt] **1** nevědomý, nevzdělaný **2** neinformovaný *of* o

ignore [ig'no:] ignorovat, nevěnovat pozornost čemu

ill [il] *adj* **1** nemocen; **fall / be taken** ~ **with** onemocnět čím **2** špatný, zlý; ~ **health** špatné zdraví; ~ **will** zlá vůle ● *adv* špatně; **be** ~ **at ease** být (celý) nesvůj

illegal [i'li:gl] nezákonný, protiprávní, ilegální; nedovolený

illegible [i'ledžibl] nečitelný

illegitimate [ili'džitimit] nemanželský

illiteracy [i'litrəsi] negramotnost

illiterate [i'litrit] negramotný

illness [ilnis] nemoc

illuminate [i'lu:mineit] **1** (*slavnostně*) osvětlit **2** objasnit

illuminating [i'lu:mineitiŋ] **1** poučný, instruktivní **2** vysvětlující

illumination [i,lu:mi'neišn] osvětlení; ~**s** *pl* slavnostní osvětlení

illusion [i'lu:žn] iluze

illustrate [iləstreit] ilustrovat

illustration [ilə'streišn] ilustrace

image [imidž] **1** znázornění,

obraz, podoba **2** dojem;
představa; příznivý názor, image
3 básnický obraz, metafora
imagination [i,mædži'neišn]
představivost, obrazotvornost
imagine [i'mædžin] představit si
imitate [imiteit] napodobit
imitation [imi'teišn] *n* napodobení
● *adj* imitovaný, napodobený
immediate [i'mi:djət]
1 bezprostřední; nejbližší
2 okamžitý
immediately [i'mi:djətli] ihned,
okamžitě
immense [i'mens] nesmírný
immerse [i'mə:s] ponořit
immersion heater [i'mə:šn,hi:tə]
ponorný vařič
immigrant [imigrənt]
přistěhovalec
immigration [imi'greišn]
přistěhovalectví
imminent [iminənt] hrozící;
bezprostřední, nastávající
immoral [i'morl] nemravný
immortal [i'mo:tl] nesmrtelný
immortality [imo:'tæliti]
nesmrtelnost
immune [i'mju:n] imunní,
bezpečný **from / against** před
immunity [i'mju:niti] imunita
imp [imp] **1** čertík, rarášek,
skřítek **2** nezbeda, darebа
impact [impækt] **1** úder, náraz
2 účinek, vliv, dopad on na
impair [im'peə] poškodit, oslabit,
zhoršit
impartial [im'pa:šl] nestranný
impartiality [im,pa:ši'æliti]
nestrannost
impassable [im'pa:səbl] nesjízdný
impassioned [im'pæšnd] vášnivý
impassive [im'pæsiv] netečný

impatience [im'peišns]
netrpělivost
impatient [im'peišnt] netrpělivý
impeach [im'pi:č] **1** uvést
v pochybnost **2** *US* obvinit;
postavit před soud
impediment [im'pedimənt]
1 překážka **2** závada, vada
impel [im'pel] **(ll)** hnát, dohnat **to**
k; pobízet
impending [im'pendiŋ]
nastávající, blížící se, hrozící
impenetrable [im'penitrəbl]
neproniknutelný
imperative [im'perətiv] *adj*
1 nutný, naléhavý
2 rozkazovačný, diktátorský
● *n* rozkazovací způsob
imperfect [im'pə:fikt]
nedokonalý; kazový
imperial [im'piəriəl] císařský;
říšský
imperialism [im'piəriəlizm]
imperialismus
imperil [im'peril] **(ll)** ohrozit
impersonal [im'pə:sənl] neosobní
impersonate [im'pə:səneit]
1 předstírat **2** ztělesňovat,
představovat
impertinence [im'pə:tinəns]
1 drzost **2** neomalenost
impertinent [im'pə:tinənt] **1** drzý
2 nepřípadný, nevhodný
impervious [im'pə:viəs]
1 nepropouštějící, nepropustný
2 (*přen.*) hluchý **to** k, zavírající
oči před, nepřístupný čemu
impetuous [im'petjuəs] impulzív-
ní, bezprostřední, vášnivý
implacable [im'plækəbl]
nesmiřitelný
implement *n* [implimənt] nástroj
● *v* [impliment] realizovat

implication [impli'keišn]
1 zapletení **2** aspekt, hledisko
3 průvodní jev; důsledek
4 hlubší význam, souvislost

implore [im'plo:] prosit

imply [im'plai] **1** zahrnovat; naznačovat, narážet na **2** znamenat

impolite [impə'lait] nezdvořilý

import *v* [im'po:] importovat, dovážet ● *n* [impo:t] dovoz

importance [im'po:təns]
důležitost, význam

important [im'po:tənt] důležitý, významný

importer [im'po:tə] dovozce

importunate [im'po:čunit]
neodbytný, dotěrný

importune [impə'tju:n] naléhavě / opětovně žádat; obtěžovat

impose [im'pəuz] **1** uložit, předepsat, zavést, nařídit
2 využít, zneužít **3** vnucovat
oneself on sb. se komu
4 oklamat, podvést **on sb.** koho

imposing [im'pəuziŋ] impozantní

imposition [impə'zišn] **1** položení
2 uložení, zavedení **3** daň, poplatek, dávka **4** nepřiměřený požadavek / úkol **5** (*písemný*) trest

impossibility [imposə'biliti]
nemožnost

impossible [im'posəbl] nemožný

impostor [im'postə] podvodník

impotence [impətəns]
1 neschopnost, bezmocnost
2 impotence

impotent [impətənt] **1** neschopný, bezmocný **2** impotentní

impoverish [im'povəriš] ochudit

impracticable [im'præktikəbl]
neproveditelný

impractical [im'præktikl]
nepraktický

impregnable [im'pregnəbl]
1 nedobytný **2** nenapadnutelný, bezvadný

impress [im'pres] **1** udělat dojem na, imponovat komu **2** vštípit
on sb. komu **sth.** co **3** vtlačit, vtisknout

impression [im'prešn] **1** otisk
2 dojem **of** z **3** náklad (*knihy*)
♦ **get the ~ that, be under the ~ that** mít dojem, že

impressive [im'presiv] působivý

imprint [imprint] **1** otisk **2** tiráž
(*v knize*)

imprison [im'prizn] uvěznit

improbable [im'probəbl]
nepravděpodobný

improper [im'propə] nevhodný, neslušný **2** nesprávný

improve [im'pru:v] **1** zlepšit (se), zdokonalit (se); ~ **on** zdokonalit, zlepšit co **2** využít čeho

improve away / off / out zničit neustálými reformami

improvement [im'pru:vmənt]
zlepšení, zdokonalení

imprudence [im'pru:dəns]
nerozumnost, neopatrnost

impudence [impjudəns] drzost, nestydatost

impudent [impjudənt] drzý, nestydatý

impulse [impals] impuls, podnět, nutkání, chuť

impunity [im'pju:niti]
beztrestnost; **with ~** beztrestně

impure [im'pjuə] nečistý

impurity [im'pjuəriti] nečistota

impute [im'pju:t] připisovat, přisuzovat, přičítat **sth.** co **to sb.** komu

in [in] *prep* v, do, na, během, při; za
♦ **~ the country** na venkově;
~ winter v zimě; **~ a few days** za

několik dní; ~ **crossing the street**
při přecházení ulice; ~ **English**
anglicky; ~ **a loud voice** hlasitě;
blind ~ **one eye** slepý na jedno
oko; **write** ~ **ink** psát perem; ~ **exchange for** výměnou za; ~ **that**
proto, že; ~ **itself** sám o sobě
• *adv* dovnitř
♦ **go** ~ jít dovnitř; **get** ~ dostat
se dovnitř; **be** ~ *1.* být doma
2. přijet, přistát *3.* být sklizen /
pod střechou *4.* být v módě *5.* být
zvolen; **be** ~ **for:** we're ~ **for**
a storm můžeme čekat bouřku;
I'm ~ **for it** to mě čeká pěkná věc

in. = **inch(es)** [inč(iz)] palec,
palce (*délková míra*)
inability [inə'biliti] neschopnost
inaccessible [inæk'sesibl] nepřístupný
inaccurate [in'ækjurit] nepřesný
inadequate [in'ædikvit]
nepřiměřený, nedostačující
inalienable [in'eiljənəbl]
nezcizitelný, nezadatelný
inanimate [in'ænimit] neživý,
mrtvý
inappropriate [inə'prəupriit]
nevhodný
inarticulate [ina:'tikjulit]
1. nezřetelný *2.* neschopný slova,
neschopný se vyjádřit
inattentive [inə'tentiv] nepozorný
inaudible [in'o:dəbl] neslyš(itel)ný
inaugurate [i'no:gjureit] uvést (*do*
funkce); zahájit
inborn [inbo:n] vrozený
incapability [in,keipə'biliti]
neschopnost
incapable [in'keipəbl] neschopný
of sth. čeho
incarnate [in'ka:nit] vtělený

incendiary [in'sendjəri]
1. žhářský, paličský *2.* zápalný
incentive [in'sentiv] pohnutka,
popud, motiv
incessant [in'sesənt] nepřetržitý
inch [inč] palec, coul (*2,54 cm*);
every ~ každým coulem; **not**
yield an ~ neustoupit o krok
incident [insidənt] událost,
případ, příhoda, incident
incidental [insi'dentl] *1.* případný
2. nahodilý *3.* vedlejší, průvodní;
~ **expenses** vedlejší výdaje;
~ **music** scénická hudba
incidentally [insi'dentli]
mimochodem
incisor [in'saizə] řezák (*zub*)
incite [insait] podněcovat,
vyvolávat
inclination [inkli'neišn] *1.* sklon
2. náklonnost
incline [in'klain] sklonit (se),
naklonit (se); mít sklon **to** k;
be / feel ~d to mít chuť k
include [in'klu:d] zahrnovat,
obsahovat; **your duties will** ~
k vašim povinnostem bude patřit
including [in'klu:diŋ] včetně
inclusive [in'klu:siv] *1.* zahrnující
v sobě, včetně *2.* celkový,
kompletní
incoherent [inkəu'hiərənt]
nesouvislý
income [inkəm] příjem, plat;
~ **tax** daň z příjmu
incomparable [in'komprəbl]
nesrovnatelný
incompatible [inkəm'pætibl]
neslučitelný
incompetence [in'kompitəns]
neschopnost; nešikovnost
incompetent [in'kompitənt]
neschopný; nešikovný

incomplete [inkəm'pli:t] neúplný
incomprehensible
[in,kɔmpri'hensibl]
nesrozumitelný, nepochopitelný
inconceivable [inkən'si:vəbl]
nepředstavitelný
inconclusive [inkən'klu:siv]
nepřesvědčivý
inconsequential [in,kɔnsi'kwenšl]
nedůležitý, bezvýznamný
inconsiderate [inkən'sidərit]
bezohledný, netaktní; neuvážený
inconsistent [inkən'sistənt]
1 neslučitelný **with** s
2 rozporuplný, nesouvislý
3 nedůsledný 4 vrtkavý
inconspicuous [inkən'spikjuəs]
nenápadný
inconvenience [inkən'vi:njəns]
nevýhoda; nesnáz, obtíž, potíž
inconvenient [inkən'vi:njənt]
nevhodný, nevyhovující
incorrect [inkə'rekt] nesprávný
increase v [in'kri:s] zvětšit (se),
zvýšit (se); růst ● n [inkri:s] zvět-
šení, zvýšení; přírůstek **in** čeho
increasingly [in'kri:siŋli] stále
více
incredible [in'kredəbl]
neuvěřitelný
incriminate [in'krimineit] obvinit;
udat **to** komu
incurable [in'kjuərəbl]
nevyléčitelný
indebted [in'detid] 1 zadlužen
2 zavázán **to sb. for sth.** komu
zač
indecent [in'di:snt] 1 neslušný,
nemravný, obscénní 2 (*hovor.*)
nevychovaný, nezdvořilý
indecision [indi'sižn]
nerozhodnost
indecisive [indi'saisiv] nerozhodný

indeed [in'di:d] 1 opravdu,
skutečně 2 dokonce; vůbec
3 vážně, fakticky
indefinite [in'definit] neurčitý
indemnity [in'demniti]
1 pojištění, zabezpečení
2 náhrada škody, odškodné
indent [indent] objednávka
(*v zahraničním obchodě*)
independence [indi'pendəns]
nezávislost, samostatnost
independent [indi'pendənt]
nezávislý **of** na, samostatný
index [indeks] 1 ukazováček
2 rejstřík; index
India [indjə] Indie; **~ rubber**
guma, pryž
Indian [indjən] *n* 1 Ind 2 Indián
● *adj* 1 indický; **~ ink** tuš
2 indiánský; **in ~ file** husím
pochodem; **~ summer** babí léto
indicate [indikeit] ukázat; naznačit
indication [indi'keišn] známka,
náznak; **the ~s are that** všechno
nasvědčuje tomu, že
indicative [in'dikətiv] (*jaz.*)
oznamovací způsob
indict [in'dait] obvinit
indictment [in'daitmənt] obvinění
Indies [indiz]: **the East / West ~**
Východní / Západní Indie
indifference [in'difrəns]
lhostejnost **to / towards** k
indifferent [in'difrənt] lhostejný
to k
indigestion [indi'džesčn] porucha
trávení; bolení žaludku
indignant [in'dignənt] rozhořčený
indignation [indig'neišn] rozhoř-
čení **at / with** nad, **against** proti
indirect [ind(a)i'rekt] nepřímý
indiscreet [indi'skri:t] nediskrétní

I

indiscretion [indi'skrešn]
nediskrétnost

indiscriminate [indi'skriminit]
1 nevybíravý **2** nerozlišený

indispensable [indi'spensəbl]
nepostradatelný

indisposed [indi'spəuzd]
1 churavý, indisponovaný
2 neochotný **to** k

indisposition [in,dispə'zišn]
1 churavost **2** nechuť, odpor
(**to / towards** k)

indistinct [indi'stiŋkt] nezřetelný

individual [indi'vidjuəl / -'vidžuəl]
adj **1** jednotlivý **2** zvláštní,
individuální ● *n* jednotlivec

individuality [individžu'æliti]
individualita

individually [indi'vidžuəli]
1 každý zvlášť, jednotlivě
2 osobitě

indivisible [indi'vizəbl]
nedělitelný

indolent [indələnt] netečný,
lhostejný, líný

indomitable [in'domitəbl]
nezkrotný

Indonesia [indo'ni:zjə] Indonésie

indoor [indo:] **1** vhodný pro
doma, domácí **2** (*sport*) sálový,
halový **3** (*bazén*) krytý

indoors [in'do:z] **1** vevnitř
(*v budově*), dovnitř **2** doma, pod
střechou

indubitable [in'dju:bitəbl]
nepochybný

induce [in'dju:s] **1** přimět;
přivodit **2** indukovat

indulge [in'daldž] **1** holdovat **in**
čemu **2** ~ **oneself** dopřávat si,
užívat si **3** rozmazlovat

indulgence [in'daldžəns]

1 shovívavost **towards** vůči
2 záliba **in** v; slabost **in** pro

industrial [in'dastriəl] průmyslový

industrious [in'dastriəs] pilný,
pracovitý

industry [indəstri] **1** píle
2 průmysl; průmyslové odvětví

ineffective [ini'fektiv] **1** neúčinný
2 neschopný

inefficient [ini'fišənt] **1** neúčinný,
nevýkonný **2** neschopný

inequality [ini:'kwoliti] nerovnost

inertia [i'nə:šə] **1** nečinnost
2 setrvačnost

inevitable [in'evitəbl]
nevyhnutelný

inexhaustible [inig'zo:stəbl]
nevyčerpatelný

inexorable [in'eksrəbl] neúprosný,
nezadržitelný

inexpensive [inik'spensiv] levný

inexperienced [inik'spiəriənst]
nezkušený

inexplicable [inik'splikəbl /
in'ek-] nevysvětlitelný

infallible [in'fæləbl] neomylný

infamous [infəməs] **1** hanebný,
hnusný **2** neblaze proslulý;
vykřičený **3** zbavený
občanských práv, bezprávný

infamy [infəmi] hanba; hanebnost

infant [infənt] kojenec, nemluvně;
dítě; nezletilý

♦ ~ **school** mateřská škola;
~ **prodigy** zázračné dítě

infantry [infəntri] pěchota

infatuate [in'fæčueit] pobláznit,
zaslepit **with** kým / čím

infatuation [in,fæču'eišn] poblázně-
ní **for** kým, posedlost **with** čím

infect [in'fekt] nakazit

infection [in'fekšn] nákaza

infectious [in'fekšəs] nakažlivý

infer [in'fə:] **(rr)** dovozovat, usuzovat

inference [infrəns] dedukce

inferior [in'fiəriə] *adj* **1** nižší; dolejší **2** horší **to** než; podřadný ● *n* podřízený

infernal [in'fə:nl] pekelný

infest [in'fest] zamořit

infidelity [infi'deliti] nevěra

infinite [infinit] nekonečný

infinitive [in'finitiv] (*jaz.*) infinitiv, neurčitý způsob

infirm [in'fə:m] **1** nepevný, nerozhodný **2** slabý, vetchý, churavějící

inflammation [inflə'meišn] zápal, zánět

inflatable [in'fleitəbl] nafukovací (**boat** člun)

inflate [in'fleit] nafouknout, (*též přen.*), napumpovat

inflation [in'fleišn] inflace

inflict [in'flikt] **1** způsobit **2** uvalit (**a penalty upon sb.** trest na koho) **3** zasadit (**a blow upon sb.** ránu komu)

influence [influəns] *n* vliv **upon** na; **under the ~ of** pod vlivem koho / čeho; **under the ~** (*hovor.*) opilý ● *v* mít vliv na

influential [influ'enšl] vlivný

influenza [influ'enzə] chřipka

inform [in'fo:m] **1** informovat; oznámit **2** udat **against sb.**

informal [in'fo:ml] **1** neoficiální, neformální **2** běžný, všední, nenucený **3** (*jazyk*) hovorový

information [infə'meišn] informace; **a useful piece of ~** užitečná informace; **~ centre** informační středisko

informer [in'fo:mə] informátor, udavač

infrequent [in'fri:kwənt] řídký, vzácný

infringe [in'frindž] porušit, přestoupit (**a law** zákon)

infuse [in'fju:z] **1** nalít **2** spařit

infusion [in'fju:žn] **1** nalévání, vlévání **2** nálev **3** infúze

ingenious [in'dži:njəs] duchaplný, vynalézavý, důvtipný; důmyslný

ingenuity [indži'nju:iti] duchaplnost, důvtip; důmysl

ingenuous [in'dženjuəs] upřímný, bezelstný, naivní

ingot [iŋgət] ingot, prut (**of gold** zlata)

ingrained [in'greind] zakořeněný

ingratitude [in'grætitju:d] nevděk

ingratiating [in'greišieitiŋ] snažící se vlichotit, vlezlý

ingredient [in'gri:djənt] přísada

inhabit [in'hæbit] bydlet, obývat

inhabitant [in'hæbitənt] obyvatel

inhale [in'heil] vdechovat

inherent [in'hiərənt / in'herənt] vlastní, vrozený **in** čemu; neoddělitelný

inherit [in'herit] zdědit **from sb.** po kom

inheritance [in'heritəns] dědictví

inhibition [inhi'bišn] zábrana

inhuman [in'hju:mən] **1** nelidský **2** chladný, neosobní

inimitable [i'nimitəbl] nenapodobitelný

iniquity [i'nikwiti] ohavnost, špatnost, nepravost

initial [i'nišl] *adj* počáteční ● *n ~s pl* monogram ● *v* parafovat

initiate [i'nišieit] **1** zavést, zahájit **2** zasvětit **into** do

initiative [i'niš(i)ətiv] iniciativa

injection [in'džekšn] injekce, (*též přen.*)

injure [indžə] **1** poranit; poškodit **2** ublížit komu

injury [indžəri] **1** zranění **2** škoda; bezpráví, křivda

injustice [in'džastis] nespravedlnost; bezpráví

ink [iŋk] *n* **1** inkoust; **written in ~** psaný inkoustem **2** (*tisková*) barva **3** tuš ◆ *v* **1** potřít / potřísnit / začernit inkoustem **2** naválet tiskovou barvu

ink in / over obtáhnout perem

ink out začernit, přeškrtnout

inkling [iŋkliŋ] tušení

inland [inlænd] *n* vnitrozemí ● *adj* vnitrozemský, domácí

in-laws [inlo:z] (*hovor.*) tchán a tchyně

inlay [inlei] **1** vykládaná práce, intarzie, mozaika **2** inlej

inn [in] hostinec

innards [inədz] vnitřnosti

innate [i'neit] vrozený

inner [inə] vnitřní

inner tube *n* [inətju:b] duše (*pneumatiky*)
● *v* **inner-tube** [inə'tju:b] *US* plavat / sjíždět po sněhu na duši

innings [iniŋz] *sg,pl* (*kriket, baseball*) směna ◆ **it's my ~** teď jsem na řadě já; teď dokážu, co umím

innocence [inəsns] nevina; nevinnost

innocent [inəsnt] nevinný

innovation [inə'veišn] novota, novinka, zlepšení, inovace

innovator [inəveitə] novátor, zlepšovatel

innuendo [inju'endəu] narážka **at** na, špička **against** proti

innumerable [i'nju:mrəbl] nespočetný, nesčíslný

inoculate [i'nokjuleit] očkovat

inoculation [i,nokju'leišn] očkování

inorganic [ino:'gænik] anorganický

in-patient [inpeišnt] hospitalizovaný pacient

input [input] *n poč.* vstup
● *v* * *poč.* vložit, zadat

inquest [inkwest] **1** soudní vyšetřování **2** *též* **coroner's ~** soudní ohledání mrtvoly

inquire [in'kwaiə] **1** dotazovat se, informovat se **after / about** o **2** ptát se **for** po **3** vyšetřit **into** co

inquiry [in'kwaiəri] **1** dotaz, informace **about** o **2** poptávka **for** po **3** vyšetřování **into** čeho ◆ **~ office** informační kancelář

inquisition [inkwi'zišn] **1** vyšetřování, výslech **2 the I-** inkvizice

inquisitive [in'kwizitiv] **1** (*nemístně*) zvědavý **2** zvídavý

inquorate [in'kwo:rit] *n* s nedostatečným počtem přítomných, neschopný usnášení

insane [in'sein] šílený

inscription [in'skripšn] nápis

insect [insekt] hmyz

insecure [insi'kjuə] nejistý

insensible [in'sensibl] **1** v bezvědomí **2** necitlivý **3** necitelný **4** neuvědomující si **of** co, lhostejný, apatický

insensitive [in'sensitiv] necitlivý

inseparable [in'seprəbl] neodlučitelný, nedílný

insert [in'sə:t] vložit

inside [in'said] *n* **1** vnitřek; **~ out** naruby; **know sth. ~ out** znát co skrz naskrz **2** (*hovor.*) žaludek, vnitřnosti ● *adj* vnitřní
● *adv, prep* uvnitř, dovnitř

insidious [in'sidjəs] zákeřný

insight [insait] ponoření, ponor, pochopení, proniknutí

insignificant [insig'nifikənt] bezvýznamný

insincere [insin'siə] neupřímný

insinuate [in'sinjueit] nepřímo naznačit; ~ **oneself** vetřít se, vloudit se

insipid [in'sipid] fádní, neslaný nemastný

insist [in'sist] naléhat, trvat **on** na, stát na svém

insistence [in'sistəns] trvání **on** na

insistent [in'sistənt] vytrvalý, neodbytný; tvrdošíjný

insolent [insələnt] drzý, dotěrný

insoluble [in'soljubl]
1 nerozpustný 2 nešeitelný

insomnia [in'somniə] nespavost

inspect [in'spekt] 1 prohlédnout si 2 kontrolovat, dohlížet na

inspection [in'spekšn]
1 prohlídka 2 dozor, dohled

inspector [in'spektə] inspektor, dozorce

inspiration [inspi'reišn]
1 inspirace 2 nápad

inspire [in'spaiə] inspirovat, nadchnout

inst. = **instant** tm., tohoto měsíce

install [in'sto:l] 1 nastolit, uvést v úřad 2 umístit, instalovat

instalment [in'sto:lmənt]
1 pokračování 2 splátka; ~ **plan** splátkový kalendář

instance [instəns] 1 příklad; **for** ~ například 2 případ

instant [instənt] *adj* 1 okamžitý 2 instantní (**coffee** káva)
• *n* okamžik; **in an** ~ okamžitě

instantly [instəntli] okamžitě

instantaneous [instən'teinjəs] okamžitý

instead [in'sted] místo toho; ~ **of** místo, za (**you** tebe)

instep [instep] nárt

instigate [instigeit] vyvolat; podněcovat, navádět

instinct [instiŋkt] 1 instinkt, pud 2 talent

instinctive [in'stiŋktiv] instinktivní, pudový

institute [institju:t] *n* ústav
• *v* 1 zavést 2 založit, zřídit

institution [insti'tju:šn]
1 založení, zřízení, zavedení 2 instituce 3 ústav, institut

instruct [in'strakt] učit, poučit; instruovat, dát instrukce / pokyny (**komu**)

instruction [in'strakšn]
1 vyučování 2 ~**s** *pl* návod, instrukce, pokyny

instructor [in'straktə] 1 učitel, cvičitel, trenér, instruktor 2 *US* (*vysokoškolský*) asistent, lektor

instrument [instrumənt] 1 nástroj 2 (*navigační*) přístroj 3 (*právní*) dokument, listina

insufferable [in'safrəbl] nesnesitelný

insufficient [insə'fišənt] nedostatečný

insular [insjulə] ostrovní

insulate [insjuleit] izolovat

insulation [insju'leišn] izolace

insulator [insjuleitə] izolační látka, izolace

insult *n* [insalt] urážka
• *v* [in'salt] urazit

insurance [in'šuərəns] pojištění; pojistka; ~ **policy** pojistka

insure [in'šuə] pojistit (**against fire** proti ohni)

insurgent [in'sə:džənt] *adj*

povstalecký, vzbouřenecký
• *n* povstalec, vzbouřenec
insurrection [insə'rekšn] povstání
intact [in'tækt] netknutý,
neporušený
integrity [in'tegriti] **1** celistvost
2 bezúhonnost
intellectual [intə'lekčuəl] *adj*
1 rozumový **2** intelektuální
3 inteligentní • *n* intelektuál
intelligence [in'telidžəns]
1 inteligence **2** zpráva,
informace **of** o; ~ **service**
zpravodajská služba
intelligent [in'telidžənt]
inteligentní, chytrý
intelligentsia [inteli'džentsiə]
inteligence (*společenská vrstva*)
intelligible [in'telidžəbl]
srozumitelný
intend [in'tend] zamýšlet, mít
v úmyslu
intense [in'tens] **1** intenzívní
2 prudký, vášnivý
intensify [in'tensifai] zesílit (se)
intensity [in'tensiti] intenzita, síla,
prudkost
intention [in'tenšn] úmysl, záměr
intercede [intə'si:d] intervenovat
(**with** u)
intercept [intə'sept] **1** zachytit,
zastavit **2** bránit, překazit čemu
interceptor [intə'septə] stíhací
letoun, stíhačka
interchange *v* [intə'čeindž]
1 vyměnit **2** zaměnit
• *n* [intəčeindž] **1** výměna
2 záměna **3** křižovatka hlavní a
vedlejší silnice
intercontinental [intəkonti'nentl]
mezikontinentální
intercourse [intəko:s] **1** styk
2 pohlavní styk

interest [intrist] *n* **1** zájem **in** o
2 úrok(y) • *v* zajímat; **be ~ed in**
zajímat se o
interesting [intristiŋ] zajímavý
interfere [intə'fiə] **1** zasahovat **in**
do **2** překážet **with sth.** čemu
interference [intə'fiərəns]
1 zásah, zasahování **in** / **with** /
between do **2** překážení, bránění
with čemu **3** interference, rušení
interim [intərim] *adj* prozatímní
• *n*: **in the** ~ mezitím
interior [in'tiəriə] *adj* vnitřní
• *n* **1** vnitřek **2** vnitrozemí
3 vnitro; **Ministry of the I~**
ministerstvo vnitra
interject [intə'džekt] prohodit,
vsunout
interjection [intə'džekšn]
citoslovce
intermediary [intə'mi:djəri] *adj*
zprostředkující • *n* prostředník
intermission [intə'mišn] *US*
přestávka
intermittent [intə'mitənt]
přerušovaný
internal [in'tə:nl] **1** vnitřní
2 vnitrozemský
international [intə'næšənl]
mezinárodní
interplanetary [intə'plænitəri]
meziplanetární
interpret [in'tə:prit] **1** vykládat
2 tlumočit
interpretation [intə:pri'teišn]
1 výklad, interpretace
2 tlumočení
interpreter [in'tə:pritə] tlumočník
interrogate [in'terəgeit]
1 vyslýchat **2** podrobně zkoumat
interrogative [intə'rogətiv] *adj*
tázací • *n* (*jaz.*) tázací způsob
interrupt [intə'rapt] přerušit

interruption [intə'rapšn] přerušení

interval [intəvəl] **1** mezera; interval **2** GB přestávka

intervene [intə'vi:n] **1** zasáhnout **in** do **2** přihodit se **3** zakročit, intervenovat

intervention [intə'venšn] **1** zákrok, intervence **2** zprostředkování

interview [intəvju:] *n* schůzka, pohovor, rozhovor, interview ● *v* interviewovat, klást otázky (komu)

intestine [in'testin] střevo

intimacy [intiməsi] důvěrnost, důvěrný / intimní styk

intimate [intimət] *adj* důvěrný; intimní ● *n* důvěrný přítel

intimidate [in'timideit] zastrašit, strachem dohnat **into** k

intimidation [in,timi'deišn] zastrašování

into [intu / intə] do

intolerable [in'tolərəbl] nesnesitelný

intolerant [in'tolərənt] nesnášenlivý; **be ~ of** nesnášet co

intonation [intə'neišn] intonace

intoxicate [in'toksikeit] **1** opít **2** opojit

intravenous [intrə'vi:nəs] vnitrožilní

intrepid [in'trepid] neohrožený

intricate [intrikit] spletitý

intrigue [in'tri:g] *v* **1** intrikovat, pletichařit **2** velice zajímat, fascinovat, vzbudit úžas, zarážet ● *n* intrika, pleticha

introduce [intrə'dju:s] **1** uvést, zavést **into** do **2** představit

introduction [intrə'dakšn] **1** uvedení, úvod; **a letter of ~** doporučující dopis **2** představení **of** koho **to** komu

introductory [intrə'daktəri] úvodní; **~ offer** zaváděcí cena

intrude [in'tru:d] **1** vnutit; **~ one-self upon** sb. ke komu **2** obtěžovat, rušit **on** koho

intuition [intju'išn] intuice

invade [in'veid] **1** vpadnout, udělat invazi, vtrhnout (**a city** do města) **2** postihnout, porušit

invader [in'veidə] vetřelec

invalid[1] [in'vælid] neplatný

invalid[2] [invəlid] invalida

invaluable [in'væljuəbl] neocenitelný

invariable [in'veəriəbl] neproměnný; stálý, konstantní

invasion [in'veižn] vpád, invaze

invent [in'vent] **1** vynalézt **2** vymyslit

invention [in'venšn] **1** vynález; vynalézavost **2** výmysl

inventor [in'ventə] vynálezce

inventory [invəntri] inventář

invert [in'və:t] **1** obrátit, převrátit ● **~ed commas** GB uvozovky **2** vypláchnout (*žaludek*)

invest [in'vest] **1** investovat **2** zahalit **3** vybavit **sb.** koho **with** čím

investigate [in'vestigeit] **1** vyšetřovat, prozkoumat **2** zkoumat **into** co

investigation [in,vesti'geišn] vyšetřování, zkoumání

investigator [in'vestigeitə] vyšetřovatel; detektiv

investment [in'vestmənt] investice

investor [in'vestə] investor

inveterate [in'vetrit] **1** zakořeněný, zatvrzelý, zarytý **2** notorický, chronický **3** úporný

invidious [in'vidiəs] budící závist,

vzbuzující nevoli; dělající zlou krev

invincible [in'vinsibl] nepřemožitelný

invisible [in'vizəbl] neviditelný

invitation [invi'teišn] pozvání

invite [in'vait] **1** pozvat (**to dinner** na oběd / večeři) **2** požádat o, vybízet k **3** lákat

invoice [invois] *n* účet (*za zboží*), faktura ● *v* (vy)fakturovat

invoke [in'vəuk] **1** vyvolávat (*pocity*) **2** dovolávat se; (*práv.*) uplatňovat, citovat

involuntary [in'volǝntri] nedobrovolný, bezděčný

involve [in'volv] **1** zaplést, vtáhnout **in** do **2** přinášet s sebou; **the effort ~d** vynaložená námaha **3** znamenat (*mimo jiné*)

involved [in'volvd] **1** složitý, komplikovaný **2** jehož se to týká; **those ~** ti, koho se to týká; zapletený **with** s

invulnerable [in'valnrəbl] nezranitelný; nenapadnutelný

inward [inwəd] *adj* vnitřní, směřující dovnitř ● *adv* dovnitř, vnitřně

iodine [aiǝdi:n] jód

ionizer [aiǝnaizǝ] ionizátor vzduchu

Iowa [aiǝuǝ] *stát v USA*

Iran [i'ra:n] Írán

Iraq [i'ra:k] Irák

Ireland [aiǝlǝnd] Irsko

iris [aiǝris] **1** kosatec **2** duhovka

Irish [aiǝriš] *adj* irský ● *n* **1** the ~ Irové **2** irština

Irishman [aiǝrišmǝn] Ir

iron [aiǝn] **1** železo; železko **2** *předmět ze železa:* kulma; žehlička; pohrabáč; harpuna; třmen; (*slang.*) bouchačka

♦ **have several ~s in the fire** mít víc želízek v ohni ● *v* žehlit

ironclad [aiǝnklæd] pancéřový

ironic(al) [ai'ronik(l)] ironický

ironing board [aiǝniŋbo:d] žehlicí prkno

ironmonger [aiǝnmaŋgǝ] obchodník železářským zbožím; ~ **'s** železářství

ironworks [aiǝnwǝ:ks] *pl* železárny

irony [aiǝrǝni] ironie

irreconcilable [i,rekǝn'sailǝbl] **1** nesmiřitelný **2** neslučitelný **with** s

irregular [i'regjulǝ] nepravidelný

irregularity [i,regju'læriti] nepravidelnost

irrelevant [i'relivǝnt] nezávažný, bezvýznamný, vedlejší, irelevantní

irresistible [iri'zistǝbl] neodolatelný

irresolute [i'rezǝlu:t] nerozhodný

irrespective [iri'spektiv] bez ohledu **of** na

irresponsibility [iri,sponsi'biliti] nezodpovědnost

irresponsible [iri'sponsǝbl] nezodpovědný

irrevocable [i'revǝkǝbl] neodvolatelný

irrigate [irigeit] zavodnit

irrigation [iri'geišn] zavodňování

irritable [iritǝbl] popudlivý

irritate [iriteit] (po)dráždit, (*též přen.*); (vy)provokovat

irritating [iriteitiŋ] znervózňující, jdoucí na nervy; dráždivý, (*též přen.*)

irritation [iri'teišn] (po)dráždění, podrážděnost

Islam [izla:m] islám

island [ailənd] **1** ostrov **2** *též*
street / traffic ~ refýž
isolate [aisəleit] izolovat, oddělit,
separovat
isolation [aisəˈleišn] izolace,
osamocení, odloučenost od světa
Israel [izreil] Izrael
Israeli [izˈreili] *n* Izraelec
  ● *adj* izraelský
issue [išu: / isju:] *n* **1** vydávání
(*časopisu*) **2** vydání, číslo
(*časopisu*) **3** sporná otázka,
problém; hlavní bod, to důležité
  ♦ **take ~ with** nesouhlasit s
  ● *v* **1** vydávat (*časopis*); vydat,
zveřejnit, dát do oběhu
  2 vycházet (**from / out of** z)
  3 končit **in** čím, ústit do
Istanbul [istənˈbul] Istanbul
isthmus [isməs] šíje (*země*)

it [it] **1** ono **2** to
Italian [iˈtæljən] *adj* italský
  ● *n* **1** Ital **2** italština
italics [iˈtæliks] *pl* kurzíva
Italy [itəli] Itálie
itch [ič] *n* **1** svědění, svrbění
  2 zálusk, laskominy **for** na
  ● *v* svědět, svrbět
item [aitəm] **1** položka **2** bod;
  ~ of news, news ~ zpráva
itinerary [aiˈtinrəri] cestovní
trasa / deník / zápisky /
průvodce; itinerář
its [its] jeho
itself [itˈself] **1** (ono) samo **2** se
ivory [aivəri] slonovina
ivy [aivi] břečťan ♦ **I~ League**
US skupina nejstarších univerzit
(*na východním pobřeží*)

I

J

jab [džæb] *v* (**bb**) bodnout, rýpnout; ~ **sb.'s eye out** vypíchnout oko komu ● *n* bodnutí, rýpnutí

jabber [džæbə] brebentit, drmolit, mlít

jabber away bez ustání brebentit

jabber out (od)drmolit, (ode)mlít

jack [džæk] **1** zvedák, hever **2** svršek, kluk (*v kartách*) **3** svírka, kolík, jack

jackal [džæko:l] šakal

jackass [džækæs] osel (*samec*), (*též přen.*)

jacket [džækit] **1** kabát, sako **2** (*bramborová*) slupka **3** přebal (*knihy*)

jackdaw [džækdo:] kavka

jade [džeid] nefrit

jagged [džægid] **1** zubatý, klikatý **2** drsný, neotesaný, syrový

jaguar [džægjuə] jaguár

jail [džeil] žalář, vězení

jam[1] [džæm] zavařenina

jam[2] [džæm] *v* (**mm**) **1** vtlačit **2** ucpat; blokovat; ~ **on the brakes** dupnout na brzdy **3** rozmačkat **4** (*záměrně*) rušit (*rozhlasové vysílání*) ● *n* **1** (dopravní) zácpa **2** tlačenice **3** (*hovor.*) malér

Jamaica [džə'meikə] Jamaika

James [džeimz] Jakub

jam session [džæmsešn] džezový / rockový večírek (*s improvizacemi*)

Jane [džein] Jana

janitor [džænitə] *US* vrátný

January [džænjuəri] leden

Japan [džə'pæn] Japonsko

Japanese [džæpə'ni:z] *adj* japonský ● *n* **1** Japonec **2** japonština

jar[1] [dža:] džbán; zavařovací sklenice; sklenička

jar[2] [dža:] *v* (**rr**) **1** skřípat **2** vyvést z míry; ~ **on sb.'s nerves** jít komu na nervy ● *n* **1** skřípění **2** otřes

jasper [džæspə] jaspis

jaundice [džo:ndis] žloutenka

jaundiced [džo:ndist] zaštiplný, nenávistný

jaunty [džo:nti] bezstarostný, veselý, čilý

javelin [džævlin] oštěp

jaw [džo:] **1** čelist; dáseň; ~s *pl* tlama **2** (*hovor.*) pokec

jaw bone [džo:bəun] čelist (*kost*)

jay [džei] sojka

jay walk [džeiwo:k] neukázněně přecházet ulici (*nerespektovat dopravní předpisy*)

jazz [džæz] *n* **1** džez **2** šmrnc, šťáva **3** *US* (*hovor.*) žvást(y), nesmysl(y)

♦ and all that ~ (*hovor.*) a tak dále a tak dál, a ostatní blbiny ● *v* **1** hrát džez **2** tančit k džezové hudbě **3** (z)džezovat

jazz up (*hovor.*) dát šmrnc (čemu)

jealous [dželəs] žárlivý **of** na

jealousy [dželəsi] žárlivost **of** na

Jean [dži:n] Jana

jeans [dži:nz] *pl* džín(s)y

jeep [dži:p] džíp

jeer [džiə] *v* posmívat se **at sb.** komu ● *n* posměšek

jelly [dželi] **1** rosol, želé; aspik **2** pudink

jellyfish [dželifiš] medúza

jeopardize [džepədaiz] ohrozit

jerk [džə:k] *n* trhnutí, škubnutí
• *v* trhnout, škubnout (sebou)

jersey [džə:zi] **1** *též* ~ **cloth** žersej **2** pletený svetr

Jerusalem [džə'ru:sələm] Jeruzalém

jest [džest] *n* žert; **in** ~ žertem
• *v* žertovat

Jesus [dži:zəs] Ježíš

jet[1] [džet] černý jantar; **~black** černý jako uhel

jet[2] [džet] *n* **1** tryskové letadlo **2** trysk, proud
• *v* **(tt) 1** tryskat **2** (*hovor.*) letět tryskovým letadlem

jet engine [džet'endžin] tryskový motor

jetlag [džetlæg] pásmová nemoc (*únava z překonání časových pásem*)

jettison [džetisn /-zn] **1** shodit, odhodit, vyhodit (*zátěž*) **2** zbavit se čeho

Jew [džu:] žid

jewel [džu:əl] šperk, klenot

jeweller [džu:ələ] klenotník

jewellery [džu:əlri] klenoty, šperky

Jewish [džu:iš] židovský

jiffy [džifi]: (*hovor.*) **in a** ~ za okamžik

jilt [džilt] dát košem (*milému*)

jingle [džingl] *n* cinkot • *v* cinkat

jitters [džitəz] *pl* (*hovor.*) nervozita, panika

job [džob] *n* **1** zaměstnání, místo **2** práce; věc **3** úkol

jobbing [džobiŋ] příležitostný, výpomocný (**gardener** zahradník)

jockey [džoki] žokej

join [džoin] *v* **1** spojit (se); sjednotit (se) **2** připojit se, přidat se **sb.** ke komu **in** v čem; vstoupit do
• *n* **1** spoj, spojení **2** slepka (*magnetofonového pásku*)

join up vstoupit do armády

joiner [džoinə] truhlář

joint [džoint] *n* **1** spojovací místo; šev **2** kloub **3** kýta; pečeně, kus masa (**na pečeni**) **4** (*slang.*) putyka, zapadák
• *adj* spojený; společný

joint-stock company [džointstok 'kampni] akciová společnost

joke [džəuk] *n* vtip, žert; **play a** ~ **on sb.** ztropit si žert z koho; **practical** ~ kanadský žertík; **take a** ~ rozumět žertu, neurazit se
• *v* vtipkovat, žertovat

joker [džəukə] **1** vtipálek **2** žolík; ~ **in the pack** nevypočitatelný člověk, hádanka

jolly [džoli] *adj* **1** veselý, milý **2** (*GB, hovor.*) pěkný
• *adv* (*GB, hovor.*) moc
• *v* (*hovor.*) žertovat, spásovat, dělat legraci

jolt [džəult] kodrcat (se)

jot [džot] *n:* **not a** ~ **of truth** ani zrnko pravdy
• *v* **(tt)** ~ **(down)** poznamenat si chvatně / bez příprav

journal [džə:nl] **1** deník **2** noviny **3** žurnál

journalist [džə:nəlist] novinář

journey [džə:ni] *n* cesta; jízda; **break of** ~ přerušení jízdy; **go on a** ~ vydat se na cestu • *v* cestovat

joy [džoi] radost

joyful [džoiful], **joyous** [džoiəs] radostný, veselý

jubilee [džu:bili:] jubileum

judge [džadž] *n* **1** soudce **2** rozhodčí **3** znalec
• *v* **1** soudit **2** posuzovat, (po)soudit **by / from** podle

judg(e)ment [džadžmənt] **1** soud, posudek; soudnost; mínění **2** rozsudek

judicial [džu'dišl] soudní

judicious [džu'dišəs] soudný, rozumný

jug [džag] džbán

juggle [džagl] žonglovat

juice [džu:s] šťáva

juicy [džu:si] šťavnatý

jukebox [džu:kboks] hrací skříň / automat

July [džu'lai] červenec

jump [džamp] *v* **1** skočit; přeskočit (**a brook** potok); **~ at** skočit po; **~ to conclusions** dělat překotné závěry **2** (*hovor.*) opustit bez dovolení **3** (*hovor.*) přepadnout ♦ **~ the gun** ukvapit se; **~ the queue** předběhnout ve frontě ● *n* skok; **the long / high ~** skok daleký / vysoký

jumper [džampə] **1** pletený svetřík **2** *US* vesta (*bez rukávů*)

junction [džaŋkšn] **1** spojení **2** (železniční) křižovatka, uzel

June [džu:n] červen

jungle [džaŋgl] džungle

junior [džu:niə] mladší

junk [džaŋk] haraburdí; **~ food** nezdravé jídlo (*nutričně nevhodné*); **~ heap** smetiště

jurisdiction [džuəris'dikšn] soudnictví; soudní pravomoc, jurisdikce

jury [džuəri] porota

just [džast] *adj* spravedlivý ● *adv* **1** právě, zrovna; **~ as ... as** právě tak ... jako **2** jen(om) **3** (jen) tak tak ♦ **~ about** téměř, skoro; **~ as soon** to spíše, raději; **~ now** *1.* právě teď *2.* před chvilkou; **not ~ yet** ještě ne

justice [džastis] **1** spravedlnost **2** soudní řízení **3** J~ soudce (*oslovení, titul*) ♦ **do ~** *1.* plně docenit to koho *2.* vyčerpávajícím způsobem pojednat o čem

justification [džastifi'keišn] ospravedlnění

justify [džastifai] ospravedlnit, oprávnit

jut [džat] (**tt**) *též* **~ out** vyčnívat

jute [džu:t] juta

juvenile [džu:vənail] *adj* mladistvý, pro mládež ● *n* mladistvý

K

kangaroo [kæŋgə'ru:] klokan

kayak [kaiæk] kajak

keel [ki:l] kýl; **on an even ~** vyrovnaný, bez náhlých změn

keen [ki:n] 1 dychtivý, náruživý, vášnivý 2 ostrý 3 silný, živý, tvrdý, intenzívní (**competition** konkurence) ♦ **be ~ on** stát o, mít rád co, dychtit po

keep [ki:p] 1 zachovávat, dodržovat 2 mít, vést, řídit 3 udržovat (se); vydržet 4 podporovat, vydržovat (si) 5 chovat, držet (zvíře) 6 nechat si 7 chránit (se před ♦ **~ in mind** mít na paměti, pamatovat si; **~ accounts** vést účetnictví; **~ sb. long** dlouho zdržovat koho; **~ sth. to oneself** nechat si pro sebe; **~ an open mind** zůstat neutrální, neukvapovat se v úsudku; **~ quiet** být zticha; **~ one's bed** zůstat ležet; **~ one's shirt on** (GB, hovor.) nerozčilovat se; **~ straight on** jít pořád rovně; **~ sb. waiting** nechat čekat koho; **~ smiling** vždy s úsměvem; **~ sb. away** bránit komu **from sth.** v čem, zahánět koho od čeho

keep back 1 zadržovat 2 tajit

keep down 1 držet na uzdě, krotit 2 omezit

keep in 1 snažit se zůstat v dobrých stycích **with** s 2 nechat po škole

keep off 1 odvrátit 2 nenastat ♦ **~ hands off** dát ruce pryč **in** od, nezasahovat do

keep on 1 pokračovat 2 dál si ponechat

keep up 1 udržovat, vydržet

2 držet krok **with sb.** s kým ♦ **~ with the Joneses** chtít se za každou cenu vyrovnat sousedům

keeper [ki:pə] 1 strážce, dozorce, opatrovník 2 (ve složeninách) strážce, hajný, vedoucí apod.

keeping [ki:piŋ] opatrování, úschova

kennel [kenl] 1 psí bouda 2 ~s pl zvířecí útulek / hotel; psinec, chovná stanice

kerb(stone) [kə:b(stəun)] obrubník, okraj chodníku

kernel [kə:nl] jádro

kerosene [kerəsi:n] US petrolej

ketchup [ketʃap] kečup

kettle [ketl] konvice (na vaření vody)

key [ki:] 1 klíč 2 klávesa, klapka 3 tónina, stupnice 4 legenda, značka

keyboard [ki:bo:d] klaviatura; klávesnice

keyed up [ki:d'ap] vzrušený, vydrážděný, nervózní

keyhole [ki:həul] klíčová dírka

keynote [ki:nəut] 1 hlavní myšlenka 2 základní tón (stupnice)

keystone [ki:stəun] 1 vazák, vrcholový klenák 2 základní princip, podstata, základ

khaki [ka:ki] khaki, žlutohnědý

kick [kik] v kopnout, kopat (**a football** do míče) ♦ **be alive and ~ing** mít se čile k světu ● n 1 kopnutí, kopanec 2 (hovor.) vzrušení

kick in US 1 přispět 2 zabrat

kick off 1 provést výkop 2 začínat

kick out vykopnout

kick up vyvolat, způsobit, udělat (**a fuss / a row** rámus)

kid[1] [kid] **1** (*hovor.*) dítě **2** kůzle; kozinka

kid[2] [kid] (**dd**) **1** dělat si legraci, vodit za nos, utahovat si z **2** podvádět, lhát; ~ **oneself** lhát si do kapsy, nalhávat si něco

kidnap [kidnæp] (**pp**) unést (**a child** dítě)

kidney [kidni] ledvina

kill [kil] zabít; ~ **two birds with one stone** zabít dvě mouchy jednou ranou

killer [kilə] zabiják

killing [kiliŋ] *adj* **1** vražedný **2** (*hovor.*) šílené únavny ● *n* zabití; **make a** ~ vydělat balík

killjoy [kildʒoi] suchý patron, suchar, morous

kilogram(me) [kiləgræm] kilogram

kilometre [kiləmi:tə] kilometr

kilt [kilt] (*skotská*) sukně

kin [kin] příbuzenstvo; **next of** ~ nejbližší příbuzný / příbuzní

kind[1] [kaind] laskavý, ohleduplný

kind[2] [kaind] druh, třída, rod, jakost; **a** ~ **of** jakýsi; **of a** ~ *1.* stejného druhu *2.* jakýs takýs; **something of the** ~ něco podobného

kindergarten [kindəga:tn] mateřská škola

kindle [kindl] roznítit (se), zapálit (se), rozdělat; (*přen.*) vyvolat

kindly [kaindli] *adj* laskavý ● *adv* laskavě

kindness [kaindnis] laskavost

king [kiŋ] král

kingdom [kiŋdəm] království

kingfisher [kiŋfišə] ledňáček

kink [kiŋk] **1** smyčka, klička, uz-

lík (*na provaze apod.*) **2** (*hovor.*) výstřednost, zvrácenost

kipper [kipə] uzený sleď, uzenáč

kiss [kis] *v* líbat, polibit ● *n* polibek

kit [kit] **1** výstroj, výbava; ~ **bag** (*voj.*) pytel s výstrojí **2** nářadí, nástroje, potřeby **3** oblečení, úbor **4** souprava, kolekce

kitchen [kičin] kuchyně (*místnost*)

kitchenette [kiči'net] kuchyňka, kuchyňský kout

kite [kait] **1** luňák **2** drak (*papírový*)

kitten [kitn] kotě; **have ~s** (*hovor.*) být nervózní jak pes

knack [næk] zručnost, fortel; talent

knapsack [næpsæk] batoh

knave [neiv] **1** *GB* spodek (*v kartách*) **2** lump

knead [ni:d] hníst, válet (*těsto*); masírovat (*svaly*)

knee [ni:] koleno

kneecap [ni:kæp] čéška

knee-deep [ni:'di:p] po kolena

kneel* [ni:l] kleknout (si)

knee-socks [ni:soks] *pl* podkolenky

knickers [nikəz] *pl* kalhotky

knick-knack [niknæk] (*hovor.*) tretka, hračička, suvenýr

knife [naif] nůž

knight [nait] **1** rytíř **2** jezdec, kůň (*v šachu*)

knit* [nit] (**tt**) plést (*jehlicemi*) ◆ ~ **one's brows** svraštit čelo

knitting machine ['nitiŋmə,ši:n] pletací stroj

knitting needle ['nitiŋ,ni:dl] pletací jehlice

knob [nob] knoflík (*u dveří, na přijímači*); klika

knock [nok] *n* **1** rána, úder **2** zaklepání ● *v* **1** (za)klepat (**at**

the door na dveře); (za)bušit, (za)fukat **2** udeřit, narazit

knock about / around potloukat se; povalovat se

knock back (*GB, slang.*) **1** hodit / kopnout do sebe **2** vyvést z konceptu

knock down 1 zbourat **2** porazit; srazit (*též cenu*) **3** sestřelit **4** přiklepnout **to** komu (*při dražbě*)

knock off 1 srazit (**from a price** z ceny) **2** nechat toho, přestat dělat, zabalit to

knock out 1 knokautovat **2** (*hovor.*) zbavit vědomí, uspat **3** vyřadit (*z provozu, ze soutěže*) **4** vyrazit dech komu

knock up 1 (*GB, hovor.*) rychle něco stvořit: schrastit; spíchnout; ukuchtit **2** GB pinkat (*před začátkem tenisového utkání*) **3** US (*vulg.*) zbouchnout (*ženu*)

knocker [nokə] **1** klepátko (*na dveřích*) **2** ~s pl (*vulg.*) kozy

knock-kneed [nokni:d] s nohama do iks

knot [not] *n* **1** uzel **2** svazek, pouto **3** suk **4** skupinka, hlouček **5** uzlina, boule (*svalstva*); sevření (*žaludku*) ♦ **tie (up) in** ~s poplést, vyvést z konceptu ♦ *v* (**tt**) **1** zauzlit (se); zavázat na uzel **2** pevně spojit, sjednotit

knotty [noti] **1** sukovitý **2** spletitý, komplikovaný

know* [nəu] *v* **1** vědět, umět (**by heart** zpaměti) **2** znát (**by name** podle jména, **by sight** od vidění) **3** poznat **4** dovědět se **of / about** o ♦ ~ **better than ...** mít dost rozumu, aby ne ...; **before you** ~ **where you are** než se nadějěš; **for all I** ~ pokud vím; ~ **one's own mind** přesně vědět, co chce; ~ **which side one's bread is buttered** vědět, co člověku prospívá; ~ **how to type** umět psát na stroji; **What do you** ~! *US* Podívejme se!, No tohle!; **you never** ~ možná, snad, dejme tomu ● *n:* **be in the** ~ být do věci zasvěcen, být informován

knowhow [nəuhau] odborné znalosti / schopnosti, dovednost, fortel, know-how

knowing [nəuiŋ] **1** významný (**wink** mrknutí) **2** mazaný, lišácký **3** dobře informovaný, inteligentní **4** kritický, znalecký **5** zručný, šikovný

knowledge [nolidž] **1** znalost(i), vědění, vědomosti **2** vzdělání ♦ **to my** ~ pokud vím

knuckle [nakl] kotník (*na ruce*)

knuckleduster [nakldastə] *GB* boxér (*zbraň*)

Koran [ko:'ra:n] korán

Ku Klux Klan [kju:klaks'klæn] Kukluksklan

K

L

lab [læb] (*hovor.*) laboratoř
label [leibl] *n* nálepka, štítek,
vineta • *v* (**ll**) **1** opatřit
nálepkou **2** označit
laboratory [lə'borətri] laboratoř
laborious [lə'bo:riəs] **1** pracný
2 (*přen.*) vypocený
labour [leibə] *n* **1** práce; námaha
2 dělnictvo; **L~ Party**
labouristická strana **3** porod
• *v* **1** pracovat; namáhat se
2 trpět **under** čím **3** rozpracovat
labourer [leibərə]
(*nekvalifikovaný*) dělník, nádeník
(*zemědělský*)
labour-saving [leibəseiviŋ]
usnadňující práci
lace [leis] *n* **1** tkanice; tkanička,
šněrovadlo **2** krajka, krajky • *v*
1 ~ (up) zašněrovat **2** přidat (*do
nápoje*) **with** (*trochu alkoholu*)
lacerate [læsəreit] (*roze*)dřít,
(*roz*)drásat, (*též přen.*)
lace-ups [leisaps] *pl GB* šněrovací
boty
lack [læk] *n* nedostatek **of** čeho;
for ~ of z nedostatku čeho; **for
nothing** nic nepostrádat, mít vše-
ho dostatek • *v* postrádat, nemít
lacquer [lækə] lak
lad [læd] (*hovor.*) mládenec, hoch
ladder [lædə] *n* **1** žebřík; žebříček
2 *GB* puštěné oko (*na punčoše*)
• *v* pouštět oka
laden [leidn] obtížený, naložený
ladies' man [leidiz mæn] miláček
žen, sukničkář
ladle [leidl] *n* naběračka • *v* nabírat
ladle out 1 nandávat

(*naběračkou*) **2** (*hovor.*) štědře /
neuváženě rozdávat
lady [leidi] **1** dáma **2** paní; žena
ladybird [leidibə:d] sluníčko
sedmitečné
lag [læg] (**gg**) loudat se; **~ behind**
opožďovat se, zaostávat
lagoon [lə'gu:n] laguna
lair [leə] nora, brloh, doupě, (*též
přen.*)
lake [leik] jezero
lamb [læm] **1** jehně; beránek
2 jehněčí
lame [leim] *adj* **1** chromý, kulha-
vý (**in one leg** na jednu nohu)
2 nepřesvědčivý; chatrný; **a ~ ex-
cuse** planá výmluva • *v* zchromit
lame duck [leim'dak] (*hovor.*)
1 chudáček **2** podnik ve
finančních nesnázích **3** *US*
dosluhující veřejný činitel /
orgán (*který nebyl znovu zvolen*)
lament [lə'ment] *n* bědování, nářek
• *v* bědovat, naříkat
lamentable [læməntəbl]
politováníhodný
laminated [læmineitid]
laminátový
lamp [læmp] lampa, svítilna
lampoon [læm'pu:n] hanopis,
pamflet
lampshade [læmpʃeid] stínidlo,
stínítko
lance [la:ns / læns] *n* kopí, oštěp,
bodec • *v* rozříznout skalpelem
lancet [la:nsit] skalpel
land [lænd] *n* **1** země, souše; **by ~**
po souši **2** země, půda **3** země,
kraj, stát • *v* **1** přistát, připlout

2 vysadit z lodi / letadla; ~ **oneself in** dostat se do, ocitnout se v

land up skončit

landing [lændiŋ] **1** odpočívadlo, podesta (*schodů*) **2** přistání

landing gear [lændiŋgiə] podvozek

landing net [lændiŋnet] podběrák

landlady [lændleidi] **1** majitelka penzionu **2** paní domácí, bytná **3** hostinská

landlord [lændlo:d] **1** pan domácí **2** hoteliér **3** hostinský

landmark [lændma:k] **1** orientační bod (*v krajině*) **2** mezník

landowner [lændəunə] majitel půdy, statkář

landscape [lændskeip] kraj(ina); **in ~ mode** ležatý, naležato

landslide [lændslaid] sesun půdy, lavina, (*též přen.*)

lane [lein] **1** polní cesta **2** ulička **3** špalír **4** dopravní pás; traf; trasa

language [læŋgwidž] jazyk, řeč; **bad ~** hrubá / sprostá řeč ♦ **L~, please!** Račte mluvit slušně!

languid [læŋgwid] (*elegantně*) mdlý, malátný; neuspěchaný

languish [læŋgwiš] **1** malátnět; slábnout **2** marně toužit, nýt **3** trápit se

lanky [læŋki] vyčouhlý, samá ruka samá noha

lantern [læntən] lucerna

lap[1] [læp] klín (*člověka*)

lap[2] [læp] (*sport.*) kolo, etapa (*závodu*)

lap[3] [læp] (**pp**) **1** chlemtat, hltavě pít **2** (*voda*) šplouchat, pleskat

lapel [ləpel] klopa

lapse [læps] *n* **1** přehlédnutí, chyba, omyl; selhání (**of memory**

paměti) **2** uplynutí, promlčení, vypršení **3** opominutí, zanedbání ♦ *v* upadnout **into** do

larceny [la:səni] (*práv.*) krádež

larch [la:č] modřín

lard [la:d] *n* (*vepřové*) sádlo ♦ *v* špikovat

larder [la:də] špižírna

large [la:dž] *adj* **1** velký **2** široký, rozsáhlý ♦ **~ as life** *1.* v životní velikosti *2.* (*hovor.*) zničehonic přítomen; **~ intestine** tlusté střevo ♦ *n*: **at ~ 1** na svobodě **2** jako celek **3** všeobecně **4** zeširoka

largely [la:džli] z velké části, většinou

lark [la:k] skřivan

lascivious [ləsiviəs] chlípný, lascivní

lash [læš] *v* šlehnout, švihnout ♦ *n* **1** šleh(nutí); rána bičem **2** šňůra (*biče*) **3** *též* eye~ řasa

lash down 1 prudce padat **2** přivázat, uvázat

lash out prudce zaútočit, vyletět **at / against** proti

lashings [læšiŋz] *pl GB* (*hovor.*) spousta

last[1] [la:st] *adj* **1** poslední **2** minulý ♦ **at (long) ~** konečně; **the ~ but one** předposlední; **for the ~ time** naposled; **~ night** včera večer; **this day ~ week** před týdnem, dnes (je tomu) týden; **~ time** minule ♦ *adv* naposledy, poslední; **~ but not least** v neposlední řadě

last[2] [la:st] trvat; **~ out** vystačit, vydržet

lasting [la:stiŋ] trvalý

lastly [la:stli] nakonec

last post [la:st'pəust] večerka

latch [læč] závora, západka

latchkey [læčki:] klíč od domu

late [leit] *adj* **1** opožděn(ý)
2 pozdní; **in the ~ afternoon**
v podvečer **3** pozdější; **of ~
years** v nedávných letech
4 bývalý **5** zesnulý
● **be ~** *1.* přijít pozdě (**for
school** do školy) *2.* mít zpoždění; **of ~** nedávno, v poslední době
● *adv* pozdě; **better ~ than
never** lépe pozdě než nikdy; **sit
up ~** být vzhůru pozdě do noci

lately [leitli] v poslední době,
nedávno

latent [leitənt] skrytý, latentní

later [leitə] *adj* pozdější
● *adv* **~ (on)** později

lateral [lætrəl] boční, postranní

latest [leitist] **1** pozdní; **at the ~**
nejpozději; **the ~ news**
nejnovější zprávy

lath [la:θ] laťka, tyčka, lišta

lathe [leiδ] soustruh

lather [la:δə] *n* (*mýdlová*) pěna
● *v* (na)mydlit; pěnit

Latin [lætin] *n* latina ● *adj* latinský

latitude [lætitju:d] **1** zeměpisná
šířka **2** (*přen.*) volnost, prostor

latter [lætə] **1** pozdější, novější
2 **the ~** druhý (*ze dvou*)

lattice [lætis] mříž

Latvia [lætviə] Lotyšsko

laudable [lo:dəbl] chvályhodný

laugh [la:f] *n* **1** smích **2** terč
posměchu
● *v* smát se **at** čemu; **that's no
~ing matter** to není k smíchu

laugh down smíchem umlčet,
zesměšnit

laugh off se smíchem odbýt,
bagatelizovat, vysmát se (čemu)

laughable [la:fəbl] směšný

laughingstock [la:fiŋstok] terč
posměchu

laughter [la:ftə] smích

launch [lo:nč] **1** spustit na vodu
2 zahájit (**an attack** útok); pustit
se do; uvést; realizovat
3 vypustit, vystřelit (**a spaceship
into orbit** kosmickou loď na
oběžnou dráhu)

launch(ing) pad [lo:nč(iŋ)pæd]
odpalovací rampa / základna,
(*též přen.*)

launder [lo:ndə] **1** prát (**clothes**
prádlo) **2** prát se; **linen sheets ~
well** lněná prostěradla se dobře
perou

launderette [lo:n'dret] prádelna se
samoobsluhou, pradlenka

laundry [lo:ndri] **1** prádelna
2 prádlo (*na praní*)

laurel [lorəl] vavřín

lava [la:və] láva

lavatory [lævətri] **1** toaleta, klozet
s umývárnou **2** záchod, klozet

lavender [lævində] levandule

lavish [læviš] *adj* **1** štědrý, nešetřící **of / with** čím **2** nadměrný
● *v* zahrnout **sth.** čím (**up)on sb.**
koho

law [lo:] **1** zákon; **make ~s**
vydávat zákony **2** právo; **read /
study ~** studovat práva
● **~ firm** *US* advokátní kancelář;
go to ~ obrátit se na soud

law court [lo:ko:t] soud

lawful [lo:ful] zákonný; zákonitý

lawless [lo:lis] nezákonný,
protiprávní

lawn [lo:n] trávník

lawsuit [lo:su:t] soudní pře, proces

lawyer [lo:jə] právník, právní
zástupce, advokát

lax [læks] **1** uvolněný **2** nedbalý, laxní **3** neurčitý, nepřesný

laxative [læksətiv] projímadlo

lay[1]* [lei] **1** klást, položit **2** snést **(an egg** vejce) **3** vsadit *(peníze)* **4** srazit **5** dát na uváženou **before** komu **6** *(vulg.)* přeříznout ◆ **~ flat** srazit k zemi; **~ hands on** dotknout se čeho, vztáhnout ruku na; **~ open** *1.* vystavit *sb.* koho **to** čemu *2.* odhalit co; **~ stress on** klást důraz na; **~ the table** prostřít (na) stůl; **~ a wager** uzavřít sázku; **~ waste** zpustošit

lay aside 1 dát stranou **2** odložit

lay down 1 položit, složit; uložit **2** stanovit *(a* **rule** pravidlo)

lay in udělat si zásobu **sth.** čeho

lay off 1 vysadit z práce **2** *(hovor.)* nechat, zdržet se **sth.** čeho, na čas přestat **(smoking** kouřit)

lay up 1 udělat si zásobu **2 be laid up with** být upoután na lůžko s **(flu** chřipkou)

lay[2] [lei] laický, neodborný

lay-by [leibai] odstavný pruh *(dálniční)*

layer [leiə] vrstva

layette [lei'et] výbavička pro novorozeně

layman [leimən] laik, neodborník

layout [leiaut] **1** nákres, plán **2** grafická úprava

laze [leiz] lenošit

lazy [leizi] líný

lazybones [leizibəunz] *(hovor.)* lenoch

lead[1] [led] olovo

lead[2] [li:d] *v* **1** vést, řídit **2** vést; přivést; odvést **3** vést nad, předčít koho **4** zahájit útok **with** čím **5** vynést *(jako první kartu)* ◆ **~ by the hand** vést za ruku;

~ the way jít napřed; **~ sb. by the nose** vodit koho za nos ● *n* **1** vedení; iniciativa; **take the ~** ujmout se vedení **2** vodítko, tip, stopa, klíč *(k řešení)* **3** přívod, šňůra *(též* **elektr.)** **4** vodítko *(na psa)*

lead on 1 tahat za nos **2** svádět

lead up to 1 vést k **2** směřovat k

leader [li:də] **1** vůdce **2** úvodník **3** *GB* první houslista; *US* dirigent

leadership [li:dəšip] vedoucí postavení; vedení

leading [li:diŋ] *n* vedení ● *adj* vedoucí ◆ **~ article** úvodník; **~ lady** herečka v hlavní roli; **~ question** sugestivní otázka

leaf [li:f] *n* **1** list **2** lístek, tenký plátek *(kovu)* **3** sklápěcí deska *(stolu)* ◆ **take a ~ of sb.'s book** vzít si příklad z koho, vzít si za vzor koho ● *v* **~ through** *(rychle)* prolistovat

leaflet [li:flit] leták

leafy [li:fi] listnatý

league [li:g] liga; **in ~ with** ve spolku s

leak [li:k] *n* **1** puklina, štěrbina, díra **2** únik, prosakování **3** prozrazení ● *v* ucházet; téci; prosakovat ◆ **take / have a ~** *(slang.)* vyčůrat se

leakage [li:kidž] prosakování

leaky [li:ki] děravý

lean[1] [li:n] **1** *(maso)* libový **2** *(člověk)* hubený

lean[2]* [li:n] **1** naklánět se; **~ out of the window** vyklonit se z okna **2** opírat se **on / against** o **3** spoléhat se **on** na

leaning [li:niŋ] sklon **towards** k

lean-to [li:ntu] přístavek, (přistavěná) kůlna

leap* [li:p] v skákat
• n skok ♦ ~ **year** přestupný rok

leapfrog [li:pfrog] (gg) skákat přes sehnutá záda druhého

learn* [lə:n] 1 učit se 2 dovědět se 3 uvědomit si

learned [lə:nid] učený

learner [lə:nə] žák; začátečník (zvl. řidič)

learning [lə:niŋ] 1 věda 2 učenost

lease [li:s] n (pro)nájem; **a new ~ of life** nový život
• v (pro)najmout si

leash [li:š] řemínek, vodítko (na psa)

least [li:st] adj, n nejmenší, sebemenší; **at ~** alespoň, nejméně, přinejmenším; **not in the ~** ani v nejmenším • adv nejméně

leather [leðə] kůže

leatherette [leðə'ret] koženka, imitace kůže

leave¹ [li:v] 1 dovolení, svolení 2 dovolená 3 rozloučení; **take ~ of** rozloučit se s

leave²* [li:v] 1 nechat (**a message / word** vzkaz); **~ a line blank** vynechat řádek 2 ~ (**behind**) zanechat, zapomenout; opustit 3 odejít, odjet (**London** z Londýna) 4 odkázat **to** komu ♦ ~ **sb. alone** nechat koho být; ~ **go of** pustit co

leave off 1 odložit, přestat nosit 2 přerušit, přestat

leave out vynechat, vypustit

leavings [li:viŋz] pl zbytky (pokrmu), odpadky

lecherous [lečərəs] chlípný, smilný

lecture [lekčə] n přednáška **on /**

about o
• v přednášet **on / about** o

lecturer [lekčərə] 1 přednášející 2 docent 3 lektor, odborný asistent

ledge [ledž] 1 římsa 2 polička (**for chalk** na křídu)

ledger [ledžə] hlavní (účetní) kniha

leech [li:č] pijavice

leek [li:k] pórek

leer [liə] v dívat se mlsně / poťouchle **at** na
• n mlsný / poťouchlý pohled

leeway [li:wei] 1 svoboda jednání, volnost 2 GB zpoždění, ztráta času

left¹ [left] zanechaný; ~ **luggage office** úschovna zavazadel

left² [left] adj levý • adv vlevo

left-handed [left'hændid] levoruký; hrající levou rukou; určený pro levou ruku

leftist [leftist] levičácký

leftover [leftəuvə] adj zbylý
• n ~**s** pl zbytky jídla

lefty [lefti] GB levičák; US levák

leg [leg] 1 noha; **Break a ~!** Zlom vaz!; **pull sb.'s ~** utahovat si z koho 2 noha (stolu) 3 nohavice 4 kýta; stehno; **chicken ~** kuřecí stehýnko 5 etapa, úsek

legacy [legəsi] dědictví, odkaz

legal [li:gl] 1 zákonitý; zákonný 2 právní (**advice** porada) ♦ **take ~ action** podat žalobu **against** na

legation [li'geišn] vyslanectví

legend [ledžənd] legenda

legendary [ledžəndəri] legendární

leggy [legi] nohatý

legible [ledžibl] čitelný

legion [li:džn] legie

legionary [li:džənəri] legionář

legionnaire [li:džə'neə] legionář

(příslušník římské / cizinecké legie)

legislation [ledžisˈleišn] zákonodárství

legislative [ledžislətiv] zákonodárný

legislature [ledžisleičə] zákonodárný sbor

legitimate [liˈdžitimit] **1** legitimní **2** rozumný **3** *(dítě)* manželský

legume [legjuːm] **1** lusk **2** luštěnina

leisure [ležə] **1** volný čas, volno; **be at ~** mít volno; **at your ~** budete mít čas **2** lehkost, snadnost

leisured [ležəd] mající hodně volného času

leisurely [ležəli] *adj* pomalý, neuspěchaný, klidný ● *adv* klidně

lemon [lemən] citrón
● **~ squash** citronáda

lemonade [leməneid] **1** *(perlivá)* limonáda **2** citronáda

lend* [lend] (pro)půjčit; **~ an ear** popřát sluchu, vyslechnout; **~ a hand** pomoci; **~ oneself to** hodit se k / pro

lending library [ˈlendiŋˌlaibrəri] půjčovna knih, *(veřejná)* knihovna

length [leŋθ] **1** délka **2** úsek
● **at ~** *1.* konečně *2.* obšírně, zeširoka; **(at) full ~** jak široký, tak dlouhý; **keep sb. at arm's ~** držet si koho od těla

lengthen [leŋθən] prodloužit (se)

lengthwise [leŋθwaiz] *adj* podélný ● *adv* po délce

lens [lenz], *pl* **lenses** čočka, objektiv

Lent [lent] půst, postní doba

lentil [lentil] čočka *(luštěnina)*

leopard [lepəd] levhart

leprosy [leprəsi] malomocenství

less [les] *adj* menší
● *adv* méně; **in ~ than 20 years** za necelých 20 let; **no ~ than** ne méně než; **none the ~** nicméně
● *prep* bez, minus

lessen [lesn] zmenšit (se)

lesser [lesə] menší; **the ~ evil** menší zlo

lesson [lesn] **1** lekce **2** vyučovací hodina; **~s** *pl* vyučování; **take music ~s** chodit na hodiny hudby **3** úkol

lest [lest] aby ne

let* [let] **(tt) 1** nechat **2** dovolit **3** pronajmout ● **~ alone** nekuli; **~ sb. alone** nechat být koho; **~ fall** upustit; **~ go** pustit; **~ us go!** pojďme!; **~ sb. have sth.** poslat komu co; **the house is to ~** dům je k pronajmutí; **~ sb. know** oznámit komu; **~ me see** počkejte, já se podívám; okamžik!

let down 1 spustit, stáhnout **2** nechat na holičkách, zklamat **3** popustit, prodloužit **(a skirt sukni)**

let in vpustit; **~ oneself in for** pouštět se do

let off 1 vypustit, odpálit **2** zprostit slibu / trestu **3** projevit, dát najevo

let on *(hovor.)* prozradit / říci to **(to komu)**

let out 1 pustit na svobodu, propustit **2** vypustit **3** povolit, popustit **(trousers kalhoty)**

let through nechat projít

let up 1 polevit, zmírnit se **2** být méně přísný

lethal [liːθl] smrtelný, smrtící

letter [letə] **1** písmeno **2** dopis; list **3** ~**s** *pl* literatura
letterbox [letəboks] poštovní schránka
letterhead [letəhed] záhlaví, hlavička
lettuce [letis] hlávkový salát
letup [letap] polevení, přestávka
level [levl] *n* **1** rovina **2** úroveň
♦ **on the** ~ *1.* čestný, poctivý *2.* na rovinu, čestně, poctivě; ~ **crossing** nechráněný přejezd ♦ *v* (**ll**) **1** srovnat; vyrovnat **2** namířit **at** na
level off / **out** přestat stoupat / klesat, vyrovnat se
lever [li:və / levə] páka
levy [levi] **1** vymáhat, vybírat (**taxes** daně) **2** zabavit, konfiskovat **on sth.** co
lewd [lu:d] oplzlý
lexical [leksikl] lexikální, slovníkový
liability [laiə'biliti] **1** odpovědnost **2** povinnost **for** k **3** náchylnost (**to disease** k nemoci) **4** (*hovor.*) nevýhoda, obtíž **5 liabilities** *pl* pasíva, finanční závazky, dluhy
liable [laiəbl] **1** odpovědný **2** podrobený, podléhající **to** čemu; **be** ~ **to** + *inf* musit **3** náchylný, vystavený **to** čemu
liar [laiə] lhář
libel [laibl] (*práv.*) *n* (*v obvykle v tisku*) urážka na cti, pomluva ♦ *v* (**ll**) křivě obvinit, pomluvit, nactiutrhat komu
liberal [libərəl] *adj* **1** štědrý; velkorysý **2** liberální ♦ *n* liberál
liberate [libəreit] osvobodit **from** od
liberated [libəreitid] **1** osvobozený **2** osvobozený od

společenských předsudků, uvolněný
liberation [libə'reišn] osvobození
liberty [libəti] **1** svoboda, volnost **2** dovolení **3** nepřístojné chování, drzost ♦ **be at** ~ **to** + *inf* smět; ~ **of action** volnost jednání; **take the** ~ **of** dovolit si co; **take liberties with** dovolovat si na
librarian [lai'breəriən] knihovník
library [laibrəri] **1** knihovna **2** knižnice, edice, série ♦ ~ **pictures** archivní záběry (*v televizi*)
licence [laisəns] **1** povolení; licence, koncese; **driving** ~ řidičský průkaz **2** svévole, zvůle
license [laisəns] dát povolení
lichen [laikən] lišejník
lick [lik] **1** lízat; olíznout (si) **2** (*hovor.*) zbít, seřezat **3** (*hovor.*) vyhrát nad; vyzrát na ♦ ~ **sb.** / **sth. into shape** zformovat koho / co, vycepovat, udělat z koho něco
licking [likiŋ] (*hovor.*) výprask, nářez; porážka
lid [lid] **1** (*oční*) víčko **2** víko; poklička
♦ **blow** / **take the** ~ **off** odhalit (*něco skandálního*) (na); **that puts the (tin)** ~ **on** to je úplný konec / vrchol, to přestává všechno
lie[1] [lai] *n* lež; **tell** ~**s** lhát; **give sb. the** ~ obvinit koho ze lži ♦ *v* lhát
lie[2] [lai] **1** ležet **2** záležet **3** spát, obcovat **with** s
♦ **let sleeping dogs** ~ co tě nepálí, nehas; ~ **in state** (*mrtvý v rakvi*) být vystaven; **it** ~**s with you** to + *inf* je na vás, abyste
lie down lehnout si, natáhnout se
lie in zůstat dlouho v posteli, přispat si

lie up 1 zůstat ležet 2 zůstat doma, nevycházet

lieutenant [lefˈtenənt / *US* luːˈ-] poručík

life [laif] život; **for** ~ na doživotí; **for the** ~ **of me** za nic na světě; **to the** ~ podle skutečnosti; **not on your** ~ určitě ne

life assurance [ˈlaifəˌʃuərəns] životní pojistka

life belt [laifbelt] záchranný pás

lifeblood [laifblad] životní míza / nezbytnost

lifeboat [laifbəut] záchranný člun

lifelong [laifloŋ] celoživotní

lifetime [laiftaim] celý život

lift [lift] *v* 1 zvednout (se) 2 dobývat, vykopávat (**potatoes** brambory) 3 (*hovor.*) krást; plagovat 4 dopravovat letecky ● *n* 1 podpora, pomoc; **give sb. a** ~ svézt koho autem 2 výtah, zdviž; **take the** ~ jet výtahem

light[1] [lait] *n* 1 světlo; **come to** ~ vyjít na světlo 2 oheň; **Can you give me a** ~? Můžete mi připálit?; **set** ~ **to** zapálit co 3 ~**s** *pl* schopnosti; **according to one's** ~**s** podle svých nejlepších schopností ● *adj* světlý, jasný; blond ● *v** 1 zapálit 2 ~ (**up**) osvětlit, osvětlovat

light up 1 rozsvítit 2 rozzářit se

light[2] [lait] lehký; **make** ~ **of** brát co na lehkou váhu

lighter [laitə] zapalovač

lighthouse [laithaus] maják

lighting [laitiŋ] osvětlení

lightning [laitniŋ] blesk; ~ **conductor** *GB* / **rod** *US* hromosvod

likable [laikəbl] sympatický

like[1] [laik] *adj, prep, adv* 1 stejný; jako; **What is he** ~? Jaký je?;

What does he look ~? Jak vypadá?; **It looks** ~ **rain.** Zdá se, že bude pršet.; **I feel** ~ **crying.** Je mi do pláče.; **a thing** ~ **that** něco takového; ~ **this** takto, takhle; **there is nothing** ~ **beer** není nad pivo 2 podobný; **that's just** ~ **him** to je mu podobné, to je celý on; **in** ~ **manner** podobně ● *conj* (*hovor.*) jako; **she cooks** ~ **her mother does** vaří jako její matka

like[2] [laik] 1 mít rád; **I** ~ **it** líbí se mi to; ~ **doing sth.** rád dělat co; **I** ~ **that!** No tohle! 2 chtít, přát si; (**just**) **as you** ~ jak si přejete; **if you** ~ 1. jestli chcete 2. smím-li to tak říct; **I'd** ~ **to know** rád bych věděl

likelihood [laiklihud] pravděpodobnost

likely [laikli] *adj* pravděpodobný; **he is** ~ **to come** pravděpodobně přijde ● *adv* pravděpodobně; **as** ~ **as not** s největší pravděpodobností; **not** ~ určitě ne

like-minded [laikˈmaindid] stejně smýšlející

likeness [laiknis] podobnost

likes [laiks] 1 záliby 2 **the** ~ **of** (**us**) (*hovor.*) lidé jako (my)

likewise [laikwaiz] 1 rovněž 2 stejně

liking [laikiŋ] záliba **for** v / pro

lilac [lailək] šeřík

lilt [lilt] (*charakteristická*) zpěvná intonace

lily [lili] lilie; ~ **of the valley** konvalinka

limb [lim] 1 úd 2 větev

limber up [limbəˈrap] rozcvičit se

lime[1] [laim] vápno

lime[2] [laim] limonek

lime[3] (**tree**) [laim(triː)] lípa

L

limelight [laimlait] světlo rampy; **in the ~** ve středu veřejného zájmu

limestone [laimstəun] vápenec

limit [limit] *n* mez; **that's the ~** to už přestává všechno; **within ~s** v mezích možnosti, do určité míry • *v* omezit

limitation [limi'teišn] omezení, hranice (*možností*)

limp[1] [limp] kulhat

limp[2] [limp] schlíplý, zplihlý

line [lain] *n* 1 provaz, šňůra, vlasec 2 čára, přímka; linie 3 řada; řádek 4 šik 5 hranice 6 trať; linka; **hold the ~** počkat u telefonu, nezavěšovat 7 obor 8 druh zboží, sortiment 9 způsob chování; **take a firm ~** zaujmout pevně stanovisko, nekompromisně zakročit **with** proti • *v* 1 linkovat, řádkovat; rýhovat 2 lemovat; obložit 3 podšít, opatřit podšívkou

line out 1 načrtnout, navrhnout 2 zamířit rovnou **for** kam

line up seřadit (se)

line drawing ['lain,dro:iŋ] perokresba

linen [linin] 1 lněná tkanina 2 prádlo

liner [lainə] 1 (*zaoceánský*) pravidelný parník 2 pravidelné letadlo 3 konturovací tužka

lineup [lainap] 1 řada; postavení do řady 2 seskupení

linger [liŋgə] 1 prodlévat, ještě zůstat; setrvávat 2 otálet, váhat

lingerie [lænʒəri] dámské prádlo

lingo [liŋgəu] (*hanl.*) 1 (*cizí*) hatmatilka 2 hantýrka

linguist [liŋgwist] 1 lingvista, jazykovědec 2 (*praktický*) znalec jazyků

linguistics [liŋ'gwistiks] *sg* lingvistika

liniment [linimənt] mazání, tekutá mast

lining [lainiŋ] podšívka

link [liŋk] *n* 1 spojovací článek 2 spojení • *v* spojovat (se)

link up 1 mít přípoj; navazovat **with** na 2 spojit se **with** s; připojit se **to** na (*jiný program*)

linnet [linit] konopka

lino [lainəu], **linoleum** [li'nəuliəm] linoleum

linseed [linsi:d] lněné semeno; **~ oil** lněný olej

lint [lint] 1 polštářkový obvaz 2 *US* žmolky (*na šatech*)

lion [laiən] lev

lip [lip] ret

lip-read [lipri:d] odezírat

lipstick [lipstik] rtěnka

liqueur [li'kjuə] likér

liquid [likwid] *adj* tekutý; **~ assets** *pl* likvidní aktiva • *n* tekutina

liquidate [likwideit] likvidovat

liquor [likə] *US* (*silná*) lihovina, alkohol

Lisbon [lizbən] Lisabon

lisp [lisp] šišlat

list [list] *n* seznam • *v* sepsat, zapsat do seznamu; vypočítávat, uvádět

listen [lisn] poslouchat, naslouchat **to** komu / čemu

listen in odposlouchávat **on** koho

listen for dávat pozor na

listener [lisnə] posluchač

listing [listiŋ] 1 přehled, seznam (*zveřejněný, např. kulturních pořadů*) 2 položka v přehledu

listless [listlis] apatický

literacy [litərəsi] gramotnost

literal [litərəl] doslovný

literary [litərəri] literární
literate [litərit] gramotný
literature [litrəčə] literatura
Lithuania [liθjuˈeiniə] Litva
lithe [laiδ] pružný, svižný
litre [li:tə] litr
litter [litə] n 1 smetí; **~ bin** nádoba na odpadky; **~ prevention** péče o čistotu města 2 nosítka 3 vrh (*mláďat*) • v poházet, rozhazet
litter up znečistit
little [litl] adj 1 malý; **~ finger / toe** malíček ruky / nohy 2 málo; **~ time** málo času; **a ~** trochu; **not a ~** nemálo • adv málo, nepatrně; **he ~ knows that** vůbec neví, že; **~ by ~** ponenáhlu, postupně
live[1] [liv] v 1 žít (**on one's salary** z platy); živit se (**on fruit** ovocem) 2 bydlit; **go to ~ with** odstěhovat se k; **~ sth. down** žít tak vzorně / dlouho, že se časem zapomene na (*něco nepříjemného*)
live on žít dál
live out dožít do konce, zůstat naživu, přežít
live up chovat se, žít **to** podle
live[2] [laiv] adj 1 živý; opravdový 2 hořící, žhavý, řeřavý 3 nevybuchlý 4 živý, nabitý, pod proudem 5 přímý (**broadcast** přenos)
livelihood [laivlihud] živobytí
lively [laivli] 1 živý, plný života, temperamentní 2 čilý, hravý 2 vzrušující, horký, perný
liver [livə] játra
livery [livəri] 1 livrej, uniforma, služební oděv 2 firemní znak / barvy
livestock [laivstok] dobytek, živý inventář: skot, koně, ovce, *atd.*
living [liviŋ] n 1 život, způsob

života 2 živobytí; **make / earn a ~ as** živit se jako • adj žijící; živý; **~ room** obývací pokoj
lizard [lizəd] ještěrka
load [ləud] n 1 náklad, břímě 2 zatížení, výkon, příkon • **a ~ / ~s of** (*hovor.*) moře čeho • v 1 naložit, obtížit 2 nabít (**a gun** revolver, **a camera** fotoaparát)
loaded [ləudid] 1 plný skrytých implikací, nejednoznačný; sugestivní; **~ in favour of** favorizující koho / co; **~ against** zaměřený / předpojatý proti 2 (*slang.*) prachatý, zazobaný 3 (*slang.*) ožralý; zfetovaný 4 (*kostky*) falešný
loaf[1] [ləuf] bochník
loaf[2] [ləuf] povalovat se
loafer [ləufə] 1 povaleč 2 *US* **~s** *pl* mokasíny
loan [ləun] n půjčka; **on ~** zapůjčený • v půjčit
loathe [ləuδ] hnusit si
loathsome [ləuδsəm] odporný
lobby [lobi] n 1 předsíň, chodba, hala, vestibul 2 kuloár(y) 3 nátlaková / zájmová skupina, lobby • v 1 intervenovat / interpelovat u poslance (**v parlamentu**) 2 ovlivňovat, agitovat 3 prosadit zákulisním ovlivňováním poslanců
lobe [ləub] lalok, lalůček
lobster [lobstə] humr
local [ləukl] adj místní • n 1 místní občan 2 místní hostinec / kino
locale [ləuˈka:l] dějiště, lokalita, místo
locate [ləˈkeit] 1 umístit 2 *US* usídlit se
lock[1] [lok] kadeř, lokna

L

lock[2] [lok] *n* **1** zámek **2** plavební komora, zdymadlo
● *v* **1** zamknout; zamykat se **2** sevřít, stisknout **3** plout plavební komorou
lock away dát pod zámek, uzamknout
lock out 1 zamknout a tím znemožnit přístup (komu) **2** vysadit z práce
lock up 1 pořádně zamknout **2** zavřít do vězení / blázince **3** pevně investovat
locker [lokə] (*uzamykatelná*) skříňka; ~ **room** šatna (*ve sportovním areálu*)
lockout [lokaut] výluka (*dělníků z práce*)
locksmith [loksmiθ] zámečník
lockstitch [lokstič] řetízkový steh
lockup [lokap] **1** *US* (*místní*) vězení, šatlava **2** *GB* garáž (*samostatná, ne u domu*)
locomotive [ləukəməutiv] lokomotiva
locum [ləukəm] *GB* zastupující lékař / kněz (*o dovolených nebo v nemoci*)
lodge [lodž] **1** vrátnice **2** domek **3** (*lovecká*) chata **4** (*zednářská*) lóže
lodger [lodžə] podnájemník
lodgings [lodžiŋz] *pl* podnájem
loft [loft] **1** půda (*v domě*) **2** kůr, kruchta
lofty [lofti] **1** vysoký **2** vznešený **3** povznesený, povýšený
log [log] *n* **1** poleno, kláda; ~**s** *pl* kulatina; ~ **cabin** srub **2** lodní / palubní deník
● *v* (**gg**) **1** zaznamenat do lodního / palubního deníku **2** *US* (po)kácet (*stromy*)

log in / on přihlásit se, navázat / zahájit relaci
log off / out odhlásit se, zrušit / ukončit relaci
loggerheads [logəhedz]: **be at ~ with sb. over sth.** být na kordy s kým pro / kvůli
logic [lodžik] logika
logical [lodžikl] logický
logo [ləugəu] (*firemní*) značka, emblem, logo
loiter [loitə] **1** loudat se **2** lelkovat, okounět (*podezřele*)
lollipop [lolipop] lízátko
lonely [ləunli] osamělý
long[1] [loŋ] *adj* dlouhý; **to cut a ~ story short** zkrátka a dobře
● *adv* dlouho ♦ ~ **ago** dávno; **all night** ~ celou noc; **as ~ as** pokud; **as ~ as you like** jak dlouho chceš; ~ **before** dávno předtím (než); **don't be** ~ nebud tam dlouho; **no ~er**, **not any ~er** již ne
long[2] [loŋ] toužit **for** po
long-distance [loŋ'distəns] dálkový
longing [loŋiŋ] *n* touha
● *adj* toužebný
longitude [londžitju:d] zeměpisná délka
long-lasting [loŋ'la:stiŋ] trvanlivý, dlouhodobý
long-life [loŋ'laif] (*mléko*) trvanlivý
long-playing [loŋ'pleiiŋ] dlouhohrající (**record** deska)
long-range [loŋ'reindž] **1** dálkový, s dalekým doletem, dalekonosný **2** dlouhodobý
long-sighted [loŋ'saitid] dalekozraký
look [luk] *n* **1** pohled; **have a ~ at** podívat se na; **I don't like**

the ~ of it nějak se mi to nelíbí / nezdá **2 ~s** *pl* vzhled; **good ~s** půvab, krása • *v* **1** dívat se, hledět **at na 2** vypadat; tvářit se (**offended uraženě**) **3** hledat pro co **4** vyšetřit **into** co, podívat se na kloub čemu **5** starat se, pečovat **after** o **6** přihlížet **on** čemu **7** považovat koho **as** za **8** spoléhat **to** na **9** prohlédnout si **over** co
♦ **~ one's age** vypadat na svůj věk; **~ here!** podívejte se!, poslyšte!; **it ~s like rain** asi bude pršet
look around rozhlížet se **for** po / a hledat co
look down on pohrdat kým
look forward to těšit se na
look in (*hovor.*) zastavit se **on** kde / u koho
look out 1 podívat se (**of** odkud) **2** dávat pozor, být obrácen, vést (**into the garden** do zahrady)
look up 1 vyhledat si (**in a book** v knize) **2** vzhlížet s úctou **to** k
looker-on [lukəron] divák
lookout [lukaut] **1** hlídání, pozorování **2** výhled, vyhlídka **3** hlídka **4** osobní zájem; **that's your ~** (*hovor.*) to je tvoje starost
loom¹ [lu:m] tkalcovský stav
loom² [lu:m] nejasně se rýsovat
♦ **~ large** hrozivě se rýsovat
loop [lu:p] smyčka
loophole [lu:phəul] **1** střílna **2** skulina, mezera (**in the law** v zákonu); zadní dvířka
loose [lu:s] *adj* **1** volný; **be at a ~ end** nevědět co s časem **2** velký (**collar** límec) **3** uvolněný, (*též přen.*); prostopášný
♦ **~ change** drobné mince
loosen [lu:sn] uvolnit (se)

loot [lu:t] *n* lup, kořist
• *v* loupit, plenit, drancovat
lord [lo:d] **1 L~** Pán, Hospodin; **L~s Prayer** modlitba Páně, otčenáš **2** pán, lord; **L~ Mayor** primátor; **the House of L~s** (*britská*) Sněmovna lordů
lorry [lori] *GB* nákladní auto
lose* [lu:z] **1** ztratit co **one's temper** nervy); **~ one's way** zabloudit; **~ weight** zhubnout; **the clock ~s** hodiny se zpožďují **2** prohrát **to sb.** s kým **3** připravit **sb.** koho **sth.** o co, stát koho co
loser [lu:zə] kdo ztrácí / prohrává, poražený
loss [los] **1** ztráta **2** škoda
♦ **at a ~** v rozpacích
lost [lost] **1** ztracený; **~ property office** oddělení ztrát a nálezů **2** prohraný ♦ **be ~ on sb.** minout se účinkem na koho; **get ~!** (*slang.*) vypadni!, koukej zmizet!
lot [lot] **1** los; **draw ~s** losovat **2** osud **3** podíl **4** partie (*zboží*), položka (*při dražbě*) **5** množství; **the (whole) ~** všechno; **a ~** hodně; často; **a ~ of / ~s of** mnoho, spousta čeho **6** osoba, člověk; **a bad ~** (*hovor.*) mizera **7** pozemek, parcela; **refuse ~** skládka
lotion [ləuʃn] pleťová voda
lottery [lotəri] loterie; **~ ticket** los
loud [laud] *adj* **1** hlasitý **2** křiklavý, nápadný **3** čpavý, čpící • *adv* hlasitě
loudly [laudli] **1** hlasitě **2** křiklavě
loudspeaker [laudspi:kə] reproduktor, amplión
lounge [laundž] *v* válet se kde, povalovat se, lenošit • *n* klub, denní bar, salónek, hala (*hotelu*)

louse [laus], *pl* **lice** [lais] veš
lousy [lauzi] **1** zavšivený; všivý
 2 (*hovor.*) špatný, protivný
lout [laut] klacek, hulvát
love [lav] *n* **1** láska (**for children**
 k dětem, **of one's country** k vlasti) **2** milý, milá **3** (*tenis*) nula
 ◆ **~ affair** milostný poměr; **be
 in ~ with** být zamilován do; **fall
 in ~ with** zamilovat se do; **give /
 send one's ~ to** pozdravovat
 koho; **make ~ to sb.** (po)milovat
 se s kým ● *v* milovat, mít rád
lovely [lavli] rozkošný, půvabný;
 nádherný
lover [lavə] **1** milovník **2** milenec
low[1] [ləu] *adj* **1** nízký; *an* ~
 (*voda*) klesat, (*zásoba*) tenčit se
 2 tichý; **in a ~ voice** potichu
 3 sklesly **4** primitivní; vulgární
 ● *adv* **1** nízko; **fly ~** letět nízko
 2 potichu; **talk ~** hovořit potichu
 ● *n* **1** dolní mez / hranice, nejnižší úroveň **2** nížina **3** tlaková
 níže **4** nejnižší rychlost, jednička
low[2] [ləu] bučet
low-cut [ləu'kʌt] dekoltovaný,
 s hlubokým výstřihem
lowdown [ləudaun] (*slang.*)
 důvěrná informace
lower [ləuə] *adj* **1** nižší **2** tišší
 ◆ **~ case** malá písmena
 ● *adv* **1** níže **2** tišeji ● *v* snížit;
 klesnout (**in value** v hodnotě)
low tide [ləu'taid] odliv
loyal [loiəl] loajální, věrný, oddaný
loyalty [loiəlti] věrnost, oddanost
lozenge [lozindž] **1** kosočtverec
 2 pastilka
L.P. record [elpi:'reko:d]
 dlouhohrající deska, elpíčko
Ltd. = limited s omezeným
 ručením

lubricant [lu:brikənt] mazadlo
lubricate [lu:brikeit] mazat (*stroj*)
lucid [lu:sid] **1** jasný **2** přehledný
luck [lak] náhoda; osud
 2 štěstí, šťastná náhoda; **be in ~**
 mít štěstí; **be out of ~** nemít
 štěstí; **be down on one's ~** mít
 smůlu; **good ~** štěstí!; **bad ~**
 smůla; **Good ~!** Hodně štěstí!
luckily [lakili] naštěstí
lucky [laki] šťastný; **be ~ (enough)
 to get** mít štěstí a dostat
lucrative [lu:krətiv] výnosný,
 lukrativní
ludicrous [lu:dikrəs] směšný
luggage [lagidž] zavazadla;
 a piece of ~ zavazadlo
 ◆ **~ rack** police na zavazadla
 (*ve vlaku*); **~ trolley** kolečka (*na
 kufr*); **~ van** zavazadlový vůz
lukewarm [lu:kwo:m] vlažný
lull [lal] *v* ukonejšit; uspat
 ● *n* klid, oddych
lullaby [laləbai] ukolébavka
lumbago [lam'beigəu] ústřel,
 houser
lumber [lambə] **1** *US* (*stavební*)
 dříví **2** veteš, harampádí
lumberjack [lambədžæk] *US*
 dřevorubec
luminous [lu:minəs] světélkující
lump [lamp] **1** kus; hrouda;
 kostka (**of sugar** cukru) **2** boule
 ◆ **in the ~** paušálně; **have a ~ in
 the throat** mít sevřené hrdlo
lunacy [lu:nəsi] šílenství
lunatic [lu:nətik] šílenec
lunch [lanč] polední jídlo, oběd
luncheon [lančən] formální /
 slavnostní oběd
 ◆ **~ voucher** stravenka
lunge [landž] vyrazit, udělat výpad
lungs [laŋz] *pl* plíce

lure [ljuə] lákat, vábit
lurid [ljuərid] **1** křiklavý
 2 senzační **3** odporný, odpudivý
 4 sinavý, mrtvolně bledý
lurk [lə:k] číhat
luscious [lašəs] **1** šťavnatý, voňavý, sladký **2** (*hovor.*) svůdný,
 přitažlivý (**blonde** blondýna)
lush [laš] **1** svěží, šťavnatý; bujný
 2 luxusní, noblesní
lust [last] *n* chtíč, vilnost
 • *v* (*vášnivě*) prahnout **after /**
 for po

lustre [lastə] lesk
luxurious [lag'zjuəriəs / -'žuə-]
 přepychový, luxusní
luxury [lakšəri] přepych, luxus
lynch [linč] lynčovat
lynx [liŋks] rys (*šelma*)
lyric [lirik] *adj* lyrický
 • *n* **1** lyrická báseň **2** ~**s** *pl* text
 (*písně*)
lyrical [lirikl] **1** lyrický
 2 (*hovor.*) nadšený

L

M

m. = **mile(s)** míle

M.A. [em'ei] = **Master of Arts** mistr svobodných umění

ma [ma:] (*hovor.*) maminka, mamka

mace[1] [meis] **1** žezlo **2** palcát

mace[2] [meis] muškátový ořech (*drcený*)

machine [mə'ši:n] stroj ♦ **~-gun** kulomet; **~ tool** obráběcí stroj

machinery [mə'ši:nəri] **1** stroje **2** mašinerie **3** mechanismus

mackerel [mækrəl] makrela

mackintosh [mækintoš] plášť do deště

macrobiotic [mækrəubai'otik] zdraví prospěšný, přírodní, makrobiotický

mad [mæd] **1** šílený, bláznivý; **drive sb. ~** dohnat koho k šílenství; **go ~** zbláznit se **2** zuřivý, vzteklý **3** pobláznený, posedlý **about** čím

madam [mædəm] (*oslovení*) paní, slečno

madden [mædn] dohánět k šílenství

madhouse [mædhaus] (*hovor.*) blázinec

madly [mædli] šíleně

madman [mædmən] šílenec

madness [mædnis] šílenství

mafia [mæfiə] mafie

magazine [mægə'zi:n] **1** časopis **2** vojenské skladiště **3** nábojová komora, zásobník **4** kazeta, zásobník, cívka (*s filmem*)

magic [mædžik] *n* **1** magie; kouzlo **2** amulet, talisman ● *adj*

kouzelný; **~ lantern** laterna magica; **~ wand** kouzelnická hůlka

magician [mə'džišn] kouzelník

magistrate [mædžistr(e)it] policejní / smírčí soudce ♦ **~'s (court)** policejní soud

magnanimous [mæg'nænim:əs] velkomyslný

magnet [mægnit] magnet

magnetic [mæg'netik] magnetický

magnetism [mægnitizm] **1** magnetismus **2** přitažlivost

magnificent [mæg'nifisnt] skvělý

magnify [mægnifai] zvětšovat; **~ing glass** lupa

magnitude [mægnitju:d] **1** velikost; objem(nost) **2** závažnost

magnum [mægnəm] velká vinná láhev (*asi 1,5 l*)

magpie [mægpai] straka

mahogany [mə'hogəni] mahagon

maid [meid] služebná

maiden [meidn] **1** neprovdaný, svobodný **2** panenský, dívčí; **~ name** dívčí jméno **3** první; **~ speech** nástupní řeč (*nově zvoleného poslance*) **4** netknutý, nedotčený

mail[1] [meil] **1** brnění (*plátové, kroužkové*) **2** krunýř (*želvy*)

mail[2] [meil] *n* pošta ● *v US* poslat poštou ♦ **~ order** zásilkový prodej zboží

mailing list [meiliŋlist] seznam adresátů / zájemců

maimed [meimd] zmrzačený

main [mein] *n* **1** hlavní potrubí / vedení **2 ~s** *pl GB* (*elektrická*) síť ♦ **in the ~** v podstatě ● *adj* hlavní

mainland [meinlənd] pevnina; hlavní ostrov (*souostroví*)

mainly [meinli] hlavně, převážně

mainstream [meinstri:m] *n* hlavní proud (*myšlení, činnosti apod.*)
● *adj* typický, běžný, konvenční

maintain [mein'tein] 1 udržovat
2 podporovat; vydržovat;
(u)živit 3 tvrdit

maintenance [meintinəns]
1 udržování; údržba
2 prostředky k obživě; ~ **grant** výživné

maize [meiz] kukuřice

majesty [mædʒisti] 1 majestát
2 veličenstvo

major [meidʒə] *adj* 1 větší; důležitější 2 (*hud.*) dur
● *n* 1 major 2 hlavní studijní obor 3 zletilá osoba

majority [məˈdʒɔriti] 1 většina
2 zletilost, plnoletost

make* [meik] *v* 1 dělat, činit; vyrábět; ~ **bread** péci chléb; ~ **the / a fire** zatopit; ~ **a good breakfast** dobře se nasnídat; ~ **hay** sušit seno; ~ **one's / a living** vydělat si na živobytí; ~ **a mistake** udělat chybu; ~ **money** vydělávat peníze; ~ **an offer** udělat nabídku; ~ **progress** dělat pokroky; ~ **tea** uvařit čaj; ~ **twenty miles** ujít dvacet mil; ~ **a speech** pronést řeč; ~ **war** vést válku 2 přimět, přinutit; ~ **both ends meet** vystačit s platem; **she will ~ him a good wife** bude mu dobrou ženou
♦ ~ **believe** předstírat; ~ **the best of** využít čeho; ~ **of** myslit si o;

~ **do with** spokojit se s; ~ **for**
1. zamířit kam 2. přispět k;
~ **good** nahradit; ~ **it** dokázat to

make off ujet; ~ **off with** (*hovor.*) ukrást co (a utéct)

make out 1 vyhotovit, sepsat, (z)koncipovat; vyplnit (*formulář*) 2 rozeznat, rozluštit, vyznat se v 3 dojít k názoru
4 dělat, předstírat

make over 1 přepsat, převést
2 předělat, přešít 3 přestavět, renovovat; reformovat

make up 1 sestavit 2 vymyslit si; improvizovat 3 ušít 4 vyrovnat (*rozdíl*), (vy)nahradit ~ **sb.** komu **for sth.** co 5 tvořit, skládat se (**of** z) 6 upravit, připravit 7 nadbíhat (**to sb.** komu), ucházet se o přízeň koho 8 nalíčit (*tvář*), udělat si mejkap; namaskovat 9 nahradit, dohnat (**for lost time** ztracený čas) ♦ ~ **it up** usmířit se; ~ **up one's mind** rozhodnout se

make-believe ['meikbi,li:v] předstírání, hra, fikce

makeshift [meikʃift] *adj* provizorní, nouzový, náhražkový ● *n* výpomoc z nouze, provizorium

make-up [meikʌp] 1 mejkap, kosmetické přípravky, líčidla; (na)líčení tváře 2 kombinace, složení (*věci*); povaha 3 US doplňovací zkouška

malaria [məˈleəriə] malárie

male [meil] *adj* samčí; mužský
● *n* samec; muž

malice [mælis] 1 zlá vůle, zloba
2 potměšilost, lstivost, zákeřnost

malicious [məˈliʃəs] 1 zlomyslný, svévolný 2 potměšilý, záludný
3 škodolibý, jízlivý

malignant [məˈlignənt]
1 nenávistný, zlovolný, zaujatý
2 (*med.*) zhoubný

malinger [məˈlingə] simulovat

mall [mæl / mɔːl] *US* nákupní středisko

malnutrition [mælnjuːˈtriʃən] podvýživa

malt [mɔːlt] slad

maltreat [mælˈtriːt] týrat

mammal [mæml] savec

mammoth [mæməθ] mamut

man [mæn] *n* 1 muž; **as one ~** jako jeden muž 2 člověk; **the ~ in the street** průměrný občan; **to a ~** do jednoho 3 manžel; **~ and wife** muž a žena, manželé 4 zaměstnanec; sluha 5 figurka, kámen (*deskové hry*) ● *v* (**nn**) osadit mužstvem / zaměstnanci

manage [mænidʒ] 1 řídit, spravovat 2 zvládnout (*koho*); zvládat (*časově apod.*) 3 dokázat, svést, umět si poradit 4 (*hovor.*) spořádat (*jídlo*)

management [mænidʒmənt] správa, řízení, (manažerské) vedení

manager [mænidʒə] ředitel, manažer; správce

mandate [mændeit] pověření, plná moc, mandát; příkaz

mane [mein] hříva

mangy [meindʒi] prašivý

manhole [mænhəul] průlez, revizní otvor, vstup

manhour [mænauə] pracovní hodina

manhood [mænhud] mužnost; mužství

mania [meinjə] mánie, posedlost

manicure [mænikjuə] *n* manikúra ● *v* dělat manikúru

manifest [mænifest] *adj* zřejmý

● *v* projevit (**oneself** se); svědčit o, dávat najevo

manifesto [mæniˈfestəu] manifest

manifold [mænifəuld] *adj*
1 mnohonásobný, rozmanitý, všelijaký 2 mnohotvárný, pestrý ● *v* rozmnožovat ● *adv* mnohonásobně

manipulate [məˈnipjuleit]
1 manipulovat s; (z)falšovat 2 zacházet, pracovat s, ovládat (**a computer** práci na počítači)

mankind [mænˈkaind] lidstvo

manly [mænli] mužný

man-made [mænˈmeid] umělý, syntetický

manner [mænə] 1 způsob; styl 2 manýra 3 ~**s** *pl* způsoby, chování ● **in this** ~ takto; **in a** ~ do určité míry

mannerism [mænərizm] manýra, strojenost

manoeuvre [məˈnuːvə] *n* manévr ● *v* manévrovat

manor [mænə] 1 dědičný velkostatek 2 ~ (**house**) panské sídlo, šlechtická usedlost, (*venkovský*) zámeček

manpower [mænpauə] pracovní síla

mansion [mænʃn] 1 panské sídlo, zámek 2 ~**s** *pl* (*moderní*) blok obytných domů

manslaughter [mænsloːtə] zabití

mantelpiece [mæntlpiːs] krbová římsa

manual [mænjuəl] *adj* ruční, manuální ● *n* příručka

manufacture [mænjuˈfækčə] *v*
1 vyrábět 2 vymýšlet si ● *n* výroba

manufacturer [mænjuˈfækčərə] výrobce

manure [mə'njuə] *n* hnůj, hnojivo
• *v* (po)hnojit

manuscript [mænjuskript] rukopis

many [meni] *adj*, *n* mnohý, četný;
how ~ kolik; **~ of us** mnozí z nás;
a good ~ dosti mnoho; **a great ~**
velmi mnoho; **one too ~** *1.* o jednoho víc, přebytečný *2.* o skleničku víc; **~ a man** mnozí

map [mæp] mapa, plán
♦ **put on the ~** (*hovor.*) učinit
důležitým, upozornit na

maple [meipl] javor

mar [ma:] (rr) pokazit, zmařit

marble [ma:bl] **1** mramor
2 kulička; **~s** *sg* (hra v) kuličky

March [ma:č] březen

march [ma:č] *n* pochod • *v*
1 (nechat) pochodovat **2** odvést

march by / past defilovat

mare [meə] klisna

margarine [ma:džə'ri:n] margarín,
pomazánkové máslo

margin [ma:džin] **1** okraj
2 rozpětí (*cen*), marže **3** volný
prostor, tolerance, možnost
4 záloha, záruka **5** rozdíl
6 (*sport.*) náskok

marine [mə'ri:n] *adj* **1** mořský;
námořní, **2** určený pro námořní
pěchotu • *n* **1** (*obchodní*) loďstvo; **the merchant ~** obchodní
loďstvo **2** námořní pěšák

marital [mæritl] manželský

maritime [mæritaim] **1** námořní
2 přímořský **3** námořnický

mark [ma:k] *n* **1** skvrna, šmouha;
(*mateřské*) znaménko **2** značka;
označení **3** znaménko; **exclamation ~** vykřičník; **question / interrogation ~** otazník **4** cíl; **beside the ~** nepodstatný **5** norma;
be up to the ~ být v kondici / ve

formě **6** *GB* (*hodnotící*) známka;
full ~s to všechna čest komu • *v*
1 označit, vyznačit **2** zanechat
stopy na **3** charakterizovat co
♦ **~ my words** uvidíte to,
vzpomeňte si na moje slova

mark down 1 poznamenat, zapsat
2 snížit cenu, zlevnit **3** snížit
známku

mark off 1 odměřit, vyměřit,
označit hranice **2** oddělit, odlišit
3 odškrtnout

mark out 1 přeškrtnout, vymazat
2 odlišit, zvýraznit **3** narýsovat,
nalajnovat

mark up 1 zvýšit cenu
2 opoznámkovat, provést
textové úpravy

marker [ma:kə] **1** značkovač, fix
2 (*knižní*) záložka
3 (*známkující*) rozhodčí **4** jasný
signál (*příští činnosti*)

market [ma:kit] *n* **1** trh,
odbytiště **2** tržnice, tržiště
3 poptávka, odbyt • *v* **1** nabízet
na prodej **2** zajišťovat odbyt

marketeer [ma:ki'tiə]
1 stoupenec určitého tržního
směru **2** prodejce

marketplace [ma:kitpleis] tržiště

marksmanship [ma:ksmənšip]
střelectví, střelecké mistrovství

marmalade [ma:məleid] citrusový
(*obvykle pomerančový*) džem

marmot [ma:mət] svišť

marooned [mə'ru:nd]: **be ~ somewhere** uvíznout / zůstat trčet kde

marquee [ma:'ki:] **1** velký stan
2 *US* velká reklama (*nad
vchodem do kina*)

marriage [mæridž] **1** manželství
2 sňatek
♦ **~ certificate** oddací list

married [mærid] ženatý,
provdaná; **get ~ to** oženit se s,
provdat se za

marrow [mærəu] **1** morek
2 dýně, tykev

marrowbone [mærəubəun]
morková kost

marry [mæri] **1** oženit (se) s,
provdat (se) za **2** oddat

marsh [ma:š] močál

marshal [ma:šl] n **1** maršál
2 pořadatel (*při závodech*) **3** US
velitel hasičů • v (ll) seřadit;
~ing yard seřazovací nádraží

marten [ma:tin] kuna

martial [ma:šl] vojenský; **~ law**
stanné právo

martin [ma:tin] jiřička

martyr [ma:tə] n mučedník
• v umučit

marvel [ma:vl] n div, zázrak
• v (ll) žasnout at nad

marvellous [ma:vələs] úžasný

Mary [meəri] Marie

masculine [mæskjulin] **1** mužský
2 (*jaz.*) mužského rodu

mash [mæš] n **1** (*hovor.*)
bramborová kaše **2** šlichta
• v rozmačkat; **~ed potatoes** pl
bramborová kaše

M.A.S.H. [mæš] = Mobile Army
Surgical Hospital mobilní
vojenská chirurgická nemocnice

mask [ma:sk] n maska; škraboška
• v (za)maskovat (se)

mason [meisn] **1** kameník **2** M~
zednář

masonry [meisnri] **1** zdivo
2 M~ zednářství

masquerade [mæskə'reid]
maškaráda

mass[1] [mæs] n **1** masa, hromada,
množství, spousta **2** hmotnost

3 ~es pl masy (*lidu*), proletariát
♦ **~ media** hromadné sdělovací
prostředky, masmédia;
~ production hromadná výroba
• v (na)hromadit (se)

Mass[2] [mæs] mše

massacre [mæsəkə] n vraždění,
masakr(ování)
• v (po)vraždit, (z)masakrovat

massage [mæsa:ž] n masírování,
masáž • v masírovat

massive [mæsiv] **1** masivní
2 podstatný, značný **3** hutný,
celistvý

mast [ma:st] stěžeň; stožár; žerď

master [ma:stə] n **1** pán; **be one's
own ~** být svým vlastním pánem
2 mistr (*řemesla, vědy, umění*);
magistr **3** učitel, (*středoškolský*)
profesor **4** kapitán (*lodi*)
• v ovládnout • adj **1** prvotní,
originální; **~ copy** originální na-
hrávka (*sloužící pro reprodukci*)
2 mající titul mistra: **a ~
carpenter** mistr tesař
♦ **~ builder** stavitel, stavební
podnikatel; **~ card** nejvyšší
karta, trumf; **~ key** skupinový /
univerzální klíč

masterful [ma:stəful] energický;
suverénní, mistrovský

masterly [ma:stəli] mistrovský

mastermind [ma:stəmaind] n
vedoucí osobnost, řídící
'mozek', osnovatel • v vést,
řídit; naplánovat, zorganizovat

masterpiece [ma:stəpi:s]
mistrovské dílo

mat [mæt] rohož(ka)

match[1] [mæč] zápalka

match[2] [mæč] n **1** (*sportovní*)
zápas **2** rovný partner, soupeř;
meet one's ~ narazit na / potkat

sobě rovného **3** partie (*do manželství*) • *v* **1** porovnat, (z)měřit **2** vyrovnat se komu **3** hodit se k, ladit s; **a tie to ~ the suit** vázanka k obleku **4** hrát zápas **against** proti / s

match up rovnat se, odpovídat čemu

mate [meit] *n* **1** druh, kolega **2** (*v obchodním loďstvu*) důstojník • *v* pářit (se)

material [mə'tiəriəl] *adj* **1** hmotný; tělesný **2** významný; závažný • *n* látka; materiál; **raw ~s** *pl* suroviny; **writing ~s** *pl* psací potřeby

materialize [mə'tiəriəlaiz] uskutečnit (se)

maternal [mə'tə:nl] **1** mateřský **2** z matčiny strany

maternity [mə'tə:niti] mateřství; **~ hospital / home** porodnice; **~ and child welfare centre** poradna pro matky a děti; **~ leave** mateřská dovolená

mathematics [mæθi'mætiks], (*hovor.*) **maths** [mæθs] *sg* matematika

matinée [mætinei] odpolední představení

matron [meitrən] **1** vrchní sestra **2** *US* vrchní dozorkyně (*v ženské věznici*)

matter [mætə] *n* **1** hmota **2** podstata **3** věc, záležitost **4** důležitost **5** vylučovaná látka *z těla:* hnis, výtok, moč, stolice • **as a ~ of fact** vlastně, de facto; **a ~ of course** samozřejmost; **a ~ of opinion** věc názoru; **for that ~** co se toho týče, když na to přijde, konec konců; **it's no laughing ~** to není k smíchu; **no ~ how clean**

it is ať je to sebečistší; **printed ~** tiskopis; **reading ~** něco ke čtení • *v* záležet na něčem, mít důležitost / význam; **What does it ~?** Co na tom záleží?; **it does not ~** na tom nezáleží

matter-of-fact [mætərəv'fækt] **1** objektivní, věcný, realistický **2** suchý, strohý

mattress [mætris] matrace

mature [mə'tjuə] *adj* zralý • *v* (do)zrát; přivěst k zralosti

maturity [mə'tjuəriti] zralost; vyspělost

Maunday Thursday [mo:ndi'θə:zdei] Zelený čtvrtek

mauve [məuv] barva lila

maximum [mæksiməm] *n* maximum • *adj* maximální

May [mei] květen; **~ Day** První máj

may* [mei] smět, moci; **1** *svolení:* M~ **I come in?** Smím / Mohu vstoupit? **2** *pravděpodobnost:* **You ~ be right.** Možná, že máš pravdu. **3** *přání:* M~ **they live long!** Ať jsou dlouho živi!

maybe [meibi(:)] možná, snad, asi

maybug [meibag] chroust

mayday [meidei] SOS (*radiotelegrafické volání o pomoc*)

mayonnaise [meiə'neiz] majonéza

mayor [meə] starosta

maze [meiz] **1** bludiště, labyrint **2** zmatek, chaos

M.C. [em'si] = **Master of Ceremonies** konferenciér, moderátor

M.D. [em'di:] **1** Doctor of Medicine doktor lékařství **2** managing director generální ředitel

me [mi: / mi] mne, mně, mi

meadow [medəu] louka

meagre [mi:gə] hubený, skrovný

meal [mi:l] denní jídlo; **have three ~s a day** jíst třikrát denně

mealtime [mi:ltaim] doba jídla

mean[1]* [mi:n] **1** znamenat **2** mínit, myslit; **I ~ it** já to myslím vážně; **do you ~ to say that** chcete snad říci, že **3** zamýšlet; **~ business** myslet to (smrtelně) vážně; **~ well** myslet to dobře **by** s

mean[2] [mi:n] adj střední, průměrný ● n střed, průměr

mean[3] [mi:n] **1** ubohý, bídný **2** nízký, hanebný **3** lakomý **4** (hovor.) fantastický, báječný ● **no ~** vynikající

meaning [mi:niŋ] význam

meaningful [mi:niŋful] **1** mající význam / smysl, významný **2** záměrný, účelný

meaningless [mi:niŋlis] nic neříkající, nesmyslný

means [mi:nz] pl (v často v sg) **1** prostředek, prostředky; **~ of transport** dopravní prostředky; **by ~ of** pomocí čeho; **by some ~ or other** tak nebo tak; **by all ~** rozhodně; **by no ~** vůbec ne, v žádném případě **2** pl finanční prostředky; **a man of ~** zámožný člověk

meantime [mi:ntaim], **in the ~**, **meanwhile** [mi:nwail] (pro)zatím, mezitím

measles [mi:zlz] sg spalničky

measure [mežə] n **1** míra; **made to ~** ušitý na míru **2** takt; tempo, rytmus **3** opatření, krok; **take ~s** učinit opatření ● v měřit

measure off odměřit (délku)

measure out odměřit (množství)

measure up 1 vyrovnat se **to** čemu, dosáhnout (úrovně) čeho **2** splňovat (**requirements** požadavky); mít požadovanou úroveň

measured [mežəd] odměřený; rozvážný, uvážený

measurement [mežəmənt] míra; **~s** pl rozměry

meat [mi:t] **1** maso **2** jádro; dužina ● **~ and drink** úplná rozkoš; **~ and potatoes** (přen.) grunt, to nejdůležitější

mechanic [mi'kænik] **1** mechanik, strojník, montér **2** automechanik

mechanical [mi'kænikl] **1** strojní, strojový; mechanický **2** automatický, samovolný

mechanics [mi'kæniks] **1** mechanika **2** mechanismus, technika, postup

mechanization [mekənai'zeišn] mechanizace

mechanize [mekənaiz] mechanizovat

medal [medl] medaile

meddle [medl] vměšovat se, plést se, strkat nos **in / with** do

media [mi:diə] sdělovací prostředky ● **~ hype** intenzivní reklama ve sdělovacích prostředcích

mediate [mi:dieit] zprostředkovat, být prostředníkem

mediation [mi:di'eišn] zprostředkování

medical [medikl] adj **1** lékařský; léčebný, léčivý; **~ practitioner** praktický lékař **2** (med.) interní ● n lékařská prohlídka

Medicare [medikeə] US státní zdravotní péče pro důchodce

medicine [medsin] **1** lékařství (zvl. vnitřní) **2** lék ● **~ cabinet**

lékárnička; **give sb. a dose / taste of his own ~** zaplatit stejnou mincí komu; **take / swallow one's ~** (*přen.*) spolknout hořkou pilulku

medicine man [medsinmæn] šaman

medieval [medi'i:vl] středověký

meditate [mediteit] **1** meditovat; přemýšlet, uvažovat, hloubat **on** o **2** pomýšlet na

meditation [medi'teišn] meditace; přemýšlení, uvažování

Mediterranean (Sea) [meditə'reinjən ('si:)] Středozemní moře

medium [mi:djəm] *n* **1** střed; průměr **2** prostředek **3** prostředí, milieu **4** médium • *adj* střední (**waves** vlny); prostřední, průměrný; **~ dry** (*víno*) polosuchý

medley [medli] směs, směsice

meek [mi:k] mírný, poddajný, trpělivý

meet* [mi:t] **1** potkat (se) **2** sejít se, setkat se (**with a friend** s přítelem, **with obstacles** s překážkami) **3** seznámit se s **4** uspokojit; **~ sb. halfway** vyjít komu vstříc **5** vyrovnat, uhradit (**a bill** účet) **6** dopnout (se); **my jacket won't ~** moje sako nejde dopnout **7** utkat se (**a team in football** s mužstvem v kopané) ♦ **~ with an accident** mít nehodu; **there is more to it than ~s the eye** za tím vězí víc, než se na první pohled zdá; **~ of minds** souhlas; **pleased to ~ you** těší mě, že vás poznávám; **~ sb. at the station** přijít komu naproti na nádraží; **the trains ~ at C.** vlaky se křižují v C.

meeting [mi:tiŋ] **1** schůze; shromáždění **2** utkání, zápas

melancholy [melənkəli] *n* melancholie • *adj* melancholický

mellow [meləu] **1** vyzrálý; sladký a šťavnatý **2** něžný, lahodný **3** vyrovnaný, plný porozumění, moudrý

melodious [mi'ləudjəs] melodický

melodrama [melədra:mə] melodrama; **don't make such a ~ of it** nedělej z toho kovbojku

melody [melədi] melodie

melon [melən] meloun

melt [melt] **1** (roz)tavit **2** (roz)tát, rozpouštět se

melt down roztavit (*kovové předměty*)

member [membə] **1** člen **2** končetina; (*pohlavní*) úd

membership [membəšip] **1** členství **2** členstvo

membrane [membrein] **1** blána **2** membrána

memento [mi'mentəu] suvenýr

memo [meməu] **1** domácí vzkaz **2** poznámka

memorable [memrəbl] památný

memorial [mi'mo:riəl] *n* památník • *adj* pamětní; **M~ Day** US Den obětí války (*poslední pondělí v květnu*)

memorize [meməraiz] naučit se zpaměti

memory [meməri] **1** paměť; **from ~** zpaměti **2** vzpomínka **of** na **3** památka

menace [menis] *n* hrozba • *v* (o)hrozit, vyhrožovat

menacing [menisiŋ] hrozivý, výhružný

menagerie [mi'nædžəri] zvěřinec

mend [mend] **1** spravit, opravit **2** zlepšit, napravit **3** (*hovor.*) přetrumfnout

M

mendacious [men'deiʃəs]
prolhaný; lživý

mental [mentl] duševní ◆ ~ **age**
duševní úroveň; ~ **home /
hospital** psychiatrická léčebna

mention [menʃn] v zmínit se o
◆ **don't ~ it** to nestojí za řeč,
prosím; **not to ~** nemluvě o,
nehledě k / na ● n zmínka **of** o

menu [menju:] 1 jídelní lístek
2 menu, nabídka

mercantile [mə:kəntail] obchodní;
kupecký

mercenary [mə:sənri] adj
1 námezdný, žoldácký; prodejný
2 zištný ● n žoldnéř

merchandise [mə:tʃəndaiz] zboží

merchant [mə:tʃnt]
(velko)obchodník

merciful [mə:siful] milosrdný

mercury [mə:kjuri] rtuť

mercy [mə:si] 1 soucit, milos-
denství 2 (hovor.) štěstí, šťastná
náhoda; **be at the ~ of** být vy-
dán na milost a nemilost komu /
čemu; **be thankful for small
mercies** být rád to toho, co máš

mere [miə] pouhý

merely [miəli] pouze, jenom

merge [mə:dʒ] 1 splynout
2 spojit, fúzovat

merger [mə:dʒə] sloučení, fúze

meridian [mə'ridiən] poledník

meringue [mə'ræŋ] sněhová
pusinka, pěnový dortík, bezé

merit [merit] n 1 zásluha 2 dobrá
vlastnost, hodnota; of outstand-
ing ~ vynikající 3 ~s pl výhody;
hlavní body, podstata věci
● v zasloužit si

merry [meri] veselý; **make ~**
veselit se

merry-go-round [merigəuraund]
kolotoč

mesh [meʃ] oko (sítě)

mess [mes] n 1 nepořádek, bordel,
zmatek; **make a ~ of sth.** zpackat,
zhudlařit co 2 pěkná kaše, bryn-
da, trable, potíže; **get into a ~** do-
stat se do obtížné situace 3 (voj.)
kantýna; ~ **tin** jídelní miska, ešus
● v 1 uvést do nepořádku
2 stravovat se v kantýně

mess around 1 potloukat se, flákat
se 2 (neodborně) manipulovat
with s, hrát si s, vrtat se v

mess up 1 zpřeházet, obrátit vzhů-
ru nohama 2 zamazat 3 zhatit

message [mesidʒ] zpráva, vzkaz,
sdělení, poselství; **get the ~**
pochopit, porozumět

messenger [mesindʒə] posel,
poslíček

Messiah [mi'saiə] Vykupitel,
Mesiáš

Messrs. [mesəz] pánové; ~ **Brown
& Co.** firma Brown & spol.

metal [metl] kov

metallic [mi'tælik] kovový

metallurgic(al) [metə'lə:dʒik(l)]
hutnický, hutní, metalurgický

metallurgy [mə'tælədʒi] hutnictví,
metalurgie

metamorphosis [metə'mo:fəsis]
přeměna, proměna, metamorfóza

metaphor [metəfə] metafora

mete out [mi:t'aut] rozdělit,
přisoudit; vyměřit; ~ **justice**
zjednat spravedlnost

meteor [mi:tjə] meteor

meteorology [mi:tjə'rolədʒi]
meteorologie

meter [mi:tə] měřidlo, měřící
přístroj; počítadlo, hodiny

method [meθəd] 1 metoda,

postup, způsob **2** (*vědní*)
klasifikace, soustava
meticulous [mi'tikjuləs]
úzkostlivě pečlivý, puntičkářský,
pedantský, skrupulózní
metre [mi:tə] **1** metr **2** metrum
metropolis [mi'tropəlis] hlavní
město, metropole
mews [mju:z] *sg* **1** stáje
2 (*drahé*) obytné objekty
(*vzniklé přestavbou stájí*)
Mexico [meksikəu] Mexiko
mica [maikə] slída
microbe [maikrəub] mikrob
microphone [maikrəfəun]
mikrofon
microscope [maikrəskəup]
mikroskop
microscopic [maikrə'skopik]
mikroskopický
mid- [mid] uprostřed čeho; **in**
~summer uprostřed léta
midair [mid'eə] **in ~** vysoko nad
zemí, ve vzduchu
midday [middei] poledne; **~ meal**
oběd
middle [midl] *adj* (pro)střední; **M~**
Ages *pl* středověk; **~ class** střední
třída, buržoazie; **M~ East** Střed-
ní východ ● *n* **1** střed; **in the ~**
of uprostřed čeho **2** (*hovor.*) pas
middle-aged [midleidʒd] ve
středních letech; **~ spread**
korpulence čtyřicátníka
middleman [midlmæn]
prostředník, zprostředkovatel
middling [midəliŋ] *adj* střední,
(*pouze*) průměrný, druhořadý
● *adv* průměrně, jakž takž
midget [midʒit] zakrslík, trpaslík,
skřček
midnight [midnait] půlnoc
midpoint [midpoint] střed, vrchol

midsummer [midsamə] doba letní-
ho slunovratu; **in ~** uprostřed léta
midterm blues [midtə:m'blu:z]
nespokojenost s vládou /
prezidentem uprostřed jejich
volebního období
midway [midwei] *adj* ležící
uprostřed cesty
● *adv* uprostřed cesty, v polovině
midwife [midwaif] porodní
asistentka
might[1] [mait] (*minulý čas od*)
may*; **I ~** mohl bych; **How old**
~ he be? Kolik je mu asi let?
might[2] [mait] moc, síla; **with all**
one's ~ ze všech sil
mighty [maiti] *adj* **1** mocný, mo-
hutný **2** vynikající, monumentál-
ní **3** (*hovor.*) ohromný, úžasný
● *adv US* (*hovor.*) nesmírně
migrate [mai'greit] stěhovat se,
migrovat
migration [mai'greišn] stěhování,
migrace
migratory [maigrətəri] stěhovavý
mike [maik] (*hovor.*) mikrofon
mild [maild] **1** mírný **2** jemný;
lahodný
mildew [mildju:] plíseň
mildly [maildli] mírně; **putting it**
~ mírně řečeno
mile [mail] míle (*1609,3 m*)
mileage [mailidʒ] **1** vzdálenost
v mílích **2** počet ujetých mil
3 (*hovor.*) užitek
milestone [mailstəun] milník, (*též*
přen.)
militant [militənt] bojovný,
militantní
military [militəri] *adj* vojenský
(**service** služba), armádní
● *n* vojsko, armáda
militia [mi'lišə] milice

M

milk [milk] *n* mléko
♦ **~ float** vozík mlékaře; **~ tooth**
mléčný zub; **cry over spilt ~**
pozdě bycha honit ● *v* dojit

milker [milkə] dojnice

milky [milki] mléčný; **M~ Way**
Mléčná dráha

mill [mil] *n* **1** mlýn; mlýnek
2 továrna, závod ♦ **put sb. / go
through the ~** nechat koho po-
jít / projít tvrdou školou života
● *v* (roze)mlít

mill about / around (*dav*) točit
se, motat se

miller [milə] mlynář

milliard [miljəd] *GB* miliarda

millimeter [milimi:tə] milimetr

millionaire [miljə'neə] milionář

mime [maim] *n* **1** pantomima
2 (panto)mim ● *v* vyjádřit
pantomimicky, (za)hrát

mimic [mimik] *n* imitátor ● *v* imi-
tovat, napodobovat; parodovat

mince [mins] *v* (*drobně*)
(roz)sekat, rozkrájet; **with
mincing steps** drobnými krůčky
● *n* sekaná, sekané maso

mincemeat [minsmi:t] *směs
sekaných mandlí, hrozinek,
pomerančové kůry atd. s cukrem*
♦ **make ~ of** rozsekat koho / co
na kusy, roztrhat na cucky (*přen.*)

mind [maind] *n* **1** mysl; rozum,
inteligence **2** mínění, názor,
smýšlení **3** úmysl, sklon, chuť
♦ **absence of ~** roztržitost; **bear /
have in ~** mít na paměti; **call sth.
to ~** připomenout si co; **put one's
~ to** dát si záležet na; **What's on
your ~?** Co ti vrtá hlavou?; **be
in two ~s** nemoci se rozhodnout,
váhat; **change one's ~** změnit
názor, rozmyslit si to; **give sb.**

a piece of one's ~ pořádně vyči-
nit komu; **have a good ~ to** mít
sto chutí k čemu; **~'s eye** duševní
zrak; **make up one's ~** rozhod-
nout se; **to my ~** podle mého ná-
zoru; **peace of ~** duševní klid; **set
one's ~ on** umínit si co, zamýšlet;
speak your ~ řekni, co si myslíš
● *v* **1** dbát na, dávat pozor na
2 namítat proti
♦ **~ the step** pozor schod; **~ your
own business** hleď si svého; **do
you ~ my reading / if I read?**
dovolíte, abych (si) četl?; **if you
don't ~** nevadí-li vám to; **never
~ 1.** to nevadí, na tom nezáleží
2. nečku-li, nemluvě o; **~ one's
Ps and Qs** (*hovor.*) dát si zále-
žet, ukázat své dobré vychování

mindful [maindful] dbalý of sth.
čeho

mind reader [maindri:də] čtenář
myšlenek

mine[1] [main] můj

mine[2] [main] *n* **1** důl; **a ~ of
information** pramen informací
2 mina ● *v* **1** dolovat
2 podminovat, zaminovat

miner [mainə] horník

mineral [minərəl] *n* **1** nerost, hor-
nina **2** ~s *pl GB* minerálka ● *adj*
nerostný; **~ water** minerálka

mingle [mingl] mísit (se), smíchat
(se)

mini [mini] *cokoli v malém
provedení:* miniauto; minisukně

miniature [miničə] *n* miniatura
● *adj* miniaturní; **~ golf** minigolf

minibus [minibas] mikrobus

minicab [minikæb] *GB* taxi (*pouze
na telefonickou objednávku*)

minim [minim] půlová nota

minimum [minimǝm] *n* minimum
● *adj* minimální

minister [ministǝ] **1** ministr
2 vyslanec **3** protestantský duchovní
♦ ~ **of state** náměstek ministra

ministerial [mini'stiǝriǝl] ministerský

ministry [ministri] **1** ministerstvo **2** duchovenstvo

mink [miŋk] norek

minor [mainǝ] *adj* **1** menší; méně důležitý **2** *GB* mladší (*sourozenec*) **3** (*hud.*) moll
● *n* nezletilá / nezletilá osoba

minority [mai'noriti] **1** menšina **2** nezletilost, nezletilost

minster [minstǝ] katedrála, dóm

mint[1] [mint] máta

mint[2] [mint] *n* **1** mincovna **2** (*hovor.*) mnoho peněz, celé jmění ♦ **in ~ condition** zbrusu nový; v perfektním stavu
● *v* razit (**coins** mince, **a new word** nové slovo)

minus [mainǝs] (*mat.*) minus, bez

minute[1] [minit] **1** minuta
♦ **in a ~** za chvilku; **to the ~** přesně; **the ~ (that)** jakmile; ~ **hand** minutová ručička **2** ~ *pl* protokol, zápis (**of a meeting** ze schůze); **take down the ~s** psát zápis

minute[2] [mai'nju:t] **1** drobný **2** podrobný, přesný

miracle [mirǝkl] div, zázrak; **work ~s** dělat zázraky

miraculous [mi'rækjulǝs] zázračný

mirage [mira:ž] fata morgána

mirror [mirǝ] *n* zrcadlo; ~ **image** zrcadlový obraz ● *v* **1** zrcadlit, odrážet **2** obrážet, představovat

misadventure [misǝd'venčǝ] nehoda, neštěstí, nešťastná náhoda

miscalculate [mis'kælkjuleit] přepočítat se

miscarriage [mis'kæridž] **1** potrat **2** nedoručení pošty
♦ ~ **of justice** justiční omyl

miscarry [mis'kæri] **1** mít potrat, potratit **2** nezdařit se **3** (*poštovní zásilka*) nebýt doručen, ztratit se

miscellaneous [misi'leinjǝs] rozmanitý, různorodý

mischance [mis'ča:ns] smůla

mischief [misčif] **1** škoda, spoušť **2** rozbroj, zlá krev **3** darebáctví, uličnictví, neplecha, nezbednost **4** (*hovor.*) dareba, nezbeda

mischievous [misčivǝs]
1 škodlivý, zhoubný; zlomyslný **2** darebný, nezbedný, uličnický

misdemeanour [misdi'mi:nǝ]
1 přečin **2** poklesek, přehmat

miser [maizǝ] lakomec

miserable [mizrǝbl] **1** nešťastný, ztrápený; špatně naladěný, protivný **2** ubohý, bídný, mizerný

misery [mizǝri] bída

misfire [mis'faiǝ] **1** selhat **2** (*motor*) nechytnout **3** minout se účinkem

misfit [misfit] kdo se neumí / nechce přizpůsobit poměrům, kdo se minul povoláním, ztracenec

misfortune [mis'fo:čǝn] neštěstí

misgiving [mis'giviŋ] obava, pochybnost

misinformation [misinfǝ'meišn] dezinformace

misinterpret [misin'tǝ:prit] špatně si vykládat

mislay* [mis'lei] založit (*někam*)

mislead* [mis'li:d] zavést na špatnou cestu, svést

misnomer [mis'nǝumǝ] nevhodný / nesprávný název

misplace [mis'pleis] založit (*kam*); položit na nesprávné místo
misprint [misprint] tisková chyba
miss [mis] **1** minout, chybit, netrefit (**the target** cíl), přehlédnout **2** nechat si ujít; zmeškat, zameškat (**a lesson** lekci, **an opportunity** příležitost, **a train** vlak); **be ~ing** chybět **3** postrádat; **we'll ~ you** bude se nám po tobě stýskat
miss out vynechat
Miss [mis] **1** (*před jménem*) slečna **2** (*v soutěži*) královna, miss **3** GB paní učitelka
misshapen [mis'šeipn] zdeformovaný
missile [misail] **1** metací zbraň **2** střela, raketa **3** vržený předmět ♦ **intercontinental ballistic** interkontinentální balistická střela; **guided** – řízená střela; **~ base** raketová základna
missing [misiŋ] **1** chybějící **2** pohřešovaný, nezvěstný
mission [mišn] **1** (*bojový*) úkol **2** poslání; poselstvo, mise **3** misie
misspend* [mis'spend] promarnit
mist [mist] *n* mlha, opar ♦ *v* zamlžit (se)
mistake* [mis'teik] *v* **1** zmýlit se **v 2** omylem považovat **sth.** co **for** za; **be ~n** být na omylu **about** v ♦ *n* omyl, chyba; **by** ~ omylem; **and no ~ (about it)** docela určitě, jen co je pravda
Mister [mistə] **1** (*před jménem psáno*) **Mr, Mr.** pan **2** (*slang.*) pane (*oslovení neznámého*)
mistletoe [misltəu] jmelí
mistress [mistris] **1** milenka **2** paní, vládkyně **3** panička (*psa*)
mistrust [mis'trast] *v* nedůvěřovat (komu) ♦ *n* nedůvěra **of** v

misty [misti] zamlžený, mlhavý
misunderstand* [misandə'stænd] neporozumět, nechápat, špatně rozumět (*čemu*)
misunderstanding [misandə'stændiŋ] nedorozumění
misuse *v* [mis'ju:z] **1** špatně / nesprávně použít **2** zneužít ♦ *n* [mis'ju:s] **1** špatné / nesprávné použití **2** zneužití
mitigate [mitigeit] zmírnit
mitigating circumstances *pl* polehčující okolnosti
mitten [mitn] palečnice, palčáky
mix [miks] *n* směs; směsice ♦ **soup** – polévka v prášku ♦ *v* **1** míchat (se), smísit (se); namíchat **2** přátelit se, stýkat se, dobře vycházet s lidmi **3** zaplést se, něco si začít in v
mix in vmíchat, (*mícháním*) přidat
mix up **1** promíchat, promísit **2** zaměňovat (**the names** jména) **3** (s)plést si **sb.** koho **with** s, omylem považovat koho za **4** vnést zmatek do
mixed [mikst] míchaný; smíšený ♦ ~ **doubles** smíšená čtyřhra; ~ **school** koedukační škola
mixed up [mikst'ap] **1** propletený, zapletený **2** zmatený, neurotický ♦ **get** ~ zaplést se (**in politics** do politiky)
mixer [miksə] **1** míchačka; mixér **2** (*dobrý / špatný*) společník **3** US seznamovací večírek
mixture [miksčə] směs
moan [məun] *n* **1** sten, sténání **2** (*hovor.*) lamentace ♦ *v* **1** sténat **2** lamentovat, fňukat
mob [mob] *n* dav; lůza ♦ *v* (**bb**) obklopit davem
mobile [məubail] pohyblivý, mo-

bilní ♦ ~ **(tele)phone** mobilní telefon, mobil (*hovor.*); ~ **library** pojízdná knihovna, bibliobus

mobilization [məubilai'zeišn] mobilizace

mobilize [məubilaiz] mobilizovat

moccasin [mokəsin] mokasín

mock [mok] *v* **1** zesměšňovat, posmívat se, pošklebovat se (komu / čemu) **2** karikovat ♦ *adj* falešný, nepravý; simulovaný, na oko

mockery [mokəri] posměch, výsměch

mock-up [mokap] maketa / model ve skutečné velikosti

model [modl] *n* **1** model, vzor **2** modelka, manekýnka ♦ *adj* vzorný ♦ *v* (**ll**) modelovat

moderate *adj* [modərət] **1** mírný **2** umírněný, rozumný ♦ *v* [modə-reit] **1** mírnit, krotit **2** moderovat

moderation [modə'reišn] umírněnost

moderator [modəreitə] **1** prostředník **2** moderátor

modern [modən] moderní

modern-day [modəndei] dnešní

modest [modist] **1** skromný, nenáročný **2** umírněný, rozumný **3** jednoduchý, obyčejný, prostý

modesty [modisti] skromnost, nenáročnost ♦ **in all ~** při / ve vší skromnosti

modify [modifai] změnit, upravit, přizpůsobit

moist [moist] vlhký

moisten [moisn] navlhčit; navlhnout

moisture [moisčə] vlhkost

moisturize [moisčəraiz] navlhčit, zvlhčit

molar [məulə] stolička (*zub*)

mole[1] [məul] krtek

mole[2] [məul] mateřské znaménko

molecular [mə'lekjulə] molekulární

molecule [molikju:l] molekula

molest [mə'lest] obtěžovat

molestation [məule'steišn] obtěžování

moment [məumənt] **1** okamžik, chvilička **2** (*fyz.*) moment ♦ **at the ~** právě; **at (odd) ~s** občas; **in a ~** za okamžik; **at the last ~** na poslední chvíli; **not for a ~** ani na okamžik; **the ~ (that)** jakmile

monarch [monək] panovník

monarchy [monəki] monarchie

monastery [monəstri] (*mužský*) klášter

Monday [mand(e)i] pondělí

monetary [manitri] peněžní; měnový

money [mani] peníze ♦ ~ **for jam / old rope** lehce vydělané peníze; **put (some) ~ into** investovat do

money order ['mani,o:də] *US* poštovní poukázka (*na větší částky*)

Mongol [mongl] *n* Mongol ♦ *adj* mongolský

Mongolia [moŋ'gəuljə] Mongolsko

mongrel [maŋgrəl] kříženec

monitor [monitə] *n* **1** monitor **2** předseda třídy **3** sledovací zařízení ♦ *v* monitorovat, sledovat

monk [maŋk] mnich

monkey [maŋki] opice

monkey wrench [maŋkirenč] francouzský klíč

monochrome [monəkrəum] **1** jednobarevný **2** černobílý

monogram [monəgræm] monogram

monograph [monəgra:f] monografie

M

monologue [monəlog] monolog

monopoly [mə'nopəli] monopol

monotonous [mə'notənəs] jednotvárný, monotónní

monotony [mə'notəni] jednotvárnost, monotónnost

monsoon [mon'su:n] monzun

monster [monstə] zrůda, netvor, obluda

monstrous [monstrəs] 1 netvorný, obludný; příšerný, hrozný 2 obrovitý, kolosální 3 absurdní, nehorázný

month [manθ] měsíc

monthly [manθli] adj měsíční ● n měsíčník ● adv měsíčně

monument [monjumənt] 1 památník, pomník 2 chráněná památka

monumental [monju'mentl] 1 monumentální 2 (hovor.) kolosální

mood[1] [mu:d] nálada; **be in the ~ for** mít náladu na; **be in no ~ for** nemít náladu na

mood[2] [mu:d] (jaz.) způsob

moodiness [mu:dinis] náladovost

moon [mu:n] n měsíc (luna); **be over the ~** být nesmírně šťastný; **there is a ~** svítí měsíc; **full ~** úplněk ● v oddávat se snění

moon about / around bezcílně bloumat, pohybovat se jako ve snu

moonlight [mu:nlait] měsíční světlo

moonshine [mu:nšain] 1 nesmysly 2 US samohonka

moor[1] [muə] pustá planina, vřesoviště

moor[2] [muə] zakotvit, připoutat (plavidlo)

mop [mop] n 1 mop 2 kštice ● v (pp) setřít mopem

mop up 1 vytřít (mopem) 2 odstranit, zlikvidovat 3 (hovor.) pohltit, shrábnout

moped [məuped] GB moped

moral [morəl] adj 1 mravní, morální 2 mravný 3 mravoučný ● n 1 mravní naučení 2 ~s pl morálka, mravy

morale [mə'ra:l] morálka, duch

morality [mə'ræliti] morálka, mravnost

morbid [mo:bid] 1 chorobný, patologický 2 morbidní

more [mo:] více ● ~ **and** ~ čím dál tím víc; **no ~** 1. už ne 2. již nikdy; **one ~ day** ještě den; ~ **often than not** (hovor.) většinou; **once ~** ještě jednou; ~ **or less** více méně; ~ **like** spíše; **the ~ so because** tím spíše, že; **some ~ tea** ještě trochu čaje

moreover [mo:r'əuvə] mimoto, nadto, kromě toho

morning [mo:niŋ] 1 ráno 2 dopoledne ● **in the ~** ráno, dopoledne; **this ~** dnes ráno / dopoledne; ~ **star** jitřenka; ~ **suit** žaket

Morocco [mə'rokəu] Maroko

morose [mə'rəus] nevrlý

Morse code [mo:s'kəud] morseovka

morsel [mo:sl] sousto

mortal [mo:tl] adj 1 smrtelný 2 (hovor.) nekonečný, otravný ● n smrtelník

mortality [mo:'tæliti] 1 smrtelnost 2 též ~ **rate** úmrtnost

mortar [mo:tə] 1 malta 2 minomet

mortar-board [mo:təbo:d]
1 zednická lžíce **2** (*univerzitní*)
čtverhranný baret

mortgage [mo:gidž] hypotéka

mortify [mo:tifai] **1** (*asketicky*)
umrtvovat **2** pokořit, ponížit,
zahanbit

mortuary [mo:čuəri] **1** márnice
2 *US* pohřební ústav

mosaic [məu'zeiik] mozaika

Moscow [moskəu] Moskva

mosque [mosk] mešita

mosquito [mə'ski:təu] moskyt

moss [mos] mech

most [məust] **1** nejvíce; **(the) ~
mistakes / money** nejvíce chyb /
peněz; **the ~ beautiful** nejkrás-
nější **2** velice, nadmíru **3** většina
  ◆ **at (the) ~** nanejvýše; **what
pleased me ~ of all** co se mi
líbilo ze všeho nejvíce; **a ~
useful thing** velmi užitečná věc;
~ people většina lidí; **~ of the
time** většinou; **for the ~ part**
z největší části; **make the ~ of**
plně využít čeho

mostly [məustli] většinou

motel [məu'tel] motel

moth [moθ] **1** mol **2** noční
motýl, můra

mother [maðə] matka
  ◆ **~ country** vlast; **M~'s Day**
svátek matek (*GB: čtvrtá neděle
postní, US: druhá neděle
v květnu*); **~ tongue** mateřština

motherhood [maðəhud] mateřství

mother-in-law [maðrinlo:] tchyně

mother-of-pearl [maðərəv'pə:l]
perleť

motion [məušn] *n* **1** pohyb
2 návrh (*na schůzi*); **on the ~ of**
na návrh koho   *v* pokynout

motionless [məušnlis] nehybný

motion picture [ˌməušn'pikčə] *US*
film

motive [məutiv] *adj* hybný
(**power** síla)   *n* motiv, pohnutka

motley [motli] **1** strakatý, pestrý
2 různorodý

motor [məutə] motor

motorcycle [məutəsaikl] motocykl

motor lodge [məutələdž] *US* motel

motorway [məutəwei] *GB* dálnice

mould[1] [məuld] *n* kadlub, forma;
cast in the same ~ ze stejného
těsta   *v* **1** dát tvar čemu **2** odlít
do formy, tvarovat; lisovat

mould[2] [məuld] plíseň

mouldy [məuldi] plesnivý

mound [maund] **1** hromada, kupa
2 kopec, pahorek **3** val, násep
4 mohyla

mount [maunt] **1** uspořádat,
(z)organizovat **2** (**up**) stoupat,
vzrůstat **3** stoupat (**kam**),
vystoupit na **4** nasednout na
(**koně, motorku**) **5** posadit,
vysadit **on** na **6** namontovat,
přimontovat; podlepit

mountain [mauntin] hora
  ◆ **~ bike** horské kolo; **~ rescue
service** horská záchranná služba

mountaineer [maunti'niə]
1 horolezec **2** horal

mountaineering [maunti'niəriŋ]
horolezectví

mountainous [mauntinəs] hornatý

mounted [mauntid] jízdní (**police**
policie)

Mountie [maunti] (*hovor.*) člen
kanadské jízdní policie

mourn [mo:n] **1** truchlit **for /
over** nad **2** nosit smutek

mourning [mo:niŋ] smutek

mouse [maus], *pl* **mice** [mais] myš

moustache [mə'sta:š] knír

mouth [mauθ] **1** ústa **2** ústí

mouthful [mauθful] **1** sousto **2** dlouhé slovo, dlouhatánský název

mouthorgan [mauθo:gən] (*hovor.*) foukací harmonika

mouthpiece [mauθpi:s] **1** náústek, nátrubek **2** mluvítko, mikrofon **3** mluvčí

movable [mu:vəbl] pohyblivý

move [mu:v] *n* **1** krok, opatření **2** tah (*v šachu*) • *v* **1** hnout (se) **2** pohybovat (se); táhnout (*v šachu*) **3** stěhovat se **4** pohnout; dojmout **5** navrhnout (*při schůzi*)

move in nastěhovat (se)

move off odsunout (se), vzdálit (se)

move out odstěhovat se

move up **1** posunout se, udělat místo **2** povýšit, postoupit; dostat se do vyšší kategorie

movement [mu:vmənt] **1** pohyb **2** hnutí **3** (*hud.*) věta

movie [mu:vi] *US* (*hovor.*) **1** film **2** ~s *pl* kino

moving [mu:viŋ] **1** pohyblivý **2** hybný, hnací **3** dojemný **4** ožehavý, palčivý

mow* [məu] sekat, kosit

M.P. [em'pi:] **1** Member of Parliament *GB* poslanec **2** Military Police vojenská policie

Mr, Mr. [mistə] (*před jménem*) pan

Mrs, Mrs. [misiz] (*před jménem*) paní

Ms [miz] jednotná předrážka *místo* **Miss** *nebo* **Mrs**

Mt = **Mount** [maunt] hora (*před jménem*)

much [mač] **1** mnoho, hodně **2** mnohem
♦ **as ~ as** tolik jako; **as ~ again**

ještě jednou tolik; **how ~** kolik; **he is not ~ of an actor** jako herec za moc nestojí; **nothing ~** nic zvláštního; **~ the same** skoro stejný; **~ to my surprise** k mému velkému překvapení

muck [mak] **1** hnůj, chlévská mrva **2** (*hovor.*) špína, svinstvo; chlív, bordel, nepořádek

mud [mad] bláto, bahno
♦ **~ in your eye** na zdraví, ať ti to šlape (*přípitek*)

muddy [madi] blátivý, zablácený

mudguard [madga:d] blatník

muddle [madl] *n* zmatek, nepořádek, páté přes deváté • *v* splést, poplést

muffle [mafl] **1** (*teple*) zabalit, zachumlat **2** (u)tlumit (*zvuk*)

mufti [mafti] civil(ní oblek); **in ~** v civilu

mug [mag] hrnek

mulberry [malbəri] moruše

mule [mju:l] mul, mezek

multiple [maltipl] mnohonásobný, mnohostranný

multiplication [maltipli'keišn] násobení ♦ **~ table** násobilka

multiply [maltiplai] **1** násobit **2** rozmnožovat se

multistorey [maltisto:ri] mnohaposchoďový

multitude [maltitju:d] množství

mumble [mambl] mumlat

mummy [mami] mumie

mumps [mamps] *sg* příušnice

munch [manč] přežvykovat

municipal [mju'nisipl] městský, obecní, komunální

munitions [mju'nišnz] *pl* válečný materiál, munice

mural [mjuərl] *adj* nástěnný
• *n* nástěnná malba

murder [məːdə] *n* vražda
* *v* (za)vraždit

murderer [məːdərə] vrah

murderous [məːdərəs] vražedný

murmur [məːmə] *n* **1** šum(ění),
zurčení **2** mumlání, šepot
3 šelest (*srdeční*) • *v* **1** šumět,
zurčet **2** reptat **at** na, **against**
proti **3** (za)mumlat, (za)šeptat

muscle [masl] **1** sval **2** (*přen.*)
síla, moc; podstata, základ

muse[1] [mjuːz] múza

muse[2] [mjuːz] dumat, hloubat
on / over nad

museum [mjuːˈziːəm] muzeum

mushroom [mašruːm] *n* **1** houba;
spring up like ~s růst jako
houby po dešti **2** hřib (*mrak po
výbuchu*) • *v* **1** rychle růst
2 rozšířit se (*rychle*)

music [mjuːzik] **1** hudba; **set to ~**
zhudebnit **2** noty
♦ **face the ~** nést následky;
~ centre *GB* hi-fi věž

musical [mjuːzikl] *adj* hudební
• *n* muzikál

musician [mjuːˈzišn] hudebník

musk [mask] pižmo

must* [mast] *v* muset:
1 povinnost: **I ~** musím **2** zákaz
(*zápor*): **I ~ not** nesmím
3 jistota: **he ~ be ill** jistě je
nemocen; **you ~ have heard**
jistě jsi slyšel; **you ~ be joking!**
to nemyslíš vážně!
• *n* nutnost, povinnost; **it is a ~** to
se musí vidět / slyšet / mít *apod.*

mustard [mastəd] hořčice

muster [mastə] **1** (*voj.*) nástup;
přehlídka **2** sbírka; shromáždění
♦ **pass ~** obstát

musty [masti] plesnivý, zatuchlý

mutation [mjuːˈteišn] změna,
přeměna; mutace

mute [mjuːt] *adj* němý • *v* ztlumit
• *n* **1** (hlucho)němý **2** dusítko,
sordinka

mutilate [mjuːtileit] zmrzačit; (*též
přen.*) zkomolit

mutineer [mjuːtiˈniə] vzbouřenec,
povstalec

mutiny [mjuːtini] *n* vzpoura
• *v* vzbouřit se

mutter [matə] **1** (za)mumlat
2 reptat **against** proti / **at** na

mutton [matn] skopové maso

mutual [mjuːˈčuəl] **1** vzájemný,
oboustranný **2** společný

muzzle [mazl] *n* **1** čenich, čumák
2 náhubek **3** ústí (*střelné zbraně*)
• *v* **1** nasadit náhubek (*zvířeti*)
2 umlčet

my [mai] *pron* můj
• *interj* páni!, no ne!

myopia [maiˈəupiə] krátkozrakost

myrtle [məːtl] myrta

myself [maiˈself] **1** já sám; **I'm
not ~ today** nejsem dnes ve své
kůži **2** se

mysterious [misˈtiəriəs] tajemný,
záhadný

mystery [mistəri] tajemství,
záhada

mystic(al) [mistik(l)] mystický

myth [miθ] mýtus, báje

mythology [miˈθolədži] mytologie

M

N

nag [næg] **(gg) 1** rýt, rýpat **(at)** sb.
do koho **2** sekýrovat, otravovat
nail [neil] n **1** nehet
♦ ~ **file** pilníček na nehty;
~ **varnish** lak na nehty **2** hřebík
● v **1** přibít, přitlouci
2 připíchnout, přibodnout
naive [nai'i:v] naivní
naked [neikid] **1** nahý; holý
2 otevřený; nechráněný;
bezbranný
♦ **with the ~ eye** pouhým okem
name [neim] n **1** jméno, název;
What is your ~? Jak se jmenujete?; **call sb. ~s** nadávat komu
2 slavné jméno, slavná osobnost
● v **1** dát jméno, pojmenovat
2 jmenovat, uvést **3** stanovit
♦ **you ~ it** na co si vzpomenete
namely [neimli] totiž
nanny [næni] chůva
nap [næp] krátké zdřímnutí (ve
dne); **take a ~** zdřímnout si
nape [neip] šíje, zátylek
napkin [næpkin] ubrousek
Naples [neiplz] Neapol
nappy [næpi] GB plenka
narcotic [na:'kotik] n **1** narkoman
2 narkotikum ● adj **1** narkotický
2 uspávací, omamující
narrate [næ'reit] **1** vypravovat
2 namluvit komentář
narrative [nærətiv] **1** vyprávění
2 příběh, historka
narrow [nærəu] adj **1** úzký
2 těsný **3** podrobný, přesný
♦ **have a ~ escape** uniknout
o vlas; **by a ~ squeak** GB / **miss**
US jen tak tak, jen o vlas
● v zúžit (se)

narrow-minded [nærəu'maindid]
úzkoprsý, bigotní
nasal [neizl] nosový
nasturtium [nə'stə:šm] řeřicha
nasty [na:sti] **1** ošklivý; zlověstný
2 odporný, nechutný; protivný
3 nemravný, pornografický
nation [neišn] **1** národ **2** lid, stát
national [næšnl] adj **1** národní
2 (celo)státní **3** lidový ♦ ~ **anthem** státní hymna; ~ **draft** US /
service GB vojenská služba
● n **1** státní příslušník, občan
2 the N~ = Grand N~ Velká
liverpoolská
nationalism [næšnəlizm]
1 vlastenectví **2** nacionalismus
nationality [næšə'næliti]
1 národnost **2** státní příslušnost
nationalization [næšnəlai'zeišn]
znárodnění
nationalize [næšnəlaiz] znárodnit
nationwide [neišn'waid] celostátní
native [neitiv] adj **1** rodný
2 rodilý **3** vrozený **4** domorodý
♦ ~ **speaker** rodilý mluvčí
● n **1** domorodec **2** rodák
NATO [neitəu] = **North Atlantic
Treaty Organization**
Severoatlantický pakt
natural [næčrəl] **1** přírodní
2 přirozený; vrozený; rozený
3 fyzikální ♦ ~ **gas** zemní plyn
naturalize [næčrəlaiz]
naturalizovat
naturally [næčrəli] přirozeně,
samozřejmě
nature [neičə] **1** příroda
2 přirozenost; podstata **3** povaha,
druh, ráz ♦ ~ **trail** naučná stezka

naughty [no:ti] **1** nevychovaný; neposlušný **2** neslušný, nevhodný

nausea [no:ziə] **1** zvedání žaludku, nevolnost **2** hnus

nauseating [no:zieitiŋ] hnusný, působící zvedání žaludku

naval [neivl] námořní; námořnický; **~ port** válečný přístav

navel [neivl] pupek

navigable [nævigəbl] splavný

navigate [nævigeit] **1** plout, plavit se **2** řídit, navigovat **3** absolvovat, (vy)manévrovat, proplout (*obtížemi, kolem překážek*)

navigator [nævigeitə] navigátor

navy [neivi] *n* válečné loďstvo • *adj* **~(-blue)** tmavomodrý

near [niə] *adj* **1** blízký **2** důvěrný **3** (*ze dvou*) bližší • *adv, prep* **1** blízko **2** skorem, téměř, málem • *v* blížit se k

nearby [niəbai] *adj* blízký, nedaleký • *adv* [niə'bai] poblíž, nedaleko

nearly [niəli] skoro

near-sighted [niə'saitid] krátkozraký

neat [ni:t] **1** čistý; nezředěný **2** úhledný **3** *US* (*slang.*) fajn, prima, správný

nebula [nebjulə] mlhovina

necessary [nesisəri] **1** nutný, nezbytný, potřebný **2** nevyhnutelný **3** vynucený

necessitate [ni'sesiteit] vyžadovat

necessity [ni'sesiti] **1** nutnost, nezbytnost; **out of ~** z nutnosti **2** nezbytná potřeba **3** nouze

neck [nek] *n* **1** krk, hrdlo, šíje **2** výstřih **3** krkovička • *v* (*hovor.*) muckat se, muchlat se

necklace [neklis] náhrdelník

necktie [nektai] *US* vázanka, kravata

need [ni:d] *n* **1** potřeba, požadavek **2** nutnost **3** nouze • **there's no ~ to + *inf*** není zapotřebí, aby; **be in ~ of** potřebovat co; **in case of ~** v případě potřeby • *v* **1** potřebovat **2** muset; **I ~ not come** nemusím přijít; **I ~ not have come** nemusel jsem chodit **3** být v nouzi, strádat

needle [ni:dl] **1** jehla **2** jehlice (*pletací, háčkovací apod.*) **3 ~s** *pl* jehličí

needless [ni:dlis] zbytečný; **~ to say** pochopitelně, samozřejmě

needlework [ni:dlwə:k] **1** šití **2** vyšívka **3** (*dívčí*) ruční práce

negation [ni'geišn] **1** zápor; negace **2** popírání, popření

negative [negətiv] *adj* **1** záporný, negativní **2** prohibitivní **3** odmítavý • *n* **1** negativ **2** (*jaz.*) záporka **3** odmítnutí, popření **4** nepřítomnost, nedostatek **of** čeho

neglect [ni'glekt] *v* zanedbávat; opominout • *n* zanedbání, opominutí; zanedbanost

negligence [neglidžəns] **1** nedbalost **2** zanedbání (*povinnosti*)

negligent [neglidžənt] **1** nedbalý **in / of** na, lhostejný k **2** neafektovaný, nestrojený

negligible [neglidžəbl] zanedbatelný

negotiable [ni'gəušiəbl] **1** zpeněžitelný, proplatitelný; přenosný **2** řešitelný / dosažitelný jednáním **3** překonatelný; schůdný; sjízdný

negotiate [ni'gəušieit]
1 vyjednávat; dojednat   2 zdolat

negotiation [ni,gəuši'eišn]
vyjednávání

Negro [ni:grəu] *n* černoch
   • *adj* černošský

neighbour [neibə] *n* 1 soused
2 bližní • *v* 1 sousedit **on** s
2 sousedsky se stýkat

neighbourhood [neibəhud]
1 okolí, sousedství   2 blízkost;
in the ~ of kolem, asi

neighbouring [neibəriŋ]
1 sousední, vedlejší   2 blízký,
okolní

neighbourly [neibəli] sousedský,
přátelský, přívětivý

neither [naiðə / ni:ðə] 1 žádný ze
dvou, ani jeden   2 **~ ... nor**
ani ... ani   3 také ne

neon [ni:ɔn] neón; **~ sign** světelná
reklama

nephew [nefju: / nevju:] synovec

nerve [nə:v] 1 nerv; **get on sb.'s
~s** jít komu na nervy; **lose one's
~s** ztratit nervy   2 **~s** *pl* nervóza,
nervozita   3 odvaha, drzost
   ♦ **~ centre** *US* řídící centrum
(*organizace*)

nervous [nə:vəs] 1 nervózní
2 nervový

nest [nest] *n* 1 hnízdo, (*též přen.*)
2 sada • *v* hnízdit

net[1] [net] *n* síť • *v* (**tt**) 1 chytat do
sítě   2 přikrýt (*ochrannou*) sítí

net[2] [net] čistý, netto
   • *v* (**tt**) získat / vynést čistý zisk

Netherlands [neðələndz], **the ~**
Nizozemí, Holandsko

nettle [netl] kopřiva
   ♦ **~ rash** kopřivka

network [netwə:k] *n* síť (**of
libraries** knihoven)

   • *v* (*často*) **be ~ed** vysílat se
(*program*) několika společnostmi

neurosis [njuə'rəusis] neuróza

neuter [nju:tə] *adj* 1 (*jaz.*)
středního rodu   2 bezpohlavní
   • *n* 1 (*jaz.*) neutrum
2 bezpohlavní jedinec; kastrát

neutral [nju:trəl] *adj* 1 neutrální
2 bezbarvý, nevyhraněný
   • *n* neutrál (*osoba, volnoběh
auta, el. drát atd.*)

neutrality [nju:'træliti] neutralita

never [nevə] 1 nikdy   2 absolutně
ne   ♦ **~ mind** *1.* nevadí, nic se
nestalo *2. US* prosím, rádo se sta-
lo; **you can ~ tell** člověk nikdy
neví; **~more** už nikdy, víckrát ne

nevertheless [nevəðə'les] přesto,
nicméně, přece jenom

new [nju:] 1 nový   2 čerstvý

newborn [nju:bɔ:n] *adj*
novorozený   *n* novorozeně

newcomer [nju:kʌmə] 1 příchozí;
přistěhovalec   2 nováček,
začátečník **to** v   3 novina

newly [nju:li] 1 čerstvě, právě
2 nově   3 nedávno   4 opět, znovu

newlyweds [nju:liwedz] *pl*
novomanželé

news [nju:z] *sg* 1 zpráva, zprávy;
a piece of ~ zpráva; **What's the
latest ~?** Jaké jsou poslední
zprávy?; **here is the ~** posledch-
něte si zprávy • **break the ~**
oznámit; **~ bulletin** zpravodaj-
ství, zprávy; **no ~ is good ~**
žádné zprávy jsou dobré zprávy
2 (*hovor.*) novinka, zajímavost

newsagent's [nju:zeidžnts]
prodejna novin

newspaper [nju:speipə] noviny

newspeak [nju:spi:k] (*politicky
usměrněný*) novojazyk

newsprint [nju:zprint] novinový
papír

newsreel [nju:zri:l] filmový
týdeník

newsvendor [nju:zvendə] *GB*
prodavač novin, kamelot

newt [nju:t] mlok

next [nekst] *adj* **1** příští **2** další,
následující **3** druhý **4** nejbližší
♦ **the ~ day** druhý den; **this day
~ week** ode dneška za týden;
~ door vedle, v sousedním do-
mě; **the ~ man** každý druhý; **~ to
nothing** skoro nic; **~ time** příště
● *adv* **1** hned potom, dále
2 příště
● *prep* ~ **(to)** hned vedle, u

next-door [nekst'do:] sousední

nice [nais] **1** hezký, pěkný, příjem-
ný, milý, roztomilý, prima; **a ~
day** hezký den; **~ weather** pěkné
počasí; **it's very ~ of you** to je
od vás velmi hezké **2** vybíravý
(**about the means** v prostřed-
cích), úzkostlivý ♦ **~ and fat** tlus-
ťoučký; **~ and warm** teploučký

nicely [naisli] **1** hezky
2 výborně **3** přesně

niche [niš / nič] **1** výklenek
2 sektor (*trhu*)

nick [nik]: **in the ~ of time**
v pravý čas, jako na zavolanou

nickel [nikl] **1** nikl **2** *US* pěticent

nickname [nikneim] *n* přezdívka
● *v* přezdít, přejmenovat na

niece [ni:s] neteř

nigger [nigə] (*hanl.*) negr, černá
huba

night [nait] **1** noc; **in the ~, at ~,
by ~** v noci; **day and ~** ve dne
v noci; **~ after** noc co noc; **all
~ (long)** celou noc; **have a good
~** dobře spát; **make a ~ of it**

oslavovat celou noc; **stay over ~**
přenocovat **2** večer; **last ~** včera
večer; **on Saturday ~** v sobotu
večer; **first ~** premiéra

nightcap [naitkæp] sklenička na
dobrou noc

nightclub [naitklab] noční podnik,
bar

nightdress [naitdres] (*dámská /
dětská*) noční košile

nightingale [naitiŋgeil] slavík

nightmare [nait'meə] noční můra,
zlý sen, hrůza, (*též přen.*)

night school [naitsku:l] večerní
škola

nightshirt [naitšə:t] (*pánská*)
noční košile

nil [nil] (*sport.*) nula; 3:0 = **three
(to) ~** tři nula

nine [nain] devět

ninepins [nainpinz] *pl* kuželky

nineteen [nain'ti:n] devatenáct
♦ (*hovor.*) **talk ~ to the dozen**
mlít, mluvit rychle a moc

nineteenth [nain'ti:nθ] devatenáctý

ninetieth [naintiiθ] devadesátý

ninety [nainti] devadesát

ninth [nainθ] devátý

nip [nip] **(pp)** **1** štípnout
♦ **~ in the bud** zničit v zárodku
2 (*hovor.*) (za)skočit

nip in (*hovor.*) **1** skočit do řeči
2 udělat 'myšku'

nip off 1 odštípnout **2** (*hovor.*)
mazat pryč, zdejchnout se

nipple [nipl] **1** bradavka **2** struk
3 dudlík (*na dětské láhvi*)

nitrogen [naitrədžən] dusík

no [nəu] *adj* **1** žádný; **no ~ parking**
parkování zakázáno; **in ~ time**
okamžitě; **there is ~ denying
that** nedá se popřít, že **2** ani
jeden; **~ one** nikdo

• *adv* **1** ne, nikoli; ~ **more** již
ne **2** nijak, nikterak, o nic;
~ **better than** o nic lepší než
♦ ~ **sooner ... than** jakmile;
~ **matter** na tom nesejde
No. = number č., číslo
noble [nəubl] *adj* **1** vznešený,
aristokratický **2** ušlechtilý
3 vzácný, slavný **4** impozantní
• *n* ~**(man)** šlechtic
nobody [nəubədi] *pron* nikdo
• *n* nula, bezvýznamný člověk
nod [nod] *v* (**dd**) **1** kývnout
(*hlavou*), přikývnout; ~ **one's**
approval přikývnout na souhlas
2 klimbat, klímat • *n* (při)kývnutí
noise [noiz] **1** hluk; rámus
2 šum **3** zvuk
noiseless [noizlis] nehlučný, tichý
noisy [noizi] **1** hlučný
2 křiklavý, řvavý
nomad [nəumæd] *adj* kočovný
• *n* kočovník
nominate [nomineit] **1** jmenovat
(**to an office** do úřadu);
nominovat (**for an Oscar** na
Oskara) **2** vyhlásit
nomination [nomi'neišn]
jmenování, nominace
nonaligned [nonə'laind]
neangažovaný, neutrální
noncommittal [nonkə'mitl]
1 neutrální, bezvýrazný
2 vyhýbavý; nic neříkající
none [nan] **1** žádný, ani jeden;
~ **of them** žádný, nikdo z nich;
~ **of this** nic z toho **2** o nic; ~ **the**
wiser o nic moudřejší; ~ **too**
nijak, nepříliš (**high** vysoký)
nonintervention [nonintə'venšn]
nevměšování
nonpartisan [nonpa:ti'zæn]

1 nestranný, neangažovaný
2 nestranický
nonsense [nonsəns] nesmysl, hlou-
posti ♦ **stand no ~** *1.* netrpět žád-
né hlouposti *2.* nedat si nic líbit
noon [nu:n] **1** poledne **2** (*přen.*)
zenit, vrchol
noose [nu:s] oprátka
nor [no:] **1** ani; **neither ... ~**
ani ... ani **2** také ne
norm [no:m] norma, standard
normal [no:ml] normální,
obyčejný
north [no:θ] *n* sever; **in the ~** na
severu; **to the ~** k severu; **to the**
~ **of** na sever od • *adj* severní;
the N~ Sea Severní moře
• *adv* na sever(u), severně; ~ **of**
London na sever od Londýna
northern [no:ðən] **1** severní
2 severský
Norway [no:wei] Norsko
Norwegian [no:'wi:džən] *adj*
norský • *n* **1** Nor **2** norština
nose [nəuz] nos; **blow one's ~**
vysmrkat se; **poke one's ~ into**
strkat nos do
nosedive [nəuzdaiv] letět / padat
střemhlav
nostril [nostril] nozdra
not [not] ne; **I think ~** myslím, že
ne; ~ **at all** *1.* vůbec ne *2.* není
zač, prosím; ~ **that** ne že by
notable [nəutəbl] **1** pozoruhodný,
důležitý **2** vynikající **3** smutně
proslulý **4** pozorovatelný
notary (public) [nəutəri ('pablik)]
notář
notch [noč] zářez, vrub
note [nəut] *n* **1** nota; tón, (*též*
přen.) **2** známka, znamení
3 poznámka; **make a ~ of**
poznamenat si co; **take a ~ of**

1. dobře si všimnout čeho
2. vzít na vědomí co; **take ~s** dělat si poznámky **4** krátké sdělení, dopis; (*diplomatická*) nóta **5** *GB* bankovka
● *v* **1** všimnout si čeho, věnovat pozornost čemu **2** konstatovat, brát na vědomí; vnímat
3 ~ **(down)** poznamenat si
notebook [nəutbuk] zápisník, sešit
noted [nəutid] významný, slavný **for** čím
notepaper [nəutpeipə] dopisní papír
noteworthy [nəutwə:ði] pozoruhodný
nothing [nʌθiŋ] **1** nic **2** nula
♦ ~ **but** nic než; **for** ~
1. zdarma *2.* zbytečně; **there is** ~ **for it but** je nutné, aby; ~ **doing** nedá se nic dělat; **make** ~ **of** nic si nedělat z, nebýt moudrý z
3 ~ **(down)** poznamenat si
notice [nəutis] *n* **1** vyhláška, oznámení **2** předběžné upozornění **3** výpověď; **give sb.** ~ dát komu výpověď; **hand / give in one's** ~ dát výpověď **4** hlášení, zpráva **5** pozornost **6** recenze, kritika
♦ **bring sth. to sb.'s** ~ upozornit koho na co; **take** ~ **of** všimnout si čeho
● *v* **1** všimnout si (koho / čeho) **2** uvést, zmínit se **3** recenzovat
notify [nəutifai] **1** uvědomit **sb.** koho **of sth.** o čem **2** oznámit, ohlásit; informovat
notion [nəuʃn] **1** ponětí, potucha **2** nápad **3** pojem **4** představa, dojem **5** názor; teorie
notorious [nə'tɔ:riəs]
1 (*nechvalně*) známý **2** notorický
nought [nɔ:t] nula
noun [naun] (*jaz.*) podstatné jméno

nourish [nariʃ] **1** živit
2 podporovat, pěstovat
nourishing [nariʃiŋ] výživný
nourishment [nariʃmənt]
1 výživa **2** jídlo, pokrm; potrava
novel [nɔvl] *adj* **1** nový
2 neotřelý, neobvyklý ● *n* román
novelist [nɔvəlist] romanopisec
novelty [nɔvəlti] novinka, novota, novost
November [nə(u)'vembə] listopad
novice [nɔvis] nováček; novic
now [nau] nyní, teď; **up to / till** ~ až dosud; **from** ~ **on** od nynějška; **(every)** ~ **and then** občas; ~ **(that)** teď když; ~ **then** tak tedy, nuže
nowadays [nauədeiz] v nynější době, dnes
nowhere [nəuweə] *adv* **1** nikde **2** nikam
● *n* nic, prázdnota, pustina
noxious [nɔkʃəs] **1** škodlivý, zhoubný **2** (*hovor.*) nechutný, odporný
nuclear [nju:kliə] nukleární, jaderný, atomový
nucleus [nju:kliəs] **1** jádro, nukleus **2** zárodek **3** základ, střed
nude [nju:d] *adj* **1** nahý
2 nudistický **3** tělové barvy
● *n* akt
nuisance [nju:sns] **1** nepříjemnost, potíž; **What a ~!** To je nepříjemné! **2** nepříjemnost, zlořád **3** otrava, protiva
null (and void) [nal (ən'vɔid)]
(*práv.*) neplatný, nezávazný
numb [nam] **1** necitlivý; ochromený, ztrnulý, mrtvý
(*přen.*) **2** prokřehlý
number [nambə] *n* **1** číslo **2** počet **3** množství ♦ **(quite) a ~ of** (ce-

lá) řada čeho; **any ~ of times** libovolně často; **back ~** staré / dřívější číslo (*časopisu*); **current ~** nové / poslední číslo (*časopisu*); **have sb.'s ~** (*hovor.*) mít koho přečteného • *v* **1** počítat **2** čítat; **they ~ed 10 in all** bylo jich celkem deset **3** počítat, řadit (**among** mezi) **4** číslovat
numeral [nju:mərəl] **1** číslice **2** (*jaz.*) číslovka
numerous [nju:mərəs] četný
nun [nan] jeptiška
nurse [nəːs] *n* zdravotní sestra • *v* **1** ošetřovat **2** pečlivě pěstovat, (vy)piplat
nursery [nəːsəri] **1** dětský pokoj

♦ **~ rhyme** dětská říkanka; **~ (school)** mateřská škola **2** (*bot.*) školka
nursing home [nəːsiŋhəum] (*soukromé*) sanatorium (*pro staré a nemocné*)
nut [nat] **1** ořech **2** matice (*šroubu*) **3** (*slang.*) cvok **4** (*vulg.*) koule, vejce (*varle*)
nutcrackers [natkrækəz] *pl* louskáček
nutmeg [natmeg] muškátový oříšek
nutritious [nju:'trišəs] výživný
nutshell [natšel] skořápka; **in a ~** v kostce

O

o, oh [əu] ach!

oak (tree) [əuk(tri:)] dub

oar [o:] veslo

oasis [əu'eisis] oáza

oath [əuθ] **1** přísaha **2** zaklení, nadávka

oatmeal [əutmi:l] ovesná mouka; ovesné vločky

oats [əuts] *sg* oves

obedience [əu'bi:diəns] poslušnost

obey [əu'bei] **1** poslouchat, uposlechnout **2** podrobit se čemu **3** být poslušný

obituary [ə'bičuəri / -tjuəri] nekrolog

object *n* [obdžikt] **1** předmět, věc **2** cíl, záměr, účel
  • *v* [əb'džekt] mít námitky **to** / **against** proti, namítat; protestovat proti; nesouhlasit s

objection [əb'džekšn] **1** námitka **to** proti, nesouhlas s **2** protest

objectionable [əb'džekšənəbl] **1** problematický, sporný, budící námitky **2** závadný **3** nechutný, odporný

objective [əb'džektiv] *adj* **1** objektivní **2** cílový • *n* **1** cíl, účel **2** úkol, plán **3** objektiv

object lesson ['obžikt,lesn] názorná lekce, vzorová ukázka

obligation [obli'geišn] **1** závazek, závaznost; (*zavazující*) povinnost **2** obligace, dluhopis, úpis **3** laskavost ♦ **day of ~** zasvěcený svátek; **without ~** nezávazně

obligatory [ə'bligətri] povinný, závazný

oblige [ə'blaidž] **1** zavazovat, nutit **2** zavázat si (*vděčností /*

díkem); **be ~d** být zavázán / povinnen, musit

obliging [ə'blaidžiŋ] ochotný, úslužný

oblique [ə'bli:k] šikmý

obliterate [ə'blitəreit] vyhladit, zničit; vymazat

oblivion [ə'bliviən] **1** zapomnění **2** zapomnětlivost

oblivious [ə'bliviəs] **1** zapomnětlivý **2** zapomínající **of** na, nevnímající **to** co

oblong [obloŋ] **1** obdélníkový, podlouhlý **2** podélný, na délku, ležatý

obnoxious [əb'nokšəs] **1** nepříjemný, protivný **2** neoblíbený

oboe [əubəu] hoboj

obscene [əb'si:n] oplzlý, obscénní

obscure [əb'skjuə] *adj* **1** temný, tmavý; nejasný, nezřetelný, sotva znatelný **2** obskurní, zapadlý
  • *v* **1** ztemnit, znejasnit **2** zakrýt, zastřít **3** zastínit; zatemnit

obsequious [əb'si:kwiəs] podlízavý, patolízalský

observance [əb'zə:vns] **1** zachovávání, dodržování **2** svěcení, slavení

observation [obzə'veišn] **1** pozorování; **~ post** pozorovatelna **2** postřeh, všímavost **3** poznámka

observatory [əb'zə:vətri] observatoř, hvězdárna

observe [əb'zə:v] **1** povšimnout si, (z)pozorovat, zaregistrovat **2** zachovávat, držet (**a diet** die-

tu), slavit (**Christmas** vánoce)
3 podotknout, poznamenat
observer [əb'zə:və] pozorovatel
obsession [əb'seʃən] posedlost
obsolete [obsəli:t] zastaralý
obstacle [obstəkl] překážka;
~ **race** (*sport.*) překážkový běh
obstetrics [əb'stetriks] porodnictví
obstinacy [obstinəsi]
1 zatvrzelost, tvrdošíjnost,
umíněnost **2** úpornost
obstinate [obstinit] **1** tvrdošíjný,
tvrdohlavý, umíněný **2** úporný
obstruct [əb'strakt] **1** zablokovat,
ucpat, zatarasit **2** brzdit, stát
v cestě, činit překážky čemu
obtain [əb'tein] **1** získat, obdržet
2 opatřit (si) **3** dosáhnout,
docílit **4** existovat
obvious [obviəs] samozřejmý,
jasný, očividný
occasion [ə'keiʒn] **1** vhodná
doba, příležitost **2** důvod,
záminka **3** (*slavnostní*) událost
♦ **on this** ~ při této příležitosti;
on ~ občas, příležitostně
occasional [ə'keiʒənl]
příležitostný, občasný
occasionally [ə'keiʒənəli]
příležitostně, náhodně, občas
occidental [oksi'dentl] západní
occupation [okju'peiʃn]
1 zaměstnání, povolání
2 obsazení, zabrání, okupace
occupy [okjupai] **1** zabrat, uchvátit, obsadit, okupovat **2** zaujímat,
zabírat (*čas, místo*) ♦ ~ **oneself
with, be occupied with** zabývat
se, zaměstnávat se čím
occur [ə'kə:] (**rr**) **1** udát se,
přihodit se, stát se, nastat; **the
accident ~red when** k nehodě

došlo, když **2** vyskytovat se
3 napadnout to **sb.** komu
occurrence [ə'karəns] **1** událost,
příhoda, náhoda **2** výskyt
ocean [əuʃn] oceán
o'clock [ə'klok]: **at one** ~ v jednu
hodinu
October [ok'təubə] říjen
octopus [oktəpəs] chobotnice
odd [od] **1** lichý **2** zbylý (*z páru /
celku*) **3** pár, trochu, něco čeho;
a něco, navíc; **forty** ~ něco přes
čtyřicet **4** náhodný, příležitostný;
at ~ **moments** tu a tam, občas,
příležitostně **5** podivínský, divný; **I think it** ~ zdá se mi to divné
odds [odz] *pl* **1** naděje, pravděpodobnost **2** převaha, přesila
3 nerovnost, rozdíl **4** popř
sázky ♦ **what's the** ~ ? co na
tom záleží?; **the** ~ **are against
us** nemáme žádnou šanci; ~ **and
ends** maličkosti, různé drobnosti
odious [əudiəs] ohavný, odporný,
hnusný
odour [əudə] aróma, pach
of [ov, əv] **1** o; **speak** ~ mluvit o
2 z; **made** ~ **metal** vyrobený
z kovu **3** od; **it was kind** ~ **you**
bylo to od vás hezké ~ **you** *tvoří
druhý pád:* **the reading** ~ **books**
čtení knih; **the city** ~
Edinburgh město Edinburgh
off [of] *adv* **1** pryč, daleko,
odtud; **be** ~ **to** jet, mít namířeno
kam; **I must be** ~ už musím jít
2 zrušen, neplatný **3** za scénou
♦ **prep 1** s, z, od; **be** ~ **work** nebýt v práci **2** na úkor čeho **3** u,
blízko, poblíž, v dosahu čeho
4 bez, mimo ♦ *adj* **1** vzdálený,
vzdálenější, druhý **2** (*u vozidel*)
pravý **3** vedlejší, boční, postranní

♦ **the ~ front wheel** pravé
přední kolo; **he is well ~** dobře
si žije; **~ and on** občas, nepravi-
delně; **be ~ duty** nemít službu;
take a day ~ vzít si den volna
offal [ofəl] **1** vnitřnosti, droby
2 zbytky
offbeat [ofbi:t] *(hovor.)*
neobvyklý, nekonvenční
off-chance [ofča:ns] malá
pravděpodobnost; **on the ~** co
kdyby náhodou
off colour [ofˈkalə] **1** v nedobrém
zdravotním stavu; **feel ~** necítit
se dobře **2** neslušný, nesalónní
offence [əˈfens] **1** urážka; **give ~
to sb.** urazit koho; **take ~** urazit
se **at** kvůli čemu **2** přestupek,
přečin, delikt **3** zločin, důvod
rozhořčení; pohoršení **4** *(sport.)*
US útočící tým
offend [əˈfend] **1** prohřešit se
against proti **2** urazit **3** dělat
nezdobu / nepřístojnost
♦ **be ~ed at / by** urazit se čím
offender [əˈfendə] pachatel,
provinilec
offending [əˈfendiŋ] **1** závadný
(**book** kniha) **2** obtěžující,
otravný
offensive [əˈfensiv] *adj* **1** útočný,
ofenzívní **2** urážlivý; nepřístoj-
ný, hrubý **3** vzbuzující odpor
♦ *n* **1** útok, úder, ofenzíva
2 hnutí, kampaň
offer [ofə] *v* **1** nabídnout (se)
2 naskytnout se **3** přinášet oběti
♦ *n* nabídka
offhand [ofˈhænd] *adj*
nepřipravený, improvizovaný
♦ *adv* rovnou, spatra
office [ofis] **1** kancelář, úřad;

ministerstvo **2** úřad, funkce; **be
in ~** být u moci / vlády
officer [ofisə] **1** důstojník
2 policista **3** *(státní)* úředník
4 funkcionář, hodnostář
♦ **a customs ~** celník
official [əˈfišl] *adj* **1** úřední, ofici-
ální **2** služební ♦ *n* **1** *(státní)*
úředník; **~s** *pl* úřední kruhy
2 vedoucí pracovník, funkcionář
off-licence [oflaisəns] GB obchod
prodávající alkoholické nápoje
offline [oflain] nespřažený
offpeak [ofˈpi:k] mimo špičku
offprint [ofprint] separát
offset [ofset] *v* **(tt) 1** vyrovnávat,
držet v rovnováze **2** vynahradit,
kompenzovat ♦ *n* **1** *(polygr.)*
ofset **2** kompenzace, protiváha
often [ofn / oftn] často; **as ~ as**
kdykoli; **as ~ as not, more ~ than
not** velmi často; **every so ~** kaž-
dou chvíli; **he'll do it once too
~** to mu jednou špatně dopadne
oil [oil] *n* **1** olej **2** ropa, nafta
♦ *v* mazat, olejovat; **~ the
wheels** *(přen.)* podmazat
oilcloth [oilkloθ] voskované plátno
oilfield [oilfi:ld] naftové pole
oil painting [oilpeintiŋ]
olejomalba
oilskins [oilskinz] *pl*
nepromokavý oblek
oil rig [oilrig] *(plovoucí)* těžná
věž, vrtná plošina
oil tanker [oiltæŋkə] tanková loď
ointment [ointmənt] mast
O.K., okay [ˈəuˈkei] *adv (hovor.)*
dobrá, v pořádku ♦ *v* schválit;
~ for print dát imprimatur
old [əuld] starý ♦ ~ **age** stáří;
~ age pension starobní důchod
~ hand starý praktik; **~ hat**

(*přen.*) stará vesta; ~ **maid** stará panna; **O~ Style** juliánský kalendář; **young and** ~ kdekdo

old-fashioned [əuld'fæʃnd] staromódní; starobylý

olive [oliv] *n* oliva ● *adj* olivový

Olympic [ə'limpik] olympijský; ~ **Games** olympijské hry

omelette [omlit] omeleta

ominous [ominəs] zlověstný

omission [ə'miʃn] **1** vynechání **2** opominutí, omyl

omit [ə'mit] (tt) **1** vynechat **2** opominout

on [on] *prep* **1** na; ~ **holiday** na dovolené; ~ **a trip** na výlet **2** ve, v; ~ **Monday** v pondělí **3** při; ~ **his arrival** při jeho příjezdu **4** o; **speak** ~ **world politics** hovořit o světové politice ● *adv* **1** dále; vpřed; ~ **and** ~ pořád dál a dál; **and so** ~ a tak dále **2** na sebe, na sobě; **have a hat** ~ mít na hlavě klobouk **3** zapnut, v chodu; **the lights are** ~ je rozsvíceno; **the performance is** ~ už se hraje **4** být na programu; **What's** ~ **at the local cinema?** Co se hraje u nás v kině?; **have sth.** ~ mít na programu co

once [wans] *adv* **1** jednou; ~ **more** ještě jednou; ~ **and again** několikrát; ~ **in a while** občas; ~ **(and) for all** jednou provždy; **for this** ~ pro tentokrát **2** kdysi; **O~ upon a time there was ...** Byl jednou jeden ... ◆ **at** ~ ihned; **all at** ~ náhle ● *conj* jakmile (jednou)

oncoming [onkamiŋ] **1** blížící se **2** přijíždějící, protijedoucí

one [wan] **1** jeden; ~ **another** jeden druhého, navzájem; ~ **by** ~

jeden po druhém; **for** ~ **thing** předně; **I for** ~ já například; **more than** ~ nejeden; ~ **of these days** jednou; ~ **or two** několik **2** jakýsi; **John Smith** jakýsi J. S. **3** neurčitý podmět: ~ **never knows** člověk nikdy neví **4** *zástupný výraz:* **a red pencil and a blue** ~ červená a modrá tužka

oneself [wan'self] **1** se; **hurt** ~ poranit se **2** sám; **one must do everything** ~ člověk musí udělat všechno sám; **sit by** ~ sedět sám; **judge for** ~ posoudit sám; **say to** ~ říci si ◆ **be** ~ být ve své kůži

one-sided [wan'saidid] jednostranný

one-track [wan'træk] **1** úzce zaměřený, specializovaný **2** (*přen.*) s klapkami na očích

one-way [wan'wei] jednosměrný (**street** ulice)

onion [anjən] cibule

online [onlain] spřažený

onlooker [onlukə] divák, přihlížející

only [əunli] *adj* jediný ● *adv* **1** jen(om); **not** ~ **... but also** nejen ..., ale také; ~ **just** jen tak tak; ~ **too glad** velice / opravdu rád **2** teprve; ještě (*neddávno*) ◆ **if** ~ *1.* jen, jen kdyby *2.* kéž, kéž by ● *conj* jenomže

on-screen [on'skri:n] viditelný na monitoru

onset [onset] **1** začátek, počátek; **at the (first)** ~ hned zpočátku **2** náběh **of** na

onto [ontu] = **on to** *směrově:* na ◆ **be** ~ **sth.** mít co na dosah (*objev, řešení*); **be** ~ **sb.** jít po kom

onward(s) [ɒnwəd(z)] vpřed, kupředu

ooze [u:z] **1** pomalu vytékat **2** mokvat **3** prosakovat; pronikat; vyzařovat

ooze away / out pomalu se ztrácet, vytrácet se

opaque [əu'peik] **1** neprůsvitný, neprůhledný **2** nejasný, temný **3** tupý, hloupý

open [əupn] *adj* **1** otevřený; **with ~ arms** s otevřenou náručí **2** veřejný (**secret** tajemství); veřejně přístupný **3** upřímný
♦ *v* **1 ~ (up)** otevřít (se); **~ on to** vést do **2** zahájit; začí(na)t

open-air [əupn'eə] konaný pod *širým nebem:* přírodní (**theatre** divadlo), zahradní *atd.*

opening [əupniŋ] *n* **1** otvor **2** otevření; začátek, zahájení **3** vhodná příležitost **4** volné místo ♦ *adj* úvodní

openly [əupnli] otevřeně, upřímně

open-minded [əupn'maindid] **1** nezaujatý, nepředpojatý, objektivní **2** liberální, svobodomyslný

opera [ɒpərə] opera
♦ **~ glasses** *pl* divadelní kukátko; **~ house** opera (*budova*)

operate [ɒpəreit] **1** fungovat, pracovat, být v provozu; (*lék*) zabrat **2** operovat **on** koho **for** co **3** obsluhovat (**a machine** stroj) **4** *US* řídit, organizovat **5** *US* (*zločinec*) působit, pracovat

operating theatre [ɒpəreitiŋ θiətə] operační sál

operation [ɒpə'reišn] **1** působení **2** funkce, fungování, chod **3** platnost, účinnost **4** operace
♦ **come into ~** *1.* začít fungovat

2. vstoupit v platnost; **put into ~** uvést do chodu / provozu

operator [ɒpəreitə] **1** operátor, pracovník (*u stroje*) **2** telefonist(k)a; **O~ !** Centrálo! **3** provozovatel

opinion [ə'pinjən] **1** (dobré) mínění, názor **of** na **2** přesvědčení **3** posudek, expertiza
♦ **in my ~** podle mého názoru; **public ~** veřejné mínění

opium [əupjəm] opium

opponent [ə'pəunənt] *adj* nepřející **to** komu ♦ *n* protivník; odpůrce, oponent

opportune [ɒpətju:n] příhodný

opportunity [ɒpə'tju:niti] (*vhodná*) příležitost; **at the first ~** při první příležitosti; **miss the ~** propást příležitost; **seize / take an ~** chopit se příležitosti

oppose [ə'pəuz] **1** čelit, bránit se, postavit se **sth.** proti čemu **2** postavit **sth.** co **against sth.** proti čemu ♦ **be ~d to** být proti

opposite [ɒpəzit] *adj* opačný; protější, protilehlý, druhý ♦ *n* opak, protiklad ♦ *prep* naproti

opposition [ɒpə'zišn] **1** odpor; **meet with ~** setkat se s odporem **2** protiklad **3** opozice

oppress [ə'pres] **1** utiskovat, utlačovat **2** tížit, skličovat, deprimovat

oppression [ə'prešn] **1** útlak, útisk **2** tlak, tíha; útrapy **3** tíseň, úzkost

oppressive [ə'presiv] **1** despotický, tyranský, krutý **2** depresívní, deprimující, tíživý **3** dusný, nedýchatelný

optical [ɒptikl] optický

optician [ɒp'tišn] optik

optics [ɒptiks] optika

O

optimism [optimizm] optimismus

optimist [optimist] optimista

optimistic [opti'mistik] optimistický

optimum [optiməm] optimální

option [opšn] 1 právo / možnost volby 2 opce, předkupní právo

optional [opšanl] 1 nepovinný, dobrovolný 2 volitelný

or [o:] 1 nebo; ~ **else** jinak, sice 2 neboli

oral [o:rəl] adj ústní
• n ústní zkouška

orange [orindž] n pomeranč • adj 1 pomerančový 2 oranžový

orator [orətə] řečník

orbit [o:bit] 1 oběžná dráha 2 sféra vlivu

orchard [o:čəd] (ovocný) sad

orchestra [o:kistə] orchestr
♦ ~ **pit** orchestřiště; ~ **stalls** křesla v přízemí

orchestral [o:'kestrəl] orchestrální

orchid [o:kid] orchidea

ordain [o:'dein] 1 vysvětit na kněze 2 (autorita) určit, ustanovit

ordeal [o:'di:l] 1 tvrdá zkouška 2 muka, utrpení

order [o:də] n 1 pořadí 2 pořádek 3 řád 4 rozkaz, nařízení; příkaz 5 objednávka, zakázka 6 (peněžní) poukaz, poukázka
♦ **in** ~ **to** + inf aby; **in alphabetical** ~ abecedně; **in (good)** ~ v pořádku; **give sb. an** ~ **for** dát komu objednávku na; **last** ~**s** GB poslední příležitost (objednat si nápoj před zavřením hostince); **made to** ~ udělaný na objednávku / na míru; **out of** ~ nefungující, rozbitý; **put sth. in** ~ dát co do pořádku
• v 1 nařídit, poručit 2 objednat

orderly [o:dəli] adj 1 upravený, uklizený 2 ukázněný
• n 1 vojenský sluha, ordonance 2 nemocniční zřízenec

ordinal [o:dinl] adj řadový
• n řadová číslovka

ordinary [o:dinri] 1 normální, běžný, obvyklý 2 obyčejný, průměrný 3 řádný (**member** člen)

ore [o:] ruda

oregano [ori'ga:nəu] (koření) oregano, majoránka

organ [o:gən] 1 orgán, ústrojí 2 varhany

organic [o:'gænik] organický

organism [o:gənizm] organismus

organist [o:gənist] varhaník

organization [o:gənai'zeišn] organizace

organize [o:gənaiz] organizovat

organizer [o:gənaizə] organizátor

orient [o:rient] (z)orientovat oneself se to na, in v

oriental [o:ri'entl] orientální

orientate [o:riənteit] orientovat oneself se

orientation [o:riən'teišn] orientace, (též přen.)

origin [oridžin] původ, počátek

original [ə'ridžinl] adj 1 původní 2 originální • n originál

originate [ə'ridžineit] 1 vzniknout **from / in** z 2 vyvolat, způsobit

ornament [o:nəmənt] ozdoba

orphan [o:fən] n sirotek

orphanage [o:fənidž] sirotčinec

orthodox [o:θədoks] pravověrný, ortodoxní; **O~ Church** pravoslavná církev

oscillate [osileit] 1 kývat se, kmitat, vibrovat 2 pendlovat 3 kolísat, měnit se

ostensible [o'stensibl] předstíraný

ostrich [ostrič] pštros

other [aðə] **1** jiný; **the ~** druhý **2** ostatní, další **3** opačný, rozdílný ♦ **the ~ day** onehdy; **every ~ day** každý druhý; **every ~ day** obden; **on the ~ hand** naproti tomu; **someone or ~** kdosi; **some time or ~** někdy, jednou; **some ~ time** někdy jindy; **one after the ~** jeden po druhém

otherwise [aðəwaiz] *adv* jinak ● *conj* jinak, nebo

otter [otə] vydra

ought [o:t] **to** + *inf*: **you ~ to go** měl bys jít; **you ~ to have gone** měl jsi jít

ounce [auns] unce *(28,35 g)*

our [auə], **ours** [auəz] náš

ourselves [auə'selvz] my sami; se, si, sami sobě

oust [aust] vypudit

out [aut] **1** ven, venku; pryč **2** vyloučen *(ze hry, z práce, z módy atd.)*; **~ of** z, ven z ♦ **~ and ~** skrz naskrz; **~ and away** *(the best)* zdaleka (nejlepší); **be ~ for** toužit po, mít spadeno na; **be ~ of** mít nedostatek čeho; **go all ~** jet naplno; **~ of hand** *1.* ihned *2.* bez dozoru; **~ of the blue** zčista jasna; **~ of envy** ze závisti

outbalance [aut'bæləns] převažovat

outboard [autbo:d] **motor** přívěsný lodní motor

outbreak [autbreik] **1** výbuch, vypuknutí; propuknutí **2** vzpoura **3** násilí, násilnosti

outburst [autbə:st] výbuch, vzplanutí

outcast [autka:st] **1** vyvrhel **2** trosečník

outcry [autkrai] křik, pokřik, výkřik; *(veřejné)* volání, protest

outdistance [aut'distəns] předstihnout, nechat daleko za sebou

outdo* [aut'du:] překonat

outdoor [autdo:] konaný venku, určený pro venek

outdoors [aut'do:z] **1** venku; ven **2** pod širým nebem

outer [autə] **1** (ze)vnější **2** krajní

outfit [autfit] **1** výzbroj, výstroj, vybavení **2** *(hovor.)* organizace *(poskytující služby)*, skupina, parta

outfitters [autfitəz] speciální obchod *(pánskou konfekcí, sport. potřeb atp.)*

outgrow* [aut'grəu] **1** přerůst; růst rychleji než **2** vyrůst z

outing [autiŋ] výlet

outlaw [autlo:] **1** prohlásit za nezákonné **2** postavit mimo zákon

outlay [autlei] výdaj(e), náklady

outline [autlain] *n* **1** obrys, kontura **2** nárys, náčrt, nástin, přehled, osnova ● *v* **1** narýsovat, načrtnout **2** nastínit, naznačit

outlive [aut'liv] žít déle než, přežít

outlook [autluk] **1** výhled, vyhlídka **2** rozhled **3** *(světový)* názor

outlying [autlaiiŋ] **1** vzdálený, odlehlý **2** krajní

outmoded [aut'məudid] zastaralý

outnumber [aut'nambə] převýšit počtem, mít početní převahu nad

out-of-date [autəv'deit] zastaralý

out-of-the-way [autəvðə'wei] **1** zapadlý, odlehlý **2** neobvyklý, bizarní

outpatient [autpeišnt] ambulantní pacient

outpost [autpəust] **1** předsunutá

hlídka **2** základna, stanoviště (*v zahraničí*)

output [autput] **1** výroba, produkce **2** výkon **3** výstup (*zařízení*)

outrage [autreidž] *n* **1** násilí (**against** proti) **2** těžká urážka **upon sth.** čeho **3** pobouření; vztek, zuřivost • *v* urazit; pobouřit

outrageous [aut'reidžəs] **1** urážlivý, hrubý, násilnický **2** přesahující všechny meze, neskutečný

outright [autrait] *adv* **1** rovnou, přímo, do očí **2** najednou; ihned, na místě • *adj* **1** jasný, naprostý; hotový, vyložený **2** upřímný, otevřený **3** jednoznačný, jednou provždy

outset [autset] začátek, počátek

outside [aut'said] *n* (ze)vnějšek • *adj* **1** venkovní, vnější **2** externí **3** cizí, zahraniční **4** největší, nejvyšší (*cena*) • *adv* vně, venku, ven • *prep* vně, mimo; před, za, u, vedle

outsize [aut'saiz] *GB adj* nadměrně velký • *n* nadměrná velikost

outskirts [autskə:ts] *pl* okrajové části města, periférie

outstanding [aut'stændiŋ] **1** vynikající **2** nevyřízený, nedodělaný, otevřený

outstrip [aut'strip] (**pp**) předčít, předhonit

outvote [aut'vəut] přehlasovat

outward [autwəd] *adj* vnější, vnějškový • *adv* ~(**s**) směrem ven

outweigh [aut'wei] převážit, převažovat

outworn [aut'wo:n] **1** obnošený, utahaný **2** překonaný, zastaralý

outwit [aut'wit] (**tt**) přelstít

oval [əuvl] ovál

oven [avn] pec, trouba

ovenware [avnweə] varné / ohnivzdorné (porcelánové / skleněné / keramické) zboží

over [əuvə] *prep* nad; přes; na; po • *adv* na druhé straně, na druhou stranu; znovu; nadto; u konce ♦ ~ **again** znovu, **ten times** ~ desetkrát za sebou; **all** ~ celý; **all** ~ **the world** po celém světě; **be** ~ být u konce, skončit; **be (left)** ~ zbýt; **think it** ~ rozmyslit si to

overall [əuvərɔ:l] **1** *GB* pracovní plášť **2** ~**s** *pl GB* kombinéza; *US* montérky

overboard [əuvəbɔ:d] přes palubu

overburden [əuvə'bə:dn] přetížit

overcast [əuvəka:st] (*obloha*) zatažený

overcoat [əuvəkəut] svrchník, převlečník, zimník

overcome* [əuvə'kam] překonat, přemoci, zvítězit nad

overcrowd [əuvə'kraud] přeplnit, přecpat lidmi; přelidnit

overdo* [əuvə'du:] přehánět

overdue [əuvə'dju:] **1** zpožděný **2** nesplacený, dávno splatný **3** dosud nevrácený (*kniha*)

overestimate [əuvə'restimeit] přeceňovat

overflow [əuvə'fləu] **1** přetékat, (*též přen.*) **2** nahrnout se, vyhrnout se

overhaul [əuvəhɔ:l] generální oprava

overhead [əuvəhed] **1** režijní **2** nad hlavou, nahoře **3** vrchní, stropní, visutý

overheads [əuvəhedz] *pl* režie, režijní náklady

overhear* [əuvə'hiə] zaslechnout

overlap [əuvəˈlæp] **(pp)**
1 přesahovat, přečnívat
2 překrývat (se) 3 kolidovat

overleaf [əuvəˈliːf] na druhé
straně (listu)

overload [əuvəˈləud] přetížit

overlook [əuvəˈluk] 1 přehlédnout
(též omylem) 2 přehlédnout,
prominout 3 prohlédnout si;
prolistovat 4 čnět nad, shlížet na

overnight [əuvəˈnait] přes noc

overrun* [əuvəˈrʌn] **(nn)**
1 (rychle) zabrat, obsadit
2 zaplavit, zamořit
3 přebehnout / -jít / -letět
4 předbehnout
♦ **be ~ with** hemžit se čím

overseas [əuvəˈsiːz] zahraniční

oversee [əuvəˈsiː] dohlížet na,
kontrolovat, mít dozor nad

overseer [əuvəsiːə] dozorce

overshadow [əuvəˈʃædəu] zastínit

oversight [əuvəsait] přehlédnutí,
nedopatření, opominutí

oversleep* [əuvəˈsliːp] zaspat

overspill [əuvəspil] přebytek
(obyvatelstva)

overstep [əuvəˈstep] **(pp)** překročit

overtake* [əuvəˈteik] 1 předhonit
2 zastihnout, překvapit

overthrow* v [əuvəˈθrəu]
1 shodit, povalit, převrhnout
2 svrhnout; zvrátit 3 přehodit
(cíl), hodit příliš daleko ● n [əu-
vəθrəu] 1 svržení 2 porážka, pád

overtime [əuvətaim] adv přesčas,
v přesčase
● n 1 přesčas, přesčasové hodiny
2 US nastavený čas, prodloužení

overture [əuvətjuə / -čuə]
1 předehra, ouvertura 2 též ~s
pl nabídka, náznak (ochoty);
předběžné jednání

overturn [əuvəˈtəːn] převrhnout
(se); zvrátit (se)

overwhelm [əuvəˈwelm] 1 zavalit
(též přen.), zaplavit, zasypat
2 přemoci, překonat; zkrušit,
zdrtit

overwhelming [əuvəˈwelmiŋ]
zdrcující, naprostý

overwork [əuvəˈwəːk] v
1 přepracovat (se) 2 přezdobit,
přeplácat, pomalovat ● n nad-
měrná práce, přepracování

owe [əu] 1 být dlužen, dlužit **sb.**
komu **for** za 2 vděčit **sth.** za co
to komu

owing [əuiŋ]: ~ **to** následkem čeho,
pro, kvůli, vzhledem, díky, vinou

owl [aul] sova

own [əun] adj vlastní
● pron: **on one's ~** sám
● v vlastnit, mít

own up (to sth.) přiznat se (k če-
mu), doznat, všechno vyklopit,
kápnout božskou (hovor.)

owner [əunə] majitel, vlastník

ownership [əunəšip] vlastnictví

ox [oks] vůl

oxidize [oksidaiz] oxidovat,
okysličit (se)

oxygen [oksidžn] kyslík

oyster [oistə] ústřice

ozone [əuzəun] 1 ozón
2 (hovor.) mořský vzduch

O

P

pace [peis] *n* **1** krok **2** rychlost, tempo; **set the ~** udávat tempo
● *v* kráčet; **~ up and down** přecházet sem a tam (**a room** po místnosti)

pacemaker [ˈpeismeikə] **1** (*sport.*) udavač tempa **2** kardiostimulátor

pacific [pəˈsifik] mírumilovný; **P~ Ocean** Tichý oceán

pacifist [ˈpæsifist] pacifista

pack [pæk] *n* **1** ranec; balík; *US* krabička **2** smečka
● *v* **1** (za)balit **2** nacpat; utěsnit

pack up 1 sbalit se / si své věci; (*hovor.*) zabalit to **2** (*motor*) zhasnout, chcípnout **3** (*člověk*) zkápnout

package [ˈpækidž] *n* **1** balík **2** hotový program, blok
♦ **~ deal** jediná souhrnná transakce; **~ tour** turistický zájezd (*s předem stanoveným programem*)
● *v* zabalit, udělat balík z

packet [ˈpækit] balíček

pact [pækt] pakt, dohoda

pad [pæd] *n* **1** vycpávka **2** chránič **3** tlapka **4** (*psací*) podložka
● *v* (**dd**) opatřit vycpávkou, (vy)vatovat; podložit

padding [ˈpædiŋ] **1** vycpávka, vatování **2** vata (*v textu*)

paddle[1] [ˈpædl] *n* **1** pádlo **2** měchačka **3** lopatka (*lodního kolesa*) **4** *US* (*pingpongová*) raketa ● *v* pádlovat

paddle[2] [ˈpædl] brouzdat se

paddling pool [ˈpædliŋpuːl] **1** brouzdaliště **2** nafukovací bazének

padlock [ˈpædlok] visací zámek

padre [ˈpɑːdr(e)i] vojenský kaplan

pagan [ˈpeigən] pohan

page[1] [peidž] stránka

page[2] [peidž] **1** páže **2** (*hotelový*) poslíček, liftboy

pageant [ˈpædžənt] **1** živý obraz; průvod alegorických vozů **2** podívaná, slavnost

paid [peid] *viz* **pay**; **put ~ to** skoncovat s, zhatit, zmařit (*naděje, plány*)

pail [peil] džber, vědro, kbelík

pain [pein] *n* **1** bolest **2** **~s** *pl* námaha, úsilí, snažení; **take (great) ~s** snažit se; **spare no ~s** nelitovat námahy
● *v* **1** působit bolest **2** bolet

pained [peind] ztrápený; mrzutý

painful [ˈpeinful] **1** bolestivý, bolavý **2** trapný, nepříjemný

painless [ˈpeinlis] bezbolestný

painstaking [ˈpeinzteikiŋ] **1** snaživý, horlivý **2** velice pečlivý, puntičkářský

paint [peint] *n* **1** barva **2** lak, nátěr **3** líčidlo, mejkap ● *v* **1** malovat **2** natírat **3** malovat se

painter [ˈpeintə] **1** malíř **2** natěrač, lakýrník

painting [ˈpeintiŋ] **1** malba, obraz **2** malířství **3** natírání, lakování
♦ **~ knife** (*malířská*) stěrka, špachtle

pair [peə] *n* **1** pár **2** označuje *podvojný předmět:* **a ~ of trousers** kalhoty; **three ~s of scissors** troje nůžky ● *v* spojit (se) do páru, spárovat

pair off rozdělit (se) do dvojic

pair up 1 dát se dohromady (*s druhým*) 2 patřit do páru **with** s
pal [pæl] (*hovor.*) kolega, kamarád
palace [pælis] palác
palatable [pælətəbl] chutný; přijatelný, stravitelný, (*též přen.*)
palate [pælit] 1 patro (*v ústech*) 2 (*přen.*) chuť, jazyk, jazýček
pale [peil] *adj* 1 bledý 2 málo výrazný, chabý • *v* 1 (z)blednout 2 (*přen.*) mizet, tratit se
paling [peiliŋ] 1 tyč, laťka 2 (*laťový*) plot, ohrada
pallid [pælid] bledý, bílý, sinavý
palm[1] [pa:m] *n* dlaň • *v* skrýt do dlaně; palmovat (*kartu*)
palm off (*podvodně*) vrazit, podsunout, podstrčit **sth.** co on **sb.** komu, **sb.** komu **with sth.** co
palm[2] [pa:m] palma
palpable [pælpəbl] 1 hmatatelný 2 zřejmý, patrný, jasný
palsy [po:lzi] ochrnutí, obrna
paltry [po:ltri] nicotný, bídný, mizerný
pamphlet [pæmflit] informační brožurka, leták
pan[1] [pæn] *n* pánev; US pekáč • *v* (**nn**) péci / připravovat na pánvi / v pekáči
pan out 1 vypírat (*písek*) 2 vydařit se, přinést dobrý výsledek
pan[2] [pæn] (*kamera*) 1 najet na, sledovat, zabírat 2 panoramovat
pancake [pænkeik] palačinka, (*tenký*) lívanec, (*tenká*) omeleta
pane [pein] (*okenní*) sklo, tabulka
panel [pænl] 1 táflování, výplň 2 panel 3 palubní deska 4 tým, skupina (*odborníků, účastníků*) 5 vsazený díl (*z jiné látky*)

pang [pæŋ] vystřelující bolest
panic [pænik] *n* 1 panika 2 (*slang.*) junda, velká prča • *v* (**ck**) 1 podlehnout panice, (z)panikařit 2 šířit paniku
pansy [pænzi] maceška
pant [pænt] 1 hekat, supět, prudce oddychovat 2 toužit, prahnout, žíznit **for** po
panther [pænθə] panter
panties [pæntiz] *pl* (*dámské*) kalhotky
pantomime [pæntəmaim] 1 vánoční pohádková revue 2 pantomima, němohra
pantry [pæntri] 1 spižírna 2 komora, ofis
pants [pænts] *pl* 1 GB spodky; trenýrky 2 US kalhoty ♦ **with one's ~ down** nepřipravený, v rozpacích, „na hruškách"
paper [peipə] *n* 1 papír 2 noviny 3 přednáška; pojednání, referát **on** o 4 natištěné zkušební otázky, (*zkouškový*) test 5 **~s** *pl* listiny, akta, dokumenty 6 tapeta • *v* (vy)tapetovat
paperback [peipəbæk] kniha v měkké papírové vazbě
papist [peipist] papeženec
parable [pærəbl] podobenství
parabola [pəˈræbələ] parabola
parachute [pærəʃu:t] padák
parachutist [pærəʃu:tist] výsadkář, parašutista
parade [pəˈreid] *n* 1 přehlídka 2 nástup 3 cvičiště 4 promenáda, korzo • *v* 1 pochodovat při přehlídce 2 dát nastoupit, vykonat přehlídku 3 promenovat se, korzovat 4 stavět na odiv, strkat pod nos, předvádět (se)
paradise [pærədais] ráj

P

paragraph [pærəgra:f]
1 odstavec **2** (*krátký*) sloupek, článek, notička

parallel [pærələl] *adj*
1 rovnoběžný, souběžný
2 (*přen.*) analogický, současný
♦ **~ bars** *pl* bradla ● *n* **1** rovnoběžka **2** paralela

paralyse [pærəlaiz] ochromit

paralysis [pəˈrælisis] ochrnutí, paralýza

paramedic [pærəˈmedik] zdravotník

parasite [pærəsait] parazit, příživník, cizopasník

parasitic [pærəˈsitik] příživnický, cizopasný

paratroops [pærətru:ps] *pl* výsadkové oddíly, výsadkáři

parboil [pa:boil] ovařit, povařit; předvařit; nedovařit

parcel [pa:sl] **1** balíček; zásilka ♦ **~ post** balíková pošta **2** parcela, pozemek

parchment [pa:tʃmənt] pergamen

pardon [pa:dn] *n* odpuštění, prominutí; **(I) beg your ~** *1.* promiňte *2.* prosím? *3.* co si dovolujete! ● *v* prominout, odpustit

pare [peə] **1** loupat (*apples* jablka) **2** stříhat (*nails* nehty) **3** ořezat, okrájet, přiřezovat

parent [peərənt] *n* **1** otec, matka, rodič; (*pra*)předek **2** **~s** *pl* rodiče ● *adj* základní, mateřský;
~ company mateřská společnost

parenthesis [pəˈrenθəsis] **1** (*oblá / kulatá*) závorka **2** (*jaz.*) vsuvka

Paris [pæris] Paříž

parish [pæriʃ] farnost

park [pa:k] *n* **1** park **2** *též* car ~ parkoviště ● *v* parkovat

parking [pa:kiŋ] parkoviště

parliament [pa:ləmənt] parlament

parliamentary [pa:ləˈmentəri] parlamentní; parlamentární

parlour [pa:lə] **1** salón; **beauty ~** salón krásy **2** dvorana, hala, salónek **3** přijímací / obývací pokoj

parody [pærədi] parodie, karikatura **of / on** čeho

parquet [pa:ˈkei] parketa, parkety; **~ floor** parketová podlaha

parrot [pærət] *n* papoušek ● *v* papouškovat

parse [pa:s] (*jaz.*) rozebírat větu

parsley [pa:sli] petržel

parsnip [pa:snip] pastinák

parson [pa:sn] farář; pastor; duchovní

part [pa:t] *n* **1** část, díl; **in ~** z části; **~ of the way** kus cesty **2** účast; **take ~ in** účastnit se čeho; **take sth. in good ~** přijímat co s humorem **3** role, úloha; **for my ~** co se mne týče; **on my ~** z mé strany **4** součást, díl; **spare ~s** náhradní díly **5** **~s** *pl* končiny; **I am a stranger in these ~s** jsem tu cizí ● *v* **1** rozdělit (se) **2** rozejít se, rozloučit se **with s** čím ● *adv* částečně

partake* [pa:ˈteik] **1** zobnout si, napít se **of** čeho **2** podílet se **in** na, účastnit se čeho

partial [pa:ʃl] **1** částečný, dílčí **2** stranící **to** komu, nakloněný **to** čemu; zaujatý **to** pro co

participate [pa:ˈtisipeit] účastnit se **in** čeho, podílet se na, zapojit se do

participation [pa:tisiˈpeiʃn] účast **in** na, podíl na, zapojení do

participle [pa:tisipl] (*jaz.*) příčestí

particle [pa:tikl] **1** drobet, smítko, ždibec, částečka **2** (*fyz., jaz.*) částice

particular [pə'tikjulə] *adj*
1 jednotlivý, (ob)zvláštní; specifický, konkrétní 2 přesný, podrobný 3 intimní, blízký 4 vybíravý
about v ~ *n* podrobnost; **in** ~
zvláště, zejména, konkrétně

particularly [pə'tikjuləli]
1 zejména, zvláště 2 odděleně, každý zvlášť

parting [pa:tiŋ] *n* 1 (roz)loučení
2 pěšinka (*ve vlasech*) ● *adj*
poslední, daný na rozloučenou

partisan, partizan [pa:ti'zæn] *n*
1 (*fanatický*) přívrženec,
bojovník **of** za 2 partyzán ● *adj*
1 předpojatý 2 partyzánský

partition [pa:'tišn] *n* 1 rozdělení
2 přepážka ● *v též* ~ **off** oddělit
příčkou, přepažit

partly [pa:tli] částečně

partner [pa:tnə] *n* 1 společník,
partner 2 druh, kolega, účastník
in / of v 3 manželka, manžel

partnership [pa:tnəšip]
1 společenství 2 spoluúčast
3 spolupráce, partnerství

partridge [pa:tridž] koroptev

part-time [pa:t'taim]
1 (*zaměstnaný*) na částečné
úvazek, polodenní 2 externí,
studující při zaměstnání

party [pa:ti] *n* 1 (*politická*)
strana 2 společnost; doprovod
3 účírek, společnost 4 účastník
to čeho; strana (*při jednání*)
5 skupina, výprava 6 četa
● *adj* 1 společenská 2 stranický

pass[1] [pa:s] *n* 1 průkaz, propustka,
legitimace 2 svolení 3 (*sport.*)
podání 4 složení zkoušky
5 kritický stav ● *v* 1 projít, jít kolem, minout 2 uplynout 3 přejít,
změnit se **into** 4 překročit

5 podat (*též sport.*) 6 strávit (**the
time** čas) 7 schválit (**a Bill** zákon) 8 složit (**an exam** zkoušku)
9 vynést (**a sentence** rozsudek)
10 být považován **for** za

pass away 1 zemřít 2 (*čas*)
uplynout 3 zmizet, vyprchat

pass by 1 jít kolem 2 přejít,
ignorovat

pass off 1 přejít, zmizet 2 vydávat
(*nepoctivě*) **sb.** koho **as / for** za
3 odvrátit pozornost od

pass out 1 ztratit vědomí, omdlít
2 (*hovor.*) zkamenět, ztvrdnout
(*opít se do němoty*) 3 *GB*
absolvovat (*vojenský / policejní*)
výcvik

pass over přeskočit (*při
jmenování do místa*)

pass round dát / nechat kolovat

pass[2] [pa:s] 1 průsmyk, soutěska
2 průliv, úžina

passable [pa:səbl] 1 sjízdný
2 přijatelný, slušný, ucházející

passage [pæsidž] 1 cesta, projití,
průjezd, přechod, přejezd,
přeplavba, let 2 pasáž, průjezd,
průchod 3 chodba 4 úryvek,
ukázka, pasáž (*z textu*)

passenger [pæsindžə] cestující,
pasažér

passerby [pa:sə'bai] kolemjdoucí

passing [pa:siŋ] přechodný,
povrchní; **in** ~ mimochodem

passion [pæšn] 1 vášeň 2 vztek,
zlost 3 vzrušení / pohnutí mysli,
afekt

passionate [pæšənit] 1 vášnivý
2 popudlivý, prudký

passive [pæsiv] 1 trpný, netečný,
pasívní 2 (*jaz.*) trpný (**voice** rod)

passport [pa:spo:t] cestovní pas

password [pa:swə:d] heslo (*strážní*)

P

past [pa:st] *adj* minulý; **for some time** ~ již nějakou dobu; **~ tense** (*jaz.*) minulý čas ● *n* minulost
 ● *prep* po, přes, nad, kolem, za
 ● *adv* kolem, mimo

pasta [pæstə] těstoviny

paste [peist] *n* 1 těsto 2 lepidlo 3 pasta; pomazánka 4 štras, sklo (*k napodobení drahokamů*)
 ● *v* lepit

pasteboard [peistbo:d] 1 (*vrstvená*) lepenka 2 *US* kartón

pastime [pa:staim] zábava, kratochvíle

pastry [peistri] 1 jemné pečivo 2 lístkové těsto
 ♦ ~ **cook** *GB* cukrář, moučníkář

pasture [pa:sčə] pastva, pastvina

pasty [peisti] těstovitý

pat [pæt] (**tt**) 1 poklepat, popleskat, poplácat (**on the back** po zádech) 2 ťapat, cupat

patch [pæč] *n* 1 záplata 2 skvrna 3 záhonek 4 místo, část; **in ~es** místy; **fog ~es** místní mlhy
 ● *v* záplatovat

patent [peitənt] *adj* 1 zřejmý, jasný 2 patentovaný; patentní
 ♦ ~ **leather** laková kůže;
 ~ **medicine** volný lék ● *n* patent

paternal [pə'tə:nl] otcovský

path [pa:θ] cesta, stezka, chodníček

pathetic [pə'θetik] 1 dojemný 2 smutný, žalostný, politováníhodný

pathfinder [pa:θfaində] průkopník

pathos [peiθos] tklivost, dojemnost

patience [peišns] 1 trpělivost 2 vytrvalost 3 shovívavost 4 *GB* pasiáns

patient [peišnt] *adj* 1 trpělivý
 2 trpělivě snášející **of** co
 ● *n* pacient, nemocný

patriot [pætriət / pei-] vlastenec

patriotic [pætri'otik] vlastenecký

patriotism [pætriətizm] vlastenectví

patrol [pə'traul] *n* 1 hlídka, stráž 2 pochůzka, obchůzka 3 hlídkový let
 ● *v* (**ll**) 1 hlídat, střežit 2 hlídkovat; být na obchůzce

patrolman [pə'traulmən] *US* strážník, policista

patron [peitrən] 1 ochránce, příznivec 2 (*stálý*) zákazník, (*pravidelný*) návštěvník

patronage [pætrənidʒ] 1 záštita 2 zákaznící, klientela

patronizing [pætrənaiziŋ] 1 povýšený 2 blahosklonně / urážlivě shovívavý

patter[1] [pætə] *n* 1 drmolení 2 řečňování, tlachání
 ● *v* 1 drmolit, brebentit 2 žvanit, klábosit

patter[2] [pætə] *n* pleskání; capání, ťapkání ● *v* capat, ťapkat

pattern [pætən] *n* 1 vzor, model, ideál; typ, šablona 2 vzorek, dezén 3 figura (*při krasobruslení*)

Paul [po:l] Pavel

paunch [po:nč] 1 (*hanl.*) pandĕro, nácek, cejcha 2 bachor (*přežvýkavců*)

pause [po:z] *n* 1 přestávka, pauza
 ● *v* zastavit se, ustat, udělat pauzu

pave [peiv] dláždit, (*též přen.*)

pavement [peivmənt] 1 *GB* chodník; *US* vozovka 2 dlažba, dláždění

pavilion [pə'viljən] pavilón

paw [po:] *n* tlapa, pracka

pawn[1] [po:n] **1** pěšec (*v šachu*)
2 (*přen.*) šachová figurka

pawn[2] [po:n] *n* zástava, záruka
• *v* zastavit, dát do zástavy
♦ **~broker** zastavárník; **~ shop**
zastavárna

pay [pei] *n* **1** plat, mzda
2 výplata **3** žold
• *v** **1** platit, financovat, hradit
2 vynášet, vyplatit se, rentovat se
♦ **~ attention** dávat pozor;
~ a compliment vzdát poklonu;
~ a visit navštívit to koho
pay back 1 vrátit (*peníze*)
2 oplatit, vynahradit **for** co, odvděčit se za **3** vyrovnat si účty **to** s
pay in složit / poukázat peníze
(*na svůj / cizí účet*)
pay off 1 všechno zaplatit
2 vyplatit koho **3** zaplatit za
mlčení **4** vyjít, vyplatit se
pay out 1 vyplatit, vydat (*velkou
částku*) **2** odplatit, odvděčit se
pay up (*nerad, pozdě*) splatit dluh
payable [peiəbl] splatný
payment [peimənt] **1** placení
2 výplata, odměna, (*též přen.*)
♦ **~ card** platební karta
payphone [peifoun] telefonní
automat, veřejný telefon
pay-roll [peiroul] výplatní listina
payslip [peislip] výplatní páska
PC [pi:'si:] **1** *Police Constable*
GB strážník, policista **2** *personal
computer* osobní počítač, pécéčko (*hovor.*) **3** *politically
correct adj* politicky korektní (*zvl. vyjadřující se velmi diplomaticky, aby
se nikdo nemohl cítit dotčen*)
pea [pi:] hrách, hrášek; **be as like**

as two ~s in a pod (*hovor.*)
podobat se jako vejce vejci
peace [pi:s] **1** mír; **at ~** v míru;
make ~ uzavřít mír **2** klid, pokoj;
make one's ~ with smířit se s
peaceable [pi:səbl] mírumilovný,
mírný
peaceful [pi:sful] mírový,
mírumilovný
peach [pi:č] broskev; **~ tree**
broskvoň
peacock [pi:kok] páv
peak [pi:k] *n* **1** špice, špička, hrot
2 temeno, vrchol • *adj* maximální, nejvyšší, špičkový ♦ **~ time**
špička (*energetická, dopravní*)
peal [pi:l] **1** vyzvánění, zvonění
2 (za)hřímání; rachot; **~ of
thunder** zahřmění; **~ of
laughter** bouře smíchu
peanut [pi:nat] burský oříšek,
arašíd
pear [peə] hruška; **~ tree** hrušeň
pearl [pə:l] perla
peasant [peznt] **1** člověk z venkova, venkovan **2** (*evropský malý*)
sedlák, zemědělec
3 (*venkovský*) balík, dacan
peasantry [pezntri] rolnictvo
pease pudding [pi:z'pudiŋ]
hrachové pyré
peat [pi:t] rašelina
♦ **~ bog** rašeliniště
pebble [pebl] oblázek, (*malý*)
plácák
peck [pek] klovat
pecking order [pekiŋ:də] (*přen.*)
hierarchická stupnice,
společenský žebříček
peckish [pekiš] *GB* (*hovor.*)
hladový
peculiar [pi'kju:ljə] **1** vlastní **to**
komu / čemu, příznačný, typický

P

pro **2** obzvláštní, kromobyčejný **3** podivný, podivínský, výstřední, extravagantní

peculiarity [pikju:li'æriti] **1** vlastnost, charakteristický rys **2** zvláštnost, podivnost, extravagance

pecuniary [pi'kju:niəri] peněžní, finanční

pedagogue [pedəgog] pedagog

pedal [pedl] *n* pedál; ~ **bin** nádoba na odpadky (*otvíraná šlapkou*) ♦ *v* šlapat do pedálů, jet na kole

pedantic [pi'dæntik] **1** nezáživný, suchý, akademický **2** přízemní, bez fantazie **3** puntičkářský, pedantický

pedestrian [pi'destriən] *adj* **1** přízemní, šedivý; banální **2** pěší, konaný pěšky ♦ *n* chodec; ~ **crossing** přechod pro chodce

pedicure [pedikjuə] pedikúra

pedigree [pedigri:] *n* rodokmen

pedlar [pedlə] podomní obchodník

peek [pi:k] (*hovor.*) kouknout, juknout **at** na

peel [pi:l] *n* slupka ♦ *v* loupat (se)

peeler [pi:lə] loupáček, škrabka (*nůž*)

peep [pi:p] *v* nakukovat; kouknout se **at** na, pokukovat po ♦ *n* kradmý pohled ♦ ~ **hole** kukátko (*ve dveřích*)

peer[1] [piə] zírat, mžourat **at** na, **into** do

peer[2] [piə] **1** rovnocenný člověk; vrstevník **2** peer, pair (*člen britské horní sněmovny*)

peerless [piələs] jedinečný, nemající sobě rovna

peevish [pi:viš] **1** mrzutý, nevrlý **2** vzpurný, vzdorovitý

peg [peg] *n* kolík; kolíček;

(*jednotlivý*) věšák ♦ věšák **off the ~** (*oblek*) konfekční; **take sb. down a ~** setřít koho, srazit hřebínek komu ♦ *v* (**gg**) **1** přibít, spojit, upevnit (*kolíkem*) **2** *GB* pověsit (*prádlo*) **3** stabilizovat (*ceny, mzdy*)

peke [pi:k] pekinéz

pen[1] [pen] pero ♦ ~-**friend** známý (*v cizině*), s nímž si (*pouze*) dopisují; ~ **name** pseudonym

pen[2] [pen] **1** ohrada; (*dětská*) ohrádka **2** přístřešek

penal [pi:nl] trestní; trestanecký

penalty [penəlti] **1** trest **2** pokuta **3** penalta ♦ ~ **area** trestné / pokutové území; ~ **kick** pokutový kop; **extreme** ~ absolutní trest (*smrti*)

penance [penəns] pokání

pencil [pensl] tužka

pendant [pendənt] přívěsek

pending [pendiŋ] *adj* **1** nevyřešený, dosud projednávaný **2** časově blízký, hrozící ♦ *prep* **1** během, při **2** až do, dokud ne-

pendulum [pendjuləm] kyvadlo

penetrate [penitreit] **1** vniknout **into** do **2** proniknout **through** čím **3** (*hovor.*) dojít, být pochopen

penetrating [penitreitiŋ] pronikavý

penguin [peŋgwin] tučňák

penicillin [peni'silin] penicilín

peninsula [pi'ninsjulə] poloostrov

penitentiary [peni'tenšəri] *US* káznice, nápravné zařízení

penniless [penilis] bez haléře

penny [peni], *pl* **pence** [pens] penny, pence ♦ **the ~** (**has**) **dropped** došlo mu to; ~ **pincher** držgrešle; **a pretty ~** hezká sumička; **a ~ for your thoughts** řekni mi, nač právě myslíš

pension [penšn] *n* penze

pensioner [penšənə] důchodce

peony [pi:əni] pivoňka

people [pi:pl] *n* **1** lidé; **my ~** moje rodina, moji příbuzní; **you of all ~** zrovna ty **2 the ~** lid; národ ♦ *v* zalidnit

pepper [pepə] pepř

per [pə:] **1** za, na; **~ annum** ročně; **~ head** na jednotlivce **2** skrze; **~ post** poštou; **~ rail** drahou

perceive [pə'si:v] **1** vnímat, vidět, postřehnout **2** chápat, pochopit

per cent [pə'sent] procento

percentage [pə'sentidž] procento; procentní sazba / provize

perception [pə'sepšn] **1** vnímání **2** vnímavost **3** představa, pojem

perch [pə:č] *n* bidýlko ♦ *v* sedět (jako) na bidýlku; usadit se, trůnit

percolate [pə:kəleit] **1** procezovat, filtrovat, (*káva*) (pro)bublat **2** louhovat

percussion [pə'kašn] náraz, úder ♦ **~ instruments** bicí nástroje

peremptory [pə'remptəri] **1** rázný, rezolutní, kategorický **2** panovačný, diktátorský

perfect *adj* [pə:fikt] dokonalý, naprostý, vzorný, perfektní; **~ tense** (*jaz.*) perfektum ♦ *v* [pə'fekt] zdokonalit, zlepšit (**oneself** se)

perfectly [pə:fiktli] dokonale; naprosto, úplně

perfection [pə'fekšn] **1** dokonalost **2** dokonalý příklad, dokonalá ukázka **of** čeho

perfidious [pə'fidiəs] zrádný, věrolomný

perform [pə'fo:m] **1** provést, vykonat, splnit, zhostit se čeho

2 zastávat (**a public function** veřejnou funkci) **3** předvádět, hrát **4** fungovat, běžet, pracovat

performance [pə'fo:məns] **1** provádění, vykonávání; výkon **2** představení (*hry*), produkce

performer [pə'fo:mə] účinkující, výkonný umělec

perfume *n* [pə:fju:m] voňavka, parfém ♦ *v* [pə'fju:m / 'pə:-] navonět

perfumery [pə'fju:məri] parfumerie

perfunctory [pə'faŋktəri] **1** zběžný, povrchní **2** netečný, apatický

perhaps [pə'hæps] snad, možná, třeba, asi

peril [peril] nebezpečí; **at one's ~** na vlastní nebezpečí

perilous [periləs] nebezpečný

perimeter [pə'rimitə] obvod; délka obvodu

period [piəriəd] *n* **1** období; doba; perioda **2** *US* tečka ♦ *adj* dobový, stylový, historický

periodical [piəri'odikl] *adj* periodický ♦ *n* časopis

perish [periš] **1** zahynout, zaniknout **2** zahubit, zničit

perishable [perišəbl] *adj* podléhající zkáze ♦ *n pl* **~s** zboží podléhající zkáze

perishing [perišiŋ] *GB* (*hovor.*) **1** (*počasí*) studený, ledový **2** (*člověk*) úplně zmrzlý

perjury [pə:džəri] křivá přísaha

perm [pə:m] (*hovor.*) trvalá (*ondulace*)

permanent [pə:mənənt] trvalý

permeate [pə:mieit] pronikat, prostupovat (**through**) čím

permission [pə'mišn] dovolení, svolení, souhlas

permit v [pə'mit] **(tt)** **1** dovolit;
weather ~ting za příznivého po-
časí **2** připustit of co, dát souhlas
k **3** trpět, tolerovat ● n [pə:mit]
1 (*písemné*) povolení, svolení;
propustka **2** vízum, doložka
pernicious [pə:'niʃəs] zhoubný
perpendicular [pə:pən'dikjulə]
adj kolmý; svislý ● n
1 kolmice; svislice **2** olovnice
perpetrate [pə:'pitreit] spáchat,
dopustit se čeho
perpetual [pə'petjuəl / -čuəl]
1 věčný **2** doživotní
perplex [pə'pleks] **1** zmást,
poplést **2** (z)komplikovat
perplexity [pə'pleksiti] **1** zmatek,
nejistota **2** složitost,
komplikovanost
perquisite [pə:kwizit]
1 (*naturální*) požitek, deputát
2 přídavek k platu
persecute [pə:sikju:t]
1 pronásledovat **2** obtěžovat,
otravovat
persecution [pə:si'kju:šn]
1 pronásledování **2** obtěžování
perseverance [pə:si'viərəns]
vytrvalost
Persia [pə:šə] Persie
Persian [pə:šn] *adj* perský
● n Peršan
persist [pə'sist] **1** vytrvat, setrvat
in v **2** trvat, tvrdošíjně lpět **in**
na, nedat se odvrátit od
persistent [pə'sistənt] vytrvalý,
neodbytný, úporný
person [pə:sn] **1** osoba; člověk;
in ~ osobně **2** zevnějšek
personal [pə:sənl] osobní
personality [pə:sə'næliti]
1 osobnost **2** člověk, nátura

personify [pə'sonifai] ztělesnit,
představovat
personnel [pə:sə'nel]
1 osazenstvo, posádka **2** osobní
oddělení
perspective [pə'spektiv]
1 perspektiva **2** výhled,
hledisko **3** rozhled
perspiration [pə:spi'reišn] pocení;
pot
perspire [pə'spaiə] potit se
persuade [pə'sweid] **1** přesvědčit
of o **2** přemluvit **to** + *inf* aby
persuasion [pə'sweižn]
1 přesvědčení, názor; vyznání,
náboženství **2** přemlouvání
persuasive [pə'sweisiv]
přesvědčivý
pertain [pə'tein] **1** přináležet,
patřit **to** k **2** týkat se **to** čeho,
vztahovat se k
perusal [pə'ru:zl] důkladné
pročtení
peruse [pə'ru:z] důkladně si
pročíst
perverse [pə'və:s] **1** zarytý
2 zlý, zkažený **3** zvrácený
pessimistic [pesi'mistik]
pesimistický
pest [pest] **1** škůdce **2** (*hovor.*)
nešvar, otrava
pet [pet] n **1** domácí zvíře
(*chované jako společník*), zvířecí
kamarád **2** miláček, mazel, maz-
líček ● *adj* **1** ochočený, zdomác-
něný **2** oblíbený, zamilovaný
♦ ~ **name** důvěrná zdrobnělina;
his ~ aversion to, co nejvíc
nenávidí ● v **(tt)** mazlit se
petal [petl] korunní plátek
Peter [pi:tə] Petr
petition [pi'tišn] n **1** naléhavá pros-
ba **2** (*písemná*) žádost, petice

• *v* (po)prosit, (*uctivě*) (po)žádat **for** o

petrify [petrifai] **1** zkamenět, (*též přen.*) **2** ztuhnout, ztvrdnout, zkoprnět ♦ **be petrified of** děsit / bát se čeho

petrol [petrəl] *GB* benzín; **~ station** benzínové čerpadlo

petroleum [pi'trouljəm] ropa, nafta

petticoat [petikəut] (*dámská*) košilka, kombiné; spodnička

petty [peti] drobný; bezvýznamný, triviální, banální; **~ cash** drobná hotovost (*v pokladně*)

petulant [petjulənt / -ču-] netrpělivý; nedůtklivý, urážlivý, netýkavý

pew [pju:] kostelní lavice

pewter [pju:tə] cínové nádobí, cínová konvice

phallus [fæləs] pyj

pharaoh [feərəu] faraón

pharmacist [fa:məsist] lékárník

pharmacy [fa:məsi] **1** farmacie **2** lékárna

phase [feiz] fáze; stadium, etapa; (*vývojový*) stupeň, období

pheasant [feznt] bažant

phenomenon [fi'nominən] jev, úkaz

phial [faiəl] fióla, lahvička; lékovka

philanderer [fi'lændərə] záletník, donchuan, sukničkář

philharmonic [filə'mɔnik] filharmonický

Philippines [filipi:nz] Filipíny

philologist [fi'lolədžist] filolog

philology [fi'lolədži] filologie

philosopher [fi'losəfə] filozof

philosophic(al) [filə'sofik(l)] filozofický

philosophy [fi'losəfi] filozofie

phone [fəun] (*hovor.*) *n* telefon • *v* telefonovat ♦ **~-tapping** odposlouchávání telefonních rozhovorů

phonetics [fo'netiks] *sg* (*jaz.*) fonetika

phoney [fəuni] (*hovor.*) falešný, předstíraný

photo [fəutəu] (*hovor.*) *n* fotka, fotografie • *v* vyblejsknout

photograph [fəutgra:f] *n* fotografie • *v* fotografovat (se)

photographer [fə'togrəfə] fotograf

photographic [fəutə'græfik] fotografický

photography [fə'togrəfi] fotografování, fotografické umění

phrase [freiz] *n* úsloví, slovní spojení, vazba; fráze • *v* **1** vyjádřit (*slovy*), formulovat **2** charakterizovat

physical [fizikl] **1** fyzikální **2** fyzický; tělesný; **~ education** tělocvik

physician [fi'zišn] lékař, doktor

physicist [fizisist] fyzik

physics [fiziks] *sg* fyzika

physiology [fizi'olədži] fyziologie

physique [fi'zi:k] **1** tělesná stavba, postava **2** charakter, ráz (*krajiny*)

pianist [pi(:)ənist] klavírista

piano [pi'ænəu] klavír

pick¹ [pik] **1** sebrat, zvednout, sundat **2** obrat, okousat, ohryzat **3** sbírat, trhat, česat **4** vybrat, zvolit (si) **5** zobat, klovat **6** rýpat se **at** (*v jídle*) **7** dobírat si **on** koho, strefovat se do, hledat chyby na ♦ **I have a bone to ~ with him** má u mne vroubek; **~ sb.'s brains** tahat rozumy z koho

pick out 1 vybírat si **2** vidět, rozeznat **3** vybrnkat **4** zdůraznit

pick up 1 vzít do ruky, zvednout, sebrat 2 zlepšovat se, vzmáhat se 3 zastavit se pro 4 zachytit (*signál*) 5 zatknout, zajistit 6 nabalit si (*slečnu na ulici*) 7 nabrat (*rychlost*) 8 pochytit

pick² [pik] 1 *viz* **pickaxe** 2 *US* trsátko

pickaxe [pikæks] krumpáč, špičák, motyka

picket [pikit] *n* hlídka proti stávkokazům
 • *v* hlídkovat proti stávkokazům, demonstrovat (*nošením hesla*)

pickle [pikl] *n* lák, nálev
 • *v* naložit do láku / octa

pickles [piklz] *pl* naložená zelenina / okurčička

pickpocket [pikpokit] kapsář, kapesní zloděj

pick-up [pikap] 1 přenoska 2 přejímaný program 3 dodávka (*auto*) 4 (*hovor.*) slečna sbalená na ulici

picnic [piknik] 1 piknik 2 (*hovor.*) psina, lážo

picture [pikčə] 1 obraz 2 *GB* film; **~s** *pl* kino ♦ **~ gallery** obrazárna; **get the ~** pochopit, udělat si obrázek; **in the ~** zasvěcený

picturesque [pikčəˈresk] 1 malebný 2 živý, svěží, pitoreskní

piddle [pidl] (*hovor.*) 1 *GB* čůrat 2 *US* mrnit se, piplat se

pie [pai] maso / ovoce zapečené v těstě, plněný koláč, piroh

piece [pi:s] *n* 1 kus, kousek 2 parcela, pozemek 3 příspěvek 4 (*hrací*) kámen; (*šachová*) figurka 5 holka, kost, kočka
 ♦ **say one's ~** říci své / svůj názor

• *v* **~ (together)** dávat dohromady; sešívat

piecemeal [pi:smi:l] postupně, kus po kuse, nesystematicky

piecework [pi:swə:k] kusová / zakázková / úkolová práce

pier [piə] 1 molo; přístavní hráz 2 pilíř 3 konstrukce vybíhající do moře, na níž jsou zábavní podniky, restaurace apod.

pierce [piəs] 1 propíchnout, probodnout 2 prorazit

pig [pig] 1 vepř, prase; **buy a ~ in a poke** kupovat zajíce v pytli 2 nenasyta; čuně

pigeon [pidžin] holub; **clay ~** asfaltový terč

pigeonhole [pidžinhəul] přihrádka

piggybank [pigibæŋk] prasátko (*kasička*)

pigskin [pigskin] vepřovice

pigsty [pigstai] prasečí chlívek

pike [paik] štika

pile¹ [pail] kůl, pilota

pile² [pail] *n* (*naskládaná*) hromada, halda, kupa • *v* 1 stavět na sebe 2 navršit, naložit 3 hromadit

pile in (*hovor.*) 1 nalézt, nasednout 2 nahrnout se

pile it on (*hovor.*) přehánět

pile up hromadit (se), nakupit (se)

pilfer [pilfə] krást (*drobnosti*)

pilferage [pilfəridž] drobná krádež

pilgrim [pilgrim] poutník

pill [pil] 1 pilulka, tableta, dražé, prášek; **a sleeping ~** prášek na spaní 2 antikoncepční pilulka

pillar [pilə] sloup, pilíř
 ♦ **~ box** *GB* poštovní schránka

pillbox [pilboks] 1 kulatá krabička 2 (*voj.*) bunkr, podzemní pevnůstka

pillion [piljən] tandem, tandemové

sedlo; ~ **passenger** spolujezdec na motocyklu; **ride** ~ jet na zadním sedadle / tandemu

pillory [piləri] *n* pranýř
♦ *v* pranýřovat

pillow [piləu] polštář
♦ ~**case / slip** povlak na polštář

pilot [pailət] *n* 1 pilot 2 lodivod
♦ *v* 1 pilotovat 2 vést, řídit
♦ *adj* 1 průkopnický
2 průzkumný; zkušební

pimpernel [pimpənel] bedrník; **scarlet** ~ drchnička rolní

pimple [pimpl] pupínek, uher, vimrle

pin [pin] *n* 1 špendlík 2 vlásenka 3 ozdobná jehlice; *US* brož
♦ **be on** ~**s and needles** být jako na trní; **drawing** ~ napináček; **safety** ~ zavírací špendlík; **split** ~ závlačka
♦ *v* (**nn**) 1 sešpendlit, sepnout 2 připíchnout 3 stisknout (*a tím znemožnit pohyb*) 4 svést (*nepříjemnost*) **on** na

pincers [pinsəz] *pl* 1 kleště 2 pinzeta 3 klepeta

pinch [pinč] *v* 1 štípnout 2 tlačit; **these shoes** ~ **me** tyhle boty mě tlačí 3 (*hovor.*) otočit (*ukrást*) 4 škudlit ♦ *n* 1 štípnutí 2 špetka 3 tlak, tíseň

pine[1] [pain] borovice, sosna

pine[2] [pain] 1 *též* ~ **away** schnout, hynout, trápit se, tratit se před očima 2 toužit, hynout touhou **for / after** po

pineapple [painæpl] 1 ananas 2 (*hovor.*) ruční granát

pinion [pinjən] 1 přivázat ruce k tělu 2 zastřihnout křídla

pink [piŋk] *n* 1 hvozdík 2 (*přen.*) výkvět, vrchol; **in the** ~ zdravý jako řípa ♦ *adj* růžový

pinking shears [piŋkiŋšiəz] začišťovací nůžky

pinpoint [pinpoint] 1 přesně stanovit (*polohu*) 2 přesně označit, (*bezpečně*) zjistit

pint [paint] pinta (*GB 0,57 l, US 0,47 l*)

pioneer [paiə'niə] pionýr, průkopník

pious [paiəs] zbožný

pip[1] [pip] pecička, zrníčko, semínko, jádro

pip[2] [pip] (za)pípnutí (*časového signálu*)

pipe [paip] 1 trubka, trubice, roura 2 píšťala 3 dýmka

pipeline [paiplain] 1 potrubí (*naftové, dálkové*); ropovod 2 informační kanál

piping [paipiŋ] trubky, potrubí

pirate [pairət] pirát

piss [pis] (*vulg.*) *n* chcanky, (*též přen.*); **take the** ~ **out of** dělat si srandu z ♦ *v* chcát

piss off 1 nasrat 2 odprejsknout

pissed [pist] (*vulg.*) 1 *GB* ožralý 2 *US* nasraný, dožraný **at** na

pistol [pistl] pistole

piston [pistən] píst

pit [pit] 1 jáma 2 šachta 3 *GB* (*levnější*) sedadla v přízemí, parter (*v divadle*)

pitch[1] [pič] *n* smůla ♦ *v* vysmolit

pitch[2] [pič] *v* 1 zřídit, rozbít (*tábor*) 2 postavit, vztyčit (*stan*) 3 hodit (*na cíl*) 4 (*hovor.*) pustit se **into** do 5 udat, nasadit (*tón*) ♦ *n* 1 houpání lodi (*z přídě na záď*) 2 hod, házení 3 *GB* hřiště (*fotbalové, hokejové*) 4 vrchol, maximum **5** základní ladění, poloha; výška (*hlasu*)

pitcher [pičə] (*baseball*) nadhazovač

pitchfork [pičfo:k] vidle

piteous [pitiəs] žalostný

pitfall [pitfo:l] léčka

pith [piθ] dřeň, dužina

pitiful [pitiful] **1** soucitný, slitovný **2** ubohý, žalostný, budící soucit / sympatie

pitiless [pitilis] nelítostný, nemilosrdný

pity [piti] *n* **1** soucit **for** s, lítost nad; **out of ~** ze soucitu **2** škoda; **What a ~!** To je škoda!
• *v* smilovat se, slitovat se

pivot [pivət] **1** čep, osa **2** (*přen.*) střed, jádro, ústřední bod

placard [plæka:d] plakát, transparent

place [pleis] *n* místo; **at the station, of all ~s** zrovna na nádraží; **in the first ~** za prvé, především; **in ~ of sb.** místo koho; **take ~** konat se; **take the ~ of** zaujmout místo koho; **give ~ to sth.** ustoupit čemu; **come to our ~** přijďte k nám; **out of ~** nemístný
• *v* umístit, postavit, dát kam; **I can't ~ you** nemohu si vzpomenout, odkud vás znám

placid [plæsid] **1** klidný, nerušený **2** nevzrušený, flegmatický

plague [pleig] **1** epidemie; mor **2** rána, pohroma **3** (*hovor.*) soužení, trampota

plaice [pleis] platýs

plaid [plæd] **1** pléd **2** kostkovaná látka

plain [plein] *adj* **1** jasný **2** prostý, obyčejný; **~ chocolate** hořká

čokoláda **3** fádní, nevýrazný **4** zřejmý, očividný • *n* rovina

plainclothes [plein'kləuðz] neuniformovaný (*policista*)

plaintiff [pleintif] žalobce

plait [plæt / pleit] *GB* cop

plan [plæn] *n* plán
• *v* (**nn**) **1** plánovat **2** předem připravit, chystat, zamýšlet

plane[1] [plein] **1** rovina **2** plocha **3** (*přen.*) úroveň, stupeň **4** letadlo

plane[2] [plein] *n* hoblík
• *v* hoblovat

planet [plænit] planeta, oběžnice

plank [plæŋk] **1** prkno **2** proklamovaný pevný bod, článek (*politického programu*)

planning permission [plæniŋ pə'mišn] stavební povolení

plant [pla:nt] *n* **1** rostlina **2** závod, podnik, továrna; provoz, dílna, výroba **3** výrobní / strojní zařízení **4** přístroj, aparatura **5** (*hovor.*) nastrčená věc • *v* **1** zasadit; osázet **2** osídlit; usadit **3** (*hovor.*) podstrčit (*např. drogy*) **on** komu (*a tím na něho uvalit podezření*)

plantation [plæn'teišn] **1** sadba **2** plantáž **3** kolonizace

planter [pla:ntə] **1** pěstitel **2** plantážník **3** květináč **4** sázecí stroj

plaster [pla:stə] *n* **1** (**sticking**) **~** náplast **2** omítka **3** ~ (**cast**) sádrový obvaz, sádra; **~ of Paris** sádra • *v* **1** omítnout, nahodit **2** dát náplast na **3** dát do sádry **4** oblepit, polepit

plastered [pla:stəd] (*hovor.*) nalitý

plastic [plæstik] *adj* **1** plastický; tvárný, poddajný
♦ **~ arts** *pl* výtvarné umění, plastika; **~ surgery** plastická chirur-

plate 241 plenty

gie 2 vyrobený z umělé hmoty
• n 1 umělá hmota 2 ~
(money) kreditní karta

plate [pleit] 1 (kovová) deska
2 talíř; mísa; podnos 3 štítek,
tabulka 4 (vlepená) příloha

plateau [plætəu] náhorní rovina

platform [plætfo:m] 1 nástupiště
2 pódium, stupínek; tribuna
3 program, platforma (politické
strany) 4 plošina

platinum [plætinəm] platina

platitude [plætitju:d] otřepaná
fráze, samozřejmost

platoon [plə'tu:n] 1 (voj.) rota
2 US (policejní / požární) četa

plausible [plo:zəbl] přijatelný

play [plei] n 1 hra; **fair** ~ pocti-
vá / slušná hra, slušné jednání
2 hračka (snadná práce)
3 zápas, utkání 4 součinnost
5 (divadelní) hra, drama
• v 1 hrát (**the piano** na klavír,
chess šachy, **football** kopanou)
2 zahrát (**sb. a mean trick**
nepěkný kousek komu) 3 hrát si
(**with a toy** s hračkou)
4 dovádět, laškovat 5 předstírat,
dělat (**dumb** hloupého)

play along spolupracovat

play around 1 blbnout, šaškovat
2 pohrát si (**with** s)

play back přehrát (si) (nahrávku)

play down bagatelizovat, přičítat
malou váhu čemu

play up 1 zlobit, tropit neplechu
2 přehánět, zdůrazňovat

player [pleiə] 1 hráč 2 herec

playful [pleiful] hravý

playground [pleigraund] dětské
hřiště

playhouse [pleihaus] divadlo

play-off [pleiof] rozhodující zápas

playpen [pleipen] (dětská)
zahrádka

plaything [plei0iŋ] 1 hračka
2 hříčka

playwright [pleirait] dramatik

plea [pli:] 1 obhajoba
2 prohlášení obžalovaného
3 (naléhavá) žádost, prosba

plead [pli:d] 1 zastupovat u soudu
2 pronášet obžalobu **against** pro-
ti; obhajovat (u soudu) **for** koho
3 vymlouvat se na, hájit se čím
4 prosit **for** o, (naléhavě) žádat
♦ ~ **guilty** / **not guilty**
(obžalovaný) přiznat / popírat
vinu

pleasant [pleznt] příjemný

please [pli:z] 1 líbit se **sb.** komu
2 potěšit, uspokojit, udělat
radost komu; **do it to** ~ **me**
udělejte to kvůli mně; **as you** ~
jak je vám libo 3 prosím (vás)

pleased [pli:zd] potěšený, spokoje-
ný; **be** ~ být potěšen, mít radost
with / **at doing sth.** z čeho

pleasurable [pleʒərəbl] příjemný

pleasure [pleʒə] radost, potěšení;
with ~ s radostí
♦ ~ **boat** výletní člun

pleated [pli:tid]: **a** ~ **skirt**
plisovaná sukně

plebiscite [plebisit / -sait] plebiscit

pledge [pledʒ] n 1 závazek
2 zástava 3 záruka
• v 1 slíbit, zavázat (se)
2 zastavit, dát do zástavy

plenary [pli:nəri] 1 absolutní,
neomezený 2 plenární, valný

plentiful [plentiful] 1 plodný,
úrodný 2 bohatý, hojný,
opulentní

plenty [plenti] množství, hojnost,
víc než dost **of** čeho

P

pleurisy [pluərisi] zánět
pohrudnice
pliable [plaiəbl] poddajný, ohebný
pliers [plaiəz] *pl* kombinačky,
kleště (*na drát*)
plight [plait] **1** nepříjemná
situace, „kaše" **2** stav, kondice
plimsolls [plimsə(u)lz] *pl* tenisky
plod [plod] **(dd)** plahočit se
plot [plot] *n* **1** políčko; záhon;
parcela **2** osnova děje, zápletka
3 spiknutí; intrika
• *v* **(tt)** **1** zmapovat **2** zakreslit
3 osnovat spiknutí, intrikovat
4 vymýšlet zápletku
plough [plau] *n* pluh • *v* orat
ploughman [plaumən] oráč ♦ **~'s
lunch** *GB* sýrová mísa (*oběd*)
pluck [plak] *n* **1** škubnutí
2 odvaha, kuráž
• *v* **1** škubat, trhat; sbírat, česat
2 tahat **at za 3** drnknout,
brnknout ♦ **~ up courage** sebrat
odvahu, dodat si kuráže
plucky [plaki] kurážný, statečný
plug [plag] *n* **1** zátka **2** vidlice,
zástrčka, přípojka **3** špalíček,
hmoždinka **4** (*motor.*) **(spark) ~**
svíčka
• *v* **(gg)** **1** ucpat **2** praštit; od-
práskout koho **3** (*hovor.*) dělat
reklamu (*neustálým opakováním*)
plug in zasunout do zásuvky,
připojit na síť
plum [plam] švestka
plumb [plam] *n* **1** olovnice
2 závaží, olůvko • *adj* **1** svislý,
kolmý **2** úplný, vyložený
• *adv* **1** svisle, kolmo **2** přesně
3 *US* úplně, dočista • *v* **1** měřit
(*olovnicí*) hloubku **2** sondovat,
zkoumat **3** provést instalatérské
práce **4** (*celník*) (za)plombovat

plumber [plamə] instalatér
plumbing [plamiŋ] instalace
(*v domě*)
plump[1] [plamp] *adj* buclatý, plný,
udělaný, kulaťoučký
• *v* natřepat (*polštář*)
plump[2] [plamp] žuchnout (**down
in a chair** do křesla)
plunder [plandə] **1** plenit,
drancovat **2** ukořistit
plunge [plandž] **1** (*prudce*) strčit,
vrazit **2** skočit, vrhnout (se),
(*též přen.*)
pluperfect [plu:'pə:fikt] (*jaz.*)
předminulý (*čas*)
plural [pluərl] (*jaz.*) množné číslo
plus [plas] (*mat.*) plus, a
plush [plaš] *n* plyš
• *adj* (*hovor.*) elegantní, nóbl
ply [plai] zajišťovat / provozovat
kyvadlovou dopravu **between**
mezi, **across** přes
plywood [plaiwud] překližka
p.m. [pi:'em] = **post meridiem**
odpoledne, večer
pneumatic [nju:'mætik] pneuma-
tický; **~ drill** pneumatické vrtací
kladivo, sbíječka (*hovor.*)
pneumonia [nju:'məunjə] zápal
plic
poach [pəuč] pytlačit
poacher [pəučə] pytlák
pocket [pokit] *n* kapsa ♦ **~ edition**
kapesní vydání; **~knife** kapesní
nůž; **~ money** *GB* kapesné
• *v* **1** dát do kapsy **2** odložit,
potlačit **3** kontrolovat, mít v ruce
pocketbook [pokitbuk] **1** zápisník
2 náprsní taška, peněženka
3 *US* (*dámská*) kabelka
pod [pod] lusk
poem [pəuim] báseň
poet [pəuit] básník

poetic(al) [pəu'etik(l)] básnický
poetry [pəuitri] poezie
poignant [poinənt] **1** ostrý, pikantní **2** svíravý, trýznivý **3** bolestný, hluboce dojímavý **4** naléhavý, palčivý **5** přiléhavý, k věci
point [point] *n* **1** bod, tečka **2** špička **3** věc; hlavní stránka, podstata, pointa; **his strong ~** jeho silná stránka; **a ~ of honour** věc cti ♦ **in ~ of** pokud jde o; **in ~ of fact** ve skutečnosti; **make a ~ of** *1.* zdůraznit *2.* neopominout **doing sth.** udělat co; **be on the ~ of** chystat se k čemu; **I don't see your ~** nechápu, oč vám jde; **that's the ~** o to právě jde; **the ~ is (that)** vtip je v tom, že; **there's no ~ in doing sth.** nemá smysl dělat co; **~ of order** faktická poznámka; **~ of view** stanovisko, hledisko ♦ *v* **1** ukázat at na **2** namířit **at** na **3** naostřit **4** větřit
point out upozornit na; poznamenat
point-blank [point'blæŋk] přímo, rovnou, bez okolků
pointed [pointid] **1** ostrý, špičatý **2** osobní, trefný **3** jasný, zřejmý, okázalý
pointer [pointə] **1** ukazovátko **2** ručička (*přístroje*) **3** náznak, tip **4** (*lovecký pes*) pointer
poise [poiz] *n* **1** rovnováha, (*též přen.*) **2** sebejisté vystupování, duševní rovnováha **3** držení těla ♦ *v* **1** udržovat v rovnováze, (vy-)balancovat **2** viset ve vzduchu
poison [poizn] jed
poisonous [poiznəs] jedovatý
poke [pəuk] **1** vystrčit; být vystrčen, trčet **2** šťouchnout, rýpnout, strkat **3** prohrábnout ♦ **~ fun at**

dělat si legraci, utahovat si z; **~ one's nose into** strkat nos do
poke about / around in hrabat se v
poker[1] [pəukə] poker (*karetní hra*) ♦ **~ face** kamenný / ledový / bezvýrazný obličej
poker[2] [pəukə] pohrabáč
Poland [pəulənd] Polsko
polar [pəulə] polární
Pole [pəul] Polák
pole[1] [pəul] tyč, kůl ♦ **~ vault** skok o tyči
pole[2] [pəul] pól ♦ **~ star** polárka
police [pə'li:s] *pl* policie ♦ **~ officer** policista, strážník; **~-station** policejní strážnice / služebna / komisařství, místní oddělení policie
policeman [pə'li:smən] policista, strážník
policy[1] [polisi] **1** taktika, postup, metoda **2** zásady, politická linie **3** chytrost, diplomatičnost, prozíravost
policy[2] [polisi] pojistka, pojištění
polio [pəuliəu] dětská obrna
Polish [pəuliš] *adj* polský ♦ *n* polština
polish [poliš] *n* **1** lesk; vyleštění **2** leštidlo, krém; politura **3** uhlazenost, vybroušenost; elegance ♦ *v* **1** leštit (se) **2** vybrousit, vypilovat
polish off (*hovor.*) zhltnout, spořádat, zbaštit
polish up 1 naleštit, nablýskat **2** propilovat, zdokonalit se v
polite [pə'lait] zdvořilý
political [pə'litikl] **1** politický **2** vládní, státní, státnický **3** *US* taktický; aparátnický; intrikářský
politician [poli'tišn] politik
politics [politiks] *sg,pl*

P

1 politologie 2 (*praktická*) politika; politické názory / přesvědčení 3 *US* klikařeni; politikaření

poll [pəul] *n* 1 **the ~s** volby, hlasování; volební místnost 2 seznam voličů; účast při volbách; sčítání hlasů 3 průzkum veřejného mínění • *v* 1 volit 2 obdržet (*počet hlasů*)

pollen [polin] pyl

polling booth [pəuliŋbu:θ] volební kabina

polling station [pəuliŋsteišn] volební místnost

pollute [pə'lu:t] 1 zkalit, zašpinit, znečistit 2 poskvrnit, zneuctít, znesvětit

Polynesia [poli'ni:ziə] Polynésie

pomp [pomp] nádhera, okázalost, pompa

pompous [pompəs] velice sebevědomý, nadutý, nabubřelý

pond [pond] rybník

ponder [pondə] uvažovat, přemýšlet, hloubat (**over**) sth. o čem

ponderous [pondərəs] 1 velmi těžký, tíživý 2 těžkopádný, nudný 3 nemotorný

pony [pəuni] 1 pony 2 *US* (*hovor.*) malá sklenka, štamprlička

ponytail [pəuniteil] ohon (*účes*)

pool[1] [pu:l] 1 louže, kaluž 2 tůň 3 (*přehradní*) jezero 4 bazén; brouzdaliště

pool[2] [pu:l] *n* 1 asociace, sdružení, syndikát 2 písárna 3 skupina, rezerva (*kádrová*) 4 společný fond; bank, (*společný*) vklad • *v* 1 spojit, sdružit 2 společně užívat

pools [pu:lz] *GB* **the ~** sazka

poor [puə] 1 chudý 2 bídný, špatný, chabý, chatrný 3 ubohý,

politováníhodný; **~ David** chudák David

pop[1] [pop] **(pp)** 1 vybuchnout, explodovat 2 (*rychle*) střelit, pálit (*otázky*) 3 vstřčit 4 (za)skočit kam ♦ **~ one's clogs** (*GB, hovor.*) natáhnout bačkory (*zemřít*); **~ the question** (*hovor.*) vyjádřit se, požádat o ruku

pop[2] [pop] (*hovor.*) populární, oblíbený (**singer** zpěvák)

pope [pəup] papež

popgun [popgan] špuntovka

poplar [poplə] topol

poplin [poplin] popelín

poppy [popi] mák

poppyseed [popisi:d] mák (*semena*)

popular [popjulə] 1 lidový 2 oblíbený, populární **with** u 3 všeobecný

popularity [popju'læriti] 1 lidovost 2 popularita, obliba

population [popju'leišn] 1 obyvatelstvo 2 celkový počet obyvatel 3 osídlení, zalidnění

populous [popjuləs] 1 lidnatý 2 početný 3 přeplněný lidmi

porcelain [po:slin] porcelán

porch [po:č] 1 krytý vchod 2 *US* veranda

pore[1] [po:] (*kožní*) pór

pore[2] [po:] 1 soustředěně hledět **on** / **over** do, studovat (*knihu*), být zabrán / zahlouBán do 2 hloubat, uvažovat **on** o

pork [po:k] vepřové maso

porn [po:n] (*hovor.*) pornografie

porous [po:rəs] pórovitý, porézní

porridge [poridž] ovesná kaše

port [po:t] 1 přístav 2 portské (*víno*) 3 levá strana (*lodi, letadla*)

portable [po:təbl] adj přenosný
  ● n přenosný přístroj: přenosný
  počítač / psací stroj, přenosná
  televize atd.
portend [po:'tend] hlásat, být
  varovnou předzvěstí čeho
portent [po:tent] zlé znamení;
  předzvěst
porter [po:tə] 1 nosič 2 GB
  vrátný; ~'s lodge vrátnice
  3 US stevard (v lůžkovém voze)
portion [po:šn] 1 část, podíl
  2 porce
portrait [po:trit] portrét; in ~
  mode stojatý, nastojato
portray [po:'trei] 1 portrétovat
  2 vylíčit
Portuguese [po:ču'gi:z] adj
  portugalský ● n Portugalec
pose [pauz] v 1 postavit, naaran-
  žovat 2 položit, předložit, klást
  (a question otázku) 3 zaujmout
  postoj, pózovat 4 vydávat se as
  za 5 sedět / stát modelem
  ● n postoj, póza
posh [poš] (hovor.) extra, nóbl
position [pə'zišn] 1 postavení,
  místo; be in a ~ to + inf být
  s to, moci udělat co 2 poloha,
  pozice 3 situace 4 stanovisko,
  postoj on k
positive [pozitiv] adj 1 jasný, pev-
  ný, přesný 2 absolutní, naprostý,
  nesporný 3 kladný, pozitivní
  ● n (jaz., fot.) pozitiv
possess [pə'zes] 1 mít, vlastnit
  2 posednout; be ~ed with být
  posedlý čím
possession [pə'zešn] 1 majetek,
  vlastnictví 2 posedlost
  3 sebeovládání
possesive [pə'zesiv] 1 majetnický,
  pánovitý 2 (jaz.) přivlastňovací

possibility [posi'biliti] možnost
possible [posəbl] adj 1 možný;
  make it ~ to + inf umožnit, aby
  2 pravděpodobný, eventuální
  ♦ as soon as ~ co nejdříve
  ● n možnost; možný člověk,
  člověk přicházející v úvahu
possibly [posəbli] třeba, možná,
  snad
post[1] [pəust] n sloup ● v 1 vyvěsit,
  nalepit (vyhlášku) 2 oznámit,
  vyhlásit 3 veřejně označit
post[2] [pəust] GB n pošta
  ● v dát na poštu, poslat poštou
  ♦ keep sb. ~ed průběžně
  informovat, zásobovat
  novinkami koho
post[3] [pəust] n 1 stanoviště
  2 místo, funkce, zaměstnání, post
  ● v přeřadit, přeložit; odvelet
postage [pəustidž] poštovné, porto
postal [pəustl] poštovní; ~ order
  GB poštovní poukázka
postbox [pəustboks] poštovní
  schránka
postcard [pəustka:d] dopisnice
postcode [pəustkəud] GB
  poštovní směrovací číslo
poster [pəustə] 1 plakát
  2 (konferenční) poster
posterity [po'steriti] potomstvo
post-free [pəust'fri:] vyplacené
postgraduate [pəust'grædjuit /
  -džuit] postgraduální
postman [pəustmən] poštovní
  doručovatel, listonoš
postmark [pəustma:k] poštovní
  razítko
postmaster [pəustma:stə] vedoucí
  pošty, poštmistr; P~ General
  GB ministr pošt
postmortem [pəust'mo:təm]

1 pitva 2 (*hovor.*) dodatečný rozbor, hodnocení, analýza výsledků

post office [pəustofis] pošta, poštovní úřad

postpone [pəus'pəun] odložit, odsunout, odročit

posture [posčə] *n* 1 držení těla; pozice, póza situace, stav • *v* 1 postavit (se), naaranžovat (se) 2 přetvařovat se, stavět se, vystupovat **as** jako

postwar [pəust'wo:] poválečný

pot [pot] 1 *okrouhlá nádoba:* hrnec, hrnek, konvice, kotlík, zavařovací sklenice, květináč *apod.* 2 **~s** balík **of** čeho, moře, halda, fůra

potato [pə'teitəu] brambor; **~ peeler** škrabka (*nůž*)

pothole [pothəul] výmol

potter[1] [potə] hrnčíř

potter[2] [potə] ledabyle pracovat **at / in** na, nimrat se v, párat se s

potter about poflakovat se, okounět

potter away prolajdat

pottery [potəri] hrnčířské zboží

pouch [pauč] pytlík, váček

poultry [pəultri] drůbež

pounce [pauns] vrhnout se **on** na

pound[1] [paund] 1 roztlouci 2 bušit

pound[2] [paund] libra

pour [po:] 1 lít (se); nalít (**oneself** si); **it's ~ing (with rain)** lije jako z konve 2 proudit **into** do, **out of** z

pour in hrnout se / proudit dovnitř

pour out 1 vylít (se) / nalít, rozlévat (*nápoj*) 3 vychrlit

poverty [povəti] chudoba, bída

powder [paudə] *n* 1 prach; prášek 2 pudr ♦ **~ box / compact**

pudřenka; **~ puff** labutěnka; **~ room** dámská toaleta • *v* 1 rozdrtit na prach 2 pudrovat

power [pauə] 1 síla, síly; potenciál 2 moc; mocnost 3 pravomoc 4 zvětšovací schopnost 5 (*mat.*) mocnina 6 síla, energie, proud ♦ **the ~s that be** (*hovor.*) nynější mocipáni

powerful [pauəful] mocný; mohutný

powerhouse [pauəhaus] elektrárna

powerless [pauəlis] bezmocný; neschopný

power point [pauəpoint] zástrčka, kontakt, zdířka (*ve zdi*)

power station [pauəsteišn] elektrárna

practicable [præktikəbl] 1 proveditelný, prakticky použitelný 2 možný, schůdný

practical [præktikl] 1 praktický 2 použitelný, upotřebitelný 3 zkušený, kvalifikovaný 4 sobecký, bezohledný

practically [præktikli] téměř, skoro, prakticky

practice [præktis] 1 praxe ♦ **in ~** v praxi; **put into ~** uskutečnit, uplatnit v praxi 2 cvičení, cvik; **I'm out of ~** vyšel jsem ze cviku 3 klientela 4 praktika, zvyk(lost)

practise [præktis] 1 provádět, provozovat 2 cvičit, trénovat 3 mít ve zvyku, praktikovat

prairie [preəri] prérie

praise [preiz] *v* chválit, velebit • *n* chvála, pochvala

praiseworthy [preizwə:ði] chvályhodný

pram [præm] *GB* dětský kočárek

prank [præŋk] šprým, žertík, vylomenina

pray [prei] **1** prosit **for** o
2 modlit se, orodovat **for** za

prayer [preə] **1** modlitba **2** prosba

preach [pri:č] **1** kázat **2** mluvit
veřejně; hlásat, zvěstovat

preacher [pri:čə] kazatel

precarious [pri'keəriəs] **1** nejistý,
pochybný, riskantní, povážlivý,
choulostivý **2** (hovor.)

precaution [pri'ko:šn] **1** opatrnost
2 předběžné opatření

precede [pri'si:d] **1** předcházet
před čím **2** uvést **sth.** co **by /
with** čím

precedence [presidəns]
1 přednost **2** prvenství

precedent [presidənt] **1** tradice,
zvyk **2** precedens

preceding [pri'si:diŋ]
předcházející

precious [prešəs] **1** drahocenný,
vzácný, drahý **2** (hovor.)
pořádný, vykutálený

precipice [presipis] propast

précis [preisi:] stručný přehled,
výtah, shrnutí

precise [pri'sais] **1** přesný
2 ostrý; zřetelný

precisely [pri'saisli] **1** přesně
2 přesně tak!; právě!; ano,
naprosto správně!

precision [pri'sižn] **1** přesnost
2 jemnost, jemnůstka

precursor [pri'kə:sə] **1** předzvěst
2 předchůdce

predicate [predikit] **1** (jaz.) přísu-
dek **2** vlastnost, příznak, titul

predict [pri'dikt] předpovídat,
prorokovat

prediction [pri'dikšn] předpověď,
proroctví

predominate [pri'domineit]
převládat

prefab [pri:fæb] (hovor.) panelák

preface [prefis] n předmluva
● v **1** opatřit předmluvou **2** říci
úvodem

prefer [pri'fə:] (rr) dávat přednost
sb. / sth. komu / čemu **to** před
kým / čím, mít raději **sb. over
sb.** koho než koho

preference [prefrəns] **1** přednost
of čemu, **to / over** před **2** větší
záliba **for** pro ● **in ~ to** raději než

prefix [pri:fiks] (jaz.) předpona

pregnancy [pregnənsi] těhotenství

pregnant [pregnənt] **1** těhotná
2 plný, naplněný **with** čím
3 významný, výstižný, pregnantní

prejudice [predžudis] předsudek,
zaujatost **against** proti

prejudiced [predžudist] zaujatý,
mající předsudky **against** proti

preliminary [pri'liminəri] adj
předběžný
● n **1** přijímací zkouška
2 kvalifikační zápas **3** předzápas

premature [premətjuə / -čuə]
1 předčasný, ukvapený
2 nedonošený

premier [premjə] ministerský
předseda, premiér

premises [premisiz] pl **1** areál,
komplex **2** provozovna, prodejna

premium [pri:mjəm] **1** prémie;
pojistné **2** příplatek **3** přídavek,
nádavek, odměna

preparation [prepə'reišn]
1 příprava **2** přípravek, preparát

preparatory [pri'pærətri] adj
přípravný, předběžný
● n přípravka, přípravná škola

prepare [pri'peə] připravit (se),
chystat (se)

prepay* [pri:'pei] **1** předem

P

zaplatit, předplatit (si)
2 ofrankovat (*dopis*)

preponderance [pri'pondərəns]
převaha

preposition [prepə'zišn] (*jaz.*)
předložka

prepossess [pri:pə'zes] získat,
zaujmout **towards** pro, vzbudit
kladný vztah pro

preposterous [pri'postrəs]
1 absurdní, neskutečný
2 komický, groteskní

prerequisite [pri:'rekwizit]
nezbytný předpoklad

prescribe [pri'skraib] předepsat

prescription [pri'skripšn] předpis,
recept

presence [prezns] přítomnost
♦ ~ **of mind** duchapřítomnost

present[1] [preznt] *adj*
1 přítomný; ~ **tense** (*jaz.*)
přítomný čas 2 nynější; tento
● *n* přítomnost; **at** ~ nyní, v sou-
časné době; **for the** ~ (pro)zatím

present[2] *n* [preznt] dar
● *v* [pri'zent] 1 předložit
2 představovat, znamenat
3 představit; předvést, ukázat
4 uvádět, dávat (*hru*) 5 darovat
6 naskytnout se, přihodit se,
stát se

present-day [preznt'dei] současný,
moderní

presentiment [pri'zentimənt]
předtucha

presently [prezntli] za chvilku,
brzy

preservation [prezə'veišn]
1 zachování, péče; **in good** ~
zachovalý 2 konzervování

preserve [pri'zə:v] *v* 1 uchovat,
udržovat, chránit 2 konzervovat,
zavařovat 3 hájit (*zvěř*)

● *n* 1 *obvykle* ~**s** *pl* zavařeniny
2 (**nature**) ~ chráněné území

preside [pri'zaid] předsedat **at** /
over čemu; řídit co

presidency [prezidənsi]
1 předsednictví, vedení
2 prezidentství

president [prezidənt] 1 předseda
2 prezident

press [pres] *v* 1 (s)tisknout,
(s)tlačit, (z)máčknout 2 lisovat
3 žehlit (*šaty*) ♦ **be ~ed for time**
být v časové tísni ● *n* 1 stisknutí
2 dav, tlačenice 3 lis 4 tisk; tis-
kárna 5 (*sežehlený*) záhyb, puk
♦ ~ **conference** tisková
konference; ~ **cutting** výstřižek;
~ **release** oznámení pro tisk;
~ **stunt** tisková kampaň

pressing [presiŋ] *adj* naléhavý
● *n* lisování; výlisek

pressure [prešə] 1 tlak 2 nátlak

pressure-cook [prešəkuk] vařit
v tlakovém hrnci

prestige [pre'sti:ž] důstojnost,
věhlas, vliv, prestiž

presumably [pri'zju:məbli] podle
všeho, pravděpodobně

presume [pri'zju:m]
1 předpokládat 2 dovolit si, trouf-
nout si 3 využít, zneužít **on** čeho

presumptuous [pri'zampčuəs]
troufalý, drzý

pretence [pri'tens] 1 záminka
2 předstírání 3 nárok

pretend [pri'tend] 1 předstírat
2 dělat si (*neprávem*) nárok **to** na

pretentious [pri'tenšəs]
1 pompézní, snobský
2 domýšlivý, troufalý

preterite [pretərit] (*jaz.*) minulý
čas, préteritum

pretext [pri:tekst] záminka, výmluva

pretty [priti] *adj* 1 hezký, půvabný 2 pěkný, důkladný, pořádný • *adv* 1 hezky, dosti 2 téměř, skorem

prevail [pri'veil] 1 převládat, převažovat 2 (z)vítězit 3 existovat, být běžný 4 přesvědčit, přemluvit **upon** koho

prevalent [prevələnt] 1 převládající, hlavní 2 obvyklý, běžný

prevent [pri'vent] 1 předcházet čemu 2 zabránit **sb.** komu **from doing sth.** v čem; zachránit **sb.** koho **from** před

prevention [pri'venšn] 1 ochrana **of** před 2 předcházení **of** čemu, prevence čeho

preventive [pri'ventiv] 1 ochranný 2 preventivní

preview [pri:vju:] 1 předběžné promítání, předváděčka 2 (filmová) ukázka

previous [pri:vjəs] *adj* 1 předchozí, dřívější 2 předčasný, ukvapený • *adv* před to čím, dříve než

previously [pri:vjəsli] 1 předtím, dříve 2 předčasně, ukvapeně

pre-war [pri:'wo:] předválečný

prey [prei] *n* kořist **a beast of ~** šelma; **bird of ~** dravec • *v* 1 (*šelma, dravec*) lovit **on** co, živit se čím 2 vysávat, odírat **on** koho

price [prais] *n* cena • *v* stanovit cenu

priceless [praislis] drahocenný, neocenitelný

price list [praislist] ceník

prick [prik] *n* 1 píchnutí 2 bodlina, píchák, osten

3 (*vulg.*) čurák, (*též nadávka*) • *v* 1 píchnout, bodnout 2 píchat, bolet 3 označit znamínkem, zaškrtnout • **~ up one's ears** našpicovat uši, (*též přen.*)

pride [praid] *n* 1 hrdost, pýcha; chlouba 2 nejlepší léta, rozkvět • *v* **~ oneself** chlubit se, honosit se **on** čím

priest [pri:st] kněz

prig [prig] snob, mravokárce, afektovaný pedant, ješita

prim [prim] upjatý, škrobený, (*suše*) korektní

primaries [praiməriz] *pl US* (*prezidentské*) primárky

primary [praiməri] prvotní, původní, základní (**colours** barvy, **school** škola)

prime [praim] *adj* 1 hlavní, nejdůležitější 2 mladistvý 3 prvotřídní ♦ **P~ Minister** *GB* ministerský předseda; **~ number** prvočíslo • *n* rozkvět; **in the ~ of life** v nejkrásnějších letech života

primer [praimə] 1 základní / podkladový nátěr 2 roznětka, zápalka

primeval [prai'mi:vl] **forest** prales

primitive [primitiv] 1 primitivní 2 prvotní, prapůvodní

primrose [primrəuz] prvosenka, petrklíč

prince [prins] 1 kníže; **P~ of Wales** kníže waleský 2 vladař 3 princ

princess [prin'ses] 1 kněžna 2 vladařka 3 princezna

principal [prinsəpl] *adj* hlavní; základní; ústřední • *n* 1 hlava firmy, šéf, představený 2 ředitel školy

P

principality [prinsi'pæliti]
1 knížectví **2 the P~** Wales

principle [prinsəpl] 1 základ,
princip, podstata 2 zásada; **on ~**
ze zásady 3 zákon, věta, poučka

print [print] *n* 1 otisk, stopa
2 tisk; **out of ~** rozebraný
3 tiskací písmo 4 fotka, kopie
(*negativu*) • *v* 1 udělat otisk /
stopu 2 tisknout; uveřejnit
v tisku 3 psát tiskacím písmem
4 (*fot.*) kopírovat

printer [printə] 1 tiskař
2 tiskárna (*počítače*)

printing works [printiŋwə:ks]
tiskárna, polygrafický závod

prior¹ [praiə] převor

prior² [praiə] 1 dřívější
2 přednostní; **~ to** před

priority [prai'oriti] přednost **over**
před

prism [prizm] hranol

prison [prizn] vězení

prisoner [prizna] 1 vězeň,
trestanec 2 zajatec
♦ **~ of conscience** politický
vězeň; **~ of war** válečný zajatec

privacy [privəsi] soukromí; **in ~**
soukromě, tajně, důvěrně

private [praivit] *adj* 1 soukromý;
osobní, vlastní 2 důvěrný, tajný
• *n* 1 vojín 2 **~s** *pl* přirození,
genitálie ♦ **in ~** mezi čtyřma
očima, soukromě

privation [prai'veišn] strádání,
nouze

privilege [privilidž] výsada,
privilegium

privileged [privilidžd]
privilegovaný

prize [praiz] *n* 1 cena, odměna
2 výhra • *adj* 1 odměněný

cenou 2 nejcennější, hlavní
• *v* vážit si čeho

probability [probə'biliti]
1 pravděpodobnost 2 naděje,
vyhlídka, šance

probable [probəbl]
pravděpodobný

probably [probəbli]
pravděpodobně

probation [pro'beišn] 1 zkušební
lhůta 2 podmíněné prominutí
trestu ♦ **on ~** na zkoušku;
~ officer sociální kurátor

probe [proub] *n* sonda
• *v* sondovat, (*též přen.*)

problem [probləm] 1 problém
2 sporná otázka 3 hádanka
4 úloha; studie

problematic [problə'mætik]
problematický

procedure [prə'si:džə] 1 postup
2 procedura, protokol

proceed [prə'si:d] 1 postupovat,
probíhat, vést se 2 pokračovat
3 přikročit to k 4 pocházet
from z, vzniknout z, vzejít z,
mít původ v

proceeding [prə'si:diŋ] 1 kroky,
opatření 2 **~s** *pl* jednání; **legal ~s**
soudní řízení 3 **~s** *pl* akta, zprávy

proceeds [prəusi:dz] *pl* výtěžek,
výnos, zisk

process [prəuses] *n* proces • *v* zpra-
covat; **~ed cheese** tavený sýr

procession [prə'sešn] průvod;
procesí

proclaim [prə'kleim] vyhlásit,
prohlásit, veřejně oznámit

proclamation [proklə'meišn] pro-
hlášení, provolání, proklamace

procrastinate [prəu'kræstineit]
otálet, mít stále dost času

procure [prə'kjuə] 1 opatřit,

obstarat **2** přimět **to** + *inf* aby
3 dosáhnout čeho, prosadit co
prodigal [prodigl] *adj*
marnotratný, hýřivý
● *n* marnotratník, flamendr
prodigious [prə'didžəs]
1 fenomenální, fantastický
2 ohromný, obrovský
prodigy [prodidži] *n* zázrak, géni-
us; div přírody; úžasný příklad **of**
čeho; **an infant** ~ zázračné dítě
● *adj* fenomenální, geniální
produce *v* [prə'dju:s] **1** předložit
2 předvést, předvolat **3** vytvořit,
vyrobit; pěstovat, produkovat
4 uvést, dávat, inscenovat **5** být
producentem *(filmu)* **6** zplodit,
urodit **7** způsobit, vyvolat
● *n* [prodju:s] **1** výtěžek, výnos,
produkt **2** důsledek, plod, ovoce
3 zemědělské plodiny
producer [prə'dju:sə] **1** výrobce
2 producent
product [prodakt] **1** výrobek;
plod, plodina **2** dílo, výtvor
3 *(přen.)* následek, důsledek
4 *(mat.)* součin
production [prə'dakšn] **1** výroba,
produkce **2** výtvor, výrobek;
dílo **3** inscenace **4** předložení,
uvedení
productive [prə'daktiv]
1 produktivní **2** úrodný;
výnosný **3** tvůrčí, tvořivý
productivity [prodak'tiviti]
produktivita
profane [prə'fein] **1** světský,
profánní **2** hrubý, sprostý
profession [prə'fešn]
1 (náboženské) vyznání
2 povolání, stav, profese
professional [prə'fešənl] *adj*
1 profesionální; odborný, kvalifi-

kovaný **2** nacvičený, bezduchý
● *n* **1** profesionál, odborník
2 duševní pracovník
professor [prə'fesə] *(univerzitní)*
profesor
proficiency [prə'fišnsi] znalost,
(odborná) dokonalost, zdatnost
proficient [prə'fišnt] *(odborně)*
dokonalý, dovedný, zdatný
profile [prəufail] profil
profit [profit] *n* **1** užitek **2** zisk
● *v* **1** získat, profitovat **by** z
2 prospět *sb.* komu
profitable [profitəbl] **1** výhodný,
prospěšný, užitečný **2** výnosný,
lukrativní
profiteer [profi'tiə] keťas, šmelinář
profound [prə'faund] **1** hluboký
2 vážný, těžký, hlubokomyslný
program(me) [prəugræm]
program
progress *n* [prəugres] pokrok(y);
vývoj, postup; **make fast ~ in**
dělat velké pokroky v
● *v* [prə'gres] postupovat,
pokračovat, dělat pokroky
progressive [prə'gresiv]
1 postupný, postupující;
progresivní **2** pokrokový
prohibit [prə'hibit] **1** zakázat
2 zabránit *sb.* komu **from** v čem
prohibition [prəui'bišn] zákaz,
prohibice
prohibitive [prə'hibitiv] prohibič-
ní, prohibitivní, zakazující
project *n* [prodžekt] **1** návrh,
projekt **2** výzkumný úkol
● *v* [prə'džekt] **1** navrhovat,
projektovat **2** promítat **3** vrhat
4 vyčnívat **5** vytvářet představu
projection [prə'džekšn]
1 navrhování, projektování

2 promítání **3** přečnívání, výčnělek ♦ ~ **room** promítací kabina

prolific [prə'lifik] **1** plodný, úrodný **in** na **2** hojně se vyskytující, bohatý

prologue [prəulog] prolog, úvod

prolong [prə'loŋ] prodloužit, prolongovat

prolongation [prəuloŋ'geišn] prodloužení

prolonged [prə'loŋd] dlouhotrvající

promenade [promə'na:d] **1** (*pobřežní*) promenáda, korzo **2** promenádní koncert **3** *US* školní ples

prominence [prominəns] **1** vynikající postavení **2** výčnělek, výstupek

prominent [prominənt] **1** vystupující **2** nápadný, markantní **3** vynikající, význačný, prominentní

promise [promis] *n* slib; příslib ♦ *v* (při)slíbit

promising [promisiŋ] slibný, nadějný

promote [prə'məut] **1** povýšit **sb.** koho **to** na **2** podporovat, prosazovat; propagovat

promotion [prə'məušn] **1** povýšení **2** podpora; propagace, reklama

prompt [prompt] *adj* **1** okamžitý, pohotový **2** přesný, dochvilný ♦ *v* **1** podnítit, pobízet **sb.** koho **to** + *inf* aby / k čemu; **be ~ed by** být veden čím **2** napovídat, suflovat ♦ *n* nápověda

prompter [promtə] nápověda

promulgate [promǝlgeit] vyhlásit, (*úředně*) oznámit

prone [prǝun] mající sklon **to** k, náchylný k

pronoun [prǝunaun] (*jaz.*) zájmeno

pronounce [prə'nauns] **1** prohlásit **2** říci svůj názor, vyjádřit se **on** o, **for** pro, **against** proti **3** vyslovovat

pronounced [prə'naunst] **1** vyslovený, vyložený **2** jasný, zřetelný, vyhraněný

pronouncement [prə'naunsmənt] **1** prohlášení, projev **2** vyjádření, názor, soud

pronunciation [prə,nansi'eišn] výslovnost

proof [pru:f] *n* **1** důkaz **of** čeho **2** zkouška, test **3** obtah, korektura ♦ **put to** ~ vyzkoušet, podrobit zatěžkávací zkoušce ● *adj* bezpečný **against** před ♦ *v* **1** impregnovat **2** číst / dělat korekturu

proof-reader ['pru:f,ri:də] korektor

prop¹ [prop] *n* podpěra ♦ *v* (**pp**) podepřít; ~ (**up**) opřít **against** o

prop² [prop] (*div.*) rekvizita

propel [prə'pel] (**ll**) pohánět

propeller [prə'pelə] vrtule

proper [propə] **1** vlastní; **in the ~ sense of the word** v pravém slova smyslu; ~ **name** vlastní jméno **2** řádný, vhodný, příhodný **3** pořádný, vyložený **4** slušný, podle společenských pravidel

properly [propǝli] **1** pořádně; důkladně **2** správně

property [propǝti] **1** majetek **2** vlastnost **3** realita, nemovitost; pozemek **4** (*div.*) rekvizita

prophecy [profisi] proroctví

prophesy [profisai] prorokovat, věštit

prophet [profit] prorok

prophetic [prəˈfetik] prorocký

proportion [prəˈpɔːʃn] *n* 1 poměr, poměrná část 2 ~s *pl* rozměry, proporce • *v* 1 úměrně přizpůsobit 2 dávkovat 3 vyvážit

proportional [prəˈpɔːʃənl] 1 úměrný **to** k, přiměřený čemu 2 poměrný

proposal [prəˈpəuzl] 1 návrh 2 nabídka sňatku

propose [prəˈpəuz] 1 navrhnout 2 nabídnout sňatek **to** komu, požádat o ruku koho 3 mít v úmyslu
♦ ~ **a toast to the health of** pronést přípitek na zdraví koho

proposition [propəˈziʃn] 1 návrh 2 tvrzení

proprietor [prəˈpraiətə] majitel, vlastník

propriety [prəˈpraiəti] 1 vhodnost, příhodnost 2 zdvořilost, slušné chování

prorogue [prəˈrəug] odročit

prosaic [prəuˈzeiik] prozaický

prose [prəuz] próza

prosecute [prosikjuːt] 1 soudně stíhat 2 vést žalobu

prosecution [prosiˈkjuːʃn] 1 soudní stíhání, (ob)žaloba, trestní řízení 2 prokuratura

prosecutor [prosikjuːtə] žalobce, prokurátor

prospect *n* [prospekt] 1 vyhlídka 2 naděje, šance • *v* [prəˈspekt] hledat (**an area for gold** v kraji zlato)

prospective [prəˈspektiv] budoucí, eventuální

prospectus [prəˈspektəs] leták, brožura, prospekt

prosper [prospə] 1 prosperovat, vzkvétat 2 povést se, mít úspěch

prosperity [proˈsperiti] 1 zdar, úspěch 2 blahobyt

prosperous [prosprəs] 1 úspěšný, prosperující 2 příhodný, příznivý

prostitution [prostiˈtjuːʃn] prostituce

protect [prəˈtekt] hájit, chránit **from / against** před

protection [prəˈtekʃn] ochrana

protector [prəˈtektə] 1 ochránce 2 chránič 3 protektor, běhoun (*pneumatiky*)

protectorate [prəˈtektərət] protektorát

protest *v* [prəˈtest] 1 prohlašovat 2 protestovat • *n* [prəutest] 1 námitka, odpor, protest; **in ~ against** na protest proti 2 stížnost, odvolání 3 slavnostní prohlášení

Protestant [protistənt] protestant, evangelík

protestation [prəutesˈteiʃn] (*slavnostní*) prohlášení

protract [prəˈtrækt] 1 protahovat (*v čase*) 2 zdržovat, zpomalovat 3 zakreslit v měřítku

protrude [prəˈtruːd] 1 vystrčit 2 vyčnívat

proud [praud] 1 pyšný, hrdý **of** na 2 zpupný, domýšlivý 3 honosný, vznešený

prove [pruːv] 1 dokázat 2 ukázat se, osvědčit se jako 3 vyzkoušet

proverb [provɜːb] přísloví

proverbial [prəˈvɜːbjəl] příslovečný

provide [prəˈvaid] 1 opatřit, obstarat, poskytnout **sb. with** co 2 (po)starat se, pečovat **for** o koho 3 stanovit **that** že

P

provided [prə'vaidid] pod podmínkou, za předpokladu **that** že

providence ['prɔvidəns]
1 obezřetnost, prozíravost
2 prozřetelnost

province ['prɔvins] 1 provincie
2 the ~s pl venkov 3 obor

provincial [prə'vinšl] adj
1 provinciální, venkovský
2 maloměstský, malý
● n venkovan

provision [prə'vižn] 1 obstarání
of čeho 2 zajištění **against**
proti, opatření proti 3 věnování,
darování, poskytnutí 4 ~s pl
potraviny, proviant 5 (práv.)
ustanovení, předpis; klauzule

provisional [prə'vižnl]
provizorní, prozatímní

provocation [prɔvə'keišn]
1 podnět, impuls 2 vyvolávání
of čeho, provokování; provokace

provocative [prə'vɔkətiv]
1 dráždivý, provokativní
2 vyvolávající dráždění

provoke [prə'vəuk] 1 (vy)dráždit,
provokovat 2 donutit, dohnat
to k

provoking [prə'vəukiŋ] otravný,
nesnesitelný

prowl [praul] 1 být na lovu
2 prohledávat 3 ~ **around**
obcházet, potloukat se (kde)
● n 1 lov, číhaná 2 potulka

proximity [prɔk'simiti] blízkost

proximo ['prɔksiməu] (obch.)
příštího měsíce

proxy ['prɔksi]: **by** ~ prostřednictvím zástupce / zmocněnce

prude [pru:d] prudérní člověk

prudent ['pru:dənt] 1 prozíravý,
obezřelý 2 rozumný, uvážlivý

prune[1] [pru:n] sušená švestka

prune[2] [pru:n] prořezávat;
~ **away / off** oklestit, (též přen.)

Prussia ['prašə] Prusko

Prussian ['prašn] adj pruský
● n Prus

pry [prai] vyzvídat **into** sth. co,
slídit po, strkat nos do

psalm [sa:m] žalm

pseudonym ['sju:dənim]
pseudonym

psychiatrist [sai'kaiətrist]
psychiatr

psychiatry [sai'kaiətri] psychiatrie

psychoanalysis [saikəuə'nælisis]
psychoanalýza

psychologist [sai'kɔlədžist]
psycholog

psychology [sai'kɔlədži]
psychologie

pub [pab] (hovor.) hospoda

public ['pablik] adj 1 veřejný
2 státní, městský, obecní
♦ ~ **school** 1. GB soukromá
internátní střední škola 2. US
státní střední škola
● n 1 the ~ veřejnost; **in** ~ veřejně 2 návštěvníci, obecenstvo

publication [pabli'keišn]
1 uveřejnění, vydání 2 publikace

public house ['pablik'haus]
hostinec

publicity [pab'lisiti] 1 zájem /
pozornost veřejnosti, publicita
2 reklama, nábor, propagace

publish ['pabliš] 1 uveřejnit,
publikovat 2 vydat

publisher ['pablišə] vydavatel,
nakladatel

puck [pak] touš, kotouč, puk

pucker ['pakə] (s)vraštit (se),
stahovat (se)

pudding ['pudiŋ] 1 pudink, nákyp

2 kaše; **semolina** ~ krupicová
kaše

puddle [padl] **1** louže, kaluž
2 (*přen.*) cákanec **3** (*hovor.*)
virvál; brynda

puff [paf] *n* **1** závan, (*malý*)
náraz (*větru*) **2** odfukování,
bafání **3** chomáček
• *v* **1** (*krátce*) fouknout
2 odfukovat, bafat **3** nadouvat se

pull [pul] *n* **1** tah; zátah
2 doušek **3** vliv
• *v* **1** táhnout, zatahat za, vytáh-
nout **2** stisknout, zmáčknout

pull down 1 strhnout, zbořit
2 oslabit

pull off 1 dokázat, úspěšně provést
2 stáhnout, sundat (si) **3** odplout

pull on natáhnout (si), obléci /
obout si

pull out 1 vytrhnout (**a tooth**
zub); vytáhnout, vyndat **2** vyjet,
vyplout **3** (*hovor.*)
vymanévrovat, stáhnout se

pull round / through 1 zotavit se
2 přivést k sobě, postavit na nohy

pull together 1 stáhnout, zdrhnout
2 dostat / dát se dohromady,
táhnout za jeden provaz

pull up 1 vytáhnout, vztyčit
2 zastavit (se), zarazit
3 dotahovat, dohánět

pulley [puli] kladka

pulp [palp] *n* **1** dřeň, dužina
2 kaše, papírovina **3** beztvará
hmota • *v* dát do stoupy

pulpit [pulpit] kazatelna

pulsate [pal'seit] **1** pulsovat,
tepat **2** pravidelně jít, běžet
3 vibrovat; dýchat **with** čím

pulse [pals] *n* **1** puls, tep; **feel sb.'s**
~ měřit tep komu **2** (*rytmický*)

záběr; impuls **3** (*pravidelný*)
běh, chod • *v* pulsovat

pulverize [palvaraiz] rozmělnit
(se) na prach; rozdrtit na padrť

pump [pamp] *n* pumpa, čerpadlo
• *v* **1** čerpat, pumpovat **2** hustit;
stříkat; vhánět (jako) pumpou

pun [pan] *n* slovní hříčka
• *v* (**nn**) dělat slovní hříčky

punch[1] [panč] *n* **1** rána pěstí
2 (*přen.*) šťáva, říz, šmrnc
• *v* **1** udeřit, praštit
2 proštípnout, propíchnout

punch[2] [panč] punč

punctual [paŋkčuəl] přesný,
dochvilný

punctuality [paŋkču'æliti]
přesnost, dochvilnost

punctuation [paŋkču'eišn]
interpunkce; ~ **marks** *pl*
interpunkční znaménka

puncture [paŋkčə] *n* propíchnutí
(*pneumatiky*); díra
• *v* (pro)píchnout, prorazit

pungent [pandžənt] ostrý,
pronikavý, štiplavý

punish [paniš] **1** potrestat
2 (*hovor.*) mučit, ničit, decimovat

punishment [panišmənt] **1** trest
2 (*hovor.*) co proto

punt [pant] pramice

pupil[1] [pju:pl] žák, žačka

pupil[2] [pju:pl] zřítelnice, panenka

puppet [papit] loutka

puppy [papi] štěně

purchase [pə:čəs] *v* koupit • *n*
1 nákup, koupě **2** výnos, hodnota

pure [pjuə] **1** čistý; ryzí **2** holý,
prostý

purgatory [pə:gətri] očistec

purge [pə:dž] *v* **1** provést
(*politickou*) čistku **2** očistit
• *n* čistka

P

puritan [pjuəritn] *n* puritán
 ♦ *adj* puritánský

purity [pjuəriti] čistota; ryzost

purple [pə:pl] *n* nach, purpur
 ♦ *adj* nachový, purpurový

purpose [pə:pəs] záměr, úmysl, účel, cíl; **on ~** úmyslně, schválně; **to no ~** zbytečně

purposely [pə:pəsli] záměrně, schválně

purr [pə:] (*kočka*) příst

purse [pə:s] **1** váček; peněženka **2** (*přen.*) pokladna, peněžní fond; sbírka **3** *US* (*malá*) kabelka

pursue [pə'sju:] **1** pronásledovat, stíhat **2** provozovat, pěstovat; pokračovat v (**one's studies** ve studiu)

pursuit [pə'sju:t] **1** pronásledování **2** (*soustavná*) činnost

pus [pas] hnis

push [puš] *n* rána, úder, šťouchanec
 ♦ **if / when it comes to the ~** v případě potřeby, při nejhorším
 ♦ *v* **1** tlačit (se), strkat **2** pohánět **3** prosadit, uplatnit **4** proniknout, prorazit **5** propagovat **6** usilovat **for** o **7** zmáčknout, stisknout (*tlačítko*) **8** prodávat narkotika
 ♦ **~ one's luck** příliš riskovat, přestřelit to; **~ the boat out** (*hovor.*) plácnout se přes kapsu

push along (*hovor.*) odejít

push around (*hovor.*) komandovat, sekýrovat

push through dovést až do konce, prosadit

push up zvýšit, zvednout (*ceny*)
 ♦ **~ up the daisies** jít pod kytičky

pushbike [pušbaik] (*hovor.*) jízdní kolo

pushing [pušiŋ] **1** podnikavý,

energický **2** blížící se (*urč. věku*); **~ 40** s blížící se čtyřicítkou

puss [pus], **pussy** [pusi], **pussycat** [pusikæt] číča, kočička

pussy-willows [pusiwiləuz] *pl* kočičky

put* [put] **(tt)** **1** dát někam, položit, postavit; klást, umístit **2** vyjádřit, říci ♦ **~ to death** zabít, usmrtit; **~ an end to** ukončit co; **~ it mildly** vyjádřit to mírně

put aside 1 odložit **2** (*přen.*) odmítnout, zapomenout na

put away 1 uklidit, uložit, schovat **2** utratit (*zvíře*) **3** (*hovor.*) sprovodit, spucnout; kopnout do sebe, vytáhnout

put back 1 dát zpět **2** zpomalit, zdržet

put by 1 ukládat, našetřit (**money** peníze) **2** odložit, odsunout stranou **3** odsunout na neurčito, dát k ledu

put down 1 stáhnout, spustit, zavřít; položit **2** potlačit, zmařit **3** zapsat (si) **4** připisovat, přičítat **to** čemu **5** vyloučit ze soutěže **6** *viz* **put away (3)**

put forward 1 posunout, postrčit; pomáhat čemu **2** předložit, navrhnout

put in 1 vplout do přístavu **2** vložit, vsunout; zamontovat **3** přidat, přibrat **4** poznamenat, vmísit se do řeči **5** vykonat, provést, podniknout **6** zažádat si **for** o

put off 1 svléknout si, sundat si, odložit **2** odsunout, odložit (**till tomorrow** na zítřek) **3** odradit od; odbýt *sb.* koho **with** čím **4** zhasnout, vypnout

put on 1 vzít (si) na sebe,

navléct si, nasadit (si) **2** uvést
na scénu, inscenovat; pořádat
(*koncert*) **3** zapnout, pustit
put out 1 uhasit; zhasnout,
vypnout **2** zveřejnit, publikovat
3 vystrčit, vyhodit; vyndat
4 obtěžovat koho; vyvést
z rovnováhy
put through spojit (*telefonicky*)
put together dát dohromady, složit
put up 1 zvednout, zvýšit
2 ubytovat (se), poskytnout
nocleh **3** spokojit se, smířit se
with s **4** jmenovat, navrhnout
(**a candidate** kandidáta)
5 postavit, smontovat **6** vyvěsit,

vylepit **7** finančně přispět **for**
na co, darovat na, investovat do
putty [pati] (*sklenářský*) tmel, kyt
puzzle [pazl] *n* **1** záhada
2 hádanka, rébus
● *v* zmást, poplést
pygmy [pigmi] **1** trpaslík
2 trpasličí druh **3** P~ Pygmej
pyjamas [pə'dža:məz] *pl* pyžamo
pylon [pailən] **1** ocelový stožár
2 stožár elektrického vedení
3 letecký maják
pyramid [pirəmid] pyramida
pyrotechnics [pairəu'tekniks] *pl*
ohňostroj, (*též přen.*)

P

Q

quack [kwæk] mastičkář, šarlatán

quad [kwod] (*hovor.*) **1** nádvoří
2 ~s *pl* čtyřčata

quadrangle [kwodræŋgl]
1 čtyřúhelník **2** dvůr, nádvoří

quadruple [kwodrupl] *adj*
čtyřnásobný ● *n* čtyřnásobek

quail [kweil] křepelka

quaint [kweint] **1** přitažlivý,
(*protože*) starobylý **2** podivný,
kuriózní

quake [kweik] chvět se, třást se

qualification [kwolifi'keišn]
1 předpoklad, kvalifikace
2 omezení, modifikace
3 ohodnocení; osvědčení,
vysvědčení, diplom **4 ~s** *pl*
odborná kvalifikace

qualify [kwolifai] **1** kvalifikovat
(se) **2** blíže vymezit **3** zeslabit,
(roz)ředit **with** čím

quality [kwoliti] **1** jakost,
hodnota **2** charakteristický rys,
typická vlastnost

qualm [kwa:m] **1** nevolnost,
mdlo, špatně **of** z / čím **2 ~s** *pl*
pochybnosti; výčitky svědomí

quantitative [kwontitətiv] co do
množství, kvantitativní

quantity [kwontiti] množství,
počet, kvantita; **~ surveyor**
stavební kalkulant (*materiálu*)

quantum [kwontəm] množství,
kvantum
♦ **~ jump / leap** zásadní pokrok

quarantine [kworənti:n] karanténa

quarrel [kworəl] *n* spor, hádka,
svár
● *v* (ll) **1** přít se, hádat se **2** zlobit
se **with** na, mít námitky proti

quarrelsome [kworəlsəm] hádavý,
hašteřivý

quarry[1] [kwori] lom

quarry[2] [kwori] kořist, lovná
zvěř; pronásledovaný člověk

quart [kwo:t] čtvrtina galonu
(*1,13 l*)

quarter [kwo:tə] *n* **1** čtvrtina,
čtvrt; kvartál **2** čtvrťák
(*čtvrtdolar*) **3** světová strana,
končina; **from all ~s** ze všech
stran; **in the highest ~s** na nej-
vyšších místech **4** čtvrť (*městská*)
5 ~s *pl* bydliště, byt; kasárna
● *v* **1** rozčtvrtit **2** ubytovat

quarterly [kwo:təli] *adj* čtvrtletní
● *adv* čtvrtletně ● *n* čtvrtletník

quartet(te) [kwo:tet] kvartet(o)

quartz [kwo:c] křemen

quash [kwoš] zrušit, anulovat,
prohlásit za neplatný

quay [ki:] přístaviště, přístavní
hráz; **~ pier** molo

queasy [kwi:zi] **1** (*žaludek*)
podrážděný, choulostivý **2** (*věc*)
zvedající žaludek **3** (*člověk*)
vybíravý v jídle; delikátní;
skrupulózní

queen [kwi:n] **1** královna
2 (*šachy, karty*) dáma, královna

queer [kwiə] *adj* **1** (po)divný,
zvláštní; záhadný, podezřelý
2 (*hovor.*) vzatý, praštěný **about /
for / on** pokud jde o **3** (*hovor.*)
teplý, přihřátý (*homosexuální*)
♦ **feel ~** nebýt ve své kůži; **in ~
street** v úzkých, v prekérní (*zvl.
finanční*) situaci ● *v* překazit, po-
kazit; **~ sb.'s pitch** udělat komu

čáru přes rozpočet ● *n* **1** teplouš, buzerant **2** *US* falešné peníze

quench [kwenč] uhasit *(žízeň, naději)*; potlačit; zmírnit, ztlumit

querulous [kwerulәs] mrzoutský, nevrlý, kverulantský

query [kwiәri] *n* otázka, dotaz ● *v* **1** ptát se, otázat se **2** žádat vysvětlení čeho

quest [kwest] hledání **for** čeho

question [kwesčn] *n* otázka; **ask sb. a** ~ zeptat se koho; **put a** ~ **to sb.** položit otázku komu; **raise a** ~ nadhodit otázku; **the man in** ~ muž, o něhož jde; **it is out of the** ~ to je vyloučeno; **come into** ~ přicházet v úvahu; **there is no** ~ **about** není pochyby o ● *v* **1** vyslýchat koho, klást otázky komu **2** pochybovat o **3** zkoumat co, hledat odpověď u

questionable [kwesčәnәbl] problematický, pochybný; podezřelý

questionnaire [kwesčә'neә] dotazník

queue [kju:] *n* fronta ● *v též* ~ **(up)** čekat ve frontě, stát frontu **(for** na)

queue-jump [kju:džamp] přeskočit frontu, předbíhat ve frontě

quibble [kwibl] *n* **1** malichernost **2** slovní hříčka ● *v* **1** hádat se **over** o *(nicotnosti)*, chytat za slovo **2** dělat slovní hříčky

quick [kwik] *adj* **1** rychlý; **be** ~ **about** pospíšit si s **2** bystrý, pohotový; inteligentní; **be** ~ **at figures** umět rychle počítat ● *adv* rychle ● *n* **1** živé maso; **cut to the** ~ tít do živého **2** *(přen.)* dřeň, morek kostí

quicken [kwikәn] **1** oživit; oživnout **2** zrychlit

quicksand [kwiksænd] tekoucí / plovoucí / pohyblivý písek

quicksilver [kwiksilvә] rtuť

quick-tempered [kwik'tempәd] prchlivý

quid [kwid] libra šterlinků

quiet [kwaiәt] *adj* klidný, tichý; **be / keep** ~ být zticha; **keep sth.** ~ udržet v tajnosti co ● *n* klid, ticho; **on the** ~ ve vší tichosti ● *v* uklidnit

quill [kwil] **1** brk **2** bodlina *(ježka)*

quilt [kwilt] prošívaná pokrývka

quinine [kwi'ni:n] chinin

quintessence [kwin'tesns] tresť, jádro, podstata, kvintesence

quip [kwip] vtipná *(ironická)* poznámka; vtípek, bonmot, legrácka

quisling [kwizliŋ] kolaborant

quit [kwit] **(tt) 1** opustit; odejít *(ze zaměstnání)* **2** přestat

quite [kwait] docela, úplně ● ~ **(so)** zcela správně, ano, ovšem

quits [kwic] we're ~ **now** teď jsme si kvit

quiver [kwivә] *v* chvět (se) ● *n* (roze)chvění

quiz [kwiz] *v* **(zz)** klást otázky komu, vyptávat se koho; vyslýchat ● *n* **1** kvíz **2** *US* krátká zkouška

quizzical [kwizikl] **1** podivný; komický, legrační **2** šibalský; posměšný **3** zmatený, překvapený, udivený

quota [kwәutә] kvóta, kontingent

quotation [kwәu'teišn] **1** citát **2** předběžný rozpočet, cenová nabídka, předkalkulace

quote [kwәut] **1** citovat; uvést **2** nabídnout *(cenu)*, dát předběžný rozpočet

R

rabbi [ræbai] rabín

rabbit [ræbit] králík

rabble [ræbl] **1** dav, zástup **2** lůza, chátra

rabid [ræbid / rei-] **1** zuřivý **2** trpící vzteklinou, vzteklý

rabies [reibi:z] vzteklina

race¹ [reis] *n* **1** závod, *(rychlostní)* soutěž; běh **2** the ~s *pl* dostihy
● *v* **1** závodit **2** běžet, hnát se
♦ **his mind was racing** v hlavě se mu honily myšlenky jedna za druhou

race² [reis] rasa

racecourse [reiskо:s] dostihová dráha

racial [reišl] rasový

rack [ræk] *n* **1** věšák **2** police; síť na zavazadla **3** stojánek **4** střešní nosič auta, zahrádka **5** skřipec
● *v* **1** natáhnout na skřipec, *(též přen.)* **2** trýznit, sužovat **3** třást, lomcovat
♦ ~ **one's brains** lámat si hlavu

racket¹ [rækit] *(tenisová)* raketa

racket² [rækit] **1** hluk, povyk, randál **2** *(hovor.)* finta, fígl, podvod, čachry **3** *(hovor.)* vyděračství, gangsterství

racketeer [ræki'tiə] vyděrač, gangster

radar [reida:] radar, radiolokátor

radiance [reidjəns] záře, záření

radiant [reidjənt] zářící, zářivý

radiate [reidieit] **1** zářit **2** vyzařovat **3** vysílat **4** rozbíhat se *(paprskovitě)*

radiation [reidi'eišn] záření

radiator [reidieitə] **1** topné těleso, radiátor **2** chladič

radical [rædikl] *adj* **1** základní **2** radikální
● *n* **1** radikál **2** odmocnina

radio [reidiəu] **1** rádio, rozhlas **2** rozhlasový přijímač

radioactive [reidiəu'æktiv] radioaktivní

radiograph [reidiəugra:f] rentgenový snímek

radish [rædiš] ředkvička

radium [reidjəm] rádium

radius [reidjəs] **1** poloměr **2** akční rádius; dosah, dolet

raffle [ræfl] *n* tombola
● *v* dát do tomboly

raft [ra:ft] vor

rafter [ra:ftə] krokev, trám *(v krovu)*

rag¹ [ræg] **1** hadr **2** cár, cancour
♦ **chew the ~** *(hovor.)* kecat, žvanit; **glad ~s** *(slang.)* sváteční hadry, kvádro

rag² [ræg] merenda, mejdan, recese

rage [reidž] *n* **1** zlost, vztek, zuřivost; **fly into a ~** rozlítit se **2** vrchol módy ● *v* zuřit, běsnit

ragged [rægid] **1** rozedraný, roztřepaný **2** oblečený v hadrech **3** střapatý, rozcuchaný **4** rozeklaný

raid [reid] *n* **1** útok **2** nálet **3** policejní razie
● *v* **1** udělat prudký útok **into** na **2** udělat razii v

rail [reil] **1** zábradlí **2** kolej **3** dráha, železnice

railing [reiliŋ] **1** zábradlí **2** (o)hrazení, ohrada

railroad [reilrəud] *n US* železnice

railway [reilwei] *GB* železnice;
~ **station** nádraží

railwayman [reilweimən]
železničář

rain [rein] *n* déšť
♦ **as right as** ~ zdravý jako řípa
♦ *v* pršet
♦ **it never ~s but it pours**
neštěstí nechodí nikdy samo

rainbow [reinbəu] duha

raincheck [reinček] vstupenka na
náhradní utkání / představení /
koncert; **take a ~ on sth.** nechat
si co na později

raincoat [reinkəut] plášť do deště

rainfall [reinfo:l] dešťové srážky

rainproof [reinpru:f]
nepromokavý

rainy [reini] deštivý; **for a ~ day**
pro strýčka Příhodu

raise [reiz] *v* 1 zvednout (**one's
hand** ruku), zvýšit (**the level**
úroveň); ~ **one's hat to**
smeknout před; ~ **one's voice**
zvýšit hlas 2 uvádět (**objections**
námitky), nadhodit (**a question**
otázku) 3 sebrat, opatřit (**money**
peníze) 4 vyprovokovat,
podnítit 5 chovat, pěstovat
6 navázat (*rádiový*) styk s 7 dát
vykynout (*těsto*)
♦ *n US* zvýšení platu, přidáno

raisins [reiznz] *pl* rozinky

rake[1] [reik] zpustlík, prostopášník

rake[2] [reik] *n* hrábě ♦ *v* hrabat

rake up 1 vyhrabat 2 oživit
(*vzpomínky*)

rally [ræli] *v* 1 shromáždit (se)
2 nabrat síly, okřát
♦ *n* 1 shromáždění, manifestace

2 dlouhá výměna míčů 3 závod
automobilů, rally

ram [ræm] beran

ramble [ræmbl] *n* toulka, pěší
výlet
♦ *v* 1 chodit na výlety, toulat se
2 mluvit / psát bez ladu a skladu
3 volně růst, plazit se, pnout se

ramp [ræmp] *n* šikmá / nakloněná
plošina, rampa
♦ *v* 1 stát na zadních 2 zešikmit

rampant [ræmpənt] 1 stojící na
zadních nohách 2 zuřivý, radikál-
ní 3 bezuzdný, bujný, přebujelý

ramshackle [ræmšækl] sešlý,
zchátralý, na spadnutí

ranch [ra:nč / rænč] ranč, farma
(*dobytkářská*); **dude** ~ *US*
rekreační ranč (*pro turisty*)

rancour [ræŋkə] zahořklost;
zarytá nenávist / zloba

random [rændəm] *adj* nesouvislý,
náhodný, namátkový
♦ *n*: **at** ~ *1.* bez míření, naslepo
2. nesouvisle, namátkou,
nazdařbůh; **talk at** ~ mlít páté
přes deváté

randy [rændi] chlípný, smyslný

range [reindž] *n* 1 řada 2 paleta,
rejstřík; sortiment 3 horský
řetěz 4 střelnice 5 rozmezí,
rozpětí, rozsah, dosah; **at a ~ of
two miles** na vzdálenost dvou
mil 6 akční rádius, dostřel
7 sporák 8 pastviště, loviště
♦ *v* 1 seřadit (se), zařadit; uspo-
řádat; (roz)třídit 2 být ve stejné
rovině / řadě **with** s 3 (*zvěř*) po-
hybovat se, toulat se 4 rozkládat
se, táhnout se, prostírat se
5 (*cena*) být v rozmezí

rank[1] [ræŋk] *n* 1 řada, šik
2 stanoviště autotaxi, štafl

3 hodnost, šarže
4 (*společenské*) postavení; vysoké postavení, přední místo
♦ **the ~ and file** *l.* řadoví vojáci a poddůstojníci *2.* řadoví členové, členstvo, obyčejní lidé
● *v* **1** postavit do řady, (při)řadit **among** mezi / k **2** patřit, náležet **among** mezi / k
3 ~ above *US* být hodnosti vyšší než; být služebně nejstarší

rank[2] [ræŋk] **1** přebujelý, přerostlý **2** žluklý, páchnoucí **3** (*přen.*) nejhorší, odporný, ohavný

rankle [ræŋkl] trápit, pálit, bolet, hryzat (*přen.*)

ransack [rænsæk] **1** prohledat, zpřevracet **2** hledat **for** co **3** vykrást, (vy)drakovat

ransom [rænsəm] *n* výkupné
● *v* **1** vykoupit **2** dát / zaplatit výkupné za **3** žádat výkupné za

rap [ræp] *v* (**pp**) **1** klepat, klepnout **2** (*přen.*) klepnout přes prsty
● *n* **1** klepnutí, zaklepání **2** kritická poznámka, šleh **3** *US* (*slang.*) co je komu přišito, obvinění; **take the ~ (for)** (*slang.*) odskákat si to (za)

rapacious [rəpeišəs] chamtivý; násilnický; dravý

rape[1] [reip] *v* znásilnit
● *n* znásilnění

rape[2] [reip] řepka

rapid [ræpid] *adj* rychlý, prudký
● *n ~s pl* peřeje

rapt [ræpt] zaujatý, zabraný; **with ~ attention** napjatě

rapture [ræpčə] vytržení, nadšení, extáze

rare[1] [reə] **1** vzácný, nezvyklý **2** řídký

rare[2] [reə] **1** (*vejce*) naměkko **2** (*maso*) nedopečený, krvavý

rarely [reəli] zřídkakdy

rascal [ra:skl] ničema, darebák, uličník

rash[1] [ræš] prudký, ukvapený, zbrklý

rash[2] [ræš] vyrážka

rasher [ræšə] *GB* plátek slaniny

rasp [ra:sp] rašple

raspberry [ra:zbri] malina

rat [ræt] krysa; **smell a ~** mít podezření, něco tušit

rate [reit] *n* **1** poměr **2** sazba, tarif; **postage ~** poštovné, porto **3** rychlost; **at the ~ of 50 miles an hour** rychlostí 50 mil za hodinu **4** dávka; **~s of sickness benefit** dávky nemocenského pojištění ♦ **at any ~** v každém případě
● *v* **1** hodnotit **as** jako **2** počítat, řadit **among** k, pokládat za

rather [ra:ðə] *adv* **1** poněkud; jaksi **2** dosti **3** raději, spíše; **I'd ~ stand** raději postojím; **I'd ~ not say** raději bych si to nechal pro sebe ● *interj* (*hovor.*) to bych řekl, no jestli, samosebou

ratification [rætifi'keišn] ratifikace

ratify [rætifai] ratifikovat, schválit

ratio [reišiəu] **1** poměr **2** koeficient **3** procento

ration [ræšn] *n* **1** (*denní*) dávka, příděl **2 ~s pl** denní příděl potravin; proviant
♦ **~ book** potravinové lístky; **off the ~** nejsoucí na příděl, volný
● *v* dát na příděl, zavést přídělový systém na

rational [ræšənl] rozumný, rozumově, racionální; logický

rattle [rætl] *n* **1** rachocení, chřestot **2** řehtačka

• *v* **1** rachotit, chřestit; třást; rumplovat **2** drkotat, kodrcat (*při jízdě*) **3** (*hovor.*) poděsit, vyplašit
rattle off odpapouškovat, vysypat z rukávu
rattlesnake [rætlsneik] chřestýš
raucous [ro:kəs] **1** chraplavý, chrčivý **2** divoký, nevázaný
ravage [rævidž] *v* zpustošit
• *n* spoušť, zpustošení; **~s of war** válečná spoušť
rave [reiv] **1** blouznit, fantazírovat **2** zuřit, běsnit **3** mluvit nadšeně, básnit
raven [reivn] krkavec
ravenous [rævinəs] **1** hladový jako vlk **2** palčivý, sžíravý
ravine [rə'vi:n] strž, rokle
ravishing [rævišiŋ] úchvatný
raw [ro:] *adj* **1** syrový; naturální (*rýže*) **2** surový; **~ material** surovina **3** nezkušený, neostřílený **4** sychravý, řezavý **5** nekultivovaný, primitivní
• *n* odřená kůže, živé maso
♦ **in the ~** *1.* nepřikrášlený, syrový *2.* nahý
ray[1] [rei] paprsek
ray[2] [rei] rejnok
rayon [reion] umělé hedvábí
razor [reizə] břitva; holicí přístroj; **~ blade** žiletka
re- [ri:] (*předpona u sloves*) znovu, ještě jednou
re [ri:] týká se, věc; **~ your letter of** týká se Vašeho dopisu ze dne
reach [ri:č] *n* **1** natažení, sáhnutí **2** dosah; vzdálenost; dohled, doslech **3** přístupnost, srozumitelnost ♦ **within one's / easy ~** na dosah ruky, snadno dostupný; **out of one's ~** z dosahu koho
• *v* **1** sahat, prostírat se (**as far as**

the river až k řece) **2** sahat, sáhnout **for** po; podat **3** dosáhnout na **4** dosáhnout čeho, dojít, dojet (**London** do Londýna)
reach down **1** sundat, podat **2** shýbnout se **for** pro
reach out natáhnout se **for** po; **~ out one's hand for** natáhnout ruku po
reach-me-down [ri:čmidaun] *GB* hotový, konfekční (*oblek*)
react [ri'ækt] reagovat, (zpětně) působit **on** na
reaction [ri'ækšn] reakce; vzájemné působení, zpětný účinek
reactionary [ri'ækšənəri] *adj* reakční • *n* reakcionář
reactive [ri'æktiv] reaktivní
reactor [ri'æktə] reaktor
read* [ri:d] **1** číst (si); **~ aloud** číst nahlas; **~ to oneself** číst si pro sebe **2** pasivně umět, rozumět **3** (*přístroj*) ukazovat **4 ~ (up)** studovat (**for a degree** k dosažení akademického titulu) **5** projednávat (*ve sněmovně*)
readable [ri:dəbl] čtivý
reader [ri:də] **1** čtenář **2** korektor; lektor; *US* odborný asistent; *GB* docent **3** čítanka
reading [ri:diŋ] četba, čtení ♦ **~ room** čítárna
readily [redili] ihned; ochotně; snadno; pohotově
ready [redi] **1** hotový, připravený; **get ~ for** připravit se na; **~ money** hotovost **2** ochotný **3** rychlý, pohotový
ready-made [redi'meid] **1** konfekční **2** pohotový **3** šablonovitý
real [riəl] **1** pravý, skutečný, opravdový; pravdivý, věcný,

R

reálný **2** nemovitý ♦ **~ estate** nemovitost; **~ wages** reálná mzda

realist [riəlist] realista

realistic [riə'listik] realistický

reality [ri'æliti] skutečnost

realization [riəlai'zeišn]
1 uskutečnění, realizace
2 poznání, uvědomění; představa, obraz

realize [rialaiz] **1** uskutečnit
2 představit si, uvědomit si
3 prodat, zpeněžit

really [riəli] opravdu, doopravdy, skutečně
♦ ~ ! to už přestává všechno!; **not ~** ! neříkejte!, ale prosím vás!

realm [relm] **1** království, říše
2 doména, sféra, oblast

reap [ri:p] **1** žnout, sekat
2 sklízet, (*též přen.*)

reaper [ri:pə] **1** žnec, sekáč
2 žací stroj, sekačka

reappear [ri:ə'piə] znovu se objevit

rear[1] [riə] *n* **1** zadní část, zadní trakt; **in the ~** vzadu **2** zadek **3** (*voj.*) týl, zázemí
♦ *adj* **1** zadní **2** (*voj.*) týlový
~-admiral kontradmirál

rear[2] [riə] **1** vztyčit **2** pěstovat, chovat; vychov(áv)at

rearmament [ri'a:məmənt] znovuvyzbrojení

reason [ri:zn] *n* **1** rozum, intelekt
2 důvod, příčina, popud
♦ **it stands to ~** to je samozřejmé, to dá rozum; **for this ~** z tohoto důvodu; **with good ~** plným právem; **listen to ~** měj rozum
● *v* **1** uvažovat, usuzovat
2 debatovat, argumentovat, polemizovat **3** odůvodnit, motivovat

reasonable [ri:zənəbl] **1** rozumný; logický **2** (*cena*) přiměřený

reassure [ri:ə'šuə] **1** uklidnit; vrátit sebedůvěru komu **2** znovu ujistit

rebel *n* [rebl] rebel, vzbouřenec, povstalec ● *v* [ri'bel] (**ll**) povstat, vzbouřit se **against** proti

rebellion [ri'beljən] povstání, vzpoura, revolta, vzbouření

rebellious [ri'beljəs]
1 povstalecký **2** rebelantský

rebound *v* [ri'baund] **1** odskočit, odrazit se; vrátit se jak bumerang **2** reagovat
● *n* [ri:baund] **1** odskok, odraz
2 reakce **3** okamžik zklamání
♦ **on the ~** – *1.* při odrazu *2.* ze zklamání, z trucu

rebuff [ri'baf] *n* příkré odmítnutí
● *v* odmítnout, odbýt

rebuke [ri'bju:k] *n* výtka
● *v* pokárat **for** za

recall [ri'ko:l] *v* **1** povolat zpět, odvolat (**an ambassador** vyslance) **2** zrušit, odvolat (**an order** příkaz) **3** připomenout si, vzpomenout si (**one's young days** na svá mladá léta) **4** vyžádat si zpět

recapitulate [ri:kə'pitjuleit] rekapitulovat, (*stručně / přehledně*) zopakovat, shrnout

recede [ri'si:d] **1** ustupovat
2 ustoupit **from** od, odříci se čeho **3** (po)klesnout

receipt [ri'si:t] **1** příjem, přijetí; **on ~ of** při obdržení čeho
2 potvrzení, stvrzenka **3** ~**s** *pl* příjem, tržba

receive [ri'si:v] **1** dostat, obdržet
2 přijmout; přijímat (**visitors** hosty) **3** mít příjem, chytit
4 (*práv.*) přechovávat

receiver [ri'si:və] **1** příjemce
2 sluchátko **3** přijímač
4 přechovávač, překupník

recent [ri:snt] nedávný; nový,
čerstvý, moderní

recently [ri:sntli] nedávno,
v poslední době; **until ~** až do
nedávna

reception [ri'sepšn] **1** přijetí;
oficiální přivítání **2** příjem (**of
TV programmes** televizních
programů), poslech, obraz
3 recepce; **~ clerk** recepční
4 vnímavost, chápavost

receptionist [ri'sepšənist] recepční
(*v hotelu, sestra u příjmu
pacientů*)

recess [ri'ses] **1** prázdniny (*zvl.
soudní a parlamentní*)
2 (*krátké*) přerušení, pauza; US
(*školní*) přestávka **3** výklenek
4 vzdálený / tichý kout, ústraní

recipe [resipi] předpis, recept, (*též
přen.*)

reciprocal [ri'siprəkl] vzájemný,
oboustranný

recital [ri'saitl] **1** výčet,
vyjmenovávání; líčení
2 sólistický večer, recitál

recite [ri'sait] říkat zpaměti,
recitovat

reckless [reklis] **1** bezstarostný;
lehkomyslný **2** riskantní, hazard-
ní **3** nebezpečný, bezohledný

reckon [rekn] **1** počítat, spočítat,
vypočítat **2** počítat **on s,** spoléhat
na **3** pokládat, považovat **as / to
be** za **4** počítat **with s;** vzít v úva-
hu koho **5** mít ten dojem, počítat

reckon in započítat, připočítat co k

reckoning [rekənin] **1** účet,
útrata **2** (z)účtování, odplata

reclaim [ri'kleim] **1** žádat

navrácení čeho, reklamovat
2 zpracovávat (*odpad*)
3 rekultivovat (*půdu*) **4** polepšit,
obrátit

recognition [rekəg'nišn]
1 poznání; **beyond ~**
k nepoznání **2** uznání; **in ~ of
his services** za jeho služby

recognize [rekəgnaiz] **1** poznat
by podle **2** uznat; uznávat
3 znát se k, mluvit s

recoil *v* [ri'koil] **1** ucouvnout; trh-
nout sebou zpět, zarazit se **2** štítit
se **from** čeho **3** padnout zpět na
hlavu **on** koho ● *n* [ri:koil]
1 zpětný ráz, zákluz (*zbraně*)
2 reakce **from** na, odpor proti

recollect [rekə'lekt] vzpomenout
si na

recollection [rekə'lekšn]
vzpomínka **of** na

recommend [rekə'mend]
1 doporučit **sth.** co to komu,
(po)radit **2** být dobrým
doporučením

recommendation [rekəmen'deišn]
1 doporučení; přímluva **2** rada

recompense [rekəmpens] *v*
1 odměnit, odplatit **sb.** komu **for**
za **2** vynahradit **for** co ● *n*
1 odměna **2** náhrada, odškodné

reconcile [rekənsail] **1** (u)smířit
2 smírně vyřešit **3** srovnat,
sloučit **4 ~ oneself** smířit se,
vyrovnat se **to** s čím
◆ **be ~d** jít dohromady, být slu-
čitelný **with s; become ~d** smířit
se (*časem*) **with** s (*nepříjemností*)

reconcilliation [rekənsili'eišn]
smíření, smír

recondite [rekəndait] **1** nejasný,
těžko srozumitelný **2** obskurní,
zapadlý

R

reconnaissance [ri'konisəns] (*voj.*) průzkum

reconsider [ri:kən'sidə] znovu uvážit, přezkoumat, rozmyslit si

reconstruct [ri:kən'strakt] **1** obnovit v původní podobě, rekonstruovat **2** přestavět, přebudovat **3** reorganizovat

reconstruction [ri:kən'strakšn] přestavba; rekonstrukce

record *v* [ri'ko:d] **1** zaznamenat, zapsat, zaprotokolovat **2** (za)registrovat **3** nahrát (si) ● *n* [reko:d] **1** záznam, zápis, protokol **2** minulost, dosavadní činnost **3** výkaz, deník, kronika **4** památka, vzpomínka **of** na **5** seznam, kartotéka **6** nahrávka, záznam; gramofonová deska **7** nejlepší výkon, rekord; **break / beat the ~ for** překonat rekord v ◆ **have a ~** být už trestaný; **~ library** diskotéka; **off the ~** neoficiálně; **~ player** gramofon

recording [ri'ko:diŋ] záznam, nahrávka

recount[1] [ri'kaunt] vyprávět

recount[2] [ri:'kaunt] přepočítat

recover [ri'kavə] **1** opět získat, dostat zpět **2** soudně získat; vymáhat **3** zotavit se, uzdravit se **4** vzpamatovat se

recovery [ri'kavəri] **1** zotavení, uzdravení; rekonvalescence **2** obnova **2** opětné nabytí **of** čeho

recreation [rekri'eišn] **1** vzpruha, osvěžení **2** zábava, potěšení, rekreace; **~ ground** hřiště

recreational [rekri'eišənl] rekreační

recruit [ri'kru:t] *n* **1** branec, odvedenec, rekrut **2** nový člen;

nováček, začátečník ● *v* verbovat, získávat členy, rekrutovat

recruitment [ri'kru:tmənt] **1** posila, posilnění **2** nábor; (*voj.*) odvod

rectangular [rek'tæŋgjulə] pravoúhlý

rectify [rektifai] **1** spravit, napravit **2** upravit, seřídit

recur [ri'kə:] (**rr**) **1** vracet se, opakovat se **2** uchýlit se **to** k, sáhnout po

red [red] (**dd**) červený, rudý ◆ **~ herring** falešná stopa; **~ meat** tmavé maso; **~ tape** byrokracie, úřední šiml

redbrick [redbrik] **university** nová univerzita

redden [rednd] **1** zbarvit červeně **2** zčervenat, začervenat se

redeem [ri'di:m] **1** vyplatit **2** zachránit, vykoupit

Redeemer [ri'di:mə] Vykupitel

red-handed [red'hændid]: **be caught ~** být dopaden při činu

red-letter [redletə] **day** sváteční / památný den

redress [ri'dres] *v* **1** nahradit, odčinit **2** znovu seřídit, opravit ● *n* náhrada, náprava, zadostiučinění

redskin [redskin] rudoch, (*severoamerický*) Indián

reduce [ri'dju:s] **1** zmírnit, snížit, zredukovat **2** zmenšit; zúžit; zeslabit; zkrátit; zpomalit **3** (*hovor.*) snažit se zhubnout **4** donutit, dohnat, zahnat

reducing diet [ri,dju:siŋ'daiət] redukční dieta

reduction [ri'dakšn] **1** snížení, zmenšení **2** sleva **3** zmenšenina **4** hubnutí (*dietou*)

redundant [ri'dandənt]
1 nadbytečný **2** *GB*
nezaměstnaný

reed [ri:d] **1** rákos **2** *(hud.)*
plátek; jazýček

reek [ri:k] páchnout **of** čím

reel [ri:l] *n* **1** cívka; naviják **2** díl
filmu • *v* **1** navíjet, namotávat
2 potácet se, motat se, vrávorat

reel in vytahovat navíjením

reel off 1 odvíjet **2** *(hovor.)*
odříkávat rychle zpaměti

refer [ri'fə:] **(rr) 1** přisuzovat,
přičítat; odvozovat **to** z
2 odvolávat se **to** na; řídit se **to**
čím **3** poukazovat **to** na **4** týkat
se **to** čeho, vztahovat se **to** na
5 odkázat *sb.* koho **to** na
6 předat, postoupit *sth.* co **to**
komu

referee [refə'ri:] rozhodčí, soudce
(*ve sportu*)

reference [refrəns] **1** vztah
2 zmínka **to** o, narážka na
3 dobrozdání, doporučení
4 odkaz, odvolávka **to** na
♦ ~ **book, book of** ~ příručka, in-
formační dílo, slovník, encyklo-
pedie; **have** ~ **to** týkat se čeho;
~ **library** (*prezenční*) příruční
knihovna; **for further** ~ pro další
potřeby, pro použití v budoucnu;
in / with ~ **to** co se týče čeho,
pokud jde o; **terms of** ~ směrnice

refill [ri:fil] **1** (*náhradní*) náplň,
tuha, vložka **2** *(hovor.)* další
drink (*ve stejné sklence*)

refine [ri'fain] **1** čistit, rafinovat
2 zjemnit, kultivovat

refined [ri'faind] **1** rafinovaný
(**sugar** cukr) **2** vytříbený,
kultivovaný; elegantní

reflect [ri'flekt] **1** odrážet, zrca-
lit; **be** ~**ed in** projevovat se v
2 vyjadřovat, zobrazovat **3** vrhat
světlo (*přen.*) **4** přemýšlet,
přemítat, uvažovat **on** o

reflection [ri'flekʃn] **1** odraz, zr-
cadlení **2** přemýšlení, rozjímání,
uvažování, úvaha **on** o

reflex [ri:fleks] **1** odraz, odlesk
2 reflex **3** ~ **(camera)** zrcadlovka

reform [ri'fo:m] *v* napravit,
polepšit; reformovat
• *n* náprava, zlepšení; reforma

reformation [refə'meiʃn]
reformace

refractory [ri'fræktəri]
1 vzdorný, vzpurný **2** nehojící
se, vzdorující léčbě

refrain[1] [ri'frein] zdržet se **from**
čeho, upustit od

refrain[2] [ri'frein] refrén

refresh [ri'freʃ] **1** osvěžit (**one's
memory** paměť) **2** doplnit
(*zásoby*); přiložit (*do ohně*)

refresher [ri'freʃə] *n (hovor.)* skle-
nička něčeho, drink • *adj* opako-
vací, doplňovací, doškolovací

refreshment [ri'freʃmənt] osvěže-
ní, občerstvení; ~ **car** jídelní
vůz; ~ **room** nádražní bufet

refrigerator [ri'fridʒəreitə]
chladnička, lednička

refuge [refju:dʒ] **1** útočiště; **take**
~ **in** utéci se, uchýlit se kam
2 refýž

refugee [refju'dʒi:] uprchlík,
emigrant

refund [ri:'fand] nahradit, vrátit
peníze, refundovat, vyplatit
náhradu za

refusal [ri'fju:zl] odmítnutí
♦ **give / have the (first)** ~ **to**
dát / mít předkupní právo na

refuse[1] [refju:s] **1** odpadky;

R

~ **collection** odvoz odpadků;
~ **dump** skládka **2** zmetek

refuse[2] [ri'fju:z] **1** odmítnout
2 neuposlechnout čeho, vzpírat
se čemu ♦ ~ **a chance** promarnit
příležitost

refute [ri'fju:t] vyvrátit, dokázat
nesprávnost čeho (**a statement**
tvrzení); dokázat omyl koho

regain [ri'gein] znovu získat;
znovu dosáhnout čeho; ~ **con-
sciousness** přijít opět k vědomí

regal [ri:gl] královský

regard [ri'ga:d] v **1** upřeně
pozorovat, dívat se, hledět na
2 považovat **as** za **3** dát na,
dbát čeho **4** cenit si, mít v úctě,
ctít, vážit si, respektovat **5** týkat
se koho / čeho; **as ~s** co se týče,
pokud jde o
● n **1** ohled, zřetel **2** poměr,
vztah; úcta, respekt **3** (*dlouhý* /
upřený) pohled **4** ~s pl pozdravy
♦ **give my kind ~s to**
pozdravujte ode mne koho; **in
this** ~ v tomto ohledu; **in ~ to**,
in ~ of, **with ~ to** *1*. vzhledem k
2. co se týče, pokud jde o

regardless [ri'ga:dlis] (*hovor.*)
přesto, přese všechno, bez ohledu
na následky ♦ ~ **of** bez ohledu na

regenerate [ri'dženəreit] **1** obrodit
(se), reformovat (se) **2** dorůst,
znovu vyrůst, regenerovat (se)

regime [rei'ži:m] režim

regimen [redžimən] (*léčebný*)
režim; životospráva, dieta

regiment [redžimənt] pluk

region [ri:džn] **1** oblast, región
2 krajina; kraj, končina

regional [ri:džnl] oblastní,
krajový, regionální

register [redžistə] n **1** seznam,

rejstřík, soupis **2** matrika
3 zápis, záznam
● v **1** zaznamenat; zapsat (se),
(za)registrovat (se), přihlásit se
(**with the police** na policii)
2 poslat doporučeně

registrar [redži'stra:] matrikář

registration [redži'streišn]
1 registrace, přihláška **2** zápis,
záznam ♦ ~ **number** státní
poznávací značka; **police ~**
přihlášení na policii

regret [ri'gret] v (**tt**) litovat; **I ~ to
say** musím bohužel říci
● n lítost; politování ♦ **to my ~**
k mé velké lítosti, bohužel

regrettable [ri'gretəbl]
politováníhodný ♦ ~ **attendance**
žalostně malá účast

regular [regjulə] adj **1** pravidelný
2 obvyklý, normální, regulérní
3 řádný; profesionální **4** (*hovor.*)
vyložený, dokonalý, učiněný
5 řeholní, řádový ● n **1** (*hovor.*)
pravidelný host **2** voják z povolá-
ní **3** US benzín obsahující olovo

regularity [regju'læriti] pravidel-
nost; **for ~'s sake** pro pořádek

regulate [regjuleit] **1** regulovat;
řídit **2** seřídit, nastavit
3 přizpůsobit **to** čemu **4** upravit,
usměrnit

regulation [regju'leišn] **1** nařízení,
směrnice, předpis **2** nastavení, se-
řízení **3** řízení, regulování, regu-
lace **4** ~s pl stanovy, pravidla, řád

regulo [regjuləu] GB označení
*regulace plynu na plynovém
sporáku*

rehabilitation [ri:həbili'teišn]
1 obnova; náprava; asanace
2 rehabilitace

rehash [ri:'hæʃ] (*hovor.*) předělat, přepracovat (**an article** článek)

rehearsal [ri'hə:sl] 1 výčet, vypočítávání (**of grievances** stížností) 2 (*div.*) zkouška; **dress** ~ generální zkouška

rehearse [ri'hə:s] 1 zkoušet (**a play** hru) 2 opakovat, vypočítávat

reign [rein] v vládnout, panovat ● n vláda, panování

reimburse [ri:im'bə:s] nahradit (*výdaje*)

reindeer [reindiə] sob

reinforce [ri:in'fo:s] 1 zesílit, posílit 2 vyztužit, zpevnit 3 (*přen.*) podrhnout, podepřít
♦ ~d concrete železobeton

reins [reinz] pl otěže
♦ take the ~ ujmout se vedení

reiterate [ri:'itəreit] znovu opakovat, znovu zdůraznit

reject v [ri'dʒekt] odmítnout, zamítnout ● n [ri:dʒekt] zmetek

rejection [ri'dʒekʃn] odmítnutí

rejoice [ri'dʒois] 1 rozradostnit, velice potěšit 2 radovat se **at / in / over** z

relapse [ri'læps] n 1 opakování 2 recidiva
● v znovu upadnout **into** do / v

relate [ri'leit] 1 vyprávět, líčit 2 uvést ve vztah **with / to** k, uvést do souvislosti s 3 týkat se **to** koho ♦ be ~d to 1. být příbuzný s 2. souviset s; **she is ~d to have said** ona prý řekla

relation [ri'leiʃn] 1 vztah, poměr 2 spojitost, souvislost 3 ~s pl styky 4 příbuzný 5 vyprávění, líčení

relationship [ri'leiʃnʃip]

relative [relativ] adj 1 poměrný 2 vzájemný, relativní 3 úměrný, odpovídající 4 týkající se **to** čeho, související s 5 (*jaz.*) vztažný
● n 1 příbuzný 2 relativní pojem

relativity [relə'tiviti] relativita

relax [ri'læks] 1 uvolnit (se) 2 odpočinout si, vypřáhnout, dát si pohov, relaxovat

relaxation [læk'seiʃn] 1 uvolnění 2 částečné prominutí 3 odpočinek, zotavení, relaxace

relay n [ri:lei] 1 štafetový běh, štafeta 2 přenos 3 relé
● v [ri'lei] přenášet (*TV signál*)

release [ri'li:s] v 1 pustit, uvolnit 2 propustit 3 zprostit, zbavit **from** čeho 4 zveřejnit, vydat (*zprávu*); uvést na trh / do distribuce ● n 1 uvolnění 2 propuštění 3 distribuční film 4 spoušť (*fotoaparátu*)

relegate [religeit] 1 degradovat, odsunout na nižší pozici; (*sport.*) sestoupit (*do nižší třídy*) 2 vypovědět, vykázat 3 předat, postoupit

relent [ri'lent] 1 povolit, změknout; smilovat se 2 polevit, zmírnit se

relentless [ri'lentlis] 1 vytrvalý, houževnatý 2 nepovolný, neústupný 3 nemilosrdný

relevance [relivəns] závažnost

relevant [relivənt] 1 věcný, příslušný, náležitý 2 závažný 3 týkající se **to** čeho

reliability [rilaiə'biliti] spolehlivost

reliable [ri'laiəbl] spolehlivý

reliance [ri'laiəns] 1 spolehnutí

on / in na; závislost na **2** opora, naděje

relics [reliks] *pl* **1** zbytky, trosky, svědkové minulosti **2** (*tělesné*) pozůstatky; ostatky, relikvie

relief[1] [ri'li:f] **1** úleva; osvobození **from** od **2** pomoc, podpora; posila **3** zábava, povyražení **4** výměna, střídání (*stráže, služby*) **5** střídající stráž / služba

relief[2] [ri'li:f] **1** reliéf **2** kontrast, plastičnost

relieve [ri'li:v] **1** ulehčit, utěšit; ulevit; **be ~d to hear** s úlevou slyšet **2** utišit, zbavit of čeho **3** pomoci of s čím **4** vysvobodit **5** vystřídat (*stráž, službu*)

religion [ri'lidžn] náboženství

religiose [ri'lidžious] pobožnůstkářský, pámbíčkářský

religious [ri'lidžəs] náboženský; zbožný

relinquish [ri'liŋkwiš] **1** vzdát se čeho, opustit, zanechat **2** pustit, uvolnit

relish [reliš] *n* **1** (př)chuť of čeho **2** zalíbení **for** v, smysl pro **3** přísada; (*pikantní*) příloha ● *v* **1** ochutit **2** pochutnat si na **3** mít příchuť of čeho **4** (*přen.*) vychutnávat, mít radost z

reluctance [ri'laktəns] nechuť, neochota; váhání, zdráhání

reluctant [ri'laktənt] zdráhavý, váhavý, neochotný

rely [ri'lai] **1** spoléhat se **on** na, počítat s **2** opírat se **on** o

remain [ri'mein] *v* zůstat; zbýt ● *n pl* **~s 1** tělesné ostatky **2** zbytky, pozůstatky **3** literární pozůstalost

remainder [ri'meində] *n* zbytek ● *v* prodávat (*zbytek nákladu knihy*) za zlevněnou cenu

remand [ri'ma:nd] poslat (*obžalovaného*) zpět do vyšetřovací vazby

remark [ri'ma:k] *v* **1** poznamenat, podotknout **2** všimnout si, zpozorovat **3** dělat poznámky **on** o, komentovat, kritizovat co ● *n* **1** postřeh **2** poznámka **3** připomínka **4** komentář, kritika

remarkable [ri'ma:kəbl] zajímavý, pozoruhodný

remedy [remidi] *n* **1** lék **2** náprava ● *v* napravit

remember [ri'membə] **1** (za)pamatovat si, nezapomenout **2** vzpomenout si na; **~ me to him** pozdravujte ho ode mne **3** uvědomit si; **I ~ that** právě mě napadá, že **4** uchovat v paměti **5** dát spropitné komu

remembrance [ri'membrəns] **1** vzpomínka **2** památka; upomínka **of** na

remind [ri'maind] připomenout **sb.** komu **of** co; připomínat **of** co ♦ **that ~s me** což mi připomíná, abych nezapomněl

reminder [ri'maində] památka **of** na, připomínka čeho

reminiscence [remi'nisns] **1** vzpomínka **of** na **2** náznak, co něco připomíná

reminiscent [remi'nisnt] **1** vzpomínající **of** na **2** připomínající čeho

remission [ri'mišn] **1** prominutí **2** částečné prominutí, zmírnění (**of sentence** trestu)

remit [ri'mit] **(tt) 1** odpustit, prominout **2** polevit, být na ústupu **3** odsunout, odložit **4** postoupit (*jiné instanci k rozhodnutí*) **5** poukázat (*peníze*)

remittance [ri'mitns]
1 poukázaná částka 2 úhrada
3 poukázání (*peněz*)

remnant [remnənt] *n* zbytek
• *adj* zbývající

remonstrate [remənstreit]
1 protestovat **with** u koho,
against proti čemu 2 vyčítat,
vytýkat, předhazovat **with** komu

remorse [ri'mo:s] 1 výčitky
svědomí 2 soucit, slitování

remote [ri'məut] 1 odlehlý,
vzdálený 2 velice malý, slabý
3 zdrženlivý, nepřístupný
♦ **~ control** dálkové ovládání

removal [ri'mu:vl] 1 odstranění
2 přemístění, přestavení
3 propuštění, sesazení
4 stěhování; **~ van** stěhovací vůz

remove [ri'mu:v] 1 odstranit,
odklidit, (*též přen.*); zabít,
oddělat 2 sundat, svléknout,
zout 3 dát / postavit / pověsit **to**
na jiné místo, odnést 4 sesadit
(**from office** z funkce)
5 (pře)stěhovat (se); přeložit

remuneration [rimju:nə'reišn]
1 odměna 2 náhrada, úhrada

renaissance [ri'neisəns],
renascence [ri'næsns] renesance

render [rendə] 1 prokázat (**a ser-
vice** službu) 2 učinit jakým
3 přednést, provést 4 vyjádřit, po-
stihnout, zobrazit 5 předložit (**an
account** účet) 6 *GB* omítnout

render up vydat, obětovat

rendering [rendəriŋ] 1 převod,
překlad 2 umělecké podání,
interpretace 3 první / spodní
vrstva omítky
♦ **~ of account** vyúčtování

renew [ri'nju:] 1 obnovit 2 dát si
prodloužit (*legitimaci, výpůjčku*)

renewal [ri'nju:əl] 1 obnova
2 prodloužení (**of a passport**
pasu)

renounce [ri'nauns] 1 zříci se,
odřeknout se koho / čeho
2 přestat uznávat 3 vypovědět
(**a treaty** smlouvu)

renovation [renə'veišn] obnova,
restaurování, modernizace

rent [rent] *n* činže, nájemné
• *v* 1 najmout (si) 2 pronajmout

repair [ri'peə] *v* 1 opravit
2 napravit, odčinit • *n* oprava
♦ **in good ~** v dobrém stavu

repay* [ri'pei] 1 splatit; oplatit
2 odplatit **to** komu **for** co,
pomstít se za

repeal [ri'pi:l] *v* zrušit, odvolat
• *n* zrušení, odvolání

repeat [ri'pi:t] *v* 1 opakovat
2 (*pokrm*) jít zpátky, vracet se
• *n* 1 opakování 2 repríza
3 (*hud.*) repetice • *adj* opakovaný

repeatedly [ri'pi:tidli] opětovně,
několikrát

repel [ri'pel] (**ll**) 1 zapudit
2 odpuzovat 3 odrážet (*vlny*)
4 odmítnout 5 odolat (*pokušení*)

repellent [ri'pelənt] *adj* odpuzující
• *n* odpuzující prostředek,
repelent

repent [ri'pent] litovat **of** čeho,
cítit lítost nad

repentance [ri'pentəns] lítost

repertory [repətri] repertoár;
~ theatre divadlo hrající
repertoárovým systémem

repetition [repi'tišn] 1 opakování
2 repríza

replace [ri'pleis] 1 dát zpět
2 nahradit, vystřídat

reply [ri'plai] *v* odpovědět
• *n* odpověď

R

report [ri'po:t] v 1 (o)hlásit, oznámit; podat hlášení o; udat, žalovat na 2 udělat zápis o / z, referovat **on** o čem 3 dělat reportáž o 4 hlásit se **to** komu • n 1 řeč, pověst(i) 2 zápis, záznam, zpráva **on** o 3 referát 4 stížnost, hlášení 5 vysvědčení 6 rána, třesk, výstřel

reporter [ri'po:tə] n 1 zpravodaj, reportér 2 referent 3 hlasatel, komentátor

repose [ri'pəuz] v odpočívat
• n odpočinek

represent [repri'zent]
1 reprezentovat 2 představovat, znázorňovat 3 zastupovat

representation [reprizen'teišn]
1 reprezentace 2 představení, znázornění 3 interpretace; inscenace 4 zastoupení

representative [repri'zentətiv] n představitel, reprezentant, zástupce • adj 1 reprezentační 2 typický **of** pro

repress [ri'pres] potlačit

repression [ri'prešn] potlačení, přemáhání

reprieve [ri'pri:v] omilostnit, dát milost komu

reprimand [reprima:nd] n důtka, výtka • v ostře (po)kárat, udělit důtku komu

reprint [ri:'print] přetisk, dotisk; nové (nezměněné) vydání

reprisals [ri'praizlz] pl represálie

reproach [ri'prəuč] n 1 výtka, výčitka 2 (po)hana
• v 1 vyčítat, vytýkat sb. komu for co 2 (přátelsky) pokárat, vyplísnit for za

reproachful [ri'prəučful] vyčítavý; káravý

reproduce [ri:prə'dju:s]
1 reprodukovat, opakovat, napodobovat 2 kopírovat, množit 3 množit se, rozmnožovat se 4 znovu předvést; znovu inscenovat / vydat

reproduction [ri:prə'dakšn]
1 reprodukce 2 napodobenina; kopie

reprove [ri'pru:v] 1 pokárat 2 odsuzovat, kritizovat

reptile [reptail] plaz

republic [ri'pablik] republika

republican [ri'pablikən] adj republikánský • n republikán

repudiate [ri'pju:dieit] 1 odmítnout, popřít 2 zříci se

repugnance [ri'pagnəns] odpor

repulse [ri'pals] v 1 odrazit (**the enemy** nepřítele) 2 odmítnout
• n odmítnutí

repulsion [ri'palšn] odpor

repulsive [ri'palsiv] odporný

reputation [repju'teišn] 1 pověst, jméno, reputace 2 dobrá pověst, dobré jméno

request [ri'kwest] n žádost **for** o, prosba, přání, (zdvořilý) požadavek čeho; **at your ~** na vaši žádost; **by ~** na přání / žádost; **~ stop** zastávka na znamení
• v (po)žádat, poprosit koho

require [ri'kwaiə] 1 žádat, požadovat, vyžadovat, chtít **of** od 2 potřebovat 3 GB být zapotřebí, být nutný

requirement [ri'kwaiəmənt]
1 požadavek, nárok, podmínka 2 potřeba

requisition [rekwi'zišn] n
1 žádost **for** o, požadavek na 2 (úřední) výzva 3 nezbytnost

4 vymáhání, zabrání, rekvizice
● *v* rekvírovat, vymáhat, zabavit

rescue [reskju:] *v* zachránit **from**
před ● *n* záchrana
♦ **~ breathing** umělé dýchání;
come to the ~ přijít na pomoc;
~ party záchranná četa / výprava

research [ri'sə:č] *n* bádání,
zkoumání, výzkum ● *v* bádat,
dělat vědecký výzkum **into** čeho

researcher [ri‚sə:č'wə:kə],
research worker [ri‚sə:č'wə:kə]
výzkumník, badatel, vědecký
pracovník ve výzkumu

resemblance [ri'zembləns]
1 podoba, podobnost **to** s
2 vnější vzhled, postava

resemble [ri'zembl] podobat se
sb. komu

resent [ri'zent] nesnášet, cítit
odpor k, mít vztek na

resentment [ri'zentmənt] odpor,
nechuť **against** k, vztek **at** na

reservation [‚rezə'veišn]
1 výhrada **about** k **2** zamluvení,
rezervace; **make a ~** rezervovat
si **3** *US (indiánská)* rezervace

reserve [ri'zə:v] *v* **1** ponechat si,
dát stranou **2** rezervovat (si)
3 šetřit (si) **4** vyhradit (si) právo
for na ● *n* **1** záloha, rezerva;
keep in ~ mít v záloze **2** zásoba
3 náhrada; *(sport.)* náhradník
4 výhrada **5** opatrnost,
zdrženlivost, rezervovanost
6 (nature) ~ přírodní rezervace

reserved [ri'zə:vd] zdrženlivý,
chladný, rezervovaný

reside [ri'zaid] bydlit, sídlit

residence [rezidəns] **1** bydliště,
obydlí, sídlo **2** rezidence **3** pobyt

resident [rezidənt] *adj* usedlý,
(v místě) žijící; *bydlící v místě*

svého působení: sídelní,
domovní, domácí, školní,
ústavní, nemocniční
● *n* místní občan, usedlík

residential [‚rezi'denšl] obytný,
sídelní, bytový
♦ **~ district** vilová čtvrť

residue [rezidju:] **1** zbytek,
pozůstatek **2** usazenina, sedlina

resign [ri'zain] **1** vzdát se, odříci
se čeho **2** odstoupit, poděkovat
se, podat demisi, abdikovat,
rezignovat **3 ~ oneself** smířit se
to s čím

resignation [‚rezig'neišn]
1 odstoupení, demise, abdikace,
rezignace **2** odevzdanost v osud

resigned [ri'zaind] **1** odevzdaný,
rezignovaný **2** bývalý, mimo
službu, ve výslužbě

resist [ri'zist] **1** odrazit
2 vzdorovat, odolávat čemu
3 odporovat, postavit se na
odpor čemu **4** odepřít si, odříci
si, odpustit si

resistance [ri'zistəns] **1** odpor **to**
proti **2** stálost, pevnost **3** odboj

resolute [rezəlu:t] pevný,
rozhodný, odhodlaný,
cílevědomý, energický

resolution [‚rezə'lu:šn]
1 rozřešení, vyjasnění,
rozhodnutí **2** předsevzetí, pevné
odhodlání, odhodlanost
3 usnesení, prohlášení, rezoluce
♦ **adopt a ~** usnést se

resolve [ri'zolv] **1** rozpustit (se),
rozložit (se) *(na jednotlivé
složky)* **2** vyjasnit, vyřešit
3 rozhodnout se, předsevzít si
4 usnést se, odhlasovat

resonance [rezənəns]
1 rezonance **2** ozvuk, ozvěna

R

resort [ri'zo:t] *v* **1** uchýlit se **to**
k; sáhnout k po **2** chodívat
často, navštěvovat **3** být,
přebývat, zdržovat se
● *n* **1** jediná pomoc, východisko,
útočiště **2** letovisko ◆ **health ~**
lázně; **holiday ~** *1.* výletní mís-
to *2.* rekreační středisko; **winter
~** středisko zimních sportů

resource [ri'so:s / -'zo:s]
1 (*poslední*) útočiště, (*jediná*)
možnost **2** ~**s** *pl* zdroj(e),
prostředky **3** vynalézavost,
schopnost poradit si

resourceful [ri'zo:sful] vynalézavý

respect [ri'spekt] *n* **1** úcta **for** k,
respekt **před 2** zřetel, ohled **to**
na; **in ~ of**, **with ~ to** co se týká
čeho, pokud jde o co, stran
čeho; **in this ~** po této stránce,
z tohoto hlediska ● *v* **1** ctít
2 brát ohled na, respektovat

respectable [ri'spektəbl]
1 úctyhodný; slušný, pořádný
2 seriózní, solidní **3** korektní,
společensky únosný

respectful [ri'spektful] uctivý

respective [ri'spektiv] příslušný;
vlastní, osobní, individuální

respectively [ri'spektivli] v tomto
pořadí, a to

respiration [respi'reišn] dýchání,
vdech a výdech

respite [respait] **1** odklad
2 oddech; přestávka

respond [ri'spond] **1** odpovědět
to na **2** (za)reagovat **to** na (*zvl.
kladně*)

response [ri'spons] reakce **to** na;
odezva, ohlas

responsibility [ri,sponsə'biliti]
1 zodpovědnost; **on one's own ~**
na vlastní zodpovědnost / vrub
2 povinnost, závazek

responsible [ri'sponsəbl]
1 odpovědný **to** komu **for** za co
2 uvážlivý, rozvážný **3** závažný,
důležitý

responsive [ri'sponsiv] **1** vnímavý,
citlivý **to** na **2** kladně reagující
to na co, přístupný čemu

rest[1] [rest] *v* **1** odpočívat
2 spočívat **3** dát odpočinout
4 opřít **on / against** o **5** skončit
obhajobou / obžalobu
● *n* **1** odpočinek; **take a ~**
odpočinout si; **have a good ~**
dobře si odpočinout **2** podpěra
3 přestávka; pauza; pomlka

rest[2] [rest] *v* **1** zůstat, být i nadále
co / čím; ~ **assured** buďte ujiš-
těn **2** záležet **with** na, být na,
být v rukou koho ● *n* **1** ostatek,
zbytek; **for the ~ of his life** až
do smrti **2** to / ti ostatní

restaurant [restəront] restaurace

restless [restlis] nepokojný,
neklidný, roztěkaný, nervózní

restoration [restə'reišn]
1 opětovné zavedení, restaurace
2 obnovení **3** navrácení

restore [ri'sto:] **1** (na)vrátit
2 obnovit, znovu zavést, vzkřísit
3 opravit, renovovat, restaurovat

restrain [ri'strein] **1** překážet
from v, bránit čemu **2** krotit,
držet na uzdě, ovládat,
kontrolovat **3** omezit, snižovat

restraint [ri'streint] **1** omezení
upon čeho **2** zábrana, překážka
3 sebeovládání, zdrženlivost

restrict [ri'strikt] omezit **to** na

restriction [ri'strikšn] **1** omezení;
zákaz **2** zmenšení; restrikce
3 výhrada

result [ri'zalt] *n* **1** výsledek
2 následek **3** dobrý výsledek,
úspěch ◆ **in ~** následkem čehož
● *v* **1** vyplývat **from** z, být
následkem čeho **2** mít za
následek **in** co

resume [ri'zju:m] **1** znovu
zaujmout, vrátit se na / k **2** opět
začít, pokračovat v (*přerušeném*)
3 vzít zpět, opět odejmout

resurrection [rezə'rekšn]
zmrtvýchvstání, vzkříšení

retail *n* [ri:teil] maloobchod,
obchod v drobném ◆ *adj* [ri:teil]
v drobném, maloobchodní
● *v* [ri:'teil] **1** prodávat
v drobném **2** podrobně vyprávět

retailer [ri:teilə] maloobchodník

retain [ri'tein] **1** (po)držet (si), po-
nechat si **2** udržet, nepropouštět
3 najít si (*za honorář*)

retaliate [ri'tælieit] **1** oplatit
(*nepříjemné*) **against / on** komu
2 pomstít se **for** za
3 podniknout protiopatření

retaliation [ri,tæli'eišn] odplata,
odveta; represálie

retard [ri'ta:d] **1** zpomalovat,
zdržovat, brzdit **2** mít zdržení,
zpomalovat se

retardation [ri:ta:'deišn]
zpoždění, zpomalení

retell* [ri:'tel] znovu vyprávět,
převyprávět, opakovat

reticence [retisns] mlčenlivost,
zamlklost, nesdílnost

reticent [retisnt] mlčenlivý,
zamlklý, nemluvný

retire [ri'taiə] **1** odejít **2** odebrat
se do ústraní; odstoupit **3** jít
spát **4** odejít / poslat do
důchodu **5** stáhnout se, ustoupit

retired [ri'taiəd] ve výslužbě, na
penzi, v důchodu

retirement [ri'taiəmənt] **1** odchod
na odpočinek / do výslužby / do
důchodu **2** soukromí, ústraní

retract [ri'trækt] odvolat (*one's
opinion* svůj názor)

retreat [ri'tri:t] *v* ustoupit ● *n* ústup

retrench [ri'trenč] snížit výdaje

retrieve [ri'tri:v] **1** dostat zpět,
opět nabýt **2** zachránit **from** z
3 nahradit, odčinit **4** odstranit,
vyoperovat **5** (*pes*) aportovat
6 vyhledat (*informace*)

retrospective [retrə'spektiv]
vzpomínající na minulost,
vzpomínkový, retrospektivní

return [ri'tə:n] *v* **1** (na)vrátit (se)
2 (na)vrátit, dát zpět
3 odpovědět; opětovat **4** vynést,
dávat **5** (*porota*) vyhlásit
● *n* **1** návrat **2** výnos (**on an
investment** z investice) **3** ~**s** *pl*
výsledky; **election ~s** volební
výsledky ◆ ~ **of income** daňové
přiznání; **in ~ for** oplátkou za; **by
~ (of post)** obratem pošty; **many
happy ~s** všechno nejlepší k naro-
zeninám ● *adj* **1** zpáteční (**ticket**
lístek) **2** odvetný (**match** zápas)

reveal [ri'vi:l] **1** odhalit, odkrýt
2 prozradit, vyjevit

revealing [ri'vi:liŋ] **1** hluboce
dekoltovaný **2** přinášející
překvapivé / neznámé informace

revel [revl] (**ll**) kochat se **in** čím,
libovat si v

revelation [revə'leišn] **1** zjevení
2 odhalení, odkrytí, prozrazení
3 (*hovor.*) úplné zjevení, úplná
pohádka

revenge [ri'vendž] *n* pomsta; **take
~** pomstít se **on** komu **for** za co

R

• *v* **1** pomstít **2** ~ **oneself** pomstít se

revenue [revinju:] **1** příjem, důchod, výnos **2** státní / veřejný důchod

reverence [revrəns] úcta

reverend [revrənd] **1** ctihodný, velebný **2** duchovní, kněžský **3** R~ (dvoj)ctihodný (*titul anglikánských duchovních*)

♦ **R~ Mother** velebná matka (*představená kláštera*)

reverse [ri'və:s] *adj* **1** opačný, obrácený **2** zpáteční, zpětný **3** spodní, zadní, rubový

• *v* **1** obrátit, otočit na druhou stranu **2** přehodit, převrátit **3** zvrátit, zrušit

• *n* **1** (*pravý*) opak **2** nepříznivý obrat; nezdar; porážka **3** rub; revers (**of a coin** mince) **4** (*motor.*) zpáteční rychlost; (za)couvání

revert [ri'və:t] vrátit (se) **to** k

review [ri'vju:] *n* **1** přehlídka **2** přehled **3** recenze, referát **4** revue (*časopis, estráda*)

• *v* **1** přehlížet **2** revidovat **3** recenzovat

revise [ri'vaiz] **1** znovu prohlédnout, zrevidovat **2** opravit, přepracovat **3** opakovat si

revision [ri'vižn] **1** přezkoumání, přezkoušení, revize **2** korigování, změna **3** přepracované vydání

revival [ri'vaivl] obnovení, obroda

revive [ri'vaiv] **1** oživit, obnovit, vzkřísit **2** obživnout **3** znovu uvést

revoke [ri'vəuk] odvolat

revolt [ri'vəult] *v* **1** (vz)bouřit se, revoltovat **2** cítit odpor **against** k, bouřit se proti **3** pobuřovat,

vzbuzovat odpor v

• *n* **1** vzpoura, revolta **2** (*vnitřní*) odpor, nechuť

revolting [ri'vəultiŋ] odporný

revolution [revə'lu:šn] **1** otáčka, obrátka **2** oběžná doba; rotace **3** revoluce

revolutionary [revə'lu:šnəri] *adj* **1** revoluční **2** převratný

• *n* revolucionář

revolve [ri'volv] obíhat, kroužit **around** kolem, otáčet (se)

revolver [ri'volvə] (*bubínkový*) revolver

revue [ri'vju:] (*divadelní*) revue, show; kabaret

reward [ri'wo:d] *n* **1** odměna **2** odplata, náhrada, výdělek, prémie • *v* **1** odměnit (se) **2** vynahradit **for** co

rewarding [ri'wo:diŋ] **1** vděčný, uspokojivý **2** vyplácející se, užitečný; **be** ~ vyplatit se

rewind* [ri:'waind] přetočit, převinout (**the tape** pásek)

reword [ri:'wə:d] přeformulovat, přestylizovat

rewrite* [ri:'rait] přepsat

rhetorical [ri'torikl] **1** řečnický **2** pouze formální **3** krasomluvný, bombastický

rheumatism [ru:mətizm] revmatismus

Rhine [rain]: **the** ~ Rýn

rhino [rainəu], **rhinoceros** [rai'nosərəs] nosorožec

rhomboid [romboid] kosodélník

rhubarb [ru:ba:b] **1** rebarbora **2** (*div.*) hluk za scénou

rhyme [raim] *n* **1** rým **2** *též* ~**s** *pl* verše, říkanka

• *v* **1** rýmovat (se) **2** psát verše

rhythm [riðm] rytmus

rhythmic(al) [riðmik(l)] rytmický

rib [rib] žebro

ribald [ribəld] košilatý, lechtivý

ribbon [ribən] **1** stuha; páska; **typewriter ~** páska do psacího stroje **2 ~s** pl cáry, hadry, cancoury

rice [rais] rýže

rich [rič] **1** bohatý (**in** čím) **2** hojný, vydatný; (*pokrm*) hutný, těžký; (*maso*) tučný **3** okázalý, slavnostní **4** hustý, bujný

riches [ričiz] pl bohatství

rickets [rikits] křivice

rickety [rikiti] rachitický

ricochet [rikəšei] n odraz (*střely*) ♦ v (*střela*) odrazit se

rid* [rid] zbavit **of** čeho; **get ~ of** zbavit se čeho

riddle¹ [ridl] hádanka, rébus

riddle² [ridl] n řešeto, síto ♦ v **1** prosívat **2** (vy)třídit přes řešeto **3** prostřílet sth. co with čím, udělat řešeto z

ride* [raid] v **1** jet na koni **2** jet (**a bicycle** na kole, **in a train** ve vlaku, **in / on a bus** autobusem) ♦ n **1** jízda **2** vyjíždďka

rider [raidə] **1** jezdec; řidič **2** dodatek, doplněk

ridge [ridž] hřeben (*pohoří, střechy*)

ridicule [ridikju:l] v zesměšnit, posmívat se, karikovat ♦ n výsměch, posměch

ridiculous [ri'dikjuləs] směšný; absurdní ♦ **make ~** zesměšnit

riding [raidiŋ] jezdecký; **~ boots** pl jezdecké boty; **~ breeches** pl jezdecké kalhoty; **~ school** jízdárna

Riesling [ri:sliŋ / -z-] ryzlink

rifle [raifl] puška ♦ **~ green** olivově zelený

rifleman [raiflmæn] (*dobrý*) střelec

rift [rift] **1** trhlina **2** (*přen.*) rozpor, rozepře

rig [rig] n **1** výbava, výstroj **2** souprava, kompletní zařízení **3** (*hovor.*) oblečení, oděv ♦ v (**gg**) též **~ out / up** vybavit, vystrojit

rigging [rigiŋ] ráhnoví, oplachtování, takeláž

right [rait] adj **1** správný, vhodný, ten pravý **2** pravý; **on the ~ side** na pravé straně **3** spravedlivý, ryzí ♦ **be ~** mít pravdu, udělat správně; **go the ~ way about** it počínat si správně; **put ~** 1. seřídit (**a clock** hodiny) 2. opravit, napravit 3. (*přen.*) postavit na nohy koho ♦ adv **1** rovnou, zrovna, hned; **~ behind you** hned za tebou; **~ away / now** teď hned **2** správně, po právu; **it serves you ~** dobře ti tak **3** vpravo; **look ~** podívej se vpravo ♦ n **1** právo, nárok; **be in the ~** 1. být v právu 2. mít pravdu **2** pravice, pravá strana; **on your ~** po tvé pravé ruce **3 the R~** (*politická*) pravice ♦ v **1** napravit; narovnat, postavit **2** spravit, opravit **3** uvést do pořádku

right-angled [raitæŋgld] **1** pravoúhlý **2** kolmý

righteous [raičəs] **1** poctivý, řádný, počestný **2** spravedlivý (**anger** hněv)

rightful [raitful] **1** oprávněný, spravedlivý **2** legitimní, zákonitý **3** správný, vhodný, příslušný, patřičný

R

rightly [raitli] **1** dobře, správně **2** (plným) právem

rigid [ridžid] **1** tuhý, (*též přen.*) **2** neohebný, pevný; strnulý, nehybný **3** přísný, nekompromisní

rigorous [rigərəs] **1** přísný, nekompromisní, rigorózní **2** tvrdý, tuhý **3** přesný, úzkostlivý

rim [rim] **1** okraj, lem **2** rámeček, obruba (*brýlí*)

rind [raind] kůra; slupka

ring[1] [riŋ] **1** prsten **2** kroužek, kruh, kolečko **3** okruh **4** aréna; manéž; ring **5** hořák

ring[2] [riŋ] *n* zvonění, zazvonění; **give sb. a ~** zatelefonovat komu ● *v** **1** zvonit **2** znít

ring off zavěsit, skončit telefonní rozhovor

ring sb. up zatelefonovat komu

ring leader [riŋli:də] vůdce, hlava (*odpůrců*)

rink [riŋk] **1** kluziště **2** kuželkářská dráha

rinse [rins] **1** *též* **~ out** vypláchnout **2** vymáchat, propláchnout

riot [raiət] **1** srocení lidu, nepokoje, výtržnost(i) **2** hýření, orgie (*též přen.*)

riotous [raiətəs] **1** rozmařilý, prostopášný **2** výtržnický, neukázněný

rip [rip] (**pp**) **1** *též* **~ off** odtrhnout, vyškubnout **2** *též* **~ up** rozpárat; rozervat, vyrvat

ripe [raip] **1** zralý **2** uleželý

ripen [raipn] **1** (u)zrát **2** uležet se

ripple [ripl] *n* **1** vlnka, zčeření **2** měkký záhyb, zvlnění ● *v* **1** čeřit (se), vlnit (se) **2** perlit se, zašumět

rise* [raiz] *v* **1** vstát **2** stoupat; zvýšit se, stoupnout; (*nebeské*

těleso) vycházet **3** (*řeka*) pramenit; povstat, vzniknout **4** zvedat se, zvednout se; vystupovat **5** odměnit potleskem **to** co ● *n* **1** vyvýšenina **2** vzestup **3** stoupání **4** zvýšení **5** původ; vznik ♦ **~ to** – dostat přidáno; **give ~ to** dát vzniknout čemu, způsobit, vyvolat co

rising [raiziŋ] vzpoura, povstání

risk [risk] *n* riziko, nebezpečí ● *v* riskovat

risky [riski] riskantní, hazardní

rival [raivl] *n* soupeř, sok; konkurent ● *v* (**ll**) soupeřit s, konkurovat čemu

river [rivə] řeka

riverbed [rivəbed] řečiště

rivet [rivit] *n* nýt ● *v* (s)nýtovat

road [rəud] *n* **1** silnice **2** cesta **3** široká ulice, třída ♦ **~** – hog pirát silnic; **~man** cestář; **~ roller** parní válec

roadside [rəudsaid] okraj silnice; **on / near the ~** u silnice

roadway [rəudwei] vozovka

roam [rəum] *v* potulovat se, toulat se ● *n* toulka, procházka

roar [ro:] *n* **1** řev **2** burácení (**of laughter** smíchu) ● *v* řvát

roast [rəust] *v* péci (se), opékat (se); pražit ● *n* pečeně ● *adj* pečený

rob [rob] (**bb**) oloupit, vyloupit

robber [robə] lupič

robbery [robəri] loupež

robe [rəub] *n* **1** roucho **2** *též* **~s** *pl* hábit, talár **3** župan

robin [robin] *též* **~ redbreast** červenka

robust [rəu'bast] statný, robustní

rock[1] [rok] **1** skála **2** balvan,

valoun **3** *US* kámen, kamínek
4 (*tvrdý*) bonbón, špalek

rock² [rok] kolébat (se), houpat
(se); **~ the boat** (*přen.*) přivést
do riskantní situace

rockery [rokəri] skalka

rocket [rokit] *n* raketa

 • *v* prudce vyletět nahoru

rocky [roki] skalnatý ♦ **the R~
Mountains** Skalisté hory

rod [rod] **1** prut **2** výhonek,
šlahoun **3** hůl **4** rákoska, metla
5 tyč, lať

rodent [rəudənt] hlodavec

roe¹ [rəu] srnčí: srnec, srnka

 ♦ **~buck** srnec

roe² [rəu]: **hard ~** jikry; **soft ~**
mlíčí

rogue [rəug] **1** lotr, ničema, dare-
bák **2** šibal **3** zlý samec-samotář

role [rəul] (*herecká*) role, úloha

roll [rəul] *n* **1** svitek, role
2 listina, seznam, katalog **3** válec
4 rohlík, houska, žemle; ruláda,
závin **5** rolované maso, španěl-
ský ptáček **6** kolébání, houpání
7 burácení, dunění, rachot

 • *v* **1** valit (se) **2** válet (se);
překulit se **over** přes **3** svinout,
smotat, srolovat **4** kolébat se,
houpat se **5** vlnit se **6** burácet,
dunět, rachotit

roll in 1 hrnout se **2** (*hovor.*) jít
na kutě

roll up 1 hromadit se, vršit se
2 přihrnout se **3** vyhrnout,
vykasat **4** srolovat

rolled oats [rəuld'əuts] *pl* ovesné
vločky

roller [rəulə] válec

roller skates [rəuləskeits] *pl*
kolečkové brusle

rolling mill [rəuliŋmil] válcovna

rolling stock [rəuliŋstok]
železniční / vozový park

Roman [rəumən] *adj* římský; **~ let-
ters** antikva, latinka ● *n* Říman

romance [rə'mæns] *adj* romantic-
ký, dobrodružný, milostný ● *n*
1 romance; rytířský / dobrodruž-
ný / milostný román **2** milostný
příběh **3** láska, milostný vztah

romantic [rə'mæntik] *adj*
1 romantický **2** fantastický,
nerealistický

 • *n* **1** romantik **2** fantasta, snílek

Rome [rəum] Řím

romp [romp] skotačit

 ♦ **~ home** (*kůň*) snadno zvítězit

roof [ru:f] *n* střecha

 • *v* zastřešit, pokrýt střechou

rook¹ [ruk] havran

rook² [ruk] věž (*v šachu*)

room [ru:m] **1** místo **2** místnost,
pokoj **3 ~s** *pl* byt

roommate ['ru:m,meit]
spolubydlící

roomy [ru:mi] prostorný

roost [ru:st] *n* hřad

 • *v* hřadovat, vyletět na hřad

rooster [ru:stə] *US* kohout

root [ru:t] *n* **1** kořen; **take ~**
ujmout se **2** odmocnina

 • *v* **1** zasadit s kořeny, přepicho-
vat **2** zapustit kořeny, ujmout se

root out / up (*přen.*) vykořenit,
vyhladit, vymýtit

rope [rəup] *n* **1** lano; provaz; šňů-
ra (**of pearls** perel) **2** smyčka,
oprátka **3** pletenec **4** švihadlo

 • *v* **1** svázat lanem / provazem
2 táhnout na laně **3** *též* **~ off**
oddělit provazem a tak uzavřít
přístup do

rose [rəuz] **1** růže ♦ **~ hip** šípek
2 růžice, rozeta **3** kropáč (*konve*)

R

rosette [rəu'zet] kokarda, rozeta

rosin [rozin] *n* kalafuna
- *v* nakalafunovat

roster [rostə] **1** rozpis služeb
2 soupis, seznam

rostrum [rostrəm] řečnická tribuna, pódium, řečniště

rosy [rəuzi] **1** růžový, (*též přen.*)
2 červený jako růže **3** růžolící

rot [rot] *v* (**tt**) hnít • *n* **1** hniloba
2 (*hovor.*) kec, nesmysl

rotation [rəu'teišn] **1** otáčení, rotace **2** pravidelné střídání

rotten [rotn] **1** shnilý; prolezlý
with čím **2** (*hovor.*) mizerný, zatracený

rouble [ru:bl] rubl

rouge [ru:ž] rtěnka

rough [raf] **1** drsný, hrubý
2 neotesaný **3** divoký, rozervaný, pustý **4** přibližný
(**estimate** odhad)

roughage [rafidž] buničina, vláknina

roughcast [rafka:st] hrubá omítka

roughly [rafli] zhruba, přibližně;
~ **speaking** zhruba řečeno

R(o)umania [ru'meinjə] Rumunsko

R(o)umanian [ru'meinjən] *adj* rumunský
- *n* **1** Rumun **2** rumunština

round [raund] *adj* **1** okrouhlý, kulatý; kolový **2** okružní
3 zaokrouhlený • *n* **1** kruh, kolo **2** okrouhlý plátek, krajíc
3 okruh, obchůzka **4** salva, dávka **5** řada, série **6** návštěva, vizita (*lékařů*) **7** zadní kýta
- **make ~s** *1.* chodit po návštěvách *2.* roznášet zboží / poštu
- *adv* **1** *též* ~ **about** kolem, kolem dokola **2** asi, kolem, zhruba

3 všem popořadě, jednomu po druhém **4** někde, poblíž
- **all / right** ~ úplně; **all the year** ~ po celý rok; **ask sb.** ~ pozvat si koho k sobě; **go** ~ stačit pro všechny; **serve** ~ podávat každému; **show sb.** ~ provádět koho (kde); **turn** ~ otočit se
- *prep* kolem; ~ **the sun** kolem slunce; ~ **the corner** za rohem • *v*
1 zakulatit **2** našpulit (**the lips** rty) **3** zaokrouhlit **4** vést kolem

round off 1 zakulatit, zaoblit
2 završit, vhodně zakončit

round up shromáždit, sehnat dohromady

roundabout [raundəbaut] *adj* nepřímý, opisný; **in a ~ way** oklikou
- *n* **1** oklika **2** křižovatka s kruhovým objezdem **3** *GB* kolotoč

roundly [raundli] **1** pořádně, naplno, důkladně **2** nepokrytě, bez obalu

rouse [rauz] **1** vyplašit (*zvěř*)
2 zburcovat **3** vzrušat, stupňovat se **4** vyvolat, rozpoutat

route [ru:t] cesta, trať

routine [ru:'ti:n] *n* **1** obvyklá / běžná praxe **2** šablona, rutina
3 obvyklé číslo (*programu*)
4 taneční figura
- *adj* obvyklý, všední, rutinní

rove [rəuv] toulat se

row[1] [rəu] řada, řádka

row[2] [rəu] veslovat

row[3] [rau] (*hovor.*) rvačka, výtržnost; hádka

royal [roiəl] královský

royalty [roiəlti] **1** královská hodnost **2** členové královské rodiny **3** procento, tantiéma, autorský honorář

rub [rab] (**bb**) třít (se); mnout,

masírovat **2** dřít (se), odřít (se) **3** (vy)drbat; otřít, osušit
♦ **~ shoulders with** důvěrně se stýkat s

rub in 1 vetřít **2** stále připomínat, rozmazávat (*nepříjemné*)

rub off utřít, smazat

rub out vymazat, vygumovat

rubber [rabə] **1** kaučuk; pryž, guma **2** ~s *pl* = ~ **boots** *US* galoše

rubbish [rabiš] **1** odpadky, smetí **2** absurdní nápad, nesmysl, hlouposti

ruby [ru:bi] rubín

rucksack [raksæk] batoh

rudder [radə] kormidlo

rude [ru:d] **1** hrubý, drsný **2** nevzdělaný, nevychovaný **3** neslušný, sprostý, nestydatý

rudiments [ru:dimənts] *pl* základy

rueful [ru:ful] kajícný, žalostivý

ruffian [rafjən] rváč, násilník, surovec

ruffle [rafl] **1** (na)čepýřit; rozcuchat **2** zčeřit, rozvlnit **3** vyvést z klidu / míry

rug [rag] **1** vlněná pokrývka, houně, pléd **2** kobereček, předložka

rugby [ragbi], ~ **football** rugby

rugged [ragid] **1** hrbolatý **2** divoce rozeklaný **3** ostře řezaný **4** kostrbatý **5** hrubý, drsný **6** těžký, namáhavý **7** robustní, chlapský

ruin [ru:in] *n* **1** pád, zkáza, zánik, záhuba **2** zřícenina, rozvalina, troska; ~s *pl* zříceniny, ruiny ● *v* **1** zničit **2** zkrachovat, zruinovat **3** znetvořit, zohavit (*vzhled*)

rule [ru:l] *n* **1** pravidlo; zásada; **as a** ~ zpravidla **2** předpis, řád, směrnice **3** ~s *pl* pravidla, stanovy; **the** ~**s of the house**

domácí řád **4** zvyklost, obyčej **5** panování, vláda; nadvláda **6** pravítko **7** soudní výrok ♦ ~ **of thumb** čistě praktická zásada ● *v* **1** vládnout (**over**) komu / čemu, ovládat **2** vést, řídit **3** (*soud*) rozhodnout, nařídit **4** (na)linkovat

rule off oddělit linkou

rule out 1 vyloučit **2** znemožnit, zabránit čemu

ruler [ru:lə] **1** vládce, panovník **2** pravítko, měřítko

ruling [ru:liŋ] *n* **1** pravidlo, předpis **2** (*soudní*) výnos, rozhodnutí, nařízení ● *adj* **1** hlavní, rozhodující **2** panující, vládnoucí

rum [ram] rum

rumble [rambl] **1** dunět, hřmět **2** hrkotat **3** (*žaludek*) kručet

ruminate [ru:mineit] **1** přežvykovat **2** přemýšlet (**over** o)

rummage [ramidž] **1** (*důkladně*) prohledávat **through** co, probírat se čím **2** ~ **about** rozkrámovat, rozkramařit

rumour [ru:mə] *n* šeptanda, pověst ● *v* šířit zprávy, rozhlašovat

rump [ramp] zadek, kýta

rumple [rampl] **1** zmuchlat, zmačkat **2** rozcuchat

run [ran] *n* **1** běh; útěk **2** cesta, plavba **3** trať, trasa **4** stezka, pěšina **5** chod, běh (*stroje*) **6** sháňka, poptávka **on** po **7** tendence, móda ♦ **be on the** ~ *1.* být na útěku *2.* být stále na nohou / v jednom kole; **in the long** ~ nakonec, jak ukáže čas ● *v** **(nn) 1** běžet, utíkat; probíhat; ~ **a race** běžet závod **2** znít **(as follows** takto) **3** jet; přejet **over** koho; (*pravidelně*) jezdit;

plout; téci; vlévat se **into** do
4 vést, řídit; ~ **the house** starat se
o domácnost; ~ **the theatre** řídit
divadlo 5 *stávat se jakým:* ~ **dry**
vyschnout; ~ **short** zmenšit se;
~ **low** snížit se 6 narazit **into** do
7 jít do **(thousands** tisíců)
♦ ~ **a car into the garage**
zavézt vůz do garáže, **it ~s in
the family** je to v rodině;
~ **one's fingers through one's
hair** prohrábnout si vlasy rukou;
~ **one's head against a door**
narazit hlavou na dveře; ~ **a risk**
riskovat; **three times ~ning**
třikrát za sebou; ~ **(water into)
the bath** napustit vanu

run across setkat se náhodou
s kým

run away 1 utéci 2 nechat se
unést / strhnout **with** čím

run down 1 stékat po 2 uštvat;
dopadnout 3 kritizovat,
očerňovat 4 vyčerpat (se), vybít
(se) 5 srazit, porazit *(autem)*
6 objevit, najít 7 snížit,
redukovat

run off 1 utéci **with** s
2 vytisknout, okopírovat

run out 1 vyběhnout, vyplout;
vytéci 2 dojít, vyčerpat se;
vyčerpat **of** co, už nemít další co
3 skončit, vypršet

run through 1 dát zpracovat
(počítači) 2 utratit, promrhat
3 projít si, zběžně prohlédnout,
prolistovat

run up 1 vytáhnout, vztyčit
2 rychle vzrůst, prudce stoup-
nout 3 rychle ušít, spíchnout
4 zabřednout **against** do

rung [raŋ] příčel

runner [ranə] 1 běžec 2 pašerák
3 dostihový kůň 4 výhonek,
šlahoun

running [raniŋ] 1 drobný, běžný
(repairs údržba) 2 průběžný
3 plynulý 4 neustálý,
nepřestávající 5 běžící; tekoucí

runt [rant] 1 *(hanl.)* skrček,
záprtek 2 nedochůdče

runway [ranwei] rozjezdová /
přistávací dráha, ranvej

rupture [rapčə] 1 roztržka, rozkol
2 přetržení, přerušení 3 kýla

rural [ruərəl] venkovský, vesnický

rush [raš] v 1 hrnout se, hnát se
2 pobízet, honit, štvát 3 zrychlit,
urychlit ♦ ~ **things** ukvapit se
● n 1 ruch, spěch, kvalt 2 nával
3 shon, sháňka **for** po ♦ **the ~
hours** pl *(dopravní)* špička

Russia [rašə] Rusko

Russian [rašn] *adj* ruský
● n 1 Rus 2 ruština

rust [rast] *n* rez ● v rezivět

rustic [rastik] *n* venkovan
● *adj* 1 venkovský 2 bezelstný,
prostý 3 vyrobený z neopraco-
vaného dřeva; rustikovaný

rustle [rasl] *n* šelest, šumot
● v 1 šustit, šumět 2 *US* krást
dobytek / koně

rusty [rasti] 1 rezavý; zrezivělý
2 starý, sešlý

rut[1] [rat] *(vyjetá)* kolej; **get
into a** ~ vjet do starých /
vyjetých kolejí

rut[2] [rat] říje

ruthless [ru:θlis] nelítostný,
nemilosrdný, brutální

rye [rai] 1 žito 2 *US* žitná, režná
3 *US* žitný chleba

S

sable [seibl] sobol

sabotage [sæbəta:ž] *n* sabotáž
- *v* sabotovat

sabre [seibə] šavle

sacerdotal [sæsə'dəutl] kněžský, církevní

sack [sæk] *n* **1** pytel **2** *US* pytlík, sáček **3** (*hovor.*) vyhazov, padák (*výpověď*) • *v* vyhodit (*z práce*)

sacrament [sækrəmənt] svátost

sacred [seikrid] **1** posvátný; svatý **2** nedotknutelný, nezadatelný

sacrifice [sækrifais] *n* oběť
- *v* obětovat

sad [sæd] (**dd**) **1** smutný **2** zarmucující **3** melancholický

sadden [sædn] **1** zarmoutit **2** rmoutit se **at** nad

saddle [sædl] *n* **1** sedlo **2** hřbet
- *v* osedlat

safe [seif] *adj* **1** bezpečný **2** zachráněný **from** před **3** opatrný • *n* bezpečnostní schránka, trezor, sejf

safeguard [seifga:d] *n* záruka
- *v* **1** zabezpečit, zajistit **2** ochraňovat

safe-conduct [seif'kondakt] průvodní list, glejt, pas

safekeeping [seif'ki:piŋ] úschova

safety [seifti] **1** jistota, bezpečnost **2** pojistka (*střelné zbraně*)

safety belt [seiftibelt] bezpečnostní / upínací pás

safety pin [seiftipin] zavírací špendlík

safety razor [seiftireizə] holicí strojek (*mechanický*)

saffron [sæfrən] šafrán

sag [sæg] (**gg**) **1** prohýbat se, být uprostřed prohnutý **2** podklesávat

saga [sa:gə] sága

sagacious [sə'geišəs] bystrý, inteligentní

sagacity [sə'gæsiti] bystrost, inteligence

sage[1] [seidž] mudrc

sage[2] [seidž] šalvěj

sail [seil] *n* **1** plachta **2** plachetnice; loď **3** plavba
- *v* **1** plavit se, plout, vyplout, odplout **2** plachtit

sailor [seilə] námořník

saint [seint] světec, svatý

sake [seik]: **for the ~ of** kvůli; **for my ~** kvůli mně; **for goodness' ~** pro všechno na světě

salad [sæləd] salát; **~ days** zelené mládí

salary [sæləri] plat (*úředníka*)

sale [seil] **1** prodej; **for / on ~** na prodej; **have a large ~** jít na dračku **2** výprodej **3** **~s** *pl* tržba; obrat

salesman [seilzmən] **1** prodavač **2** obchodní cestující / zástupce

saliva [sə'laivə] slina

sallow [sæləu] nažloutlý, sinalý

salmon [sæmən] losos

saloon [sə'lu:n] **1** společenská místnost (*na lodi*); hotelová hala **2** limuzína **3** *US* hospoda (*na Divokém západě*)

salt [so:lt] *n* sůl • *adj* slaný
- *v* nasolit, nasolit, osolit

salt away / down (*hovor.*) ulít, dát stranou

salt cellar ['so:lt,selə] slánka

salt water ['sɔ:lt,wo:tə] (*ryba*) mořský

salty [so:lti] slaný

salutation [sælju'teiʃn] pozdrav

salute [sə'lu:t] *n* **1** pozdrav **2** salutování **3** salva
● *v* **1** (po)zdravit **2** (za)salutovat

salvage [sælvidž] *n* **1** záchrana (*lodi / ohroženého majetku*) **2** zachráněný náklad
● *v* zachránit (*loď / náklad*)

same [seim] stejný, tentýž; **~ again** repete; **at the ~ time** zároveň; **all the ~** přece jenom, stejně; **come to the ~ thing** vyjít nastejno; **it's the ~ to me** mně je to jedno

sample [sa:mpl] *n* **1** vzorek **2** (*přen.*) ukázka, příklad
● *v* okusit, ochutnat, (*též přen.*)

sanatorium [sænə'to:riəm] sanatorium

sanctimonious [sæŋkti'məunjəs] svatouškovský, pokrytecký

sanction [sæŋkʃn] *n* **1** sankce **2** svolení
● *v* dát svolení; schvalovat

sanctuary [sæŋkčuəri] **1** azyl **2** svatyně

sand [sænd] písek

sandal [sændl] sandál

sandbag [sændbæg] *n* pytel / pytlík s pískem
● *v* (**gg**) **1** obložit pytli s pískem **2** omráčit pytlíkem s pískem

sandstone [sænstəun] pískovec

sandwich [sændwidž] (*anglický*) obložený chléb, sendvič

sandy [sændi] **1** písčitý **2** pískové barvy

sane [sein] **1** duševně zdravý, normální **2** logický, rozumný

sanguinary [sæŋgwinəri]

1 krvavý **2** krvelačný, krvežíznivý **3** *GB* zpropadený

sanitary [sænitəri] zdravotní, zdravotnický, hygienický;
~ napkin *US* dámská vložka

sanitation [sæni'teiʃn] **1** asanace, hygiena **2** hygienická zařízení (*v budovách*)

sanity [sæniti] zdravý rozum, duševní zdraví

Santa Claus [sæntə'klo:z] Mikuláš; Ježíšek

sap[1] [sæp] míza

sap[2] [sæp] (**pp**) podkopat, (*též přen.*)

sapper [sæpə] zákopník; ženista

sapphire [sæfaiə] safír

sarcastic [sa:'kæstik] jízlivý, uštěpačný, sarkastický

sardine [sa'di:n] **1** sardinka **2** olejovka

sash [sæš] šerpa

sash window ['sæš,windəu] padací / vysouvací / spouštěcí okno

satchel [sæčl] **1** kabela (*přes rameno*) **2** (*školní*) brašna, aktovka

satellite [sætəlait] **1** družice **2** satelit

satiate [seiʃieit] nasytit

satin [sætin] satén, atlas

satire [sætaiə] **1** satira **2** výsměch **upon** čemu

satirical [sə'tirikl] satirický

satirist [sætirist] satirik

satisfaction [sætis'fækʃn] uspokojení; spokojenost

satisfactory [sætis'fæktəri] uspokojivý; dostatečný

satisfy [sætisfai] **1** uspokojit **2** ukojit, nasytit **3** přesvědčit, ujistit; **be satisfied that** dojít k závěru / být přesvědčen, že

saturate [sæčəreit] **1** úplně

namočit, impregnovat **with** čím
2 nasytit, saturovat

Saturday [sætədi] sobota

satyr [sætə] 1 satyr 2 velmi
smyslný člověk

sauce [so:s] 1 omáčka 2 *US*
kompot 3 (*přen.*) koření
4 drzost, hubatost

saucepan [so:spæn] hluboká
pánev, hrnec s držadlem

saucer [so:sə] talířek, podšálek;
flying ~ létající talíř

saucy [so:si] drzý, hubatý

sauerkraut [sauəkraut] kyselé zelí

saunter [so:ntə] procházet se,
potloukat se

sausage [sosidž] 1 salám
2 klobása

savage [sævidž] *adj* 1 divoký,
necivilizovaný 2 primitivní,
barbarský 3 divošský 4 zuřivý,
zarytý 5 surový, brutální
● *n* 1 divoch 2 necivilizovaný
domorodec, barbar

save[1] [seiv] 1 zachránit **from**
před / od 2 šetřit, spořit
3 ušetřit 4 nezmeškat, chytit

save[2] [seiv] kromě, mimo,
s výjimkou, až na

savings [seivigz] *pl* úspory;
~ bank spořitelna

saviour [seivjə] zachránce; **the S~**
Spasitel, Vykupitel

savour [seivə] *n* (*lahodná*) chuť,
příchuť; pikantnost ● *v*
1 chutnat, lahodit 2 pochutnat
si na 3 mít příchuť *of* čeho

saw [so:] *n* pila ● *v** řezat (*pilou*)

sawbuck [so:bak] *US* 1 koza (*na
řezání dříví*) 2 (*slang.*)
desetidolarová bankovka

sawdust [so:dast] piliny

sawmill [so:mil] pila (*závod*)

Saxon [sæksn] *n* Sas ● *adj* saský

saxophone [sæksəfaun] saxofon

say* [sei] 1 říci, říkat 2 povědět,
promluvit *of* / **about** o 3 (*text*)
znít ◆ **the sign said** na tabuli
stálo; **that is to ~** to jest; **go
without ~ing** rozumět se samo
sebou; **they ~, it is said** prý;
**I wouldn't ~ no to a glass of
beer** dal bych si říci na sklenici
piva; **you don't ~ so!** neříkejte!;
to ~ nothing of nemluvě o

saying [seiig] 1 úsloví, pořekadlo
2 slavný výrok, aforismus

scab [skæb] 1 strup 2 svrab,
prašivina 3 (*hovor.*) stávkokaz

scabies [skeibi:z] svrab, prašivina

scaffold [skæfəld] 1 lešení
2 popravní lešení; poprava
3 tribuna, pódium 4 konstrukce,
kostra

scaffolding [skæfəldiŋ] 1 stavební
lešení 2 = **scaffold 3, 4**

scald [sko:ld] 1 opařit 2 uvařit
v páře 3 zahřát pod bod varu
(*mléko*)

scale[1] [skeil] 1 šupina 2 slupka,
tenká kůra 3 střenka (*nože*)

scale[2] [skeil] *n* miska (*vah*); **~s** *pl*,
sg váhy ● *v* vážit se

scale[3] [skeil] *n* 1 stupnice, škála
2 měřítko; **on a large ~** ve
velkém měřítku
● *v* 1 zlézt, přelézt, vyšplhat se
po žebříku 2 zmenšit / zvětšit
(*v určitém měřítku*)

scalp [skælp] kůže na temeni
hlavy, skalp

scan [skæn] (**nn**) 1 prozkoumat
2 snímat 3 prohlížet, prohlédá-
vat (*data*) 4 přelétnout očima
5 (*verš*) mít správný rytmus

scandal [skændl] 1 hanba,

S

ostuda, skandál **2** pomluva
3 pohoršení, rozhořčení

scandalous [skændələs]
1 skandální, ostudný **2** budící
pohoršení

Scandinavian [skændi'neiviən]
skandinávský ♦ *n* Skandinávec

scanty [skænti] **1** skrovný, sotva
dostačující **2** malý, těsný

scapegoat [skeipgəut] obětní
beránek

scar [ska:] jizva

scarce [skeəs] **1** vyskytující se
v malém počtu, omezený,
nedostačující **2** vzácný, řídký,
nevšední; **make oneself ~**
(*hovor.*) ztratit se, vytratit se

scarcely [skeəsli] **1** sotva, stěží,
ani ne **2** ...**when ~** jen,
sotva ... (už)

scarcity [skeəsiti] **1** malý počet,
malé množství **2** nedostatek,
nouze **3** vzácnost, řídký výskyt

scare [skeə] *v* **1** poděsit, vystrašit
2 zaplašit
♦ *n* **1** hrůza, poděšení **2** panika

scarecrow [skeəkrau] strašák,
hastroš

scarf [ska:f] šátek, šála

scarlet [ska:lit] **1** šarlat
2 (*kardinálský*) purpur
♦ *adj* šarlatový ♦ **~ admiral**
babočka admirál; **~ fever** spála

scat [skæt] *zpívání džezové
melodie na slabiky bez určitého
významu*

scatter [skætə] **1** rozhazovat, roz-
sypávat, roztrousit **2** rozprášit,
rozehnat **3** rozptýlit se

scavenger [skævindžə] metař

scenario [si'na:riəu] scénář

scene [si:n] **1** scéna; **make a ~**
udělat scénu **2** místo děje / činu
3 dekorace, jevištní výprava
♦ **behind the ~s** *v zákulisí*; **steal
the ~** strhnout na sebe pozornost

scenery [si:nəri] **1** dekorace, vý-
prava **2** scenérie; krajina, příroda

scenic [si:nik] **1** jevištní,
scénický, divadelní **2** přírodní,
krajinný; malebný **3** epický
4 *US* vyhlídkový

scent [sent] *v* **1** cítit, čichat
2 větřit, pátrat čichem **after** po
3 (*přen.*) tušit, předvídat
4 navonět; být cítit **of** čím
♦ *n* **1** vůně, pach, zápach
2 čich **3** stopa (*vnímaná
čichem*) **4** známka, náznak
5 voňavka, parfém

sceptic [skeptik] skeptik

sceptre [septə] žezlo

schedule [šedju:l] *n* **1** seznam,
soupis **2** rozvrh, harmonogram
3 *US* jízdní / letový / plavební řád
4 blanket, formulář ♦ **produc-
tion ~** výrobní harmonogram ♦ *v*
1 udělat seznam čeho **2** zavést
do jízdního řádu **3** (na)plánovat

scheme [ski:m] *n* **1** plán, návrh,
projekt **2** intrika, pleticha, ma-
chinace, úsok **3** iluzorní nápad,
fantazie **4** nárys, plán, schéma
♦ *v* **1** *též* **~ out** navrhnout, vymys-
lit **2** intrikovat **3** (*systematicky*)
uspořádat, seřadit

schism [sizm] rozkol, schisma

scholar [skolə] **1** učenec, vědec,
odborník **2** (*hovor.*) školák, žák,
student **3** stipendista

scholarship [skoləšip] **1** nadace,
stipendium **2** učenost, odborné
vzdělání **3** bádání, věda

school[1] [sku:l] hejno (*ryb*)

school[2] [sku:l] *n* **1** škola
2 vyučování **3** učiliště, ústav,

institut **4** třída **5** fakulta **6** *US* univerzita, kolej **7** *GB* zkušební místnost ♦ **national ~** *GB* základní škola; **~ of printing** grafická škola; **technical ~** průmyslovka
● *v* **1** chodit do školy **2** (vy)školit, vzdělat **3** naučit **in** čemu **4** cvičit, drezírovat

schooldays [sku:ldeiz] *pl*
1 školní léta **2** *(přen.)* mládí

schoolboy [sku:lboi] školák

schoolgirl [sku:lgə:l] školačka

schoolhouse [sku:lhaus] **1** školní budova **2** *GB* obytný dům ředitele školy **3** hlavní budova *public school*

schoolmaster [ˈsku:lˌmɑːstə]
1 ředitel školy **2** učitel

schoolteacher [ˈsku:lˌtiːčə] učitel *(základní školy)*

schooner [sku:nə] **1** škuner **2** *GB* velká sklenka *(na sherry)* **3** *US* vysoká sklenice, pohár *(na pivo)*

sciatica [saiˈætikə] ischias

science [saiəns] **1** věda **2** *též* **natural ~** přírodní věda / vědy **3** vědní obor, vědecká disciplína **4** ovládání, odborná znalost **of** čeho

science fiction [saiənsˈfikšən] vědecko-fantastické romány / filmy, sci-fi

scientific [saiənˈtifik]
1 přírodovědecký **2** vědecký **3** exaktní, racionální **4** *(přen.)* odborný, odborně prováděný; pracující vědecky

scintillate [sintileit] **1** jiskřit, třpytit se **2** *(přen.)* sršet dřím

scion [saiən] **1** odnož, výhonek; roub **2** *(přen.)* potomek, odnož

scissors [sizəz] **1** nůžky **2** kleštičky

scissors-and-paste [sizəzənˈpeist] kompilační

scoff [skof] *n* **1** posměch **2** terč posměchu
● *v* posmívat se **(at)** sb. komu

scold [skəuld] *v* spílat, nadávat **(at)** sb. komu ● *n* kdo spílá, grobián

scone [skon / skəun] malý bochánek *(se sušeným ovocem)*

scoop [sku:p] *n* **1** naberák, sběračka **2** *(hluboká)* lopata **3** *(zmrzlinářská)* lžíce **4** nabrání **5** *(slang.)* výhradní / úplně první zpráva ● *v* **1** *též* **~ up** nabrat, vybrat **2** *též* **~ out** vybrat, vydloubnout **3** *(hovor.)* předhonit

scooter [sku:tə] **1** koloběžka **2** skútr

scope [skəup] **1** pole, oblast, sféra *(působnosti)* **2** rozhled, *(duševní)* obzor **3** volný prostor **4** rozsah, šíře

scorch [sko:č] **1** ožehnout **2** připálit (se), spálit (se) **3** vypražit **4** zdeptat, setřít *(kritikou)*

scorching [sko:čiŋ] **1** vše spalující, parný **2** jedovatý, sžíravý

score [sko:] *n* **1** stav *(utkání)*, skóre **2** partitura, notový zápis; filmová hudba **3** účet, *(též přen.)*, útrata **4** důvod **5** zářez, rýha **6** *(nepříjemná)* situace ♦ **full ~** velká partitura; **vocal ~** klavírní výtah ● *v* **1** získat / připsat body, dát gól, skórovat **2** zapisovat *(hru)* **3** vyhrát **over** nad **5** instrumentovat, aranžovat pro orchestr; zapsat v notách **6** udělat rýhu / rýhy ♦ **~ a hit** zasáhnout cíl; **~ a victory** vyhrát

score off 1 vyškrtnout **2** *(hovor.)* setřít, odrovnat

S

score up 1 poznamenat jako dluh
2 (*přen.*) pamatovat si **sth.** co
against na

scores [sko:z] spousta (**of people**
lidí)

scoring [sko:riŋ] 1 instrumentace
2 rýhy, škrábance

scorn [sko:n] *n* 1 opovržení, po-
hrdání, neúcta 2 posměch; terč
posměchu • *v* 1 pohrdat, opovr-
hovat kým / čím 2 pokládat pod
svou důstojnost **to do** dělat

scornful [sko:nful] opovržlivý,
pohrdavý

Scot [skot] Skot

Scotch [skoč] *adj* skotský
• *n* 1 **the ~** Skotové 2 skotská
angličtina 3 skotská whisky

Scotchman [skočmən] Skot

Scotland [skotlənd] Skotsko

Scotsman [skotsmən] Skot

Scottish [skotiš] skotský

scoundrel [skaundrəl] darebák,
ničema

scour [skauə] drhnout

scourge [skə:dž] bič, metla (*přen.*)

scout [skaut] 1 zvěd, průzkumník
2 hledač talentů 3 **Boy S~** skaut

scowl [skaul] (za)mračit se,
(za)kabonit se **at** na

scramble [skræmbl] *v* 1 škrábat
se, drát se, tlačit se 2 prát se
for o; honit se za 3 utajit
kódováním, zakódovat
• **~d eggs** míchaná vejce
• *n* 1 strkání, tahanice, boj **for**
o, honba za 2 honička, zmatek
3 terénní závod (*motocyklů*)

scrap [skræp] *n* 1 kousek, útržek
2 cár 3 veteš; staré železo; **~ iron**
železný šrot 4 **~s** *pl* zbytky
• *v* (**pp**) 1 dát do starého železa

2 (*přen.*) hodit přes palubu,
odepsat

scrapbook [skræpbuk] sešit
výstřižků

scrape [skreip] 1 oškrábat,
vyškrábat; odřít 2 letět těsně
over nad 3 prolézt **through** čím

scraper [skreipə] 1 škrabka
2 stěrka, lízátko (*hovor.*)

scratch [skræč] *v* 1 škrábnout,
škrábat (si); načmárat
2 přeškrtnout; vymazat; zrušit
3 sehnat, dát dohromady
4 stáhnout, odvolat (*z dostihu*)
• **~ the surface** pouze se
dotknout
• *n* 1 škrábnutí 2 drápanice,
škrábanice 3 startovní čára
4 nic, nula; **start from ~** začít
od začátku / z ničeho • *adj*
1 náhodný, bezděčný 2 náhodně
sestavený, improvizovaný

scrawl [skro:l] *v* (na)čmárat,
(na)drápat • *n* čmáranice,
mazanice, klikyháky

scream [skri:m] *v* 1 křičet, ječet,
pištět, vřeštět 2 (*vítr*) výt, skučet
• *n* 1 výkřik, jekot 2 (*hovor.*)
s kým je velká legrace; co je
k popukání

screen [skri:n] *n* 1 zástěna, plenta,
paraván 2 (*přen.*) pláštík, krycí
manévr, maska 3 promítací
plátno; obrazovka 4 clona
• *v* 1 (za)clonit 2 chránit, krýt
3 prosévat 4 kádrovat
5 promítat na plátno

screw [skru:] *n* 1 šroub 2 šnek
3 spirála 4 (*vulg.*) šoustačka • *v*
1 šroubovat; **~ up one's courage**
dodat si odvahy 2 šetřit, škudlit
3 přimhouřit 4 (*vulg.*) šoustat

screwdriver ['skru:ˌdraivə] šroubovák

screw top [skru:'top] šroubovací víčko

screwy [skru:i] (*hovor.*) bláznivý

scribble [skribl] *v* **1** čmárat **2** psát rychle / nečitelně • *n* **1** čmáranice **2** nečitelný rukopis

script [skript] **1** tištěné psací písmo **2** rukopis **3** text divadelní hry; scénář

Scripture [skripčə] Písmo (*bible*)

scroll [skrəul] *n* **1** svitek **2** závitnice, spirála • *v* svinout se

scroll down / up přetáčet / posouvat dolů / nahoru (*na monitoru*)

scrub [skrab] (**bb**) **1** drhnout (*kartáčem*) **2** (*chirurg*) mýt si ruce a předloktí (*před operací*) **3** (*hovor.*) dřít se, lopotit se

scruffy [skrafi] ubohý, špinavý, ošuntělý

scruple [skru:pl] *n* **1** zábrana, rozpaky **2** pochybnost, výčitka; svědomí, skrupule • *v* rozpakovat se, váhat

scrupulous [skru:pjuləs] svědomitý, úzkostlivý, skrupulózní

scrutiny [skru:tini] **1** podrobné prozkoumání **2** podrobná prohlídka **3** dohled, kontrola **4** zkoumavý pohled

scuffle [skafl] *v* rvát se **2** odflinknout práci • *n* rvačka

scull [skal] veslo

scullery [skaləri] kuchyňská umývárna, přípravná komora (*při kuchyni*)

sculptor [skalptə] sochař

sculpture [skalpčə] **1** socha, sousoší **2** skulptura, plastika

scum [skam] **1** (*nečistá*) pěna,

povlak **2** (*přen.*) bahno, spodina; vyvrhel

scurf [skə:f] lupy

scurvy [skə:vi] kurděje

scuttle [skatl] **1** ošatka **2** násypka, kbelík (*na uhlí*)

scythe [saið] kosa

sea [si:] moře
♦ **at ~** *1.* na moři *2.* v nejistotě, zmaten, bezradný; **be at ~** (*přen.*) tápat / tonout v nejistotě; **by the ~** *1.* po moři, lodí *2.* na mořském pobřeží; **go to ~** stát se námořníkem; **put to ~** vyplout na moře

seaboard [si:bo:d], **seacoast** [si:kəust] mořské pobřeží

sea gull [si:gal] racek mořský

seal[1] [si:l] tuleň

seal[2] [si:l] *n* **1** pečeť **2** úřední razítko **3** zálepka **4** hermetický uzávěr **5** plomba • *v* **1** opatřit pečetí **2** zapečetit **3** (*za*)plombovat **4** zalepit (*obálku / pneumatiku*)

seal off uzavřít, odříznout

seam [si:m] **1** šev **2** spára **3** lem, obruba **4** (*uhelná*) sloj
♦ **come apart at the ~s** *1.* párat se ve švech *2.* hroutit se, být úplně v háji

seaman [si:mən] námořník

seamstress [si:mstris] švadlena

seaplane [si:plein] hydroplán

sear [siə] **1** popálit, ožehnout **2** (*med.*) (po)leptat, kauterizovat

search [sə:č] *v* **1** hledat **for** koho / co, pátrat po **2** prohledávat, perlustrovat **3** podrobně zkoumat **into** co, bádat v
♦ **S~ me!** Vím já?, Nevím!
• *n* **1** hledání **for** koho / čeho, pátrání po **2** důkladná prohlídka **3** prohledávání **4** průzkum, rešerše

searchlight [sə:člait] světlomet, reflektor

seashore [si:šo:] mořský břeh

seasick [si:sik]: **be ~** mít mořskou nemoc

seaside [si:said] mořské pobřeží; **at the ~** u moře

season [si:zn] *n* roční doba; sézóna ● *v* okořenit (*zvl.* solí, pepřem *apod.*)

seasoned [si:znd] **1** zkušený; vyzrálý; otužilý **2** kořeněný

season-ticket [si:zn,tikit] předplatní lístek, legitimace

seat [si:t] *n* **1** sedadlo **2** sídlo **3** místo k sezení **4** sídlo, ohnisko, ložisko; střed, středisko ♦ **all ~s sold** vyprodáno; **by the ~ of one's pants** (*hovor.*) podle praktických zkušeností; **take a ~** posadit se ● *v* **1** posadit (**oneself** se) **2** usadit **3** pojmout

seaworthy [si:wə:ði] plavbyschopný

second [seknd] *adj* **1** druhý; **on ~ thoughts** když tak o tom přemýšlím, po rozvážení **2** další; druhořadý **3** vteřinový, sekundový ♦ **~ run** obnovená premiéra (*filmu*) ● *n* **1** vteřina, sekunda **2** sekundant ● *v* **1** podporovat **2** [si'kond] dočasně přeložit

secondary [sekəndəri] **1** druhotný **2** druhořadý **3** odvozený ♦ **be ~ to** (*přen.*) ustupovat před, být podřízen čemu; **~ occupation** vedlejší zaměstnání; **~ school** škola druhého stupně

second-hand [seknd'hænd] použitý, obnošený; antikvární; ojetý

second-rate [seknd'reit] podřadný

seconds [sekndz] *pl* (*hovor.*) nášup

secrecy [si:krisi] **1** utajení **2** tajnost **3** tajnůstkářství **4** mlčenlivost, diskrétnost

secret [si:krit] *adj* **1** tajný; **keep sth. ~ from** tajit co před kým **2** vnitřní, skrytý ● *n* **1** tajemství; **make no ~ of** netajit se s **2** (*přen.*) tajemství **of** čeho, klíč k

secretariat [sekrə'teəriət] sekretariát

secretary [sekrətri] **1** tajemník **2** ministr; **S~ of State** *GB* ministr; *US* ministerský předseda a ministr zahraničí

sect [sekt] sekta

section [sekšn] **1** řez **2** díl, kus **3** úsek, oblast, část **4** oddíl, odstavec **5** skupina, vrstva, třída **6** sekce, oddělení **7** (*voj.*) četa, družstvo

sector [sektə] **1** výseč **2** odvětví, sektor

secular [sekjulə] **1** světský, profánní **2** sekulární (*nikoliv řádový*) **3** hlásající sekularismus

secure [si'kjuə] *adj* **1** jistý **2** bezpečný, chráněný **against / from** před **3** zajištěný, solidní **4** upevněný, přivázaný ● *v* **1** zabezpečit, zajistit **2** upevnit, přivázat **3** zajistit (si), obstarat (si)

security [si'kjuəriti] **1** bezpečnost, jistota; **the S~ Council** Rada bezpečnosti **2** pevnost, spolehlivost **3** záruka, kauce **4 securities** *pl* cenné papíry **5** zpravodajská služba, kontrarozvědka

sedentary [sedntəri] **1** sedící; sedavý; **~ occupation** sedavé zaměstnání **2** usedlý, usazený

sediment [sedimənt] usazenina, sediment

sedition [si'dišn] pobuřování (*proti státu*)

seduce [si'dju:s] **1** svést, svádět **2** oklamat, obloudit **3** (*přen.*) vzbudit, vyčarovat

see* [si:] **1** vidět; ~ **through sb.** vidět do koho **2** pochopit; ~ **the joke** rozumět vtipu; **I** ~ aha, ach tak, už chápu; **you** ~ víte **3** navštívit; ~ **sb. on business** navštívit koho služebně; ~ **a doctor** jít k lékaři **4** přijmout; **he can** ~ **you in five minutes** může vás přijmout za pět minut **5** doprovodit (**home** domů) **6** dohlédnout **about / to** na, zařídit, aby **7** přezkoumat, vyšetřit **into** co ♦ ~ **for oneself** sám se přesvědčit; ~ **oneself** *1.* představit si sebe představit *2.* pokládat se za jakého (**I** ~ **myself obliged** cítím se zavázán) *3.* vidět se **in** v; **I'll be** ~**ing you later** na shledanou; **let me** ~ okamžik, moment; ~ **service** *1.* (*člověk*) být zkušený *2.* (*věc*) být obnovený; ~ **the sights** prohlédnout si pamětihodnosti

see off 1 doprovodit na nádraží / letiště **2** do přístavu **2** vypravit

see out 1 vydržet až do konce **2** dožít, přežít **3** vyprovodit až ke dveřím / před dům

see through dovést / podporovat až do konce

seed [si:d] *n* **1** semeno **2** sperma **3** vylosovaný / nasazený hráč, favorit ● *v* **1** zrát na semeno **2** zbavit semínek / jader **3** *nasadit soupeře tak, aby se favorité utkali až v posledním kole turnaje*

seedy [si:di] (*hovor.*) **1** nesvůj, šoufl **2** ošumělý, šupácký

seek* [si:k] **1** hledat; vyhledávat **2** usilovat o, snažit se o

seek out 1 vyhledat, najít si **2** sledovat s velkým zájmem

seem [si:m] zdát se, připadat

seeming [si:miŋ] *n* zdání ● *adj* zdánlivý, domnělý

seep [si:p] pronikat, prosakovat

seesaw [si:so:] *n* houpačka (*podepřené prkno*) ● *v* kolísat

seethe [si:ð] vřít, kypět

seize [si:z] **1** chytit (*náhle / pevně*), uchopit; chopit se čeho **2** uchvátit, dobýt, zmocnit se čeho **3** zabavit **4** pochopit

seizure [si:žə] **1** konfiskace **2** (*med.*) záchvat

seldom [seldəm] zřídka(kdy)

select [si'lekt] *adj* **1** vybraný **2** výlučný, exkluzívní **3** vybíravý ● *v* vybrat (si)

selection [si'lekšn] výběr

self [self] „já"; **your better** ~ tvoje lepší „já"

self- [self] *předpona* samo-, sebe-

self-confidence [self'konfidns] sebedůvěra

self-conscious [self'konšəs] zaražený, nesvůj, v rozpacích

self-contained [selfkən'teind] **1** uzavřený, nesdílný **2** (*byt*) pod jedním uzavřením

self-control [selfkən'trəul] sebeovládání

self-defence [selfdi'fens] sebeobrana

self-determination [selfditə:mi'neišn] sebeurčení

self-government [self'gavnmənt] **1** sebeovládání **2** samospráva

selfish [selfiš] sobecký; egoistický

S

self-opinionated [selfə'pinjəneitid]
samolibý, domýšlivý, tvrdohlavý
self-possession [selfpə'zešn]
1 klid, sebeovládání
2 duchapřítomnost
self-preservation [selfprezə'veišn]
sebezáchova
self-respect [selfri'spekt] sebeúcta
self-satisfaction [selfsætis'fækšn]
sebeuspokojení, samolibost
self-service [self'sə:vis]
samoobsluha
sell* [sel] **1** prodávat, prodat **for**
za / po **2** být na prodej, prodávat
se **at** po; jít na odbyt **3** zaprodat
4 podvést, napálit **5** získat **on** pro
♦ **~ sb. down the river** zradit,
podvést koho
sell off rozprodat (*za sníženou
cenu*)
sell out 1 vyprodat **2** *US*
zaprodat, zradit
sell up 1 prodat celý svůj
majetek **2** (*věřitel*) zabavit a
prodat majetek (*dlužníkovi*)
seller [selə] **1** prodávající **2** zboží
jdoucí na odbyt, (*obchodní*) šlágr
semicircle [semisə:kl] půlkruh
semicolon [semi'kəulən] středník
semiconductor [semikən'daktə]
polovodič
semidetached [semidi'tætʃt] **house**
polovina dvojdomku
semifinal [semi'fainl] semifinále
seminary [seminəri] (*kněžský*)
seminář
Semitic [si'mitik] semitský
semolina [semə'li:nə] krupice;
~ pudding krupicová kaše
senate [senit] senát
senator [senitə] senátor
send* [send] **1** poslat **for** pro

2 přivést do nějakého stavu;
přimět, způsobit
send forth 1 vyrážet, nasazovat
(*leaves* listy) **2** vysílat, vyzařovat
send in 1 poslat (*jako jeden
z mnohých*) **2** poslat na hřiště
send off 1 odeslat, rozeslat
2 vyprovodit (*při odjezdu*)
send on 1 poslat napřed **2** doslat
na novou adresu
send round dát kolovat
send up 1 poslat nahoru
2 vystřelit, vypustit nahoru
3 (*hovor.*) parodovat
sender [sendə] **1** odesílatel
2 vysílač(ka)
senile [si:nail] **1** sešlý věkem, sta-
řecký, senilní **2** sešlý, zchátralý
senior [si:njə] **1** starší
2 nadřízený, vyšší, hlavní
sensation [sen'seišn] **1** cit; pocit,
dojem, zdání **2** vzrušení,
rozruch, senzace
sensational [sen'seišənl]
1 senzační **2** senzacemilovný
sense [sens] **1** smysl; **it doesn't
make ~** to nedává smysl; **come
to one's ~s** přijít k rozumu; **~ of
humour** smysl pro humor;
what's the ~ of doing that? ja-
ký to má smysl?; **in a ~** do určité
míry; **in the strict ~ of the word**
v pravém slova smyslu **2** zdravý
rozum; **it's common ~** to dá ro-
zum; **now you're talking ~** to je
rozumná řeč **3** pochopení, poro-
zumění **4** dojem, pocit **of** čeho
senseless [senslis] **1** nesmyslný
2 v bezvědomí
sensible [sensəbl] **1** rozumný,
inteligentní **2** praktický; účelný
3 jasný, zřetelný, podstatný, zna-
telný **4** citlivý, vnímavý **to** na

sensitive [sensitiv] **1** citlivý
2 přecitlivělý; alergický **to** na
3 tajný, delikátní

sensual [senšuəl] **1** smyslový
2 tělesný, živočišný, zvířecí
3 (*odpudivě*) smyslný

sensuality [senšuˈæliti] smyslnost

sentence [sentəns] *n* **1** věta
2 rozsudek; (*vyřčený*) trest
● *v* odsoudit

sentiment [sentimənt] **1** cit
2 pochopení **3** stanovisko
4 sentimentalita **5** myšlenka, idea

sentimental [sentiˈmentl]
1 citový; upřímný; romantický
2 sentimentální ◆ **cheaply ~**
kýčovitý, limonádový

sentry [sentri] stráž, hlídka

separate *adj* [seprit] **1** oddělený,
samostatný **2** zvláštní, osobní
3 různý, jednotlivý
● *v* [sepəreit] **1** oddělit (se)
2 odlučovat (se), rozejít se

separation [sepəˈreišn]
1 oddělení, rozdělení **2** rozchod,
rozloučení **3** roztržka, rozkol
4 třídění, rozlišování
5 vzdálenost, mezera

September [səpˈtembə] září

sequel [siːkwəl] **1** pokračování
2 následek

sequence [siːkwəns]
1 posloupnost, pořadí **2** série
3 sled záběrů; scéna, úryvek,
epizoda **4** souslednost (**of
tenses** časů)

sequin [siːkwin] flitr

Serb [səːb] Srb

Serbia [səːbjə] Srbsko

Serbian [səːbjən] *adj* srbský
● *n* srbština

serenade [seriˈneid] serenáda

serenity [siˈreniti] jasnost, čistota;
klid

serf [səːf] nevolník

sergeant [saːdžnt] rotmistr,
šikovatel, seržant

serial [siəriəl] *adj* **1** řadový **2** na
pokračování, seriálový,
několikadílný ● *n* **1** seriál
2 román na pokračování

series [siəriːz] *sg,pl* řada; série

serious [siəriəs] **1** vážný
2 nebezpečný, kritický

sermon [səːmən] kázání

serpent [səːpənt] had

serpentine [səːpəntain] **1** klikatý
2 jedovatý; úskočný; zákeřný

servant [səːvnt] sluha; **public ~**
státní úředník, veřejný zaměstnanec; **civil ~** vyšší státní úředník

serve [səːv] **1** sloužit; vykonávat
funkci, pracovat (**on a commit-
tee** ve výboru); být zaměstnán
as jako **2** obsluhovat **3** podávat,
servírovat **4** odpykat si (*trest*)
5 chovat se **sb.** ke komu
◆ **~ an injunction** doručit soudní obsílku; **it ~s you right** dobře
ti tak; máš, co sis zasloužil

service [səːvis] *n* **1** služba; ~ **dress**
služební uniforma **2** bohoslužba
3 obsluha **4** podávání jídla,
servírování **5** servis (*též sport.*)
6 provoz; pravidelná doprava,
spoj ● *v* **1** obsluhovat
2 zajišťovat servis čeho

servile [səːvail] **1** otrocký
2 podlézavý, servilní

servitude [səːvitjuːd] otroctví

session [sešn] **1** zasedání
2 schůze, shromáždění
3 akademický rok **4** schůzka,
setkání; **jam ~** džezový večírek

set [set] *adj* **1** umístěný,

situovaný 2 předem stanovený,
určený, daný, předepsaný
3 záměrný, promyšlený 4 stálý,
ustálený, trvalý, pevný
♦ ~ **lunch** menu; ~ **opinions** ustá-
lené názory; ~ **teeth** zaťaté zuby
● *n* 1 sada, souprava; kolekce
2 komplet; komplex 3 skupina
4 náčiní, nářadí 5 přístroj, aparát;
rádio, televizor, telefon, zesilovač
6 (*div.*) scéna 7 (*mat.*) množina
8 sklon, náklonnost 9 ondulace,
(*kadeřnický*) účes ● *v** (**tt**)
1 položit, umístit, postavit;
nařídit; uložit; přiložit, posázet
2 *uvést do určitého stavu:* ~ **free**
osvobodit 3 (*nebeské těleso*)
zapadat 4 udávat, stanovit (**the
fashion** módu, **the pace** tempo)
5 usadit (se), usazovat se, tuhnout
♦ ~ **eyes on** podívat se na, spatřit;
~ **sth. on fire** zapálit co; ~ **foot on**
vkročit na; ~ **great store by** vel-
mi dát na; ~ **with jewels** posázet
drahokamy; ~ **to music** zhudeb-
nit; ~ **things right** vše napravit
set about 1 začít, dát se do
2 pokusit se
set apart 1 dát stranou 2 odlišovat
set aside 1 odložit 2 dát stranou
3 odsunout 4 odstranit
5 prohlásit za neplatné 6 nebrat
v úvahu
set back 1 postavit v určité
vzdálenosti **from** od 2 vrátit na
místo 3 dát nazpátek (*ručičky
hodin*) 4 zarazit, zdržet
5 (*hovor.*) stát, koštovat
set down 1 složit 2 vyložit
(*cestujícího*) 3 zapsat 4 určit,
předepsat 5 věrně nakreslit
6 porazit (*soupeře*) 7 pokořit,
srazit hřebínek komu

set in 1 začít, nastat 2 začít
fungovat 3 zesílit, převládnout
set off 1 zvýraznit (*kontrastem*),
dát vyniknout čemu
2 kompenzovat **against** čím
3 vydat se na cestu 4 vyvolat
set on 1 poštvat (*psa*) 2 navést,
přimět, dohnat **to** k 3 poslat pra-
covat 4 jít kupředu, pokračovat
set out 1 vydat se na cestu
2 vysázet 3 rozhodnout se **to do**
dělat 4 rozvrhnout (*práci*)
5 vysvětlit, vyložit 6 vystavit na
odiv, rozložit k prohlídce
set to 1 pustit se do toho, přiložit
ruce k dílu 2 (*dva*) dát se do
sebe, vrhnout se na sebe
set up 1 postavit, umístit
2 vztyčit 3 navrhnout (*k přijetí*)
4 vydat, vyrazit 5 založit, zřídit
6 způsobit 7 otevřít si obchod
8 ztuhnout, ztvrdnout 9 postavit
na nohy, osvěžit 10 pozvat to
na 11 vydávat se **as za**
♦ **be well ~ up with** být
zásoben / dobře zaopatřen čím
setback [setbæk] 1 nevýhoda
(*pro postupujícího*) 2 neúspěch,
nezdar 3 zhoršení situace
4 pokles **in sth.** čeho
setoff [setof] 1 kontrast
2 ozdoba **to** čeho 3 kompenzace
settee [se'ti:] *GB* pohovka, divan,
gauč
setting [setiŋ] 1 zasazení
2 prostředí 3 (*div.*) výprava
4 scéna 5 úprava, aranžmá
6 příbor; (*prostřené*) místo u stolu
settle [setl] 1 usadit (se)
2 osídlit, kolonizovat 3 urovnat,
vyřídit, vyřešit 4 ustálit (se);
uklidit, srovnat 5 dohodnout,

domluvit, shodnout se na
6 zaplatit, vyrovnat (*dluh*)
settle down 1 zasednout **to** k
2 uvelebit se **3** uklidnit se, začít
vést spořádaný život **4** klesat
pod hladinu **5** (*vzrušení*)
uklidnit se, opadnout
settle up vyrovnat se **with** s,
zaplatit komu
settlement [setlmənt] **1** sídlo,
osada, kolonie **2** dohoda, smír,
usmíření; vyrovnání **3** úhrada,
zaplacení **4** připsaný majetek,
dědictví, dar, věno
settler [setlə] osadník, usedlík;
plantážník, farmář
setup [setap] **1** situace **2** aranžmá;
organizace **3** (*hovor.*) bouda, past
seven [sevn] sedm
seventeen [sevn'ti:n] sedmnáct
seventeenth [sevn'ti:nθ]
sedmnáctý
seventh [sevnθ] sedmý
seventieth [sevntiiθ] sedmdesátý
seventy [sevnti] sedmdesát
sever [sevə] **1** oddělit, odtrhnout
od sebe **2** roztrhnout, přeříznout,
přeseknout **3** prasknout, přetrhnout se **4** způsobit roztržku mezi
several [sevrəl] **1** několik, pár
2 jednotlivý, příslušný
3 rozdílný, různý
severe [si'viə] **1** přísný **2** tvrdý,
těžký, obtížný **3** bolestivý
4 vážný, upjatý **5** nepříznivý,
drsný
sew* [sou] šít
sewage [sju:idž] (*kanalizační*)
splašky
sewer [sju:ə] **1** stoka **2** (*stokový*)
kanál
sewerage [sju:əridž] kanalizace

sewing machine ['səuiŋmə,ši:n]
šicí stroj
sex [seks] **1** pohlaví **2** erotika
3 koitus; penis; vulva
sexton [sekstən] kostelník
sexual [sekšuəl] pohlavní, sexuální
shabby [šæbi] **1** utahaný, ošumělý,
obnošený **2** nečestný, nepoctivý,
špinavý **3** malý, mizerný, bídný
♦ ~ **excuse** chatrná výmluva:
~ **trick** lumpárna, šupárna
shackle [šækl] *n* okov, pouto
• *v* (s)poutat
shade [šeid] *n* **1** stín; chládek
2 odstín **3** stínidlo **4** slabý
náznak, trocha, vous
• *v* **1** chránit před sluncem, zaclonit, zastínit **2** splývat do sebe
shadow [šædəu] *n* stín
• *v* **1** zastínit, chránit **2** zahalit
stínem **3** přecházet **4** stopovat,
sledovat (*těsně v patách*)
shady [šeidi] **1** stínící, stinný
2 nejistý, nespolehlivý
3 podezřelý, pochybný, všelijaký
shaft [ša:ft] **1** rukojeť, držadlo;
topůrko, násada **2** žerď, tyč
3 paprsek; blesk **4** důlní jáma,
šachta **5** hřídel; píst
shaggy [šægi] **1** chundelatý
2 hrubý
♦ ~ **dog story** *1.* rozvláčná, rádoby veselá historka *2.* dlouhá historka se surrealistickou pointou
3. anekdota o mluvícím zvířeti
shake* [šeik] *v* **1** třást (se)
2 zviklat, otřást kým **3** zatřepat
čím **4** posypat **5** otřást, vyvést
z míry **6** *US* podat si ruce
♦ ~ **!** *US 1.* podejme / podejte
si ruku! *2.* ruku na to!; ~ **hands
with sb.** podat / stisknout ruku
komu; ~ **one's head at / over**

S

(za)vrtět hlavou nad; ~ **a leg!** pohni kostrou!; ~ **on it!** plácněme si na to! ~ **in one' shoes** třást se strachy • *n* **1** otřes; třesení, chvění **2** (*mléčný*) koktejl **3** (*hovor.*) chvilka, okamžik ♦ **in two ~s of a lamb's tail** (*hovor.*) coby dup, než řekneš švec

shake down 1 (se)třást **2** ubytovat se (*provizorně*) **3** zapracovat se **4** snížit počet čeho **5** prohledat, prošacovat **6** obrat, oškubat (*podvodně*)

shake off setřást, zbavit se čeho

shake up 1 načechrat **2** protřepat **3** reorganizovat **4** vyburcovat **5** pocuchat nervy komu

shaky [šeiki] **1** třesoucí se, rozechvělý, třaslavý, roztřesený **2** kolísavý, problematický, labilní, nejistý

shall [šæl, šəl] **1** *pomocné sloveso tvořící budoucí čas pro 1. osobu* **2** *způsobové sloveso vyjadřující povinnost*

shallow [šæləu] *adj* **1** mělký **2** povrchní, plytký • *n též* ~**s** *pl* mělčina

sham [šæm] *v* (**mm**) **1** předstírat to, přetvařovat se **2** simulovat, fingovat • *n* **1** podvod, klam; předstírání **2** padělek, falzifikát **3** napodobenina, náhražka **4** podvodník, simulant ♦ *adj* **1** klamný, podvodný, předstíraný, fingovaný **2** lživý **3** falešný

shambles [šæmblz] **1** jatky **2** (*hovor.*) nepořádek, zmatek, binec

shame [šeim] *n* **1** stud **2** hanba, ostuda **3** (*hovor.*) smůla, škoda, patálie
• *v* **1** zahanbit **2** zostudit, znectít

shameful [šeimful] **1** ostudný, hanebný **2** necudný, nestydatý

shameless [šeimlis] **1** nestoudný, nestydatý **2** troufalý, drzý

shampoo [šæm'pu:] *n* šampon
• *v* **1** mýt hlavu **2** čistit šamponem (*koberec*)

shamrock [šæmrok] trojlístek, jetýlek

shape [šeip] *n* **1** tvar, forma; **2** podoba **3** forma, formička **4** tělo, figura **5** tělesná kondice, forma **6** přízrak, fantom ♦ **give ~ to sth.** realizovat co, dát ~ tvarem, podobou, vnějškem; **in good / bad ~** v dobrém / špatném stavu • *v* **1** tvarovat (se), formovat (se), utvářet, dát tvar čemu **2** (vy)modelovat **3** dávat / dostávat konečnou podobu

shape up 1 zpracovat **2** dostávat se do formy **3** polepšit se

shapeless [šeiplis] **1** beztvarý, beztvárný **2** bezúčelný

shapely [šeipli] **1** dobře utvářený, urostlý **2** souměrný, pravidelný

share [šeə] *n* **1** podíl (**in** na) **2** akcie
• *v* **1** rozdělit si **2** podílet se na

shareholder ['šeə,həuldə] akcionář, podílník

shark [ša:k] **1** žralok **2** (*hovor.*) podvodník, dravec, vyžírka

sharp [ša:p] **1** ostrý, břitký **2** špičatý, pichlavý **3** pikantní, pálivý **4** bystrý, inteligentní **5** energický **6** (*hovor.*) nápadně elegantní **7** vychytralý, mazaný, rafinovaný

sharpen [ša:pn] **1** nabrousit, naostřit **2** zvýraznit

shatter [šætə] **1** roztříštit (se)

2 otřást, silně narušit
3 podlomit (*zdraví*)

shave [šeiv] *v* **1** holit (se)
2 sestříhat (*trávník*)
3 (o)hoblovat **4** zlehka se
dotknout čeho
● *n* oholení; **a close ~** únik o vlas

shaven [šeivn] oholený

shavings [šeiviŋz] hobliny,
hoblovačky

shawl [šo:l] **1** velký šál **2** velký
šátek, štóla

she [ši:] ona

sheaf [ši:f] **1** snop **2** svazek

shear* [šiə] stříhat

shears [šiəz] *pl* velké nůžky

sheath [ši:θ] **1** pochva
2 prezervativ

sheathe [ši:ð] zasunout do pochvy

shed1* [šed] **(dd)** **1** svlékat,
shazovat (**leaves** listí, **one's
clothes** šaty) **2** línat; trousit
3 prolévat, ronit (**tears** slzy)

shed2 [šed] **1** kůlna **2** garáž,
hangár, vozovna **3** chata, bouda

sheep [ši:p] *sg,pl* ovce

sheep-dog [ši:pdog] ovčácký pes

sheepish [ši:piš] **1** lekavý,
bázlivý **2** rozpačitý, ostýchavý,
stydlivý **3** trpný, bezmocný

sheer [šiə] **1** čirý; naprostý, uči-
něný **2** čistý **3** tenký, průsvitný

sheet [ši:t] **1** prostěradlo **2** rubáš
3 deska, plocha **4** tisk, noviny;
plátek **5** fólie **6** plech (*na peče-
ní*) ♦ **call ~** vývěska; **~ of glass**
tabule skla; **~ of paper** arch papí-
ru; **payroll ~** výplatní listina; **the
rain is coming down in ~s** lije
jako z konve; **~ of wood** dýha

sheet music ['ši:t,mju:zik] noty,
hudebniny

shelf [šelf] **1** police, regál

2 pevninský práh, šelf
♦ **on the ~** – *1.* vyřazený, odlože-
ný, daný stranou *2.* (*dívka*) zbylá
na ocet; (*žena*) už odepsaná

shell [šel] *n* **1** skořápka **2** lusk
3 ulita, mušle, lastura
4 nábojnice, patrona **5** granát,
šrapnel ● *v* **1** loupat,
vyloupnout **2** sbírat mušle *atd.*
3 bombardovat, ostřelovat

shelter [šeltə] *n* **1** kryt, úkryt
2 přístřeší, stříška **3** útulek; úto-
čiště **from** před; **take ~** ukrýt se
● *v* **1** chránit, ochraňovat **from**
před **2** schovat (se), ukrýt (se)
3 poskytnout kryt / útočiště
komu / čemu

shepherd [šepəd] *n* **1** ovčák,
pastýř **2** ovčácký pes
● *v* **1** hnát ovce **2** pečlivě při-
vést, doprovodit **3** duchovně vést

shield [ši:ld] *n* **1** štít **2** stínítko,
kryt **3** *US* štítek, policejní odznak
● *v* chránit, krýt, stínit **from** před

shift [šift] *v* **1** přemístit, přesunout,
změnit místo / směr **2** posunout
(se), posunovat **3** odstranit
4 protloukat se životem
♦ **~ for oneself** *1.* ohánět se
sám, být odkázán sám na sebe
2. hledět jen sám na sebe, jít přes
mrtvoly; **~ gears** *1.* přeřadit rych-
lost *2.* změnit tempo / taktiku
● *n* **1** změna místa / směru,
přesun **2** (*pracovní*) směna
3 praktická pomůcka **4** trik,
lest, finta, machinace

shilling [šiliŋ] šilink

shimmer [šimə] *v* **1** blikat, miho-
tat se **2** lesknout se, třpytit se
3 (*světelný odraz*) chvět se, tetelit
se ● *n* **1** blikání, mihotavé světlo
2 matný lesk / třpyt / odraz

S

shin [šin] **1** holeň **2** hovězí kližka

shine* [šain] *v* **1** svítit, zářit
2 lesknout se **3** (*přen.*) vynikat,
excelovat **4** (*přen.*) být jasně vi-
dět, bít do očí **5** (po)svítit si čím
6 (*hovor.*) naleštit, nablýskat
● *n* **1** jasné světlo, záře, svit
2 lesklý odraz, lesk **3** pěkné
počasí, slunce **4** (vy)leštění bot

shingle[1] [šiŋgl] šindel ◆ **hang out
one's ~** *US* otevřít si vlastní firmu

shingle[2] [šiŋgl] **1** oblázek
2 oblázkový břeh

shiny [šaini] **1** lesklý, jasný,
svítivý **2** slunný, prosluněný
3 oblýskaný

ship [šip] *n* loď
◆ **when my ~ comes home / in**
až jednou vyhraji milión
● *v* **(pp)** **1** nalodit (se) **2** dopravit
lodí, poslat **3** dát / složit do lodě

shipment [šipmənt] **1** naloděni
2 lodní / letecká zásilka

shipwreck [šiprek] *n*
1 ztroskotání lodi **2** lodní vrak
● *v* ztroskotat, (*též přen.*)

shipyard [šipja:d] loděnice

shirk [šə:k] vyhýbat se (*činnosti*),
vyhnout se (*setkání*)

shirt [šə:t] košile

shirtfront [šə:tfrant] náprsenka

shirtsleeve [šə:tsli:v] bez saka,
jen v košili

shit [šit] (*vulg.*) *v** **(tt)** srát
● *n* hovno; **the ~ will hit the
fan** bude velký průser
◆ *interj* do prdele!

shiver[1] [šivə] *v* chvět se, třást se
● *n* chvění; mrazení

shiver[2] [šivə] úlomek, střep

shivers [šivəz] *pl* **1** třesavka, zim-
nice **2** husí kůže, mráz po zádech

shoal [šəul] **1** mělčina **2** hejno ryb

shock[1] [šok] *n* **1** rána **2** otřes,
(*též přen.*) **3** duševní otřes,
leknutí, šok **4** náraz **5** (*hovor.*)
mrtvice, infarkt ● *v* **1** otřást
někým **2** pohoršit, šokovat

shock absorber [ˈšokəb,soːbə]
tlumič nárazů

shocking [šokiŋ] odporný, hrozný,
pohoršující, pohoršlivý

shoddy [šodi] **1** podřadný, vulgár-
ní **2** odfláknutý **3** uválený,
ošuntělý **4** laciný, sprostý

shoe [šu:] *n* **1** polobotka, střevíc
2 bota **3** ~s *pl* obuv **4** podkova
5 (*přen.*) situace; místo,
postavení, funkce ● *v** **1** obout
koho **2** okovat, podkovat (*koně*)

shoelace [šu:leis] šněrovadlo,
tkanička

shoemaker [šu:meikə] obuvník,
švec

shoetree [šu:tri:] napínák, kopyto

shoot* [šu:t] *v* **1** střelet **2** zastřelit
3 přivést k výbuchu, odpálit
4 dávat injekci, očkovat **5** rašit,
vyhánět, vypučet **6** tryskat **from**
z **7** filmovat, fotografovat; točit,
natáčet (*film*); udělat záběr
● *n* **1** střílení **2** výhonek

shooter [šu:tə] **1** pistolník;
střelec **2** (*slang.*) bouchačka

shooting gallery [ˈšu:tiŋ,gæləri]
střelnice

shop [šop] *n* **1** krám, obchod, pro-
dejna **2** ateliér **3** dílna **4** obor;
řemeslo **5** angažmá (*herce*)
◆ **talk ~** stále mluvit o svém obo-
ru, bavit se úředně, řešit pracovní
problémy (*mimo pracovní dobu*)
● *v* **(pp)** **1** nakupovat **2** udat
on koho

shop assistant [ˈšopə,sistənt] *GB*
prodavač

shop floor [šop'flo:] dílny
(v továrně)

shopkeeper [šopki:pə] GB
obchodník, majitel obchodu

shoplifting [šopliftiŋ] krádeže
v obchodech

shopper [šopə] kupující, zákazník

shop steward [šop'stjuəd]
dílenský / závodní důvěrník

shop window [šop'windəu]
výkladní skříň

shore [šo:] břeh, pobřeží

short [šo:t] adj 1 krátký 2 malý
postavou 3 stručný, strohý
4 rychlý 5 vznětlivý, nervózní
♦ **be ~ of** 1. mít nedostatek čeho
2. být nedaleko čeho; **~ of ex-
pectations** neodpovídající očeká-
vání; **in ~** zkrátka; **~ life** (přen.)
1. malá trvanlivost 2. krátké
trvání; **the long and the ~ of it**
zkrátka a dobře; **~ order** US
objednávka minutky; **~ story**
povídka, novela ● adv 1 krátce,
stručně 2 prudce, zkrátka; **~ of**
až na, s výjimkou, kromě

shortage [šo:tidž] nedostatek **of**
sth. čeho

short circuit [šo:t'sə:kit] zkrat

shortcoming [šo:t,kamiŋ]
nedostatek, chyba

short cut [šo:t'kat] zkratka,
nadcházka, nadjížďka

shorten [šo:tn] zkrátit (se)

shortening [šo:tniŋ] tuk (do
pečiva)

shorthand [šo:thænd] těsnopis

shortly [šo:tli] 1 krátce, stručně,
úsečně 2 zanedlouho, brzy

shorts [šo:ts] pl šortky; trenýrky,
spodky

shortsighted [šo:t'saitid]
krátkozraký

shot [šot] 1 rána, výstřel 2 střela,
náboj, brok(y) 3 střelec 4 dávka;
US injekce 5 US panák, frňan
6 záběr, šot (hovor.) 7 pokus **at** o
♦ **~ put** vrh koulí

shotgun [šotgan] n brokovnice
● adj 1 z donucení 2 US smí-
chaný dohromady; povšechný

should [šud] 1 pomocné sloveso
k tvoření 1. os. podmiňovacího
způsobu 2 způsobové sloveso
vyjadřující mravní závaznost

shoulder [šəuldə] n 1 rameno;
~ pad vycpávka 2 hřbet, hřeben
(hory)
● v 1 vzít na sebe / na svá bedra
2 převzít 3 drát se, razit si (cestu)

shoulder blade [šəuldəbleid]
lopatka (kost)

shout [šaut] n 1 výkřik, (po)křik,
volání 2 US rituální tanec
s pokřikem ● v 1 volat, křičet
2 (přen.) být křiklavý

shove [šav] 1 strčit 2 šinout se
3 (hovor.) vypadnout, ztratit se

shovel [šavl] n lopata
● v (ll) nabírat, házet (lopatou)

show* [šəu] v 1 ukázat, projevit
2 dovolit vidět, odhalovat
3 předvádět, dát najevo 4 hrát
(se), promítat se 5 provádět,
dělat průvodce komu 6 dostavit
se, přijít ● n 1 předvedení;
ukázka 2 výstava, soutěž, pře-
hlídka 3 představení, promítání
4 program; revue, show
5 (dostihy) třetí (a lepší) místo
♦ **~ of hands** hlasování
zdvižením ruky; **~ trial**
demonstrační proces

show down vyložit na stůl (karty)

show in uvést dovnitř

show off 1 zdůraznit, dát

S

vyniknout čemu **2** stavět na odiv, předvádět **3** vychloubat se, předvádět se

show round provádět (**the town** po městě)

show up 1 být vidět **2** odhalit, ukázat v pravém světle **3** zdůraznit kontrastem **4** působit dojmem **5** rýsovat se **against** proti

showcase [šaukeis] **1** vitrína **2** (přen.) ukázka kapitalismu

shower [šauə] n **1** sprška, přeháňka **2** (přen.) déšť; krupobití; záplava; bouře **3** sprcha, (o)sprchování • v **1** sprchnout, pršet, lít (se) **2** (přen.) zahrnovat, zasypávat **sb.** koho **with sth.** čím **3** (o)sprchovat

showpiece [šəupi:s] **1** exponát **2** (nejlepší) výstavní kus

showroom [šəurum] výstavní síň

showy [šəui] **1** velice efektní, okázalý, pompézní **2** lacině efektní, teatrální

shred [šred] n **1** cár **2** odstřižek; úlomek; proužek **3** (přen.) trocha, špetka • v (**dd**) **1** roztrhat, roztrhat na malé kousky **2** rozstrouhat, nastrouhat, nakrouhat

shrew [šru:] zlá / hubatá / svárlivá žena

shrewd [šru:d] **1** bystrý, obezřelý **2** prohnaný, mazaný **3** oprávněný

shriek [šri:k] v **1** (za)ječet, (za)vřeštět **2** pištět smíchy • n (divoký) výkřik, zaječení, zavřeštění

shrift [šrift]: **short ~** krátký proces (přen.)

shrill [šril] adj pronikavý, ječivý • v pronikavě ječet

shrimp [šrimp] **1** garnát, kreveta **2** skrček, prcek

shrine [šrain] **1** svatyně **2** hrobka světce **3** relikviář

shrink* [šriŋk] **1** srazit (se), scvrknout se **2** odtahovat se, uhýbat **from** před

shrivel [šrivl] (**ll**) **1** tvořit vrásky, sesychat se **2** vysušit; zničit, zkroutit (se) (horkem)

shroud [šraud] n **1** rubáš **2** ochrana, záštita • v (za)halit

Shrove Tuesday [šrauv'tju:zdi] masopustní úterý

shrub [šrab] keř, křoví

shrug [šrag] v (**gg**) pokrčit (rameny) • n pokrčení ramen

shrug off odbyt pokrčením ramen

shudder [šadə] n zachvění, otřesení • v otřást se (strachy / odporem / hrůzou / chladem)

shuffle [šafl] **1** šoupat, šourat se, belhat se **2** odbýt, odfláknout **3** (za)míchat (**the cards** karty)

shun* [šan] (**nn**) vyhýbat se **sth.** čemu, varovat se, stranit se **sth.** čeho

shunt [šant] v **1** odsunout stranou **2** odstavit (vlak), posunovat (vagóny) • n **1** posunování; výhybka **2** umělá cévka **3** GB (slang.) srážka vlaků

shush [šaš] v udělat 'pst' na • interj pst!

shut* [šat] (**tt**) **1** zavřít, zavírat (se) **2** vyloučit **from** z **3** přiskřípnout **~ one's ears** zacpat si uši **~ sb.'s mouth** 1. umlčet koho 2. zavázat mlčením koho

shut down 1 úplně uzavřít **2** zavřít, ukončit činnost čeho **3** (hovor.) skoncovat s

shut off přerušit dodávku čeho; vypnout, uzavřít, zastavit

shut out 1 vyloučit **2** zavřít dveře před **3** (za)bránit čemu

shut up 1 zavřít celý / všechno, uzamknout **2** odříznout, obklíčit **3** (hovor.) zavřít / držet hubu

shutter [šatə] **1** okenice; roleta **2** příklop, uzávěr **3** (fot.) závěrka, clona

shuttle [šatl] n **1** člunek (tkalcovského / šicího stroje) **2** US kyvadlová doprava; kyvadlový vlak **3** raketoplán ● v pohybovat se / jezdit sem tam, pendlovat (hovor.)

shuttlecock [šatlkok] **1** opeřený / badmintonový míček **2** (přen.) ožehavý / sporný předmět

shy [šai] adj plachý, nesmělý ● v **1** plašit se **2** lekat se **at / from** čeho **3** uhnout, odbočit, vyhnout se **away / off sb. / sth.** komu / čemu

Siberia [sai'biəriə] Sibiř

Sicily [sisili] Sicílie

sick [sik] **1** nemocný **2** nezdravý, morbidní **3** (hovor.) otrávený **4** fádní, nanicovatý ♦ **be ~** GB zvracet; **be ~ and tired of sth.** mít už po krk čeho, mít plné zuby čeho; **I feel ~** je mi špatně od žaludku; **I am ~ of it** už toho mám dost

sicken [sikn] **1** způsobit zvedání žaludku **2** postonávat, churavět; mít náběh **for** na (chorobu) **3** hnusit se komu **4** cítit hnus **at** nad

sickening [sikniŋ] odporný

sickle [sikl] srp

sick leave [sikli:v] zdravotní dovolená; **be on ~** mít pracovní neschopnost

sickly [sikli] **1** stonavý, neduživý **2** chorobný, nezdravý **3** působící zvedání žaludku

sickness [siknis] **1** nemoc; **~ benefit** GB nemocenské **2** nevolnost od žaludku; zvracení

sick pay [sikpei] nemocenské

side [said] n **1** strana; **take ~s with** rozhodnout se pro (jednu stranu) **2** bok; **~ by ~** bok po boku ● v stranit **with sb.** komu ● adj ze strany

sideboard [saidbo:d] příborník, kredenc

sidecar [saidka:] přívěsný vozík

sidelight [saidlait] **1** boční světlo **2** poznámka na okraj on na

sideline [saidlain] vedlejší činnost / zaměstnání

side-splitting ['said,splitiŋ] k popukání

sidewalk [saidwo:k] US chodník

siding [saidiŋ] vedlejší kolej; tovární vlečka

siege [si:dž] obležení, obléhání

sieve [siv] **1** síto, řešeto **2** sítko, cedítko

sift [sift] prosít (jemným sítkem)

sigh [sai] v vzdychat ● n vzdech

sight [sait] n **1** zrak; **know by ~** znát od vidění **2** pohled; **catch (a) ~ of** zahlédnout koho / co; **at first ~** na první pohled; **at (the) ~ of** při zahlédnutí koho **3** dohled; **(with)in ~** v dohledu; **out of ~** z dohledu **4** co stojí za vidění, podívaná; **see the ~s** prohlížet si pamětihodnosti **5** hledí (na pušce) ♦ **out of ~, out of mind** sejde z očí, sejde z mysli; **set one's ~s on** zaměřit se na; **~ unseen** bez možnosti si prohlédnout

S

• *v* 1 spatřit, uvidět; zahlédnout 2 zamířit, zacílit

sight-read* [saitri:d] hrát / zpívat z listu

sightseeing ['sait,si:iŋ] *n* prohlídka pamětihodností • *adj* 1 vyhlídkový (**coach** autokar) 2 okružní (**tour** jízda)

sign [sain] *n* 1 znak 2 známka, značka, znamení, nápis 3 vývěsní štít, firma 4 posunek, pokyn 5 heslo • *v* 1 podepsat 2 pokynout

sign away vzdát se podpisem čeho

sign in píchnout příchod

sign off 1 přestat vysílat, končit vysílání 2 odmlčet se 3 píchnout odchod

sign on 1 vstoupit do zaměstnání / armády 2 přihlásit se, zapsat se 3 uzavřít smlouvu

signal [signl] *n* 1 signál, znamení 2 návěstidlo • *v* (**ll**) signalizovat • *adj* 1 vynikající 2 návěstní, signální 3 rozlišovací (**markings** značky)

signature [signičə] 1 podpis; ~ **tune** znělka (*v rozhlase*) 2 (*hud.*) taktové označení; předznamenání

signboard [sainbo:d] vývěsní / firemní štít

significance [sig'nifikəns] význam

signify [signifai] (na)značit; znamenat

signet [signit] pečeť

signpost [sainpəust] ukazatel (*na rozcestí*), (*též přen.*)

silage [sailidž] siláž

silence [sailəns] *n* mlčení, ticho • *v* 1 umlčet 2 ztlumit • *interj* S~ ! ticho, tiše, buďte zticha!

silent [sailənt] 1 mlčící, tichý

2 mlčenlivý, nemluvný 3 nevyslovený, němý (*přen.*)

Silesia [sai'li:zia] Slezsko

Silesian [sai'li:zjən] slezský

silicon [silikən] křemík

silk [silk] hedvábí

silken [silkn] 1 hedvábný 2 jemný, něžný 3 konejšivý, uklidňující

silkworm [silkwə:m] housenka bource morušového

silly [sili] hloupý, pošetilý

silt [silt] nános, naplavenina

silver [silvə] *n* 1 stříbro 2 drobné • *adj* stříbrný

similar [similə] 1 podobný **to** komu / čemu 2 stejný

similarity [simi'læriti] 1 podobnost **to** s 2 podoba

simile [simili] přirovnání

simmer [simə] 1 bublat, udržovat (se) pod bodem varu 2 (po)vařit na mírném ohni 3 (*přen.*) (začít) doutnat, kypět **with** čím 4 (*přen.*) s námahou potlačovat **with** co

simmer down 1 vyvařit se na mírném ohni **to** na 2 (*přen.*) zjednodušit se, scvrknout se **to** na 3 (*přen.*) uklidnit se

simper [simpə] usmívat se (*samolibě / afektovaně*), culit se

simple [simpl] 1 prostý, jednoduchý 2 absolutní, čirý 3 primitivní

simple-minded [simpl'maindid] prostoduchý

simpleton [simpltən] naivka, prostáček

simplicity [sim'plisiti] 1 prostota, jednoduchost 2 bezelstnost, dětinskost 3 naivnost 4 primitivnost

simplification [simplifi'keišn]
zjednodušení; usnadnění

simplify [simplifai] zjednodušit;
usnadnit

simulate [simjuleit] **1** předstírat,
fingovat, simulovat
2 napodobit, imitovat

simultaneous [siml'teinjəs]
probíhající současně, simultánní

sin [sin] *n* hřích; prohřešek
• *v* (**nn**) (z)hřešit, prohřešit se

since [sins] *prep* od (*o čase*)
• *conj* **1** od té doby, co
2 vzhledem k tomu, že; protože
• *adv* **1** (*ever*) ~ od té doby
2 potom (*až dodnes*)

sincere [sin'siə] **1** upřímný
2 opravdový, skutečný

sincerely [sin'siəli] upřímně,
yours ~ se srdečným pozdravem

sincerity [sin'seriti] upřímnost;
opravdovost

sinew [sinju:] **1** šlacha **2** ~**s** *pl*
zdroje síly, hybná síla

sinewy [sinju:i] **1** šlachovitý
2 (*přen.*) pevný, houževnatý;
silný

sinful [sinful] hříšný

sing* [siŋ] **1** zpívat **2** opěvovat

singe [sindž] ožehnout, sežehnout

singer [siŋə] zpěvák, pěvec

single [siŋgl] *adj* **1** jednotlivý;
jednoduchý **2** jeden jediný
3 samostatný; jednolůžkový
(**room** pokoj) **4** svobodný
(*neženatý*) • *n* **1** dvouhra, singl
2 jízdenka pro jednu cestu
• *v* ~ **out** vybrat a určit pro co,
vyčlenit

single-breasted [siŋgl'brestid]
jednořadový

single-handed [siŋgl'hændid] bez
pomoci, sám; sólový

singlet [siŋglit] *GB* nátělník, tričko

singsong [siŋsoŋ] **1** *GB*
společenský zpěv **2** zpěvavá
kadence (*řeči*) **3** monotónní
přednes / říkanka

singular [siŋgjulə] *adj*
1 jednotlivý, individuální
2 výjimečný, mimořádný
3 nezvyklý, osobitý
• *n* (*jaz.*) jednotné číslo

sinister [sinistə] zlověstný;
neblahý, zhoubný

sink [siŋk] *n* výlevka; dřez
• *v** **1** klesat **2** potopit (se)
3 svěsit (*hlavu*) **4** (za)bořit se;
zabřednout **into** do (*negativního*)
5 vyhloubit, vytesat **6** slábnout,
zanikat **7** investovat

sink back uvelebit se

sink in 1 vsát se **2** zapouštět
3 vrýt se do paměti

sinner [sinə] hříšník

sip [sip] *v* (**pp**) srkat, upíjet
• *n* malý doušek, hlt

sir [sə:, sə] **1** pane **2** S~ sir, pan,
pán (*šlechtický titul*) ♦ **no,** ~ *též*
ale vůbec ne, ani nápad

sirloin [sə:loin] svíčková, roštěnec

sister [sistə] sestra

sister-in-law [sistrinlo:] švagrová

sit* [sit] (**tt**) **1** sedět **2** zasedat
3 zastávat funkci **as** koho **4** být
poslancem **for** za ♦ ~ **for an ex-
amination** podrobit se zkoušce;
~ **on the fence** (*hovor.*) být
mezi, hrát to na obě strany (*ze
strachu*); ~ **tight 1.** sedět pevně
2. držet se, trvat na svém **3.** sedět
ani nedutat **4.** nic nedělat, čekat

sit back stáhnout se, složit ruce
v klín, dát si pohov

sit down 1 posadit se **2** postavit
se ostře **on** proti

S

sit in hlídat (*cizí*) dítě

sit out 1 vydržet až do konce čeho
2 vynechat; vyhnout se čemu

sit over poposednout si

sit up 1 narovnat záda (*při
sezení*) **2** nejít spát, vysedávat
do noci **3** (*přen.*) zpozornět

site [sait] **1** místo, poloha
2 stavební místo, parcela
3 naleziště **4** sídlo
♦ **burial** ~ pohřebiště; **launching**
~ odpalovací rampa, raketodrom

sitting [sitiŋ] **1** zasedání
2 sezení / stání modelem
♦ **at one** ~ *1.* v jednom tahu,
bez přerušení *2.* na posezení

sitting room [sitiŋru:m] *GB*
obývací pokoj

situated [sičueitid] **1** položený,
umístěný **2** v situaci

situation [siču'eišn] **1** stav, situa-
ce **2** poloha **3** místo, zaměstnání

six [siks] šest

sixpence [sikspəns] šest pencí;
šestipence

sixteen [sik'sti:n] šestnáct

sixteenth [sik'sti:nθ] šestnáctý

sixth [siksθ] šestý

sixtieth [sikstiiθ] šedesátý

sixty [siksti] šedesát

sizable [saizəbl] pořádný, dost
velký

size [saiz] *n* **1** velikost, rozměr
2 číslo (**of gloves** rukavic)
3 formát, (*též přen.*)
♦ *v* **1** (roz)třídit podle velikosti
2 kontrolovat rozměr čeho

size up 1 odhadnout, ohodnotit,
utvořit si názor na (**the situation**
situaci) **2** vyrovnat se **to / with**
čemu

sizzle [sizl] **1** syčet, prskat

((*jako*) *při smažení*) **2** (*přen.*)
excelovat; letět nahoru, stoupat

skate [skeit] *n* brusle ♦ *v* bruslit

skeleton [skelitn] **1** kostra
2 nepříjemné rodinné tajemství

skeleton key [skelitnki:] paklíč

sketch [skeč] *n* **1** náčrtek; skica
2 črta, studie **3** skeč
♦ *v* **1** načrtnout, skicovat
2 udělat rychle / v náznaku

sketchy [skeči] **1** nahozený,
v hrubých rysech, útržkovitý
2 spíše jen symbolický

ski [ski:] *n* lyže; ~ **pants** šponovky
♦ *v* lyžovat

skier [ski:ə] lyžař

skid [skid] *n* **1** skluz; skluznice
2 smyk **3** zarážka (*pod kola*)
♦ *v* (**dd**) **1** smekat se, klouzat
2 dostat smyk

ski jump [ski:džamp] **1** skok na
lyžích **2** lyžařský můstek

skilful [skilful] zručný, dovedný,
obratný

skill [skil] zručnost, dovednost,
obratnost

skilled [skild] kvalifikovaný,
vyučený

skim [skim] (**mm**) **1** sbírat
(*mléko*) **2** rychle prolistovat,
zběžně prohlédnout

skimpy [skimpi] **1** skoupý
2 (*oděv*) krátký a těsný

skin [skin] *n* **1** kůže **2** kožešina,
kožich **3** slupka **4** střívko
♦ **by the** ~ **of one's teeth** jen
o vlas; **in one's** ~ nahý
♦ *v* (**nn**) **1** stáhnout z kůže
(*zvíře*) **2** odřít si **3** oloupat

skinny [skini] **1** vyzáblý
2 přiléhavý

skip [skip] (**pp**) **1** poskakovat

2 přeskočit 3 vynechat, opominout

skipping rope ['skipiŋ,rəup] švihadlo

skirmish [skə:miʃ] 1 šarvátka 2 (*přen.*) ostrá výměna názorů, rozepře

skirt [skə:t] *n* 1 sukně 2 okraj; úpatí 3 (*slang.*) kočka, šťabajzna ● *v* lemovat, vroubit, obklopovat

skull [skal] lebka; ~ **and crossbones** lebka se zkříženými hnáty

skullcap [skalkæp] 1 solideo 2 jarmulka

sky [skai] obloha, nebe; ~ **is the limit** peníze nehrají žádnou roli

skylark [skaila:k] skřivan

skyline [skailain] silueta, kontura

skyscraper [skaiskreipə] mrakodrap

slab [slæb] 1 tabulka, kostka 2 plátek, řízek 3 deska; destička 4 (*hovor.*) stůl v márnici

slack [slæk] 1 chabý, mdlý 2 volný, nenapnutý 3 nepozorný, lajdácký 4 ochablý, mrtvý, váznoucí

slacken [slækn] 1 ochabnout, povolit, polevit 2 zpomalit, zvolnit

slacks [slæks] *pl US* pohodlné kalhoty

slag [slæg] struska; škvára

slalom [sla:ləm] slalom; **giant ~** obří slalom

slam [slæm] (**mm**) 1 prásknout, bouchnout (**the door** dveřmi) 2 dupnout **on** na (**the brake** brzdu)

slander [sla:ndə] *n* 1 pomluva ● *v* 1 pomlouvat 2 pomluvit, očernit

slanderous [sla:ndrəs] pomlouvačný, nactiutrhačný

slang [slæŋ] slang

slant [sla:nt] *v* 1 svažovat se, klonit se 2 být nakloněn / šikmo ● *n* 1 šikmý směr 2 svah, spád 3 *US* sklon, tendence

slap [slæp] (**pp**) 1 plesknout (jako) dlaní 2 poplácat 3 plácat, pleskat

slash [slæʃ] *v* 1 pořezat, rozřezat 2 prostřihovat ● *n* (*dlouhá*) sečná / řezná rána, seknutí, řez

slate [sleit] *n* břidlice ● *v* 1 pokrýt břidlicí 2 (*hovor.*) roztrhat, rozcupovat, setřít (*ostře kritizovat*)

slaughter [slo:tə] *n* 1 porážka (*dobytka*) 2 masakr, krveprolití ● *v* 1 porážet (*zvířata*) 2 povraždit, (z)masakrovat

slaughterhouse [slo:təhaus] jatky, (*též přen.*)

Slav [sla:v] *n* Slovan ● *adj* slovanský

slave [sleiv] *n* otrok ● *v* (z)otročit

slaver [sleivə] 1 otrokář 2 otrokářská loď

slavery [sleivəri] otroctví

Slavonic [slə'vonik] slovanský

sleazy [sli:zi] 1 ošuntělý, zanedbaný 2 špinavý, nekalý 3 vulgární, odporný

sled [sled], **sledge** [sledž] saně, sáňky

sleek [sli:k] 1 uhlazený, ulízaný 2 štíhlý, elegantní 3 úlisný

sleep* [sli:p] *v* 1 spát 2 (*přen.*) odpočívat 3 vyspat se **on** / **over** na, poradit se s polštářem o 4 (*noha / ruka*) zdřevěnět, být přesezený / přeleželý ● *n* 1 spánek 2 zdřevěnění, ztrnulost

sleeper [sli:pə] 1 spáč 2 lůžkový vůz 3 pražec 4 *US* dupačky; spacáček

sleeping car [sli:piŋka:] lůžkový vůz

sleeping pill [sliːpiŋpil] prášek pro spaní

sleeping policeman [sliːpiŋpəˈliːsmən] retardér

sleepwalker [ˈsliːpˌwoːkə] náměsíčník

sleepy [sliːpi] 1 ospalý 2 moučný, moučnatý; hniličkovatý

sleet [sliːt] déšť se sněhem, mokrý sníh, plískanice

sleeve [sliːv] 1 rukáv 2 přebal (*na gramofonovou desku*)

slender [slendə] 1 štíhlý, útlý 2 (*přen.*) hubený, skrovný; křehounký

sleuth [sluːθ] *US* detektiv, vyšetřovatel, pátrač

slice [slais] *n* 1 tenký řez: plátek; krajíc, skýva (**of bread** chleba) 2 štěrbina, škvíra 3 (*přen.*) podíl 4 servírovací lopatka; nůž na ryby • *v* 1 *též* ~ **up** nakrájet, nařezat 2 (*přen.*) rozdělit; zredukovat

slice off odkrojit, odříznout

slick [slik] *adj* 1 hladký a lesklý 2 kluzký, mastný 3 elegantní; šikovný, mazaný, rafinovaný; hladký jako úhoř • *n* olejová / naftová skvrna (*na vodě*)

slide* [slaid] *v* 1 klouzat (se); vsunout, vysunout 2 (*přen.*) pouze letmo se dotknout 3 tajně vsunout, podstrčit 4 plazit se 5 klesat • **let things** ~ (*hovor.*) házet věci za hlavu, o nic se nestarat, být netečný • *n* 1 klouznutí; klouzačka, skluzavka 2 sesuv, posun, lavina 3 diapozitiv

slide rule [slaidruːl] logaritmické pravítko

slight [slait] 1 drobný, subtilní; křehký 2 nepatrný, lehký, slabý 3 nezávažný, malicherný

slightly [slaitli] o něco, trochu, nepatrně

slim [slim] (**mm**) *adj* 1 štíhlý 2 tenký, hubený 3 chatrný (**excuse** výmluva) 4 mazaný, bezohledný • *v* zeštíhlet, zhubnout se • **~ming diet** redukční dieta

slime [slaim] 1 (*řídké*) bahno, bláto 2 sliz, hlen

slimy [slaimi] 1 slizký, rosolovitý, mazlavý 2 úlisný, hnusný

sling [sliŋ] *n* 1 prak 2 oko, smyčka 3 řemínek, pásek 4 závěs, závěska • *v* 1 (*hovor.*) hodit 2 proklouznout **past** mimo / kolem • **~ a cat** (*vulg.*) blít; **~ one's hook** *GB* (*slang.*) vypadnout, zmizet

slip [slip] *v* (**pp**) 1 sklouznout, ujet, sjet 2 uklouznout 3 uniknout; **it has ~ped (from) my mind / memory** vypadlo mi to z paměti 4 (*rychle*) zasunout, nasadit 5 přejít, přehlédnout **over** co 6 zmýlit se, udělat malou chybu; (*chyba*) vloudit se **into** do • *n* 1 uklouznutí 2 omyl, přehlédnutí; **a ~ of the tongue** přeřeknutí, brept 3 kombiné 4 povlak (*na polštář*) 5 proužek, kousek; **a ~ of paper** kousek papíru, lístek 6 kupón, paragon 7 vodítko, šňůra 8 **~s** *pl* (*pánské*) plavky; slipy

slipped disc [slipt'disk] výhřez meziobratlové ploténky

slipper [slipə] 1 pantofel, trepka 2 lehký (*dámský*) střevíc

slippery [slipəri] 1 kluzký, smekavý 2 nejistý, choulostivý 3 těžko uchopitelný / definovatelný; úhořovitý, úskočný

slipshod [slipšod] ledabylý

slip-up [slipap] drobný omyl, přehlédnutí

slit [slit] *n* řez, štěrbina, skulina ● *v** (**tt**) **1** rozříznout **2** podříznout, vyříznout **3** roztrhnout se, rozpárat se

sliver [slivə] štěpina, úlomek

slobber [slobə] slintat (blahem)

sloe [sləu] trnka

slope [sləup] *n* svah, sklon; stráň ● *v též* ~ **down** svažovat se, naklánět (se)

slops [slops] *pl* **1** brynda, špína **2** voda z nádobí, pomyje **3** splašky

slot [slot] **1** štěrbina **2** otvor, zdířka

sloth [sləuθ] **1** lenost, netečnost **2** těžkopádnost, neohrabanost **3** lenochod

slouch [slauč] hrbit se; svěsit (*ramena*)

Slovak [sləuvæk] *n* **1** Slovák **2** slovenština ● *adj* slovenský

Slovakia [slo'vækiə] Slovensko

slow [sləu] *adj* **1** pomalý; **the watch is** ~ hodinky se zpožďují; ~ **train** osobní vlak, lokálka **2** těžko chápavý, přihlouplý **3** fádní, nudný ● **be** ~ **in the up-take** mít dlouhé vedení; ~ **move-ment** volná věta (*symfonie*) ● *adv* pomalu, zvolna ● *v* ~ **down** / **up** zpomalit (se)

slug [slag] **1** slimák **2** *US* (*hovor.*) panák, frťan

sluggish [slagiš] loudavý, líný, zdlouhavý

sluice [slu:s] **1** propust, vrata zdymadla (*přen.*) příval, záplava **3** (*hovor.*) propláchnutí, promáchání

slum [slam] **1** špinavá, přelidněná

ulice / čtvrť; ~ **clearance** asana-ce chudinských domů **2** ~**s** *pl* špinavá chudinská čtvrť, slums

slumber [slambə] *v* dřímat ● *n* dřímota

slump [slamp] *n* (*náhlý*) pokles cen; krize ● *v* zhroutit se

slush [slaš] rozbředlý sníh, čvachtanice, břečka

sly [slai] prohnaný, lstivý, pošouchlý

smack [smæk] **1** mlasknout **2** plesknout **3** zavánět **of sth.** čím, být načichlý čím

small [smo:l] **1** malý **2** úzký, štíhlý **3** bezvýznamný, podřadný ♦ ~ **change** drobné; ~ **hours** první 3 / 4 hodiny po půlnoci; ~ **intestine** tenké střevo; **look** ~ vypadat schlíple; ~ **talk** společenská konverzace; **the still,** ~ **voice** hlas svědomí

smallpox [smo:lpoks] neštovice

smarmy [sma:mi] *GB* (*hovor.*) úlisný, podlézavý

smart [sma:t] *adj* **1** přísný, citel-ný, ostrý **2** bystrý, inteligentní **3** mazaný, vychytralý **4** módní; luxusní **5** bolestivý ● *v* pálit, působit palčivý pocit

smash [smæš] *v* **1** rozbít, rozdrtit, roztříštit (se) **2** prudce narazit **into** do **3** (*sport.*) smečovat ● *n* **1** prudká rána, prudký úder **2** zhroucení, krach **3** srážka, bouračka, železniční katastrofa **4** smeč

smear [smiə] *v* **1** ušpinit, umazat **2** natřít, potřít **with** čím **3** pošpinit, zostudit ● *n* **1** mastná šmouha / skvrna **2** (*med.*) výtěr **3** pomlouvání, osočení ♦ ~ **sheet** *US* bulvární / revolverový plátek

smell [smel] *n* **1** čich **2** pach; vůně, aróma; **a sweet ~** vůně **3** zápach, smrad **4** nádech, příchuť *(negativního)* • *v** **1** čichat, (u)cítit čichem **2** čenichat, větřit **3** vonět **4** páchnout; **by** cítit **of** čím

smelt [smelt] tavit

smile [smail] *n* úsměv • *v* usmívat se, dívat se s úsměvem **at** na

smith [smiθ] kovář

smithy [smiði] kovárna

smoke [sməuk] *n* **1** kouř, dým **2** *(přen.)* mlha, závoj • **~ screen** kouřová clona, *(též přen.)* • *v* **1** kouřit **2** udit • **put that in your pipe and ~ it** zapiš si to za uši

smoker [sməukə] **1** kuřák **2** *(hovor.)* kuřácký vagón

smokestack [sməukstæk] **1** vysoký komín **2** lodní komín

smoky [sməuki] **1** kouřící, čoudící **2** zakouřený

smooth [smu:ð] *adj* **1** hladký **2** rovný, klidný **3** přívětivý, příjemný **4** falešný, pokrytecký, úlisný • *v* **1** vyhladit, vyrovnat **2** urovnat, srovnat • **~ one's brow** zjasnit čelo

smother [smʌðə] (za)dusit (se)

smoulder [sməuldə] doutnat

smudge [smʌdʒ] *n* šmouha, skvrna • *v* **1** rozmazat se **2** zašpinit **3** *(přen.)* pomluvit

smuggle [smʌgl] pašovat

smuggler [smʌglə] podloudník, pašerák

smut [smʌt] **1** saze **2** oplzlost, obscénnost

snack [snæk] rychlé občerstvení

snack bar [snækba:] automat, bufet

snag [snæg] háček, potíž, závada

snail [sneil] hlemýžď

snake [sneik] *n* had • *v* vinout se, plazit se

snap [snæp] **(pp)** **1** chňapnout **at** po **2** prasknout, přetrhnout (se); zlomit (se) **3** cvaknout **4** *(fot.)* udělat momentku **5** utrhnout se, osopit se **at** na • **~ one's fingers at** pohrdavě lusknout prsty nad, ofrňovat se nad

snappy [snæpi] **1** praskavý, praskající **2** prudký, rychlý; **make it (look) ~** *(GB, hovor.)* hodit sebou

snapshot [snæpʃot] momentka

snare [sneə] *n* **1** oko, osidlo **2** léčka, past, nástraha • **~ drum** malý bubínek • *v* **1** chytnout (jako) do oka **2** nastražit past na

snarl [sna:l] *v* vrčet, cenit zuby • *n* zavrčení

snatch [snæč] *v* popadnout, chňapnout **at** o útržek

sneak [sni:k] *v* **1** plížit se **2** podlézat **to** komu **3** *(slang.)* štípnout, čajznout **4** *(hovor.)* donášet, žalovat

sneer [sniə] *n* úsměšek; výsměch; jízlivost, ironie • *v* ironicky / jízlivě se usmívat, dělat si úsměšky

sneeze [sni:z] *v* kýchnout, kýchat • *n* kýchnutí, kýchání

snide [snaid] jedovatý, jízlivý

sniff [snif] **1** popotahovat nosem **2** vdechnout nosem **3** čichat, čenichat **4** ohrnovat nos **at** na

sniper [snaipə] ostřelovač

snivel [snivl] **(ll)** **1** (za)fňukat **2** popotahovat nosem, posmrkávat

snob [snob] snob

snobbery [snobəri] snobství, snobismus

snobbish [snobiš] snobský

snooty [snu:ti] nafoukaný, arogantní; snobský

snore [sno:] v chrápat • n chrápání

snort [sno:t] frkat

snout [snaut] rypák

snow [snəu] n sníh • v sněžit

snowball [snəubo:l] sněhová koule

snowdrift [snəudrift] sněhová závěj

snowflake [snəufleik] sněhová vločka

snowman [snəumæn] sněhulák

snub [snab] (**bb**) **1** okatě si nevšímat, ignorovat **2** usadit, odbýt **3** rázně zkritizovat, vyčinit komu

snuff[1] [snaf] n **1** šňupec, šňupeček **2** šňupavý tabák • v **1** šňupat **2** čichat, očichávat

snuff[2] [snaf] n **1** ohořelý knot **2** (přen.) ocintky, slivky • v **1** zhasit **2** též ~ **out** (přen.) zlikvidovat ♦ ~ **it** GB (hovor.) zaklepat bačkorama (zemřít)

snuffle [snafl] **1** popotahovat nosem, posmrkávat **2** huhňat **3** fňukat, kňourat

snug [snag] **1** pohodlný, útulný **2** jako doma, v teploučku

so [səu] adv **1** tak, a tak, takto **2** také, rovněž
♦ ~ **as to** aby; ~ **far** až dosud, zatím; **an hour or** ~ asi hodinu; **I think** ~ myslím, že ano; ~ **I heard** také jsem slyšel; ~ **am I** já také; ~ **long** (hovor.) na shledanou; ~ **long as** pokud; **and** ~ **on** a tak dále; ~ **sorry** promiňte; ~ **to speak** abych tak řekl;
• conj **1** takže, tedy, proto **2** pokud jen, jen když
• interj **1** to stačí **2** takhle zůstaň, nehýbej se **3** aha!

soak [səuk] **1** namáčet **2** máčet, dát bobtnat **3** promočit (se) **4** prosáknout, vsáknout se **into** do

soak up 1 vsávat, vysát **2** nasávat **3** vstřebávat

so-and-so [səuənsəu] **1** ten a ten **2** mizera, holomek

soap [səup] n **1** mýdlo **2** lichotky, lichocení • v **1** (na)mydlit (se) **2** (hovor.) lichotit ♦ ~ **opera** sentimentální rozhlasový / televizní román

soapbox [səupboks]: **on / off one's** ~ (hovor.) zastávající / nezastávající své hlásané názory

soapsuds [səupsadz] pl mydlinky

soar [so:] **1** vyletět do výše **2** vznášet se vysoko

sob [sob] n vzlyk, vzlyknutí • v (**bb**) vzlykat

sober [səubə] **1** střízlivý **2** suchý, holý (**fact** skutečnost)

so-called [səu'ko:ld] takzvaný

soccer [sokə] kopaná

sociable [səušəbl] **1** společenský, družný **2** sociální

social [səušl] **1** společenský **2** sociální

socialism [səušəlizm] socialismus

society [sə'saiəti] **1** společnost **2** společenství; družstvo **3** kolektiv

sociology [səusi'olədži] sociologie

sock [sok] ponožka; **pull up one's** ~**s** GB (slang.) plivnout si do dlaní

socket [sokit] **1** oční důlek, jamka **2** (elektr.) objímka, zásuvka

sod[1] [sod] drn

sod[2] [sod] (vulg.) **1** buzerant **2** blbec, vůl
♦ ~**'s law** zákon schválnosti

soda [səudə] soda; sodovka

sodden [sodn] promáčený

sofa [səufə] pohovka, divan

soft [soft] **1** měkký **2** jemný **3** tichý, tlumený
♦ **~ drink** nealkoholický nápoj

soften [sofn] **1** změkčit **2** změknout **3** obměkčit, oblomit **4** ztlumit, ztišit

software [softweə] programové vybavení (*počítače*)

soil[1] [soil] **1** půda, prsť **2** zemina, zem; humus, ornice **3** (*rodná*) hrouda

soil[2] [soil] ušpinit (se), zamazat (se)

sojourn [sodžə:n] (*dočasný*) pobyt

solace [soləs] *n* útěcha
• *v* utěšit, potěšit

solar [səulə] sluneční, solární

solder [soldə] *n* pájka
• *v* spájet, sletovat

soldier [səuldžə] voják; vojín

sole[1] [səul] *n* **1** chodidlo **2** podrážka **3** mořský jazyk
• *v* podrazit obuv

sole[2] [səul] výhradní, jediný

solemn [soləm] **1** slavnostní **2** (*slavnostně*) vážný **3** závažný **4** velebný **5** chmurný, těžký

solicit [sə'lisit] **1** žádat, vyprošovat si **2** (*prostitutka*) obtěžovat, nabízet se

solicitor [sə'lisitə] *GB* právní poradce / zástupce, advokát

solicitous [sə'lisitəs] **1** starostlivý **2** pečující **about** / **for** o

solicitude [sə'lisitju:d] **1** starostlivost, starost **2** znepokojení, úzkost, strach **3** přílišná úzkostlivost / péče

solid [solid] *adj* **1** tuhý, ztuhlý; pevný **2** masívní; kompaktní **3** solidní **4** solventní; spolehlivý
• *n* **1** těleso **2** **~s** *pl* tuhá strava; sušina

solidarity [soli'dæriti] soudržnost, solidarita

solitary [solitəri] samotný, osamělý; samotářský

solitude [solitju:d] osamocenost, samota

solstice [solstis] slunovrat

soluble [soljubl] **1** rozpustný **2** rozřešitelný

solution [sa'lu:šn] **1** roztok **2** (roz)řešení

solve [solv] (roz)řešit

sombre [sombə] tmavý, temný, ponurý, chmurný; zasmušilý

some [sam, səm] *adj* nějaký, nějaký, určitý, jakýsi
• *adv* asi; několik; trochu
• *pron* **1** někdo, něco **2** někteří **3** trochu, kousíček

somebody [sambədi] někdo

somehow [samhau] nějak

someone [samwan] někdo

somersault [saməso:lt] přemet; kotoul, kotrmelec

something [samθiŋ] *pron* něco
• *adv* tak trochu, poněkud, jaksi; **~ like** asi (jako)

sometime [samtaim] někdy, jednou

sometimes [samtaimz] někdy, občas

somewhat [samwot] trochu, poněkud

somewhere [samweə] někde, někam

son [san] syn

song [soŋ] **1** píseň; **buy for a ~** koupit za babku **2** ptačí zpěv

songbird [soŋbə:d] zpěvný pták

son-in-law [saninlo:] zeť

sonorous [sonərəs / sa'no:rəs] zvučný, rezonující; halasný

soon [su:n] **1** brzy, zanedlouho, hnedle **2** krátce, chvíli **after** po
♦ **as ~ as** jakmile, sotvaže; **as ~ ... as** raději, spíše než

sooner [su:nə] **1** dříve **2** raději, spíše

soot [sut] saze

soothe [su:ð] **1** uklidnit, ukonejšit **2** zmírnit (*bolest*)

sophisticated [sə'fistikeitid] **1** světa znalý, blazeovaný **2** vysoce kultivovaný **3** výlučný, pro úzký okruh **4** rafinovaný, velmi složitý **5** (*zbraň*) sofistikovaný

sorcerer [so:sərə] čarodějník, černokněžník

sordid [so:did] špinavý, (*též přen.*)

sore [so:] *adj* **1** bolavý, bolestivý, (*též přen.*) **2** podebraný; odřený; opruzený **3** *US* (*hovor.*) rozzlobený, naštvaný **at** na ♦ **have a ~ throat** mít bolení v krku; **a sight for ~ eyes** někdo příjemný / vítaný, něco příjemného / vítaného ♦ *n* **1** rána, bolest **2** bolák **3** vřídek, nežit **4** bolavé místo

sorrow [sorəu] **1** zármutek, žal **2** utrpení, soužení **3** lítost

sorrowful [sorəuful] **1** žalostný, smutný **2** teskný, melancholický

sorry [sori] *adj* **1** cítící smutek / lítost / soucit / výčitky svědomí **2** žalostný, bídný
♦ **I am ~** *1.* promiňte, omlouvám se *2.* bohužel, lituji *3.* vyjádření soustrasti: **I am ~ for** *1.* lituji koho / čeho *2.* mrzí mě **to** že ♦ *interj* **1** promiňte, pardon **2** bohužel, lituji

sort [so:t] *n* druh, jakost; **what ~ of ...?** jaký ...?; **a good ~** příjemný člověk; **of ~s** jakýs

takýs; **~ of** jaksi; **be out of ~s** nebýt ve své kůži ♦ *v* třídit

sort out **1** vybrat, vytřídit **2** uspořádat **3** vyřešit

soul [səul] **1** duše **2** duch

sound[1] [saund] *n* **1** zvuk **2** (*přen.*) tón ♦ *v* **1** znít **2** rozezvučet

sound[2] [saund] **1** zdravý **2** morální **3** mající zdravé názory **4** řádný, solidní **5** dobrý, jak má být

sound[3] [saund] **1** změřit hloubku **2** sondovat

soundly [saundli] důkladně, řádně

soundproof [saundpru:f] zvukotěsný

sound wave [saundweiv] zvuková vlna

soup [su:p] polévka

sour [sauə] **1** kyselý; zkysaný; **turn ~** zkysnout **2** rozmrzelý, zahořklý

source [so:s] **1** pramen **2** zdroj

south [sauθ] *n* jih ♦ *adj* jižní ♦ *adv* na jih, jižně

southern [saðən] **1** jižní **2** *US* jižanský

sovereign [sovrin] *n* **1** panovník, monarcha, vladař **2** *stará zlatá mince v hodnotě £1* ♦ *adj* **1** nejlepší, největší, nej-hlavnější **2** účinný, spolehlivý

sow[1]* [səu] sít, rozsívat

sow[2] [sau] svině, prasnice

spa [spa:] lázně

space [speis] **1** prostor **2** mezera, vzdálenost **3** doba, údobí **4** kosmos, vesmír

spaceman [speismæn] astronaut, kosmonaut

spaceship [seisšip] kosmická loď

spacious [speišəs] **1** prostorný,

rozlehlý (*přen.*) 2 rozsáhlý, obšírný

spade [speid] rýč ♦ **call a ~ a ~** nazývat věci pravým jménem

spades [speidz] *pl* piky (*ve francouzských kartách*)

Spain [spein] Španělsko

span [spæn] *n* 1 rozpětí 2 pole, oblouk (*mostu*) • *v* (**nn**) 1 měřit 2 překlenout, přemostit 3 mít rozsah; trvat

spangle [spæŋgl] 1 flitr 2 třpytivé tělísko 3 duběnka

Spaniard [spænjəd] Španěl

Spanish [spæniš] *adj* španělský • *n* španělština

spank [spæŋk] naplácat na zadek (**a child** dítěti)

spanner [spænə] 1 klíč (*na matice*) 2 píďalka (*housenka*)

spare [speə] *adj* 1 hubený 2 střídmý, skoupý 3 přebytečný, nadbytečný 4 záložní, rezervní ♦ **~ part** náhradní díl; **~ room** pokoj pro hosta • *n* 1 náhradní díl / součástka, rezerva 2 náhradník • *v* ušetřit, vyšetřit ♦ **can you ~ me a moment?** máte pro mne chvilíčku?; **have no time to ~** nemít času nazbyt; **~ no pains** nešetřit úsilím

sparing [speəriŋ] střídmý; **be ~ with / in / of** šetřit čím

spark [spa:k] *n* jiskra • *v* jiskřit

sparking plug [ˈspa:kiŋˌplag] *GB* (*motor.*) svíčka

sparkle [spa:kl] jiskřit, sršet

sparkplug [spa:kplag] *US* (*motor.*) svíčka

sparrow [spærəu] vrabec

spasm [spæzm] 1 křeč 2 záchvat 3 výbuch

spatter [spætə] postříkat

spatula [spætjulə] špachtle

spawn [spo:n] 1 jikry; potěr 2 podhoubí

speak* [spi:k] 1 mluvit, hovořit **for** za 2 mluvit spolu, rozmlouvat 3 vyjadřovat se 4 prozrazovat 5 svědčit **for** ve prospěch koho ♦ **~ing for myself** pokud jde o mne; **~ for yourself** mluv sám za sebe, to je pouze tvůj názor; **so to ~** *1.* aby se tak řeklo *2.* abych užil toho výrazu

speak up 1 (pro)mluvit důrazně / otevřeně **for** v zájmu čeho, angažovat se pro 2 (pro)mluvit nahlas / hlasitěji

speaker [spi:kə] 1 mluvčí 2 řečník 3 **the S~** *GB* předseda Dolní sněmovny 4 reproduktor

spear [spiə] *n* 1 oštěp, kopí 2 výhonek • *v* nabodnout, probodnout (jako) oštěpem, harpunovat

special [spešl] 1 zvláštní 2 speciální

specialist [spešəlist] 1 odborník, specialista 2 odborný lékař

specialize [spešəlaiz] specializovat se **in** na

species [spi:ši:z] *sg,pl* (*přírodovědný*) druh

specific [spi'sifik] 1 zvláštní, specifický 2 typický, charakteristický

specify [spesifai] 1 upřesnit 2 přesně určit, vymezit, specifikovat 3 zmínit se, uvést

specimen [spesimin] 1 vzor, vzorek 2 ukázka, příklad 3 (*hovor.*) individuum ♦ **~ copy** recenzní výtisk

speck [spek] skvrnka, smítko

spectacle [spektəkl] (*efektní*) podívaná, atrakce

spectacles [spektəklz] *pl* brýle

spectacular [spek'tækjulə] *adj*
1 honosný, pompézní, okázalý
2 efektní, atraktivní
● *n* výpravná televizní estráda

spectator [spek'teitə] divák

spectre [spektə] duch, přízrak, fantom, strašidlo

spectrum [spektrəm] spektrum

speculate [spekjuleit] **1** uvažovat, přemýšlet, hloubat **2** spekulovat

speculation [spekju'leišn]
1 přemýšlení, hloubání
2 spekulace

speech [spi:č] **1** jazyk, řeč, mluva
2 proslov, projev

speechless [spi:člis] **1** němý, neschopný slova **2** nemluvný
3 nevýslovný

speed [spi:d] *n* **1** rychlost
2 citlivost (*filmu*); světlost (*objektivu*)
♦ **at full** ~ plnou rychlostí;
~ **limit** nejvyšší dovolená rychlost; ~ **skating** rychlobruslení
● *v** uhánět, pospíchat

speed up urychlit, zrychlit

speeding [spi:diŋ] překročení dovolené rychlosti, příliš rychlá jízda

speedometer [spi'domitə]
1 rychloměr, otáčkoměr
2 tachometr

speedy [spi:di] spěšný, rychlý

spell[1] [spel] **1** kouzlo **2** zaříkadlo

spell[2]* [spel] **1** psát (*pravopisně*)
2 hláskovat **3** znamenat, značit, mít za následek

spell out 1 přečíst / nadiktovat písmenko po písmenku
2 vysvětlit **3** pochopit

spell[3] [spel] **1** období, doba
2 chvilka, chvilička **3** směna

spellbound [spelbaund] očarovaný, okouzlený, fascinovaný

spelling [speliŋ] pravopis

spend* [spend] **1** vydat, utratit
(**money** peníze) **2** utrácet, plýtvat penězi **3** spotřebovat
4 trávit, strávit, prožít (**one's leisure** svůj volný čas)

spendthrift [ˈspendˌθrift] marnotratník, rozhaza

sphere [sfiə] **1** koule **2** oblast, obor působnosti, sféra

spherical [sferikl] kulatý, kulovitý; sférický

spice [spais] *n* koření ● *v* kořenit

spick-and-span [spikən'spæn] jako z cukru / ze škatulky / ze žurnálu

spider [spaidə] pavouk

spike [spaik] *n* **1** špice, bodec
2 klas **3** *též* ~ **heel** jehlový podpatek **4** ~**s** *pl* tretry
● *v* **1** (na)bodnout, (na)píchnout
2 říznout (alkoholem)
(*nealkoholický nápoj*)

spill* [spil] *v* **1** rozlít (se)
2 rozsypat (se) **3** shodit (*jezdce*)
4 spadnout, sletět **5** vyklopit, vyžvanit ♦ ~ **the beans** (*hovor.*) všechno prozradit; ~ **blood** prolít krev; ~ **a drop** ukápnout ● *n*
1 vylité množství **2** pád, spadnutí

spin* [spin] *v* (**nn**) **1** příst
2 (roz)točit (se) (*rychle*), vířit, kroužit, rotovat
● *n* **1** víření, kroužení, rotace
2 pirueta **3** krátká projížďka

spinach [spinidž] špenát

spinal [spainl] páteřní; ~ **column** páteř; ~ **cord** mícha

spindle [spindl] **1** vřeteno **2** osa, čep

S

spin-drier [spin'draiə]
(*odstředivá*) ždímačka

spine [spain] **1** osten, trn, bodlina
2 páteř **3** hřbet

spinning wheel [spiniŋwi:l]
kolovrátek, přeslice

spinster [spinstə] neprovdaná
žena; stará panna

spiral [spaiərl] *n* spirála; šroubovi-
ce • *adj* spirálový; šroubovitý

spire [spaiə] (špičatá) věž

spirit [spirit] *n* **1** duch **2** ~s *pl*
nálada, rozpoložení **3** lihovina,
alkohol **4** ~s *pl* destilát; lihoviny
♦ be in high // low / poor ~s
mít výbornou // bídnou náladu
• *v* **1** *též* ~ **up** nadchnout, dodat
odvahy komu **2** *též* ~ **away / off**
tajně unést, odnést, odvézt

spirited [spiritid] **1** živý, bystrý,
energický, temperamentní
2 ohnivý, vášnivý

spiritual [spiričuəl] *adj* duchovní;
duševní • *n* spirituál

spit[1] [spit] (**tt**) **1** plivat **2** prskat

spit[2] [spit] rožeň, rošt; jehla;
(*otáčecí*) gril

spite [spait] *v* zlobit, rozčilovat,
dělat schválnosti komu
• *n* **1** zášť, nevražívost **2** zlá vůle
♦ in ~ of navzdory, přesto; **in ~
of himself** ať chce nebo nechce,
proti své vůli

spiteful [spaitful] záštiplný,
nevražívý, škodolibý, záludný

spitting image [spitiŋ'imidž]
věrná podoba

spiv [spiv] *GB* (*hovor.*) **1** flákač,
pásek **2** čachrář, šmelinář

splash [splæš] *n* **1** šplouchání,
šplouchnutí **2** skvrna **3** (*hovor.*)
senzace, rozruch • *v* **1** stříkat,

šplouchat (se), pocákat **2** (*hovor.*)
uveřejnit v nápadné úpravě

splash down (*kosmická loď*)
přistát do moře

spleen [spli:n] **1** (*med.*) slezina
2 deprese, melancholie, splín

splendid [splendid] **1** skvělý,
nádherný **2** okázalý, přepychový

splendour [splendə] **1** lesk, záře,
třpyt **2** nádhera, skvostnost

splice [splais] splétat konce (*lan*);
slepovat konce (*filmu,
magnetofonového pásku*)

splicer [splaisə] lepička

splint [splint] dlaha

splinter [splintə] střepina; tříska

split* [split] *v* (**tt**) **1** štípat (se)
2 rozštípnout; rozštěpit
3 puknout, prasknout **4** rozejít
se **with** s **♦** ~ **ring** kroužek na
klíče; ~ **second** zlomek vteřiny
• *n* **1** štípání; rozštěpení **2** tříska,
štěpina, úlomek **3** trhlina, škví-
ra, prasklina **4** rozkol, roztržka
5 půlený banán se zmrzlinou

spoil* [spoil] *v* **1** kazit, zkazit
(se) **2** rozmazlovat • *n* **1** kořist
2 kazové zboží, zmetek

spoke [spəuk] paprsek (*kola*); drát
(*kola bicyklu*); příčel (*žebříku*)

spokesman [spəuksmən] mluvčí

sponge [spandž] *n* **1** houba
2 piškot **3** vyžírka, parazit
♦ throw in the ~ *1.* hodit ručník
do ringu *2.* hodit flintu do žita
• *v* **1** mýt houbou **2** žít jako
příživník **on** na

sponge cake [spandžkeik] piškot,
piškotový dort

spongy [spandži] **1** houbovitý,
pórézní **2** mokrý

sponsor [sponsə] *n* sponzor
• *v* sponzorovat

spontaneous [spon'teinjəs]
1 živelný, impulzívní, spontánní
2 samovolný, bezděčný

spool [spu:l] cívka

spoon [spu:n] lžíce

spoonful [spu:nful] lžíce **of sth.** čeho

sport [spo:t] *n* **1** sport, sportování **2** zábava, povyražení **3** dobrý kamarád, příjemný společník ● *v* **1** bavit se, hrát si; skotačit, dovádět **2** sportovat **3** okázale nosit

sporting [spo:tiŋ] **1** sportovní **2** lovecký **3** slušný, čestný **4** hejskovský

sportsman [spo:tsmən]
1 sportovec **2** sportovní fanda **3** náruživý lovec / rybář **4** slušný člověk, chlap

spot [spot] *n* **1** tečka, puntík, bod **2** skvrna; kaňka **3** kaz **4** (*přesně určené*) místo **5** svízelná situace ♦ **~ on** přesně, správně, výborně; **on the ~** *1.* ihned *2.* na svém místě *3.* přesně *4.* v dilematu *5.* v úzkých *6.* čilý, energický; **tender ~** (*přen.*) citlivé / bolavé místo, Achillova pata ● *v* **(tt)** **1** umazat (se) **2** pokaňkat, postříkat **3** spatřit, všimnout si čeho, zahlédnout ● *adj* **1** okamžitý, promptní **2** pohotový **3** prováděný na místě **4** namátkový

spotless [spotlis] bez skvrn / poskvrny

spotlight [spotlait] *n* **1** bodový reflektor, sledovačka, štych (*slang.*) **2** (*přen.*) střed zájmu; zájem veřejnosti, popředí ● *v* upoutat pozornost na

spotty [spoti] **1** tečkovaný,

kropenatý **2** nepravidelný; nevyrovnaný **3** místně omezený

spout [spaut] *n* hubička (*konvice*) ● *v* tryskat; chrlit

sprain [sprein] vyvrtnout si, podvrtnout si, udělat si výron

sprawl [spro:l] **1** natáhnout se, plácnout sebou s roztaženými údy **2** rozvalovat se **3** rozrůstat se (*nepravidelně*)

spray[1] [sprei] větvička, ratolest, haluz

spray[2] [sprei] *n* **1** postřik **2** rozprašovač, sprej ● *v* **1** rozprašovat **2** postřikovat

spread* [spred] *v* **1** roztahovat; rozšiřovat **2** rozprostírat se **3** potírat, (na)mazat **4** rozestřít, prostřít **5** šířit (se) ● *n* **1** rozšíření **2** rozpětí **3** pomazánka

spreadsheet [spredši:t] kalkulační tabulka

sprig [sprig] snítka, větvička

spring[1]* [spriŋ] *v* **1** pramenit; (vy)prýštit, tryskat **2** pocházet **3** skákat, skočit, vyskočit ● *n* **1** skok **2** pramen **3** pružnost **4** pružina, péro; pérování

spring[2] [spriŋ] jaro

springboard [spriŋbo:d]
1 skokanské prkno **2** trampolína **3** (*přen.*) odraziště, nástupiště

spring mattress [spriŋ'mætris] pérová matrace

sprinkle [spriŋkl] *v* postříkat, pokropit; posypat ● *n* sprška, mrholení

sprite [sprait] šotek, skřítek

sprout [spraut] *v* pučet, vyrážet ● *n* **1** výhonek **2** mladík, výrostek ♦ **Brussels ~s** *pl* růžičková kapusta

spruce [spru:s] smrk

spur [spə:] *n* ostruha; **on the ~ of the moment** bez dlouhého rozmýšlení ● *v* (**rr**) **1** dát ostruhy **2** pobízet, pohánět

spurious [spjuəriəs] falešný, padělaný, podvržený

spurt [spə:t] *n* **1** náhlé vzplanutí; rozmach **2** zrychlení, spurt ● *v* **1** náhle vzplanout **2** zrychlit, spurtovat

sputter [spatə] prskat

spy [spai] *n* špeh, špión, vyzvědač ● *v* **1** tajně pozorovat, sledovat, špehovat **2** vorádět špionáž

spyglass [spaigla:s] (*skládací*) dalekohled

squabble [skwobl] malicherná hádka, haštěření

squadron [skwodrən] eskadra: lodní svaz, flotila; letka

squalid [skwolid] špinavý, zanedbaný

squalor [skwolə] špína, sešlost, zanedbanost

squander [skwondə] rozmařile utrácet; promrhat, promarnit

square [skweə] *n* **1** čtverec **2** (*čtvercové / obdelníkové*) náměstí **3** pole (*šachovnice*) **4** trojúhelník, příložník **5** druhá mocnina ● *adj* **1** čtvercový, čtyřhranný; čtverečné **2** kolmý, v pravém úhlu, tvořící pravý úhel **3** zařezávající **with** s **4** poctivý, řádný; **a ~ meal** pořádné jídlo ● *v* **1** (*mat.*) povýšit na druhou **2** zaplatit **for** co; srovnat (**accounts** účty)

square away uklidit, dát na místo

square up (*hovor.*) **1** vyrovnat účty **2** postavit se statečně **to** k, být ochoten se poprat s

square root [skweə'ru:t] druhá odmocnina

squash [skwoš] *v* rozmačkat ● *n* **1** nával, tlačenice **2** nápoj z vymačkaného ovoce, citronáda, šťáva **3** (*sport*) squash

squat [skwot] (**tt**) **1** sedět na bobku; sedět s nohama křížem **2** (*hovor.*) uvelebit se, dřepnout si **3** nastěhovat se bez právního titulu

squeak [skwi:k] **1** pískat **2** vrzat **3** (*slang.*) prásknout, udat, prozradit

squeal [skwi:l] **1** kvičet, ječet, vřeštět **2** (*slang.*) prásknout to, vypovídat

squeamish [skwi:miš] **1** choulostivý **2** netýkavý **3** prudérní

squeeze [skwi:z] *v* **1** zmáčknout, stisknout **2** sevřít **3** vymačkat **4** protáhnout se, protlačit se ● *n* **1** stisknutí **2** tlačenice **3** otisk

squib [skwib] **1** čertík, prskavka, bouchací kulička **2** hanopis, pamflet, šleh

squint [skwint] *n* šilhavost, šilhání ● *v* šilhat

squire [skwaiə] venkovský šlechtic, majorátní pán, velkostatkář

squirrel [skwirl] veverka

S.S. = steamship parník

St. 1 Saint [sənt] sv., svatý **2 Street** ul., ulice, tř., třída

stab [stæb] *v* (**bb**) (pro)bodnout ● *n* bodnutí, bodná rána

stability [stə'biliti] **1** stálost, pevnost, stabilnost **2** rovnováha **3** vytrvalost

stable¹ [steibl] stálý, pevný, stabilní

stable² [steibl] stáj

stack [stæk] *n* **1** stoh, kupa
2 vysoký tovární komín
• *v* **1** kupit, stohovat
2 naskládat na sebe

stadium [steidjəm] **1** stadión
2 stadium (*nemoci / hmyzu*)

staff [sta:f] **1** štáb; personál,
osazenstvo; učitelský sbor
2 hůl, žerď **3** notová osnova

stag [stæg] jelen; ~ **party** „pánská
jízda"

stage [steidž] *n* **1** jeviště; ~ **fright**
tréma **2** stadium, období, etapa;
by ~s po etapách • *v* **1** uspořádat
2 uvést na scénu, inscenovat

stagecoach [steidžkəuč] dostavník

stage manager ['steidž,mænidžə]
1 režisér **2** intendant **3** hlavní
inspicient

stagger [stægə] **1** potácet se, vrá-
vorat **2** ohromit, zdrtit, šokovat
3 (*časově*) rozdělit, uspořádat
tak, aby se nekrylo / nebylo
najednou (*např. dovolenou*)

stagnation [stæg'neišn]
1 váznutí, ustrnutí, stagnace
2 nehybnost (*vzduchu*)

stain [stein] *v* **1** znečistit, pošpi-
nit, umazat **2** napustit barvou,
namořit • *n* **1** skvrna **2** mořidlo

stained glass [steind'gla:s]
barevné sklo

stainless [steinlis]
1 neposkvrněný, ryzí
2 nerezavějící

stair [steə] schod; ~**s** *pl* schody

staircase [steəkeis] schodiště

stake [steik] *n* **1** kůl; kolík
2 hranice **3** sázka; **be at ~** být
v sázce • *v* **1** *též* ~ **off / out**
vykolíkovat **2** vsadit **on** na; dát
v sázku, riskovat

stale [steil] starý, zvětralý,
vydýchaný, vyčichlý, okoralý

stalemate [steilmeit] **1** pat
(*v šachu*) **2** situace na mrtvém
bodě, slepá ulička

stalk[1] [sto:k] **1** stvol, lodyha,
stopka **2** nožka (*sklenky*)

stalk[2] [sto:k] **1** plížit se
2 vykračovat si **3** prohledávat,
pročesávat

stall [sto:l] **1** stánek, krámek, ki-
osk **2** stání, box **3** (*div.*) křeslo

stallion [stæljən] hřebec

stamina [stæminə] výdrž, životní
síla, vitalita

stammer [stæmə] zadrhávat
v řeči, koktat

stamp [stæmp] *n* **1** dupnutí
2 razítko; raznice **3** poštovní
známka **4** kolek **5** etiketa
6 trvalý / hluboký vliv
• *v* **1** dupnout; zadupat
2 potlačit, likvidovat **3** razítkovat
4 (*přen.*) trvale označit, pozname-
nat **5** nalepit známku, ofrankovat

stamp out násilně potlačit

stand [stænd] *n* **1** stanoviště, po-
zice **2** stojan, stojánek **3** stánek
4 zastávka ♦ **bring to a ~**
zastavit; **come to a ~** zastavit se;
make / take a ~ postavit se • *v**
1 stát **2** postavit (se) **3** ustálit
se **4** vydržet, snést, strpět, vystát
5 zaplatit komu co **6** připustit,
dát si líbit **7** dodržovat **by** co,
podporovat koho **8** znamenat,
značit **for** co **9** být zastáncem
for čeho, stát pevně za
10 dovolit, nechat, strpět **for** co
11 záviset, záležet **on / upon** na
♦ ~ **at attention** stát v pozoru;
~ **easy** stát v pohovu; ~ **good** mít
platnost, být v platnosti; ~ **to lose**

S

moci pouze prohrát, nemít naději
na zisk / výhru; **it ~s to reason
that** rozumí se, že; **~ Sam** vytáhnout se, všechno platit; **as things
~ now** jak teď situace vypadá
stand aside ustoupit stranou
stand back ustoupit, ustupovat
stand by 1 být připraven,
připravit se **2** zůstat nablízku,
čekat **3** zůstat na příjmu, čekat
4 nečinně přihlížet
stand off 1 držet se stranou /
zpátky **2** oduhovat se,
distancovat se **3** zadržet
4 dočasně propustit **5** vyčnívat
stand out 1 distancovat se **2** být
nápadný **3** rýsovat se **against**
proti **4** vydržet **against** co
5 bojovat **for** za
stand up 1 vstát **2** stoupat vzhůru
3 nepřijít na schůzku s **4** veřejně
podporovat **for** koho / co
5 obstát **6** vydržet, snést **to** co
7 čelit, vzdorovat **to** (*nebezpečí*)
standard [stændəd] *n* **1** korouhev,
standarta **2** prezidentská vlajka
3 míra, měřítko; normál
4 stupeň, úroveň, standard
• *adj* **1** standardní, normální
2 autoritativní, klasický
3 druhořadý, konzumní
stand-in [stændin] *n* **1** kaskadér
2 zástupce, náhradník
standing [stændiŋ] *adj* **1** trvalý
2 stálý **3** obvyklý, osvědčený
4 ve stoje
• *n* **1** trvání **2** postavení,
pověst **3** místo, pozice
standpoint [stændpoint] hledisko,
stanovisko
standstill ['stænd,stil] klid, zastavení • **be at a ~** být v klidu / na mrtvém bodě; **come to a ~** zastavit se

staple [steipl] *n* **1** hlavní produkt
2 základní potravina • *adj*
1 hlavní, základní **2** obvyklý
stapler [steiplə] (*kancelářská*)
sešívačka
star [sta:] *n* **1** hvězda; hvězdička
2 zlatý hřeb • *v* (**rr**) **1** posít (*jako*) hvězdami **2** označit hvězdičkou **3** hrát / uvádět v hlavní roli
starch [sta:č] *n* škrob • *v* škrobit
starchy [sta:či] **1** naškrobený
2 (*hovor.*) škrobený
stare [steə] *v* **1** upřeně / dlouho
hledět, civět **2** vytřeštit oči, zírat
• *n* **1** upřený / dlouhý pohled
2 vyvalené oči
stark [sta:k] **1** úplný, absolutní
2 holý, nehostinný **3** tvrdý, přísný
starling [sta:liŋ] špaček
starry [sta:ri] **1** hvězdnatý,
hvězdný **2** třpytící se, zářící
start [sta:t] *v* **1** trhnout sebou;
náhle se probudit **2** vyplašit
3 začít, zahájit; spustit, odstartovat **4** načít **5** vydat se (*na
cestu*) **6** přimět • *n* **1** trhnutí,
škubnutí **2** začátek; start
start in to do sth. začít dělat co,
pustit se do čeho
start out (*hovor.*) podniknout
první kroky k, chystat se k
start up 1 začít, založit **2** náhle
se objevit **3** nastartovat
startle [sta:tl] vyděsit, vyplašit
starvation [sta:'veišn] hladovění;
smrt hlady; **~ wages** hladové
mzdy
starve [sta:v] **1** hladovět, umírat
hlady **2** mučit hlady, vyhladovět
koho
state [steit] *n* **1** stav; **in a bad ~ of
repair** ve špatném stavu **2** stát
• *v* **1** (*rozhodně*) tvrdit **2** určit,

stanovit **3** udat, oznámit, prohlásit **4** konstatovat

statecraft [steitkra:ft] státnické umění

stately [steitli] majestátní, impozantní

statement [steitmənt]
1 prohlášení, oznámení **2** tvrzení, údaj **3** výpověď **4** specifikace, seznam; ~ **of account** výpis z účtu

statesman [steitsmən] státník

statesmanship [steitsmənšip] státnické vlastnosti / schopnosti

static [stætik] statický

statics [stætiks] *pl* praskání, atmosférické poruchy

station [steišn] *n* **1** stanice **2** nádraží **3** služební pobyt, stáž **4** služebna **5** středisko, základna **6** vojenská posádka **7** stanoviště ● *v* **1** ubytovat **2** přidělit koho kam **3** poslat posádkou

stationary [steišnəri] **1** nehybný **2** pevný, stálý **3** stojící, stojatý **4** stacionární

stationer [steišnə] papírník

stationery [steišnəri]
1 papírnické zboží, kancelářské potřeby **2** dopisní papír / papíry

station master [steišma:stə] přednosta / náčelník stanice

station wagon [steišnwægən] kombi, štejšn; dodávka

statistical [stə'tistikl] statistický

statistics [stə'tistiks] **1** *sg* statistika (*věda*) **2** *pl* statistické údaje

statue [stætju:] socha

stature [stæčə] (*tělesná*) výška, vzrůst, postava

status [steitəs] **1** postavení; životní úroveň **2** uznání, prestiž **3** role, funkce

statute [stætju:t] **1** zákon,

ustanovení; směrnice; pokyn **2** ~**s** *pl* stanovy, statut

staunch [sto:nč] **1** věrný, spolehlivý, neochvějný **2** zásadní, horlivý, zapřisáhlý

stave off [steiv'of] odvrátit, zmařit

stay [stei] *v* **1** zůstat **2** zdržovat se, bydlet (**at / in a hotel** v hotelu, **with sb.** u koho) **3** udržet se, vydržet **4** podpírat, vyztužovat **5** posilovat, být útěchou **6** odsunout, odložit; zastavit, zarazit ● ~ **put** *1.* zůstat na místě a ani se nehnout *2.* zůstat trčet ● *n* **1** pobyt **2** opora, podpěra

stead [sted]: **stand sb. in good** ~ dobře posloužit komu

steadfast [stedfa:st] **1** upřený, utkvělý **2** nezlomný, vytrvalý **3** stálý, pevný, neochvějný **4** věrný **to sth.** čemu

steady [stedi] *adj* **1** pevný, nehybný **2** stálý, neustálý **3** rovnoměrný **4** vyrovnaný, solidní ● *interj* **1** pozor, opatrně **2** jen klid ● *v* ustálit (se), upevnit (se), uklidnit (se), stabilizovat se

steak [steik] **1** plátek, řízek (*zvl. hovězího*) **2** (*rybí*) filé **3** sekaný řízek

steal* [sti:l] **1** ukrást **2** krást se, plížit se ● ~ **a march on sb.** vypálit komu rybník; ~ **sb.'s thunder** ukrást nápad / plán komu, chlubit se cizím peřím

stealthily [stelθili] pokradmu

steam [sti:m] *n* **1** pára **2** opar, páry, mlha ● *v* **1** vařit v páře, dusit **2** vypouštět páru, kouřit **3** jet plnou parou

steamboat [sti:mbəut] (*říční*) parník

S

steam engine [sti:mendžin] parní stroj

steamer [sti:mə] parník, paroloď

steam iron [sti:maiən] napařovací žehlička

steamroller [sti:mrəulə] parní válec

steamship [sti:mšip] parník (*zvl. zaoceánský*)

steel [sti:l] *n* 1 ocel 2 ocílka 3 čepel • *adj* ocelový
• *v* 1 zocelit 2 zatvrdit, obrnit **against** proti

steep [sti:p] 1 příkrý, strmý 2 (*hovor.*) nehorázný, neuvěřitelný

steeple [sti:pl] 1 špičatá věž 2 věžička, špička na věži

steer [stiə] řídit, kormidlovat

steering wheel [stiəriŋwi:l] 1 volant 2 kormidelní kolo

steersman [stiəzmən] kormidelník

stellar [stelə] hvězdný

stem[1] [stem] kmen; lodyha, stonek, stvol

stem[2] [stem] (**mm**) zarazit, zastavit

stench [stenč] puch

stencil [stensl] 1 (*malířská*) šablona 2 rozmnožovací blána

stenographer [stənɒgrəfə] stenograf

step [step] *n* 1 krok 2 schod 3 stupeň 4 krok, opatření 5 (*pracovní*) operace • *v* (**pp**) 1 udělat krok, kráčet 2 šlápnout

step aside 1 ustoupit stranou 2 odbočit od tématu

step down 1 podat demisi 2 jít na odpočinek 3 snížit, zredukovat

step in 1 vstoupit 2 zaskočit na návštěvu 3 zakročit, zasáhnout

step up 1 stupňovat, zvýšit 2 udělat pokrok, zlepšit se

stepbrother [stepbraðə] nevlastní bratr

stepfather [stepfa:ðə] nevlastní otec, otčím

stepladder [steplædə] schůdky, dvojitý žebřík, štafle

stepmother [stepmaðə] nevlastní matka, macecha

sterile [sterail] 1 neplodný, sterilní 2 neúrodný

sterilization [sterilai'zeišn] sterilizace

sterling [stə:liŋ] ryzí, pravý, poctivý; absolutní, vynikající

stern[1] [stə:n] přísný, tvrdý, tuhý, striktní

stern[2] [stə:n] záď (*lodě*)

stew [stju:] *v* dusit (**meat** maso); **~ed fruit** kompot
• *n* 1 dušené maso 2 (*přen.*) salát, mišmaš, guláš

steward [stjuəd] 1 stevard 2 správce 3 ředitel (*jezdeckého klubu*)

stewardess [stjuədis] 1 stevardka 2 letuška

stick[1] [stik] 1 klacek 2 kůl, tyčka 3 hůl 4 špejle, tyčinka, dřívko 5 násada 6 lízátko 7 (*hovor.*) kus
• ~ **figure** (*symbolická*) kresba lidské postavy (*z čárek, kroužků apod.*)

stick[2]* [stik] 1 (pro)píchnout 2 strčit 3 přilepit, nalepit 4 vezet, lpět, držet se 5 (*hovor.*) snést 6 trčet, dřepět **at** u 7 zastavit se **at** před 8 zůstat věrný **by** komu 9 přetáhnout **over** přes 10 houževnatě se držet **to** čeho, být věrný čemu 11 držet krok **to** / **with** s, stačit komu

stick around (*hovor.*) zůstat blízko, nechodit daleko

stick out 1 natáhnout, napřáhnout
2 vyčnívat **3** (*přen.*) být
nápadně vidět **4** vystrčit
5 nedat se, nepovolit, vydržet
stick together držet při sobě
stick up 1 postavit **2** být vidět,
vyčnívat **3** zastat se **for sb.** ko-
ho, postavit se za **4** přepadnout
(*s namířenou zbraní*)
sticking plaster [stikiŋpla:stə]
náplast
sticky [stiki] lepkavý ♦ **come to
a ~ end** (*hovor.*) velice špatně
dopadnout; **~ tape** 1. lepicí
páska; izolepa 2. leukoplast
stiff [stif] *adj* **1** tuhý, neohebný;
tvrdý **2** zdřevěnělý **3** upjatý,
odměřený, škrobený ♦ **keep a ~
upper lip** nedat na sobě nic znát
4 značný, vysoký, silný
♦ *adv* (*hovor.*) hrozně
♦ *n* (*slang.*) mrtvola
stiffen [stifn] **1** ztuhnout, strnout
2 vyztužit, naškrobit **3** posílit,
vzpružit
stifle [staifl] **1** dusit (se), zadusit
(se) **2** přemáhat, potlačit
stile [stail] **1** schůdky (*přes plot /
ohradu*) **2** turniket
stiletto [sti'letəu] dýka; **~ heel**
jehlový podpatek
still[1] [stil] *adj* **1** nehybný **2** tichý,
tlumený **3** klidný ♦ *v* **1** uklidnit,
utišit **2** ukojit, uspokojit
still[2] [stil] *adv* **1** stále ještě, do-
sud, pořád **2** ještě (**better** lepší)
♦ *conj* přesto, nicméně
still life [stil'laif] zátiší
stilted [stiltid] **1** nabubřelý,
pompézní **2** afektovaný
stilts [stilts] *pl* chůdy
stimulant [stimjulant]
povzbuzující prostředek

stimulate [stimjuleit] podráždit;
podnítit, povzbudit
sting [stiŋ] *n* **1** žihadlo **2** bodnutí
3 prudká / pálčivá bolest **4** osten,
hryzání ♦ *v*[*] **1** píchnout, dát ži-
hadlo **2** žahat, pálit **3** uštknout
4 působit palčivou bolest komu
stingy [stindži] **1** lakomý
2 malý, mizerný
stink[*] [stiŋk] *v* **1** páchnout,
smrdět **2** (*přen.*) být odporný,
budit hnus **3** (*přen.*) stát za
starou bačkoru ♦ *n* zápach, puch
stint [stint] *v* **1** omezovat, skrblit
2 přidělit úkol ♦ *n* **1** úkol,
penzum **2** turnus; směna
stipulate [stipjuleit] **1** vymínit si
2 (*smluvně*) ujednat
stir [stə:] *v* (**rr**) **1** hýbat (se),
pohnout (se) **2** (za)míchat
3 rozrušit, pobouřit
4 vzbuzovat, vzrušit
♦ *n* **1** (*malý*) pohyb **2** rozruch
♦ **give a ~** zamíchat; **make
a great ~** vzbudit všeobecný
rozruch
stirrup [stirəp] třmen
stitch [stič] *n* **1** steh **2** očko (*při
pletení*) **3** píchnutí, bodavá bolest
♦ *v* **1** stehovat, (se)šít

S

stock [stok] *n* **1** sklad; zásoba
2 (*vozový*) park **3** (**live**-) živý
inventář **4** masový vývar
5 pařez, špalek **6** akciový kapi-
tál, cenné papíry, akcie **7** rod,
původ; kmen, rasa, plemeno
♦ **be in / out of ~** být / nebýt na
skladě; **lay in ~** nakupovat, dělat
zásobu čeho; **~ of plays** reperto-
ár; **take ~ of** dělat inventuru čeho
♦ *v* **1** zásobit (se) **with** čím
2 skladovat, mít na skladě
♦ *adj* **1** na skladě, skladovaný

2 obvyklý, běžný, normální
3 tuctový, konvenční, banální
stockbroker [stokbrəukə]
burzovní makléř
stock exchange ['stokiks,čeindž]
burza cenných papírů
stocking [stokiŋ] punčocha
stocktaking [stokteikiŋ] *GB*
inventura
stodgy [stodži] **1** hutný, těžko
stravitelný **2** těžkopádný, nudný
3 tlustý a nemotorný
stoker [stəukə] topič
stolid [stolid] tupý, nechápavý;
flegmatický, apatický
stomach [stamək] *n* **1** žaludek
2 břicho, pupek **3** chuť k jídlu
♦ *v* strávit, (*též přen.*)
stone [stəun] *n* **1** kámen **2** pecka
♦ *adj* kamenný ♦ *v* **1** házet (ja-
ko) kamením po **2** vypeckovat
3 přivést do bezvědomí, zfetovat
stony [stəuni] **1** kamenný,
kamenitý **2** tvrdý jako kámen
stoodge [stu:dž] hloupý partner
(*v komickém výstupu*), nahrávač
vtipů
stool [stu:l] **1** stolička, sedátko
2 stolice
stoop [stu:p] *v* **1** sehnout se,
ohnout se **2** mít ohnutá / kulatá
záda **3** klesnout, snížit se **to k**
4 zneužívat ♦ *n* **1** ohnutí
2 ohnutá / kulatá záda
stop [stop] *v* (**pp**) **1** zastavit (se)
2 končit, přestat **3** skoncovat **sth.**
s, zarazit co **4** zdržovat se, zůstat,
zůstávat **5** zadržet **6** zacpat,
ucpat; (za)plombovat (**a tooth**
zub) ♦ ~ **one's ears** *1.* zacpat si
uši *2.* (*přen.*) nechtít slyšet **to**
co, být hluchý **k**; ~ **a wound**
zastavit krvácení z rány

♦ *n* **1** zastavení **2** zastávka, stani-
ce; mezipřistání ♦ **full** ~ *1.* tečka
2. náhlé / prudké zastavení
stopgap [stopgæp] **1** zátka
2 improvizovaná náhrada
stoppage [stopidž] **1** zastavení
2 zastávka, pobyt **3** ucpání
4 stávka
stopper [stopə] zátka
stop watch [stopwoč] stopky
storage [sto:ridž] **1** skladování,
uskladnění **2** sklad, skladiště
store [sto:] *n* **1** zásoba **2** sklad,
skladiště **3** obchodní dům **4** *US*
obchod, prodejna
♦ **in** ~ na skladě; **what lies in ~
for us** co nás čeká; **set great ~ by**
klást velký důraz na, potřebí si na
♦ *v* **1** *též* ~ **up** dělat si zásobu
čeho, hromadit, shromažďovat
2 zásobit **3** uskladnit
storehouse [sto:haus] skladiště
storekeeper [sto:ki:pə] skladník
storey [sto:ri] podlaží, etáž
stork [sto:k] čáp
storm [sto:m] *n* **1** bouře **2** příval,
záplava **3** zteč, úder, útok, nápor
♦ *v* **1** bouřit, burácet, zuřit **2** (**in**)
vřítit se; (**out**) vyřítit se (ven, z)
(*rozzuřeně*) **3** vzít útokem
stormy [sto:mi] **1** bouřlivý
2 věštící bouři
story [sto:ri] **1** historie **2** příběh,
historka, vypravování
3 (**short-**) povídka; román
4 námět, literární předloha **5** co
se povídá, pověst, šeptanda
6 *US* patro, poschodí
storyteller [sto:ritelə] vypravěč
stout [staut] *adj* **1** zavalitý, korpu-
lentní **2** statný, robustní **3** pevný,
jistý, spolehlivý **4** solidní, po-

řádný **5** neohrožený, nebojácný
♦ *n* těžké černé pivo, silný porter

stove [stəuv] kamna

stow [stəu] **1** uskladnit, uložit
2 naložit (*vůz, loď*)

stow away 1 schovat se (*jako černý pasažér*) **2** (*přen.*) sníst

stowaway [stəuəwei] černý pasažér

straddle [strædl] rozkročit se; stát rozkročmo

straight [streit] *adj* **1** rovný, přímý
2 upřímný, otevřený **3** rovný
4 uklizený **5** čistý, nezředěný
6 obyčejný, bez problémů
♦ *adv* **1** rovnou, přímo **2** rovně
3 čestně **4** hned, okamžitě
♦ ~ **away / off** ihned, bez váhání / rozmýšlení

straighten [streitn] narovnat (se)

straightforward [streit'fo:wəd]
1 přímočarý, upřímný, poctivý
2 jasný, zřejmý

strain [strein] *v* **1** napnout,
napínat **2** přetěžovat; poškodit
přepínáním **3** namáhat (se)
4 couvat **at** před **5** násilně
vykládat, překroutit, zkomolit
6 procedit, přecedit, scedit
♦ *n* **1** námaha, napětí, vypětí
2 deformace **3** plemeno, rasa

strained [streind] **1** namáhavý
2 nucený, násilný **3** nervózní,
podrážděný **4** téměř
nepřátelský, napjatý

strainer [streinə] cedítko, cedníček

strait [streit] **1** průliv, úžina **2** ~**s**
pl obtížná situace, tíseň

straitjacket ['streit,dʒækit] svěrací
kazajka

strand [strænd] pramen (*vlasů,
lana*)

stranded [strændid] **be** ~ *1.* najet
na mělčinu, ztroskotat *2.* zůstat

v bezvýchodné situaci / na holičkách, ocitnout se bez pomoci

strange [streindʒ] **1** cizí, neznámý **2** zvláštní, divný, nezvyklý
3 chladný, rezervovaný
♦ **be** ~ nevyznat se; **be ~ to sth.**
neznat co, nebýt zvyklý na,
nevyznat se v, nerozumět čemu;
~ **to say** kupodivu

stranger [streindʒə] **1** cizinec
2 cizí / neznámý člověk; **he is a
~ to this place** je tu cizí

strangle [stræŋgl] **1** (u)škrtit,
(za)rdousit **2** (u)dusit se
3 tlumit, potlačovat

strap [stræp] *n* řemen
♦ *v* (**pp**) upevnit řemenem

straphanger [stræp,hæŋə] **1** *GB*
(*hovor.*) stojící cestující
2 pravidelný cestující

strategic [strə'ti:dʒik] strategický

stratosphere [strætəsfiə]
stratosféra

stratum [streitəm / stra:təm] vrstva

straw [stro:] **1** sláma, **the last** ~
poslední kapka, vrchol **2** sláma,
brčko **3** tyčinka ♦ *adj* slaměný

strawberry [stro:bri] jahoda

stray [strei] *v* **1** zatoulat se,
zaběhnout se **2** bloudit, těkat
3 odchýlit se **from / off** od
♦ *n* bloudící dobytče, zatoulané
zvíře ♦ *adj* **1** zatoulaný,
zbloudilý; **a ~ customer**
ojedinělý zákazník **2** toulavý

streak [stri:k] pruh, proužek

streaky [stri:ki] **1** pruhovaný
2 (*maso*) prorostlý **3** (*vlasy*)
melírovaný

stream [stri:m] *n* **1** proud **2** potok,
říčka, řeka, tok **3** (*školní*)
stupeň; studijní směr / větev
♦ *v* **1** proudit **2** plynout, téci

S

3 řinout se, stékat **4** přetékat
with čím **5** vlát
streamer [stri:mə] **1** praporec
2 stuha, fábor **3** (*papírová*)
serpentina
streamlined [stri:mlaind]
1 aerodynamický **2** zaoblený
3 elegantní **4** úsporný
5 praktický
street [stri:t] ulice; třída
♦ **be down / up one's ~**
ovládat, umět, vyznat se v tom
streetcar [stri:tka:] *US* tramvaj
strength [streŋθ] síla; **on the ~ of
sth.** na základě čeho
strengthen [streŋθn] **1** posílit
2 zesílit **3** utužit
strenuous [strenjuəs] **1** usilovný,
namáhavý, vyčerpávající
2 snaživý, pracovitý, přičinlivý
stress [stres] *n* **1** tlak **2** napětí,
namáhání, stres **3** důraz;
přízvuk, akcent
● *v* **1** zdůraznit **2** akcentovat,
dát přízvuk na **3** namáhat
stretch [streč] *v* **1** natáhnout
2 roztáhnout (se); protáhnout
(se) **3** být pružný **4** táhnout se,
rozkládat se
♦ **~ one's eyes** vyvalovat oči;
~ the truth přehánět, zkreslovat
● *n* **1** roztažení, natažení
2 prodloužení **3** (*nepřerušená*)
plocha; doba, úsek **4** (*cílová*)
rovinka
stretcher [strečə] nosítka
strew* [stru:] **1** poházet, posypat
2 pokrývat **3** (*přen.*) prošpikovat
stricken [strikn] postižený,
zničený (*přen.*)
strict [strikt] **1** přesně vymezený,
přesný **2** přísný **3** rigorózní
stride* [straid] *v* vykračovat si

● *n* dlouhý krok; **take sth. in
one's ~** lehce absolvovat co,
nijak se nezdržovat s
strident [straidnt] ostrý, pronikavý
strife [straif] spor, svár
strike [straik] *n* **1** úder **2** nález
3 stávka; **go (out) on ~** vstoupit
do stávky; **general ~** generální
stávka ● *v** **1** udeřit, uhodit
2 razit (*minci*) **3** narazit **against**
na, udeřit se o **4** překvapit
5 škrtnout (**a match** zápalkou)
6 (*hodiny*) bít, tlouci **7** zaútočit;
uštknout **8** odseknout **from** od
9 stávkovat **10** budit dojem, při-
padat *sb.* komu **as** jaký ♦ **~ an
attitude** zaujmout pózu; **how
does it ~ you?** jakým dojmem to
na tebe působí?; **~ oil** *1.* objevit
naftu *2.* (*přen.*) objevit zlatý důl;
~ root zapustit kořeny, uchytit se
strike off vyškrtnout
strike out 1 přeškrtnout **2** vydat
se, vyrazit **3** bít kolem sebe,
zaútočit
strike up začít, spustit, dát se do
strikebreaker [straikbreikə]
stávkokaz
striker [straikə] **1** stávkující
2 vysunutý útočník (*v kopané*)
Strimmer [strimə] strunová
sekačka
string [striŋ] *v* **1** provaz, prová-
zek **2** šňůra, (*též přen.*) **3** struna
4 řada **5** **~s** *pl* smyčcové nástroje
● *v** **1** svázat provazem
2 napnout, natáhnout **3** navlékat
na šňůru **4** vyplést (*raketu*)
5 povzbudit, vybičovat
strip [strip] (**pp**) *v* **1** stáhnout,
sloupnout, zbavit **of sth.** čeho
2 svléci (se) **3** rozebrat,
rozmontovat **4** zredukovat

• *n* **1** pruh **2** kreslený seriál
3 *US* třída s obchody
stripe [straip] pruh, proužek
striped [straipt] pruhovaný,
proužkovaný
strive* [straiv] **1** snažit se,
usilovat **2** bojovat, zápasit
stroke [strəuk] *n* **1** úder, rána
2 rozmach **3** tempo; plavecký
styl **4** tah **5** pohlazení **6** mrtvice
7 šikmá zlomková čára
♦ **at a ~** naráz, okamžitě; **~ of
genius** geniální tah / nápad; **~ of
luck** šťastná náhoda • *v* pohladit
stroll [strəul] *v* procházet se, potu-
lovat se • *n* procházka, toulka
strong [strɒŋ] *adj* **1** silný
2 výborný, úspěšný **3** odolný **un-
der** proti **4** energický, drastický
♦ *adv* silně, mohutně
stronghold [strɒŋhəuld] bašta;
opora
structure [strʌkčə] **1** struktura
2 stavba; konstrukce **3** velká
stavba, budova
struggle [stragl] *v* **1** zápasit,
bojovat **2** vzpírat se **3** pokoušet
se, usilovat (**for** o)
• *n* **1** zápas, boj **2** svár, spor
strut [strat] (**tt**) vykračovat si,
naparovat se
stub [stab] **1** pařez **2** pahýl
3 oharek, nedopalek
stubble [stabl] strniště
stubborn [stabən] **1** umíněný,
tvrdošíjný **2** houževnatý,
nezdolný **3** úporný, urputný
stud[1] [stad] **1** hřebíček; cvoček;
knoflíček **2** pahýl, suk
stud[2] [stad] **1** hřebec **2** hřebčinec
student [stju:dnt] **1** student;
vysokoškolák **2** znalec, badatel,
pozorovatel

studio [stju:diəu] **1** ateliér
2 rozhlasové / televizní studio
3 zkušební sál
studious [stju:diəs] **1** velice
pečlivý, úzkostlivý **2** snaživý
3 vědecký, vědychtivý
4 zamyšlený
study [stadi] *n* **1** studium
2 předmět studia **3** studie;
pojednání **4** etuda **5** pracovna,
studovna • *v* **1** studovat, učit se
2 snažit se **3** pozorně sledovat,
věnovat zájem / pozornost čemu
stuff [staf] *n* **1** látka, hmota,
materiál **2** tkanina, látka, textil
3 *označuje nepojmenovanou
věc:* věci, krámy
• *v* **1** nacpat **2** nadít (**a turkey**
krocana) **3** vycpat
stuffing [stafiŋ] **1** nádivka
2 polštářování, polstrování; výplň
stuffy [stafi] **1** dusný, nevětraný
2 nudný **3** nepružný
stumble [stambl] **1** klopýtnout,
zakopnout **on / over** o
2 náhodou přijít **across / on /
upon na 3** koktat, breptat
stumbling block [stambliŋblok]
kámen úrazu
stump [stamp] **1** pařez **2** pahýl
3 košťál
stun [stan] (**nn**) omráčit
stunt[1] [stant] zabránit ve vývoji
stunt[2] [stant] **1** bravurní ukázka
2 akrobatický kousek
3 propagační nápad, reklamní trik
stunted [stantid] zakrnělý
stunt man [stantmæn] kaskadér
stupefy [stju:pifai] **1** otupit
2 ohloupit **3** ohromit
stupendous [stju:'pendəs]
ohromující, úžasný
stupid [stju:pid] hloupý, pitomý

S

stupidity [stju:'piditi] hloupost, pitomost

sturdy [stə:di] **1** statný, zdatný **2** hřmotný, robustní **3** pevný, solidní, odolný

stutter [statə] koktat

sty[1] [stai] prasečí chlívek, kotec

sty[2], **stye** [stai] ječné zrno

style [stail] **1** sloh, styl **2** móda, módní směr **3** účes **4** druh, typ **5** tyč (*slunečních hodin*)

stymie [staimi] (*téměř*) neřešitelná situace

suave [swa:v] **1** příjemný, milý **2** (*pouze společensky*) uhlazený, přívětivý

subconscious [sab'konšəs] **1** podvědomý **2** bezděčný

subdue [səb'dju:] **1** podrobit, potlačit, zvítězit nad **2** zmírnit, ztlumit, uklidnit

subdued [səb'dju:d] **1** tichý, zaražený **2** tlumený

subject *adj* [sabdžikt] **1** poddaný **2** podrobený, podléhající, vystavený **to** čemu; závislý **to** na, podmíněný čím, s výhradou čeho ● *n* [sabdžikt] **1** poddaný; státní příslušník **2** subjekt **3** (*jaz.*) podmět **4** námět, téma **5** (*hudební*) téma, motiv ● *v* [səb'džekt] **1** podrobit, učinit závislým **to** na **2** vystavit **to sth.** čemu

subjection [səb'džekšn] poddanost, poddanství

subjective [sab'džektiv] osobní, zaujatý, jednostranný, subjektivní

subject matter [sabdžiktmætə] námět, téma; látka

subjugate [sabdžugeit] dobýt a podrobit, zotročit

subjunctive [səb'džaŋktiv] (*jaz.*) konjunktiv

sublime [sə'blaim] **1** vznešený, majestátní, grandiózní **2** úžasný, velkolepý **3** bezpříkladný, křiklavý, naprostý

submarine [sabməri:n] *adj* podmořský ● *n* ponorka

submerge [səb'mə:dž] **1** ponořit (se) **2** zaplavit, zatopit

submersion [səb'mə:šn] ponoření

submission [səb'mišn] **1** podřízení se, podrobení se **2** poslušnost, pokora, odevzdanost

submit [səb'mit] (**tt**) **1** podrobit (se) **2** předložit **3** nabídnout, odevzdat **4** předložit k úvaze

subordinate [sə'bo:dənit] **1** podřízený **2** vedlejší, podřužný

subpoena [sə'pi:nə] obsílka, předvolání (*k soudu*)

subscribe [səb'skraib] **1** přispět **to sth.** na co **2** předplatit si **to / for sth.** co **3** podporovat, schvalovat **to** co, souhlasit s (**to a view** s názorem)

subscriber [səb'skraibə] **1** přispěvatel **2** předplatitel, abonent

subscription [səb'skripšn] **1** předplatné **2** příspěvek **to** na; členský příspěvek

subsequent [sabsikwənt] následující, následný

subservience [səb'sə:viəns] podlézavost, patolízalství, servilnost

subservient [səb'sə:viənt] podlézavý, servilní

subside [səb'said] **1** sesedat se; opadat, poklesnout **2** polevovat, uklidnit se, utišit se

subsidiary [səb'sidjəri] **1** pomocný, podpůrný **2** podružný, druhotný **3** dodatečný, doplňující

subsidize [sabsidaiz]
1 podporovat, subvencovat
2 vydržovat

subsidy [sabsidi] podpora, subvence

subsist [səb'sist] **1** existovat
2 udržet se naživu

subsistence [səb'sistns] obživa; holé živobytí, existenční minimum

substance [sabstəns] **1** hmota, látka, materiál, substance
2 podstata, jádro **3** majetek, jmění

substandard [səb'stændəd] neodpovídající normě

substantial [səb'stænšl]
1 skutečný, hmotný, hmatatelný
2 podstatný **3** vydatný, hutný, důkladný, pořádný **4** zámožný

substantive ['sab,taitl] podtitulek

substitute [sabstitju:t] *n*
1 náhradník; zástupce
2 náhražka **3** napodobenina
● *v* **1** zastupovat **2** nahradit **sth. for sth.** co čím, **for sb.** koho

subtle [satl] **1** jemný, lehký, nepatrný; subtilní **2** pronikavý, bystrý, duchaplný **3** choulostivý, ožehavý, delikátní **4** lstivý, záludný, rafinovaný

subtract [səb'trækt] **1** odčítat
2 ubírat **from** z

subtraction [səb'trækšn] odčítání

subtropical [sab'tropikl] subtropický

suburb [sabə:b] **1** předměstí
2 okrajové sídliště

suburban [sə'bə:bən]
1 předměstský **2** (*přen.*) maloměstský

subversion [səb'və:šn] **1** svržení, vynucené odstoupení **2** zničení, rozvrácení **3** podvratná činnost

subversive [səb'və:siv] podvratný

subvert [səb'və:t] **1** svrhnout
2 úplně zničit, rozrušit
3 podvracet, rozvracet

subway [sabwei] **1** *GB* podchod
2 *US* podzemní dráha

succeed [sək'si:d] **1** následovat, nastoupit **(to) sb.** po kom **2** mít úspěch; být úspěšný, dobře dopadnout; **I ~ed in** podařilo se mi

success [sək'ses] úspěch, zdar; **without ~** neúspěšně, nadarmo

successful [sək'sesful] úspěšný, zdárný; podařený

succession [sək'sešn]
1 nastoupení (*po kom*), nástupnictví **2** sled, posloupnost
3 řada, série; **in ~** po sobě

successive [sək'sesiv] **1** jdoucí po sobě / za sebou **2** následný, postupný

successor [sək'sesə] následník, nástupce **to / of** koho

succinct [sək'siŋkt] stručný a jasný, pregnantní

succour [sakə] *v* poskytnout pomoc komu ● *n* pomoc

succulent [sakjulənt] **1** šťavnatý
2 (*bot.*) dužnatý

succumb [sə'kam] podlehnout **to** komu / čemu

such [sač] takový; **~ as it is** třeba za mnoho nestojí; **~ as** (jako) například

suchlike [sačlaik] (*hovor.*) takový člověk; taková věc

suck [sak] **1** sát **2** cucat, lízat
3 pít **3** srkat

sucker [sakə] **1** kojenec
2 podsvince **3** přísavka
4 (*hovor.*) (*důvěřivý*) kořen, hlupák (**for blondes** který naletí každé blondýně)

S

sucking pig [sakiŋpig] sele, podsvinče
suckle [sakl] kojit
suckling [sakliŋ] kojenec
suction [sakšn] sání
sudden [sadn] náhlý; **all of a ~** (*hovor.*) znenadání, náhle
suddenly [sadnli] náhle, najednou
suds [sadz] *pl* mydliny; mýdlová pěna
sue [sju:] **1** žalovat (**sb. for damages** koho o náhradu škody) **2** naléhavě žádat, prosit (**for mercy** o slitování)
suède [sweid] semiš
suet [s(j)u:it] lůj (*kolem ledvin*)
suffer [safə] **1** trpět **from sth.** čím; utrpět **2** strpět, dovolit, nechat **3** pykat **for** za, být potrestán za **4** být poškozen
suffering [safriŋ] trápení, utrpení, bolest
suffice [sə'fais] stačit, dostačit, postačit
sufficiency [sə'fišənsi] **1** dostatek, dostačující množství **2** bohatství
sufficient [sə'fišnt] dostatečný, postačující
suffix [safiks] (*jaz.*) přípona
suffocate [safəkeit] (u)dusit (se)
suffrage [safridž] **1** hlasování **2** volební / hlasovací právo; **universal ~** všeobecné volební právo
sugar [šugə] cukr
sugar basin [šugəbeisn] cukřenka
sugar beet [šugəbi:t] cukrová řepa
sugarcane [šugəkein] cukrová třtina
sugary [šugəri] **1** sladký, slazený **2** přeslazený
suggest [sə'džest] **1** podnítit, dát podnět; inspirovat **2** navrhovat, doporučovat **3** naznačit, prozra-

zovat **4** připomenout **5** tvrdit
♦ **I ~** *též* podle mého názoru
suggestion [sə'džesčn] **1** návrh, podnět; rada, doporučení **2** náznak, narážka **3** domněnka, dohad
suicide [su:isaid] **1** sebevražda; **commit ~** spáchat sebevraždu **2** sebevrah
suit [su:t] *n* **1** žádost, prosba **2** nabídka k sňatku **3** souprava, sada, série **4** barva (*v kartách*) **5** soudní proces; žaloba; spor **6** oblek, oděv; kostým ♦ *v* **1** hodit se **2** vyhovět, vyhovovat **3** slušet **sb.** komu; padnout, sedět **4** náležet, patřit **5** přizpůsobit
suitable [su:təbl] vhodný
suitcase [su:tkeis] kufr
suite [swi:t] **1** družina, doprovod, suita **2** souprava, sada, garnitura, série **3** apartmá
suiting [su:tiŋ] obleková látka
sulk [salk] *v* trucovat, být nevrlý ♦ *n* **~s** *pl* špatná nálada, trucování
sullen [salən] **1** nevlídný, mrzoutský **2** zatrpklý **3** zamračený; kalný, ponurý **4** smutný, melancholický
sulphur [salfə] síra
sultana [sal'ta:nə] sultánka (*rozinka*)
sultry [saltri] **1** dusný, parný **2** žhavý, smyslný **3** vzteklý, rozlobený
sum [sam] *n* **1** součet **2** částka, suma **3** početní úloha **4** výsledek **5** souhrn **6** jádro, podstata **7** vrchol, vyvrcholení ♦ *v* (**mm**) **1** (s)počítat, sečíst **2** *též* **~ up** shrnout; sahat, jít **to / into** (*do určitého počtu*)
sum up 1 shrnout celý případ

2 prohlédnout a ocenit 3 zvážit, zhodnotit

summarize [saməraiz] 1 shrnout, udělat souhrn / přehled čeho 2 stručně vyjádřit

summary [saməri] *adj* 1 souhrnný 2 zhuštěný, zkrácený ● *n* 1 stručný nástin; přehled 2 výtah, shrnutí, resumé

summer [samə] léto

summit [samit] vrchol, vrcholek; ~ **talks** rozhovory na nejvyšší úrovni

summon [samən] 1 povolat, předvolat, obeslat (**sb. to appear as witness** koho za svědka) 2 vyzvat, vybídnout 3 svolat (**Parliament** parlament)

summon up shromáždit; vzbudit, vyvolat

summons [samənz], *pl* ~**es** soudní obsílka / předvolání

sumptuous [sampčuəs] 1 přepychový, luxusní 2 opulentní

sun [san] *n* slunce ● *v* (**nn**) slunit se

sunbath [sanba:θ] sluneční lázeň

sunbathe [sanbeið] slunit se

sunbeam [sanbi:m] sluneční paprsek

sunburn [sanbə:n] opálení; spálení sluncem

sundae [sandei] zmrzlinový pohár (*s ovocem, oříšky atd.*)

Sunday [sandi] neděle

sundial [sandaiəl] sluneční hodiny

sundry [sandri] různý, rozmanitý

sunflower [sanflauə] slunečnice

sunglasses [sangla:siz] sluneční brýle, brýle proti slunci

sunlamp [sanlæmp] horské slunce

sunlight [sanlait] sluneční světlo

sunny [sani] 1 slunný, sluneční,

sluneční 2 radostný, veselý, usměvavý

sunrise [sanraiz] východ slunce

sunscreen [ˈsan,skri:n] ochranný opalovací prostředek

sunset [sanset] západ slunce

sunshade [sanšeid] 1 sluneční 2 stínítko, markýza

sunshine [sanšain] sluneční svit / záře; slunce, slunečno

sunstroke [sanstrauk] úžeh, úpal

suntan [santæn] opálení

superannuate [su:pəˈrænjueit] penziónovat

superannuation [su:pərænjuˈeišn] 1 penziónování 2 důchod, penze

superb [suˈpə:b] 1 nádherný, úžasný, super 2 nevídaný, neslýchaný 3 luxusní

supercilious [su:pəˈsiliəs] 1 povýšený, arogantní 2 pohrdavý, opovržlivý

superficial [su:pəˈfišl] 1 povrchový 2 povrchní

superficiality [su:pəfišiˈæliti] 1 povrchovost 2 povrchnost

superfluous [su:ˈpə:fluəs] přebytečný, nadbytečný

supergrass [su:pəˈgra:s] *GB* (*policejní*) donašeč

superhuman [su:pəˈhju:mən] nadlidský

superior [su:ˈpiəriə] *adj* 1 vyšší 2 lepší, kvalitnější **to** než 3 povýšený, bohorovný 4 povznešený **to** nad 5 nadřízený; nadřazený **to** čemu ● *n* nadřízený, šéf

superiority [su:ˌpiəriˈoriti] 1 nadřazenost 2 převaha, přesila

superlative [su:ˈpə:lətiv] *adj* vynikající, nepřekonatelný ● *n* (*jaz.*) superlativ

S

supermarket [su:pəma:kit] velká samoobsluha, supermarket

supernatural [su:pə'næčrəl] 1 nadpřirozený 2 fantastický

supersede [su:pə'si:d] 1 nahradit 2 zatlačit, převzít úlohu čeho

supersonic [su:pə'sonik] nadzvukový

superstition [su:pə'stišn] pověra

superstitious [su:pə'stišəs] pověrčivý; pověrečný

supervise [su:pəvaiz] 1 mít dohled / dozor nad, dozírat na, dohlížet na 2 kontrolovat

supervision [su:pə'vižn] 1 dohled, dozor 2 kontrola

supper [sapə] večeře

supplant [sə'pla:nt] nahradit, přijít na místo koho / čeho

supple [sapl] 1 ohebný, pružný, poddajný 2 hladký, plynulý

supplement n [saplimənt] 1 doplněk, dodatek (novinová) příloha • v [sapliment] doplnit

supplementary [sapli'mentəri] dodatečný, dodatkový

supply [sə'plai] v 1 zásobovat 2 opatřovat, obstarávat; dodávat **for** komu 3 uspokojit 4 doplnit • n 1 zásoba 2 dodávka 3 přísun; příkon 4 **supplies** pl zásoby, zásobování ♦ **~ and demand** nabídka a poptávka; **in short ~** (zboží) nedostatkový

support [sə'po:t] v 1 podpírat; podporovat 2 snést; unést; snášet 3 být dokladem správnosti čeho, potvrzovat 4 poskytnout obživu pro • n 1 opora 2 podpěra 3 podpora 4 vyživovaný, živitel

supporter [sə'po:tə] podporovatel; přívrženec

suppose [sə'pəuz] 1 předpokládat,

připustit 2 domnívat se, myslit, být přesvědčen ♦ **be ~d to do sth** 1. mít za předpokládanou / samozřejmou povinnost udělat (**I am ~d to be at school now** mám teď být (vlastně) ve škole) 2. prý / údajně dělat co

supposing [sə'pəuziŋ] 1 dejme tomu, že 2 za předpokladu 3 jestli, a co když

supposition [sapə'zišn] 1 předpoklad 2 domněnka, hypotéza

suppress [sə'pres] 1 potlačit 2 zdolat, udusit 3 zrušit 4 zamlčet

suppression [sə'prešn] 1 potlačení 2 zatajení; cenzura

supremacy [sə'preməsi] nejvyšší moc; nadvláda

supreme [su:'pri:m] 1 nejvyšší 2 prvotřídní

surcharge [sə:ča:dž] přirážka, příplatek; doplatek

sure [šo: / šuə] adj 1 jistý; **be ~ to come, be ~ and come** určitě přijít; **to be ~** jistě 2 zkušený 3 spolehlivý 4 pevný, solidní • adv US (hovor.) ano, jistě, samozřejmě

sure-footed [šo:'futid] (přen.) jistý, spolehlivý

surely [šo:li / šuəli] 1 jistě, určitě 2 přece

surety [šo:riti / šuəti] 1 jistota; záruka; kauce 2 ručitel

surf [sə:f] n příboj, vlnobití • v surfovat

surface [sə:fis] n 1 povrch 2 hladina 3 povrch vozovky, koberec • v vyplout na hladinu

surfeit [sə:fit] n 1 přebytek, nadbytek 2 sytost, nasycení;

přesycení, přejedení
• v 1 přejídat se 2 být přesycen

surge [sə:dž] n 1 vysoká vlna, vlny 2 kypění, nával • v 1 vlnit se, vzdouvat se 2 hrnout se, proudit ve vlnách 3 vzkypět, vzplanout

surgeon [sə:džn] 1 chirurg 2 lodní / vojenský lékař

surgery [sə:džəri] 1 chirurgie 2 chirurgický zákrok, operace 3 GB ordinace 4 GB ordinační hodiny

surly [sə:li] nevrlý

surmise n [sə:maiz] dohad, domněnka • v [sə:maiz] 1 domnívat se 2 pouze si myslet, zkoušet uhádnout 3 podezírat

surmount [sə:maunt] 1 překonat 2 převyšovat

surname [sə:neim] příjmení

surpass [sə:pas] 1 předčít, přetrumfnout 2 převyšovat, být větší než 3 překonat; ~ oneself překonat sám sebe

surplus [sə:pləs] n přebytek, nadbytek • adj přebytečný, zbývající

surprise [sə'praiz] n překvapení; úžas, údiv ♦ show ~ divit se, žasnout; to my ~ k mému překvapení; take sb. by ~ překvapit koho • v překvapit

surrender [sə'rendə] v 1 vzdát se čeho 2 vzdát se, kapitulovat 3 vydat, odevzdat
• n vzdání se, kapitulace

surround [sə'raund] 1 obklopit, obklíčit 2 obehnat

surrounding [sə'raundiŋ] okolní

surroundings [sə'raundiŋz] pl 1 okolí 2 prostředí

surtax [sə:tæks] daňová / celní přirážka

survey n [sə:vei] 1 přehled

2 prohlídka
• v [sə'vei] 1 přehlédnout, pozorovat 2 odborně prohlédnout 3 udělat přehled / souhrn čeho 4 vyměřovat, zaměřovat

survival [sə'vaivl] 1 pozůstatek 2 přežití

survive [sə'vaiv] 1 přežít 2 přečkat, vydržet

survivor [sə'vaivə] člověk, který přežil

suspect v [sə'spekt] 1 podezřívat of z 2 obávat se čeho 3 nedůvěřovat čemu
• n [saspekt] podezřelý člověk

suspend [sə'spend] 1 (volně odshora) pověsit, zavěsit 2 (prozatím / na čas) zarazit, zastavit; přerušit 3 suspendovat

suspender belt [sə,spendə'belt] podvazkový pás

suspenders [sə'spendəz] pl 1 GB pánské podvazky 2 US šle

suspension [sə'spenšn] 1 zavěšení 2 zastavení; přerušení 3 suspendování

suspicion [sə'spišn] 1 podezření 2 (negativní) dojem, tušení 3 nedůvěra of k 4 náznak, stín

suspicious [sə'spišəs] 1 podezřelý 2 podezíravý 3 nedůvěřivý of k

sustain [sə'stein] 1 unést, držet, podpírat 2 vydržet, snést 3 utrpět 4 potvrdit, rozhodnout 5 připustit, uznat

swagger [swægə] v 1 pyšně si vykračovat 2 chvástat se, holedbat se, naparovat se • n 1 pyšná chůze, naparování 2 chvástání 3 fanfarónství, arogance
• adj (hovor.) švihácký, frajerský

swallow[1] [swoləu] v polykat,

S

polknout • n 1 polknutí
2 doušek, hlt 3 hltan, jícen
swallow² [swoləu] n vlaštovka
swamp [swomp] n bažina, močál
• v zaplavit
swan [swon] labuť
swansong [swonsoŋ] labutí píseň
swarm [swo:m] n 1 roj 2 hejno,
houf, dav, zástup, horda 3 kupa,
halda • v 1 rojit se 2 hemžit se
3 vyskytovat se ve velkém
množství 4 proudit, hrnout se
swarthy [swo:ði] snědý
swatch [swočľ] vzorek (látky)
sway [swei] v 1 kolébat se,
houpat se, kymácet se 2 zmítat
se **between** mezi 3 řídit,
vládnout komu • n 1 kolébání,
houpání 2 výchylka, sklon
3 moc, nadvláda
swear* [sweə] 1 přísahat
2 odpřisáhnout 3 plně věřit **by**
komu / čemu 4 klít, mluvit
sprostě
sweat [swet] n 1 pot 2 (vy)pocení
3 (hovor.) robota, dřina, fuška
• v 1 potit se 2 těžce pracovat,
dřít 3 honit, štvát; vykořisťovat
sweater [swetə] svetr
sweaty [sweti] propocený
Swede [swi:d] Švéd
Sweden [swi:dn] Švédsko
Swedish [swi:diš] adj švédský
• n švédština
sweep* [swi:p] v 1 mést 2 přejet
rukou 3 hnát se 4 nést se
5 obhlížet 6 smést, odstranit
7 vyčistit **of** od • n 1 máchnutí,
rozmach 2 (hovor.) kominík
3 (hovor.) dostihová sázka
sweeping [swi:piŋ] 1 rozmáchlý
2 po celém obzoru 3 splývající
4 radikální, drasticky

sweet [swi:t] adj 1 sladký
2 milý, roztomilý
• n 1 sladkost 2 moučník
sweetbread [swi:tbred] brzlík
sweeten [swi:tn] 1 osladit
2 zesládnout
sweetheart [swi:tha:t] 1 miláček,
drahoušek 2 milý, milá
swell* [swel] v 1 (na)bobtnat,
zduřet 2 otékat, opuchnout
3 nadýmat se, nafukovat se
• n 1 zduření 2 opuchnutí
3 (z)vlnění
• adj US (hovor.) 1 luxusní, faj-
nový 2 ohozený (podle poslední
módy) 3 bašta, k sežrání
swelling [sweliŋ] n otok, oteklina
• adj pompézní, bombastický
swelter [sweltə] péci se, pařit se
swerve [swə:v] 1 (prudce) uhnout,
změnit směr 2 odchýlit se
swift [swift] adj 1 velice rychlý,
prudký 2 náhlý (**death** smrt)
• n rorýs
swim* [swim] v (mm) plavat
• n plavání
swimmer [swimə] plavec
swimming bath [swimiŋba:θ]
krytý bazén
swimmingly [swimiŋli] bez
potíží, snadno, lehce
swimming pool [swimiŋpu:l]
(nekrytý) bazén
swimsuit [swimsu:t] plavky
swindle [swindl] v 1 podvést, spá-
chat podvod 2 napálit 3 vylákat
sth. co **out of sb** z koho,
zpronevěřit co komu • n podvod
swine [swain] 1 prase, vepř
2 bestie, svině, hulvát 3 kanec,
prasák
swing* [swiŋ] v 1 houpat (se),
kývat (se) 2 přenášet (zavěšené)

3 vyšvihnout se, vyhoupnout se **4** zamávat čím **5** otáčet čím **6** být rušný a živý **7** hrát / tančit swing ● *n* **1** houpání, kývání **2** houpavá chůze **3** rozmach; rytmus; tempo; švih **4** (*závěsná*) houpačka ♦ **in full** ~ v plném proudu

swirl [swə:l] *n* vír, vření ● *v* vířit; kroužit čím

Swiss [swis] *adj* švýcarský ● *n* Švýcar

swiss roll [swis'rəul] piškotová roláda

switch [swič] *n* **1** vypínač, spínač **2** náhlá změna, jiná orientace **3** výměna; výhybka **4** prut; bičík ● *v* **1** švihat **2** vyměnit (si) **3** přepnout **to** na

switch off vypnout

switch on zapnout

switchboard [swičbo:d] (*telefonní*) centrála

Switzerland [switsələnd] Švýcarsko

swollen [swəuln] **1** oteklý **2** rozvodněný

swoon [swu:n] *n* **1** mdloby **2** extáze ● *v* omdlít; přivést do mdlob

swoop [swu:p] *v též* ~ **down** vrhnout se střemhlav, slétnout, snést se ● *n* **1** střemhlavý let **2** přepad, razie

swop [swop] **(pp)** (*hovor.*) vyměnit si, prohodit si

sword [so:d] **1** meč **2** šavle; kord; palaš; dýka

swordfish [so:dfiš] mečoun

swot [swot] **(tt)** (*slang.*) dřít, biflovat

sycophant [sikəfənt] pochlebník, patolízal

syllable [siləbl] slabika

syllabus [siləbəs] **1** učební osnova **2** výtah, nástin

symbol [simbl] **1** symbol, znak **2** krédo

symbolic [sim'bolik] symbolický

symbolize [simbəlaiz] symbolizovat

symmetry [simitri] souměrnost, symetrie

sympathetic [simpə'θetik] **1** soucitný; dojímavý, účastný **2** milý, příjemný

sympathize [simpəθaiz] **1** sympatizovat **with sb.** s kým; mít pochopení pro koho; mít účast / soucit s **2** projevit soustrast **with** komu

sympathy [simpəθi] **1** duševní spřízněnost **2** účast, pochopení; soucit, soustrast **3** solidárnost, sympatie; **a letter of ~** kondolenční list

symphonic [sim'fonik] symfonický

symphony [simfəni] symfonie; **~ orchestra** symfonický orchestr

symposium [sim'pəuzjəm] **1** konference, sympozium **2** sborník

symptom [simptəm] příznak, symptom

synagogue [sinəgog] synagóga

synchronize [siŋkrənaiz] **1** být synchronní / synchronický **2** synchronizovat

syncopated [siŋkəpeitid] synkopovaný

syndicalism [sindikəlizm] syndikalismus

syndicate [sindikit] syndikát

synonym [sinənim] synonymum

syntax [sintæks] (*jaz.*) skladba, syntax

S

synthesis [sinθisis] shrnutí, syntéza
syphilis [sifilis] příjice, lues, syfilis
syringe [sirindž] **1** (**hypodermic**)
~ injekční stříkačka **2** (*malá
ruční*) stříkačka

syrup [sirəp] sirup
system [sistim] **1** řád **2** metoda,
forma **3** soustava, systém
systematic [sisti'mætik]
soustavný, systematický

T

table [teibl] *n* **1** stůl **2** deska,
tabule ♦ **at ~** při jídle; **~ of con-
tents** obsah; **negotiating ~** kon-
ferenční stůl ♦ *v* předložit k pro-
jednávání (*návrh*) ♦ *adj* **1** stolní
2 lahůdkový **3** tabulkový, deskový
tablecloth [teiblkloθ] ubrus
tablespoon [teiblspu:n]
1 polévková lžíce **2** servírovací
lžíce
tablet [tæblit] **1** tabulka, destička
2 tabletka, pilulka
tableware [teiblweə] stolní náčiní
taboo [tə'bu:] tabu
tabular [tæbjulə] tabulkový
tabulate [tæbjuleit] sestavit do
tabulky
tachometer [tæ'komitə]
otáčkoměr, tachometr
taciturn [tæsitə:n] **1** zamlklý,
mlčenlivý **2** zachmuřený
tack [tæk] *n* **1** připínáček,
hřebíček **2** lepivost ♦ *v*
1 připíchnout, přibít **2** přilepit
tackle [tækl] *v* chopit se čeho,
pustit se do čeho, vypořádat se s
♦ *n* výzbroj, výstroj, náčiní
tact [tækt] takt
tactful [tæktful] ohleduplný, taktní
tactical [tæktikl] taktický
tactics [tæktiks] *pl* taktika;
taktický manévr
tactician [tæk'tišn] taktik

tactless [tæktlis] netaktní
tadpole [tædpəul] pulec
taffetta [tæfitə] taft
tag [tæg] **1** visačka, etiketa
2 sentence, citát **3** kovová
návlečka (*šněrovadla*)
tail [teil] *n* **1** ocas **2** cíp, šos
3 stopa ♦ **~ of the eye** koutek
oka; **turn ~** (*hovor.*) *1.* vzít do
zaječích *2.* obrátit, přebarvit se
♦ *v* **1** připojit, spojit **2** (*tajně*)
sledovat, stopovat **3** držet se
v závěsu **after** za
tailcoat [teil'kəut] frak
tailor [teilə] *n* krejčí
♦ *v* **1** šít, šněrovat **2** šít na
míru **3** (*přen.*) uzpůsobit
tailor-made [teilə'meid] ušitý na
míru, (*též přen.*)
tails [teilz] **1** „orel" (*při losování
mincí*) **2** frak
taint [teint] *n* **1** skvrna **2** nákaza
♦ *v* nakazit (se)
take* [teik] **1** vzít *i* brát, dostávat
3 koupit si **4** sevřít **5** přebíjet
6 ujmout se **7** podobat se **after**
komu, být po kom **8** považovat
for za **9** odebírat, odebrat **from**
komu **10** zmenšovat, snižovat
from co **11** chytnout **in** do
12 věnovat se **to** čemu, dát se do
13 oblíbit si **to** co **14** použít čeho
to na ♦ **~ care of** dbát, pečovat o;

~ it easy nerozčilovat se, neukvapovat se; **you may ~ it from me** to mi můžete věřit; **~ a joke** rozumět žertu; **~ it into one's head** vzít si do hlavy; **~ to heart** vzít si k srdci; **~ a hint** řídit se pokynem; **~ hold of** zmocnit se čeho; **~ sb. home** odvést koho domů; **the injection did not ~** injekce nezabrala; **~ the lead** ujmout se vedení; **~ leave of** rozloučit se s; **~ an opportunity** chopit se příležitosti; **~ part in** účastnit se čeho; **~ place** konat se; **~ one's place** zaujmout své místo; **~ lessons** chodit na hodiny; **it ~s me ten minutes** trvá mi to deset minut; **~ a newspaper** odebírat noviny; **~ sb.'s temperature** měřit komu teplotu; **~ one's time** nepospíchat; **~ a tram** jet tramvají
take away 1 odstranit **2** sklidit ze stolu **3** odečíst **4** odnést si domů (*pokrm*)
take back 1 vzít zpět **2** odvolat
take down 1 sundat **2** zapsat **3** demontovat, rozebrat **4** zbourat, strhnout **5** rozpustit si (*vlasy*)
take in 1 vzít dovnitř / k sobě **2** odebírat (**journals** časopisy) **3** zabrat (**a dress** šaty) **4** pochopit **5** vnímat, zaregistrovat (*hovor.*) **6** oklamat, podvést **7** brát na byt
take off 1 sundat, svléci, zout **2** odstartovat **3** naložit a odvézt **4** odvést **5** srazit si, odečíst **6** zmírnit, zmenšit **7** vypít **8** (*hovor.*) parodovat
take on 1 přijmout, přibrat **2** chytit, ujmout se **3** (*hovor.*) vyvádět, řádit **4** chovat se povýšeně
take out 1 vyjmout, vynést

2 odstranit, vyčistit **3** vyřídit, likvidovat **4** obstarat si, dostat **5** pozvat do restaurace **to** na
♦ **~ it out on sb.** vylít si zlost na kom, zchladit si žáhu na kom
take over 1 převzít **2** zabrat, okupovat
take up 1 zvednout **2** pojmout; zabrat **3** projednat **4** začít se věnovat čemu **5** přijmout (**employment** zaměstnání) **6** přibrat **7** vysát, vstřebat **8** chopit se, ujmout se čeho **9** brát za své, zastávat **10** kamarádit se **with** s
talc [tælk] mastek
tale [teil] **1** příběh, vyprávění, historka **2** povídka; pohádka
talent [tælənt] nadání, vloha, talent **for** pro / na
talented [tæləntid] nadaný, talentovaný
talk [tɔ:k] *v* **1** mluvit, hovořit, povídat **2** promluvit si ostře **to** s ● *n* **1** rozhovor **2** přednáška **3** mluva
talk back odmlouvat
talkative [tɔ:kətiv] hovorný, povídavý, mnohomluvný
talking-to [tɔ:kiŋtu] (*hovor.*) vyhubování
tall [tɔ:l] **1** vysoký, velký **2** (*hovor.*) přemrštěný **3** (*hovor.*) neuvěřitelný
tallow [tæləu] lůj
tally [tæli] **1** odpočítat, spočítat **2** ověřovat, kontrolovat **3** shodovat se, souhlasit **with** s **4** zapsat, zaznamenat
tame [teim] *adj* **1** krotký **2** ochočený
● *v* **1** (z)krotit **2** ochočit
tamper [tæmpə] **1** vměšovat se, plést se **with** do **2** hrát si with

s, zkoušet co **3** zkazit, poškodit **with** co

tan [tæn] n **1** opálení, snědá barva **2** tříslo ● v (nn) **1** opalovat se, zhnědnout **2** vyčinit tříslem

tangerine [tændʒə'ri:n] mandarínka

tangible [tændʒəbl] **1** hmatatelný **2** hmotný **3** zřejmý, skutečný

tangle [tæŋgl] n **1** motanice, změť, spleť ● v zamotat (se), zaplést (se)

tank [tæŋk] **1** nádrž, cisterna **2** tank

tanker [tæŋkə] **1** cisternová loď, tanker **2** cisternový vůz, cisterna

tap¹ [tæp] v (pp) (za)ťukat, (za)klepat, poklepat ● n klepání; ťuknutí

tap² [tæp] n **1** (vodní / plynový) kohoutek **2** pípa

  ♦ **beer on** ~ točené pivo

  ● v (pp) narazit, načít; ~ **a line** odposlouchávat telefonní hovory

tap dance [tæpda:ns] stepování, step

tape [teip] **1** páska; pásek **2** tkanice

tape measure ['teip͵meʒə] **1** měřičské pásmo **2** krejčovský / švadlenský metr

taper [teipə] též ~ **off** zúžit, zužovat se, zahrocovat (se), tvořit špičku

tape recorder ['teipri͵kɔ:də] magnetofon

tar [ta:] n dehet, asfalt ● v (rr) dehtovat, natřít / polít dehtem

tardy [ta:di] **1** liknavý, váhavý **2** pozdní, opožděný

tare [teə] váha obalu, tára

target [ta:git] **1** terč **2** (cílový) plán, (plánovaný) úkol

tariff [tærif] **1** sazba, tarif **2** sazebník, ceník

tarpaulin [ta:'pɔ:lin] (dehtová) nepromokavá plachta

tarragon [tærəgən] estragon

tart [ta:t] ovocný dortík

tartan [ta:tən] skotská kostkovaná látka, tartan

tartar [ta:tə] **1** vinný kámen **2** zubní kámen

task [ta:sk] **1** úkol, úloha; **take sb. to** ~ vyčinit komu **2** povinnost, nepříjemný úkol **3** problém

tassel [tæsl] střapec

taste [teist] n **1** chuť **2** malá ukázka, kousek, trocha **3** záliba **for** v **4** vkus; **to my** ~ podle mého vkusu **5** takt, slušné chování ● v **1** poznat chutí **2** okusit, ochutnat **3** chutnat **of** po

tasteful [teistful] **1** chutný **2** vkusný

tasteless [teistlis] **1** bez chuti **2** nevkusný

tasty [teisti] chutný

taunt [tɔ:nt] **1** vysmívat se komu **2** vyčítat, předhazovat **sb.** komu **with** co

taut [tɔ:t] napnutý

tavern [tævən] krčma, hospůdka; hostinec, vinárna

tax [tæks] n **1** daň **2** dávka, poplatek, taxa ● v **1** uložit daň, zdanit **2** zatěžovat, příliš namáhat **3** dávat vinu **with** za, obvinit z

tax collector ['tæks͵kə͵lektə] výběrčí daní

tax-free [tæks'fri:] nezdaněný

taxi(cab) [tæksi(kæb)] taxi

taxi rank [tæksiræŋk] stanoviště taxi

taxpayer [tækspeiə] daňový poplatník

tea [ti:] **1** čaj **2** odpolední svačina **3** vývar

teach* [ti:č] **1** učit, vyučovat **2** cvičit, drezírovat

teacher [ti:čə] **1** učitel **2** instruktor

teaching [ti:čiŋ] **1** učení, nauka **2** učitelské povolání; ~ **aids** pl učební pomůcky

tea cloth [ti:kloθ] **1** GB čajový / kávový ubrus **2** utěrka

teacup [ti:kap] čajový šálek

team [ti:m] n **1** potah, spřežení **2** družstvo, mužstvo, tým **3** pracovní četa • v **1** zapřáhnout dohromady **2** též ~ **up with** spolupracovat s

teamwork [ti:mwə:k] společná práce, práce v kolektivu

teapot [ti:pot] čajová konvice

tear¹ [tiə] slza

tear*² [teə] v **1** trhat, roztrhnout **2** vytrhnout, vyrvat **from** z • n díra, trhlina

tear gas [tiəgæs] slzný plyn

tearful [tiəful] uslzený; plačtivý, slzavý

tease [ti:z] v **1** škádlit, zlobit **2** dráždit, znepokojovat • n **1** škádlení, zlobení **2** škádlil, otrava **3** problém, tvrdý oříšek

tea service [ti:sə:vis] čajová souprava

teaspoon [ti:spu:n] čajová / kávová lžička

teat [ti:t] **1** dudlík (na láhev) **2** bradavka

technical [teknikl] technický

technique [tek'ni:k] technika, metoda, způsob

technology [tek'noloǆi] technologie; technika

teddy bear [tedibeə] medvídek (hračka)

tedious [ti:djəs] únavný, nudný, fádní

teem [ti:m] hemžit se **with** čím; být plný čeho

teenager [ti:neiǆə] dospívající mládenec / dívka (mezi 13. až 19. rokem)

teens [ti:nz] léta mezi 13. až 19. rokem; **he is still in his** ~ není mu ještě dvacet, je ještě v pubertě

teetotaller [ti:'tautlə] abstinent

telecast [telikɑ:st] n televizní pořad, přenos, vysílání • v* vysílat v televizi

telegram [teligræm] telegram

telegraph [teligrɑ:f] n telegraf • v telegrafovat

telephone [telifəun] n telefon; ~ **book / directory** telefonní seznam • v telefonovat

teleprinter [teliprintə] dálnopis

telescope [teliskəup] n dalekohled; teleskop • v **1** zasunovat (se) do sebe **2** zarazit (se) do sebe

televize [telivaiz] ukazovat v televizi, dělat televizní přenos čeho

television [telivižn] **1** televize; **on** ~ v televizi **2** televizor

tell* [tel] **1** říci, povědět; mluvit, sdělit **2** vyprávět **3** rozeznat **4** nařídit, přikázat **5** rozhodovat, být nejdůležitější **6** svědčit **of** o **7** mít vliv **on** na, projevovat se na **8** unavovat, vyčerpávat

tell off (hovor.) vyhubovat komu, setřít koho

telly [teli] (hovor.) televize

temper [tempə] n **1** povaha, charakter **2** nálada, rozpoložení **3** vzbušná povaha, temperament **4** zlost, vztek • ♦ **keep one's** ~ zachovat rozvahu, ovládnout se; **lose**

one's ~ ztratit trpělivost, rozčilit se; **out of** ~ **with** rozzlobený na
• *v* **1** mírnit, zjemňovat **2** sladit, naladit **to** podle
temperament [temprəmənt] **1** povaha, letora, charakter **2** temperament **v** vrtoch, rozmar
temperance [temprəns] **1** umírněnost **2** střídmost **3** abstinence
temperate [temprit] umírněný; mírný
temperature [tempričə] **1** teplota **2** (*hovor.*) zvýšená teplota, horečka
tempest [tempist] bouře
tempestuous [tem'pesčuəs] bouřlivý
temple[1] [templ] chrám
temple[2] [templ] spánek, skráň
temporary [temprəri] dočasný, prozatímní, přechodný
tempt [tempt] svádět, uvádět do pokušení; pokoušet
temptation [temp'teišn] pokušení
tempting [temptiŋ] lákavý, svůdný
ten [ten] deset; ~ **to one that** o co, že
tenable [tenəbl] udržitelný, hájitelný
tenacious [ti'neišəs] **1** pevný, houževnatý, vytrvalý, úporný; urputný, zavilý **2** spolehlivý
tenant [tenənt] nájemce; nájemník
tend[1] [tend] **1** mít sklon, mít tendenci, být náchylný **2** mířit, směřovat **3** vést **to** k, mít (často) za následek co
tend[2] [tend] **1** pečovat o **2** ošetřovat **3** obsluhovat
tendency [tendənsi] sklon, snaha, záměr, tendence
tender[1] [tendə] **1** něžný, jemný, út-

lý, měkký **2** choulostivý, citlivý
• **a ~ spot** *1.* citlivé / bolavé místo *2.* (*přen.*) zvláštní sympatie, slabost
tender[2] [tendə] **1** tendr **2** pomocná loď; přísunový člun
tenderness [tendənis] **1** jemnost, měkkost **2** něha, láskyplnost **3** citlivost, bolestivost
tenement [tenimənt] **1** činžovní dům, činžák **2** byt v činžovním domě
tenfold [tenfould] desateronásobný
tennis [tenis] tenis
tenor [tenə] **1** kopie; znění **2** hlavní myšlenka, smysl **3** tenor; tenorista
tense[1] [tens] **1** napjatý; napínavý, napnutý **2** strnulý
tense[2] [tens] (*jaz.*) čas
tension [tenšn] **1** napětí **2** pnutí
tent [tent] stan
tentative [tentətiv] **1** pokusný, zkušební **2** předběžný, nezávazný
tenth [tenθ] *adj* desátý • *n* desetina
tepid [tepid] vlažný
term [tə:m] **1** údobí, lhůta, období, termín **2** semestr **3** odborný název, termín **4** ~**s** *pl* podmínky; vztahy, poměr ♦ **be on good** ~**s with sb.** být zadobře s kým; **on equal** ~**s** jako rovný s rovným; **in** ~**s of** ve smyslu, ze stanoviska čeho; ~ **of office** funkční období
terminal [tə:minl] *adj* **1** konečný; koncový **2** (*med.*) nevyléčitelný • *n* konečná stanice; terminál
terminate [tə:mineit] zakončit, (u)končit
termination [tə:mi'neišn] zakončení, ukončení

terminology [tə:miˈnolədži] odborné názvosloví, terminologie

terminus [tə:minəs] konečná stanice

terrace [terəs] 1 terasa 2 řadové domky; ulice s řadovými domky

terrible [terəbl] hrozný, strašný, děsivý

terrific [təˈrifik] 1 hrozný, hrůzostrašný, úděsný 2 (hovor.) obrovský, fantastický, velkolepý

terrify [terifai] poděsit, naplnit strachem / hrůzou

territorial [teriˈto:riəl] 1 územní 2 teritoriální; **T~ Army** domobrana

territory [teritəri] území, teritorium

terror [terə] 1 hrůza, zděšení 2 postrach 3 hrůzovláda, teror 4 (hovor.) rošťák, uličník

terrorize [terəraiz] zastrašovat, terorizovat

terrycloth [terikloθ] froté

terse [tə:s] hutný, obsažný, jadrný

test [test] n 1 zkouška; **a driving ~** řidičská zkouška 2 (školní) kompozice ● v zkoušet, vyzkoušet

testament [testəmənt] poslední vůle; **Old / New T~** Starý / Nový zákon

test card [testka:d] monoskop

testicle [testikl] varle

testify [testifai] 1 svědčit **to** o; dosvědčit 2 vypovídat (pod přísahou / před soudem)

testimonial [testiˈməunjəl] 1 osvědčení, doporučení, posudek, certifikát 2 důkaz, doklad **to** čeho 3 uznání, odměna

testimony [testiməni] 1 svědectví **to** o 2 výpověď

test match [testmæč] mezinárodní utkání

test tube [testtju:b] zkumavka

Teutonic [tju'tonik] teutonský, germánský

text [tekst] 1 text 2 kritické vydání, verze

textbook [tekstbuk] 1 učebnice 2 libreto

textile [tekstail] n tkanina, textil, textilie ● adj textilní

Thames [temz]: **the ~** Temže

than [ðæn, ðən] (při nerovnosti) než, nežli; **hardly / no sooner ... ~** sotva ... už

thank [θæŋk] (po)děkovat; **~ you** děkuji vám

thankful [θæŋkful] 1 vděčný 2 děkovný

thanks [θæŋks] díky; poděkování; **~ to you** díky vám, vaší zásluhou

thanksgiving [θæŋksˈgiviŋ] dík, poděkování; **T~ Day** US Den díkůvzdání

that pron [ðæt] 1 ten, tento 2 tamten, onen 3 to 4 takový, tak velký 5 který
  ◆ **~'s all there is to it** to je všechno; **~'s it** to je ono, tak je to; **~ is** to jest; **~'s why** proto
  ● conj [ðət] 1 že 2 též **so ~** aby 3 kde 4 kdy 5 až 6 když
  ● adv [ðæt] (hovor.) tak, takhle

thatch [θæč] 1 došek; došková střecha 2 (hovor.) kštice

thatched [θæčt] doškový

thaw [θɔ:] v 1 (roz)tát 2 též **~ out** (dát) rozmrazit ● n 1 (roz)tání 2 obleva 3 rozmrazení

the [ðə, ði, ði:] 1 určitý člen 2 má funkci ukazovacího zájmena: **~ impudence of ~ fellow** ta drzost toho chlapa

T

3 *při udávání množství / ceny* (za) každý **4** *zpodstatňuje adjektivum:* ~ **good** dobro; dobří lidé ● *adv: s komparativem* **1** o to, tím; **so much ~ better** tím lépe **2** ~ ... ~ ... čím ... tím ...; ~ **more** ... ~ **better** čím víc ... tím lépe

theatre [θiətə] **1** divadlo **2** posluchárna **3** operační sál ● ~ **of operations** bojiště, válečná oblast; ~ **of war** fronta

theatregoer [θiətəgəuə] pravidelný návštěvník divadla

theatrical [θi'ætrikl] *adj* **1** divadelní **2** teatrální ● *n* ~**s** *pl* (*ochotnické / domácí*) divadelní představení

theft [θeft] krádež

their [ðeə], **theirs** [ðeəz] jejich

them [ðem] **1** je, jim (*4. pád od* **they**) **2** (*hovor.*) oni

theme [θi:m] látka, námět, téma

themselves [ðəm'selvz] **1** (oni) sami, osobně **2** sebe, se, si

then [ðen] *adv* **1** potom, pak **2** tehdy, tenkrát; **by ~** zatím, do té doby **3** tedy **4 but ~** tak (potom) aspoň ● *adj* tehdejší

theology [θi'oládži] bohosloví, teologie

theory [θiəri] **1** teorie **2** (*hovor.*) domněnka, nápad, přesvědčení

there [ðeə] *adv* tam; ~ **and back** tam a zpět; ~ **is / are** je / jsou ● *interj* no tak, hele; ~ **now!**, ~ **you are!** tak vidíte!

thereabouts [ðeərəbauts] **1** poblíž, tam někde **2** tak nějak, přibližně tolik

thereby [ðeə'bai] **1** tím, tímto; čímž **2** u toho, s tím, při tom, k tomu

therefore [ðeə'fo:] proto, tudíž

thereupon [ðeərə'pon] **1** na to **2** následkem čehož **3** načež, hned nato

thermometer [θə'momitə] teploměr

thesis [θi:sis] **1** teze **2** disertační práce

they [ðei] oni ● ~ **say** říká se, prý

thick [θik] *adj* **1** silný, tlustý **2** hustý **3** zastřený (**voice** hlas); kalný **4** hloupý, tupý ● *adv* **1** silně **2** hustě

thicken [θikn] **1** zhoustnout **2** zesílit, vyztužit **3** zakalit (se) **4** komplikovat se **5** zahustit

thicket [θikit] houština

thickness [θikniss] **1** tloušťka **2** hustota **3** silné místo; tlustá vrstva

thief [θi:f] zloděj

thigh [θai] stehno

thimble [θimbl] náprstek

thin [θin] (**nn**) *adj* **1** slabý, tenký **2** hubený **3** řídký ● *v* **1** zeslabit, ztenčit **2** zředit **3** zřídnout

thing [θiŋ] věc; **another ~** *1.* něco jiného *2.* ještě něco; **not a ~** nic; **poor ~** chudáček; **that sort of ~** něco takového; **for one ~** předně; **that's just the ~** to je přesně ono; **the ~ is that** jde o to, že; **first ~** hned

things [θiŋz] *pl* **1** věci; zavazadla **2** příbory, nádobí; jídlo, nápoj **3** záležitosti, poměry ● **above all ~** především; **of all ~** dokonce, jako na potvoru; **how are ~ ?** jak se vede?

think* [θiŋk] myslit, přemýšlet ● ~ **twice** dobře si rozmyslit; **come to ~ of it** teď mi napadá; ~ **about** přemýšlet o, pomýšlet

na; ~ **of** myslit na, pomýšlet na;
can you ~ of …? nenapadá
tě …?

think out promyslit, domyslit

think over rozmyslit

think up vymyslit

thinker [θiŋkə] myslitel

third [θə:d] *adj* třetí • *n* třetina

thirst [θə:st] *n* žízeň
● *v* žíznit, prahnout **for** po

thirsty [θə:sti] žíznivý; **be** ~ mít
žízeň

thirteen [θə:'ti:n] třináct

thirteenth [θə:'ti:nθ] třináctý

thirtieth [θə:tiiθ] třicátý

thirty [θə:ti] třicet

this [ðis] *pron* ten, tento; to, toto
● *adv* (*hovor.*) takhle

thistle [θisl] bodlák

thorn [θo:n] trn; trní

thorny [θo:ni] **1** trnitý **2** palčivý,
těžký, otravný; ožehavý

thorough [θarə] **1** úplný, naprostý, od základů **2** důkladný,
dokonalý **3** pečlivý, svědomitý

thoroughfare [θarəfeə] dopravní
tepna; **no ~** průjezd zakázán

thorough-paced [θarəpeist]
1 zkušený, ostřílený **2** naprostý,
pronikavý

though [ðəu] *conj* ačkoli, třebaže;
as ~ jakoby • *adv* aspoň, stejně;
přece jenom; ale, ovšem

thought [θo:t] **1** myšlení
2 myšlenka; nápad **3** názor,
mínění **4** úmysl, plán

thoughtful [θo:tful] **1** zamyšlený
2 přemýšlivý, hloubavý; plný
nápadů **3** ohleduplný, pozorný

thoughtless [θo:tlis]
1 bezmyšlenkovitý
2 bezohledný; nepozorný

thousand [θauznd] tisíc

thousandfold [θauzndfəuld]
tisícinásobný

thousandth [θauzndθ] *adj* tisící
● *n* tisícina

thrash [θræʃ] **1** bít, tlouci, nařezat
komu **2** (*hovor.*) nandat to komu

thrash about 1 tlouci kolem sebe
2 mlít se, házet sebou

thrash out 1 detailně probrat,
prodebatovat **2** vyřešit diskusí

thrashing [θræʃiŋ] **1** výprask
2 těžká porážka

thread [θred] **1** nit, vlákno
2 závit (*šroubu*)

threadbare [θredbeə] **1** odřený,
ošoupaný **2** otřepaný

threat [θret] hrozba; výhrůžky

threaten [θretn] hrozit; ohrožovat

three [θri:] *adj* tři • *n* trojka

threefold [θri:fəuld] trojitý

threepiece [θri:pi:s] (*oblek*)
třídílný

thresh [θreʃ] mlátit (*obilí*)

threshing machine
['θreʃiŋmə,ʃi:n] mlátička

threshold [θreʃəuld] práh, (*též
přen.*)

thrice [θrais] třikrát

thrift [θrift] šetrnost

thrifty [θrifti] šetrný, hospodárný

thrill [θril] *n* **1** nadšení, rozechvění **2** napínavost, vzrušující
charakter; napětí, vzrušení
● *v* nadchnout; vzrušit, napnout

thriller [θrilə] detektivka, thriller

thrilling [θriliŋ] napínavý,
vzrušující

thrive [θraiv] dařit se, vzkvétat,
prosperovat

thriving [θraiviŋ] **1** velice
úspěšný **2** kvetoucí, prosperující

throat [θrəut] **1** hrdlo **2** (*úzký*)

vchod, vjezd

♦ **have a sore** ~ mít bolení v krku

throb [θrob] **(bb)** 1 bít, tlouci, bušit, tepat, pulzovat 2 chvět se, být rozechvěn **with** čím

throes [θrəuz] *pl* 1 bolesti, muka 2 porodní bolesti 3 smrtelný zápas, agónie 4 urputný boj

throne [θrəun] trůn

throng [θroŋ] *n* 1 zástup, dav 2 spousta, moře (*přen.*) 3 tlačenice, nával • *v* 1 tlačit se, mačkat se 2 valit se, hrnout se, proudit ve velkém množství

throstle [θrosl] drozd

throttle [θrotl] *v* 1 (u)škrtit (se) • *n* (*tech.*) škrticí klapka / ventil ♦ **at full** ~ na plný plyn

through [θru:] *prep* 1 skrz 2 prostřednictvím 3 po 4 pro, kvůli • *adj* 1 přímý (**train** vlak) 2 průběžný, průchozí • *adv* 1 skrz (naskrz) 2 (od začátku) do konce; **get / be** ~ dostat spojení; **be** ~ **with** skončit s; ~ **and** ~ skrz naskrz

throughout [θru'aut] *adv* celý, skrz naskrz, úplně; všude • *prep* po celém, v celém; během celého, přes celý

throw* [θrəu] *v* 1 házet, hodit, vrhnout 2 promítnout 3 vylít, vychrstnout 4 vrhnout, (po)rodit • *n* hod; **within a stone's** ~ co by kamenem dohodil

throw away zahodit

throw back 1 odrazit; odrážet 2 brzdit, zpomalit (*vývoj*)

throw in 1 dát nádavkem 2 prohodit, vsunout

throw off 1 shodit ze sebe 2 vrhat do vzduchu 3 setřást 4 (*spatra /*

lehce) složit, napsat 5 zmást, splést 6 pomlouvat, kritizovat

throw out 1 vyhodit, zahodit 2 vyrážet, vyhánět 3 vydávat, šířit (*zvuk / vůni*) 4 poslat, vyslat 5 nadhodit, prohodit 6 zamítnout; vyřadit, vyloučit

throw up 1 vyhodit do výšky 2 (*prudce*) vztyčit, vzpažit 3 rychle postavit 4 nasypat, naházet 5 opustit, vzdát se, nechat čeho; 6 chrlit 7 (*hovor.*) zvracet

thrush [θraš] drozd

thrust* [θrast] *v* 1 vrazit, strčit 2 vyrážet, vyhánět 3 odsunout, odstrčit **from** od • *n* 1 rýpnutí; šťulec, herda 2 výpad 3 bodná / sečná rána 4 jedovatá poznámka, šleh

thud [θad] *n* 1 (*temné*) žuchnutí, (*temný*) úder 2 dusání, dusot 3 dunění, (*temný*) hukot

thug [θag] brutální člověk, hrdlořez, gangster

thumb [θam] *n* palec (*na ruce*) • *v* ohmatat ♦ ~ **a lift** 1. (chtít) jet autostopem 2. stopovat auta

thump [θamp] *v* 1 dupat 2 bouchat do, natřepat boucháním 3 nařezat, namlátit komu • *n* 1 dupot 2 (*temná*) rána, úder 3 bouchnutí

thunder [θandə] *n* hrom, (za)hřmění; **a peal / clap of** ~ zahřmění • *v* 1 hřmět, dunět 2 burácet, rachotit

thunderstorm [θandəsto:m] bouřka, hromobití

thunderstruck [θandəstrak] 1 zasažený bleskem 2 omráčený, ohromený, užaslý

Thursday [θə:zdi] čtvrtek

thus [ðas] 1 tak, takto 2 tedy, tudíž 3 a tak tedy

thwart [θwɔ:t] (z)mařit, (z)křížit
(**one's plans** plány)
thyme [taim] **1** mateřídouška
2 tymián
tick[1] [tik] *n* **1** tikot, tikání
2 znaménko (*v podobě háčku*);
buy goods on ~ kupovat zboží
na dluh
● *v* **1** tikat **2** fungovat, existovat
tick off 1 odškrtnout, zatrhnout
2 (*hovor.*) setřít, zpérovat
tick[2] [tik] **1** klíště **2** roztoč;
čmelík
ticket [tikit] **1** lístek; vstupenka,
jízdenka, letenka **2** los
3 známka, kupón, stvrzenka
4 pokutní lístek **5** formulář
6 *GB* navštívenka; legitimace
7 *US* kandidátka
tickle [tikl] **1** (po)lechtat
2 (*přen.*) příjemně dráždit,
vzrušovat **3** pobavit, rozveselit
4 polichotit **5** svědit, šimrat
ticklish [tikliš] **1** lechtivý
2 nedotýkavý, urážlivý
3 ožehavý, choulostivý, delikátní
4 riskantní
tide [taid] **1** příliv a odliv
2 slapový proud **3** (*přen.*)
vzestup a pokles, střídavé štěstí
tidy [taidi] *adj* **1** uklizený,
uspořádaný **2** úpravný, úhledný
3 (*hovor.*) pořádný, pěkný;
decentní **4** mazaný ♦ **a** ~ **sum
of money** pěkná sumička
● *v též* ~ **up** uklidit, dát do
pořádku; upravit
tie [tai] *v* zavázat, svázat, přivázat
● *n* **1** vázanka, kravata **2** stuha,
stužka **3** svazek, pouto
4 (*sport.*) nerozhodný výsledek
♦ **black** ~ (*přen.*) smokink;
white ~ (*přen.*) frak

tiger [taigə] tygr
tight [tait] **1** pevně napnutý /
utažený **2** těsný; přiléhavý
3 skoupý **4** (*hovor.*) opilý
tighten [taitn] **1** napnout (se)
2 utáhnout **3** zpřísnit
tightrope [taitrəup]
1 provazochodecké lano
2 zrádná / nebezpečná situace
tights [taits] *pl* **1** trikot **2** přiléhavé
kalhoty; šponovky **3** punčocháče
tigress [taigris] tygřice
tile [tail] *n* **1** kachel, kachlík; dlaž-
dice, obkládačka **2** (*krytinová*)
taška ● *v* **1** vykachlíkovat;
obkládat dlaždicemi / kachlíky
2 pokrývat (*taškami*)
till[1] [til] *prep* do, až do
● *conj* až, než, dokud ne
till[2] [til] **1** zásuvka na peníze
(*v pokladně*) **2** příruční pokladna
till[3] [til] obdělávat, orat
tilt [tilt] **1** naklonit (se) **2** klopit,
sklápět, vyklápět **3** *též* ~ **over**
převrhnout (se) **4** *též* ~ **out**
vylít, vysypat **5** kymácet se
timber [timbə] stavební dříví
time [taim] *n* **1** čas, doba, lhůta
2 tempo, rytmus, takt; **play in** ~
hrát v taktu **3** ~**s** -krát; **three** ~**s**
třikrát ♦ **all the** ~ stále, pořád;
~ **and again** opětovně; **at a** ~
současně, najednou, vždy; **one at
a** ~ po jednom; **at one** ~ jednou,
kdysi; **at the same** ~ současně;
every / each ~ pokaždé; **for the
** ~ **being** prozatím; **from** ~ **to** ~, **at**
~**s** občas; **have a good** ~ dobře se
bavit, užívat si; **in (good)** ~ včas;
in no ~ okamžitě; **on** ~ přesně;
this ~ tentokrát; **what** ~ **is it?**,
what is the ~ ? kolik je hodin?
● *v* **1** zvolit vhodný čas, načaso-

vat **2** měřit (na) čas **3** nařídit na správný čas, regulovat

time bomb [taimbom] časovaná puma, (*též přen.*)

timekeeper ['taim,ki:pə] časoměřič

timely [taimli] **1** včasný **2** příhodný, aktuální

timetable ['taim,teibl] **1** jízdní / letový řád **2** rozvrh hodin **3** časový harmonogram

timid [timid] bojácný, plachý

tin [tin] n **1** cín **2** plech **3** plechovka, konzerva • v (**nn**) **1** pocínovat **2** zavařovat, konzervovat

tinder [tində] troud

tinderbox [tindəboks] **1** křesadlo **2** vznětlivý člověk, horká hlava **3** (*přen.*) soudek prachu

tinfoil [tinfoil] staniol

tinge [tindž] v **1** (*lehce*) zabarvit, dát / dostat odstín **2** (*přen.*) dát nádech **sth.** čemu **with** čeho • n **1** zabarvení **2** odstín, tón **3** (*přen.*) příchuť, nádech; zabarvení, stopa

tinker [tiŋkə] n dráteník • v fušovat **at / with** do, vrtat se v

tinkle [tiŋkl] v (za)cinkat, (za)zvonit; (vy)brnkat • n cinkot, cinkání ♦ **give sb. a** ~ (*hovor.*) brnknout komu (*zatelefonovat*)

tin opener ['tin,əupnə] otvírák na konzervy

tinsel [tinsl] **1** dracoun, lameta **2** (*přen.*) falešné pozlátko

tint [tint] n **1** (*barevný*) odstín, nádech **2** (*přen.*) stopa, zdání, stín • v **1** zabarvit (se) **2** udělat (si) přeliv **3** (*přen.*) poznamenat **sth.** co **with** čím

tiny [taini] nepatrný, malý, drobný, titěrný

tip [tip] n **1** koneček, špička, cíp **2** vrchol, nejvyšší bod **3** spropitné, tuzér **4** soukromá informace, tip • v (**pp**) **1** přelít **2** sklopit, naklonit, nahnout **3** dát spropitné **4** tipovat; sázet na

tip off (*hovor.*) dát hlášku / tip komu

tiptoe [tiptəu]: **on** ~ *1.* po špičkách *2.* vzrušený, jako na trní

tip-top [tip'top] (*hovor.*) skvělý, perfektní

tip-up [tip'ap] sklápěcí (**seat** sedadlo)

tire[1] [taiə] *US* pneumatika

tire[2] [taiə] **1** unavit (se) **2** být unaven **of** čím

tired [taiəd] unavený

tireless [taiəlis] neúnavný

tiresome [taiəsəm] únavný, nudný, namáhavý, protivný

tissue [tišu:] **1** tkanivo **2** tkáň **3** papírový kapesník

tissue paper ['tišu:,peipə] hedvábný papír

titbit [titbit] pamlsek

title [taitl] **1** titul, název; nadpis, titulek **2** titul, hodnost, predikát **3** právo, nárok **to** na

titter [titə] chichotat se, hihňat se

to [tu: / tu / tə] **1** *místní:* do, k, na; **to and fro** sem a tam **2** *vyjadřuje český 3. pád:* **to you** tobě **3** *časové:* do **4** *předložka před infinitivem:* **To be or not to be** Být či nebýt ♦ **correct 'A' to 'B'** opravit „A" na „B"; **here is to you!** na vaše zdraví!

toad [təud] ropucha

toadstool [təudstu:l] prašivka, muchomůrka

toady [təudi] patolízal, pochlebník

toast [təust] n 1 opékaný chléb, topinka, toast 2 přípitek
• v 1 opékat (se) 2 připíjet na zdraví komu

tobacco [tə'bækəu] tabák

tobacconist [tə'bækənist] trafikant

toboggan [tə'bogən] n sáně
• v sáňkovat

today [tə'dei] adj dnes
• n 1 dnešek 2 současnost, přítomnost

toddle [todl] batolit se

toe [təu] n 1 prst u nohy; **big / great ~** palec u nohy 2 špička boty / punčochy

toffee [tofi] (měkká mléčná) karamela, tofé

together [tə'geðə] 1 spolu, dohromady; **for hours ~** po celé hodiny 2 najednou, zároveň, současně

togs [togz] pl (hovor.) oblečení (pro určitou příležitost)

toil [toil] v dřít se, lopotit se
• n dřina, námaha

toilet [toilit] toaleta

token [təukn] 1 znamení, symbol; **~ strike** varovná stávka 2 památka, upomínka, suvenýr

tolerable [tolrəbl] 1 snesitelný 2 přijatelný; průměrný, dost dobrý, slušný

tolerance [tolərəns] snášenlivost, tolerance

tolerant [tolərənt] shovívavý, tolerantní of k

tolerate [toləreit] 1 snášet, tolerovat 2 nechat si líbit, smířit se s

toll¹ [təul] v (pomalu, pravidelně) zvonit, vyzvánět **for** komu
• n hrana, vyzvánění

toll² [təul] 1 clo, poplatek, mýto

2 ztráty na lidských životech, počet obětí

tomato [tə'ma:təu] rajče, rajské jablíčko

tomb [tu:m] 1 hrobka, hrob 2 náhrobek

tomfoolery [tom'fu:ləri] 1 třeštění, bláznění, šaškování 2 hloupost, pitomina

tomorrow [tə'morəu] adv zítra; **~ week** od zítřka za týden
• n zítřek

ton [tan] tuna

tone [təun] n tón
• v tónovat, odstíňovat; kolorovat

tone-deaf [təun'def] nemající hudební sluch

tongs [toŋz] pl kleště

tongue [taŋ] jazyk; **hold one's ~** být zticha, držet zobák

tonight [tə'nait] dnes večer / v noci

tonnage [tanidʒ] tonáž

tonsils [tonslz] pl krční mandle

too [tu:] 1 příliš 2 ještě, také 3 navíc, k tomu ještě

tool [tu:l] pracovní nástroj, nářadí; **~s** pl řemeslnické potřeby, nářadí

tool kit [tu:lkit] 1 brašna na nářadí 2 souprava nářadí

tooth [tu:θ], pl **teeth** [ti:θ] zub; **fight ~ and nail** bojovat zuby nehty

toothache [tu:θeik] bolení zubů

toothbrush [tu:θbraš] zubní kartáček

toothpaste [tu:θpeist] zubní pasta

toothpick [tu:θpik] párátko

top [top] n 1 vrchol, vrcholek; nejvyšší část 2 hořejšek; povrch **~ on ~** nahoře; **from ~ to toe** od hlavy k patě; **at the ~ of one's voice** zplna hrdla • adj 1 vrchní, (nej)hořejší 2 maximální

3 nejlepší **4** (*hovor.*) prvotřídní
• *v* **(pp)** **1** zavřšit; dosáhnout vrcholu **2** vynikat, vést, být v čele **3** překonat **4** odříznout chrást / nať z

top hat [top'hæt] cylindr

topic [topik] téma, námět, předmět

topical [topikl] aktuální

top piece [top'pi:s] tupé, příčesek

topple [topl] **1** překotit (se); zhroutit se **2** kymácet se

topsyturvy [topsi'tə:vi] páté přes deváté

torch [to:č] *GB* **1** pochodeň **2** *GB* baterka, kapesní svítilna **3** *US* pájecí lampa

torment *n* [to:ment] muka, trýznění, utrpení
• *v* [to:'ment] mučit, trýznit, týrat

torpid [to:pid] **1** skleslý, apatický **2** strnulý, v zimním spánku

torrent [torənt] **1** (*prudký*) proud, příval **2** bystřina

torrential [to'renšl] prudký, jako příval; ~ **rain** prudký liják, průtrž mračen

torsion [to:šn] **1** (z)kroucení, torze **2** zkroucenost; zkrut

tortoise [to:təs] želva

tortoiseshell [to:təsšel] želvovina

torture [to:čə] *n* mučení • *v* mučit

toss [tos] *v* **1** mrštit; (po)hodit **(one's head** hlavou) **2** hodit do výšky (*a tím obrátit*) **(a pancake** palačinku) **3** losovat (*hozením mince*) **4** zmítat se **5** důkladně promíchat
• *n* hod, vrh, losování mincí

total [təutl] *adj* **1** celkový, úplný, souhrnný **2** totální; totalitní
• *n* **1** úhrn, souhrn, celek **2** součet, celková výše
• *v* **(ll)** činit celkem

totalitarian [təu,tæli'teəriən] totalitní

touch [tač] *v* **1** dotknout se, dotýkat se čeho **2** poznamenat, ovlivnit **3** dojmout **4** dotknout se letmo (*v rozhovoru*) **on** čeho, stručně se zmínit o **5** (*hovor.*) vypůjčit si **sb.** od koho **for** kolik
• *n* **1** dotek **2** hmat **3** styk, spojení; **be in / out of ~ with** být / nebýt ve styku s

touch-and-go [tačən'gəu]
1 odbytý **2** ošemetný, delikátní **3** nebezpečný, riskantní

touching [tačiŋ] *adj* dojemný
• *adv* co se týká koho / čeho, pokud jde o

touchy [tači] **1** nedůtklivý **2** přecitlivělý **3** choulostivý **4** snadno vzbušný

tough [taf] **1** tuhý **2** silný, robustní **3** houževnatý **4** tvrdošíjný **5** zarputilý **6** těžký, tvrdý, obtížný **7** hulvátský, surový, neurvalý

tour [tuə] *n* **1** cesta, túra **2** zájezd, výprava **3** okružní / vyhlídková jízda **4** turné **5** prohlídka **of** čeho, exkurse po
• *v* **1** cestovat, procestovat **2** být / poslat na turné

tourist [tuərist] turista, výletník

tournament [tuənəmənt] turnaj

tow [təu] *v* vléci • *n* vlečení; vlek
♦ **take in** ~ vzít do vleku

toward(s) [təwo:d(z), to:d(z)] (*směrem*) k

towel [tauəl] ručník; osuška

tower [tauə] *n* věž
• *v* tyčit se, čnět **above / over** nad

towering [tauəriŋ] **1** čnící do výše, nebetyčný, (*též přen.*) **2** obrovský, bezmezný

town [taun] město

♦ **go to ~** (*hovor.*) oslavovat, jít na flám, vyhazovat peníze

town council [taun'kaunsl] magistrát

town hall [taun'ho:l] **1** radnice **2** obecní dům

toxic [toksik] jedovatý, otravný

toy [toi] *n* hračka
● *v* hrát si, pohrávat si ● *adj* **1** sloužící ke hraní; **a ~ train** dětský vláček **2** miniaturní; zakrslý

trace [treis] *n* **1** stopa **2** kresba, skica, kopie ● *v* **1** jít po stopě, sledovat, stopovat **2** mít / zjistit (*v minulosti*) původ **back to** v / u, sahat až kam, odvozovat, pocházet od **3** *též* **~ over** obkreslit, překreslit (*přes průsvitný papír*)

tracing paper ['treisiŋ‚peipə] pauzovací papír

tracing wheel [treisiŋwi:l] (*krejčovské*) rádlo

track [træk] *n* **1** stopa **2** (*závodní*) dráha **3** (*vyjetá*) kolej, brázda **4** trať, koleje ● *v* sledovat, stopovat

track down 1 vystopovat **2** najít původ / začátek čeho

tracksuit [træksu:t] tepláky

tract¹ [trækt] **1** oblast, pruh (*země*); kraj, krajina **2** rozsáhlá plocha

tract² [trækt] pojednání, traktát

tractor [træktə] traktor

trade [treid] *n* **1** obchod **2** řemeslo; živnost ● *v* **1** obchodovat **in** s **2** vyměnit s
trade in dát na protiúčet **for** za

trademark [treidma:k] obchodní značka, ochranná známka

tradesman [treidzmən] **1** obchodník **2** řemeslník **3** hokynář

trade union [treid'ju:njən] odborová organizace

tradition [trə'diʃn] tradice

traditional [trə'diʃənl] **1** tradiční **2** konvenční **3** ústně tradovaný **4** (*nápěv / píseň*) známý, lidový, národní

traffic [træfik] *v* (**ck**) **1** obchodovat **in** s **2** handrkovat se **for** o **3** specializovat se **in** na ● **1** provoz **2** obchod(ování) **3** dopravní ruch

tragedy [trædʒidi] tragédie

tragic [trædʒik] tragický

trail [treil] *v* **1** táhnout za sebou, vléci (se) **2** stopovat ● *n* **1** stezka **2** stopa **3** plazivá rostlina

trailer [treilə] **1** vlečný vůz **2** přívěs **3** ukázka nového filmu

train [trein] *n* **1** vlak **2** řada, kolona **3** vlek; vlečka **4** průvod, procesí **5** doprovod, suita
● *v* **1** *též* **~ up** vychovat **2** cvičit, (vy)školit (se) **3** trénovat **for** na **4** vyvazovat (*rostlinu*)

trainer [treinə] **1** cvičitel; trenér **2** trenažér

training [treiniŋ] **1** výcvik **2** instruktáž, školení **3** trénink

trait [trei(t)] (*charakteristický*) rys, znak, charakter

traitor [treitə] zrádce **to** čeho; vlastizrádce

tram [træm], **tramcar** [træmka:] tramvaj

tramp [træmp] *v* **1** dupat; jít těžkým krokem **2** pochodovat, rázovat **3** trmácet se pěšky **4** toulat se, vandrovat (*jak tulák*) ● *n* **1** dlouhá chůze, trmácení **2** tulák, vandrák **3** trampová loď **4** *US* coura, běhna

T

trample [træmpl] zašlapat, (u)dupat

trance [tra:ns] **1** polospánek, omámení **2** vytržení, trans

tranquil [træŋkwil] klidný, pokojný, tichý

tranquillity [træŋ'kwiliti] klid, pokoj, ticho

tranquillizer [træŋkwilaizə] uklidňující prostředek, sedativum

transaction [træn'zækšn] **1** jednání, vyjednávání **2** uzavření obchodu, transakce **3** ~s *pl* zpráva o činnosti / jednání, protokoly

transatlantic [trænzət'læntik] zaoceánský

transcription [træn'skripšn] **1** opisování, přepisování **2** opis, přepis, kopie

transfer *v* [træns'fə:] **(rr) 1** přenést, převést **2** přemístit (se) **3** přeložit, být přeložen **4** poukázat o *n* [trænsfə:] **1** převod, převedení **2** *US* přestupní lístek **3** převod, odstoupení **4** odsun **5** obtisk

transfix [træns'fiks] **1** probodnout **2** (*přen.*) přikovat, přimrazit

transform [træns'fo:m] přeměnit (se), přetvořit (se)

transformation [trænsfə'meišn] **1** přeměna **2** obrat, změna (*k lepšímu*), polepšení

transfuse [træns'fju:z] **1** přelít, přesypat **2** nasytit, prostoupit **with** čím **3** provést transfúzi

transfusion [træns'fju:žn] transfúze

transient [trænziənt] *adj* **1** pomíjivý **2** krátký, letmý **3** měnivý o *n* **1** přechodný host (*na jednu noc*) **2** sezónní dělník

transistor [træn'sistə] tranzistor

transit [trænsit / -zit] **1** průchod, tranzit **2** přeprava, doprava

transition [træn'sišn / -'zišn] přechod

transitional [træn'sišənl / -'zišənl] **1** přechodný **2** dočasný, prozatímní

transitive [trænsitiv / -zitiv] (*jaz.*) přechodný

transitory [trænsitəri / -zi-] přechodný, pomíjivý

translate [træns'leit] **1** přeložit, překládat **2** vyložit (si) **3** přepsat **into** do

translation [træns'leišn] překlad

transmission [trænz'mišn] **1** přenášení, přenos **2** (*rozhlasové / televizní*) vysílání, rozhlasová relace **3** převodovka, rychlostní skříň

transmit [trænz'mit] **(tt) 1** předat; doručit, poslat dále **2** (*rozhlas / televize*) vysílat, přenášet

transmitter [trænz'mitə] vysílač

transparent [træn'speərənt / -'spɛə-] **1** průsvitný; průhledný **2** otevřený, upřímný

transpire [træn'spaiə] **1** vypařovat se **2** vyjít najevo, prozradit se

transport *n* [trænspo:t] **1** doprava **2** uchvácení, extáze o *v* [træns'po:t] **1** dopravovat **2** uchvátit, strhnout

trap [træp] *n* past, léčka o *v* **(pp)** chytat do pasti, líčit na

trapdoor [træpdo:] **1** padací dveře **2** (*div.*) propadlo

trappings [træpiŋz] *pl* **1** ozdoby, paráda **2** vnější paráda / lesk

trash [træš] **1** brak, šunt, (*též přen.*) **2** *US* odpadky, smetí **3** bezcenný člověk; chátra

travel [trævl] *v* (ll) **1** cestovat
2 projít cestou / vývojem
3 pohybovat se; jet
● *n* cestování, cesta

travel agency ['trævl,eidžnsi]
cestovní kancelář

travelled [trævld] zcestovalý

traveller [trævlə] **1** cestovatel; cestující, turista **2** obchodní cestující

traverse [trævə:s] *v* **1** přejít,
projet, procestovat **2** pohybovat
se / klást / ležet napříč
● *adj* příčný, šikmý

trawler [tro:lə] trauler (*rybářská
loď*)

tray [trei] tác, podnos

treacherous [trečrəs] zrádný **to**
vůči komu

treachery [trečəri] zrada,
věrolomnost

treacle [tri:kl] sirup; melasa

tread* [tred] *v* **1** šlápnout,
stoupnout **2** pohybovat se, (*též
přen.*) **3** vstoupit ● *n* **1** krok,
kroky **2** šlápnutí; našlapování

treason [tri:zn] velezrada; zrada

treasure [treža] *n* **1** poklad
2 (*přen.*) velké množství
3 vzácnost, poklad
● *v* **1** hromadit, střádat **2** vážit
si čeho **3** ctít, oceňovat, chovat
jako poklad

treasurer [trežərə] pokladník

treasure trove ['treža,trəuv]
1 nalezený poklad **2** (*přen.*)
pokladnice, bohatá zásobárna

treasury [trežəri] **1** pokladna,
trezor **2 the T~** *GB* státní
pokladna, ministerstvo financí

treat [tri:t] *v* **1** zacházet, jednat
sb. s kým **2** považovat **as** za
3 probrat, projednat **4** pohostit,
častovat **sb.** koho **to sth.** čím

5 pojednávat **of** o **6** léčit
● *n* **1** potěšení, radost, požitek
2 hoštění ● **it is my ~** to platím já

treatise [tri:tiz] pojednání,
monografie, odborná publikace

treatment [tri:tmənt] **1** zacházení
of s 2 léčení, ošetření,
(*lékařská*) péče

treaty [tri:ti] smlouva, dohoda,
pakt

treble [trebl] *n* **1** trojnásobek
2 diskant, soprán
● *v* **1** ztrojnásobit (se)
2 (za)zpívat sopránovým hlasem
● *adj* **1** trojitý, trojnásobný; troj-
místný **2** diskantový, sopránový

tree [tri:] **1** strom **2** rodokmen
3 kopyto, napínák

trefoil [tri:foil / trefoil] trojlístek

tremble [trembl] **1** (za)chvět se
2 tetelit se, bát se

tremendous [tri'mendəs]
1 děsivý, strašný, strašlivý
2 (*hovor.*) obrovský, velikánský;
senzační, fantastický

trench [trenč] zákop

trenchant [trenčənt] ostrý, břitký

trend [trend] sklon, tendence,
trend

trespass [trespəs] *v* **1** vstoupit na
cizí pozemek **2** překročit,
přestoupit **3** prohřešit se
against proti ● *n* **1** přestupek,
provinění **2** přečin rušení držby

trespasser [trespəsə] **1** kdo
vstoupil na cizí pozemek,
nepovolaný **2** rušitel držby
3 pachatel, provinilec **4** hříšník

trial [traiəl] *n* **1** zkouška; pokus
2 ukázka, vzorek **3** soudní
řízení, (pře)líčení, proces; **put
sb. on ~** soudit koho **4** utrpení
● *adj* zkušební

T

triangle [traiæŋgl] trojúhelník

triangular [trai'æŋgjulə] trojúhelníkový; trojhranný

tribe [traib] **1** kmen **2** rod

tribunal [trai'bju:nl] soud, tribunál

tributary [tribjutəri] *n* **1** přítok **2** poplatník **3** poddaný, vazal ♦ *adj* **1** poplatný **to** komu / čemu **2** poddaný, vazalský ♦ **be ~ to** vlévat se do, být přítokem čeho

tribute [tribju:t] **1** pocta **2** hold, poklona **3** daň, poplatek, dávka ♦ **floral ~** květinové dary (*při pohřbu*); **pay ~ to sb.** vzdát poctu komu

trick [trik] *n* **1** trik **2** (*válečná*) lest **3** úskok, podvod **4** finta, fortel ♦ *v* **1** podvést, napálit **2** šidit, podvádět **3** ošidit, obrat **sb. out of** koho oč, vylákat z ♦ *adj* **1** trikový **2** kouzelný

trickle [trikl] *v* kapat; stékat po kapkách ♦ *n* **1** kapání **2** slza **3** tenký pramínek, čůrek

tricky [triki] **1** prohnaný, záludný, nevypočitatelný **2** složitý, komplikovaný **3** chytře vymyšlený, důmyslný **4** ožehavý, delikátní

trifle [traifl] *n* **1** maličkost, drobnost **2** hloupost, malichernost **3** špetka ♦ *v* **1** pohrávat si, zahrávat si **with** s **2** lenošit, zabíjet čas

trifle away promrhat, promarnit

trigger [trigə] *n* spoušť (*střelné zbraně*) ♦ *v* spustit (*spoušť*); odpálit

trigger off 1 podnítit, vzbudit, způsobit **2** být impulsem k

trim [trim] (**mm**) *adj* **1** ve výborném stavu **2** upravený, úhledný ♦ *v* **1** přistřihnout, zastřihnout **2** upravit **3** ozdobit **4** odříznout kůži z **5** zkrátit, zredukovat

♦ *n* **1** připravenost, pohotovost **2** ozdoba, výzdoba **3** fazonka

trinity [triniti] trojice

trinket [triŋkit] **1** cetka; bižuterie **2** maličkost, drobnost

trip [trip] *v* (**pp**) **1** cupat **2** podrazit nohu **sb.** komu **3** zakopnout, klopýtnout **4** naklonit (se), převrhnout (se) **5** fetovat ♦ *n* **1** výlet **2** jízda, cesta; **business ~** služební cesta **3** trip, drogové opojení **4** zakopnutí

tripe [traip] **1** dršťky **2** (*hovor.*) nesmysl, hloupost; škvár

triple [tripl] trojitý, trojnásobný

triplicate [triplikit] *adj* trojitý, trojnásobný; trojdílný ♦ *n*: **in ~** trojmo, s dvěma kopiemi

tripper [tripə] *GB* (*hovor.*) výletník, lufťák

trite [trait] otřelý, banální

triumph [traiəmf] *n* triumf ♦ *v* triumfovat

triumphal [trai'amfl] triumfální, vítězoslavný; **~ arch** vítězný oblouk

trivial [triviəl] všední, banální, obyčejný, bezvýznamný, triviální

trolley [troli] **1** vozík **2** dvoukolák **3** servírovací stolek **4** drezína **5** trolejbus

troops [tru:ps] *pl* vojsko, vojenské jednotky

trophy [trəufi] **1** trofej **2** památka, připomínka

tropic [tropik] **1** obratník **2 ~s** *pl* tropické pásmo, tropy

tropical [tropikl] **1** tropický **2** obrazný, metaforický

trot [trot] *n* klus ♦ *v* (**tt**) klusat

trouble [trabl] *n* **1** nepokoje, konflikt **2** starost, nesnáz, soužení,

potíž **3** závada, porucha
4 námaha; **take the ~ to do** obtěžovat se a udělat • *v* obtěžovat, trápit, zlobit, rušit, kalit
troublesome [trablsəm]
1 působící nesnáze, komplikující situaci **2** nepříjemný, rušivý
3 neposlušný, nezvedený
trough [trof] koryto, korýtko; nečičky
trousers [trauzəz] *pl* kalhoty
trouser suit ['trauzə,su:t] kalhotový kostým
trousseau [tru:səu] výbava (*nevěsty*)
trout [traut] pstruh
trowel [trauəl] zednická lžíce
truce [tru:s] příměří
truck [trak] **1** nákladní vagón
2 *US* nákladní auto
trudge [tradž] plahočit se, vléci se
true [tru:] **1** věrný **2** pravdivý **3** pravý, opravdový **4** přesný **5** správný, spolehlivý
♦ **it is ~** to je pravda; **come ~** vyplnit se, uskutečnit se; **that is only too ~** to je bohužel pravda
truffle [trafl] lanýž
truly [tru:li] **1** skutečně, opravdu
2 pravdivě, přesně **3** upřímně;
Yours ~ S veškerou úctou
trump [tramp] trumf
trumpet [trampit] *n* trubka, trumpeta • *v* troubit
truncate [traŋkeit] seříznout vrchol čeho, učinit komolým
truncheon [transn] obušek
trunk [traŋk] **1** kmen **2** trup
3 chobot (*slona*) **4** hlavní trať; dopravní tepna **5** (*velký, lodní*) kufr; *US* kufr (*auta*)
trunks [traŋks] *pl* (*pánské*) plavky
trust [trast] *n* **1** víra, důvěra

2 zodpovědnost **3** péče, ochrana
4 trust • *v* **1** důvěřovat **2** pevně doufat / věřit
trustee [tras'ti:] **1** opatrovník, správce **2** komisař, zplnomocněnec, pověřenec
trustworthy [trastwə:ði] důvěryhodný, spolehlivý
truth [tru:θ] pravda
♦ **home ~s** nepříjemná pravda; **tell the ~** mluvit pravdu; **to tell the ~** abych řekl pravdu
truthful [tru:θful] **1** pravdivý
2 pravdomluvný **3** přesný, odpovídající skutečnosti
try [trai] **1** zkusit, pokusit se
2 snažit se; **thanks for ~ing** díky za dobrou vůli
3 vyzkoušet **4** ochutnat
5 projednávat u soudu; soudit
try on zkoušet na sobě ♦ **~ on for size** vyzkoušet si velikost
tub [tab] **1** džber, škopek **2** káď, soudek **3** vana
tube [tju:b] **1** trubka, trubice, roura **2** hadice **3** tuba **4** *GB* (*hovor.*) londýnské metro
tuberculosis [tjubə:kju'ləusis] tuberkulóza
tuck [tak] **1** vsunout **2** zdrhnout, zřasit **3** založit, zabrat (*látku*)
tuck in 1 zastrčit, zasunout
2 s chutí se pustit do jídla, spucnout
Tuesday [tju:zdi] úterý
tuft [taft] chomáč
tug [tak] *v* (**gg**) **1** trhnout, škubnout **2** táhnout, vléci
• *n* **1** trhnutí, škubnutí
2 vlečná loď, remorkér
tug-of-war [tagəv'wo:]
1 přetahování lanem **2** (*přen.*) tahanice, boj o nadvládu

T

tuition [tju:'išn] **1** vyučování, výuka **2** školné

tulip [tju:lip] tulipán

tumble [tambl] **1** svalit (se), kácet (se) **2** rozpadat se **3** převalovat (se)

tumbledown [tambldaun] na spadnutí, polozřícený

tumbler [tamblə] sklenka (*bez nožičky*)

tumescence [tju:'mesns] zduření, otok

tummy [tami] (*hovor.*) žaludek, břicho

tumultuous [tju:'malčuəs] bouřlivý; divoký, zuřivý

tune [tju:n] *n* melodie, nápěv; **out of** ~ *1.* rozladěný *2.* falešný
  ● *v též* ~ **up** ladit, naladit
  ◆ **you are** ~**d to London** posloucháte Londýn

tune in vyladit (*na přijímači*), chytit **to** co

Tunisia [tju:'niziə] Tunis

tunnel [tanl] tunel

turbine [tə:bain] turbína

turboprop [tə:bəuprop] turbovrtulový

tureen [təˈri:n] polévková mísa

turf [tə:f] **1** trávník, drn **2 the** ~ dostihový sport, dostihy

Turk [tə:k] Turek

Turkey [tə:ki] Turecko

turkey [tə:ki] krocan, krůta; ~ **cock** krocan

Turkish [tə:kiš] turecký; ~ **bath** parní lázně

turmoil [tə:moil] *n* rozruch, vřava
  ● *v* rozbouřit

turn [tə:n] *n* **1** otočení, otáčka **2** obrat, změna (**for the better** k lepšímu) **3** pořadí **4** služba, laskavost **5** účel **6** číslo programu

  ◆ **do sb. a good** ~ prokázat dobrou službu komu; **in** ~ střídavě; **it's your** ~ **now** teď je řada na tobě; **take** ~**s at** střídat se v čem
  ● *v* **1** otočit (se), obrátit (se) **2** změnit (se) **into** *v* **3** stát se jakým: ~ **sour** zkysnout; ~ **professional** přestoupit k profesionálům **4** přeložit **into** do (**English** angličtiny) **5** soustřeďovat **6** obrátit (**an old coat** starý kabát)
  ◆ ~ **sb.'s head** poplést hlavu komu; ~ **round the corner** zatočit za roh

turn away **1** poslat pryč, odehnat **2** odvrátit se

turn down 1 shrnout **2** ztlumit **3** odmítnout

turn in 1 směřovat dovnitř **2** odevzdat **3** (*hovor.*) jít spát

turn inside out obrátit naruby

turn off 1 vypnout, zavřít, zhasnout **2** odbočovat

turn on 1 zapnout, otevřít, rozsvítit **2** (*hovor.*) nadchnout, vzrušovat

turn out 1 vyklopit **2** vypnout **3** vyrábět **4** vybrat **5** vyhnat **6** vytáhnout **7** dopadnout

turn over 1 převracet (se) **2** odevzdat, předat **3** dosahovat obratu

turn round otočit se

turn to začít dělat co, dát se do / na (**drink** pití)

turn up 1 ohrnout **2** dostavit se, objevit se **3** přihodit se

turner [tə:nə] soustružník

turning point [tə:niŋpoint] rozhodující okamžik, kritický bod, bod obratu **of** v

turnip [tə:nip] tuřín, vodnice

turnout [tə:naut] **1** výroba, produkce **2** shromáždění
turnover [tə:nəuvə] (*obch.*) obrat
turnstile [tə:nstail] turniket
turn-ups [tə:naps] *pl* záložky (*nohavic*)
turpentine [tə:pntain] terpentýn
turquoise [tə:kwoiz] tyrkys
turtle [tə:tl] (*mořská*) želva
turtledove [tə:tldəv] hrdlička
tusk [task] kel
tussle [tasl] *n* boj, rvačka, zápas
● *v* bojovat
tutor [tju:tə] učitel, instruktor, konzultant; školitel
tutorial [tju'to:riəl] hodina, konzultace, seminář
tweed [twi:d] tvíd
tweezers [twi:zəz] *pl* pinzeta
twelfth [twelfθ] dvanáctý; **T~ Night** Večer tříkrálový
twelve [twelv] dvanáct
twentieth [twentiiθ] *adj* dvacátý
● *n* dvacetina
twenty [twenti] dvacet
twice [twais] dvakrát
twiddle [twidl] hrát si **with** s; **~ one's thumbs** točit palci, chytat lelky
twig [twig] větvička
twilight [twailait] soumrak, stmívání; šero
twinkle [twiŋkl] **1** (*světlo*) mihotat se, jiskřit **2** (*oči*) rozzářit se, (*vesele*) (za)mrkat

twins [twinz] *pl* dvojčata
twirl [twə:l] kroutit (se), točit (se)
twist [twist] *v* **1** (z)kroutit (se), stáčet (se) **2** otočit **3** (vy)ždímat (**a wet cloth** mokrý hadr) **4** překrucovat **5** vymknout, vyvrtnout ● *n* **1** jiný směr, jiná náplň **2** zkomolení **3** odchylka, deformace, sklon
twist off 1 odšroubovat **2** ukroutit
twitter [twitə] cvrlikat; štěbetat, švitořit
two [tu:] dvě
twopence [tapəns] dvě pence
twosome [tu:səm] (*hovor.*) dvojice, párek
twostroke [tu:strəuk] dvoutaktní (**engine** motor)
tycoon [tai'ku:n] magnát
type [taip] *n* **1** typ **2** vzor, prototyp **3** litera; písmo ● *v* psát na stroji
typewriter [taipraitə] psací stroj
typhoid [taifoid] *též* ~ **fever** břišní tyfus
typhoon [tai'fu:n] tajfun
typical [tipikl] **1** typický **2** příznačný **of** pro
typist [taipist] písař(ka) na stroji
typographical [taipə'græfikl] typografický; ~ **error** tisková chyba
tyranny [tirəni] tyranie
tyrant [tairənt] despota, tyran
tyre [taiə] *GB* pneumatika
tzar [za:] car

T

U

ubiquitous [juːˈbikwitəs]
všudypřítomný

udder [adə] vemeno; struk

ugly [agli] **1** ošklivý, ohyzdný
2 hnusný, odporný
3 nebezpečný, nepříjemný

U.K. = United Kingdom Spojené
království

Ukraine [juːˈkrein]: **the ~** Ukrajina

Ukrainian [juːˈkreinjən] *adj*
ukrajinský
● *n* **1** Ukrajinec **2** ukrajinština

ulcer [alsə] vřed

ultimate [altimit] **1** konečný
2 (pra)původní **3** úplně poslední

ultimatum [altiˈmeitəm]
ultimatum

ult. = ultimo [altiməu] minulého
měsíce

umbrella [amˈbrelə] **1** deštník
2 (*přen.*) záštita; zastřešující
organizace

umpire [ampaiə] (*sport.*)
rozhodčí, soudce

umpteen [ampˈtiːn] (*hovor.*) iks,
sto, tisíc, milión

un- [an] *předpona vyjadřující
zápor:* **unbutton** rozepnout,
uncommon neobyčejný, **undam-
aged** nepoškozený, **unfaithful**
nevěrný, **unjust** nespravedlivý,
unmarried svobodný,
unpopular nepopulární, **unripe**
nezralý, **untidy** nepořádný *apod.*

unabashed [anəˈbæʃt]
1 nevyvedený z míry **2** drzý,
nestoudný

unable [anˈeibl] **1** neschopný
2 nezpůsobilý **3** bezmocný

unacceptable [anəkˈseptəbl]
nepřijatelný

unaccountable [anəˈkauntəbl]
1 nevysvětlitelný **2** neodpovědný

unaccounted for [anəˈkauntid foː]
1 nevysvětlený **2** nevzatý v úva-
hu **3** nezvěstný, pohřešovaný

unadvised [anədˈvaizd]
1 neuvážený **2** nepoučený

unambiguous [anæmˈbigjuəs]
nedvojsmyslný, jednoznačný

un-American [anəˈmerikən]
neamerický

unanimous [juːˈnæniməs]
jednomyslný; jednohlasný

unapproachable [anəˈprəutʃəbl]
nepřístupný, nedosažitelný **to**
komu

unarmed [anˈaːmd] neozbrojený

unassuming [anəˈsjuːmiŋ]
nenáročný, skromný

unattached [anəˈtætʃt] volný,
svobodný

unavailing [anəˈveiliŋ] planý, zby-
tečný, bezúčelný, bezvýsledný

unavoidable [anəˈvoidəbl]
nevyhnutelný

unaware [anəˈweə] nejsoucí si
vědom **of sth.** čeho

unbalanced [anˈbælənst]
1 nevyrovnaný, nevyvážený
2 pomatený, šílený

unbearable [anˈbeərəbl]
nesnesitelný

unbelievable [anbiˈliːvəbl]
neuvěřitelný

unborn [anˈbɔːn] dosud
nenarozený

uncalled-for [anˈkɔːldfɔː] nevhod-
ný, nežádoucí, neodůvodněný

uncanny [an'kæni] **1** tajuplný, tajemný, záhadný **2** zlověstný, ďábelský

uncertain [an'sə:tn] **1** nejistý, neurčitý **2** nespolehlivý **3** nestálý, proměnlivý

unchallenged [an'čælinǯd] bez námitek / protestu, nesporný

unchangeable [an'čeinǯəbl] nezměnitelný, neproměnný, neproměnlivý

uncle [aŋkl] strýc

uncomfortable [an'kamftəbl] **1** nepohodlný **2** nepříjemný, trapný **3** necítící se dobře / ve své kůži

uncommitted [ankə'mitid] neangažovaný, nezúčastněný, nezavázaný **to** komu

uncommunicative [ankə'mju:nikətiv] **1** nesdílný, zamlklý **2** uzavřený, rezervovaný

uncompromising [an'komprəmaiziŋ] **1** nekompromisní, neústupný, přímočarý **2** rozhodný, jednoznačný

unconditional [ankən'dišənl] **1** bezpodmínečný **2** bezvýhradný, absolutní

unconscious [an'konšəs] **1** neúmyslný **2** v bezvědomí

unconstitutional [ankonsti'tju:šənl] neústavní

uncontrollable [ankən'trəuləbl] **1** neovladatelný **2** nekontrolovatelný **3** nezvládnutelný, nezkrotný

uncork [an'ko:k] odzátkovat

uncouth [an'ku:θ] **1** nemotorný, neohrabaný **2** neomalený, ohroublý

undeceive [andi'si:v] vyvést z omylu, zbavit iluzí

undeniable [andi'naiəbl] nepopiratelný, nesporný

under [andə] *prep* **1** pod **2** podle, s, za, v, při **3** méně než **4** po ● *adv* **1** vespod, dospod; dole, dolů **2** níže **3** méně ● *adj* **1** dolní, spodní **2** nižší, podřízený **3** menší, kratší **4** (z)tlumený

undercarriage ['andə,kæridž] podvozek

underclothes [andəkləuðz] *pl*, **underclothing** ['andə,kləuðiŋ] (*spodní*) prádlo

underdeveloped [andədi'veləpt] **1** nedostatečně vyvinutý **2** hospodářsky málo vyvinutý, zaostalý
♦ ~ **countries** rozvojové země

underdone [andə'dan] nepropečený, polosyrový

underestimate [andər'estimeit] **1** podceňovat **2** příliš nízko odhadnout

undergo* [andə'gəu] **1** vytrpět, vydržet, snést **2** absolvovat, podrobit se čemu, podstoupit co

undergraduate [andə'grædžuit] (*univerzitní*) student, vysokoškolák

underground *adj* [andəgraund] podzemní ● *n* [andəgraund] **1** podzemní dráha, metro **2** ilegalita **3** svět hippies / feťáků *apod.* ● *adv* [andəgraund] **1** pod zemí **2** v ilegalitě

underline [andə'lain] **1** podtrhnout **2** zdůraznit, vypíchnout **3** podšít

undermine [andə'main] **1** podminovat **2** podkopat **3** podlomit

underneath [andə'ni:θ] *prep* pod

- *adv* vespod, dospod
- *adj* dolejší, spodní

understand* [andə'stænd]
1 rozumět, chápat; pochopit
2 mít plné pochopení 3 umět, dovést, znát 4 rozumět komu / čemu, vyznat se v 5 mlčky předpokládat 6 dovídat se ♦ **make oneself understood** dorozumět se, domluvit se (*cizí řečí*); **give sb. to -** dát komu na srozuměnou

understanding [andə'stændiŋ] *n*
1 rozum, chápání, inteligence
2 shoda, soulad, pochopení, dorozumění 3 dohoda, úmluva
- *adj* 1 ohleduplný, tolerantní
2 chápavý, bystrý, inteligentní

undertake* [andə'teik]
1 přijmout, převzít; zavázat se
2 slíbit, ručit za to **that** že
3 podniknout

undertaker [andə'teikə]
1 zaměstnanec / majitel pohřebního ústavu 2 pohřební ústav

undertaking [andə'teikiŋ]
1 podnik(ání) 2 slib, závazek
3 [andə'teikiŋ] obstarávání pohřbů, provoz pohřebního ústavu

undertone [andətəun] 1 tichý / tlumený hlas 2 (*přen.*) spodní tón, podtext 3 prosvítající barva

underwear [andəweə] (*spodní*) prádlo

underworld [andəwə:ld] podsvětí

underwrite* [andə'rait] podepsat; potvrdit podpisem

undeserved [andi'zə:vd] nezasloužený

undesirable [andi'zaiərəbl]
1 nežádoucí 2 nevhodný
3 nepříjatelný

undies [andiz] *pl* (*hovor.*) dámské prádlo

undisciplined [an'disiplind] neukázněný

undisguised [andis'gaizd]
1 nemaskovaný 2 zcela otevřený, ničím neskrývaný

undo* [an'du:] 1 rozvázat, rozepnout, rozbalit 2 odmontovat, odpárat 3 odčinit, napravit
4 úplně zničit

undoing [an'du:iŋ] zkáza, zhouba, konec

undoubted [an'dautid] nepochybný

undress [an'dress] svléci (se)

undue [an'dju:] nevhodný, nepatřičný

undulate [andjuleit] vlnit se

unduly [an'dju:li] nadmíru, přehnaně, nemístně

unearned [an'ə:nd] nezasloužený;
~ income bezpracný příjem

unearth [an'ə:θ] vykopat, vyhrabat

unearthly [an'ə:θli]
1 nadpozemský, nebeský
2 strašný, úděsný 3 (*hovor.*) nemožný, neskutečný, fantastický

uneasy [an'i:zi] 1 neklidný
2 tísnivý, nepříjemný, úzkostný
♦ **be ~** být nesvůj, nebýt ve své kůži

unemployed [anim'ploid]
1 nepoužitý 2 nezaměstnaný

unendurable [anin'djuərəbl] nesnesitelný

unequal [an'i:kwl] 1 nerovný, nestejný, rozdílný
2 nepravidelný 3 nestačící **to** na

unerring [an'ə:riŋ] neomylný

uneven [an'i:vn] nerovný

uneventful [ani'ventfl] jednotvárný, nudný

unexpected [anik'spektid] neočekávaný; nepředvídaný

unfailing [an'feiliŋ] neselhávající, spolehlivý

unfair [an'feə] 1 nespravedlivý, nepoctivý 2 nečestný, nesportovní 3 nepřiměřený

unfavourable [an'feivrəbl] 1 nepříznivý 2 nepříjemný, nežádoucí

unfinished [an'finišt] nedokončený

unfit [an'fit] 1 nevhodný 2 nezpůsobilý **for** čeho

unfold [an'fauld] rozložit; rozvinout

unforgettable [anfə'getəbl] nezapomenutelný

unfortunate [an'fo:čnit] nešťastný

unfortunately [an'fo:čnitli] bohužel, naneštěstí

unfruitful [an'fru:tful] neplodný

unfurnished [an'fə:ništ] 1 nezařízený 2 neopatřený **with** čím

ungainly [an'geinli] 1 nemotorný, neohrabaný 2 těžkopádný 3 ošklivý

ungrateful [an'greitfl] nevděčný, neuznalý

ungulate [aŋgjuleit] kopytnatec

unhappy [an'hæpi] 1 nešťastný 2 zarážející 3 skličující

unhealthy [an'helθi] 1 nezdravý 2 rizikový 3 morálně zkažený; morbidní

unheard-of [an'hə:dəv] neslýchaný

unicorn [ju:niko:n] jednorožec

uniform [ju:nifo:m] *n* uniforma, stejnokroj ● *adj* 1 jednotný 2 stejnoměrný, rovnoměrný

unify [ju:nifai] sjednotit

uninhabited [anin'hæbitid] neobydlený

uninterrupted [aintə'raptid] nepřerušovaný, nepřetržitý

union [ju:njən] 1 spojení 2 jednotka; svaz 3 odborová organizace 4 shoda, soulad

unique [ju:'ni:k] 1 jedinečný 2 ojedinělý, specifický

unit [ju:nit] jednotka

unite [ju:'nait] spojit, sjednotit (se)

unity [ju:niti] jednota

universal [ju:ni'və:sl] (vše)obecný, univerzální

universe [ju:nivə:s] vesmír, kosmos

university [ju:ni'və:siti] *n* univerzita, vysoká škola ● *adj* univerzitní, vysokoškolský; akademický

unkind [an'kaind] nevlídný, nelaskavý

unknown [an'nəun] neznámý; nepoznaný

unleash [an'li:š] uvolnit; rozpoutat, pustit z řetězu

unless [an'les] 1 jedině, jestliže (ovšem) ne, ledaže (by) 2 s jedinou výjimkou 3 aby ne

unlike [an'laik] *adj* rozdílný; nepodobný ● *prep* 1 jiný než; jinak než 2 na rozdíl od

unlikely [an'laikli] nepravděpodobný; **he is ~ to come** pravděpodobně nepřijde

unlimited [an'limitid] 1 neomezený 2 nekonečný, bezmezný

unload [an'ləud] 1 vyložit (*náklad*); sejmout náklad z 2 (*přen.*) vysypat ze sebe, svěřit se s

unlock [an'lok] odemknout

unlucky [an'laki] nešťastný; **be ~** mít smůlu

U

unnatural [an'næčərl]
1 nepřirozený **2** úchylný, perverzní

unnecessary [an'nesəsri]
nepotřebný, zbytečný

unnerve [an'nə:v] **1** vyčerpat, unavit, činit nervózním **2** ochromit, vyslít **3** sklíčit, zdeptat

unpack [an'pæk] vybalit, rozbalit

unpalatable [an'pælətəbl]
1 nechutný **2** trpký, nepříjemný

unparalleled [an'pærəleld]
nemající sobě rovna, jedinečný, bezpříkladný

unpardonable [an'pa:dnəbl]
neodpustitelný

unpleasant [an'pleznt] nepříjemný

unpractical [an'præktikl]
nešikovný, nepraktický

unprecedented [an'presidəntid]
bezpříkladný, nebývalý

unprejudiced [an'predžudist]
nepředpojatý, nestranný

unprofitable [an'profitəbl]
1 neprospěšný, zbytečný, neúčelný **2** nevýnosný, nelukrativní

unquestionable [an'kwesčnəbl]
nesporný

unreal [an'riəl] neskutečný

unreasonable [an'ri:znəbl]
1 neracionální **2** nerozumný **3** nesmyslný, absurdní **4** přehnaný

unreliable [anri'laiəbl]
nespolehlivý

unrest [an'rest] **1** neklid, nepokoj **2** nepříjemnost; tíseň **3** vzrušení

unsatisfactory [ansætis'fæktəri]
nedostatečný, neuspokojivý

unscripted [an'skriptid] (*pořad*)
improvizovaný

unsettled [an'setld] neustálený, neurovnaný

unsightly [an'saitli] nevzhledný, nehezký

unstable [an'steibl] **1** nepevný, pohyblivý **2** vratký **3** kolísavý, nestálý, proměnlivý

unsteady [an'stedi] nestálý, kolísavý

until [ən'til] *prep* až do
♦ *conj* až, dokud ne, než

untimely [an'taimli] **1** nevhodný, nevčasný; předčasný **2** nemístný **3** bezohledný

untiring [an'taiəriŋ] neúnavný

unusual [an'ju:žuəl] neobyčejný, neobvyklý; vzácný

unwelcome [an'welkəm] nevítaný, nežádoucí, nemilý

unwell [an'wel] **1** indisponovaný, nemocný **2** nestruující

unwieldy [an'wi:ldi] **1** nemotorný, nešikovný, nepraktický **2** neomalený **3** těžký, velký

unwilling [an'wiliŋ] neochotný

unwitting [an'witiŋ] bezděčný, náhodný

up [ap] *adv* **1** nahoru, vzhůru; nahoře **2** výš, výše
♦ **up and down** nahoru a dolů; **be up** být u konce; **be up to** *1.* být schopen čeho *2.* mít za lubem; **it's not up to much** za moc to nestojí; **it's up to you** (teď) to záleží na vás; **speak up!** mluv hlasitěji!; **what's up?** (*hovor.*) co se děje?; **whisky is up again** whisky opět podražila
● *adj* **1** vzhůru, na nohou **2** vytažený nahoru **3** (*vejce*) smažený jen po jedné straně
♦ **up hairdo** výčes
● *prep* **1** nahoru na / po / do **2** na sever od

upbringing ['ap͵briŋiŋ] výchova, vychování

update [ap'deit] zmodernizovat; aktualizovat

upheaval [ap'hi:vl]
1 (vy)zdvižení; dmutí
2 převratné změny; pozdvižení, převrat

uphold* [ap'həuld] 1 udržovat; povzbudit 2 podporovat
3 potvrdit (*v odvolacím řízení*) (**the sentence** rozsudek)

upholster [ap'həulstə]
1 vyčalounit 2 zařídit, vybavit

upholsterer [ap'həulstərə] čalouník

upkeep [akpi:p] údržba; náklady na údržbu

uplift [ap'lift] 1 pozvednout, povznést 2 zlepšit, zvelebit

upon [ə'pon] = **on**; **once ~ a time there was a ...** byl jednou jeden ...; ~ **my word** mé čestné slovo

upper [apə] 1 hořejší, horní, vrchní 2 vyšší

upright [aprait] 1 svislý, kolmý, vertikální; ~ **piano** pianino
2 rovný, vzpřímený 3 přímý, poctivý

uprising [apraiziŋ] povstání, vzpoura

uproar [apro:] 1 vřava
2 zmatek, rozruch

uproot [ap'ru:t] 1 vytrhnout s kořeny, vykořenit 2 vymýtit, vyhladit, vymazat 3 změnit způsob života

upset* [ap'set] (**tt**) 1 převrátit (se), překotit (se) 2 vyvrátit, rozrušit, znervóznit 3 způsobit nevolnost v

upshot [apšot] výsledek

upside-down [apsaid'daun]
1 vzhůru nohama 2 v naprostém nepořádku, páté přes deváté, naruby

upstage [ap'steidž] *adj, adv* vzadu na jevišti / jeviště
• *v* : **be ~d by** být (*nespravedlivě*) zatlačen do pozadí kým

upstanding [ap'stændiŋ]
1 vzpřímený; trčící nahoru
2 přímý, otevřený, poctivý

upstart [apsta:t] kariérista; povýšenec

upstream [ap'stri:m] proti proudu

up-to-date [aptə'deit] 1 dovedený až do současnosti; aktuální
2 současný, nejnovější; skutečně dnešní, poslední

upward [apwəd] směřující vzhůru, stoupající, vzestupný

upwards [apwədz] 1 nahoru, vzhůru, výše 2 nahoře 3 proti proudu ♦ ~ **of** *1.* více než *2.* kolem, necelých

uranium [ju'reinjəm] uran

urban [ə:bən] městský

urge [ə:dž] *v* 1 pobízet, nutit, naléhat 2 usilovat, zasazovat se o
• *n* 1 nucení 2 naléhavá potřeba 3 pud 4 vroucnost

urgent [ə:džnt] 1 naléhavý
2 dychtivý, nedočkavý 3 pilný, spěšný 4 tvrdošíjný

urinate [juərineit] močit

urine [juərin] moč

urn [ə:n] 1 urna, popelnice
2 široká váza 3 zásobník čaje / kávy; samovar; kávostroj

us [as, əs] nás; nám ♦ **all of us** my všichni; **both of us** my oba

usage [ju:zidž / -si-]
1 (po)užívání 2 zvyk, obyčej; zvyklost, uzance 3 spotřeba

U

use *n* [ju:s] **1** užívání, použití, upotřebení **2** užitek **3** schopnost / právo užívat **of** čeho **4** obvyklá praxe, úzus **5** smysl, účel ♦ **in ~** v použití; **of no ~** k nepotřebě; **it is of no ~** není to k ničemu; **it is no ~ talking** nemá smysl hovořit ● *v* [ju:z] **1** užívat, použít čeho **2** spotřebovat

use up 1 spotřebovat **2** upotřebit, zpracovat

used to [ju:stə] zvyklý na

useful [ju:sful] užitečný; prospěšný, výhodný

useless [ju:slis] neužitečný; zbytečný, marný

usher [ašə] *n* **1** uvaděč, biletář **2** pořadatel, sluha ● *v* uvádět

usher in ohlašovat, být předzvěstí / začátkem čeho

usual [ju:žuəl] obyčejný, obvyklý; **as ~** jako obyčejně

usually [ju:žuəli] obyčejně, obvykle

usurer [ju:žərə] lichvář

usurp [ju:'zə:p] uchvátit, zmocnit se čeho, uzurpovat, zabrat

usury [ju:žəri] lichva, lichvářství

utensil [ju:'tensl] potřeba pro domácnost, nádobí

utility [ju:'tiliti] *n* užitečnost, prospěšnost; **public utilities** *pl* městské podniky, komunální služby ● *adj* **1** užitkový **2** funkční **3** určený pro běžnou potřebu **4** standardní, konzumní

utilize [ju:tilaiz] **1** využít **2** upotřebit, zužitkovat

utmost [atməust] *adj* nejzazší, nejvyšší, nejkrásnější ● *n* nejvíce, krajní možnost, vrchol; **at the ~** nanejvýš

utter[1] [atə] **1** naprostý, úplný **2** čirý, holý

utter[2] [atə] **1** vydat (*zvuk*); **~ a groan** zasténat; **~ a sigh** vzdechnout **2** pronést, vyslovit, vyjádřit

utterly [atəli] naprosto, úplně

U-turn [ju:tə:n] **1** zatáčka do protisměru, vlásenka **2** (*přen.*) (*prudký*) obrat o sto osmdesát stupňů

V

vacancy [veiknsi] **1** prázdnota **2** volné místo **3** proluka **4** mezera

vacant [veiknt] **1** prázdný, volný, neobsazený **2** nepřítomný duchem, bezvýrazný

vacation [vəˈkeišn] **1** pauza, přestávka **2** vyklizení, uvolnění of čeho **3** US dovolená **4** GB prázdniny

vaccinate [væksineit] očkovat

vacillation [væsiˈleišn] váhání, kolísání

vacuum [vækjuəm] n vakuum
♦ **~ bottle / flask** termoska; **~ cleaner** vysavač
● v čistit vysavačem, luxovat

vagabond [vægəbond] tulák, pobuda; povaleč

vagary [veigəri] vrtoch, rozmar

vagrant [veigrənt] **1** potulný **2** kočovný **3** rozmarný; roztěkaný

vague [veig] **1** matný, neurčitý, mlhavý **2** nepřesný, povrchní

vain [vein] adj **1** zbytečný, marný; **in ~** marně, nadarmo **2** marnivý, ješitný; nadutý of na

vainglorious [veinˈgloːriəs] **1** domýšlivý, marnivý **2** chvastounský

valet [vælit] **1** komorník, osobní sluha **2** posluha (v hotelu)

valiant [væljənt] statečný, hrdinný

valid [vælid] **1** platný **2** oprávněný **3** pádný, přesvědčivý **4** účelný

validity [vəˈliditi] **1** platnost **2** oprávněnost **3** pádnost, přesvědčivost **4** účelnost

valley [væli] údolí

valuable [væljuəbl] **1** cenný **2** vzácný, drahocenný **3** hodnotný **~s** pl cennosti, šperky; cenné papíry

value [vælju:] n **1** hodnota; cena **2** význam, důležitost
● v **1** ocenit, odhadnout **2** vysoko hodnotit, vážit si, cenit si koho / čeho

valve [vælv] **1** záklopka, šoupátko **2** ventil **3** GB elektronka
♦ **cardiac ~** srdeční chlopeň

vampire [væmpaiə] upír

van [væn] **1** stěhovací vůz **2** GB dodávkové auto **3** GB nákladní vagón

vandalism [vændəlizm] vandalství

vanguard [vængaːd] předvoj; avantgarda

vanilla [vəˈnilə] vanilka

vanish [væniš] **1** zmizet **2** ztrácet se

vanity [væniti] **1** marnivost, ješitnost; **~ case** neceséř **2** domýšlivost **3** marnost, pomíjivost

vanquish [vænkwiš] **1** porazit; zvítězit nad **2** přemoci, potlačit

vapid [væpid] prázdný, suchý, nudný

vapour [veipə] **1** pára **2** výpar; opar, lehká mlha

variable [veəriəbl] **1** proměnlivý, nestálý **2** měnící se, různý

varicose veins [værikəusˈveinz] pl křečové žíly

varied [veərid] rozmanitý; pestrý

variety [vəˈraiəti] **1** rozmanitost;

V

for a ~ of reasons z různých důvodů **2** odrůda **3** varieté; estráda
various [veəriəs] **1** různý, rozličný **2** pestrý, různobarevný
varnish [va:niš] *n* lak, fermež; politura; **~ remover** odlakovač
● *v* **1** (na)lakovat **2** (*přen.*) přikrašlovat, lakovat na růžovo
vary [veəri] **1** obměňovat, měnit (se) **2** lišit se **from** od, být jiný než
vase [va:z / veis / veiz] váza
vassal [væsl] leník, poddaný, vazal
vast [va:st] **1** rozlehlý, rozsáhlý, široký **2** obrovský, nesmírný
vat [væt] **1** káď, sud **2** vana, nádrž
vault[1] [vo:lt] **1** klenba **2** sklep **3** hrobka **4** *US* trezor
vault[2] [vo:lt] *v* (pře)skočit (*s opěrou*); přehoupnout se
● *n* (pře)skok
vaulting horse [vo:ltiŋho:s] kůň (*tělocvičné nářadí*)
veal [vi:l] telecí maso
veer [viə] **1** měnit směr, točit se **2** *též* **~ round** (*přen.*) změnit názor, obrátit
vegetable [vedžtbl] *adj* **1** rostlinný **2** zeleninový, zelinářský
● *n* **1** rostlina; zelenina **2** ~s *pl* zelenina **3** (*hovor.*) živá mrtvola
vegetation [vedži'teišn] **1** květena, rostlinstvo, vegetace **2** živoření
vehement [vi:imənt] **1** prudký, úporný **2** důrazný, naléhavý **3** energický; vášnivý; horlivý **4** urputný
vehicle [vi:ikl] **1** vozidlo, vůz, auto **2** pojidlo, pojivo **3** prostředek (*k něčemu*) **4** bravurní příležitost
veil [veil] *n* **1** závoj **2** (*přen.*)

rouška, maska, pláštík
● *v* zahalit, zakrýt (*jako*) závojem
vein [vein] **1** žíla **2** nálada **3** (*přen.*) sklon, talent, charakter, tón
velcro [velkrəu] suchý zip
velvet [velvit] samet; **~ glove** (*přen.*) hedvábná rukavička
velveteen [velvi'ti:n] bavlněný samet, manšestr
venal [vi:nl] prodejný, úplatný, zkorumpovaný
vender, vendor [vendə] prodávající, prodejce; maloobchodník
venerable [venrəbl] úctyhodný, ctihodný
venereal [vi'niəriəl] **1** pohlavní, sexuální **2** venerický
vengeance [vendžns] msta, pomsta, odplata
Venetian [vi'ni:šn] *n* Benátčan ● *adj* benátský; **v~ blind** žaluzie
Venice [venis] Benátky
venison [venizn] zvěřina; srnčí, jelení
venomous [venəməs] **1** jedovatý, otrávený **2** (*přen.*) plný jedu, jízlivý, nenávistný
vent [vent] větrací otvor; **give ~ to sth.** dát volný průchod čemu
ventilate [ventileit] **1** větrat **2** projednávat, diskutovat o, ventilovat (**a question** otázku)
ventilation [venti'leišn] větrání, ventilace
venture [venčə] *v* **1** odvážit se, troufnout si **2** riskovat, dát v sázku ● *n* **1** riziko, riskantní čin, hazard **2** pokus
venue [venju:] místo (*události*)
verb [və:b] sloveso
verbal [və:bl] **1** slovní, textový,

jazykový **2** ústní
3 mnohomluvný **4** slovesný
verdict [və:dikt] **1** výrok poroty, rozsudek, verdikt **2** mínění, názor, úsudek
verdure [və:džə] zeleň
verge [və:dž] *n* **1** okraj, pokraj (*zvl. přen.*); **on the ~ of sth.** na pokraji čeho **2** hranice, mez, (*též přen.*) **3** travnatý okraj záhonu
 • *v* **1** být na pokraji **on** čeho **2** hraničit **on** s
verify [verifai] **1** ověřit (si) **2** prověřit (si), překontrolovat (si)
veritable [veritəbl] opravdový, skutečný; autentický
vermin [və:min] **1** (*škodlivá*) havěť, hmyz **2** (*drobní*) dravci; škodná
vernacular [və:nækjulə] mateřština, domácí jazyk
versatile [və:sətail] mnohostranný, univerzální
verse [və:s] **1** verš **2** strofa **3** verše, poezie
version [və:šn] **1** znění, verze **2** překlad
verso [və:səu] levá / rubová / sudá stránka (*knihy*)
vertical [və:tikl] kolmý, svislý
vertebrate [və:tibr(e)it] obratlovec
very [veri] *adv* **1** velmi, velice **2** úplně, naprosto, absolutně
 • *adj* **1** přesně ten • ten tentýž **3** pravý, skutečný **4** vlastní, zvláštní **5** samotný **6** pouhý, už i ten, dokonce i ten
vessel [vesl] **1** nádoba **2** plavidlo, loď **3** céva
vest [vest] **1** nátělník, tričko **2** *US* vesta
vestibule [vestibju:l] hala, dvorana, vestibul

vestige [vestidž] **1** stopa, pozůstatek **2** (*sebemenší*) stopa, zdání
vet [vet] (*hovor.*) *n* zvěrolékař
 • *v* **1** vyšetřit **2** *GB* podívat se na zoubek komu
veteran [vetrən] veterán, vysloužilec
veterinary [vetrinəri] veterinářský; ~ **surgeon** zvěrolékař, veterinář
veto [vi:təu] *n* veto • *v* vetovat
vex [veks] **1** otravovat, rozčilovat **2** sužovat, trápit, působit starosti komu
vexation [vek'seišn] **1** rozčilování **2** trápení, útrapy
via [vaiə] (*směrem*) přes
viable [vaiəbl] životaschopný
vibrate [vai'breit] **1** kmitat, chvět se, oscilovat, vibrovat **2** sympaticky reagovat **to** na
vicar [vikə] **1** náměstek, zástupce **2** farář, vikář
vice[1] [vais] **1** nectnost, zlozvyk, vada **2** neřest, zhýralost
vice[2] [vais] svěrák
vice[3] [vais] místo-, vice-
vice-president [vais'prezidnt] viceprezident
viceroy [vaisroi] místokrál
vice versa [vais'və:sə] naopak
vicinity [vi'siniti] sousedství; blízkost
vicious [višəs] **1** zkažený, ničemný **2** nemravný, nečestný, zvrhlý **3** zlomyslný, jízlivý, uštěpačný **4** zlý, divoký, nebezpečný
 • ~ **circle** začarovaný kruh
vicissitude [vi'sisitju:d] **1** proměnlivost, nestálost **2** ~**s** *pl* střídavé štěstí
victim [viktim] oběť
victorious [vik'to:riəs] vítězný

V

victory [viktəri] vítězství

victuals [vitlz] *pl* potraviny

videotape [vidiəuteip] nahrát na videokazetu

Vienna [vi'enə] Vídeň

view [vju:] *n* 1 návštěva, inspekce, prohlídka 2 pohled, podívaná **of** na 3 co je vidět **of / from** odkud, rozhled, výhled 4 prozkoumání, přezkoušení 5 názor, stanovisko 6 chápání, pochopení ♦ **point of ~** stanovisko, hledisko; **in my ~** podle mého názoru; **in ~ of** vzhledem k; **take the long ~** myslet daleko kupředu; **with a ~ to** aby ♦ *v* 1 pozorně si prohlédnout; **~ an exhibition** prohlédnout si výstavu 2 prozkoumat 3 posuzovat 4 mít názor na, dívat se na, pohlížet na ♦ **~ a film** shlédnout film

viewer [vju:ə] *(televizní)* divák

view-finder [vju:faində] *(fot.)* hledáček

viewpoint [vju:point] hledisko, stanovisko

vigilance [vidžiləns] bdělost, ostražitost

vigorous [vigərəs] 1 silný, mocný 2 rázný, temperamentní 3 důrazný, energický 4 dobře rostoucí, bujný

vigour [vigə] 1 síla, úsilí 2 svěžest, vitalita, energie

vile [vail] 1 špatný, mizerný 2 hanebný, sprostý, špinavý, nemravný

village [vilidž] 1 ves, vesnice 2 *US* městská čtvrť; sídliště ♦ **~ green** náves

villager [vilidžə] vesničan, venkovan

villain [vilən] 1 darebák, lump; uličník 2 negativní postava *(v dramatu)*

vindicate [vindikeit] 1 ospravedlnit, obhájit 2 uchránit **against / from** před 3 potvrdit správnost čeho

vim [vim] *(hovor.)* elán, energie

vine [vain] réva

vinegar [vinigə] ocet 2 *(přen.)* kyselost, kyselý výraz

vineyard [vinjəd] vinice, vinohrad

vintage [vintidž] *n* vinobraní; ročník *(vína)* ♦ *adj* 1 *(víno)* špičkový, označený ročníkem, archívní 2 vrcholný 3 vynikající ♦ **~ car** *(auto)* veterán

violate [vaiəleit] 1 porušit, nedodržet 2 znásilnit 3 znesvětit

violence [vaiələns] 1 divokost, prudkost, intenzita 2 násilí; násilnost

violent [vaiələnt] 1 prudký 2 násilný, násilnický 3 vášnivý, prudký 4 ostrý, křiklavý

violet [vaiəlit] *n* violka vonná, fialka ♦ *adj* fialkový

violin [vaiə'lin] housle

violinist [vaiə'linist] houslista

violoncello [vaiələn'čeləu] violoncello

viper [vaipə] zmije

virago [vi'ra:gəu] dračice, štěkna, herdekbaba

virgin [və:džin] panna; **~ forest** prales

virile [virail] 1 mužný 2 plodný, potentní

virtual [və:čuəl] skutečný, *(téměř)* absolutní; *(jsoucí)* ve skutečnosti, prakticky, fakticky

virtue [və:ču:] 1 ctnost

2 počestnost, mravnost
3 účinnost; moc

virtuoso [və:ču'əusəu] virtuóz

virtuous [və:čuəs] **1** ctnostný
2 čestný, mravný

visa [vi:zə] vízum

visage [vizidž] obličej, tvář

visibility [vizi'biliti] **1** viditelnost
2 očividnost, patrnost

visible [vizəbl] **1** viditelný
2 očividný, patrný

vision [vižn] **1** zrak **2** vidění
3 představa, obraz, vize **4** extáze

visionary [vižnəri] **1** snílek,
fantasta **2** jasnovidec, vizionář

visit [vizit] *v* navštívit
♦ *n* návštěva (**to Prague** Prahy);
go on / pay a ~ to navštívit koho

visiting [vizitiŋ] **1** návštěvní
2 hostující
♦ **~ card** navštívenka, vizitka;
~ nurse pečovatelka, opatrovnice

visitor [vizitə] **1** návštěvník
2 host, turista **3** tažný pták

visual [vižuəl] **1** zrakový,
vizuální **2** zorný **3** oční
4 viditelný **5** názorný; **~ aids** *pl*
audiovizuální pomůcky

visualize [vižuəlaiz] představit si

vital [vaitl] **1** životní **2** zásadní
důležitý **3** smrtelný, osudový

vitality [vai'tæliti] životnost,
vitalita

vitamin [vitəmin] vitamín

viticulture [vitikalčə]
vinohradnictví, vinařství

vivid [vivid] **1** živý, čilý,
temperamentní; sugestivní
2 ostrý, pronikavý **3** jasný, svěží

viz = **namely** totiž

vocabulary [və'kæbjuləri]
1 slovníček **2** slovní zásoba,
slovník

vocal [vəukl] *adj* **1** hlasový
2 ústní, zvukový **3** hlasitý
4 vokální ♦ **~ cords** *pl* hlasivky
♦ *n* zpěv; píseň

vocation [vəu'keišn] **1** povolání
2 zaměstnání **3** role, funkce
♦ **~ disease** nemoc z povolání;
~ school odborná škola

vogue [vəug] obliba, móda; **be in**
~ být v módě

voice [vois] *n* **1** hlas **2** výraz,
vyjádření **3** mluvčí **4** (*jaz.*)
slovesný rod ♦ *v* vyjádřit

void [void] **1** prázdný, pustý
2 neobsazený **3** nemající **of** co,
(*jsoucí*) bez **4** právně neplatný

volatile [volətail] **1** prchavý, těka-
vý **2** pomíjivý, nepostižitelný
3 rozmarný, vrtošivý, přelétavý

volcano [vol'keinəu] **1** sopka
2 (*přen.*) sud se střelným
prachem

volley [voli] **1** salva **2** (*sport.*)
volej

volleyball [volibo:l] odbíjená

voluble [voljubl] **1** hovorný, řeč-
ný **2** výřečný **3** mnohomluvný

volume [voljum] **1** svazek, díl
(*knihy*) **2** objem **3** rozsah, míra
4 hlasitost **5** sytost, mohutnost
(*zvuku*) ♦ **speak ~s for sth.** být
přesvědčivým důkazem čeho

voluntary [voləntəri]
1 dobrovolný **2** úmyslný,
záměrný

volunteer [volən'tiə] *n* dobrovol-
ník ♦ *v* dobrovolně se hlásit **for**
k / na; dobrovolně nabídnout

voluptuous [və'lapčuəs]
1 smyslný **2** dráždivý,
vzrušující; rozkošnický

vomit [vomit] zvracet

V

voracious [vəˈreiʃəs] **1** žravý,
hltavý **2** nenasytný, (*též přen.*)
vote [vəut] *n* **1** hlas; hlasovací
lístek; hlasování, volby
2 hlasovací / volební právo
3 the ~ počet odevzdaných hlasů
• *v* **1** (od)hlasovat **2** volit
3 (*hovor.*) prohlásit, uznat
4 (*hovor.*) navrhovat
voter [vəutə] volič
vouch [vauč] **1** ručit, zaručit (se)
for za **2** být odpovědný **for** za
voucher [vaučə] **1** ručitel

2 důkaz, doklad, dokument
3 kupón, poukázka, stravenka
vow [vau] *n* **1** (*slavnostní*) slib,
přísaha **2** modlitba • *v* slavnost-
ně slíbit; přísahat, odpřísáhnout
vowel [vauəl] samohláska
voyage [voiidž] (*dlouhá*) plavba
vulgar [valgə] vulgární;
nevychovaný; sprostý
vulnerable [valnrəbl]
1 zranitelný **2** napadnutelný
vulture [valčə] sup

W

wad [wod] *n* **1** ucpávka
2 hromádka **3** svazek, balík
4 svitek **5** rozžvýkaný kus
• *v* (**dd**) **1** zmačkat / stočit
a nacpat **into** kam **2** ucpat
3 vycpat, (vy)vatovat, (*též přen.*)

wadding [wodiŋ] vycpávka,
vatování; vatelín

wade [weid] brodit se

wafer [weifə] **1** oplatka **2** hostie
3 kruhová nálepka

wag [wæg] (**gg**) **1** vrtět; ~ **one's
head** vrtět hlavou; ~ **one's finger**
hrozit prstem **2** třepat, mávat

wage[1] [weidž] vést (**war** válku)

wage[2] [weidž], **wages** [weidžiz] *pl*
mzda; **living** ~ postačující mzda

wag(g)on [wægən] **1** (*těžký
nákladní*) vůz **2** vagón

wail [weil] *n* lkaní, kvílení, nářek
• *v* **1** lkát, kvílet, naříkat
2 oplakávat

waist [weist] pás

waistcoat [weistkəut] vesta

wait [weit] *v* **1** čekat, počkat **for**
na; vyčkávat, počkat si na; **while
you** ~ na počkání **2** obskakovat
on sb. koho, posluhovat komu
3 obsluhovat (**at table** při stole
jako číšník)
• *n* **1** čekání **for** na **2** přestávka,
pauza • **lie in** ~ **for** číhat na

waiter [weitə] číšník

waiting room [weitiŋru:m]
čekárna

waitress [weitris] číšnice, servírka

waive [weiv] **1** vzdát se, zříci se
(**a privilege** práva) **2** odsunout,
odložit **3** *též* ~ **aside / off** sprovo-
dit ze světa (jako) mávnutím ruky

wake[1] [weik] brázda za lodí
• **in the** ~ **of** v patách za, hned
za, jako následek čeho

wake[2]* [weik] **1** *též* ~ **up** vzbudit
(se), probudit (se) **2** bdít

wakeful [weikful] **1** bdělý
2 probděný, bezesný

waken [weikn] **1** probudit (se)
2 připomenout **sb.** komu **to** co,
upozornit na

walk [wo:k] *n* **1** chůze
2 procházka **3** cestička
4 obchůzka, rajón • **go for a** ~ jít
na procházku; ~ **of life** společen-
ské postavení, zaměstnání, stav
• *v* **1** jít (*pěšky*), chodit,
procházet se **2** projít, prochodit
3 vést, vodit; vyprovodit;
~ **a dog** (vy)venčit psa

walk out **1** demonstrativně odejít
2 vstoupit do stávky

walker [wo:kə] chodec

walkie-talkie [wo:ki'to:ki]
(*příruční*) krátkovlnná vysílačka
s přijímačem

wall [wo:l] **1** zeď, stěna
2 přehrada
• **be up against a / the** ~ být
ve slepé uličce, být v úzkých

wallet [wolit] náprsní taška;
peněženka

wallow [woləu] **1** válet se
2 bezmezně se oddávat **in** čemu,
libovat si v

wallpaper [wo:lpeipə] *n* tapeta,
tapety • *v* (vy)tapetovat

walnut [wo:lnət] vlašský ořech;
ořešák

walrus [wo:lrəs] mrož

waltz [wo:ls] valčík; wals

wan [won] pobledlý, bezbarvý; unavený

wander [wondə] 1 putovat, bloudit, toulat se 2 odchýlit se **from** od, *(též přen.)* 3 ztrácet zdravý rozum, blouznit

wanderer [wondərə] tulák

wane [wein] 1 ubývat 2 slábnout, blednout, mizet 3 chýlit se ke konci

want [wont] *n* 1 nedostatek 2 bída, nouze 3 potřeba; **be in ~ of** nutně potřebovat co • *v* 1 potřebovat 2 chtít, přát si 3 mít nedostatek 4 **be ~ing** chybět

wanton [wontən] *adj* 1 neukázněný, nevázaný; bujný 2 svévolný, bezohledný 3 necudný, nemravný • *n* zpustlík; lehká žena

war [wo:] válka; **be at ~ with** být ve válce s; **the dogs of ~** profesionální vojáci, žoldnéři

ward [wo:d] 1 městská čtvrť; volební okres 2 nemocniční pokoj / oddělení 3 chráněnec; svěřenectví / poručenská péče

warden [wo:dn] dozorce, správce, vedoucí

wardrobe [wo:drəub] skříň na šaty, šatník; garderoba

wardroom [wo:dru:m] důstojnická jídelna *(na válečné lodi)*

warehouse [weəhaus] skladiště

wares [weəz] *pl* zboží

warfare [wo:feə] válčení; **guerilla ~** partyzánská válka

warm [wo:m] *adj* 1 teplý 2 vřelý, srdečný 3 rozpálený, vzrušený • *v* 1 *též ~* **up** hřát, ohřát (se); rozehřát, rozjařit 2 *též ~* **up** rozehřát se, nadchnout se **to** pro

warmonger [wo:maŋgə] podněcovatel války, válečný štváč

warmth [wo:mθ] 1 teplo 2 vřelost, srdečnost

warn [wo:n] 1 *(předem)* upozornit **of** na 2 varovat **of / against** před

warn sb. off odstrašit koho (**doing sth.** od čeho); zahnat koho (**one's land** ze své půdy)

warning [wo:niŋ] 1 upozornění 2 varování, výstraha 3 *(termínovaná)* výpověď *(ze zaměstnání)*

warrant [worənt] *n* 1 oprávnění, zmocnění; plná moc 2 *(písemný)* příkaz, rozkaz; zatykač 3 jmenovací listina, dekret • *v* 1 ospravedlnit 2 opravňovat k 3 zaručit

warrior [woriə] válečník, bojovník; **the Unknown W~** Neznámý bojovník

Warsaw [wo:so:] Varšava

warship [wo:šip] válečná loď

wart [wo:t] bradavice

wary [weəri] 1 ostražitý, opatrný 2 hospodárný, šetrný • **be ~** dávat pozor na, hlídat (si) co

wash [woš] *n* 1 (u)mytí 2 praní, prádlo 3 břečka; vodička 4 nátěr • *adj* prací • *v* 1 mýt (se), umýt (se) 2 prát, vyprat 3 omývat; smýt, setřít 4 spláchnout

wash out 1 vymýt 2 vyčerpat

wash up 1 umýt nádobí 2 *US* umýt si ruce

washable [wošabl] 1 prací 2 smytelný vodou

washbasin ['woš,beisn] umyvadlo

washboard [wošbo:d] valcha

washer [wošə] *US* pračka

washerwoman ['wošə,wumən] pradlena

wash house [wošhaus] prádelna
(*v domě*)
washing [wošiŋ] praní, prádlo
(*určené k vyprání / už vyprané*)
washing machine ['wošiŋmə,ši:n]
pračka
washroom [wošru:m] *US* toaleta
washtub [woštab] necky
wasp [wosp] vosa
waste [weist] *adj* **1** pustý
2 odpadový; unikající, nevyužitý
♦ **lay ~** zpustošit
♦ *v* **1** (z)pustošit, (z)ničit
2 plýtvat, mrhat čím, promrhat
3 mizet, zmenšovat se **4** plynout,
ztrácet se bez užitku **5** *též* **~ away**
chřadnout, ztrácet se před očima
♦ **be ~d on** zůstat bez účinku
na, nepůsobit na
♦ *n* **1** pustina, poušť **2** plýtvání,
mrhání **of** čím **3** odpad;
odpadky **4** zmetek, zmetky
wasteful [weistful] **1** plýtvající **of**
čím **2** marnotratný, rozhazovač-
ný; nákladný **3** neúsporný, mají-
cí nadměrnou spotřebu **of** čeho
wastepaper basket
[weistpeipə'ba:skit] koš na papír
watch[1] [woč] hodinky
watch[2] [woč] *n* **1** hlídání, pozoro-
vání **for** koho **2** hlídka, stráž
♦ **be on the ~ for** mít se na po-
zoru před; **keep ~** *1.* pozorně sle-
dovat, mít pod stálou kontrolou
over / on co *2.* mít dohled / dozor
over nad *3.* dávat pozor **for** na
♦ *v* **1** bdít, být bdělý **2** hlídat
3 pozorovat, sledovat, přihlížet
čemu **4** dávat si pozor, být
opatrný ♦ **~ out!** pozor!;
~ television dívat se na televizi
watchful [wočful] **1** bdělý,
ostražitý **2** pozorný, všímavý

watchmaker [wočmeikə] hodinář
watchman [wočmən] (*noční*)
hlídač
watchword [wočwə:d] heslo
water [wo:tə] *n* **1** voda **2** vodní
hladina **3** moč ♦ **of the first ~**
prvního řádu; **hold ~** obstát
♦ *v* **1** zalévat, zavlažit, postříkat
2 napojit; napájet se, pít **3** slzet;
slinit; **it made my mouth ~**
sbíhaly se mi na to sliny
watercolour [wo:təkalə] akvarel
waterfall [wo:təfo:l] vodopád
water lily ['wo:tə,lili] leknín
watermark [wo:təma:k]
průsvitka, vodotisk
waterproof [wo:təpru:f] *adj* ne-
promokavý ♦ *n GB* plášť do deště
water supply ['wo:təsə,plai]
zásobování vodou, vodovod
watertight [wo:tətait] **1** vodotěsný
2 (*přen.*) jednoznačný, nezvratný
waterway [wo:təwei] vodní cesta
watery [wo:təri] **1** vodnatý,
vodnatelný **2** rozvařený;
rozbředlý **3** uslzený, slzící
wave [weiv] *v* **1** vlnit se **2** mávat
3 ondulovat ♦ *n* **1** vlna **2** zvlnění
3 ondulace **4** mávnutí, zamávání
wave band [weivbænd] vlnové
pásmo
wavelength [weivleŋθ] vlnová
délka
wavy [weivi] **1** zvlněný, vlnitý, ku-
čeravý **2** třepotající se, plápolavý
wax[1] [wæks] *n* vosk
♦ *adj* voskový ♦ *v* (na)voskovat
wax[2] [wæks] **1** přibývat, dorůstat
2 růst, zvětšovat se
way [wei] **1** cesta **2** způsob; zvyk;
the ~ (způsob), jak **3** ohled, zře-
tel **4** osud ♦ **ask one's ~** ptát se
na cestu; **by the ~** mimochodem,

vlastně; **by ~ of** přes; **give ~ to** povolit čemu, ustoupit před; **go one's ~** jít svou cestou; **I'm going your ~** jdu vaším směrem; **go out of one's ~** snažit se; **in the ~** v cestě; **lead the ~** jít napřed; **a long ~ from** daleko od; **make one's ~ through** razit si cestu kudy; **make ~ for** uvolnit cestu pro; **out of harm's ~** mimo nebezpečí; **over the ~** přes cestu; **pave the ~ for** připravit cestu pro; **the other ~ round** naopak; **this ~** tudy; **the ~ of living** způsob života; **this ~** takto; **have a ~ with** umět to s; **have it your own ~** ať je tedy po vašem; **in a ~** do určité míry; **in the ~ of food** co se týče jídla; **in no ~** nikterak; **in some ~s** v určitém ohledu

way out [wei'aut] **1** východ **2** východisko

wayward [weiwəd] **1** náladový, rozmarný, vzpurný **2** nevypočitatelný, nepředvídatelný, vrtkavý

we [wi:] my

weak [wi:k] **1** slabý **2** mdlý; nekontrastní

weaken [wi:kn] **1** oslabit **2** (ze)slábnout

weakling [wi:kliŋ] slaboch

weakness [wi:knis] **1** slabost **2** slabá stránka **3** slabost **for** pro, záliba v

wealth [welθ] bohatství

wealthy [welθi] bohatý, oplývající **in** čím

weapon [wepn] zbraň

wear* [weə] v nosit, mít (na sobě), chodit v **2** obnosit, opotřebovat (se) **3** prodřít; vyšlapat; vyjezdit **4** vyčerpat, unavit

• n nošení; opotřebování ◆ **be in ~** nosit se, být v módě; **fair and tear** normální opotřebení

wear off 1 odřít (se) **2** přestat budit zájem, omrzet se, přejít, pominout **3** přestat působit, ztrácet účinek

wear out 1 obnosit (se) **2** vyčerpat (se) **3** vydržet, přežít **4** (pro)marnit

weariness [wiərinis] únava; únavnost

wearisome [wiərisəm] únavný; nudný

weary [wiəri] adj **1** unavený, omrzelý **of** čím **2** únavný; protivný **3** nudný

• v **1** unavit (se); omrzet (se) **2** nudit (se) **3** být unaven **of** čím

weasel [wi:zl] lasička

weather [weðə] n počasí; **be under the ~** 1. nebýt ve své kůži 2. být podnapilý

• v **1** vystavit / být vystaven vlivu počasí **2** přestát, překonat, přežít

weather wane [weðəwein] větrná korouhev, korouhvička

weave* [wi:v] **1** tkát **2** plést; propletat (se) **3** (přen.) osnovat, kout **4** sestavit, zkonstruovat **5** vinout se, klikatit se

weaver [wi:və] **1** tkadlec **2** snovač

web [web] **1** tkanina, tkanivo; síť **2** pavučina **3** plovací blána

wed* [wed] (dd) **1** oženit se s; provdat se za **2** oddat, sezdat **3** (přen.) pevně spojit, sjednotit

wedding [wediŋ] svatba; ~ **cake** svatební dort; ~ **ring** snubní prsten

wedge [wedʒ] n **1** klín **2** (vykrojený) kus **3** (úzký) trojhran • v: též ~ **up 1** zaklínit,

upevnit klínem **2** vtlačit (se),
vmáčknout (se)

Wednesday [wenzdi] středa

wee [wi:] maličký

weed [wi:d] *n* plevel
• *v* odplevelit, plít

week [wi:k] týden

weekday [wi:kdei] všední den,
pracovní den

weekend [wi:k'end] víkend; **(at)
~s** o víkendech

weekly [wi:kli] *adj* týdenní
• *adv* týdně • *n* týdeník

weep [wi:p] **1** plakat **(for joy**
radostí, **with pain** bolestí)
2 ronit, kapat; slzet, potit se

weigh [wei] **1** (z)vážit **2** vážit
(*kolik*); potěžkat **3** *též* **~ up**
rozvážit, uvážit

weight [weit] **1** váha, hmotnost
2 závaží **3** břemeno, náklad
4 těžítko **5** závažnost
6 (*vrhačská*) koule

weightlessness [weitlisnis] stav
beztíže

weight lifting [weitliftiŋ] vzpírání
(*břemen*); posilování

weighty [weiti] **1** těžký **2** tlustý,
korpulentní **3** závažný

weir [wiə] jez

weird [wiəd] **1** nadpřirozený,
tajuplný, magický (*hovor.*)
podivný, zvláštní, výstřední;
fantastický

welcome [welkəm] *n* uvítání,
přijetí • *adj* vítaný; **be ~ to** mít
samozřejmé dovolení k, smět co
• *v* (u)vítat, přivítat
• *interj* vítej(te)!, buď(te) vítán!

weld [weld] **1** svářet **2** (*přen.*)
spojit, stmelit **into** v

welfare [welfeə] **1** blaho,
prospěch **2** veřejná sociální péče

well[1] [wel] **1** studna; studánka
2 pramen, (*též přen.*) **3** jáma,
šachta; světlík

well[2] [wel] *adv* **1** dobře, docela
dobře **2** plným právem **3** hodně
• *adj* zdravý
• *interj* nuže, tak tedy, dobrá; no
možná; no tohle, ale ne
♦ **that is ~ said** to je dobře řeče-
no; **as ~** rovněž, také; **as ~ as** ja-
kož i, také; **(just) as ~** stejně dob-
ře; **I am very ~** daří se mi velmi
dobře; **it is all very ~, but** to je
sice všechno velmi hezké, ale

well-advised [weləd'vaizd]
uvážený, rozumný, moudrý

well-being [wel'bi:iŋ] **1** pocit dob-
rého zdraví, pohoda **2** blahobyt

well-earned [wel'ə:nd] zasloužený

wellington [weliŋtən] gumová
holínka

well-known [wel'nəun] známý

well-meant [wel'ment] dobře
míněný

well-off [wel'of] **1** bohatý, zámož-
ný **2** dobře opatřený **for** čím

well-read [wel'red] sčetlý

well-to-do [weltə'du:] zámožný,
bohatý

Welsh [welš] *adj* velšský
• *n* velština

wench [wenč] (*venkovské*) děvče

west [west] *n* západ • *adj* západní
• *adv* na západ(ě), k západu

western [westən] **1** západní
2 westernový

wet [wet] **(tt)** *adj* **1** mokrý;
promáčený **2** deštivý
♦ **be ~ behind the ears** mít ještě
mléko na bradě; **~ blanket** nudný
patron, morous; **get ~** zmoknout
• *v** **1** pomokřit, navlhčit

W

2 pomoct (se) ♦ **~ one's whistle** dát si (jednu) do trumpety

whale [weil] velryba

wharf [wo:f] přístaviště, přístavní hráz, nábřeží

what [wot] *adj* jaký; **~ a pity!** to je škoda! ● *pron* **1** co **2** jaký, to, co **3** co, něco, cokoli ♦ **~ for** proč; **~ is it like?** co je to?; **~ if** co když; **~ about ...?** a co takhle ...?; **~ of it?** co na tom?; **so ~?** a co má být?; **and ~ not** a kdoví co ještě; **~ with ... and** jednak pro ... a jednak, následkem ... a

whatever [wot'evə] **1** jakýkoli, každý **2** cokoli; všechno, co **3** něco takového

wheat [wi:t] pšenice

wheel [wi:l] *n* kolo ♦ **put a spoke in sb.'s ~** házet komu klacky pod nohy ● *v* **1** tlačit, postrkovat, vézt **2** kroužit **3** otočit (se)

wheelbarrow [wi:bærəu] kolečko, trakař

wheelchair [wi:lčeə] vozíček (*invalidy*)

wheel clamp [wi:lklæmp] „botička" (*při nesprávném parkování*)

wheeze [wi:z] **1** těžce dýchat, sípat, supět **2** skřípat

when [wen] *adv* kdy ● *conj* **1** když **2** až

whenever [wen'evə] **1** kdykoli; vždycky, když **2** kdy vlastně?

where [weə] kde; kam; **~ to?** kam?; **~ from?** odkud?

whereabouts [weərə'bauts] *adv* kde asi, kam asi ● *n* přibližné místo pobytu

whereas [weər'æz] **1** kdežto, zatímco **2** vzhledem k tomu, že; jelikož

wherever [weər'evə] **1** kdekoli; kamkoli; všude, kde / kam **2** kam vlastně?

whet [wet] **(tt) 1** (na)brousit **2** (*přen.*) přiostřit, zvýšit, podnítit

whether [weðə] zda, zdali, jestli

whew [wič] **1** který **2** jaký **3** kdo; což

whichever [wič'evə] kterýkoli, jakýkoli; kdokoli, cokoli (z)

whiff [wif] **1** závan **2** mrak, mráček; závoj; pach

while [wail] *n* chvíle; doba ♦ **for a ~** na chvílku; **for a long ~** dlouhou dobu, dlouho; **once in a ~** občas, příležitostně ● *conj* **1** zatímco, když **2** kdežto, naproti tomu, ačkoliv, i když ● *v:* **~ the time away** krátit si dlouhou chvíli

whim [wim] vrtoch, rozmar

whimper [wimpə] kňourat, fňukat, kňučet

whimsical [wimzikl] **1** vrtošivý, rozmarný **2** podivný, podivínský, zvláštní, výstřední

whine [wain] **1** kňučet **2** skučet, ječet **3** svištět **4** vrnět

whip [wip] *n* **1** bič **2** šleh **3** mrsknutí, škubnutí **4** *parlamentní sekretář politické strany* **5** bičová / prutová anténa ● *v* **(pp) 1** bičovat **2** zmrskat, zbít **3** šlehat **4** mihnout se jako blesk **5** zapošít

whirl [wə:l] *n* **1** kroužení, otáčení, víření, vír **2** horečný shon **3** spěch, chvat ● *v* **1** točit se, otáčet se (*v kruhu*), kroužit, rotovat **2** řítit se vpřed

whirlwind [wə:lwind] tornádo, vichr, smršť

whisk [wisk] *n* **1** (*ručně*) šlehat

2 *též* ~ **away** / **off** prudce smést; zahnat • *n* 1 košťátko, smetáček 2 metla (*na šlehání*)

whiskers [wiskəz] *pl* 1 licousy, kotlety 2 vousy, kníry (*na tlamě zvířete*)

whisper [wispə] *v* 1 (za)šeptat 2 šustit, šumět, ševelit • *n* 1 šeptání, šepot 2 šustění, ševelení 3 šeptaná zpráva, klep 4 (*nepatrný*) závan

whistle [wisl] *n* 1 pískání, hvizd 2 píšťala • *v* 1 pískat, hvízdat 2 (*hovor.*) počkat si, marně čekat **for** na

white [wait] *adj* 1 bílý 2 rozžhavený do běla 3 (*pivo*) světlý • *n* 1 bělost; běloba 2 běloch 3 ~**s** *pl* bílý oděv 4 bílé víno ♦ ~ **of the eye** bělmo; ~ **of egg** bílek

whiten [waitn] 1 zbělet 2 nabílit

whitewash [waitwoš] *v* 1 (na)bílit, obílit 2 (*přen.*) lakovat na růžovo, přikrašlovat, krýt • *n* 1 vápenné mléko 2 (*přen.*) omlouvání, přikrašlování

whittle [witl] 1 ořezávat 2 *též* ~ **away** / **down** oklestit, snižovat, zmenšovat (**expenses** výdaje)

who [hu:] 1 kdo 2 který 3 kdokoli

whoever [hu:evə] kdokoli; každý, kdo

whole [həul] *adj* 1 celý 2 zdravý 3 plnotučný • *n* celek; **on the** ~ celkem, vcelku

whole-hearted [həul'ha:tid] 1 nadšený, horlivý 2 upřímný, srdečný

wholesale [həulseil] *n* obchod ve velkém • *adj* velkoobchodní; hromadný, masový • *adv* ve velkém

wholesaler [həulseilə] velkoobchodník

wholesome [həulsəm] zdravý, zdraví prospěšný

wholly [həuli] úplně

whooping cough [hu:piŋkof] černý kašel

whose [hu:z] čí; jehož

why [wai] *adv* proč • *interj* jakže, vždyť, no přece, no ovšem, no tak tedy

wicked [wikid] 1 zlý, špatný; zlomyslný 2 šibalský, uličnický 3 bezbožný, hříšný 4 nestydatý, sprostý

wicker [wikə] proutí

wicket [wikit] 1 branka, vrátka 2 okénko, přepážka 3 kriketová branka

wide [waid] *adj* 1 široký; širý 2 rozlehlý, rozsáhlý; bohatý • *adv* 1 široko, široce 2 zeširoka 3 daleko, ve velké vzdálenosti 4 stranou, daleko **of** od ♦ ~ **apart** daleko od sebe; **give** ~ **berth to** zdaleka se vyhnout čemu; **far and** ~ daleko široko; ~ **open** dokořán; ~ **of** daleko od

widen [waidn] rozšířit (se)

widespread [waidspred] rozšířený

widow [widəu] vdova; **grass** ~ slaměná vdova

widower [widəuə] vdovec

width [widθ] šířka, šíře

wield [wi:ld] 1 vládnout sth. čím (**the pen** perem); třímat co, zacházet s 2 vykonávat, mít (**power** moc)

wife [waif] manželka; **husband and** ~ manželé; **old wives' tale** babský tlach, povídačka

wig [wig] paruka, vlásenka

W

wigging [wigiŋ] (*hovor.*) umytí hlavy (*ostrá důtka*)

wild [waild] *adj* **1** divoký **2** nespoutaný, nevázaný, bouřlivý **3** rozčilený, celý bez sebe **with** čím **4** (*hovor.*) celý divý, zbláznéný **about / for** do **5** neuvážený, náhodný ● *n* poušť, pustina, divočina

wilderness [wildэnis] divočina, pustina

wilful [wilful] **1** úmyslný, záměrný; úkladný **2** svéhlavý, umíněný, tvrdohlavý

will[1] [wil] **1** vůle **2** pevná vůle, úsilí **3** poslední vůle, závěť ◆ **of one's own free** ~ z vlastní vůle; **at** ~ libovolně, podle libosti; **with the best** ~ při nejlepší vůli

will[2] [wil] **1** *pomocné sloveso tvořící budoucí čas* **2** *způsobové sloveso vyjadřující přání, ochotu, vůli;* **the door** ~ **not open** dveře se nechtějí otevřít

William [wiljэm] Vilém

willing [wiliŋ] **1** ochotný **2** dobrovolný

willow [wilэu] vrba

willy-nilly [wili'nili] chtě nechtě

wilt [wilt] zvadnout; ochabnout

wily [waili] prohnaný

win* [win] (**nn**) **1** vyhrát **2** získat, dosáhnout čeho

wince [wins] **1** trhnout sebou, ucuknout **2** (*přen.*) mrknout, hnout brvou

wind[1] [wind] *n* **1** vítr **2** vzduch **3** dech **4** pach **5** (*přen.*) prázdná slova **6** *GB* větry, plynatost ◆ **get** ~ **of** doslechnout se o ● *v* **1** (za)větřit, ucítit **2** zbavit dechu

wind[2] [waind] **1** točit (se), vinout (se), kroutit (se) **2** natočit,

natáhnout **3** odvinout, odmotat **off / from** z **4** vystupňovat

wind up 1 natáhnout (*strojek, hodiny*) **2** uzavřít (*debatu*) **3** skončit **in** kde

windbag [windbæg] mluvka

windbraker [windbreikэ] *US*, **windcheater** [windči:tэ] *GB* větrovka

winding [waindiŋ] *adj* **1** točitý, klikatý **2** rozvláčný ● *n* **1** vinutí **2** ohyb, zatáčka, zátočina

winding sheet [waindiŋši:t] rubáš

windmill [windmil] větrný mlýn

window [windэu] **1** okno; okénko **2** výkladní skříň, výklad

window dresser ['windэu ,dresэ] aranžér

windowpane [windэupein] okenní tabule

window-shopping [windэušopiŋ] prohlížení výkladních skříní

windpipe [windpaip] průdušnice

windy [windi] **1** ošlehaný větrem; větrný, bouřlivý **2** mnohomluvný, bombastický

wine [wain] víno

wineglass [waingla:s] vinná sklenka

wing [wiŋ] **1** křídlo **2** (*letecká*) peruť **3** ~**s** *pl* kulisy

wink [wiŋk] *v* **1** mrkat **at** na **2** mžikat, blikat **3** přimhouřit oko **at** nad ● *n* **1** mrknutí, (za)mrkání **2** (*přen.*) pokyn, avízo ◆ **not get a** ~ **of sleep** nezamhouřit (*v noci*) oka

winner [winэ] výherce

winsome [winsэm] podmanivý, roztomilý, sympatický

winter [wintэ] *n* zima ● *v* přezimovat

wipe [waip] utírat, stírat; smazat

wipe off 1 smazat **2** setřít
wipe out 1 vytřít; vymazat **2** zničit, rozdrtit, vyhladit, srovnat se zemí
wipe up utřít nádobí
wire [waiə] *n* **1** drát, drátek **2** telegram, depeše
• *v* **1** upevnit drátem; sdrátovat **2** položit elektrické vedení, instalovat elektřinu **3** telegrafovat
wireless [waiəlis] *adj* **1** bezdrátový **2** rozhlasový
• *n* rozhlas, rádio
wisdom [wizdəm] **1** moudrost **2** rozumnost **3** moudrý úsudek, zdravý rozum
wise [waiz] **1** moudrý; rozumný **2** dobře informovaný **in** o
wisecrack [waizkræk] (*hovor.*) *n* vtipná / trefná poznámka
• *v* vtipkovat
wish [wiš] *v* **1** přát (si), chtít **2** vyslovit přání **3** toužit **for** po
• *n* přání
wistful [wistful] **1** toužebný, roztoužený **2** zamyšlený, melancholický **3** nostalgický
wit [wit] **1** důvtip, inteligence **2** vtip, vtipnost; **be at one's ~s' end** být s rozumem v koncích
witch [wič] čarodějnice
witchcraft [wičkra:ft] **1** čarodějnictví, čáry a kouzla **2** magické kouzlo
witch-doctor [wič,doktə] (*kmenový*) kouzelník, šaman, medicinman
with [wið] **1** s, se **2** u; **he lives ~ his parents** bydlí u rodičů **3** při, přes, navzdory čemu **4** (*v češtině 7. pád*) **eat ~ spoon** jíst lžící; **shake ~ cold** třást se zimou; **jump ~ joy** skákat radostí

withdraw* [wið'dro:] **1** odejít **2** vzít zpět; odvolat **3** vzít z oběhu, stáhnout **4** vyzvednout si (*peníze*) **5** zanechat **from** čeho; nechat studií
withdrawal [wið'dro:əl] **1** ústup **2** odvolání **3** odnětí **4** vyzvednutí (peněz) z banky, výběr
wither [wiðə] vadnout, schnout
withering [wiðəriŋ] zničující, sžíravý, opovržlivý
withhold* [wið'həuld] **1** odepřít, neposkytnout, odmítnout **2** zatajit **from** před
within [wi'ðin] **1** v dosahu, uvnitř, v **2** během, v průběhu **3** v rozmezí čeho, s rozdílem plus minus
♦ **from ~** zevnitř; **~ reach** v dosahu, na dosah ruky; **~ a year** během roku
without [wi'ðaut] *prep* bez
• *adv* venku, z vnějšku
• *n* vnějšek
withstand* [wið'stænd] odolat **sth.** čemu; vydržet
witness [witnis] *n* **1** svědek **2** svědectví • *v* **1** svědčit, být svědectvím **to** o **2** být svědkem čeho **3** dosvědčit, svědecky potvrdit **4** spolupodepsat jako svědek (**a will závět**) **5** ověřit podpisem pravost čeho
witty [witi] vtipný; duchaplný, zábavný
wizard [wizəd] **1** čaroděj, kouzelník **2** (*přen.*) génius
wizened [wiznd] seschlý, scvrklý
wobble [wobl] **1** viklat (se) **2** chvět se **3** potácet se **4** kolísat **between** mezi
wog [wog] (*vulg.*) 'černá huba'
wolf [wulf] vlk

woman [wumən] žena; ~ **doctor**
lékařka; **kept** ~ vydržovaná
žena, milenka

womanhood [wumənhud] ženství;
ženské obyvatelstvo

womanly [wumənli] (*typicky*)
ženský

womanizer [wumənaizə]
sukničkář

womb [wu:m] děloha, lůno, (*též
přen.*)

wonder [wandə] *n* 1 div, zázrak
2 údiv 3 zázračný člověk, feno-
mén, génius 4 nejistota, pochyb-
nosti ♦ **no** ~ není divu ● *v* 1 divit
se, podivovat se, být překvapen
at sth. čím 2 být zvědav, říkat
si, ptát se sám sebe 3 přemýšlet,
uvažovat, lámat si hlavu; **I** ~
who he is kdopak to asi je
● *adj* 1 zázračný 2 fantastický,
podivuhodný 3 magický

wonderful [wandəful] skvělý,
úžasný, báječný, obdivuhodný

wont [wəunt] zvyklý

woo [wu:] 1 dvořit se komu; uchá-
zet se o ženu 2 vymámit **from** na
3 nechtěně přivodit, říkat si o co

wood [wud] 1 les 2 dřevo 3 dříví

wooden [wudn] 1 dřevěný;
prkenný 2 (*přen.*) toporný,
strnulý, neohrabaný

woodpecker [wudpekə] datel

wool [wul] vlna

woollen [wulin] *adj* 1 vlněný
2 vlnařský ● *n* 1 vlněná látka,
flanel 2 ~**s** *pl* vlněné prádlo / šaty

word [wə:d] *n* 1 slovo 2 zpráva,
informace, vzkaz 3 rozkaz, povel
♦ ~ **for** ~ slovo za slovem, do-
slovně; **in a** ~ slovem; **in other**
~**s** jinými slovy; **in so many** ~**s**
1. naprosto otevřeně, bez obalu

2. několika slovy, stručně; **by** ~
of mouth ústně; **have a** ~ **with
sb.** promluvit si s kým; **put in
a (good)** ~ **for** přimluvit se za;
leave ~ **with** nechat vzkaz u
● *v* vyjádřit slovy, stylizovat,
formulovat

wording [wə:diŋ] stylizace,
formulace, text, znění

wordy [wə:di] 1 mnohomluvný,
rozvláčný, upovídaný 2 slovní

work [wə:k] *n* 1 práce; **at** ~
v práci, v zaměstnání; **out of** ~
nezaměstnaný, bez práce 2 dílo,
výrobek, zboží 3 ~**s** *pl* hnací
ústrojí, stroj; závod, podnik
♦ **all in the day's** ~ normální;
~**s canteen** závodní
jídelna; **give sb. the** ~**s** (*slang.*)
ukázat komu, zač je toho loket
● *v* 1 pracovat **on / at** na
2 fungovat, běžet 3 zacházet
sth. s čím 4 osvědčit se, dobře
fungovat, (za)působit 5 dělat,
tvořit 6 obsluhovat; řídit, vést

work out 1 vyčerpat 2 vyřešit,
vypočítat, přijít na 3 vypracovat
4 dopadnout

work up 1 vybudovat 2 podnítit,
vyvolat 3 rozrušit, rozčílit
4 postupovat, postupně se blížit
to k 5 smíchat

worker [wə:kə] pracovník; dělník

workhouse [wə:khaus] 1 GB
chudobinec 2 US káznice

working [wə:kiŋ] pracovní;
pracující

workman [wə:kmən] 1 pracující,
dělník 2 pracovník, odborník

workshop [wə:kšop] dílna

world [wə:ld] svět; **a** ~ **of** velký
počet / rozsah čeho, mnoho,

hodně; **it did me a ~ of good** velice mi to prospělo

worldly [wəːldli] **1** světský, pozemský **2** světácký, poživačný

worldwide [wəːld'waid] světový

worm [wəːm] *n* **1** červ **2** dešťovka, žížala **3** škrkavka **4** červotoč **5** ubožák, chudák **6** závit; šnek ● *v* **1** plížit se **through** kudy; vetřít se **into** kam; vykroutit se **out of** z **2** vyříznout závit **3** provrtat, prožrat (*dřevo*)

worm-eaten [wəːmiːtn] červivý; červotočivý

worn-out [woːn'aut] **1** skoro nepoužitelný, obnošený **2** otřepaný, zevšednělý, nemoderní **3** vyčerpaný, sedřený

worry [wari] *v* **1** obtěžovat, sužovat; trápit (se) **2** škubat čím; hryzat ♦ **I should ~** (*hovor.*) co je mi do toho, to je jedno ● *n* **1** starost, trápení, soužení **2** potíž, nesnáz, komplikace

worse [wəːs] *adj* horší ♦ **be the ~ for drink** být opilý; **the ~ for wear** obnošený; **to make matters ~** a ještě k tomu ke všemu; **go from bad to ~** jít od devíti k pěti ● *adv* hůře

worsen [wəːsn] zhoršit (se), pokazit (se)

worship [wəːšip] *n* **1** bohoslužba, pobožnost **2** uctívání ● *v* (pp) uctívat, klanět se komu / čemu

worst [wəːst] *adj* nejhorší; **if the ~ comes to the ~** když dojde k nejhoršímu ● *adv* nejhůře; **at (the) ~** v nejhorším případě

worsted [wustid] *n* česaná příze ● *adj* vlněný

worth [wəːθ] *n* cena, hodnota ♦ **a pound's ~ of apples** za

jednu libru jablek ● *adj* mající cenu; **be ~ a penny** mít cenu, stát; **for all one is ~** ze všech sil; **it is ~ the trouble** stojí to za tu námahu

worthless [wəːθlis] bezcenný

worthwhile [wəːθ'wail] stojící za to; **it is (not) ~** to (ne)stojí za to

worthy [wəːði] **1** důstojný **2** hoden **of sth.** čeho

would-be [wudbiː] rádoby, chtěný, také-

wound [wuːnd] *n* rána, zranění ● *v* (z)ranit

wrangle [ræŋgl] tahanice, přenice, pranice

wrap [ræp] *v* (pp) *též* ~ **up** (za)balit, ovinout, omotat ● *n* **1** obal **2** šála, přehoz, pléd

wrapper [ræpə] **1** obal, přebal **2** župan **3** balič

wrapping [ræpiŋ] obal; balicí materiál

wrath [roːθ] **1** hněv, spravedlivé rozhořčení **2** pomsta, trest

wreath [riːθ] věnec ● *v* [riːð] **1** ověnčit **with** čím **2** udělat (*z květin*) věnec **3** ovinout (se)

wreck [rek] *n* **1** zkáza, zničení, zhouba **2** ztroskotaná loď, vrak, trosky **3** troska, ruina ● *v* **1** zničit, zruinovat **2** způsobit ztroskotání lodi / srážku vlaku

wrecker [rekə] **1** záchranná loď; auto havarijní služby **2** rozvratník, rozvraceč (*rodiny*); ničitel

wrench [renč] *n* **1** vykroucení, zkroucení **2** francouzský klíč ● *v* **1** trhnout čím **2** otáčet, šroubovat (*francouzským klíčem*)

wrestle [resl] *n* zápasit; potýkat se

wretch [reč] **1** chudák, ubožák **2** dareba

wretched [rečid] **1** nešťastný; ubohý **2** mizerný

wriggle [rigl] vrtět (se), kroutit (se), svíjet se

wring* [riŋ] **1** (za)kroutit čím **2** ždímat

♦ ~ **one's hands** lomit rukama

wringer [riŋə] (ruční) ždímačka

wrinkle [riŋkl] *n* **1** vráska **2** fald, záhyb (*na šatech*)

● *v* **1** svraštit (se) **2** pomačkat, zmuchlat, zkrabatit

wrist [rist] zápěstí

wristwatch [ristwoč] náramkové hodinky

writ [rit] výnos, rozkaz, nařízení

write* [rait] psát

write down 1 zapsat, zaznamenat, sepsat **2** nepříznivě posoudit, zkritizovat **3** pokládat **sb.** koho **as** za **4** podbízet se **to** komu, slevovat z úrovně kvůli

write off 1 odepsat **2** napsat rychle a lehce, hodit na papír **3** okamžitě odpovědět

write out 1 podrobně vypsat **2** vypsat slovy, vyplnit **3** opsat

write up 1 podrobně popsat

2 přepsat na čisto **3** pochvalně recenzovat

writer [raitə] **1** pisatel **2** spisovatel

writing [raitiŋ] **1** psaní; písmo; **in ~** písemně **2** spis

writing desk [raitiŋdesk] psací stůl

writing paper [raitiŋpeipə] dopisní papír

writhe [raið] svíjet se, kroutit se

wrong [roŋ] *adj* nesprávný, špatný, nemorální; v nepořádku; **something is ~ (with)** něco není v pořádku (s); **you are ~** mýlíte se, nemáte pravdu

● *adv* nesprávně, špatně, chybně; **get it (all)** ~ nechápat; **go ~** *1.* jít špatně *2.* nepovést se ● *n* **1** špatnost, nesprávnost **2** zlo, křivda; bezpráví, nespravedlnost

● *v* (u)křivdit, ublížit, uškodit komu

wrought [ro:t] tepaný

wrought-up [ro:t'ap] rozrušený

wry [rai] **1** křivý, zkřivený, zkroucený **2** sarkastický, ironický

♦ **a ~ smile** kyselý úsměv

X

xerox [ziəroks] xerox

xerography [ze'rogrəfi] xerografie

Xmas (*hovor.*) = **Christmas** [krisməs] vánoce

x-rated ['eks,reitid] (*film*) přístupný od 18 let

X-ray [eksrei] *v* rentgenovat ● *n* rentgen; **have an ~ taken** dát si udělat rentgen

xylophone [zailəfəun] xylofon

Y

yacht [jot] jachta

yank [jæŋk] trhnout, škubnout sth. čím

yank off násilím odvléci sb. koho

Yankee [jæŋki] (hovor.) n Američan • adj americký

yap [jæp] ňafat, štěkat

yard[1] [ja:d] yard (0,91 m)

yard[2] [ja:d] 1 dvůr 2 ohrada, výběh 3 obora

yardstick [ja:dstik] měřítko

yarn [ja:n] 1 příze 2 (hovor.) historka

yawn [jo:n] v 1 zívat 2 zet • n zívání, zívnutí

year [jə: / jiə] 1 rok, léto 2 ročník ♦ **this** ~ letos; **all the** ~ **round** po celý rok; ~ **in** ~ **out** rok co rok; **last** ~ loni

yearbook [jiəbuk] ročenka

yearly [jə:li] adj každoroční; celoroční • adv každoročně; celoročně

yearn [jə:n] 1 toužit **for / after** po 2 být dojat **over** čím

yearning [jə:niŋ] touha

yeast [ji:st] kvasnice, droždí

yell [jel] n jekot, ječení, vřískot • v ječet, vřískat

yellow [jeləu] 1 žlutý 2 (hovor.) zbabělý

yes [jes] ano

yesterday [jestədi] včera

yet [jet] adv 1 ještě 2 nicméně, přece jenom 3 (v otázce) již, už; **not** ~ ještě ne; **and** ~ a přece; **as** ~ až dosud • conj ale, přece jenom, nicméně

yew [ju:] tis

yield [ji:ld] v 1 plodit, rodit; dávat (jako užitek), skýtat 2 ustoupit **to** před 3 postoupit, přenechat sth. co to komu • n 1 výnos, výtěžek 2 úroda, sklizeň

yoghurt [jogət] jogurt

yoke [jəuk] 1 jho 2 (volské) spřežení 3 (přen.) tyranie, chomout 4 sedlo (blůzy)

yolk [jəuk] žloutek

you [ju:] 1 vy; ty 2 vám; tobě 3 člověk, jeden; ~ **never can tell** člověk nikdy neví

young [jaŋ] 1 mladý; ~ **people** mládež 2 mladický 3 ještě nezkušený **in** v

youngster [jaŋstə] mladík, mládenec, výrostek

your [jo:], **yours** [jo:z] váš; tvůj

yourself [jo:'self] 1 ty sám 2 se, sebe

yourselves [jo:'selvz] 1 vy sami 2 se, sebe

youth [ju:θ] 1 mládí 2 mládež 3 mladík, mládenec 4 mladistvý vzhled

youthful [ju:θful] mladistvý

Y

Z

zany [zeini] kašpar, šašek, klaun; nahrávač hlavního komika

zeal [zi:l] horlivost, zápal

zealous [zeləs] horlivý

zebra [zebrə / zi:brə] zebra; ~ **crossing** značený přechod pro chodce, zebra

zenith [zeniθ] zenit, (*též přen.*)

zero [ziərəu / zi:rəu] nula; ~ **hour** hodina H

zest [zest] **1** chuť, radost, potěšení **2** pikantní příchuť; říz

zigzag [zigzæg] *n* klikatá čára, ostrý úhel, čára cikcak
● *adj* klikatý, křivolaký, cikcak
● *v* (**gg**) **1** klikatit se, kličkovat **2** (*hovor.*) šněrovat si to

zinc [ziŋk] zinek

zip [zip] *n* **1** zip, zdrhovadlo

2 svist (*střely*) **3** (*hovor.*) energie, elán, verva ● *v* (**pp**) **1** *též* ~ **up** zapnout na zip **2** svištět **3** (*hovor.*) frčet, hnát se

zip code [zipkəud] *US* poštovní směrovací číslo

zip-fastener [zip'fa:snə], **zipper** [zipə] zip, zdrhovadlo

zodiac [zəudiæk] zvěrokruh, zvířetník

zone [zəun] pásmo, zóna, pás

zoo [zu:] zoologická zahrada

zoological [zəuə'lodžikl] zoologický

zoom [zu:m] transfokovat; ~ **lens** transfokátor

zoology [zəu'olədži / zu:'-] zoologie

ČESKO-ANGLICKÁ ČÁST

A

a 1 and; *(a také)* as well as; ~ **přece** and yet; ~ **tak** and so; ~ **tak dále** and so on; ~ **to** / ~ **sice** namely; **já** ~ **jet autobusem!** catch me riding on a bus! **2** *(mat.)* and, plus **3 od** ~ **až do zet** from A to Z; **přečíst od** ~ **až do zet** read from cover to cover

abdikace resignation

abdikovat abdicate, resign

abeced|a alphabet, ABC; **podle -y** in alphabetical order

abecední alphabetical

absence absence; ~ **v práci / ve škole** absence from work / school; **neomluvená** ~ absence without leave

absolutní absolute

absolvent, ~ka *(střední školy)* school-leaver; *(vysoké školy)* graduate

absolvovat *(školu)* finish one's studies at a school; *(vysokou)* graduate (from a university)

abstinent teetotaller

abstraktní abstract

absurdní absurd, preposterous, ludicrous

aby I *ve větě účelové* **1** (in order) to + *inf*: **přišel,** ~ **mi pomohl** he came to help me **2** so (that); **přijď včas,** ~**s nezmeškal začátek** come in time so (that) you won't miss the beginning; **přišel včas,** ~ **nezmeškal začátek** he came in time so (that) he wouldn't miss the beginning **3** ~ **ne** in case, lest; **poznamenej si to,** ~**s to nezapomněl** make a note of it in case you forget

II *ve větě podmětné / předmětné* **1** to + *inf*: **žádal jsem ho,** ~ **přestal hrát** I asked him to stop playing **2** *prostý infinitiv*: **přinutil jsem ho,** ~ **to udělal** I made him do it **3** for + *předmět* to + *inf*: **je nutné,** ~ **začal ihned** it is necessary for him to start at once

ačkoli 1 though, although **2** as; ~ **je stár** old as he is

adaptovat adapt

administrativa 1 administration **2** *(úřední)* bureaucracy

administrativní administrative

adres|a address; **na -u** care of, c/o; **stálá** ~ place of residence

adresát addressee

adresovat address

advokát 1 *(právní poradce)* lawyer, solicitor **2** *(soudní obhájce)* barrister

aerodynamický streamlined

aerolinie airlines *pl*

aféra incident; *(skandální)* scandal; **milostná** ~ love affair

africký African

Afričan African

Afrika Africa

agent agent; *(obchodní cestující)* salesman, commercial traveller
♦ **tajný** ~ secret agent

agentura agency

agilní active, agile, enterprising

agitace, *též adj* **agitační** campaign; propaganda; *(předvolební)* canvassing

agitovat agitate; *(ve volbách osobní agitací)* canvass

agónie agony

agregát *(soustrojí)* power unit

agrese aggression
agresívní aggressive
agronom agricultural expert, agriculturist
agrotechnická lhůta time for cultivation
agrotechnika cultivation
ahoj 1 (*při setkání*) hello **2** (*při rozchodu*) cheerio
akademick|ý academic; **~ titul** degree; **udělit -ou hodnost komu** confer a degree upon sb.
akademie academy
akademik academician
akát false acacia [ə'keišə]
akce 1 action **2** (*organizovaná*) campaign, drive
akcie share, stock
akciov|ý stock; **~ kapitál** joint stock; **-á společnost** (joint-)stock company
akční: ~ rádius radius of action; (*motor.*) cruising range; **~ výbor** action committee
aklimatizovat acclimatize [ə'klaimətaiz]; **~ se** get acclimatized
akord[1] (*hud.*) chord
akord[2] (*úkolová práce*) piece-work; **pracovat ~em** be paid by the piece
akreditiv letter of credit
akrobacie acrobatics [ækrə'bætiks] *pl*
akrobat acrobat [ækrəbæt]
akrobatický acrobatic [ækrə'bætik]
akt 1 (*čin, také div. jednání*) act **2** (*obraz, socha*) nude
aktiv meeting, gathering
aktivita activity
aktivní active
aktovka[1] attaché case, briefcase
aktovka[2] (*hra*) one-act play

aktualita current events *pl*, topical news
aktuální topical
akupunktura acupuncture
akumulace 1 accumulation **2** (*obch.*) profit, proceeds *pl*
akumulátor 1 car battery **2** storage-battery
akustický acoustic
akustika (*věda*) acoustics *sg*; (*sálu*) acoustics *pl*
akvarel water-colour
akvárium aquarium
Albánie Albania
album album
ale 1 but; **~ ano** oh yes; **~ přece** but still; **nejen ..., ~ také** not only ..., but also **2** (*neodporovací, hovor.*) though; **~ myslím, že je to dost drahé** I suppose it's rather expensive, though
alej avenue, alley
alespoň at least; (*pro každý případ*) at any rate
alibi alibi [ælibai]
alimenty 1 (*ženě*) alimony [æli-məni] **2** (*dětem*) maintenance
Aljaška Alaska
alkohol 1 alcohol **2** (*nápoje*) spirits *pl*
alkoholický alcoholic
alkoholismus alcoholism; drinking
alpský Alpine
Alpy the Alps *pl*
alt alto
altistka alto(-singer)
Alžír 1 (*město*) Algiers **2** (*stát*) Algeria
alžírský Algerian [æl'džiəriən]
amatér amateur; **sportovec ~** part-time sportsman, amateur sportsman

amatérský 1 amateur
2 (*neumělý*) amateurish
ambulance 1 (*vůz*) ambulance
2 (*odd. léčebného zařízení*)
out-patients' department
ambulanční out-patient
americký American
Američan, ~ka American
Amerika America
amnestie amnesty
amplión loudspeaker
amputovat amputate
anabolikum anabolic steroid
analfabet illiterate (person)
analfabetismus illiteracy
analogický analogous (**s** to / with)
analytický analytic
analýza analysis
analyzovat analyze
ananas pineapple
anarchie anarchy
anatomie anatomy
anděl angel
andulka budgerigar
anekdota (*vtip*) joke; (*historka*)
anecdote, story
angažmá engagement
angažovat engage; **~ se** commit
oneself (**v** in)
angína tonsilitis [tonsi'laitis],
(*odb.*) angina
anglický English
anglicky in English; **mluvit ~**
speak English
Angličan Englishman; **~é** the
English
Angličanka Englishwoman
angličtina English
Anglie England
angloamerický Anglo-American
anglosas, *též adj* **~ký** Anglo-Saxon
angrešt gooseberry
ani 1 not even; **~ jsem to neviděl**

I didn't even see it **2 ~ - ~** neither
– nor; **není to ~ černé ~ bílé** it is
neither black nor white ♦ **~ tro-
chu** not a bit; **~ v nejmenším** not
in the least; **~ jednou** not once
anketa public / general inquiry,
investigation
ano yes; **ale ~** oh yes; **myslím, že
~** I think so; **~, správně** exactly,
quite (so), precisely
anonymní anonymous
anorganický inorganic
Antarktida the Antarctic
antarktický antarctic
anténa aerial; (*odb.*) antenna
antický antique; classical
antifašista, *též adj* **antifašistický**
antifascist
antika (classical) antiquity
antikoncepce contraception, birth
control, family planning
antikvariát second-hand
bookshop
antikvární second-hand
antimilitarismus antimilitarism
[æntiˈmilitərizm]
antimilitaristický antimilitarist
antisemitismus anti-Semitism
[æntiˈsemitizm]
antisemitský anti-Semite,
anti-Semitic [æntiseˈmitik]
antoušek dog-catcher
antuka clay
anýz (*rostlina*) anis [ænis]; (*plody*)
aniseed
anýzovka anisette [æniˈzet]
aparát 1 (*přístroj*) apparatus
2 (*zařízení*) device **3** (*fot.*)
camera
aperitiv appetizer
aprobace 1 (*schválení*) approval
(**čeho** to sth.) **2** (*učitelská*)
teaching qualification

ar are [a:]

Arab Arab

Arábie Arabia

arabsk|ý 1 Arabian (**poloostrov** peninsula) **2** Arab (**kůň** horse); **Egyptská -á republika** the Egyptian Arab Republic **3** Arabic (**jazyk** language); **-é číslice** Arabic numerals

arcibiskup archbishop

aréna arena [æ'ri:nə]

Argentina Argentina, the Argentine

argument argument, reason

arch sheet (**papíru** of paper)

archeolog archaeologist [a:ki'olədʒist]

archeologický archaeological [a:kiə'lodʒikl]

archeologie archaeology

architekt architect

architektonický architectural [a:ki'tektərl]

architektura architecture

archiv archives pl

árie aria [a:riə]

aristokracie aristocracy

aristokrat aristocrat

aristokratický aristocratic

aritmetika arithmetic

arktický arctic

arkýř oriel, bay

armáda army; the forces pl

arnika mountain arnica

artikulace articulation; precise expression; wording

artista artiste

arzén arsenic

asfalt, též adj **~ový** asphalt

asi 1 (přibližně) about, some, something like; **~ v pět hodin** at about five o'clock; **~ před dvaceti lety** some twenty years ago; **až**

~ do dvou hodin till something like two o'clock; **~ deset lidí** ten people or so **2** (snad) perhaps, maybe, vazba s may / likely / wonder; **~ máš pravdu** perhaps you are right, maybe you are right, you may be right; **ona ~ nepřijde** she is not likely to come; **kde to ~ je** I wonder where it is

Asie Asia

Asijec Asian

asijský Asian, Asiatic

asistent assistant; (vysokoškolský) lecturer, reader

asistentka assistant; **porodní ~** midwife

asistovat assist (**komu při čem** sb. in sth.)

asociální antisocial

aspirant, **~ka** postgraduate scholar

aspirin aspirin

aspoň at least

astma asthma [æsmə]

astra aster [æstə]

astronaut astronaut

astronautika astronautics [æstrə'no:tiks]

astronom astronomer

astronomický astronomical

astronomie astronomy

ať particle **1** let / have + předmět + inf.: **~ vejde** let him come in; **~ přijde okamžitě sem** have him come over right away **2** may + podmět + inf.: **~ jsou dlouho živi** may they live long **3** (v ustáleném spojení) **Ať žije …!** Long live …! • conj **1** however; **~ je to sebetěžší** however difficult (it is) **2** no matter (who, what, where, how); **~ to vypadá sebečistší** no matter how clean it appears **3** be it; **záliby, ~ (už) je**

to zahradničení, četba atd. hobbies, be it gardening, reading etc.
♦ **~ je to jak chce** anyhow
atd. etc., and so on
ateismus atheism
ateista atheist
ateistický atheistic [eiθi'istik]
ateliér studio
atentát attempt (**na koho** on sb.'s life); **spáchat ~ na koho** make an attempt on sb.'s life
atlantický, atlantský Atlantic; **Atlantický pakt** the Atlantic Pact; **Atlantský oceán** the Atlantic (Ocean)
atlas 1 (*mapy*) atlas **2** (*látka*) satin
atlet athlete
atletický athletic
atletika athletics *sg*
atletka (woman) athlete
atmosféra atmosphere
atom atom
atomov|ý atomic; **-á energie** atomic energy; **-á bomba** atom(ic) bomb, A-bomb; **~ reaktor** atomic pile; **~ věk** atomic age
atp. etc., and so on
atrapa dummy
audience audience
audit audit
aukce auction
Australan Australian
Austrálie Australia
australský Australian
aut out
autentičnost authenticity
aut|o (motor)car; **jet ~em** go by car; **nákladní ~** lorry, truck
autobus bus; **jet ~em** go by bus; **zmeškat ~** miss the bus; **stanice ~u** bus stop; **~ové nádraží** coach station, bus terminal
autogram autograph

autokar coach
autokempink camping by car; **~ový tábor** camp(ing) site
autoklub Automobile Association (AA)
automat 1 (*stroj*) automatic machine **2** (*restaurace*) snackbar, buffet; (*se samoobsluhou*) cafeteria **3** (*na mince*) slot-machine **4** (*samopal*) submachine-gun, tommy gun **5** (*robot*) automaton [o:'tomətən]
automatický automatic
automatizace automation
automatizovat automatize [o:təmətaiz], automate [o:təmeit]
automobil (motor-)car, automobile
automobilista motorist
automobilový (motor-)car, automobile
autonomie autonomy
autonomní autonomous
autoopravna repair shop, car service
autor (*spisovatel*) author, writer
autorita authority
autorka authoress [o:θəres], woman author / writer
autorsk|ý: ~ honorář royalty; **-é právo** copyright
autostop hitchhiking; **jet ~em** hitchhike
autovrak car wreck
autoškola driving school
avšak but; however
azalka azalea [ə'zeiliə]
azbest asbestos
azyl asylum
až *adv* (*místní*) as far as; **~ k divadlu** as far as the theatre **2** (*časově*) till, until; **~ do zítřka** till tomorrow **3** (*míry*) as much as, as many as; **zaplatit ~ deset**

liber pay as much as ten pounds
4 (*omezovací*) beyond; **~ na tyto
maličkosti** beyond these details
● *conj* **1** (*potom až*) when;
~ když only when **2** (*dokud ne*)
till, until; **~ když** not until
◆ **~ dosud** as yet, so far, hitherto;
~ příliš dobře only too well;
~ na další till further notice

B

baba (old) hag
bába 1 (*čí*) grandmother, (*hovor.*)
granny **2** (*stará žena*) old woman
◆ **porodní ~** midwife; **slepá ~**
blind man's buff
babička *viz* **bába 1, 2**
bábovka Kugelhupf, (kind of)
scallop-edged cake
bacil bacilus
baculatý chubby
bačkory (a pair of) slippers;
natáhnout ~ kick the bucket
bádat do* research work, inquire
(**v čem** into sth.)
badatel, ~ka research worker
bagr excavator
bageta baguette [bæ'get], French
stick loaf
bahnitý (*blátivý*) muddy;
(*močálovitý*) swampy
bahno 1 (*bahnisko*) bog, swamp
2 (*bláto*) mud **3** (*lepkavé,
slizké*) slime
báječný wonderful, magnificent;
(*hovor.*) gorgeous, marvellous
bajka 1 fable **2** (*smyšlenka*)
invention
baklažán aubergine, eggplant
baktérie bacterium [bæk'tiəriəm],
(*hovor.*) germ
bakteriologický bacteriological
[bæk‚tiəriə'lodʒikl]; **-á válka**
germ warfare

balení 1 packing, wrapping
2 (*balíčkování*) packaging
balet ballet
baletka ballet dancer, ballerina
balík 1 parcel **2** (*pro prodej /
dopravu*) bundle **3** (*ranec*)
bundle **4** (*lisovaný*) bale
balit 1 wrap (up), pack (up)
2 (*balíčkovat*) package
Balkán the Balkans *pl*
balkánský Balkan
balkón balcony ◆ **první ~** dress
circle; **druhý ~** upper circle
balón balloon
balónek (*na měření obsahu alko-
holu*) breathalyser [breθəlaizə]
balónový balloon; **-á pneuma-
ka** balloon tyre; **-é hedvábí** silk
poplin; **~ plášť** mackintosh
baltský Baltic
◆ **Baltské moře** the Baltic Sea
balvan boulder
bambulka tassel
bambus bamboo
banán banana
banánek (*zástrčka*) plug
banda gang
banka bank
bankéř banker
bankomat cash dispenser, ATM
(automatic teller machine)
bankovka (bank)note
bankovní bank(ing)

♦ ~ **účet** bank(ing) account;
~ **vklad** bank deposit
báňský mining
  ♦ ~ **průmysl** mining industry
bar nightclub
baret beret
barevn|ý 1 coloured
  2 (*zabarvený*) tinted; **-é brýle** tinted glasses **3** (*v různých barvách*)
in assorted colours **4** colour;
~ **film** colour film; **-á televize**
colour television **5** stained;
-é okno stained-glass window
bariéra barrier
barikáda barricade
barokní, *též n* **baroko** baroque
barometr barometer,
(weather-)glass
barv|a 1 colour **2** (*barevný odstín*) hue **3** (*barvivo*) dye
4 (*nátěr*) paint **5** (*v kartách*) suit
  ♦ **přiznat -u** follow suit
barvínek lesser periwinkle
[periwiŋkl]
barvit 1 colour **2** (*natřít*) paint
3 (*namáčením*) dye **4** (*pouštět barvu*) lose* colour
barvitý colourful
barvivo dye-stuff
barvoslepý colour-blind
baryton baritone, barytone
[bæritoun]
bas bass [beis]
basa double-bass, contrabass
[kontrəˈbeis]
báseň poem
basista 1 (*zpěvák*) bass (singer)
  2 (*hráč*) (double-)bass player
básnický poetic(al)
básník poet
bát se fear (**čeho** sth.), be* afraid
(**čeho** of sth., **o co** for sth.); (*mít hrůzu*) dread (**čeho** sth.)

baterie battery; **kulatá ~**
cylindrical battery
baterka (electric) torch, flashlight
batoh knapsack, rucksack
bavit 1 (*rozptylovat*) amuse, divert **2** (*organizovaně*) entertain
3 (*budit zájem*) interest, attract
  ♦ **plavání mě nebaví** I get no
kick out of swimming
bavit se 1 enjoy oneself, amuse
oneself, have a good time
2 (*konverzovat*) talk (**s kým o čem** to sb. about sth.;
~ **o práci / o politice** talk shop /
politics); have* a talk, have
a chat, converse (**s kým o čem**
with sb. about sth.)
bavlna, *též adj* **bavlněný** cotton
bazar bazaar, fancy-goods shop,
second-hand goods shop
bazén 1 (*nádrž*) reservoir
2 (*plovárna*): (*krytý*) swimming
bath / baths *pl*, (*nekrytý*)
swimming pool
bázlivý timid
bažant pheasant
bažina swamp, bog, marsh
bažinatý boggy, marshy
bdělost 1 watchfulness, lookout
2 (*přen.*) vigilance
bdělý 1 (*bdící*) awake, watchful
2 (*ostražitý*) alert, vigilant,
wide-awake
bdít 1 (*nejít spát*) be* awake, sit*
up **2** (*být ostražitý*) watch (**nad**
over), keep* an eye (**nad** on)
bedna case, (wooden) box,
(*s víkem*) chest
bedra loins
bedrník burnt saxifrage
[sæksifridʒ]
begónie begonia [biˈgəunjə]
běh 1 run **2** (*závod*) race;

~ **hladký** flat race, ~ **překážko-vý** hurdle-race **3** (*školní*) term **4** (*průběh*) course

běhat run*

během during (*mé nepřítomnosti* my absence); within (**dvou let** two years); for / in the course of (**staletí** centuries)

Bělehrad Belgrade

beletrie fiction, belles lettres [bel'letə] *pl*

belgický Belgian

Belgie Belgium

bělmo the white of the eye

běloba white lead [wait'led]

běloch white (man); **běloši** the whites

běloška white woman

Benátky Venice

benzín petrol; gas

benzínov|ý petrol, gas; **-á pumpa** (petrol) filling station

beran ram

berl|a 1 crutch; **chodit o -ích** walk on crutches **2** crosier

Berlín Berlin

bernardýn Saint Bernard (dog)

beseda (informal) gathering; (*se zábavou*) party; (*s diskusí*) open forum, discussion group

beton concrete

bez[1] (*modrý*) lilac; (*černý*) elder

bez[2] **1** without; ~ **peněz** penniless, ~ **prodlení** without delay, **~ slova** without (saying) a word **2** (*mat.*) less, minus ♦ ~ **dechu** out of breath; ~ **ladu a skladu** pell-mell; ~ **obalu** bluntly; **být ~ sebe** be beside oneself (**radostí** with joy)

bezatomov|ý nuclear-free; **-é pásmo** nuclear-free zone

bezbarvý colourless, dull

bezbolestný painless

bezbranný defenceless

bezcenný worthless, of no value, valueless

bezcitný callous

bezděčný (*neuvědomělý*) unconscious; (*jakoby náhodný*) casual

bezdětný childless

bezdrátový wireless

bezdůvodný groundless, unfounded

bezejmenný nameless

bezelstný 1 (*upřímný*) sincere **2** (*naivní*) artless

bezcharakterní unprincipled

bezinka elderberry [eldəberi]

bezmasý 1 (*masa zbavený*) fleshless **2** (*jídlo*) meatless

bezmocný 1 powerless **2** (*rezignovaný*) helpless

bezmotorov|ý motorless; **-é letadlo** glider

bezmyšlenkovitý unthinking, absent-minded, careless

beznadějný hopeless

bezohledný 1 (*nepřihlížející k následkům*) reckless **2** (*surový*) ruthless **3** (*nezdvořilý*) inconsiderate, thoughtless

bezpečí safety; **být v ~** be in safety, be safe

bezpečnost 1 safety **2** (*policie*) security

bezpečnostní safety; ~ **opatření** safety measures; **~ pás** safety belt

bezpečn|ý 1 (*mimo nebezpečí, též nesporný*) safe **2** (*zajištěný*) secure

bezpečně vědět know for a fact / for sure

bezplatný free (of charge)

bezpodmínečný unconditional

B

bezpracný unearned; **~ příjem** unearned income

bezpráví 1 (*stav*) lawlessness **2** (*čin*) injustice, injury

bezprostřední 1 (*přímý*) direct **2** (*též okamžitý*) immediate **3** (*nestrojený*) impulsive, impetuous

bezpředmětný beside the point, groundless

bezradný helpless; **být úplně ~** be thoroughly at sea, be at sixes and sevens

bezstarostný carefree

beztížný weightless

beztrestn|ý *adj* exempt from punishment • *adv* **-ě** with impunity, unpunished

bezúhonný blameless, irreproachable

bezúročný bearing no interest

bezvadný faultless, flawless

bezvědomí unconsciousness, faint; **hluboké ~** dead faint; **upadnout do ~** faint, lose* consciousness

bezvýhradný unconditional

bezvýsledný ineffective, useless; without avail, fruitless

bezvýznamný insignificant, unimportant

běžec runner

běž|et run*; **~ naprázdno** idle; **oč -í?** what is the matter?; **-í o to, že** the thing is that

běžící running; **~ pás** conveyer belt

běžky cross-country skis

běžný usual, common; **~ účet** current account

béžový beige [beiž]

bible the Bible

bibliografie bibliography

bicí nástroje percussion

bič whip; (*přen.*) scourge

bída 1 (*chudoba*) poverty **2** (*utrpení*) misery **3** (*starost*) distress

bidlo pole

bídný 1 (*ubohý, nešťastný*) poor, miserable **2** (*hanebný*) contemptible **3** (*směšně malý*) paltry

biftek beefsteak

bikini bikini [bi'ki:ni]

bilance balance; **obchodní ~** balance of trade

bílek white of egg

bílit 1 (*natřít na bílo*) whiten, paint white **2** (*chemicky / sluncem*) bleach **3** whitewash

bílkovina protein [prəuti:n]

bílý white

biograf cinema, the pictures *pl*

biologický biological

biologie biology

biorytmy biorhythms *pl* ['baiəu,riðmz]

biskup bishop

bít 1 (*tlouci*) beat*, strike* **2** (*zvon, hodiny*) chime, strike* **3** (*trestat bitím*) thrash; **~ se** fight (**s kým zač** sb. / with sb. for sth.)

bitevní battle; **~ loď** battleship

bití (*výprask*) thrashing, hiding

bitva battle

bižutérie costume jewellery

blaf humbug, bluff

blafovat bluff

blaho bliss

blahobyt 1 (*bohatství*) wealth **2** (*dostatek*) prosperity; **žít v ~u** live in prosperity

blahopřání good wishes *pl* (**k** for); congratulation(s) (**k** on)

blahopř|át congratulate (**komu k** sb. on); **~ komu k narozeninám** wish sb. many happy returns of the day; **-eji vám** Congratulations!

blahopřejný congratulatory [kən'grætjulətri]

bláhový silly, foolish

blána 1 membrane 2 (*povlak*) film 3 (*rozmnožovací*) stencil

blanket form

blátivý muddy

blatník mudguard; fender

bláto mud; ~ **se sněhem** slush

bláz|en 1 (*šílenec*) madman, lunatic 2 (*pošetilec*) fool
  ♦ **dělat si -ny z** make a fool of; **být ~ do** be crazy about

bláznivý 1 (*duševně chorý*) mad, insane 2 (*potřeštěný*) crazy

blbec idiot

blbost 1 (*tupost*) idiocy 2 (*nesmysl*) nonsense, rubbish, rot

blbý 1 (*slabomyslný*) imbecile, idiotic 2 (*hloupý*) stupid, silly 3 (*nezajímavý*) dull

bledě modrý pale blue

blednout turn pale; (*barva*) fade

bledý 1 pale 2 (*chabý*) poor

blecha flea

blesk lightning; **rychlostí ~u** with lightning speed; **jako ~em zasažen** thunderstruck

blesko|vý lightning; **-é světlo** flashlight; **-á válka** blitzkrieg [blitskri:g]

blikat 1 (*očima*) blink 2 (*světlo*) twinkle 3 (*oheň*) flicker

blín henbane [henbein]

blízko *prep* near (*čeho* sth.), close (*čeho* to sth.)
  ● *adv* near, near by, close by

blízkost proximity

blízký 1 (*přítel*) near, close; (*dům*) nearby 2 (*důvěrný*) intimate

blížit se come* / get* near;

approach (**k čemu** sth.); (*čas*) draw* near

blok 1 block 2 (*na psaní*) writing pad

blokáda blockade

blokovat 1 block 2 (*blokádou*) blockade

blond blond(e), fair

blondýn fair-haired man

blondýn(k)a blonde, fair-haired woman / girl

bloudit 1 take* the wrong way, lose* one's way, (*sejít z cesty*) go* astray; (*bez cíle*) wander, ramble 2 (*mýlit se*) make* mistakes, go* wrong, err

blouznit 1 (*nadšeně*) rave (o about) 2 (*v nemoci*) be delirious

blůza 1 blouse 2 (*stejnokroje*) tunic

blýsk|at se 1 (*lesknout se*) glitter, glisten 2 (*o blesku*) lighten; **-á se** it is lightening 3 (*předvádět se*) show* off

bob 1 (*luštěnina*) bean 2 (*saně*) bobsled, bobsleigh

bobr beaver

bobtnat swell (up)

bobule berry

boční side, (*odb.*) lateral

bod 1 point; ~ **mrazu / varu** freezing / boiling point; **vyhrát na ~y** win on points 2 (*položka*) item 3 (*tečka*) dot 4 (*smlouvy*) article
  ♦ **opěrný** ~ base; **být na mrtvém ~ě** be at a deadlock

bodat 1 stab (bb), prick 2 (*štípat*) sting*

bodlák thistle

bodnout *viz* **bodat**

bodo|vý point; **-é vítězství** victory on points

B

bohatě (zásoben penězi) amply (supplied with money)

bohatnout grow* rich

bohatství wealth, fortune, riches pl

bohatý 1 rich (*též přen.*); ~ **čím** rich in sth. **2** (*zámožný*) wealthy **3** (*událostmi*) eventful **4** (*postačující*) ample

bohémský Bohemian

bohoslužba public worship, divine service

bohudík thank God, thank goodness

bohužel unfortunately, I am afraid, I am sorry (to say)

bohyně goddess [godis]

bochník loaf

boj 1 (*úsilí*) struggle **2** (*jednotlivců*) fight **3** (*bitva*) battle **4** (*kampaň*) campaign, war **5** (*sportovní*) contest

bojácný timid

bóje buoy

bojiště battlefield; theatre

bojkot, *též v* **bojkotovat** boycott

bojler geyser, bath heater, water heater

bojovat 1 fight* (**proti** against, **s** with) **2** (*usilovat*) struggle (**o** for) **3** (*potírat*) combat (**proti čemu** sth.)

bojovník 1 fighter **2** (*zastánce*) partizan (**za** of)

bojovný fighting; (*válečnický*) warlike, militant

bok 1 (*na těle*) hip, side **2** (*strana*) side; ~ **po ~u** side by side **3** (*pas*) waist **4** (*přen.*) flank
♦ **ruce v ~** arms akimbo

bolav|ý sore; (*bolestivý*) aching
♦ **-é místo** tender spot

bolest 1 pain, ache **2** (*nesnáz*) trouble, sorrow **3** (*svíravá*) pang

♦ **způsobit** ~ grieve; ~ **hlavy** headache; ~ **v krku** sore throat; ~ **břicha** stomach ache

bolestivý painful; (*intenzívně*) agonizing

bol|et 1 hurt*; **to nebude** ~ it won't hurt **2** (*jen tělesně*) ache; **-í mě hlava** my head aches, I have a headache **3** (*trápit*) grieve

Bolívie Bolivia [bə'liviə]

bolivijský Bolivian [bə'liviən]

bomba bomb; **atomová** ~ atom(ic) bomb

bombardovací bombing; ~ **letadlo** bomber

bombardování bombing

bombardovat bomb; (*ostřelovat*) shell

bon voucher [vaučə]

bonbón sweet, sweetmeat, (*ovocný*) drops, (*tvrdý*) boiled sweet

bonboniéra box of chocolates

bor pine wood

borovice pine(-tree)

borůvka (*evropská*) bilberry, (*americká*) blueberry

bořit 1 (*strhnout*) pull down **2** (*zničit*) destroy

bořit se 1 (*rozpadat se*) fall* into ruin, crumble (down), delapidate **2** (*zapadávat*) sink*

bos barefoot(ed)

bota 1 boot, (*zvl. polobotka*) shoe **2** (*omyl*) blunder

botanický botanical

botanika botany

botička (*zarážka na kole auta*) wheel clamp

bouda 1 hut **2** (*prkenná, prodejní*) booth, stall **3** (*horská*) chalet **4** (*pro psa*) kennel

bouchat bang; ~ **dveřmi** slam the door

boule 1 (*rána*) bruise, bump, swelling, lump **2** (*vyduť*) bulge

bourat pull down, tear* down, demolish

bourec morušový silkworm

bouře 1 storm; thunderstorm; (*prudká*) tempest; (*sněhová*) snowstorm, blizzard; (*smíchu*) roar of laughter **2** (*nepokoj*) riot

bouřit se rebel

bouřka storm, thunderstorm

bouřlivý 1 stormy (*též přen.*) **2** (*moře*) rough **3** (*schůze*) turbulent [tə:bjulənt] **4** (*potlesk*) frantic

box 1 (*sport.*) boxing; **utkání v ~u** boxing-match **2** (*oddíl*) box, stall, (*v kavárně apod.*) booth

boxer boxer

boxovat box

brada 1 chin **2** (*vousy*) beard

bradavice wart [wo:t]

bradla parallel bars *pl*

brak junk, refuse; trash

brambor potato; **nové ~y** new potatoes; **loupat ~y** peel potatoes

bramborov|ý potato; **-á kaše** mashed potatoes; **~ salát** potato salad

bramboří k cyclamen [sikləmən]

brána gate

bránit 1 (*chránit*) defend, protect (**před** from) **2** (*zabraňovat*) prevent (**komu v čem** from doing sth.)

bránit se defend oneself (**před** from)

branka 1 (*vrátka*) gate **2** (*sport.*) goal

brankář goalkeeper

brann|ý: -á moc army;

-á povinnost conscription; **-á výchova** pre-military training

brány (*nářadí*) harrow

brašna bag, (*školní*) satchel, school bag

brát 1 take*; ~ **do ruky** take in(to) one's hand; ~ **komu co** take (away) sth. from sb.; ~ **s sebou** take along with one ♦ ~ **na vědomí** note; ~ **vážně co** be in earnest about sth.; ~ **na sebe** accept, take on (**odpovědnost** the responsibility) **2** (*uznávat*) accept

brát si 1 help oneself (**ještě kousek** to another piece) **2** (*koho*) marry

bratr brother

bratranec cousin

bratrský brotherly, fraternal

bratrství brotherhood

brázda furrow

Brazílie Brazil

brazilský Brazilian

brigád|a 1 (*voj.*) brigade **2** (*pracovní skupina*) voluntary work team; (*práce*) voluntary work

briliant brilliant

Brit Briton, Englishman; Britisher; **~ové** the British

Británie Britain; **Velká ~** Great Britain

britský British

brloh lair [leə], den

brn|ět tingle; **-í mě v uchu** my ear tingles; **-í mě noha** I have pins and needles in my leg

brnkat pluck (**na kytaru** a guitar)

brod ford

brodit se wade

brok (grain of) shot

brokolice broccoli [brokəli]

bronz, *též adj* **~ový** bronze

broskev peach
brouk beetle
brousek whetstone, grindstone
brousit 1 (*ostřit*) whet, sharpen
2 (*obrušovat*) grind*
3 (*vylepšovat*) polish, finish off
brož brooch
brožovan|ý in paper-covers;
-é vydání paperback edition
brožura 1 brochure, stitched
booklet 2 (*populární*) booklet,
pamphlet
brslen spindletree
bručet growl; (*též reptat*) grumble
(**na** at)
brunet dark / dark-haired man
brunet(k)a brunette [bru:'net]
Brusel Brussels
brusinka cowberry
bruslař, ~ka skater
brusle skate, a pair of skates;
kolečkové ~ roller skates pl
bruslit skate
brutalita brutality
brutální brutal, beastly
brutto gross; **~ cena** gross price;
~ váha gross weight
brva eyelash
brýle glasses pl, spectacles pl;
(*ochranné*) goggles pl
brzda brake; **záchranná ~**
communication cord
brzdit brake (**auto** a car), apply
a brake (**auto** to a car); (*přen.*)
curb, check
brzo, brzy 1 (*zakrátko*) soon,
before long; shortly, presently
2 (*časně*) early
břečťan ivy
břeh (*řeky*) bank; (*mořský / větší
vodní plochy*) shore; (*pobřeží*)
coast; (*rekreační oblast u moře*)
seaside

břemeno burden; (*náklad*) load
březen March
břidlice slate
břicho belly; (*odb.*) abdomen
bříško: s bříškem pregnant
břitva razor
bříza birch
buben drum
bublanina cherry soufflé
bublat bubble, gurgle
bublina bubble
bubnovat drum
bůček side; **vepřový ~** side of pork
bučet low; (*mocně*) bellow
buď – anebo either – or
Budapešť Budapest [bju:də'pest]
budík 1 alarm(-clock) 2 (*hovor.
kardiostimulátor*) pacemaker
budit 1 (*ze spánku*) wake* (up),
waken; (*hosta*) call 2 (*přen.*)
wake* up, rouse, stimulate
(*zájem* interest); attract
(*pozornost* attention); arouse
(*podezření* suspicion)
budit se awake*, wake* (up),
awaken
budka box; **telefonní ~** telephone
box
budoucí future; **v ~ch letech** in
the years to come
budoucnost future; **v ~i** in the
years to come; **v blízké ~i** in the
near future
budova building
budovat build* up
bufet snack bar, snack counter;
(*se samoobsluhou*) cafeteria;
~ový vůz refreshment car
Bůh God
buchta baked yeast dumpling
bujný 1 (*bohatý*) rank, lush
2 (*vyvinutý*) full(y developed)
3 (*neukázněný*) unruly

bujón beef tea, bouillon

buk beech

bukač bittern

Bukurešť Bucharest [bju:kərest]

buldozer bulldozer

Bulhar Bulgarian

Bulharsko Bulgaria

bulharský Bulgarian

bunda (*větrovka*) windcheater; (*lyžařská s kapucí*) anorak; (*zvl. teplá*) lumber jacket

buničina cellulose

buňka cell

burza exchange; ~ **cenných papírů** stock exchange

buržoasie bourgeosie, middle class

buržoasní bourgeois

busola (mariners') compass

by *viz* **bych**

bydlet live (**u** with); (*trvale*) reside; stay (**v hotelu** at a hotel, **u příbuzných** with relations)

bydliště (place of) residence, dwelling place

bych: **byl** ~ I should be; **šel by** he would go; **mohl** ~ I could, I might

býk bull

bylina herb

byrokracie bureaucracy; (*ironicky*) red tape

byrokrat bureaucrat

byrokratický bureaucratic

bysta bust

bystrý 1 (*inteligentní*) bright 2 (*všímavý*) acute, shrewd (**pozorovatel** observer)

byt flat; rooms *pl*; house; apartment; (*podnájem*) lodgings *pl* ♦ **být na** ~**ě** live in digs; **letní** ~ summer resort, health resort; **stavba** ~**ů**, ~**ová výstavba** housing; ~**ová komise** housing commission

být 1 be*; **co je to?** what is it?; **na stole je talíř** there is a plate on the table; **co je ti?** what is the matter with you?; **kolik je hodin?** what is the time?; **bude tu každou chvíli** he'll be along any minute now; **je mi dobře** I am / I feel well; **jak dlouho jste tady?** how long have you been here?; **je na vás, abyste** it is up to you to; ~ **dobrým manželem** make a good husband; ~ **pro** be all for; **jsem pro** I'm all for it; **ne~ toho omylu ...** but for the mistake 2 exist; **je na Marsu život?** does life exist on Mars?

bytná landlady

bytost being

bytový housing; (*ubytovací*) accommodation (**prostor** space)

bývalý former

bzučet buzz, hum

C

cákat splash

candát zander [zændə]

cár rag

cedit strain

cedník strainer

cejch mark, stamp; brand; stigma

cejn bream [bri:m]

cedr cedar

cela cell

celek 1 whole; **jako ~** as a whole, in its entirety 2 (*úhrn*) total

celer celery

celkem 1 (*dohromady*) altogether, all in all 2 (*povšechně*) on the whole

celkový 1 (*úhrnný*) total, entire 2 (*všeobecný*) general

cello (violon)cello

celní custom(s); **~ prohlášení** customs declaration; **~ prohlídka** customs examination; **~ poplatek** duty

celnice custom house, customs shed

celodenní all-day, whole day's; **~ zaměstnání** full-time job

celostátně on a nationwide scale

celostátní national, nationwide

celulóza cellulose

celý 1 whole 2 (*v plném počtu*) complete, entire 3 (*u časových údajů*) all; **~ den** all (the) day; **po ~ rok** all (the) year, all the year round 4 (*po neurč. členu*) full, whole; **-ou hodinu** a full hour; **-é číslo** a whole number ♦ **~ muž** every inch a man; **to jsi ~ ty** that's just like you, that's you all over; **po ~ rok** throughout the year; **po -é zemi** throughout the country

cement cement

cen|a 1 (*kupní, prodejní*) price, cost 2 (*hodnota*) value 3 (*odměna v soutěži*) prize 4 (*vyznamenání*) award ♦ **udělit ~ komu** award sb. a prize; **mít -u 10 liber** be worth £10; **udat -u** quote a price; **udání -y** quotation; **(to) nemá -u dělat co** it's no use doing sth.; **za každou -u** at all costs

ceník price list

cenný valuable

cenovka price tag

centrála 1 (*telefonní*) exchange 2 (*podniková*) headquarters *pl*, head office

cest|a 1 (*též přen.*) way; **přes -u** across the way 2 (*pro dopravu*) road 3 (*vyšlapaná*) path 4 (*podniknutá*) journey, trip; **~ kolem světa** trip round the world; **vydat se na -u** go on / make a journey, set out, start on a journey, take a journey, take a trip; **šťastnou -u** pleasant journey 5 (*okružní*) tour 6 (*plavba*) voyage

cestopis book of travel

cestovní travelling

cestovat travel; tour (**po světě** the world)

cestovatel traveller

cestovka travel agency

cestovné travelling money

cestovní travel(ling); **~ kancelář** travel agency; **~ pas** passport; **~ výlohy** travelling expenses *pl*

cestující 1 traveller; **obchodní ~** salesman, commercial traveller 2 (*pasažér*) passenger

céva vessel
cibule onion
cigareta cigarette
cihla brick
cikán gipsy
cikánka gipsy woman
cikánský gipsy; ~ **život** (*přen.*) down-at-heels existence
cikánština Romany
cíl 1 (*také snaha*) aim; (*přen.*) goal, end; **dosáhnout ~e** attain one's end, reach one's goal 2 (*terč*) target 3 (*voj., ekon.*) objective 4 ~ **cesty** place of destination
cílevědomý purposeful; methodical
cín tin
cíp tip, edge; (*látky*) corner
církev, *též adj* ~**ní** church
císař emperor
císařský imperial
cistern|a cistern, tank; **-ová loď** tanker
cit 1 (*schopnost cítit*) feeling (**v prstech** in the fingers) 2 (*citlivost*) sensibility 3 (*pocit*) feeling, sensation 4 (*vzrušující*) emotion
citát quotation
cítit 1 (*mít pocit*) feel*; ~ **s kým** feel for sb.; ~ **se dobře** feel well 2 (*čichem*) smell*; **být ~ smell** (**čím** of sth.); (*silně páchnout*) reek
citlivost sensibility, sensitiveness; ~ **na dotyk** tenderness
citoslovce interjection
citovat quote
citový emotional; (*rozcitlivělý*) sentimental
citrón, *též adj* ~**ový** lemon
citrusový citrus [sitrəs]

civilista civilian
civilizace civilization
civilní civilian; ~ **oblek** plain clothes *pl*, (*hovor.*) civvies *pl*; ~ **obrana** civil defence
cívka reel; (*niti*) spool
cizí 1 (*neznámý*) strange; ~ **tváře** strange faces; ~ **lidé** strange people; **jsem zde** ~ I am a stranger here 2 (*zahraniční, sem nepatřící*) foreign (**přízvuk** accent, **studenti** students, **těleso v oku** body in the eye); alien; ~ **státní příslušník** a foreigner; **taková myšlenka je mi** ~ such an idea is alien to me 3 (*ne můj vlastní, odjinud*) not one's own, other people's, outside; ~ **pomoc** outside help
cizin|a foreign country; **do -y, v -ě** abroad; **cestovat do -y** travel abroad; **z -y** from abroad
cizinec 1 foreigner, (*úředně*) alien 2 (*cizí člověk*) stranger
cizinecký ruch tourist traffic
cizojazyčný (in a) foreign language
cl|o customs *pl*, duty; **podléhající -u** liable to duty, dutiable; **prostý -a** duty-free
clona screen; (*fot.*) diaphragm
clonit (*stínem*) shade
co *pron* 1 what, which; ~ **ještě, ~ jiného** what else; ~ **se týče** as for, as to, as regards 2 (*kolik*) how much ♦ ~ **nejdříve** as soon as possible, as early as possible; **a ~ …?** what about …?, how about …?; ~ **já vím** for all I know; ~ **na tom?** what does it matter?, what's the odds?
● *conj* (*od té doby* ~) since; ~ **ho znám** since I have known him

cokoli(v) whatever; **ať to stojí ~** at any cost, at all costs

cop plait; pigtail

coul inch

couvat, couvnout 1 step back, back; retreat **2** *(přen.)* back *(z čeho* out of sth.*)* **3** *(podvolit se)* give* in; yield **(před nátlakem** to pressure)

crčet drip, trickle

ctít 1 respect, honour **2** *(uctívat)* worship

ctitel admirer

ctižádost ambition

ctižádostivý ambitious

ctnost virtue

cuketa, cukina courgette [kuə'žet], zucchini [zu'ki:ni]

cukr sugar; **kostkový ~** lump sugar; **krystalový ~** granulated sugar; **práškový ~** castor sugar; **jako z ~u** spick and span

cukrárna sweetshop; a confectioner's

cukrovar sugar factory, sugar works

cukroví sweets *pl*; confectionery

cukrovka 1 *(řepa)* beet **2** *(nemoc)* diabetes

cukřenka sugar basin / bowl

cupanina lint

cválat gallop

cvičebnice textbook

cvičení 1 *(tělesné, také školní úloha)* exercise **2** *(výcvik)* training **3** *(opakování)* practice; **~ dělá mistra** practice makes perfect **4** *(lekce)* lesson

cvičený trained, drilled

cvičit 1 *(koho)* train, drill **2** *(cvičením udržovat)* exercise; **~ své schopnosti** exercise one's faculties **3** *(provádět tělesná cvičení)* go* in for gymnastics, do* physical jerks **4** *(opakování)* practise **(na klavír** the piano)

cvičitel instructor, trainer; *(sport. týmu)* coach

cvičky gym shoes *pl*

cvik 1 exercise **2** *(praxe)* practice; **vyjít ze ~u** get* out of practice

cvrček cricket

cyklista cyclist

cyklistický cycling

cyklus cycle, round

cylindr 1 *(válec)* cylinder **2** *(petrolejky)* chimney **3** *(klobouk)* top hat

cynický cynical

cypřiš cypress

Č

čaj tea

čajov|ý tea; **-á konvice** teapot; **-á lžička** teaspoon; **-á souprava** tea service

čalouněný upholstered

čalouník upholsterer

čáp stork

čá|ra line; **vítězství na celé -ře** a sweeping victory; **vzdušnou -rou** in a beeline; **udělat komu -ru přes rozpočet** queer sb.'s pitch

čárk|a 1 stroke **2** (*interpunkční*) comma **3** (*ležatá*) dash; **tečky a -y** dots and dashes **4** (*spojovací*) hyphen

čas 1 time; **dát si na ~** take one's time; **jednou za ~** once in a while; **mařit ~** have time to spare; **mít málo ~u** be pressed for time; **je nejvyšší ~, abys šel** it's high time you went; **v pravý ~** just in time, in the nick of time; **volný ~** free time, spare time, leisure time; **všechno má svůj ~** there is a time for everything **2** (*slovesný*) tense

časem 1 (*občas*) from time to time, every now and then, now and again **2** (*během času*) in the course of time

časně early

časopis periodical, journal, (*zvl. zábavný, ilustrovaný*) magazine

časování (*jaz.*) conjugation

časovat (*jaz.*) conjugate

časový 1 (*aktuální*) topical, up-to-date, modern **2** (*jaz.*) temporal

část 1 part; **největší ~** the best part; **z největší -i** for the most part; **z velké ~i** largely **2** (*přidělená*) portion, share **3** (*skupina*) section **4 ~ oděvu** an article of clothing

částečně partly, in part

částečn|ý partial; **~ úspěch** partial success; **-é zatmění** partial eclipse

často often, frequently; **až příliš ~** only too often; **velmi ~** very often, more often than not

častý frequent, (*opětovný*) repeated

čedič basalt [bæso:lt]

Čech Czech

Čechy Bohemia

čekanka chicory [čikəri]

čekárna waiting room

ček|at 1 wait (**na** for); **~ s obědem** wait dinner (**na** for) **2** (*očekávat*) expect; **-ám vás** I am expecting you; **-ám, že přijdete** I expect you to come ♦ **co nás -á** what lies in store for us; **jak se dalo ~** as was to be expected

čembalo harpsichord

čelist jaw; (*kost*) jawbone

čel|o 1 forehead, brow **2** (*přední strana*) front; **být v -e čeho** head sth.; **v -e** at the head

čemeřice Christmas rose

čenich muzzle, snout

čenichat sniff

čep pin, journal; (*otočný*) pivot; (*ucpávající*) plug

čepelka blade

čepice cap

černobílý black-and-white

černobyl mugwort [magwə:t]

černoch Negro, negro, black man, African, West Indian

černoška Negro, negro, black woman, coloured woman

černošský Negro

černucha love-in-the-mist

čern|ý black ◆ ~ **jako uhel** jet-black; ~ **chléb** brown bread; ~ **kašel** whooping cough; ~ **pasažér** stowaway; ~ **trh** black market; **-é na bílém** in black and white; **trefit do -ého** hit the bull's eye; **-é vlasy** dark hair

čerpací stanice filling-station

čerpadlo pump

čerpat 1 pump **2** draw* (**vodu ze studny** water from a well, **z úspor** on one's savings) **3** gather (**novou naději** fresh hope)

čerstvě natřeno wet paint

čerstv|ý fresh; **-á vejce** new-laid eggs

čert devil; **k ~u!** Oh, hell!, hang it all!, the devil take it!; ~ **vezmi peníze!** damn the money!, to the devil with the money!

červ worm

červen June

červenat se be* red; (**ve tváři**) blush

červenec July

červený red

červivý worm-eaten

česáč picker [pikə]

česat 1 comb; ~ **se** comb one's hair **2** (**plody**) pick, pluck

česky in Czech; **mluvit** ~ speak Czech

český 1 (**Čechů se týkající**) Czech **2** (**z Čech**) Bohemian

česnek garlic

čest 1 honour; **mám tu** ~ … I have the honour to …; **pokládat si za** ~ deem it an honour

2 (**dobrá pověst**) credit, reputation; **dělat** ~ **komu** do sb. credit; **všechna** ~ **komu** full marks to sb.

čestn|ý 1 honest, fair; aboveboard **2** honourable (**mír** peace) **3** (**neplacený**) honorary ◆ **-é slovo** word of honour; **-á vstupenka** complimentary ticket

Češka Czech (woman, girl)

čeština Czech

četa 1 (**voj.**) platoon **2** (**pracovní skupina**) team; **havarijní** ~ breakdown gang

četař sergeant

četba reading

četný many, numerous

či or

čí whose

číhat 1 lurk **2** (**čekat na koho**) lie* in wait / in ambush for sb. **3** (**špehovat koho**) spy upon sb.

čich 1 smell **2** (**přen.**) flair (**pro** for)

čichat, čichnout smell* (**k čemu** sth.), sniff (at sth.)

čili or

čilý 1 (**živý**) lively **2** (**agilní**) active, busy

čím – tím the – the; ~ **víc má**, ~ **víc chce** the more he has, the more he wants

čin 1 act, action **2** (**skvělý**) exploit; (**velký a úspěšný**) achievement ◆ **být dopaden při ~u** be caught red-handed

Čína China

Číňan Chinese

činitel factor; (**aktivně působící**) agent

činnost 1 activity, activities **pl 2** (**provoz**) operation; **v ~i** in operation; **uvést v ~** put* into operation

činn|ý active; **v -é službě** on active service; **~ rod** (*jaz.*) active voice
činohra play, straight drama; (*rozhlasová*) radio drama
činovník functionary, official
čínský Chinese
činže rent
činžák block of flats, apartment house
čípek 1 (*v ústech*) uvula [ju:vjulə] **2** (*vložka*) suppository [sə'pozitəri]
čírka (*obecná*) teal; (*modrá*) garganey
číslice cipher, figure, digit; (*slovo, značka*) numeral
číslicový digital
číslo 1 number **2** (*jaz.*) **jednotné ~** singular, **množné ~** plural **3** (*velikost*) size **4** (*pořadové*) item **5** (*časopisu*) issue, number; (*výtisk*) copy
číslovat number
číslovka numeral
číst read*
čisticí cleaning, cleansing; **~ prostředek** cleaning agent; (*saponátový*) detergent
čistírna dry cleaner's
čistit 1 clean; (*též přen.*) cleanse **2** (*chemicky oděv*) dry-clean **3** (*průmyslově*) rafine **4** (*leštit*) polish
čistka purge
čistokrevný pedigree, thoroughbred [θarəbred]
čistopis fair copy
čistot|a 1 cleanness **2** (*čistotnost*) cleanliness **3** (*ryzost*) purity ♦ **~ péče o -u města** litter prevention
čistotný cleanly
čistý 1 clean **2** (*ryzí*) pure

3 (*průzračný*) clear **4** (*po srážce*) net; **~ výdělek** net earnings *pl*
číšnice waitress
číšník waiter
čítanka reader, manual
čítárna reading room
čitatel numerator [nju:məreitə]
čitelný 1 legible **2** recognizable
článek 1 (*spojovací*) link **2** (*též stať*) article **3** (*elektrický*) cell
člen 1 member **2** (*jaz.*) article
členka member
člensk|ý member('s); **-á legitimace** membership card
členství membership
člověk 1 (*obecně*) man **2** (*konkrétně*) person **3** (*lidská bytost*) human being **4** (*hovor.*) fellow **5** (*neurč. podmět*) one; you ♦ **~ nikdy neví, co se může stát** you never know what may happen; **~ by se z toho zbláznil** it is enough to drive you mad
člun boat; **nafukovací ~** (life) raft; **motorový ~** motorboat; **záchranný ~** lifeboat
čmárat scribble, scrawl
čmelák bumblebee
čočk|a 1 (*sklo*) lens **2** (*luštěnina*) lentils *pl*; **-ová polévka** lentil soup
čokoláda|a, *též adj* **-ový** chocolate
čpavek ammonia
čtenář, ~ka reader
čtení reading; (*univerzitní přednáška*) lecture
čtrnáct fourteen; **~ dní** fortnight
čtrnáctidenní fortnightly, a fortnight's; **~ pobyt v horách** a fortnight's stay in the mountains
čtrnáctý fourteenth
čtvere|c, *též adj* **-ční** square

čtvrt quarter; ~ **hodiny** a quarter of an hour

čtvrť ward, district; **obytná ~** residential quarter

čtvrtek Thursday; **Zelený ~** Maundy Thursday

čtvrtina quarter

čtvrtletí quarter (of a year), three months

čtvrtý fourth

čtyřhra double

čtyři four

čtyřicátý fortieth

čtyřicet forty

čtyřk|a four; (*tramvaj*) Number Four; **jet -ou** take No. 4 line

čtyřmotorový four-engine(d)

čtyřsedadlový vůz four-seater

čtyřstup column of fours

čtyřtaktní motor four-stroke engine

čtyřúhelník tetragon [tetrəgən]

čtyřválcový four-cylinder

čtyřveslice (light) four

čubka bitch

čumět gape, stare (**na** at)

čurat pee

čurák (*vulg.*) prick, cock

D

dabovat dub

dál(e) **1** further, farther; **trochu ~** a little farther on; **~ vlevo** more / away to the left **2** (*se slovesem*) on; **postupte ~** pass on; (*pokračujte*) go on, proceed ♦ **~!** (*vstupte!*) come in!; **co ~?** what next?; **a ~ už to víte** and the rest you know

daleko **1** a long way (**odtud from here**) **2** (*v otázce a záporu*) far (away); **odstěhovat se ~** move far afield **3** (*před komparativem*) far; **~ lepší** far better

dalekohled binoculars *pl*; (*vytahovací / hvězdářský*) telescope

dalekozraký far-sighted

dalek|ý distant, far, a long way off; remote; **-á cesta** long way; **skok ~** long jump

dál|ka distance; **v -ce** in the distance, far away; **řízení na -ku** remote control

dálkov|ý long-distance (**vlak** train); **-é topení** district heating; **-é studium** extra-mural studies *pl*

dálnice motorway

dálnopis (*přístroj*) teleprinter; (*zpráva*) telex

Dálný východ the Far East

další **1** (*v řadě*) next, following, subsequent **2** (*navíc*) further, additional

dáma lady; (*v šachu*) queen; (*desková hra*) draughts, checkers

dámsk|ý lady's, ladies', woman's; **~ klobouk** lady's hat; **~ krejčí** ladies' tailor; **-é prádlo** (*hovor.*) undies *pl*; **obchod s -ým prádlem** underwear shop; **-é šaty** frock; (*společenské*) dress

Dán Dane

da|ň tax; **~ ze mzdy** wages tax; **~ z příjmu** income tax; **podléhající -ni** taxable, liable to taxation; **-ňové přiznání** declaration of income

Dánsko Denmark

dán|ský, *též n* **-ština** Danish

daný given; **za ~ch okolností** under the given conditions

dar 1 (*též přen., nadání*) gift; **~ jazyka** the gift of the gab 2 (*dárek*) present

dárce donor; **~ krve** blood donor

darebák scoundrel, rascal

dárek present; **vánoční ~** Christmas present

darovat 1 present (**komu co** sth. to sb., sb. with sth.) 2 (*prominout*) condone; **to ti nedaruju** you won't get away with it

dařit se 1 (*plodiny*) thrive*, get* on well 2 (*pokus*) succeed 3 (*komu*) get* on, be*, feel*; **jak se ti daří?** how are you?, how are you getting on?; **daří se mi docela dobře** I am (quite) all right

dáseň gum

dá|t 1 (*komu*) give* (sb. / to sb.) 2 (*někam*) put*, place 3 (*zpět*) replace, return 4 (*úkol*) set* ♦ **já ti -m!** I'll teach you!; **~ komu co proto** take it out of sb.; **~ to dál** pass it on; **~ komu košem** refuse, jilt; **~ co do pořádku** put sth. right; **~ pozor na** keep an eye on; **dejte na moje slova** mark my words; **~ stranou** (*částku*) put by / earmark (a sum of money); **~ se** (*do práce*) start (work / working), (*do němčiny*) take up (German), (*do koho*) turn on (sb.); **o tom se dá diskutovat** it is open to discussion; **to se nedá popsat** it baffles all description; **dá se podle toho tančit** it lends itself to dancing; **~ si spravit hodinky** have / get one's watch repaired;

~ si polévku have soup; **co si dáte?** what will you have?; **~ nohu přes nohu** cross one's legs

databáze database, data bank

datel woodpecker

datle date

datum date; **~ poštovního razítka** date as postmark

dav crowd; (*lůza*) mob

dávat 1 (*komu*) give* 2 (*kam*) put* 3 (*pořádat*) put* on, arrange, organize ♦ **~ pozor na telefon** listen for the telephone; **~ komu co proto** be hard on sb.; **~ se** be on (the programme); **~ si** (*popřávat si*) treat oneself to sth.; **~ si na čas** take one's time

dávit vomit, throw* up, be* sick

dávk|a 1 (*část*) portion 2 (*léku a přen.*) dose 3 (*příděl*) ration 4 (*poplatek*) rate; benefit; **-y nemocenského pojištění** rates of sickness benefit; **-y v mateřství** maternity benefits 5 (*nábojů*) burst

dávno long ago; **už je to hodně** it's quite a long time (ago) now; **~ před** well ahead of

dávný ancient, of long standing

dbát 1 (*pečovat*) take* care (o of); keep* up (**oč** sth.) 2 (*dávat pozor*) be* careful (**na** about) ♦ **musím ~ na svou pověst** I have a reputation to live up to; **nedbat ani za mák** not care a tuppence [tapəns]

dcera daughter

debata 1 (*formální*) debate, discussion 2 (*spor*) argument

debatovat 1 discuss (**o čem** sth.) 2 (*přít se*) argue (**o** about)

decentní discreet; reserved, unobtrusive

dědeček 1 grandfather, (*hovor.*) grandpa, granddaddy **2** (*starý muž*) old man

dědic heir (*čeho* to sth.)

dědická daň death duties *pl*

dědictví 1 inheritance, (*též přen.*) heritage **2** (*odkaz*) legacy

dědičnost heredity

dědičný hereditary

dědit inherit (*co po kom* sth. from sb.)

defekt defect

definice definition

definitivní definitive, final

definovat define

deflace deflation

defraudovat embezzle

degenerovat degenerate

degradovat demote, degrade, reduce to a lower rank

dehet tar

dech breath; **bez ~u** out of breath; **se zatajeným ~em** with bated breath; **přečíst jedním ~em** read at one sitting

dechov|ý nástroj wind instrument; **-á hudba** brass music; (*kapela*) brass band

děj action; (*dějová osnova*) plot

dějepis history

dějinný historic (**okamžik** moment)

dějiny history

dějiště scene

dějství act

děkan dean

děkanát dean's office

deklamovat recite

deklarace declaration

dekoltáž décolletage [deikol'ta:ž]

dekorace decoration; (*výzdoba*) décor; (*divadelní*) scenery

dekorační decorative

děk|ovat thank (**komu za** sb. for); **-uji (vám)** thank you, thanks; **-uji, nechci** no, thank you; **~ se** (*div.*) take curtain calls

děkovný dopis letter of thanks

dekret decree, edict

dělat 1 make*; **~ čaj** (*boty, oheň, večeři*) make tea (shoes, the fire, supper); **~ dojem** make an impression (**na** on); **~ chyby** make mistakes; **~ ze sebe hlupáka** make a fool of oneself; **~ legraci** make fun; **~ pokroky** make progress; **~ scény** make scenes, make a fuss **2** do*; **co tu děláš?** what are you doing here?; **~ čest komu** do sb. credit; **to ti udělá dobře** that will do you good; **dělej, co chceš** do as you like; **~ nevinného** do the innocent; **~ svou povinnost** do one's duty; **~ (dobrou) službu** do (good) service; **~ úkoly** do one's lessons **3** act; **~ tlumočníka** act as interpreter; **~ ze sebe šaška** act the fool **4** (*pracovat*) work (**na** at / on) ♦ **kolik to dělá?** how much is it?; **měl co ~, aby** he was hard put to it to + *inf*; **nedá se nic ~** it can't be helped, there is nothing for it (**než** but); **nic si z toho nedělej** take it easy

dělba práce division of labour

déle longer

delegace delegation

delegát delegate

delegovat delegate

dělení division

delfín dolphin

delikt (criminal) offence

dělit divide; **~ na polovinu** divide in halves; **~ šest dvěma** divide six by two

dělit se 1 (*na části*) divide (**na** into) **2** share (**oč s kým** sth. with sb.)

dél|ka 1 length; **po -ce** lengthwise **2** (*zeměpisná*) longitude **3** (*hlásky*) quantity

dělnice 1 working woman **2** (*včela*) worker

dělnický working

dělnictvo workmen *pl*; labour; working classes *pl*

dělník workman, worker, working man; (*zvl. nevyučený*) labourer; (*vyučený řemeslník*) skilled worker, craftsman; **pekařský ~** baker's assistant

dělo gun

děloha womb, uterus

dělostřelba artillery fire

dělostřelec|tvo, *též adj* **-ký** artillery

delší longer

demagogický demagogic [deməˈgogik]

demagogie demagogy

demarkační čára demarcation line

dementi official denial

dementovat deny officially

demis|e resignation; **podat -i** send in one's resignation

demobilizace demobilization

demobilizovat demobilize

demokracie democracy

demokratický democratic

demonstrace demonstration

demonstrovat demonstrate

demontáž dismantling

demoralizace demoralization

demoralizovat demoralize

den day; **bílý ~** daylight; **celý ~** all day long; **~ za dnem** day by day; **~ pracovního volna** holiday; **za dne** in daytime; **dnem i** nocí day and night; **dnešní ~** this day; **dobrý ~** good morning / afternoon; **druhý ~** the next day; **všední ~** working day, weekday; **ve všední ~** on a weekday; **v těchto dnech, dnes** these days

deník 1 (*noviny*) daily, journal **2** (*zápisník*) diary

denně daily, every day

denní daily, everyday; **brát co jako ~ chleba** take sth. as a matter of fact / for granted

dentista dentist

depeše dispatch

deportovat deport

deprese depression; the doldrums *pl*, the dumps *pl*

depresívní depressive

deprimovat depress

deptat oppress, tyrannny

deputace deputation

děravý full of holes; leaky; (*zub*) hollow; (*propíchnutý*) punctured

desatero The Ten Commandments *pl*

deset ten

desetiboj decathlon

desetihaléř ten-heller piece

desetikoruna ten-crown coin

desetiletí decade

desetina tenth

desetinný decimal

desítka ten, decade; (*tramvaj*) Number Ten; (*sport.*) penalty kick

deska 1 (*zvl. dřevěná*) board **2** (*fot.*) plate **3** (*knihy*) cover **4** (*např. kamenná*) tablet; **pamětní ~** memorial tablet **5** (*gramofonová*) record, disk; **dlouhohrající ~** LP record, long-playing record

deskriptivní descriptive

despotický despotic
destilace distillation
destilovat distil
dešifrovat decipher
déšť rain; (*prška*) shower; ~ **ran** |
jisker a rain of blows / sparks;
dalo se do deště it started
raining; **za hustého deště** in
heavy rain
deštivý rainy, wet
deštník umbrella
detail detail
detektiv detective
detektivka detective story / novel;
(*napínavá*) thriller
detektor detector
dětinsk|ý childish; **-é důvody**
childish arguments
dětsk|ý childlike, child's,
children's, baby's; ~ **hra** child's
play; ~ **kočárek** pram; ~ **lékař**
children's doctor; ~ **pokoj**
nursery; **-á postýlka** crib, cot
dětství childhood
devadesát ninety
devalvace devaluation
devatenáct nineteen
devatenáctý nineteenth
devátý ninth
děvče 1 girl; (*milá*) girlfriend
2 (*služebná*) maid; ~ **pro**
všechno maid-of-all-work
dev|ět nine ♦ **jít od -íti k pěti** go
from bad to worse
devětsil butterburr [batəbə:]
devítka nine; (*tramvaj*) Number
Nine
devizov|ý -é předpisy foreign ex-
change regulations *pl*; **-é obcho-**
dy business in foreign exchange;
~ **přestupek** currency offence
devizy foreign exchange / currency
dezert dessert

dezertér deserter
dezertní dessert (**víno** wine)
dezinfekce disinfection
dezorganizace disorganization
diagnóza diagnosis [daiəg'nəusis]
diagram diagram
dialekt dialect
dialektický dialectic(al)
dialektika dialectics
dialog dialogue
diamant diamond
diapozitiv slide; **přednáška s ~y**
slide lecture
diář diary
diet|a diet; **mít -u** be on a diet; **pře-**
depsat -u komu put sb. on a diet
dietní diet, dietary [daiətəri];
~ **strava** dietary (food); ~ **chléb**
diet bread
diety travelling expenses *pl*
dík a word of thanks; **~y** thanks
(**vám** to you)
diktát 1 (*příkaz*) dictate
2 (*diktování*) dictation
diktátor dictator
diktatura dictatorship
diktovat dictate
díl 1 (*podíl*) portion, share
2 (*součást*) part; **náhradní ~**
spare part **3** (*knihy*) volume
4 (*světadíl*) continent
♦ **rozdělit stejným ~em** go
halves, go fifty-fifty
dílčí: ~ **otázka / úspěch** partial
issue / success
diletant amateur
dílna workshop
dílo work; **umělecké ~** work of
art; **to je vaše ~** that's your doing
dioptre dioptre [dai'optə]
diplom diploma; **čestný ~**
Diploma of Honour
diplomacie diplomacy

diplomat diplomat(ist)

diplomatický diplomatic

diplomová práce graduation paper, thesis

diplomovan|ý registered, chartered; **-á sestra** registered nurse

díra hole; (*z které teče*) leak; (*v pneumatice*) puncture

dirigent conductor

dirigovat conduct

dírk|a hole; **nosní ~** nostril; **udělat -y do** stab holes in(to)

disciplína 1 (*kázeň*) discipline 2 (*sport.*) event

disertace, disertační práce thesis

disident dissident [disidənt]

disk discus; **hod ~em** discus throw

disketa diskette, floppy disk

diskotéka 1 record library 2 disco

diskrétní discreet; (*taktní*) tactful, considerate

diskriminace discrimination (**koho** against sb.); **rasová ~** racial discrimination, colour bar

diskriminovat discriminate (**koho** against sb.)

diskuse discussion; **přihlásit se do ~** enter into the discussion, take the floor

diskusní: ~ námět a matter for discussion; **~ příspěvek** a contribution to the discussion

diskutovat discuss (**o čem** sth.)

diskvalifikace disqualification

diskvalifikovat disqualify

dispečer intercom operator, controller, dispatcher

disponovat 1 (*manipulovat*) dispose (**čím** of sth.) 2 (*mít k dispozici*) have at one's disposal

dispozic|e 1 (*schopnost*) disposition 2 (*pokyny*) instructions *pl*,

measures *pl* 3 (*možnost použití*) disposal; **být (dát) komu k -i** be (put / place) at sb.'s disposal; **mít k -i** have the disposal of sth.; **osuška je k -i** a bath towel is provided / available

distribuce distribution

dít se happen, occur, be* done; **co se děje?** what is the matter?, what's up?; **ať se děje cokoli** whatever may happen, come what may

dítě child; (*nemluvně*) infant; (*malé*) baby; (*hovor.*) kid; **nevlastní ~** stepchild; **zázračné ~** infant prodigy; **dozor u ~te** babysitter

div wonder; **není ~u, že** no / little wonder that

divadeln|í: ~ autor dramatist, playwright; **~ hra** play; **~ kritik** dramatic critic; **~ návštěvník** playgoer, theatregoer; **~ plakát** playbill; **~ pokladna** box office; **~ program** theatre programme; **~ představení** theatrical performance; **~ věda** dramatics *pl*

divadl|o 1 theatre; **lístek do -a** theatre ticket; **loutkové ~** puppet show; **ochotnické ~** amateur theatricals / dramatics *pl* 2 (*budova*) playhouse 3 (*podívaná*) sight, spectacle

divák 1 spectator; (*televizní*) (television) viewer, (tele)viewer 2 (*přihlížející*) onlooker

dívat se 1 look; (*pozorně*) gaze (**na** at) 2 view, watch (**na televizi** television) 3 regard (**na koho jako na** sb. as) ♦ **~ z okna** look out of the window

dívčí: ~ jméno maiden name; **~ škola** girls' school

diverzant diversionist, troublemaker

diverze sabotage

divit se wonder (**čemu** at sth.); (*žasnout*) marvel (**čemu** at sth.)

divize division

divizna mullein [malin]

dívka girl

divn|ý strange, peculiar, odd; (*podívínský*) queer; **zdá se mi to -é** I think it odd, it seems odd to me

divočák (wild) boar

divoch savage

divoký 1 wild **2** (*necivilizovaný*) savage, barbarous **3** (*prudký*) fierce; (*neukázněný*) unruly **4** (*fanatický*) rabid

dlaň palm

dláto chisel

dlažba pavement

dlážděný paved

dlaždice tile; (*kamenná*) paving stone

dláždit pave

dlouho long, a long time; **nebuď tam** ~ don't be / stay long; ~ **jsem tě neviděl** I haven't seen you for ages

dlouhodobý long-term

dlouh|ý long; **na -ou dobu** for a long time; **mít -ou chvíli** feel bored; **-é vlny** long waves

dluh debt; **dělat ~y** run into debt; **kupovat na ~** (*hovor.*) get goods on tick

dlužit owe (**komu co** sb. sth.)

dlužník debtor

dna gout [gaut]

dnes today; (*v dnešní době*) nowadays; (*hovor.*) these days; ~ **odpoledne** this afternoon;

~ **večer** tonight; ~ **týden** a week ago today, this day last week

dneš|ek today, this day, the present day; **až do -ka** up to now, to this day; **ode -ka za týden** today week

dnešní today's; ~ **den** this day; ~ **odpoledne** this afternoon; ~ **angličtina** present-day English

dn|o bottom; **na -ě mořském** on the bottom of the sea; ~ **řeky** (river)bed

do 1 to, into, in, up to; ~ **divadla** to the theatre; ~ **Prahy** to Prague; ~ **místnosti** into the room; ~ **tašky** in(to) the bag; ~ **angličtiny** into English; **dát si cukr ~ čaje** put sugar in one's tea; **počítat ~ sta** count up to a hundred **2** (*o čase*) to, till, until, by, within; ~ **pondělí** till Monday; ~ **tří hodin** until three o'clock; **musí to být hotové ~ konce týdne** it must be ready by the end of the week; **pracovat od pěti ~ šesti** work from five to six; ~ **tří měsíců** within three months

♦ **co je vám ~ toho?** why do you care?; ~ **toho vám nic není** that's none of your business

dob|a 1 time; **na dlouhou -u** for a long time **2** (*věk*) age; ~ **kamenná / bronzová** stone / bronze age **3** (*období, trvání*) period, duration; **na -u tří týdnů** for a period of three weeks; **po -u války** for the duration of the war **4** (*roční*) season **5** (*pracovní*) hours *pl*; **máme osmihodinovou pracovní -u** we work eight hours a day

♦ **od té -y** since then; **od té -y, co** since; **do té -y** by then; **již něja-**

kou **-u** for some time past; **v poslední -ě** lately, of late, recently
doběhnout **1** (*dohonit*) overtake* **2** (*zastavit se*) run* down **3** (*napálit*) take* in
dobírk|a: na -u cash on delivery; **poslat co na -u** send sth. C.O.D. / collect
dobr|o the good; **připsat komu k -u částku** pass a sum to sb.'s credit, credit sb. with a sum
dobročinný charitable; **~ koncert** benefit concert
dobrodiní boon
dobrodruh adventurer
dobrodružný adventurous
dobrodružství adventure
dobromysl pot marjoram
dobrosrdečný good-natured, generous, kind
dobroty goodies *pl*
dobrovoln|ý *adj* voluntary
● *adv* **-ě** of one's own free will
dobr|ý good; **~ den** good morning / afternoon; **-ou noc** good night; **-á!** all right, good, fine; **být ~ v čem** be good at sth.; **buďte tak ~ a ...** would you kindly ...; **do třetice všeho -ého** third time lucky; **v -ém i ve zlém** for better or worse; **to je -é** (*to ujde*) that will do; **být ~** (*hodit se*) come in useful
dobře **1** well; **není mi ~** I don't feel well; **~ ti tak** it serves you right; **je ~ si vzít ...** it is a good idea to take ... **2** (*dobrá*) all right, good
dobýt conquer, capture; **~ vítězství** gain a victory
dobytek cattle
dobytí conquest
dobývat *viz* dobýt

docela **1** (*úplně*) quite, completely; (*v záporu*) at all **2** (*dokonce*) even
docent assistant professor
dočasný temporary
dočkat se wait; **nemohu se ~** I just can't wait; **~ čeho** (*dožít se*) live to see sth.
dodací lhůta time of delivery, delivery time / date
dodání delivery
dodat **1** (*doplnit*) add **2** (*doručit*) deliver, supply
♦ **~ si odvahy** pluck up courage
dodatečný additional; (*doplňující*) supplementary
dodatek addition; (*doplněk*) supplement
dodávat supply, deliver
dodavatel supplier
dodávk|a **1** (*zboží*) delivery (of goods); **státní -y** state deliveries *pl* **2** supply (**elektřiny** of electricity) **3** (*vůz*) delivery van
dodávkov|ý: ~ vůz delivery van; **-é nákladní auto** pick-up truck
dodnes up to now, till the present day, so far
dodržovat keep*, observe
doga mastiff; (*německá*) Great Dane
dogmatický dogmatic
dohad guess, conjecture
dohánět **1** catch* up on; **~ zpoždění** make* up for lost time **2** (*nutit*) drive* (**k zoufalství** to desperation)
dohled inspection, supervision; **v ~u** within sight
dohléd|nout **1** (*vidět*) see* (**až k** as far as); **až kam oko -e** as far as eye can see **2** (*dbát*) see* (**aby** to it that); keep* an eye (**na on**)

dohlížet supervise (**nač** sth.), watch (**nač** over sth.)

dohnat 1 (*koho*) overtake*, catch* up with sb. 2 (*co*) catch* up on sth. 3 (*donutit*) drive*, impel (**koho k čemu** sb. to sth.)

dohod|a agreement; arrangement; **to je věc -y** this is a matter of arrangement

dohodnout se agree (**o** on); come* to an agreement / understanding

dohola close-cropped

dohonit 1 (*chytit*) overtake* 2 (*zameškané*) catch* up on sth., make* up for sth.

dohromady (al)together, all in all; **měli jsme (oba) ~ pět liber** we had five pounds between us

docházet go*, come*, visit; (*do školy*) attend (school); (*často*) frequent

docházka attendance; **povinná školní ~** compulsory school attendance

dochvilný punctual

dojatý moved, touched

dojem impression (**z** of); **udělat ~ na koho** make an impression on sb., impress sb.

dojemný moving, touching, poignant; (*lítostivě*) pathetic

dojet *viz* **dojít** 1, 2

dojetí emotion

dojička dairy maid

dojímat touch, move

dojit milk

dojít 1 (*kam*) go*, get*, reach (sth.) 2 (*pro*) fetch (sth.) 3 (*o zásobě*) **došel nám cukr** we are / we have run out of sugar 4 (*k čemu*) happen, occur; **došlo k nehodě** an accident occurred; **dojde-li k nejhoršímu** if the

worst comes to the worst 5 (*na koho*) **došlo na mne** it's my turn

dojíždět 1 *viz* **docházet** 2 (*do zaměstnání*) commute

dojmout 1 move, touch, affect 2 (*udělat dojem*) impress

dojnice dairy cow

dok dock

dokařský dock, dockers'

dokázat 1 (*podat důkaz*) prove 2 (*nezvratně*) demonstrate 3 (*umět*) achieve, accomplish 4 (*být schopen*) manage

doklad document; **~y** (*osobní*) credentials *pl*

dokola round, all (a)round

dokonalý perfect; (*naprostý*) thorough

dokonce even

dokončit finish, complete

doktor doctor

doktorka woman / lady doctor

dokud as long as; (*zatímco*) while; **~ ne** till, until

dokument document; (*práv.*) instrument, deed

dokumentace documentation

dokumentární documentary

dolar dollar

dolarka billfold

dole down, below; **~ na stránce** at the bottom of the page; **~ v budově** downstairs

dolejší lower, bottom

doleva (to the) left

doličný předmět (*u soudu*) exhibit

dolní lower, bottom

dolovat mine (**rudu** for ore)

doložka clause

dolů down(wards); (*po schodech*) downstairs

dóm cathedral; minster

doma at home; **být zpět ~** be back

home; **počínejte si jako** ~ make
yourself at home / comfortable;
střevíce pro ~ (a pair of) slippers
domácí adj 1 home (**trh** market)
2 domestic (**záležitosti** affairs,
zvíře animal) 3 (*tuzemský*) in-
land, home 4 (*doma vyrobený*)
homemade 5 (*v místě narozený*)
native 6 (*pro doma*) household
● *n* landlord, landlady
domácnost household; **potřeby**
pro ~ household utensils /
requirements *pl*; **založit si** ~
settle down; **žena v ~i** housewife
domek little house, cottage
domluva 1 (*jednání*) negotiation
2 (*porada*) consultation
3 (*pokárání*) talking-to
domluvit 1 (*sjednat*) arrange (**co**
for sth.) 2 (*přestat mluvit*) finish
speaking 3 (*pokárat*) talk to sb.,
give* sb. a good talking-to
domluvit se 1 (*dohodnout se*)
come* to an agreement / arrange-
ment; agree 2 (*cizím jazykem*)
make* oneself understood
domnělý alleged
domněnka assumption,
supposition
domnívat se suppose, believe;
(*očekávat*) expect
domorod|ec, *též* adj -ý native; -ci
aborigines *pl*, natives *pl*
domov home; **stýská se mi po** ~**ě**
I feel homesick
domovní house; ~ **dveře** front
door; ~ **řád** rules of the house *pl*
domovn|ice, -**ík** caretaker
domovský home, native
domů home
domýšlivý conceited,
self-opinionated, arrogant

donášet inform (**na** against); (*ve*
škole) sneak
donedávna until recently
donést 1 (*přinést*) bring* 2 (*až*
kam) carry / take* as far as
3 (*jít pro*) fetch
donutit compel; make* (**koho**
k pláči sb. cry)
dopadat fall* (**na** on)
◆ ~ **na nohu** walk with a limp
dopadn|out 1 fall* down (**na**
on) 2 (*přistihnout*) catch*; ~ **při**
činu catch red-handed 3 (*nějak*)
turn out, come* off, come* out;
všechno dobře -e everything
will turn out well
dopis letter; (*krátký*) note; **doporu-**
čený ~ registered letter; **obchod-**
ní ~ business letter; ~**y čtenářů**
(*redakci*) letters to the editor
dopisní papír notepaper, writing
paper
dopisnice postcard
dopisovat si keep* up correspond-
ence (**s** with); have* a penfriend
dopisovatel correspondent
dopít finish one's drink
doplácet, doplat|it 1 (*rozdíl*)
pay* the difference 2 (*nač*) be*
the worse for sth.; **jednou na to**
-**íš** you'll be sorry / pay for it
one day
doplatek surcharge
dopl|něk 1 supplement
2 (*zákona*) amendment 3 (*jaz.*)
complement 4 (*dámské módní*)
-**ňky** accessories *pl* 5 (*dodatek*)
addition
dopl|nit, -ňovat complete
dopolední morning, forenoon
● *adv* (*kdy?*) in the morning;
(*u časových údajů*) a.m.
dopolední morning

doporučeně: poslat dopis ~ have* a letter registered, send* a letter by Registered Post

doporučení recommendation

doporučený 1 recommended **2** registered (**dopis** letter)

doporuč|it, -ovat recommend; (*navrhovat*) suggest; (*radit*) advise; **-uje se vám, abyste** you will be well advised to + *inf*

doposud up to now, up to the present time, by now, so far

doprava[1] (to the) right

doprava[2] transport, transmission; (*lodí*) shipment; (*dálková motorová*) haulage; **letecká ~** air transport

doprav|it, -ovat transport, carry; (*lodí*) ship; (*letecky*) fly

dopravní: ~ prostředek means of transport; **~ předpisy** highway code; **~ ruch** traffic; **~ strážník** policeman on point duty; **~ světla** traffic lights *pl*; **~ tepna** thoroughfare

doprdelista (*vulg.*) brown noser, arse kisser, arse licker

doprodej (clearance) sale

doprostřed in(to) the middle

doprov|ázet, -odit accompany (*též hud.*); **~ domů** see* sb. home; **~ při odjezdu** see* sb. off; **doprovodím tě k autobusu** I'll walk you down to the bus stop

dopřát grant (**hodinu klidu** an hour of rest); **~ si** treat oneself to sth.; **nemohu si ~** I can't afford

dopředu forward, ahead; **obsazený na dva měsíce ~** booked two months ahead / in advance

dopustit se commit (**čeho** sth.)

dorost rising / younger generation

dorosten|ec, -ka adolescent

dorozumění understanding

dorozumět se 1 come* to an understanding **2** (*s cizincem*) make* oneself understood

dorozumívací prostředek means of making oneself understood

dorozumívat se *viz* **dorozumět se**

dort cake, pastry; (*ovocný*) tart

doruč|it, -ovat deliver

doručovatel, -ka: poštovní ~ postman, postwoman

dosah reach, radius; **na ~ ruky** within easy reach; **z ~u nebezpečí** out of harm's way

dosáhnout reach (**čeho / nač** sth. / out for sth.); **~ úspěchu** achieve success; **~ svého cíle** achieve / attain one's aim

dosavadní hitherto, done / used until now / then

doslov epilogue, postscript, afterword

doslova verbatim, literally

doslovn|ý literal (**překlad** translation); **přeložit -ě** translate sth. word for word

dospělý adult, grown-up

dospět 1 (*dojít*) come* (**k závěru** to the conclusion); arrive (**k rozhodnutí** at a decision); attain (**k blahobytu** to prosperity) **2** (*dorůst*) grow* up, mature

dospívání growing up, puberty

dost 1 (*dostatek*) enough; **~ času** time enough, enough time **2** (*značně*) fairly (**dobrý** good); rather (**špatný** bad)

♦ **mám už toho ~** I am sick of it; **ani ~ málo** not in the least; **tak ~!** come of (it)!, cut it out!, drop it!, that will do!

dostání: je (není) k ~ it is (not) available, it can(not) be had

dostat get*, obtain ♦ **~ chřipku** develop the flu; **~ stipendium** be granted a scholarship; **~ zpět** recover; **lístky lze ~ přímo v divadle** tickets can be obtained at the theatre (itself); **já tě z toho dostanu** I'll see you through

dostat se get (**domů** home, **na oběžnou dráhu** into orbit, **do špatné společnosti** in bad company) ♦ **takhle se nikam nedostaneme** this gets us nowhere; **dost chlebíčků, aby se dostalo na každého** enough sandwiches to go round; **dostalo se mu vřelého uvítání** he was given a warm welcome

dostatečný sufficient; adequate

dostatek 1 (*hojnost*) plenty, abundance **2** (*postačující množství*) sufficiency

dostávat (se) *viz* **dostat (se)**

dostavit se appear, turn up, be* / come* along; **ne~** absent oneself / stay away from

dostihnout reach; overtake*

dostihy horse race, horse racing

dostřel range, radius

dostupný accessible; (*k dispozici*) available

dosud up to now, till the present time, by now, so far

dosvědčit testify (**co** to sth.)

dosyta to one's heart's content

dotace grant, subsidy

dotaz inquiry (**o** about, after); **~ na další informace** inquiry for further information

dotazník questionnaire

dotčený hurt (**ve svých citech** in one's feelings)

dotek touch

dotěrný importunate, insolent

dotisk second impression, reprint

dotknout se 1 touch (**čeho** sth.) **2** (*narážkou*) allude (to), hint (at), touch (on) **3** (*urazit*) offend (**koho** sb.), hurt* (**čí city** sb.'s feelings)

dotyčný the aforesaid [ə'fɔːsed], the above-mentioned

dotýkat se touch (**čeho** sth.)

doufat hope (**v to nejlepší** for the best)

doutník cigar

dovádět frolic [frolik], frisk

dovážet import

dovědět se (come* / get* to) know, learn*, hear*

dovedný skilful

dovést 1 (*kam*) take*, lead*, bring*, see* (**domů** home) **2** (*umět*) be* able to, know* how to; (*vědět si rady*) manage

dovézt bring*; (*obch.*) import

dovídat se hear*, learn*

dovnitř in, inside

dovolat se 1 (*telef.*) get* through **2** (*dosáhnout*) get* (**spravedlnosti** justice)

dovolávat se claim (**spravedlnosti** justice)

dovolen|á 1 (*zákonitá*) leave; **mateřská ~** maternity leave; **placená ~** leave with pay **2** (*volno*) holiday; **být na -é** be on holiday; **jet na -ou** go on holiday

dovol|it (*nezakazovat*) allow; (*výslovně dovolit*) permit; (*nechat*) let; **-te, abych se představil** let me introduce myself; **~ se** ask sb.'s permission to + *inf*; **~ si** afford

dovoz import

dovozce importer

dovozní import; **~ clo** import
duty; **~ povolení** import licence

dovtípit se take* a hint, guess

dozadu back(wards)

dozor supervision; (*řízení*)
control; (*s kontrolou*) inspection;
kdo má ~? who is in charge?

dozorce overseer; (*kontrolující*)
inspector; (*vězeňský*) guard

dozrávat ripen; (*víno*) mature

dožít se 1 live to see (**čeho** sth.)
2 reach the age (**šedesáti let** of
sixty years)

doživotní lifelong

dr. Doctor (*v Británii zkratka za
jménem:* **MUDr.** M.D.; **PhDr.**
Ph.D.)

dráha 1 course **2** (*vyjetá*) track
3 (*oběžná*) orbit **4** (*železnice*)
railway **5** (*životní*) career
6 (*jízdní*) roadway
 ♦ **podzemní ~** underground (rail-
way), tube; **lanová ~** funicular;
lyžařská ~ ski run, skiing piste

draho dear; **platit ~** pay heavily
(**za** for); **přijít ~** come
expensive; **to ti přijde ~** that
will cost you dear

drahocenný costly, precious,
priceless

drahokam precious stone, gem,
jewel

drahý dear; (*jen o ceně*)
expensive, costly

drak dragon; (*papírový*) kite

drama drama

dramatický dramatic

dramatik dramatist, playwright

dramatizace dramatization
[dræmətai'zeišn]

dramaturg literary director

dráp claw

draslík potassium [pə'tæsjəm]

drastický drastic

drát wire; **~y** (*kola*) spokes *pl*;
rozhlas po ~ě rediffusion

drátěnka spring mattress

drátěný wire

dravec bird of prey

dravý wild, ferocious

dražb|a auction; **prodat v -ě** sell
by auction

dráždit 1 irritate; (*rozčilovat*)
upset*, rile **2** (*podněcovat*)
stimulate

Drážďany Dresden

dráždivý 1 (*dráždící*) irritating
2 (*podléhající dráždění*) irritable

dres sports dress, sports clothes *pl*

drn sod, turf

drobit (se) crumble

drobné (small) change, silver

drobnost trifle, detail; **různé ~i**
odds and ends, knick-knacks *pl*

drobný tiny, minute; **jít ~mi
krůčky** walk with mincing steps

droga drug

drogerie chemist's, drugstore

drogovat be on drugs

drozd thrush

droždí yeast

drsný coarse (**jazyk, řeč**
language); rough (**povrch**
surface); rugged (**obličej** face)

dršťky, *též adj* **dršťkov|ý** tripe;
-á polévka tripe soup

drtit crush

drůbež poultry

drůbežárna poultry farm

druh[1] (*společník*) companion;
(*v zaměstnání*) mate, comrade,
fellow, chum

druh[2] **1** sort, kind; (*zboží*) article,
brand **2** (*přírodověda*) species

druhotný secondary

druh|ý 1 second; **na -ém místě**

in the second place; **Alžběta II.**
Elizabeth the Second **2** (*ze dvou*)
the other; **každý ~ den** every oth-
er day; **první ... ~** the former ...
the latter **3** (*o umístění*) runner-
-up ♦ **~ den** the next day; **~ Ein-
stein** another / a second Einstein;
-á jakost second; **jeden -ého**
one another, each other; **jeden
po -ém** one by one, one after an-
other; **na -ém břehu řeky** on the
farther bank of the river; **na -ou**
squared; **v půl -é** at half past one
družba friendship
družice satellite, sputnik;
televizní ~ TEL-star, Telstar
družička bridesmaid
družina company, retinue; **školní
~** after-school centre, play centre
družka companion
družstevní cooperative
družstevník member of
a cooperative
družstvo 1 (*sport.*) team; (*voj.*)
section **2** (*výrobní*) cooperative;
(*stavební*) housing society
drzý impertinent; (*dotěrný*)
insolent; (*hrubě*) arrogant;
(*smělý*) bold; (*hovor.*) cheeky;
být ~ have a cheek
držadlo handle
držátko holder
država possession
držet 1 keep*, hold*; **~ v ruce**
hold in one's hand; **~ při sobě**
stick* together; **~ dietu / vánoce**
observe a diet / Christmas;
~ krok keep up (s with) **2 ~ se**
(*dobře*) hold one's own; **~ se pra-
videl** stick to the rules; **pevně se
~** (*např. v autobusu*) hold tight
držitel holder
dřeň pith

dřep knees-bend
dřevák clog, wooden shoe
dřevařský průmysl timber
industry
dřevěný wooden
dřevnatý woody
dřevo wood; **stavební ~** timber
dřevorubec woodcutter,
lumberjack
dřevoryt woodcut
dřez (kitchen) sink
dřímat doze; (*hluboce*) drowse
dřina drudgery, toil
dřišťál barberry [ba:bəri]
dřít (se) 1 rub **2** (*namáhat se*)
drudge, toil **3** (*ke zkoušce*)
grind*, swot, cram (for an exam)
dříve before; formerly
dřívější former, previous
dříví wood; (*stavební*) timber
♦ **nosit ~ do lesa** carry coals to
Newcastle
dub oak
duben April
dubový oak, made of oak
duet duet [dju:'et]
duha rainbow
duch 1 spirit, ghost **2** (*nálada*)
morale **3** (*psychické schopnosti,
vědomí*) spirit; mind
duchaplný spirited, intelligent,
subtle
duchapřítomný showing presence
of mind; quick-witted
důchod 1 income; (*penze*) pension,
superannuation; **bezpracný ~**
unearned income; **invalidní ~**
invalid pension; **starobní ~** old
age pension; **poslat do ~u** retire,
pension off, superannuate
důchod|ce, -kyně pensioner
důchodové zabezpečení social
security

důkaz 1 proof; **pádný ~** striking proof **2** (*materiál*) evidence

důkladný thorough

důl mine; (*uhelný*) colliery, pit

důlek depression; (*v bradě*) dimple; (*oční*) socket

důležitost importance; **mít ~** matter; **přikládat ~** attach importance (**čemu** to sth.)

důležitý important; **životně ~** vital
♦ **dělat se ~m** give oneself / put on airs

důlní mining

dům house; **činžovní ~** apartment house, block of flats; **kulturní ~** arts centre; community centre

důmysl ingenuity

důmyslný ingenious

Dunaj Danube

dunět thunder, roll

dupat stamp

duplikát duplicate

dupnout stamp; **~ si** put one's foot down

dur: A dur A major

důraz emphasis, stress; **klást zvláštní ~ na** place special emphasis on

důrazný emphatic

dusík nitrogen

dusit 1 (*při vaření*) stew **2** (*bránit v dýchání*) smother, stifle; (*ucpáním*) choke; (*potlačit*) suppress; **~ se** stifle, suffocate, choke

důsledek consequence; implication; **vyvodit -ky** draw conclusions

důsledný consistent

dusno: je tu ~ it is close here

dusný close; (*parný*) sultry; (*přen.*) oppressive; (*nevětraný*) stuffy; (*dusící*) stifling

důstojník officer

důstojný 1 dignified; (*vážný*) solemn; (*hodný čeho*) worthy **2** (*titul*) reverend

duš|e 1 soul; **na mou -i** upon my soul; **z celé ~** whole-heartedly **2** (*pneumatiky*) tube **3** (*míče*) bladder

duševní mental; **~ pracovník** intellectual (worker), white-collar worker

Dušičky All Souls' Day

dutina cavity, hollow

důtka reprimand, rebuke

důvěr|a confidence, trust; **mít -u** have confidence (**k** in)

důvěrník: závodní ~ shop steward

důvěrný (*tajný*) confidential; (*intimní*) intimate

důvěřivý credulous

důvěřovat trust (**komu** sb.), confide (**komu** in sb.)

důvod reason, grounds *pl*; **pádný ~** weighty reason; **z tohoto ~u** for this reason; **z bezpečnostních ~ů** for safety reasons; **z náboženských ~ů** on religious grounds

důvtip wit, ingenuity

důvtipný ingenious

dužina pulp

dv|a two; **po -ou** two at a time; **brát schody po -ou** race two-at-a-time up the stairs

dvacát|ý twentieth; **-á léta** the twenties *pl*

dvacet twenty

dvakrát twice; **~ tolik** twice as much / many

dvanáct twelve

dvanáctý twelfth

dvě *viz* **dva**

dveř|e door; **domovní ~** front door; **za -mi** outside the door; **jít otevřít ~** answer the door

D

dvířka little door; **zadní ~** loophole
dvojbarevný two-coloured
dvojčata twins *pl*
dvojdílný two-piece
dvojhláska diphthong
dvojchyba double fault
dvojice couple, pair
dvojitý double
dvojjazyčný in two languages, bilingual
dvojka two; Number Two
dvojmo in duplicate
dvojnásob|ek, *též adj* **-ný** double
dvojsmyslný ambiguous
dvojstranný two-sided
dvojstup column of twos
dvojtečka colon
dvojveslice (sculling-)pair
dvojzpěv duet
dvorana hall
dvoudobý two-stroke
dvouhra (*tenis*) single
dvoukolejný double-railed
dvoulůžkový: ~ gauč double-size convertible sofa; **~ pokoj** double room
dvoumístný two-seated, two-seater

dvoumotorový twin-engined
dvoupatrový dům three-storey house
dvouřadový oblek double-breasted suit
dvousedadlový *viz* **dvoumístný**
dvůr courtyard; (*dvorek*) yard; (*panovnický*) court; (*selský*) farm
dýchací breathing; **~ přístroj** respirator [respəreitə]
dýchání breathing
dýchat breathe; (*rostliny*) transpire
dychtivý eager, keen
dýka dagger
dým smoke
dýmka pipe
dynamický dynamic
dynamit dynamite
dynamo dynamo [dainəməu]
dynastie dynasty
dýně pumpkin
džbán jug, mug, pitcher
džber bucket, pail
džem jam; (*pomerančový*) marmalade
džez, *též adj* **~ový** jazz
džín(s)y jeans
džínsovina denim
džungle jungle

E

efekt effect
efektivní effective, efficient
efektní impressive, spectacular, effective
egoismus egoism, selfishness
Egypt Egypt
egyptský Egyptian
ekonom economist
ekonomický 1 (*hospodářský*) economic **2** (*hospodárný*) economical
ekonomie 1 (*hospodaření, hospodářství*) economy **2** (*věda*) economics
ekonomika economy
elastický elastic
elegance elegance; (*pečlivé oblečení*) grooming
elegantní elegant, smart, stylish, dressy; (*muž*) dapper, elegant
elektrárna power station
elektrick|ý electric(al), **-é světlo** electric light; **~ spotřebič** electric machine
elektrifikace electrification
elektrifikovat electrify [i'lektrifai]
elektrika tram
elektroda electrode
elektromagnet electromagnet [ilektro'mægnit]
elektromagnetický electromagnetic [ilektroumæg'netik]
elektroměr electrometer
elektromontér electrical fitter
elektromotor electromotor [i,lektro'mǝutǝ]
elektrotechnik electrician
elektřina electricity
elementární elementary
elipsa ellipse

emancipace emancipation; **ženská ~** emancipation of women
embargo embargo
emigrac|e emigration; **žít v -i** live in exile
emigrant emigrant; exile
emigrovat emigrate, go* into exile
encyklopedie encyclop(a)edia
energick|ý power, energy; **-á krize** energy crisis
energetika energetics
energický energetic; vigorous
energie energy, power; (*elán*) drive; (*hovor.*) vim, pep
epický epic
epidemi|cký, *též n* **-e** epidemic
epizoda episode
epocha epoch
epopej epic
éra era
erb coat of arms
erotický erotic
erotoman sex maniac
esence essence
eskamotér conjurer
Eskymák Eskimo
eso ace
esperanto Esperanto [espǝ'ræntǝu]
esperantský Esperantist [espǝ'ræntist]
estetický aesthetic
estetika aesthetics
Estonsko Estonia [e'stǝuniǝ]
estráda variety programme, (variety) show
estrádní show; **~ umělec** artiste
etablovaný well-established
etapa 1 stage **2** (*sport.*) lap; (*let.*) hop
etáž storey

éter ether
evakuace evacuation [ivækju'eišn]
evakuovat evacuate
evangelický evangelic(al)
  [i:væn'dželik(l)]
evangelík Protestant; Lutheran
evangelium Gospel
eventuálně alternatively, as the
  case may be, if need be
evoluce evolution
Evropa Europe
Evropan European
evropský European
exaktní exact
exemplář copy
exhibice exhibition
exhibiční exhibitional [eksi'bišənl]
exhibovat se make an exhibition
  of oneself
exil exile
existence existence
existenční minimum living /
  minimum wage
existovat exist
exkurze excursion
exotický exotic
expanze expansion

expanzívní expansive [iks'pænsiv]
expedice 1 (*výprava*) expedition
  2 (*výpravna*) distribution depart-
  ment **3** (*odeslání*) dispatch
expedovat forward, dispatch
experiment experiment
experimentální experimental
expert expert
explodovat explode
exploze explosion
exponát exhibit
exponovat (*fot.*) expose
export, *též adj* **~ní** export
expozimetr exposure meter
expremiér former prime minister
expres express (**dopis** letter, **vlak**
  train)
expresionismus expressionism
  [iks'prešnizm]
externí external, outside;
  ~ pracovník external worker;
  ~ pomoc outside help;
  ~ studium extramural studies *pl*
externista external worker /
  student
extrakt extract
extrém extreme

F

fabule plot, story

fack|a slap in the face; **dát -u komu** slap sb.'s face, slap sb. on the face

fádní boring, tedious, dull

fagot bassoon

fakt fact

faktický factual; actual, real

faktur|a, *též v* **-ovat** invoice; **prozatímní ~** pro-forma invoice

fakulta faculty; **právnická / lékařská ~** the Faculty of Law / Medicine

fakultní faculty; **~ nemocnice** teaching hospital

falešný 1 (*neupřímný*) false **2** (*nepravý*) false, artificial, spurious **3** (*rozladěný*) out of tune

falšovat forge (**podpis** a signature); adulterate (**víno** wine); falsify (**účty** accounts)

fáma rumour

familiární familiar (**k** with)

fanatický fanatic(al)

fanatik fanatic

fandit be* a fan, dig*; **~ kopané** be a football fan, dig football

fanfára flourish

fanoušek fan

fant forfeit

fantastický fantastic

fantazie fancy; (*živá*) imagination

fara parsonage, rectory

farář parish priest, parson

fárat go down the pit

farma farm

farmacie pharmacy

farmář farmer

farní parish

fasáda facade [fə'sa:d]

fascikl file

fašismus Fascism

fašist|a, *též adj* **-ický** Fascist

faul foul

favorit favourite

faxovat fax

fáze phase

fazole bean

federace federation

federál 1 federal institution **2** federal championship

federativní federal

fejeton feature, column

fén hairdryer [heədraiə]

fena bitch

fenykl fennel

festival festival; **filmový / hudební ~** film / music festival

feťák drug addict

fetovat be on drugs

feudalismus feudalism

feudální feudal

fialka violet

fialový violet, purple

figura figure; (*div. postava*) character

figurína dummy

figurka (*soška*) statuette [stætju'et]; (*v šachu*) chessman

fík fig

fíkus rubber plant

filatelie stamp collecting, philately

filatelista stamp collector, philatelist

filé fillet

filharmonický philharmonic

filiálka branch (office)

film film; **celovečerní ~** full-length film; **kreslený ~** (animated)

cartoon; **hlavní** ~ feature film;
širokoúhlý ~ wide-screen film
filmař camera man
filmovat film (**hru** a play), shoot*
(**scénu** a scene)
filmový film; ~ **herec** film actor
filolog philologist
filologický philological
filologie philology
filozof philosopher
filozofický philosophic
filozofie philosophy
filtr filter; **cigareta s ~em** filter-tip
filtrovat filter
Fin Finn
finále finals *pl*
finan|ce, *též v* **-covat** finance
finanční financial
Finsko Finland
fin|ský, *též n* **-ština** Finnish
firma firm, house; (*velký podnik*)
business, concern; (*štít*) sign;
~ **Smith & spol.** Messrs. Smith
& Co.
fix, ~ka felt-tip pen
fixlovat cheat
flambovaný flambé [flombei]
flanel flannel
flauš petersham [pi:təšəm]
flegmatický phlegmatic
[fleg'mætik]
flétna flute
fluktuace personel turnover,
changing jobs
fluór fluorine [fluəri:n]
folklór folklore
fond fund, foundation
fonetický phonetic
fonetika phonetics
fontána fountain
form|a a form; (*tvar*) shape; **být ve**
-ě be in good form
formalismus formalism

formalista formalist
formalita formality
formální formal
formát size; **umělec světového**
~**u** an artist of world renown
[ri'naun]
formulace wording
formulář form; **vyplnit** ~ fill in
a form
formule formula
formulovat formulate, word
fosfor phosphorus [fosfrəs]
fosforový phosphorous [fosfərəs],
phosphorescent [fosfə'resnt]
fotbal association football,
(*hovor.*) soccer
fotbalový football, soccer
fotoamatér amateur photographer
fotoaparát camera
fotograf photographer
fotografický photographic
fotografie 1 (*obrázek*) photo-
graph; (*zvl. amatérská*) snap,
snapshot **2** (*obor*) photography
fotografovat photograph; take*
snaps
fotokopie photostat [fəutəstæt]
fotomontáž photomontage
[fəutəu'monta:ž]
fouk|at, -nout blow*
foyer foyer [foiei]
frak evening suit, dress coat, tail-
coat, cutaway; (*hovor.*) tails *pl*
Francie France
Francouz Frenchman
francouzsk|ý *adj* French; ~ **klíč**
wrench ● *adv* -**y** in French
francouzština French
franko post-paid
frankovat stamp (**dopis** a letter)
fraška farce, slapstick
fráze 1 (*slovní spojení*) phrase
2 (*otřepaná*) platitude

frčet be all the rage
frekvence frequency
frekventovaný frequented
freska fresco [freskəu]
fréza milling cutter / machine
fritovací hrnec frier
fritovat deep fry
front|a 1 front **2** (*nač*) queue;
  stát ve -ě queue up (**na** for);
  postavit se do -y join a queue
froté: ~ **látka** terry [teri] / sponge
  cloth; ~ **ručník** Turkish / bath
  towel

fuchsie fuchsia [fju:šə]
fungovat function, work
funkce 1 function **2** office, post
funkcionář functionary, official
fušer bungler, botcher
fyzický physical, material
fyzik physicist
fyzika physics
fyzikální physical
fyziologický physiological
fyziologie physiology

G

G

galantérie (*zboží*) haberdashery;
  (*obchod*) haberdasher's
galantní gallant
galérie gallery; **umělecká** ~ art
  gallery
galoše (a pair of) galoshes *pl*
galvanický galvanic [gæl'vænik]
garantovat warrant, guarantee
garáž, *též v* ~**ovat** garage
garda guard
garsoniéra bed-sitter, flatlet,
  (one-roomed) bachelor flat
gauč couch; **rozkládací** ~
  convertible (sofa); **dvoulůžkový**
  ~ double-sized convertible
  (sofa) / divan
gáza gauze [go:z]
gejzír geyser
generace generation
generál general
generalizovat generalize
  [džen rəlaiz]
generálka dress rehearsal
generální general; ~ **stávka**
  general strike

generátor generator
geniální: ~ **člověk** (man of) geni-
  us; ~ **myšlenka** brilliant idea;
  ~ **vynález** ingenious invention
génius genius
geofyzikální geophysical
  [dži:əu'fizikl]
geolog geologist
geologický geologic(al)
  [džiə'lodžik(l)]
geologie geology
geometrie geometry
geriatr geriatrician [džeriə'trišn]
geriatrie geriatrics [džeri'ætriks]
germánský Germanic, Teutonic
gesto gesture
gigantický gigantic
globální global [gləubl]
glazurovat (*keramiku*) glaze;
  (*pečivo*) ice
glóbus globe
gloriola halo, nimbus, (*též přen.*)
glosář glossary
gól goal; (*přen.*) surprise

gorila gorilla [gə'rilə]; (*přen.*)
  bodyguard
gotický Gothic [goθik]
gotika Gothic style / architecture
graf graph [græf]
grafický graphic
grafik graphic artist
grafiti grafitti art [græ'fi:ti]
gram gram(me)
gramatický grammatical
  [grə'mætikl]
gramatika grammar
gramofon record player,
  gramophone
gramofonov|ý gramophone;
  -á deska record
gramorádio radiogram
granát 1 (*voj.*) shell; (*ruční*)
  grenade [gri'neid] **2** (*kámen*)
  garnet [ga:nit]
gratis free (of charge)

gratulovat congratulate (**komu k**
  sb. on)
gravitace gravitation
grémium board, association
Grónsko, *též adj* **grónský**
  Greenland
guláš goulash
guma 1 rubber **2** (*na písmo*)
  india rubber, eraser ♦ **žvýkací ~**
  chewing gum; **prádlová ~** elastic
gumárenský průmysl rubber
  industry
gumička rubber / elastic band
gumový rubber
guvernér governor
gymnázium grammar school,
  college
gymnast|a, -ka gymnast
  [džimnæst]
gymnastika gymnastics
gynekolog, *též adj* **~ický**
  gynaecologist [gaini'kolədžist]

H

habr hornbeam
háček hook; **v tom je ~** there's a catch / snag in it somewhere
háčkovat crochet [krəušei]
had snake
hádank|a riddle; **dát komu -u** ask sb. a riddle
hádat guess; **hádej, co si myslím** guess what I'm thinking
hádat se quarrel; (*argumentovat*) argue
hadice hose
hádka quarrel, squabble
hadr rag; **~ na prach** duster; **~ na nádobí** dishcloth
háj grove
hájit **1** (*chránit*) protect, defend **2** (*obhajovat*) plead **3** preserve (**lovnou zvěř** game)
hajný gamekeeper
hájovna gamekeeper's lodge
hák hook
hala hall, vestibule; **hotelová ~** lobby, lounge
halenka blouse
haléř heller
haló hallo, hello
hamižný greedy
hanb|a shame, disgrace; **to je ~!** what a disgrace!; **dělat -u komu** be a disgrace to sb., bring disgrace / shame on sb.
hangár hangar
hanlivý defamatory
hanět criticize, find* fault with
hantýrka jargon
harfa harp
harmonický harmonious
harmonie harmony
harmonika (*tahací*) accordion

[ə'ko:djən], concertina; (*foukací*) mouth organ, harmonica [ha:'monikə]
harmonogram progress chart, schedule
hasák (alligator) wrench
hasicí přístroj (fire-)extinguisher
hasič fireman
hasit **1** extinguish, put* out (**oheň** a fire) **2** quench (**žízeň** one's thirst)
hašé minced meat, mincemeat, mince
Havaj Hawaii [hə'waii:]
Havana Havana [hə'vænə]
havárie crash
havarijní: ~ pojistka general accident policy; **v ~m stavu** dilapidated
havarovat crash
havíř miner
havran rook
hazardní hazardous; risky; **~ hráč** gambler
házená handball
házet throw*, cast* ♦ **~ flintu do žita** throw in the sponge; **~ věci za hlavu** let things slide
hbitý nimble, swift, agile
hebrejský Hebrew [hi:bru:]
hedvábí silk; **umělé ~** rayon
hedvábný silk; **~ papír** tissue (paper)
hejno: ~ hus flock of geese; **~ much** swarm of flies; **~ koroptví** covey of partridges
hektar hectare
hektolitr hectolitre
helikoptéra helicopter
hélium helium

helma helmet
Helsinky Helsinki
herec actor; **filmový** ~ film actor
herecký actor's
herečka actress
hermelín ermine [ə:min]
heřmánek camomile
heslo 1 (*reklamní, politické*) slogan, motto [motəu] 2 (*strážní*) password, watchword 3 (*ve slovníku*) entry
hever jack
hezk|ý 1 pretty; **-á dívka** a pretty girl; **-á zahrada** a pretty garden; **~ch pár korun** a pretty penny 2 nice; **~ den** a nice day; **-é počasí** nice weather 3 fine; **~ pohled** a fine view; **-é šaty** fine clothes 4 good-looking; handsome; **-á žena** a good-looking woman; **-ý muž** a handsome man; **-á sumička** a handsome sum of money ◆ **to je všechno -é, ale** it's all very well but
hezky 1 nicely, prettily; **je ~** it's fine, it's a fine day; **mějte se ~** have a good time 2 (*dosti*) pretty
Himálaje Himalayas [himə'leiəs]
historick|ý 1 (*významný*) historic; **-á událost** historic event 2 (*dějin se týkající*) historical (**román** novel)
historie 1 history 2 (*příběh*) story
historik historian
hlad hunger; (*hladomor*) famine; **mít ~ be** / feel hungry; **mít ~ jako vlk** be hungry as a hunter; **mučit koho ~em** starve sb.; **umírat ~y** starve; **smrt ~em** starvation
hladin|a 1 surface; **vyplout na -u** rise to the surface 2 level; **nad -ou moře** above sea level

hladit 1 stroke, caress 2 (*leštit*) polish
hladký smooth
hladomor famine [fæmin]
hladov|ý 1 hungry 2 (*nenasytný*) greedy; **-é mzdy** starvation wages
hlas 1 voice; **tichým** / **zvučným ~em** in a soft / loud voice 2 (*ve volbách*) vote; **odevzdat svůj ~ komu** give one's vote to, record one's vote for
hlasatel, ~ka announcer
hlásit 1 report (**nehodu na policii** an accident at the police) 2 announce (**své úmysly** one's intentions, **dalšího řečníka** the next speaker)
hlásit se 1 report to, register with (**na policii** the police) 2 claim (**o své zavazadlo** one's luggage) 3 (*ve škole*) put* up one's hand
hlasitý loud
hlasivky vocal chords *pl*
hláska sound of speech
hláskosloví phonology [fə'nolədži]
hlasovací lístek ballot
hlasování vote, voting; (*tajné*) ballot
hlasovat vote (**pro** for, **proti** against)
hlášení 1 report (*v rozhlase*) 2 announcement 3 (*k pobytu*) registration
hlav|a head; ~ **rodiny** / **státu** head of the family / of the state ◆ **lámat si -u** rack one's brains; **od -y k patě** from top to toe; **vzít si do -y** take it into one's head (to)
hlaváček spring pheasant's eye
hlavatka huchen [hu:kən]
hlaveň barrel
hlavička (*hřebíku, zápalky*) head;

(*záhlaví*) heading, letterhead;
(*v kopané*) header

hlávka head (*zelí* of cabbage,
salátu of lettuce)

hlavně mainly, chiefly

hlavní main, chief, principal;
~ **město** capital; ~ **pošta** general
post office; ~ **potrubí** main;
~ **věc** the main thing

hledat look for; seek*; ~ **co**
v knize look up sth. in a book

hledět 1 look (**na** at), regard (**nač**
sth.) **2** (*dbát*) see* to it (**aby** that)
♦ ~ **si svého** mind one's own
business

hledisk|o point of view,
standpoint; **z tohoto -a** from this
point of view

hlediště auditorium; (sports) arena
[ə'ri:nə], ground(s)

hlemýžď snail

hlen phlegm [flem]

hlídač guardian, keeper; **noční** ~
night watchman

hlídat watch, guard; ~ **dítě** (*za*
odměnu) babysit, mind (the)
children

hlídka watch; (*stráž*) guard, sen-
try; (*proti stávkokazům*) picket

hlína earth; (*jako materiál*) clay

hliněn|ý earthen; **-é nádobí**
earthenware

hliník aluminium

hlíza bulb; (*nádor*) tumour
[tju:mə]

hlodat gnaw (**co** sth., **na** at)

hlodavec rodent

hloh hawthorn

hloubat ponder (**o** over)

hloubit sink* (**studnu** a well)

hloubka depth

hloubkový let low flying

hloupost stupidity, foolishness;
~**!** nonsense!, rubbish!

hloup|ý stupid, dull; (*nesmyslný*)
absurd; (*hovor.*) daft; **nebuď** ~
don't be silly; **dělat -ého** play
the fool

hltan gullet [galit]

hltat devour [di'vauə]

hluboký deep; ~ **dvě stopy** two
feet deep

hlučný noisy, loud

hluchavka dead nettle

hluchoněmý deaf-mute

hluchý deaf

hluk noise

hlupák fool

hmat touch; **poznat po ~u** tell by
the feel

hmatat touch, feel*; (*tápat*) grope
(**po** for / after)

hmot|a matter; **stavební -y** build-
ing materials *pl*; **umělá** ~ plastic

hmotnost weight, mass

hmotn|ý material; **-é zabezpečení**
social security;
-á zainteresovanost pecuniary
[pi'kju:njəri] incentive

hmoždinka plug, dowel [dauəl]

hmyz insect(s)

hnací driving; ~ **kolo** driving
wheel; ~ **řemen** driving belt

hnát drive* (**dobytek** cattle,
stroje machinery)

hnát se rush (**domů** home, **na**
koho at sb.)

hned at once, immediately;
straight away; ~ **ráno** first thing
in the morning

hnědouhelný revír lignite field

hněd|ý brown; **kaštanově** ~
chestnut; **-á polévka** clear soup;
-é uhlí soft coal, lignite

hněv anger, wrath

hněvat se be* angry, (*hovor.*) be*
cross (**na koho** with sb.)
hniloba rot, decay
hnis pus, matter
hnisat fester
hnisavý purulent [pjuərulənt]
hnít rot, decay
hnízdo nest
hnojit manure, dung; (*uměle*)
fertilize
hnojivo fertilizer
hnout move; **ne~ prstem** not lift
a finger, take* things lying
down; **~ se** move; **vlak se hnul**
the train moved out
hnůj manure, dung
hnus disgust; (*na zvracení*) nausea
hnusit si loathe
hnusný disgusting, nauseating,
revolting
hnutí 1 (*pohyb*) motion
2 movement
hobl|ík, *též v* **-ovat** plane
hoblina shaving
hoboj oboe
hodin|a 1 hour; **dvě a půl hodi-
ny** two hours and a half **2** (*čas*)
kolik je hodin? what time is it?,
what is the time?; **v kolik
hodin?** what time? **3** (*podle ho-
dinek*) o'clock; **je šest hodin** it
is six o'clock; **ve tři -y** at three
o'clock **4** (*vyučovací*) lesson;
chodit na -y take lessons
hodinář watchmaker
hodinářství watchmaker's
hodinky watch; **náramkové ~**
wristwatch
hodinov|ý: **hrubá -á mzda** gross
hourly wages
hodiny clock; **píchací /
nástěnné / pouliční / věžní ~**
time / wall / street / tower clock;

sluneční ~ sundial; **~ jdou
napřed** the clock is fast / gains;
~ jdou pozdě the clock is slow /
loses; **nařídit ~** set the clock;
natáhnout ~ wind up the clock
hodit throw* (**kámen / kamenem**
a stone); drop (**dopis do schrán-
ky** a letter in the letterbox)
hodit se 1 (*k sobě*) go* with
(**k novému plášti** the new
overcoat), team with (**k nedbale
elegantnímu oblečení** casual
clothes); match (**ke koberci** the
carpet); (*lidé*) be* suited to each
other; **~ komu** suit sb. **2** (*být
vhodný*) lend* itself (**pro tanec**
to dancing) **3** (*přijít vhod*)
come* in handy
hodně 1 very (**silný** strong)
2 much, a lot of, lots of (**času**
time); **~ čte** he reads a great deal
hodnost (*vojenská*) rank;
(*akademická*) degree
hodnota value; denomination
(**mince** of a coin)
hodnotit evaluate, rate
hodnotný valuable; of
outstanding merit
hodný 1 good **2** (*čeho*) worthy of
hoch boy; (*milý*) boyfriend
hojit se heal (up)
hojivý healing
hojný plentiful
hokej (ice) hockey; **pozemní ~**
field hockey
hokejista hockey player
hokejka hockey stick
hokejový hockey; **~ zápas**
ice-hockey match
hokynář grocer
Holanďan Dutchman
Holandsko Holland, the
Netherlands *pl*

holand|ský, *též n* **-ština** Dutch
holandská aukce Dutch auction
holčička little girl
holeň shin
holení shaving
holicí: ~ **mýdlo** shaving soap,
(*tyčinka*) shaving stick;
~ **strojek** safety razor;
elektrický ~ strojek electric
razor; ~ **štětka** shaving brush
holič 1 barber, hairdresser 2 *viz*
holičství
holičství barber's; hairdresser's,
hairdressing salon [sælon]
holínky (*jezdecké*) top boots,
riding boots *pl*; (*gumové*)
wellingtons, gumboots *pl*
holit shave; ~ **se** shave (oneself)
holka girl
holohlavý bald
holub pigeon; **poštovní ~** homing
pigeon
holubice dove
hol|ý bare; **-é lebky** skinheads;
s ~ma rukama empty-handed
homologovaný certificated
hon (*lov*) hunt, chase
honem quickly
honit 1 (*pronásledovat*) chase
2 (*lovit*) hunt
honit se: ~ **po světě** dash round
the world
honorář fee, remuneration
honorovat remunerate
[ri'mju:nəreit]; ~ **směnku**
honour a bill of exchange
hora mountain; **jet do hor** go to
the mountains
horečk|a fever; **mít -u** have
a temperature
horko: **je** ~ it's hot; **je mi** ~ I am
hot
horký hot

horlivý zealous; (*dychtivý*) eager;
(*nadšený*) ardent, dedicated
hormon hormone
hornatý mountainous
horní upper
hornictví mining
horník miner; (*v uhelných dolech*)
coal miner
hornina mineral
horolezec mountaineer
horsk|ý mountain; **-é slunce**
sunlamp; **-á záchranná služba**
mountain rescue service
horší worse [wə:s]
hořčice mustard
hořčík magnesium [mæg'ni:zjəm]
hořec gentian [dženšiən]
hořejší upper, top
hořet burn*; (*plamenem*) blaze;
nechce to ~ it won't burn /
catch alight; **hoří!** fire!; **hoří
vám ta cigareta?** have you got
the cigarette alight?
hořký bitter
hořlavina combustible
hospoda pub(lic house), tavern
hospodárný economical
hospodář 1 (*zemědělec*) farmer
2 (*v podniku*) economic manager
hospodařit (*v zemědělství*) farm;
manage a farm; **dobře ~** (*šetřit*)
economize
hospodářský economic
hospodářství 1 economy
2 (*v zemědělství*) farm
hospodyně housekeeper
host guest
hostina feast; **svatební ~** wedding
breakfast / reception
hostinec public house; (*ubytovací*)
inn
hostinský innkeeper

hostit entertain, act as host to; ~ **koho čím** treat sb. to sth.

hostitel host; **~ka** hostess

hostovat give* a guest perfromance

hotel hotel; **bydlit v ~u** (*trvale*) live in / at a hotel, (*přechodně*) stay at / in a hotel; **ubytovat se v ~u** put up at a hotel

hotovost cash; **platit v ~i** pay cash (down)

hotov|ý ready, finished; **kdy to bude -é?** when will it be ready?; **-é peníze** cash, ready money; **to je -á věc** that's a foregone conclusion

houb|a 1 mushroom; **jít na -y po mushrooming; růst jako -y po dešti** spring up like mushrooms **2** (*mycí*) sponge

houkačka horn

houkat hoot

houpačka swing, seesaw

houpat (se) rock, swing

housenka caterpillar

houser 1 gander **2** (*nemoc*) lumbago [lam'beigəu]

houska roll; **strouhaná ~** breadcrumbs *pl*

housle violin; **hrát na ~** play the violin

houslista violinist

houslový koncert violin concerto

houževnatý industrious (**pracovník** worker)

hovězí: **~ dobytek** cattle; **~ maso** beef; **~ pečeně** roast beef; **~ polévka** beef tea

hovno (*vulg.*) shit, turd

hovor 1 talk, chat, conversation; **dát se do ~u** start talking **2** (*telefonický*) call

hovorový colloquial

hovořit speak*, talk (**s kým** to sb.); discuss (**o čem** sth.)

hra 1 play; **poctivá / nepoctivá ~** fair / foul play; **nerozhodná ~** draw **2** (*podle pravidel*) game; **~ v karty** a game of cards

hrabat rake; **~ se** poke around (**v** in)

hrabě count, earl

hrábě rake

hraběnka countess

hraboš vole

hrací karty playing cards *pl*

hráč, ~ka player

hračka toy

hračkářství toyshop

hrad castle

hradba (*též přen.*) barrier; (*zeď*) wall; (*plot*) fence

hradit cover (**výdaje** the expenses)

hrách peas *pl*

hrachov|ý: **-á kaše** pease pudding; **-á polévka** pea soup

hrana edge; (*roh*) corner

hranatý angular

hranice 1 (*zvl. státní*) frontier; **jet za ~** go abroad; (*poznání*) the frontiers of knowledge **2** (*mez*) boundary **3** (*hořící*) bonfire

hraničit adjoin (**s čím** sth.), border (**s čím** on sth.)

hranol prism

hranolky chips, French fries *pl*

hranostaj stoat

hrášek green peas *pl*

hrát play (**karty** cards, **kopanou** football, **na klavír** the piano, **šachy** chess) ♦ **~ divadlo** (*předstírat*) put* on an act; **~ z listu** play at sight; **tady něco nehraje** there's something wrong with it

hrát se: co se hraje v divadle? what's on at the theatre?; **ten**

film se hraje v Odeonu the film is showing at the Odeon
hrát si 1 play (**na honěnou** hit and run, **na školu** (at) school) **2** fidget (**se šálou** with one's scarf)
hráz dam; (*přístavní*) wharf
hrazda horizontal bar
hrb hump
hrbatý humpbacked
hrbol bump
hrbolatý bumpy
hrdina hero
hrdinský heroic
hrdinství heroism
hrdlička turtledove; **být jako dvě ~y** be as friendly as puppies
hrdlo throat; (*láhve*) neck
hrdý proud (**na** of); **být ~ na be** proud of, take pride in
hrnec pot
hrnek 1 little pot **2** (*šálek*) cup
hrnout se rush
hrob grave
hrobka tomb [tu:m], vault [vo:lt]
hrobník gravedigger
hroch hippo(potamus)
hrom thunder; **úder ~u** thunderclap; **~ udeřil** there was a streak of lightning
hromada heap (**písku** of sand); pile (**knih** of books)
hromadit (ac)cumulate; (*vršit*) heap; (*křečkovat*) hoard; **~ se** accumulate
hromadn|ý: -á účast mass attendance; **-á výroba** mass production; **-é sdělovací prostředky** mass media
hromosvod lightning conductor
hrot point
hrouda clod, lump
hrozba threat, menace

hroznový grape
hrozen bunch (**vína** of grapes)
hrozinka raisin
hrozit threaten (**komu čím** sb. with sth.); (*ohrožovat*) menace
hroznový grape
hrozný awful, terrible, grisly
hrst handful; **mít koho v ~i** have sb. well in hand
hrtan throat; (*odb.*) larynx
hrubost rudeness
hrub|ý 1 (*drsný*) coarse **2** (*nevychovaný*) rude **3** (*přibližný*) rough **4** (*brutto*) gross; **-á hodinová mzda** gross hourly wages *pl*
hruď chest; breast
hrudí: telecí ~ breast of veal
hrudník chest
hrušeň pear (tree)
hruška pear
hrůz|a horror, terror; **nahánět komu -u** horrify sb., give sb. the creeps
hřát warm, warm up (**mléko** milk); (*dávat teplo*) give* warmth; **~ u ohně** warm oneself by the fire; **~ se na slunci** bask in the sun
hřbet back; **horský ~** mountain ridge; **skopový ~** saddle of mutton; **srnčí ~** (saddle of) venison
hřbitov cemetery; (*při kostele*) churchyard
hřeben 1 comb **2** (*horský hřbet*) ridge
hřebíček (*koření*) clove
hřebík nail
hřebínek 1 comb **2** (*kohoutí*) crest
hřib boletus; **~ na ponožky** darning egg
hříbě foal, colt
hřídel shaft
hřích sin
hříšný sinful

hřiště (*dětské*) playground; (*sport., např. fotbalové*) pitch, field; **tenisové ~** tennis court; **golfové ~** golf-links

hříva mane

hřmít thunder; **hřmí** it is thundering

hub|a mouth, muzzle; **držet -u** shut up, hold one's tongue

hubený lean, thin; (*vyhublý, skrovný*) meagre

hubička 1 (*polibek*) kiss **2** (*nádoby*) spout

hubit destroy; (*vymýtit*) exterminate

hubnout lose* weight

hubovat grumble (**na** at); scold (**koho proč** sb. for)

huč|et: moře -í the sea roars; **lesy -í** the woods crash; **vítr -í** the wind howls; **-í mi v uších** my ears burn

hudba music

hudební music(al); **~ sluch** musical ear

hudebník musician

hukot roar, howl(ing)

hůl stick; **golfová ~** golf club; **chodit o holi** walk with a stick

humanismus humanism

humanita humanity

humor humour; **smysl pro ~** sense of humour

humoristický humorous; **~ časopis** comic (paper)

humorný funny; humorous

humr lobster

husa goose

husita Hussite [hasait]

hustilka inflator [in'fleitə], bicycle pump

hustit inflate

hustota density (**mlhy** of the fog, **obyvatelstva** of the population)

hust|ý 1 thick (**-á polévka** soup, **-é vlasy** hair); dense (**zástup** crowd) **2** heavy (**déšť** rain, **provoz** traffic)

hutě foundry, metallurgical works *pl*

hutnictví metallurgy

hutník founder

hvězda star

hvězdárna observatory

hvězdář astronomer

hvízdat whistle

hyacint hyacinth [haiəsinθ]

hýčkat spoil, pamper

hýbat (se) stir, move

hydraulický hydraulic

hydrocentrála hydroelectric power station

hydroplán seaplane, hydroplane

hyena hyena

hygiena hygiene

hygienický hygienic, sanitary

hymna anthem; **národní ~** national anthem

hynout perish

hypnotizovat hypnotize [hipnətaiz]; (*okouzlit*) fascinate

hypnóza hypnotism

hypochondr hypochondriac [haipə'kondriæk]

hypotéka mortgage

hýřit revel

hysterický hysterical

hýždě buttocks

CH

chalupa cottage

chaos chaos

chápat 1 understand* **2** (*nahlížet*) see*: **nechápu, co chcete říct** I don't see your point; **chápu** (*rozumím*) I see ♦ **rychle chápe** he is quick on the uptake

charakter character

charakteristický characteristic

charakterní with a sense of honour

charta charter

chata cabin; weekend house, cottage; (*přízemní*) bungalow; (*horská*) mountain hut, chalet

chebdí dame violet, dame's rocket, damewort [deimwə:t]

chemický chemical

chemie chemistry

chemik chemist

Chile Chile

chilský Chilean [čiliən]

chirurg surgeon

chirurgický surgical

chirurgie surgery

chládek: zde je ~ it's fairly cold here; **sednout si do chládku** sit down in the shade

chladicí zařízení cooling plant

chladič (*motor.*) radiator

chladírna cold-storage room

chladit cool (off)

chladnička refrigerator, (*hovor.*) fridge

chladno cold; **je ~** it is cold; **je mi ~** I am cold

chladnokrevně in cold blood

chladnout cool (down), get* cold

chladný cool, (*i přen.*); (*studený*) cold

chlap fellow, chap

chlapec boy; (*milý*) ~ boyfriend

chlazený cool(ed), chilled

chléb bread; **černý / bílý ~** brown / white bread; **opékaný ~** toast; **bochník chleba** a loaf of bread; **~ s máslem** bread and butter

chlebíček (*anglický, obložený*) sandwich

chlebník lunchbox; (*voj.*) satchel, haversack [hævəsæk]

chlév cowshed

chlopeň valve

chlór chlorine

chlubit se pride oneself (**čím** on sth.), take* pride (**čím** in sth.), boast (**čím** of sth.)

chlup hair

chlupatý hairy

chmel (*rostlina*) hop; (*plodina*) hops *pl*; **trhat ~** pick hops; **jít na ~** go hop-picking

chmýří fuzz, down

chobot 1 (*sloní*) trunk **2** (*mořský*) bay **3** (*výrůstek*) process

chod 1 course; **oběd o třech ~ech** a three-course lunch **2** (*stroje*) gear; **uvést do ~u** put / bring* into action / operation

chodba corridor; (*spojovací*) passage

chodec walker; (*v městské dopravě*) pedestrian; **neukázněný ~** jaywalker

chodidlo sole; (*punčochy*) foot

chodit 1 go*; walk; **~ po městě** go about the town; **~ bos** walk barefoot; **~ pěšky** go on foot, walk; **~ s dívkou** go out with a girl, court a girl; **hodně ~ be** on the go

a lot; **tak to na světě chodí** that's the way it goes 2 (*kam*) – **do školy** go to school, attend school; ~ **do divadla** go to the theatre; ~ **na hodiny klavíru** take* piano lessons; ~ **nakupovat** go shopping; ~ **za školu** cut lessons ♦ **umět v tom** ~ know the ropes
chodník pavement; sidewalk
chocholouš crested lark
choreografie choreography [kori'ografi]
choroba disease
chorobopis case history
choromysln|ý insane; **ústav pro -é** insane asylum, mental home / hospital
choť (*muž*) husband, (*žena*) wife
choulostivý 1 (*citlivý*) delicate, sensitive 2 (*problém*) ticklish
chov breeding (*dobytka* of cattle, **kaprů** of carp); (*drůbeže*) poultry raising
chování behaviour, conduct
chovat 1 rear, breed* (**dobytek** cattle) 2 nurse (**dítě** a child) 3 cherish (**naději** hope); harbour (**myšlenky na pomstu** thoughts of revenge)
chovat se behave (**dobře** well, **špatně** badly, **hanebně** disgracefully); ~ **dobře** behave oneself
chovatel breeder
chrám temple; (*křesťanský*) church
chránič protector
chránit protect (**před nebezpečím** from danger, **před útokem** against attack)
chrápat snore
chraptět speak* in a husky voice
chraptivý husky, hoarse
chrastí brushwood
chrlit spout

chrochtat grunt
chróm chromium
chromovaný chromium-plated
chromý lame (**na jednu nohu** in one leg)
chronický chronic
chronologický chronological
chrpa cornflower
chrt greyhound
chrup teeth; (*umělý*) denture
chrupavka gristle [grisl]
chryzantéma chrysanthemum [kri'sænθəməm]
chřástal rail, crake
chřest asparagus
chřestýš rattlesnake
chřipk|a influenza; (*hovor.*) flu; **dostat -u** get / catch the flu
chtít 1 want; **chci jít s tebou** I want to go with you 2 (*zvl. o věcech v záporu*) will; **dveře se nechtějí zavřít** the door won't shut; **nechtěl se hnout** he wouldn't budge ♦ **chce se ti jít do kina?** do you feel like going to the flicks today?; **ať je to jak chce** anyhow; **ať chce nebo nechce** in spite of himself; **chceš říci, že** do you mean to say (that); **jak chcete** have it your own way; **sám jsi to chtěl** you have asked for it; **on to dovede, když chce** he can manage when he chooses
chudák poor fellow
chudinské čtvrti slums
chudnout get* poor
chudoba poverty
chudokrevnost anaemia
chudokrevný anaemic
chudý poor; ~ **na nerosty** poor in minerals
chuchvalec clot
chuligán (*výtržník*) hooligan, lout

chumelit snow

chundelatý shaggy

chuť 1 taste; **bez chuti** tasteless **2** (*příchuť*) flavour **3** (*k jídlu*) appetite ♦ **jíst s chutí** eat heartily; **mám ~ jít** I am / feel inclined to go; **mám tisíc chutí jít** I have a good mind to go; **nemám dnes na nic ~** I don't feel like eating anything today

chutnat taste (**dobře** good, **špatně** bad, **kysele** sour, **česnekem** of garlic); **jak vám to chutná?** how do you like it?

chutný nice, palatable; (*lahodný*) delicate, delicious

chůze walk; **tři minuty ~** three minutes' walk

chvála praise; **~ Bohu** thank God, thank Heaven(s)

chválit praise; speak* highly (**koho** of sb.)

chvályhodný commendable, praiseworthy

chvět se vibrate; (*strachem*) tremble; (*zimou*) shiver

chvíle while; **každou -i** every so often; **na -i** for a while; **na poslední -i** at the last moment; **před -í** a short while ago, just now; **na ukrácení dlouhé ~** to while away the time

chvilka short while

chvilkový passing

chvojí green brushwood

chvost tail

chyb|a 1 mistake; **udělat -u** make a mistake **2** (*z hlouposti nebo nedbalosti*) blunder **3** (*omyl*) error; **tisková ~** printer's error, misprint **4** fault; **má ji rád přes všechny její -y** he loves her in spite of all her faults; **čí je to ~?** whose fault is it?

chyb|ět 1 be* missing, be* wanting; **v knize -ějí dva listy** two leaves are missing from the book **2** be* absent (**ve škole** from school) ♦ **co vám -í?** what is the matter with you?, what's your trouble?; **-í mu vytrvalost** he fails in perseverance

chybný incorrect, mistaken; (*závadný*) defective

chystat prepare, make* ready, plan; **~ se** get* ready (**na cestu** for a journey); be* about to + *inf* (**něco říci** say something)

chyt|at, -it 1 catch*, take*; **~ za ruku koho** take sb. by the hand; **jít ~ ryby** go fishing **2** (*vznítit se*) catch fire

chytrý clever, bright, intelligent; (*moudrý, rozvážný*) wise, prudent

CH

I

i *conj* and, both – and, as well;
otec ~ matka father and mother,
both father and mother, father
and mother as well; **to se týká ~
tebe** that applies to you as well
• *particle* even; **to pochopí ~
dítě** even a child can understand
it; **~ když** even if
ideál ideal
idealismus idealism
idealistický idealistic [aidiə'listik]
idealizovat idealize [ai'diəlaiz]
ideální ideal
ideologie ideology
ideo|vý, -logický ideological
[aidiəu'lodʒikl]
idyla idyll
igelit plastic
igelitový plášť plastic mac
ignorant ignoramus
ignorovat ignore
ihned at once, immediately
ilegalita illegality [ili:'gæliti]
ilegální illegal
ilustrace illustration
ilustrovaný illustrated
iluze illusion; **nemít ~ o** have no
illusions about
imatrikulace matriculation
imitace imitation; **~ kůže**
imitation leather, leatherette
imperialismus imperialism
imperialist|a, *též adj* **-ický**
imperialist
import import
impozantní imposing
impregnovat (water)proof
impresionismus impressionism
[im'preʃənizm]

impresionistický impressionistic
[im,preʃə'nistik]
improvizace improvisation
[imprəvai'zeiʃn]
improvizovat improvise
[imprəvaiz]
imunní immune (**proti** from /
against)
incident incident; **došlo k ~u**
there was an incident, an
incident occurred
Ind Indian
index index
Indián (American) Indian, redskin
indiánek (*zákusek*) Moor's head
indi|ánský, -cký Indian
Indie India; **Západní ~** the West
Indies *pl*
indiskrétní indiscreet
individualistický individualistic
[individjuə'listik]
individuální individual
Indonésie Indonesia
indonéský Indonesian
[indəu'ni:zjən]
indukce induction [in'dakʃn]
indukční inductive
industrializace industrialization
industrializovat industrialize
infarkt coronary thrombosis,
heart attack
infekce infection
infekční infectious
infinitiv infinitive
inflace inflation
inflační spirála inflationary spiral
[in,fleiʃənri 'spaiərəl]
informace information;
(*jednotlivá*) a piece of

information; **podat** ~ give
information (**o** on / about)
informační: ~ **kancelář** inquiry
office; ~ **středisko** information
centre
informovat inform (**koho o** sb.
of); ~ **se** inquire (**na vlak** about
a train); consult (**na poště** the
post office)
inhalace inhalation [inhə'leišn]
iniciativ|a initiative; **z vlastní -y**
on one's own initiative
iniciativní enterprising
injekce injection
injekční stříkačka hypodermic
syringe
inkasovat collect; cash (**směnku**
a draft)
inkoust ink; **psát ~em** write in ink
inscenace staging; production
inspektor inspector
inspirace inspiration
inspirovat inspire; ~ **se** draw
inspiration (**čím** from sth.), get
inspired (**čím** by sth.)
instalace fitting, plumbing
instalatér plumber
instalovat install (**topení** a heating
system, **děkana** a dean)
instantní instant
instinkt instinct
instinktivní instinctive
instituce institution
institut institute
instrukce instruction, direction
instruktáž briefing; **~ní film**
educational film
instruktor instructor; (*sport.*)
coach
intelektuál, *též adj* **~ní** intellectual
inteligence **1** intelligence, brains
pl, abilities *pl* **2** (*vrstva*)
intelligentsia

inteligent intellectual
inteligentní intelligent, bright
intenzita intensity
intenzívní intensive (**studium**
study); intense (**vedro** heat)
internacionální international
internát boarding house; **škola**
s ~em boarding school
interní internal
interpunkce punctuation
interval interval
intervence intervention
interview interview
intimní intimate
intrika intrigue
intuice intuition
invalida invalid; disabled worker;
crippled soldier
invalidní důchod invalid pension
invaze invasion
inventář inventory
inventur|a stocktaking; **dělat -u**
take stock, make an inventory
investice investment
investiční investment (**banka**
bank)
investovat invest
inzerát advertisement; **dát si** ~ **do**
novin put an advertisement in
the newspaper
inzerovat advertise (**na** for, **své**
zboží one's goods)
inzitní self-taught, naive
inženýr engineer; **důlní /**
stavební / strojní / zemědělský
~ mining / civil / mechanical /
agricultural engineer
ion ion [aiən]
Ir Irishman; **~ové** Irishmen, the
Irish
Irák Iraq
Írán Iran
ironický ironic(al)

ironie irony
Irsko Ireland
irský Irish
ischias sciatica
Island Iceland
islandský Icelandic
Ital Italian
Itálie Italy

ital|ský, *též n* **-ština** Italian
izolace 1 isolation **2** *(fyz.)* insulation
izolační insulation
izolovat 1 isolate **2** *(fyz.)* insulate
izotop isotope [aisətəup]
Izrael Israel
izraelský Israeli

J

já I; **tvoje lepší ~** your better self; **~ sám** myself; **to jsem ~** it is I, *(hovor.)* it's me
jablečník horehound, hoarhound [ho:haund]
jablko apple
jabloň apple tree
jaderný nuclear **(pokus** test)
jádro kernel; *(podstata)* substance; *(výroku)* gist; *(fyz.)* nucleus; *(přen.)* core; **historické ~ města** the historical core of the city
jáhly millet
jahoda strawberry
jahodník wild strawberry
jachta yacht [jot]
jak 1 how; **~ se máte?** how are you?; **~ jinak** how else **~ – like; ~ to vypadá?** what does it look like? **3** the way; **nechutná mu, ~ ona vaří** he doesn't like the way she cooks **4** as; **~ následuje** as follows **5 ~ – tak** both – and; **pozoruhodný ~ pro svou inteligenci, tak pro svou obratnost** remarkable both for his intelligence and his skill
jakmile as soon as; the moment (that)
jako 1 as; **oblečený ~ žena** *(za že-*

nu) dressed as a woman; **vážíme si ho ~ státníka** we respect him as a statesman; **jedná se mnou ~ se sobě rovným** he treats me as his equal; **(tak) velký ~ ty** as tall as you; **silný ~ kůň** strong as a horse **2** like; **musím to udělat ~ ty** I must do it like you; **sněží ~ v lednu** snow is falling like in January; **pít ~ duha** drink like a fish; **padnout ~ ulitý** fit like a glove; **nestůj ~ socha** don't stand like a statue **3** in the way / nature of; **něco ~ přátelství** sth. in the nature of friendship
jakoby as if, as though; **~ nic** *(mimochodem)* in a casual way
jakost quality
jakostní first-quality, first-class
jaksi rather, in a way; as it were; **udělat to ~ proti své vůli** do it, as it were, against one's will
Jakub *(novozákonní)* James, *(starozákonní)* Jacob
jak|ý 1 what, what sort / kind of; **-ou velikost si přejete?** what size do you want?; **~ je tohle strom?** what sort of tree is this?; **v ~é záležitosti přicházíte?** what is the nature of your business? **2** what

– like; **-é je to?** what is it like?
♦ **~ otec, takový syn** like father,
like son

jakýkoli any

jakýsi: ~ pan Miller a (certain)
Mr. Miller

jakžtakž: umí ~ anglicky he can
speak English after a fashion

jalovec juniper [džu:nipə]

jáma pit

Jan John

Jana Jean, Jane, Joan [džəun]

janovec broom

jantar amber

Japonec Japanese

Japonsko Japan

japon|ský, *též n* **-ština** Japanese

jarmulka skullcap

jarní spring

ja|ro spring; **na -ře** in spring(time)

jasan ash

jásat cheer; rejoice (**nad
vítězstvím** over a victory, **nad
úspěchem** at one's success)

jasmín jasmin(e) [džæsmin]

jasnit se clear up

jasn|o: 1 je ~ *(je den)* it's broad
daylight; *(jasné počasí)* the
weather is bright, the sky is clear
2 mít ~ v čem be quite clear on
sth. ♦ **zčista -a** out of the blue

jasn|ý 1 *(též přen.)* clear; **-é ne-
be** clear sky, **~ hlas** clear voice,
-é vysvětlení clear explanation;
je -é, že it is clear that **2** *(zářivý)*
bright **3** *(srozumitelný)* lucid
4 *(samozřejmý)* evident, obvious

jasnovidec clairvoiant
[kleə'voiənt]

jásot cheers *pl*

jaspis jasper

jatky slaughterhouse, abattoir

játra liver

javor maple

jazyk 1 tongue; **mateřský ~**
mother tongue; **uzený ~** smoked
tongue; **vypláznout ~** put out
one's tongue; **držet ~ za zuby**
hold one's tongue; **mít co na ~u**
have sth. on the tip of one's
tongue **2** *(řeč)* language; **mluvit
dvěma ~y** speak two languages;
znát cizí ~y be a good linguist

jazykověda linguistics

jazykový language, of language(s)

ječet yell, scream (**strachem** with
fright, **smíchem** with laughter)

ječmen barley

jed poison; **můžeš vzít ~ na to,
že** you can bet your life that

jed|en 1 one; **~ druhého** one an-
other, each other; **~ nebo druhý**
(ze dvou) either; **~ po druhém**
one after the other, singly; **je -na
hodina** it is one o'clock **2 -ny**
one / a pair of (**boty** shoes); **-ny
šaty** one suit of clothes ♦ **ještě
~ another** (**šálek čaje** cup of tea)

jedenáct eleven

jedině only, alone; **~ odborník**
only an expert, an expert alone

jedinec individual

jedinečný unique

jediný only, sole; **ani ~** not a single

jedle fir

jedlý edible

jednací: ~ číslo exhibit number;
~ pořádek agenda; **~ řád**
standing orders *pl*

jednak on the one hand – on the
other (hand); both – and; partly
– partly

jednání 1 *(chování)* behaviour
2 *(vyjednávání)* negotiation
3 *(postup)* proceeding; *(sjezdové)*
proceedings *pl* **4** *(div.)* act

J

jednat 1 act **2** (*vyjednávat*) negotiate; (*též počínat si*) deal* (**s** with) ♦ ~ **povýšeně** patronize (**s kým** sb.), condescend to sb.

jednatel 1 (*organizace*) secretary **2** (*obch.*) agent; (*burzovní*) broker

jednička (number) one; **jet -ou** take No. 1 line

jedno 1 *viz* **jeden 2 je to** ~ it doesn't make any difference; **je mi to** ~ it's all the same to me, I don't care

jednobarevný plain-colour(ed)

jednoduchý simple

jednohlasný unanimous

jednolitý compact

jednolůžkový pokoj single room

jednopatrový two-storey

jednoroční one-year, annual

jednořadový oblek single-breasted suit

jednosměrný provoz one-way traffic

jednostranný one-sided

jednota unity

jednotit 1 unite, unify **2** (*řepu*) thin out

jednotka 1 unit **2** (number) one

jednotlivec individual

jednotlivý single, individual

jednotný uniform; **-á sazba** flat / uniform rate

jednotvárný monotonous, dull; (*bez události*) uneventful

jednou 1 once; ~ **provždy** once for all; ~ **za čas** once in a while; **byl** ~ **jeden ...** once upon a time there was ... **2** (*jednoho dne*) one day, one of these days, some day

jednoznačný unambiguous

jedovatý poisonous

jehla needle; (*řeznická*) skewer

jehlan pyramid

jehlice (*ozdobná*) pin; (*pletací*) knitting needle

jehličí pine needles *pl*

jehličnatý coniferous [koˈnifərəs]

jehlový podpatek stiletto heel

jehně, *též adj* **-čí** lamb

jeho his

jelen stag; (*též laň*) deer

jelenice deerskin

jelito (blood) sausage

jemný fine; (*křehký*) delicate, tender; (*ušlechtilý*) gentle, refined

jen, jenom only, just; ~ **počkej a uvidíš** you just wait and see; ~ **tak** at random

jenomže only

jenž who, which, that

jeptiška nun

jeřáb 1 (*pták i stroj*) crane **2** (*strom*) mountain ash, rowan (tree)

jeřabina rowan(berry)

jeřábník crane driver / operator

jeseter sturgeon [stəːdʒn]

jeskyně cave

jesle crib, manger; **dětské** ~ crèche, nursery; **denní** ~ day nursery; **celotýdenní** ~ residential nursery

jesličky crib, crèche; (*betlém*) Nativity scene

jestli, ~že if

jestřáb hawk

jestřabina goat's rue, French lilac

ješitný conceited, vain

ještě 1 still, even; ~ **lepší** still better, (*dokonce* ~) even better **2** another; one / some more; ~ **jeden šálek čaje** another cup of tea; ~ **jeden den** one more day; ~ **trochu kávy** some more coffee **3** ~ **ne** not (just) yet ♦ **a k tomu**

~ *(navíc)* at that; into the bargain; **a to ~ jsem se nezmínil o** even now I haven't touched on
ještěr saurian
ještěrka lizard
jet 1 go*, travel **(vlakem** by train, **autem** by car, **tramvají** by tram; **na hory** to the mountains, **na dovolenou** on holiday, **do ciziny** abroad; **druhou třídou** second class) **2** ride* **(na koni** a horse, **na kole** a bicycle, **na motocyklu** a motorcycle, **v autobusu** in a bus) **3** *(vozem, který je nám k dispozici)* drive*; **pojedeme domů nebo půjdeme pěšky?** shall we drive home or walk? **4** *(být v provozu)* operate ◆ **jede tenhle autobus do ...?** is this the right bus for ...?
jetel clover
jev phenomenon
jeviště stage
jez weir
jezdec rider, horseman; *(v šachu)* knight
jezdeck|ý: -é boty riding boots *pl*; **-é kalhoty** riding breeches *pl*
jezdit *viz* **jet**
jezero lake
jezevec badger
jezevčík dachshund [dǽkshund]
ježek hedgehog
jícen gullet
jídelna 1 dining room **2** *(levná restaurace)* eating house, tearoom
jídelní: ~ kout recess; **~ lístek** menu; **~ příbor** (dinner) service; **~ vůz** dining / restaurant car
jídlo 1 *(potrava)* food **2** *(chod)* dish **3** *(denní pravidelné)* meal
jih south; **na ~u** in the south; **jet / jít k ~u** go south

jihoamerický South American
jihovýchod, *též adj* **~ní** southeast
jihozápad, *též adj* **~ní** southwest
jikrnáč spawner
jikry hard roe
jíl clay
jilm elm
jinak 1 otherwise, differently **2** *(sice)* otherwise, or else
jin|am, -de somewhere else, some other place
jindy some other time; *(po druhé)* another time, at other times
jinotaj allegory
jinovatka hoarfrost
jinudy (by) a different way
jin|ý 1 other, another; **několik -ých příkladů** a few other examples; **přines mi ~ ručník** bring me another towel **2** different (než from); **vaše metoda je -á než naše** your method is different from ours ◆ **kdo ~?** who else?; **mezi -ým** among other things
Jiří George
jiřina dahlia
jiskra spark
jíst eat*; *(stravovat se)* have* one's meals
jistě certainly, surely; **nevím to ~** I don't know for certain / for sure; **on ~ přijde** he is sure / certain to come; **~ to víte** I expect you know it
jistina principal
jistot|a certainty; *(bezpečnost)* security, safety; **pro -u (nosit)** take the precaution (of carrying)
jist|ý 1 sure **(důkaz** proof); **být si jist** be sure **(čím** of sth.) **2** certain **(úspěchem** of success); **-á osoba** a certain person;

za -ých podmínek on certain conditions; **-á smrt** certain death
jíška roux [ru:]
jít 1 go* (**do školy** to school, **do práce** to work, **do divadla** to the theatre, **do kina** to the cinema, **na koncert** to a concert, **spát** to bed, **si pro klobouk** go and get / fetch one's hat; **pěšky** on foot) **2** come*; **šel byste se mnou?** would you like to come with me? **3** walk; **pojedeme nebo půjdeme?** shall we ride or walk? **4** run* (**do tisíců** into thousands; **jako hodinky** like clockwork) **5** get* on; **jde na dvanáctou** it is getting on for twelve **6** work; **to nepůjde** it won't work ♦ **dobře / špatně nač** go the right / wrong way about sth.; **jazyky mi nejdou** I am not good at languages; **napřed** lead the way; **o to právě jde** that's the point; **jde mi o** I am concerned with; **oč jde?** what is it all about?; ~ **otevřít** answer the door; **jde o velké peníze** there's a large sum of money involved; **pokud jde o** as to, as for, in the way of; ~ **do společnosti** go out; **jděte po svých** go your way; ~ **za čím** follow up sth.; ~ **na dračku** sell like hot dogs
jitrnice sausage
jitro morning
jitrocel ribwort [ribwɔ:t]
jízd|a 1 ride, journey; **přerušit -u** break one's journey **2** (*jezdectvo*) cavalry
jízdenka ticket
jízdné fare
jízdní: ~ **dráha** roadway; ~ **policie**

mounted police; ~ **řád** timetable, schedule; (*kniha*) railway guide
jízlivý malicious
jizva scar
již 1 already; **listonoš** ~ **tady byl** the postman has already been; **obchody** ~ **mají zavřeno** the shops have already closed / have closed by now; (*překvapeně*) **tak vy jste** ~ **snídal?** you have had your breakfast already? **2** yet; ~ **jste snídal?** have you had your breakfast yet? **3** as – as; ~ **v květnu** as early as May; **dostanete to** ~ **za deset pencí** you can get it for as little as tenpence
jižní south, southern; **J- Amerika** South America; ~ **Evropa** Southern Europe
jmelí mistletoe
jmění fortune, wealth; **stálo to malé** ~ it cost a small fortune; **získat velké** ~ acquire great wealth; **movité** ~ personal estate; **nemovité** ~ real estate
jmeniny name day
jmén|o name; **rodné** ~ first name, (*ženy*) maiden name; **křestní** ~ Christian name; **rodinné** ~ surname, family name ♦ **-em koho** (*v zastoupení*) on behalf of sb.; **nazývat věci pravým -em** call a spade a spade
jmenovaný above-mentioned, aforesaid [ə'fo:sed]
jmenovat 1 name, call **2** (*ustanovit*) appoint, nominate (**koho ředitelem** sb. manager); (*ve volbách*) put* up (**kandidáta** a candidate) **3** ~ **se** be called
jmenovatel denominator
jmenovitý specified
jód iodine

jogurt yoghurt
Josef Joseph
jubile|jní, *též n* **-um** anniversary,
jubilee

JUDr. LL.D. (Doctor of Laws)

K

k (*fyz. kůň*) h. p. (horsepower)
k, ke, ku 1 (*směrem k*) to, towards;
~ **holiči** to the barber's; **cesta ~
nádraží** the way to the station;
od města ~ městu from town to
town; **sklon ~ lenosti** tendency
to laziness; **od začátku ~ konci**
from beginning to end; **jít ~ moři**
walk towards the sea; **směřovat
~ válce** drift towards war; **city ~
nám** feelings towards us; ~ **večeru**
towards evening; ~ **konci století**
towards the end of the century; ~ **páté ho-
dině** about five o'clock **3** (*účel*)
for; ~ **čemu je to?** what is it for?;
mít ~ obědu have for dinner
♦ **hodnota ~ 5. prosinci** value as
at 5th December; **vázanka ~ ob-
leku** tie to match the suit; ~ **tomu**
(*nadto*) in addition, furthermore
kabaret music hall, variety show,
vaudeville
kabát coat; (*sako*) jacket; **bez ~u**
in one's shirtsleeves
kabel cable
kabela bag
kabelka (hand)bag, purse
kabina cabin; (*výtahu*) cage; (*na
plovárně*) cubicle; (*kosmonauta*)
capsule
kabinet cabinet
kácet fell, cut* down
kacíř heretic

kačer drake
káď tub
kadeřnice hairdresser
kadeřnictví hairdresser's
kadeřník hairdresser, coiffeur
[kwo'fə:]
kádr cadre
kádrovat screen
kádrový materiál dossier
kahan davy [deivi]
kachlík tile
kachna duck; ~ **divoká** mallard
[mæla:d]
kajak kayak
kajícník penitent
kajuta cabin
kakao cocoa
kakost herb Robert
kaktus cactus
kal mud, slush
kalamář inkstand
kalamita calamity
kalendář calendar; (*kapesní*) diary
kalhotky pants *pl*, knickers *pl*,
(*hovor.*) panties *pl*
kalhoty trousers, slacks *pl*;
(*flanelové*) flannels *pl*;
(*šponovky*) stretch slacks *pl*
kalich chalice [čælis]; (*přen.*) cup
kalina guelder-rose
kalit 1 trouble **2** temper (**ocel**
steel)
kalkulace calculation
kalkulačka pocket calculator

K

kalkulovat calculate
kalný 1 muddy, (*též přen.*)
  2 troubled
kalorický caloric
kalorie calorie
kaluž pool, puddle
kam where (to); **~ jinam** where
  else; **všude ~** wherever; **nevědět**
  kudy ~ be in a tight corner, not
  know where to turn
kamarád, ~ka friend, chum;
  (*hovor.*) pal
kamaše (*vysoké*) leggins;
  (*kotníkové*) gaiters
Kambodža Cambodia
  [kæm'bɔudʒə]
kamélie camellia [kə'miːljə]
kamelot newsvendor, newsboy
kámen stone, rock; **stavební ~**
  building stone; **zubní ~** tartar;
  ~ úrazu stumbling block; **dla-**
  žební ~ paving stone; **obrubní ~**
  kerbstone; **co by kamenem**
  dohodil (within) stone's throw;
  spadl mi ~ ze srdce I had
  a weight taken off my mind
kamení stones *pl*
kamenitý stony
kamenn|ý stone, stony;
  -á budova stone building;
  -é srdce stony heart
kamenouhelný: ~ dehet coal tar;
  ~ revír coal field
kamera camera
kameraman cameraman
kamkoli anywhere; wherever
kamna stove; (*zvl. na vaření*)
  cooker
kamnář stovefitter
kampaň campaign, drive
kamzík chamois, mountain goat
Kanada Canada
Kanaďan Canadian

kanadský Canadian
kanál 1 (*stoka*) sewer; (*odtok*)
  drain; (*též přen.*) gutter
  2 (*dopravní, zavodňovací*) canal
  3 (*průliv*) channel; **K~ La**
  Manche English Channel
kanalizace sewerage; (*veřejné*
  opatření) sanitation
kanár, ~ek canary
kancelář office; **tisková ~** press
  agency
kancelářský office
kancléř chancellor
kandidát, ~ka candidate
kandidátní listina list of
  candidates
kandidovat (be*) put* up as
  a candidate (**do parlamentu** for
  Parliamentary elections)
kanec boar
káně buzzard
kaňka blot
kánoe canoe
kanystr can
kaolín kaolin
kapacita capacity
kapalina liquid, fluid
kapalný liquid
kapat drip
kapela band
kapesné pocket money
kapesní ~ nůž penknife;
  ~ zloděj pickpocket
kapesník handkerchief
kapitál capital, funds *pl*
kapitalismus capitalism
kapitalist|a, *též adj* **-ický** capitalist
kapitán captain; (*lodi také*) master
kapitola chapter
kapitula chapter
kapitulace capitulation, surrender
kapitulovat capitulate, surrender
kapka drop

kaple chapel
kápnout drop, drip
kapota bonnet, hood
kapr carp
kapradí fern
kaps|a pocket; **náprsní ~** breast pocket; **dát do -y** (put in one's) pocket
kapuce hood
kapusta cabbage; **růžičková ~** Brussels sprouts *pl*
kára (push)cart
karafiát carnation
karanténa quarantine
karas crucian (kru:šən) (carp)
kárat rebuke, reprimand (**koho za** sb. for); (*vinit*) blame (**koho z** sb. for)
karavana caravan
karbanátek hamburger; **rybí ~** fishcake; **sýrový ~** cheeseburger
kardinál cardinal
kardiostimulátor pacemaker
Karel Charles
kariéra career
kariérista careerist
karikatura caricature
karikaturista cartoonist
karma geyser
karmín, *též adj* **~ový** crimson
karneval carnival, Mardi Gras
karosérie (carriage) body
karotka carrot
Karpaty Carpathian (ka:'peiθjən) Mountains
kart|a card; **hrát -y** play cards; **míchat -y** shuffle the cards; **ukázat -y** show one's cards, put one's cards on the table
kartáč brush
kartáček brush; **~ na zuby** toothbrush
kartáčovat brush (up)

kartotéka card index, file
kasárny barracks *pl*
kastrol saucepan
kaše 1 pulp; **bramborová ~** mashed potatoes *pl* 2 (*nesnáz*) mess
  ♦ **chodit kolem horké ~** mince matters, beat about the bush
kašel cough; **dostat ~** get* a cough
kašlat cough; **~ na** not care a hang for
kašna fountain
kaštan chestnut
kat hangman
kát se repent, be penitent
katalog catalogue
katar catarrh
katastrofa catastrophe, disaster
katastrofální disastrous
katastrofický catastrophic
katedra chair
katedrála cathedral
kategorie category
katol|ický, *též n* **-ík** Catholic
kaučuk india rubber, latex [leiteks]
káv|a coffee; **bílá / černá ~** white / black coffee, **turecká ~** Turkish coffee; **vařit -u** make coffee
kavárna café, coffee house
kaviár caviar(e) [kæviə:]
kávomlýnek coffee-mill
kávov|ý coffee; **-á lžička** teaspoon; **-é zrno** coffee bean
kaz flaw; **zubní ~** dental decay; **zboží s ~em** imperfect goods
kázat preach
kazatel preacher
kazatelna pulpit
kázeň discipline
kazeta 1 cassette 2 (*s mýdlem atd.*) collection
kazit spoil*; **~ se** decay, go* bad

kazov|ý imperfect; **-é zboží** imperfect goods

každ|ý *adj* **1** every, each; **~ chlapec ve třídě** every boy in the class (*tj. všichni*); **~ chlapec se může pokusit třikrát** each boy may have three tries (*každý jednotlivě*); **to se nestává ~ den** such things don't happen every day **2** (*ze dvou*) either; **na -é straně stolu** at either / each end of the table
♦ *pron* each; **~ z nás** each of us
♦ *n* everybody, everyone, anyone; **~ mě tu zná** everyone knows me here
♦ **jako ~ druhý** as the next man

kbelík pail, bucket

Kč Czech crown('s)

kde where; **~ jinde** where else; **všude ~** wherever

kdekdo young and old, all and sundry

kdekoli anywhere, wherever

kdepak 1 (*kde?*) where **2** (*nikoli*) not at all, by no means

kdesi somewhere

kdežto while, whereas

kdo who, which; **~ z vás** which of you; **~ ještě** who else

kdokoli anyone, anybody

kdopak who

kdosi someone, somebody

kdy 1 when; **~ se vrátíš?** when will you be back? **2** ever; **nejlepší obrázek, jaký jsem ~ viděl** the best picture I have ever seen

kdyby if; **~ tak měl** if only he had, I wish he had; **co ~ měl** what if he had, suppose he had

kdykoli (at) any time, (at) any moment; (*vždycky když*) whenever, as often as

kdysi once

když 1 when; **smekl, ~ ji viděl** he raised his hat when he saw her **2** as; **viděl jsem ho, ~ vystupoval z autobusu** I saw him as he was getting off the bus **3** (*potom ~*) after; **přijel jsem, ~ už byl pryč** I arrived after he had left **4** (*jestliže*) if ♦ **vždycky ~** whenever; **teď ~** now (that)

kedluben kohlrabi [kəul'ra:bi]

kel tusk

kelímek pot

Kelt Celt

keltský Celtic

kemp campsite

keramický ceramic

keramika ceramics *pl*

keř shrub, bush

kéž: ~ bych měl I wish I had

kilo, ~gram kilogram(me)

kilometr kilometre

kilowatt kilowatt [kiləwot]; **~hodina** kilowatt hour

kin|o cinema, (*hovor.*) flicks *pl*; **jít do -a** go to the cinema / a film / the pictures

kinofilm cinefilm

kiosk stall, booth

klacek 1 stick, club **2** (*nevychovanec*) lout

klad merit

kláda log, beam

kladiv|o hammer; **hod -em** throwing the hammer

kladka pulley

kladně: odpovědět ~ answer in the affirmative

kladný positive

klakson horn

klam deception; (*podvod*) deceit

klamat deceive

klamný deceptive

klanět se bow (**před** to)
klapka 1 valve **2** (*klávesa*) key
klarinet clarinet [klærinet]
klas ear
klasický classic(al)
klasifikace classification
klasifikovat classify
klasik classic
klást lay*, put*
♦ **~ důraz** emphasize (**nač** sth.);
~ otázky ask questions
klášter (*mužský*) monastery;
(*ženský*) convent
klaun clown
klávesa key
klávesnice keyboard
klávesy (*nástroje*) keyboards pl
klaviatura keyboard
klavír piano; **hrát na ~** play the
piano
klavírist|a, -ka pianist
klavírní piano
klec cage
kleč dwarf pine
klečet kneel
klek|at si, -nout si kneel* down
klekátko prie-Dieu [pri:djə:]
klempíř tin smith
klenba vault
klenot jewel
klenotnictví jeweller's
klenotník jeweller, gemologist
klep tale, scandal; **dělat ~y** tell*
tales, talk scandal, spread gossip
klepat 1 knock (**na dveře** at the
door); tap (**nohou o podlahu**
one's foot on the floor)
2 (*pomlouvat*) tell* tales, talk
scandal
klepnout rap; **~ přes prsty koho**
give sb. a rap on the knuckles
kles|at, -nout 1 fall*, sink*, go*
down **2** (*prudce*) drop

3 (*upadat*) decline
4 (*sestupovat*) descend
kleště (*štípací*) pincers pl;
(*uchopovací*) tongs pl; (*ohýbací*)
pliers pl
kleštičky na cukr sugar tongs pl
kletba curse
klíč 1 key; **~ od domu** latchkey;
francouzský ~ wrench;
univerzální ~ passkey **2** (*hud.*)
clef [klef]; **houslový ~** treble
[trebl] clef
klíčit bud
klíční kost collarbone
klíčový key (**průmysl** industry)
klid 1 quiet; **dopřát si hodinku
~u** have an hour's quiet; **období
~u po volbách** a period of quiet
after an election **2** peace;
~ venkova the peace of the coun-
tryside; **~ duše** peace of mind
3 ease; **dopřát si ~u** take one's
ease **4** (*sebeovládání*) compos-
ure; **chovat se s velkým ~em**
behave with great composure
♦ **jen ~!** steady!, take it easy!
klidný quiet; (*ovládající se*) calm
klih glue
klik press-up, push-up
klika 1 door handle **2** (*knoflík*)
knob **3** (*stroje*) crank
4 (*politická*) faction; clique
[kli:k]
klikový hřídel crankshaft
klima climate
klimatický climatic
klimatizace air-conditioning
klín[1] (*nástroj*) wedge
klín[2] lap; **sedět komu na ~ě** sit
on sb.'s lap / on sb.'s knee
klinika clinic
klisna mare
klíště tick

klít swear*, curse (**na** at)

klíž|it glue; **oči se mi -í** I am drowsy

klobása sausage

kloboučnictví (*pánské*) hatter's; (*dámské*) milliner

klobouk hat; **smeknout ~ raise** one's hat (**před** to)

klokan kangaroo

klokta|dlo, *též v* **-t** gargle

klon|it se incline; **-ím se** **k názoru** I am inclined to think / to the opinion

klopa lapel

klopit tilt, cast* down; **~ oči** cast down one's eyes; **Ne~!** This Side Up!

klopýt|at, -nout stumble (**o** over)

kloub joint; (*prstu*) knuckle; **dostat se čemu na ~** get* to the bottom of sth.

klouzat (se) slide, glide; (*smykem*) skid

klov|at, -nout peck

klozet toilet, lavatory, WC

klub club; **~ čtenářů** book club

klubko ball (of thread)

klubovna clubroom

klusat trot

kluzák glider

kluziště skating rink

kluzký slippery

kmen 1 trunk **2** (*domorodců*) tribe

kmín caraway seeds *pl*, cumin

kmit|at (se), -nout (se) oscillate; (*světlo*) glitter

knedlíček (*do polévky*) quennel

knedlík dumpling

kněz priest

kněžna princess

kniha book; **hlavní ~** ledger; **třídní ~** class register; **školní ~** textbook

knihkupec bookseller

knihkupectví bookshop, bookseller's

knihomol bookworm

knihovna 1 library **2** (*skříň*) bookcase

knihovn|ice, -ík librarian

knír moustache

kníže prince

knižní: ~ poukázka book token; **~ výraz** literary expression

knoflík button; (*na holi, na rádiu*) knob; **manžetové ~y** cuff links *pl*

koalice coalition

koberec carpet

kobliha doughnut

kobyla mare

kocour tomcat

   ♦ **K~ v botách** Puss in Boots

kočár carriage

kočárek pram, perambulator, (baby) buggy

kočí driver

kočka cat

kód code

Kodaň Copenhagen [kəupn'heign]

kohout cock, rooster

kohoutek 1 (*pušky*) cock; (*spoušť*) trigger **2** (*potrubí*) tap, cock

kojenec suckling, baby

kojit suckle, breast-feed*

koketa coquette [ko'ket], flirt

kokos coconut

kokoška shepherd's purse

koks coke

koktajl cocktail

koktat stutter, stammer

koktavý stuttering, stammering

kolaborant collaborationist

koláč cake; (*ovocný*) tart, pie

kolébat rock, roll

kolébka cradle

kolečko 1 wheel; **ozubené** ~ cog
(wheel) 2 (*trakač*) wheelbarrow
kolečkov|ý: -á taška shopping
trolley; **-é brusle** roller skates *pl*
koleg|a, -yně colleague; (*na
americké univerzitě*) classmate
kolej 1 (*železniční*) rail, line
2 (*vyjetá*) rut 3 (*studentská*)
hostel, hall 4 (*vysoká škola*)
college
kolek stamp
kolekce collection, assortment
(**vzorků** of samples)
kolektiv group, team;
~ **odborníků** panel of experts
kolektivní collective; ~ **činnost**
group activity; ~ **práce** teamwork
kolem 1 round, around; **země
obíhá ~ slunce** the earth moves
round the sun; **postávat** ~ hang
around 2 (*čas*) about, towards;
~ **druhé hodiny** about / towards
two o'clock 3 (*mimo*) past; **spě-
chal** ~ **mne** he hurried past me
♦ **jde mi hlava** ~ my head is
going round
kolemjdoucí passerby
koleno knee; (*roury*) elbow
koliha curlew
kolik: ~ **dní** how many days;
~ **času** how much time; **v** ~
hodin at what time; ~ **je mu let**
how old is he, what is his age
kolík peg; ~ **na prádlo** clothes peg
kolikát|ý: -ého je dnes? what is
the date today?
kolikrát how many times, how
often
kolínská voda eau de cologne
[əudəkə'ləun], cologne
kolísat 1 fluctuate; vary
2 (*váhat*) waver, hesitate
kolmice perpendicular

kolmý perpendicular, vertical
kol|o 1 wheel 2 (*jízdní*) bicycle,
(*hovor.*) (push)bike; **jezdit na -e**
ride a bicycle 3 (*při závodech*)
round, lap
♦ **rádio hraje na celé** ~ the radio
is going (at) full blast; **být páté**
~ **u vozu** be the / a fifth wheel
koloběžka scooter
kolona column
kolonáda colonade
kolonialismus colonialism
koloniální colonial
kolonie colony
kolotoč merry-go-round,
roundabout
kolovat circulate
komár gnat, mosquito
kombajn combine
kombajnér combiner
kombinace combination
kombinát combine
kombiné slip
kombinéza overall; (*kalhoty
s náprsenkou*) overalls *pl*,
dungarees *pl*
kombinovat combine
komedie comedy
komentář (*poznámka*) comment
(**o** upon); (*souvislý*) commentary
komentovat comment, make*
comments (**co** upon sth.)
komerční commercial
kometa comet
komfort comfort, amenities *pl*
komfortní comfortable,
well-equipped
komický comic(al), funny
komik comedian; entertainer
komín chimney; **lodní** ~ funnel
kominík chimney-sweep
komisař commissioner

K

komise commission; (*výbor*) committee

komonice sweet clover, melilot [melilot]

komora chamber; **obchodní ~** chamber of commerce; **temná ~** darkroom

komorní hudba chamber music

kompas compass

kompenzace compensation

kompetenc|e competence; **v -i soudu** within the competence of the court

kompetentní competent; **z ~ch míst** from a reliable source

komplexní complex

komplikace complication

komplikovaný complicated

komplikovat complicate

komponovat compose

kompot compote

kompozice composition; (*školní*) test, examination paper

kompresor compressor

kompromis compromise

kompromitovat (se) compromise (oneself)

komunální municipal; **~ služby** public utilities *pl*

komunikace communication

komuniké communiqué

komunismus communism

komunist|a, -ka, *též adj* **-ický** communist

koňak brandy; (*francouzský*) cognac [kəunjæk]

kona|t do*, perform; **~ cestu** make* a journey; **~ svou povinnost** do* / discharge one's duty; **~ zkoušku** sit* for / take* an examination; **~ dobro** do* good

kona|t se take* place, be* held;

volby se **-jí každoročně** elections are held annually

koncem: **~ týdne** at the weekend; **~ roku** at the end of the year; **~ let devadesátých** in the late nineties

koncentrační tábor concentration camp

koncepce conception

koncept rough copy; **vyvést koho z ~u** put* sb. out

koncern concern

koncert **1** concert; **jít na ~** go* to a concert; **na -ě** at a concert **2** (*pro sólový nástroj*) concerto **3** (*sólisty / z děl jednoho skladatele*) recital

koncertní concert

koncil council

koncovka ending

končetina extremity, limb

končit end, close, be* over, come* to an end; (*škola*) break* up

kondenzátor condenser

kondenzovan|ý condensed; **-é mléko** condensed milk

kondicionér conditioner [kɔn'diʃənə]

kondolenc|e (letter of) condolence; **přijměte moji -i** please accept my condolences

kondom condom, sheath

kon|ec end, close; (*závěr*) conclusion; **na -ci** at the end; **od začátku do -ce** from beginning to end ♦ **~ -ců** after all, in the long run; **být (s rozumem) v -cích** be at one's wits' end; **je s ním ~** he's done for; **pro dnešek ~** let's call it a day

konečně at last; (*nakonec*) finally, eventually

konečník rectum [rektəm]

konečný final, eventual
konev jug, pitcher; (*zahradní*) watering can / pot
konfekce ready-made garments / clothes *pl*; (*obchod*) clothier's, (*pánská*) outfitter's
konfekční ready-made, ready-to-wear
konference conference
konferenciér compère, emcee; (*reprodukované hudby*) discjockey
konfiskovat confiscate, seize
konflikt conflict
konfrontace confrontation
konfrontovat confront
kongres congress
koníč|ek hobby; **věnovat se svému -ku** pursue one's hobby
konjunktura boom
konkrétní 1 concrete **2** (*určitý*) definite, particular; **mít ~ důvody** have particular reasons
konkurence competition
konkurenční competitive
konkurovat compete (**komu v** against / with sb. in)
konkurs 1 (*soutěž*) competition; **vypisuje se ~ na místo** applications are invited for the post of **2** (*úpadek*) bankruptcy
konopí hemp
konopice downy hemp nettle
konstatovat state
konsternovat stun, dismay
konstrukce construction
konstrukční construction; **~ kancelář** design(ing) department; **~ prvek** structural element
konstruktér designer
konstruktivní constructive
konstruovat construct, design
kontakt contact, touch

kontaktní čočka contact lens
kontinent continent
kontinentální continental
kontingent quota
konto account
kontrabas double bass [beis]
kontrarevoluce counter-revolution
kontrast contrast
kontrola control, check; **~ zbrojení** arms control
kontrolní control
kontrolor controller, supervisor
kontrolovat control, check; (*dohlížet*) supervise
konvalinka lily of the valley
konvence convention
konvenční conventional
konverzace conversation; **společenská ~** (*o ničem*) small talk
konverzovat converse, talk
konvice jug, pitcher; (*na vaření vody*) kettle; (*radit komu*) teapot
konvoj convoy
konzerva tin, can; (*ovocná*) preserves *pl*
konzervárenský průmysl canning / processing industries *pl*
konzervativní conservative
konzervatoř conservatoire
konzervovat conserve; (*zvl. ovoce*) preserve; (*v plechu*) tin, can
konzul consul
konzulární consular
konzulát consulate
konzultace tutorial
konzultovat (*radit se s kým*) consult (sb.); (*radit komu*) tutor (sb.)
konzumní společnost consumer society
kooperace co-operation
koordinovat co-ordinate
kop kick; **pokutový ~** penalty

kopa 1 (*šedesát*) threescore **2** (*hromada*) heap, lot

kopáč navvy

kopaná football, soccer

kopat 1 dig* **2** (*nohou*) kick

kopcovitý hilly

kopec hill

kopie copy; (*negativu*) print

kopnout kick, give* a kick

kopírovat copy; (*fot.*) print

kopr dill

kopretina ox-eye daisy

koprodukce joint production

kopřiva nettle

kopřivka nettle rash

kopule dome, cupola [kju:pələ]

kopyto 1 hoof **2** (*obuvnické*) last **3** (*napínák*) shoetree

korál coral

korejský Korean

korek cork

korektura 1 (*oprava*) correction **2** (*korigování*) proofreading **3** (*obtah*) proof

korespondence correspondence

korespondenční correspondence; ~ **lístek** postcard

korespondent, ~ka correspondent

korigovat correct, set* right; (*sazbu*) read* the proofs, proofread

kormidelník steersman, helmsman

kormidlo helm, rudder

kormidlovat steer

kornatění tepen arteriosclerosis [a:tiəriəuskli'rəusis]

koroptev partridge

korouhev banner, standard

korun|a, ~ka crown

korupce corruption, bribery

korýš crustacean [kra'steišn]

koryto trough; ~ **řeky** riverbed

korzet corset [ko:sit], roll-on

kořalka liquor

kořen; jít na ~ věci go* to the root of the matter

kořeněný spicy; (*okořeněný*) seasoned

koření spice(s) (*pl*)

kořist (*lup*) booty, loot; (*ulovená*) prey; (*lovné zvíře*) quarry

kos blackbird

kosa scythe ♦ **přišla ~ na kámen** he has met his match

kosatec iris

kosit: ~ **obilí** reap corn; ~ **trávu** mow* grass; (*přen.*) mow* down

kosmetický cosmetic

kosmetika cosmetics

kosmický cosmic, space; ~ **let** space flight; **-á loď** spaceship

kosmonaut spaceman, astronaut

kosmonautický astronautic, spaceman's

kosmopolitismus cosmopolitanism [kozmə'politənizm]

kosočtverec rhomb(us) [romb(əs)]

kosodělník rhomboid [romboid]

kost bone ♦ **promrzlý na** ~ frozen to the bone; ~ **a kůže** a bag of bones

kostel church

kostelník sexton, sacristan

kostival comfrey [kamfri]

kostka cube; **dlažební ~** paving stone; ~ **cukru** lump of sugar; **hrací ~** die

kostkovaný check(ed)

kostra skeleton; (*stavby*) frame

kostrč coccyx [koksiks]

kostým costume, suit

koš basket; ~ **na papír** wastepaper basket; **dát ~em komu** jilt sb.

košík basket

košíková basketball

košile shirt; (*dámská*) vest,

chemise; **noční ~** (*pánská*)
nightshirt, (*dámská*) nightdress,
nightgown, (*hovor.*) nightie
koště broom
kotě kitten, puss
kotel boiler, furnace
kotelna boiler room, furnace room
kotleta cutlet, chop
kotník (*na ruce*) knuckle; (*na
noze*) ankle; **po ~y v blátě**
ankle-deep in mud
kotouč disc; (*svitek*) roll; (*puk*)
puck; **~ prachu** swirl of dust
kot|oul, -rmelec somersault
kotv|a anchor; **spustit / zvednout
-u** drop / weigh anchor
kotvit lie* at anchor
koul|e ball; (*mat.*) sphere; (*fyz.*)
globe; (*sport.*) shot; **vrh -í**
putting the shot, shot put
koupací bathing; **~ oblek**
swimsuit, swimming costume
koupaliště swimming pool, baths
pl, lido
koupat 1 bath (*dítě* the baby)
2 bathe (*ránu* the wound)
koupat se 1 (*ve vaně*) (have* /
take* a) bath **2** (*v řece apod.*)
bathe
koupě purchase; **výhodná ~**
bargain
koupel bath
koupelna bathroom
koupit buy*, purchase (**komu** for
sb.)
kouř smoke
kouření smoking; **~ zakázáno** no
smoking
kouř|it smoke; **~ se: -í se z komí-
na** the chimney is smoking; **-í se
z kávy** the coffee is steaming
kousat bite*

kousek 1 piece, bit; **~ papíru**
a slip of paper **2** (*chytrý*) stroke
kousnout bite*, give* a bite
kout, ~ek corner
kouzelník magician; (*čaroděj*)
sorcerer, wizard; (*šaman*)
medicine man, witchdoctor
kouzelný magic; (*okouzlující*)
weird, bewitching, charming
kouzlo magic; (*půvab*) charm
kov metal
kování: železné ~ iron fittings *pl*
kovárna smithy
kovář (black)smith
kovat forge, hammer
kovodělník metal worker
kovoobráběcí metal-working
kovoprůmysl metal-working
industry
kovový metal
koza 1 goat **2** (*tesařská*) trestle
[tresl] **3** (*vulg.*) tit
kozlík valerian [vəˈleəriən],
allheal [ɔːlhiːl]
kožedělný tanning
koželuh tanner
koženka imitation leather
kožený leather
kožešina fur
kožešinový fur (**kabát** coat)
kožešnický furrier's
kožešník furrier
kožich fur coat
kožní skin
kra floe
krab crab, lobster
krabice box, case
kráčet march, step, walk
krádež theft; (*drobná*) pilfering;
(*v samoobsluze*) shoplifting
krach slump, bankruptcy
kraj[1] (*okraj*) edge, margin; **na ~i**

K

lesa on the edge of a forest;
psát na ~ write in the margin
kraj[2] **1** (*země*) country
2 (*krajina*) landscape **3** (*správní oblast*) region
krajan countryman
krajanka countrywoman
krájet cut*; (*maso*) carve;
~ **chleba** cut / slice bread
krajíc slice, round, piece (**chleba** of bread)
krajina landscape
krajk|a, -y lace
krajní 1 (*postranní*) side, outside
2 (*extrémní*) extreme, excessive
krajnost extreme
krajský regional
král king
králík rabbit
královna queen
královský royal
království kingdom
krám 1 shop **2** (*veteš*) trash, junk
kráp|at: -pe it's starting to rain, it's sprinkling
krás(k)a beauty
krásně beautifully
krásn|ý beautiful, lovely, wonderful; **-á literatura** belles-lettres [bel'letə] *pl*;
-é počasí fine weather; **jednoho -ého dne** one fine day
krasobruslař, -ka figure skater
krasobruslení figure skating
krást steal*; (*drobnosti*) pilfer
-krát times
krátce in short, shortly, briefly
kráter crater
krátit shorten; ~ **se get*** shorter;
~ **si dlouhou chvíli** while the time away
krátkodobý short-term

krátkozraký nearsighted, shortsighted
krátk|ý short; (*též stručný*) brief;
-é spojení short circuit
kratochvíle pastime, diversion
kraul crawl
kráva cow
kravata (neck)tie
kravín cowshed, cowhouse
krb fireplace
krčit: ~ **rameny** shrug; ~ **čelo** knit one's eyebrows
krčit se 1 (*choulit se*) shrink*
2 (*servilně*) cringe **3** (*mačkat se*) crease
krejčí tailor; **dámský** ~ dressmaker, ladies' tailor
krejčovství tailor's; **dámské** ~ dressmaker's
krém 1 cream; (*vaječný*) custard
2 (*na boty*) polish
kremace cremation
krematorium crematorium
kresba drawing; (*návrh*) design
kreslení drawing
kreslený film (animated) cartoon, cartoon film
kreslit draw*
kretén cretin [kretin]
krev blood; **teče mi** ~ **z nosu** my nose is bleeding; **mám to v krvi** it runs in my blood
krevní blood; ~ **skupina** blood group; ~ **tlak** blood pressure
kriminální criminal
kritérium criterion [krai'tiəriən]
kritický critical
kritik critic
kriti|ka 1 criticism; **podrobit -ce** subject to criticism; **pod vší -ku** beneath criticism **2** (*literárního díla*) review
kritizovat criticize

krize crisis; (*jen hospodářská*) slump

krk neck; **bolí mě v ~u** I have a sore throat; **na to dám ~** I'll be bound

krkolomn|ý breakneck; **-ou rychlostí** at breakneck speed

krkovička neck

krmič feeder

krmit feed*

krmivo fodder

krmný feeding

krocan turkey (cock)

kroj costume; **národní ~** national costume

krok step; **na každém ~u** at every step; **udělat ~** make* a step; **držet ~ s** keep* abreast of, keep* up with

krokodýl crocodile

kromě 1 (*s výjimkou*) except; **každý den ~ neděle** every day except Sunday 2 (*navíc*) besides; **mám ještě troje hodinky ~ těchto** I have three other watches besides this; **~ toho** besides, in addition

kronika chronicle; annals *pl*

kropit sprinkle; **~ květiny / ulice** water the flowers / streets

krotit tame; **~ svoje nadšení** moderate one's enthusiasm

krotitel tamer

krotký tame

kroupy 1 pearl barley 2 (*krupobití*) hail; **padají ~** it is hailing

kroutit turn; (*násilím*) twist; **~ se** wriggle

kroužek 1 ring 2 (*též skupina*) circle

krtek mole

kručínka greenweed [gri:nwi:d]

kruh circle; ring ♦ **rodinný ~** family circle; **obchodní ~y** business circles; **bludný ~** vicious circle; **~y pod očima** dark rings under the eyes; **~ kolem měsíce** halo, ring round the moon

kruhy rings *pl*

krumpáč pick

krůpěj drop, bead

krupi|ce semolina; **-čná kaše** semolina pudding

krušina alder buckthorn [bakθo:n]

krůta turkey hen

krutý cruel (**na** to), hard (**na** on)

kružítko compasses *pl*

kružnice circle

krvác|et bleed*; **rána -í** the wound is bleeding; **-í mi z nosu** my nose is bleeding

krvesmilství incest

krvinka corpuscle

krychle cube

krychlový cubic; **~ obsah** cubic volume

krysa rat

krystal, *též adj* **~ový** crystal

kryt 1 cover; (*kapota*) bonnet, hood 2 (*úkryt*) shelter

krýt (*též přen.*) cover; (*chránit*) shield

křeč spasm; cramp

křeček hamster

křečové žíly varicose veins *pl*

křečovitý spasmodic [spæz'modik]

křehk|ý 1 fragile (**porcelán** china, **-é zdraví** health) 2 brittle (**-é sklo** glass) 3 frail (**-á žena** woman) 4 crisp (**-é pečivo** biscuits *pl*) 5 (*jemný*) delicate

křemen flint

křemík silicon

křen horseradish

křepelka quail [kweil]

křeslo (arm)chair; (*v divadle*) stall

křesťan, *též adj* **~ský** Christian

křesťanství Christianity

křestní: **~ jméno** Christian / first name; **~ list** birth certificate

křičet shout (**na koho** at sb.); (*pronikavě*) scream, shriek

křída chalk

křídlo 1 wing **2** (*klavír*) grand(piano)

křik cry; (*pronikavý*) scream, shriek

křiklav|ý: -é bezpráví flagrant injustice; **-á barva** loud colour

křiknout *viz* křičet

křísit revive, bring* round

křišťál, *též adj* **~ový** crystal

křivda wrong

křivka curve

křiv|ý crooked; **-á přísaha** perjury

kříž cross; (*na zádech*) the small of one's back

křižácká výprava crusade

kříž|ek cross; **přijít ke -ku** come to heel; **přijít s -kem po funuse** come a day after the fair, miss the bus

křižník cruiser

křižovat (se) cross (oneself)

křižovatka crossroads; (*železniční*) junction

křížovka crossword

křoví bush(es *pl*), shrubs *pl*

křtít baptize

který 1 (*tázací*) **~ z vás?** which of you? **2** (*vztažně*) who, which, (that), which; **člověk, ~ chce s vámi mluvit** the man who wants to see you; **dům, ~ je na prodej** the house which is for sale; **dopis, ~ jsi mi poslal** the letter (that) you sent me; **takový omyl, ~** such a mistake as

kterýkoli any

Kuba Cuba

kubánský Cuban

kudrnatý curly(-headed), curly-haired

kudy which way

kufr suitcase; (*těžký, lodní*) trunk; (*auta*) boot, hood

kufřík executive case

kuchař cook

kuchařka 1 cook **2** (*kniha*) cookery book, cookbook

kuchařský cooking

kuchyně 1 kitchen **2** (*způsob vaření*) cuisine

kuchyňsk|ý kitchen; **-é jádro** kitchen unit

kukačka cuckoo

kukátko 1 (*divadelní*) opera glasses *pl* **2** (*ve dveřích*) peephole

kukla (*hmyzu*) chrysalis [krisəlis]

kuklík avens [ævnz]

kukuřice (*krmivo*) maize; (*potrava*) sweet corn

kůl post; (*špičatý*) stake; (*tyč*) pole

kulatý round

kulečník billiards *pl*

kulík plover

kulinář cullinary expert

kulma (*elektrická*) styling tong; (*kartáčová*) styling brush

kulhat limp, walk with a limp

kuličkov|ý: -é ložisko ball bearing; **-é pero** ballpoint (pen), biro [baiərəu]

kulis|y wings *pl*; (*hovor.*) props *pl*; **za -ami** behind the scenes, in the wings

kulka bullet

kůlna shed

kulomet machine-gun

kultura culture

kulturní cultural
kůň 1 horse; **na koni** on horseback **2** (*v šachu*) knight
kuna marten
kupa heap, pile; ~ **sena** haystack
kupé compartment
kupec 1 (*kupující*) buyer, purchaser, shopper **2** (*obchodník*) shopkeeper
kupní: ~ **cena** purchase price; ~ **síla** purchasing power; ~ **smlouva** buying contract, sales agreement
kupodivu strange to say, funnily enough
kupón coupon
kupovat buy*; ~ **zajíce v pytli** buy* a pig in a poke
kupředu forward; ahead
kupující buyer, shopper
kúra cure
kůra crust; (*stromu*) bark, rind; (*ovoce*) skin, peel
kůrka crust
kurs (*školení*) course, classes *pl*; ~ **valut** rate of exchange
kurva (*vulg.*) whore [ho:]
kurzor cursor [kə:sə]
kuřácký vůz smokers' carriage, (*hovor.*) smoker
kuřák smoker; **oddělení pro ~y** smoking compartment
kuřárna smoking room
kuře chicken
kuří oko corn
kus piece, bit; (*beztvarý*) lump, chunk
 ♦ ~ **cesty** part of the way; **zastavit se na** ~ **řeči** drop in for a chat
kusý incomplete
kutálet (se) roll
kůzle kid
kůž|e 1 (*pokožka*) skin; (*na hlavě*) scalp **2** (*nevydělaná*)

hide; (*vydělaná*) leather
 ♦ **nejsem dnes ve své -i** I am not myself today, I feel uneasy; **mokrý na -i** wet to the skin
kužel cone; (*sport.*) (Indian) club
kuželky skittles, ninepins *pl*
kvalifikace qualifications *pl*
kvalifikovaný qualified; full(y)-fledged
kvalifikovat (se) qualify
kvalita quality
kvalitní first-rate
kvantita quantity
kvapný hasty, hurried
kvartál a quarter (of a year)
kvartet(o) quartet(te)
kvasit ferment
kvasnice yeast
kvedlačka twirling stick
kvést 1 bloom, flower; (*strom*) blossom **2** (*vzkvétat*) flourish
květ flower; (*stromu*) blossom; **v plném ~u** in full bloom
květák cauliflower
květen May; **1.** ~ May Day
květina flower
květináč flowerpot
květinářství florist's
květovaný flowered
kvintet(o) quintet(te)
kviz quiz
kvočna mother hen, clucking hen
kvóta quota
kvůli because of, on account of, for the sake of; ~ **mně** for my sake, to please me
kybernetický cybernetic [saibə'netik]
kybernetika cybernetics [saibə'netiks]
kýč kitsch, trash
kyčel hip
kých|at, -nout sneeze

kýchavice hellebore [helibo:]
kýl keel
kýla rupture
kymácet se sway
kynout 1 (*gestem*) motion, give*
a sign **2** (*těsto*) rise*
kyperský Cypriot [sipriot]
kypět seethe*, teem (**čím** with)
Kypr Cyprus
kypr|ý|ý: -á půda loose soil;
-á žena buxom woman
kypřit loosen
kysat (become*) sour
kyselina acid

kyselý sour; **~ obličej / úsměv**
wry face / smile; **~ déšť** acid rain
kysličník oxide [oksaid]
kyslík oxygen
kyslíkov|ý: -á bomba oxygen
bomb; **-á maska** oxygen mask;
~ stan oxygen tent
kýta joint
kytara guitar
kytice bunch of flowers
kyvadlo pendulum
kývat (se) swing*
kývnout nod

L

Labe Elbe
labilní unstable
laboratoř laboratory, (*hovor.*) lab
labuť swan
labužník gourmet
labyrint labyrinth
laciný cheap
ladem: ležet ~ lie* fallow
ladit tune; (*hodit se k čemu*)
match sth.
láhev bottle; **polní ~** flask
lahodný delicious, dainty
lahůdka delicacy, dainty
lahůdkářství delicatessen (shop)
lahvička phial
laický lay
laik layman
lajdácký slovenly
lak paint; **~ na nehty** nail polish /
varnish
lákat allure, attract (**pozornost**
attention)
lákavý attractive; tempting
lakomec miser

lakomý stingy, mean
lakovaný painted, varnished,
lacquered
lakovat paint (**dveře** a door);
varnish (**nehty** one's nails)
lakýrník painter
lámat (se) break*; **~ si hlavu**
rack / cudgel one's brains
lampa lamp; **stolní ~** table lamp;
stojací ~ floor lamp
lampión Chinese lantern
laň hind, roe
lano rope; (*kovové*) cable
lanovka cable railway, funicular
lanýž truffle
larva larva [la:və]
lasička weasel
lásk|a love (**k** of, for); **~ k bližní-**
mu charity; **z-y k** for the love of
laskavost kindness, goodness;
(*služba*) favour; **prokázat komu**
~ do* sb. a favour
laskavý kind, good; **buďte tak**
laskav a počkejte tady would

you mind waiting here, would you be so kind as to wait here
láskyplný loving, affectionate, tender
lastura seashell, conch
latina Latin
latinka Roman characters *pl*
latinský Latin
látk|a 1 (*též na šaty*) material; stuff **2** (*jen textil*) cloth **3** (*téma*) matter, subject matter ♦ **bojové chemické ~y** chemical warfare agents *pl*
laťka lath; (*sport.*) bar
laureát laureate [lo:riit]
láva lava
lavice bench; (*školní*) form, desk; **~ obžalovaných** dock
lavička bench
lavina avalanche
lávka footbridge
lázeň bath
lázně 1 (*krytá plovárna*) public swimming baths *pl*; **parní ~** Turkish baths *pl* **2** (*léčivé*) spa, watering place, health resort
lebka skull
leccos anything, whatever
léčba treatment; **~ prací** occupational therapy
léčebna medical institution
léčebný medical, health
léčení cure, treatment; **odjet na ~** take* a cure; **~ nádorů** treatment of tumours
léčit treat, cure; **~ se** cure oneself, undergo* a treatment
léčivý healing
léčka trap, pitfall
led ice
ledabylý careless, slipshod, casual, sloppy [slopi]
ledacos anything, whatever

ledaže unless
leden January
lednička refrigerator, fridge
lední ice; **~ revue** ice show
ledňáček kingfisher
ledoborec icebreaker
ledovec (*v horách*) glacier; (*v moři*) iceberg
ledov|ý ice, icy; **-á káva** iced coffee; **-é pole** icefield; **~ vítr** icy wind
ledvina kidney
ledvinky kidneys *pl*
legace legation
legální legal
legenda legend
legendární legendary
legie legion
legitimace card; **občanská ~** identity card; **členská ~** membership card
legitimovat se prove one's identity
legrac|e fun; **to je ~!** what fun!; **dělat si z ~** make fun of; **dělat si -i z koho** make* fun of sb.
lehátko deckchair
lehátkový vagón couchette car
lehkoatletický athletic
lehkomyslnost thoughtlessness, frivolity
lehkomyslný (*bezstarostný*) thoughtless, frivolous; (*riskující*) reckless; (*ležérní*) easygoing
lehkověrný gullible, trusting, credulous
lehký 1 light **2** (*snadný*) easy
lehnout si lie* down
lechtat tickle
lék medicine; (*též metoda a přen.*) remedy (**proti** for)
lékárna (dispensing) chemist's
lékárnička medicine cabinet
lékárník (dispensing) chemist

L

lékař doctor, physician; **odborný**
~ specialist; **praktický** ~ general
practitioner; **zubní** ~ dentist
lékařský medical
lékařství medicine
lekat frighten, scare; ~ **se** *viz*
leknout se
lekce lesson
leknín water lily
leknout se start, be* frightened
lékořice liquorice [likəris]
lektor, ~ka reader
lem hem, border
lemovat hem, border; ~ **rukávy
saka kůží** bind the cuffs of
a jacket with leather
len flax
lenoch lazybones
lenost laziness
lenošit be* lazy, idle, lounge
lenoška armchair, easy chair
lepenka 1 (*kartón*) cardboard
2 (*lepicí páska*) adhesive tape
lepidlo paste, gum
lepit stick* (*známku na dopis*
a stamp on a letter, **plakáty** bills)
lepkavý sticky
lepší better
lepšit se get* better, improve
lept etching
les wood; (*nepěstěný*) forest
lesk shine, gloss; (*leštěním*) polish;
(*skvělost*) splendour, glamour
lesklý shiny, glossy
lesknout se shine*; (*třpytit se*)
glisten, glitter
lesní forest (**požáry** fires, **zvířata**
animals); ~ **roh** French horn
lesnický forestry
lesník forester
lest trick
lešení scaffold(ing)
leštěný papír glazed paper

leštit polish, glaze
let flight
letadlo aircraft
leták leaflet, pamphlet
létat fly*
letec airman, pilot
leteck|ý air; **-ou poštou** by airmail
letectví aviation
letectvo air force
letenka air ticket, flight ticket
letět fly*
letiště airport; (*plocha*) airfield
letní summer; ~ **čas** summer time
lét|o 1 summer; **v -ě** in (the) sum-
mer **2** (*roky*) **-a** *pl:* **-a devadesá-
tá** the nineties *pl* ♦ **babí** ~ Indian
summer; (*vlákno*) gossamer
letokruh annual ring
letopočet era; **před naším -tem**
B.C. (before Christ)
letos this year
letošní this year's
letovat solder
letovisko summer resort
letuška air hostess
lev lion
levák left-hander
levandule lavender [lævəndə]
levice 1 left hand **2** (*polit.
orientace*) the left
levicový left-wing, leftist
levičák leftist
levný cheap; (*úsporný*) economical
levoboček bastard
levý left
lexikon dictionary; encyclopaedia
lézt creep*; (*plazit se*) crawl;
(*vzhůru*) climb ♦ **leze na mne
rýma** I'm starting a cold
lež lie
ležák 1 (*pivo*) lager **2** (*zboží*)
dead / idle stock

ležet lie*; **musit ~** *(pro nemoc)* be* laid up

lhář liar

lhát tell* lies, lie
♦ **on lže** he's lying, he's telling lies; **lhal mi** he lied to me

lhostejně casually

lhostejnost indifference

lhostejn|ý indifferent; **to je mi -é** I don't care

lhůta term, time; *(konečná)* deadline; **dodací ~** time of delivery, delivery time / date

-li if

líbánky honeymoon

líbat kiss

liberální liberal

líbit se please; **je těžké ~ každému** it is difficult to please everybody
♦ **líbí se mi to** I like it, I enjoy it; **ta ulice se mi nelíbí** I don't like the look of this street; **jak se vám to líbí?** how do you like it?; **dát si líbit** put* up with, stand* for; **to si nedám ~** I am not going to put up with it / to stand for it

líbivý pleasing

libovat si take* pleasure, indulge (**v** in)

libovolný arbitrary

libový lean

libra pound

libreto libretto [li'bretəu]

líc face, front; *(mince)* obverse [ɔbvə:s]

licence licence

licitovat *(v dražbě)* auction; *(v kartách)* bid

líčení 1 *(popis)* description; *(události)* account **2** *(soudní)* hearing; *(trestní)* trial **3** *(obličeje)* putting on one's makeup

líčidlo make-up, paint

líčit 1 *(popisovat)* depict, describe **2** *(tvář)* make* up; **~ se** make up

lid people

lid|é people; **je tam mnoho -í** there are many people there; **před -mi** in public, in front of people

lidnatost density of population

lidnatý densely populated

lidov|ý people('s), folk; **-á tvořivost** folk art activity; **-á píseň** folk song

lidskost humanity

lidský human; *(humánní)* humane

lidstvo mankind, humanity

liga league

lignit lignite [lignait]

líh spirit

líheň incubator [inkjubeitə]

líhnout se hatch

lihovar distillery

lihoviny spirits *pl*

lihový alcoholic

lichoběžník trapezium [trə'pi:zjəm]

lichotit flatter (**komu** sb.)

lichotivý flattering

lichotka flattery

lichvářský usurious [ju:'zjuəriəs]

lichý odd

liják downpour

likér liqueur

liknavý tardy

likvidace liquidation; *(platby)* settlement

likvidovat liquidate; *(uhradit)* settle

lilie lily

líme|c, -ček collar

limonáda lemonade

lín tench

lingvistický linguistic

linie line; **stranická / politická ~** party / political line

linka 1 line; **autobusová ~** bus route; **výrobní ~** production line **2** (*telef.*) extension

linoleum linoleum

líný lazy

lípa lime(tree)

lipan grayling

lipový lime; **~ čaj** lime-blossom infusion

lis press

líska hazel

lisovaný pressed

lisovat press

list 1 leaf **2** (*noviny*) paper ♦ **domovský** ~ certificate of residence; **~ papíru** sheet of paper

lístek 1 ticket **2** (*kartotéční*) card **3** (*kousek papíru*) slip ♦ **korespondenční ~** postcard; **jídelní ~** menu; **okvětní ~** petal; **předplatní ~** season ticket; **volný ~** free pass; **zpáteční ~** return ticket

listí foliage

listina document

listnatý leafy; **~ strom** deciduous tree

listonoš postman

listonoška postwoman

listopad November

listovat turn over the leaves / pages

listovní tajemství secrecy of private correspondence

lišejník lichen

lišit se differ (**od** from)

liška 1 fox **2** (*houba*) chanterelle [ˈʃæntəˈrel]

lišta ledge

lít (se) pour (down); **lije jako z konve** it's pouring with rain, the rain is coming down in sheets, it's raining cats and dogs

lítačky (*hovor.*) swing door

literární literary

literatura literature

litina cast iron

litinový cast-iron

líto: je mi ~ I am sorry (**koho** for sb.)

lítost regret; (*soucit*) pity (**s** for)

lítostivý rueful

litovat be* / feel* sorry (**koho** for sb.); **~ ztracené příležitosti** regret lost opportunities; **nenámahy / peněz** spare no pains / expense

litr, *též adj* **~ový** litre

Litva Lithuania [liθjuˈeinjə]

lítý ferocious

lívanec pancake

lízat lick

lízátko lollipop

lněný flaxen, linen

loajální loyal

loď boat, ship; **na palubě lodi** on board (a) ship; **jet lodí** go by ship; **obchodní ~** merchantman, merchant ship; **válečná ~** warship; **vyhlídková ~** pleasure boat

loděnice shipyard

lodičky (*boty*) court shoes, pumps *pl*

loďka boat

lodní naval, ship's; **~ doprava** water transport; **~ náklad** ship's cargo; **~ lékař** ship's surgeon

lodník sailor, seaman

loďstvo fleet; (*válečné*) navy

logaritmické pravítko slide rule

logaritmický logarithmic [logəˈriθmik]

logický logical

lochneska (*pouťová atrakce*) big dipper, roller coaster

loket elbow

lokomotiva locomotive, engine
lom quarry
Londýn London
loni last year
loňský last year's
lopata shovel
lopatka 1 (*lopata stroje*) blade **2** (*kost*) shoulder blade **3** (*na smetí*) dustpan
lopuch burdock [bɔ:dɔk]
los[1] lot; (*výherní*) lottery ticket
los[2] (*zvíře*) elk
losos salmon
losovat draw* lots
loterie lottery
Lotyšsko Latvia
loučení leave taking, parting, saying goodbye, farewell
loučit se part (**s** with), say* goodbye (**s** to), take* leave (**s** of)
loudat se lag behind
louka meadow
loupat peel, pare (**jablko** an apple, **brambory** potatoes); strip (**kůru ze stromu** the bark off a tree)
loupež robbery, burglary
louskat crack
loutka (*dětská*) doll; (*divadelní a přen.*) puppet, marionette [mæriə'net]
loutkov|**ý** puppet; **-á vláda** puppet government; **~ film** puppet film
loutna lute
louže puddle, pool
lov hunt, hunting; (*pronásledování*) chase
lovec hunter
lovecký hunting
lovit hunt; (*shánět*) hunt (**co for** sth.)
lovná zvěř game
lože bed
lóže box

ložisko 1 (*rudy*) deposit **2** (*stroje*) bearing; **kuličkové ~** ball bearing
ložnice bedroom; **obytná ~** bedsitter, bedsitting room; **hromadná ~** dormitory
lpět adhere, cling* (**na** to)
lstivý sly, artful
luční meadow
Lucembursko Luxembourg
lůj suet
luk bow
lukostřelba archery
lulka pipe
lump lout, scoundrel, bad lot, rotter
luňák kite
lunapark fairground, amusement park
lupa magnifying glass
lupič robber; (*noční, domovní*) burglar
lupy dandruff
lusk pod
lustr chandelier
luštěniny pulse *pl*, leguminous plants *pl*
luštit solve
luxovat vaccum, hoover
luxus, *též adj* **~ní** luxury
lůza mob, rabble
lůžko bed; (*na lodi, ve vlaku*) bunk, berth; **upoutaný na ~** bedridden
lůžkový: **~ vůz** sleeping car, (*hovor.*) sleeper; **~ gauč** convertible sofa
lýko bast [bæst]
lýkovec mezereon [mi'ziəriən]
lynčovat lynch
lyra lyre
lyrický lyric(al)
lyrika lyric poetry, lyrics *pl*
lysý bald
lýtko calf

L

lyžař, ~ka skier
lyžařský skiing
lyž|e, též v -ovat ski
lze it is possible
lžíce spoon; ~ polévky a spoonful of soup; zednická ~ trowel

lžičák shoveller [šovǝlǝ]
lžička teaspoon; ~ léku a teaspoonful of medicine
lživý false

M

macecha stepmother
maceška pansy, heartsease [ha:tsi:z]
máčet steep, soak
mačkat (tisknout) press; (zmuchlat) crease, crumple; (vymačkat) squeeze
Maďar, též adj maďarský Hungarian
mafie mafia [mæfiǝ]
mafián mafioso [mæfi'ǝusǝu]
magnát magnate, tycoon
magnet magnet
magnetický magnetic
magnetofon tape recorder
♦ nahrát na ~ tape
máchat rinse (prádlo the clothes)
máj May; 1. ~ May Day
maják lighthouse
majet|ek 1 (peníze) fortune 2 property; movitý ~ personal effects pl; nemovitý ~ real estate 3 possession; mít v -ku have* in one's possession 4 (osobní) belongings pl
majetkov|ý property; -é poměry rodiny the financial standing of the family
majitel, ~ka proprietor
majonéza mayonnaise
major major
majordom butler

májový May
mák poppy; (zrnka) poppyseed
makaróny macaroni [mækǝ'rǝuni]
maklér broker
makrela mackerel
malárie malaria
malátný languid
malba painting
malebný picturesque
málem nearly, almost
malíček little finger
maličkost trifle, mere detail
malicherný petty
malina raspberry
malíř painter; ~ pokojů decorator
malířský: ~ atelier studio; ~ stojan easel; ~ štětec paintbrush
malířství painting
málo 1 little (času time) 2 few (oken windows) 3 a little; ~ rozumím I understand only a little; je o ~ starší he is a little older ♦ máme ~ místa we are cramped for room
maloměšťácký provincial, small-town
maloměšťák philistine [filistain]
málomluvný taciturn
malomyslný despondent
maloobchod retail (business), retail trade
maloobchodní retail

malorážka smallbore rifle

malovat 1 paint (**obraz** a picture) **2** decorate (**byt** the flat)

malovat se make* (oneself) up

malovýroba small-scale production

malovýrobce small-scale producer

malta mortar

mal|ý 1 small; ~ **důvod k vděčnosti** small cause for gratitude; **-é město** small town; **-á písmena** small letters *pl* **2** (*citově zabarveno*) little; **-é děti** (*dětičky*) little children; **hezký ~ dům** (*domeček*) a pretty little house **3** (*pod míru, také o lidech*) short; ~ **člověk** short man; **dávat -ou váhu** give short weight ♦ **sníst něco -ého** have* a little bite of sth.

maminka mum(my)

maňáskové divadlo puppet show, marionette theatre

mandarínka tangerine

mandl mangle

mandle 1 almond **2** (*v krku*) tonsils *pl*

mandlovat mangle [mæŋgl]

manekýnka mannequin

manévry manoeuvres *pl*

manifest manifesto

manifestace rally, protest march, protest meeting, demonstration

manifestovat manifest; (*demonstrovat*) rally, demonstrate

manikýra manicure

manipulovat handle (**s čím** sth.)

manko difference

mansarda attic, garret

manšestr cord(uroy)

manšestrov|ý cord(uroy); **-é kalhoty** corduroys *pl*; **-é sako** curduroy jacket

manuální manual

manžel husband

manželé husband and wife, a married couple

manželka wife

manželsk|ý matrimonial; conjugal; **-é nesnáze** matrimonial troubles *pl*; **-é štěstí** conjugal happiness

manželství marriage

manžeta cuff

mapa map

maratón marathon [mærəθn]

margarín margarine

Marie Mary

maringotka caravan, trailer

marmeláda jam; (*pomerančová, citrónová*) marmalade

marně in vain

marný vain, useless

Maroko Marocco

maršál marshal

mařit 1 (*křížit*) thwart **2** waste (**čas** time)

masa mass

mas|áž, též v -írovat massage

masit|ý 1 fleshy; **-é rty** fleshy lips; **-á hruška** a fleshy pear **2** meat(y); **-á strava** meat diet

masívní massive, solid

maska mask; **plynová ~** gas mask

maskovat 1 (*zastírat*) camouflage **2** (*líčit*) make* up

másl|o butter; **jde to jako po -e** it is plain sailing, it goes along swimmingly, it's as easy as butter

masný meat; ~ **den** meat day; ~ **průmysl** meat industry

maso 1 (*živé*) flesh **2** (*k jídlu*) meat

masov|ý¹ meat; **-á konzerva** tinned meat

masov|ý² mass; **-é hnutí** mass movement

masožravý carnivorous

mast ointment, grease

mást confuse

mastit grease

mastn|ý 1 (*zamaštěný*) greasy
2 fat; **-á kyselina** fat acid

maškarní: ~ **kostým** fancy dress
costume; ~ **ples** fancy-dress /
masked ball

mašle bow

máta peprná peppermint

matematický mathematical

matematika mathematics

materiál material, (*hovor.*) stuff;
kádrový ~ dossier

materialismus materialism

materialista materialist

materiální material

mateřídouška wild thyme

mateří kašička royal jelly

mateřsk|ý maternal, motherly;
-á dovolená maternity leave;
~ **jazyk** mother tongue;
-á letadlová loď aircraft carrier;
-á škola nursery school

mateřství motherhood

mateřština mother tongue

matice nut

matiné matinée

matka mother

matný dull, dim

matrace mattress; **nafukovací ~**
inflatable mattress, airbed

matrika registry

maturit|a leaving examination;
dělat -u take* / sit* for
a leaving examination

maturitní leaving-examination

máv|at, -nout wave, swing*; ~ **na
rozloučenou** wave goodbye

maxim|ální, *též n* **-um** maximum

mazat 1 spread* (**máslo na**

chléb butter on bread) **2** oil,
lubricate (**stroj** a machine)

mazlit se caress (**s kým** sb.)

mdloba swoon; (*slabost*) faintness

mdlý (*matný*) dull, dim; (*malátný*)
languid; (*činnost*) slack

mecenáš patron, sponsor

meč sword

mečík gladiolus

med honey

měď copper

medaile medal

měděný copper

média (mass) media [miːdiə] *pl*

medicína medicine

medvěd bear

medvídek (*hračka*) teddy bear

megafon (loud)hailer

mech moss

mechanický mechanical

mechanik mechanic

mechanika mechanics

mechanismus mechanism;
(*zařízení*) gadget

mechanizace mechanization

mechanizovat mechanize

měchýř bladder

měkký soft; (*maso, zelenina*)
tender

měkkýš mollusc [moləsk]

melancholi|cký, *též n* **-e**
melancholy

mělčina shoal, shallows *pl*

meliora|ce, *též adj* **-ční**
amelioration [əˌmiːliəˈreišn]

mělký shallow

melodický melodious

melodie melody, tune

meloun melon

měna currency

méně less

méněcenný inferior

měnit 1 change (**adresu** one's ad-

dress, **názory** one's ideas, **peníze**
money) **2** alter (**situaci** matters)
3 turn (**vodu v led** water into ice)
♦ ~ **hlas** disguise one's voice
měnit se 1 change **2** alter **3** turn
měnový currency, monetary
menstruace menstruation
[menstru'eišn]
menší 1 smaller **2** lesser
(**důležitost** importance, **zlo** evil)
menšina minority
menu set lunch / dinner; menu
[menju:]
menza students' dining hall
meruňk|a, *též adj* **-ový** apricot
měřicí measuring
měřit measure; ~ **čas** time (**čeho**
sth.); ~ **olovnicí** plumb; ~ **teplo-
tu komu** take* sb.'s temperature
měřítk|o scale, standard;
v celostátním -u on
a nationwide scale; **ve velkém /
malém** ~ on a large / small scale
měsíc 1 (*těleso*) moon; **svítí** ~
there is a moon **2** (*kalendářní*)
month; **jednou za uherský** ~
once in a blue moon
měsíček pot marigold
měsíční 1 ~ **světlo** moonlight,
moonshine; ~ **povrch** moon's
surface **2** monthly; ~ **příjem**
monthly income
mést sweep*
město town; (*velké, důležité*) city;
hlavní ~ capital
městsk|ý town, city; **-á čtvrť**
quarter
meta goal, aim, objective
metalurgický metallurgical
metalurgie metallurgy
meteor meteor
meteorologický meteorological
metla rod, switch, cane

metoda method
metodický methodical
metr metre
metrický cent two
hundredweights *pl*, quintal
metro underground, *US* subway
mexický Mexican
Mexiko Mexico
mez 1 boundary **2** (*pěšina*)
(country) lane **3** (*krajní*) limit;
v -ch možnosti within limits,
within the bounds of possibility
mezanin mezzanine [mezəni:n]
mezek mule
mezera gap; (*časová*) interval;
(*prázdné místo*) blank
mezerník space bar
mezi 1 (*dvěma*) between; ~ **obě-
ma válkami** between the two
wars; ~ **druhou a třetí hodinou**
between two and three o'clock
2 (*více než dvěma*) among;
~ **dětmi** among the children;
~ **horami** among the hills;
~ **jiným** among other things
mezičlánek connecting link
mezidobí interval
mezikontinentální
intercontinental
meziměstský telefonní hovor
trunk call
mezinárodní international
meziplanetární interplanetary
mezistátní international; (*ve
federaci*) interstate
mezitím in the meantime,
meanwhile
mezník landmark; (*přen.*) turning
point
mhouřit oči shut* one's eyes, blink
míč ball
migréna migraine [mi:'grein]

M

mih|at se, -nout se flash, twinkle, shimmer
mícha spinal cord
míchačka mixer
míchan|ý mixed; **-é karamely** assorted toffees *pl*; **-á vejce** scrambled eggs *pl*
míchat 1 stir (**čaj** one's tea) **2** mix (**mouku s vodou** flour and water) **3** shuffle (**karty** cards)
míchat se meddle (**do** in), butt (**do** in / on)
míjet 1 (*čas*) pass **2** pass (**koho sb., kolem koho** by sb.)
mikrob microbe, germ
mikrobus minibus
mikrofilm microfilm [maikrəufilm]
mikrofon microphone, (*hovor.*) mike
mikroskop microscope
mikrovlnná trouba microwave (oven)
miláček darling; (*hovor.*) love, duck(y)
míle mile
milen|ec, -ka lover
miliarda milliard, *US* billion
milice militia
milimetr millimetre
milión million
milionář millionaire
militarismus militarism
militarist|ický, *též n* **-a** militarist
militarizovat militarize
milost 1 grace **2** (*přízeň*) favour; **prokázat komu ~ do*** sb. a favour ♦ **udělit komu ~** grant sb. pardon; **bez ~i** ruthlessly, without mercy
milostný love (**dopis** letter)
milovaný beloved
milovat love

mil|ý *adj* **1** (*drahý*) dear **2** (*příjemný*) nice, sweet, pleasant ● *n* boyfriend; **-á** girlfriend
mim mime
mimo *prep* **1** besides, in addition to, apart from; **bylo nás pět ~ tebe** there were five of us besides you **2** except; **nikdo nepřišel pozdě ~ tebe** nobody was late except you ● *adv* **1** (*kolem*) past **2** (*vně*) outside
mimoděk unawares
mimochodem by the way; incidentally
mimořádn|ý extraordinary; **-é zasedání** extraordinary / emergency meeting
mimoškolní out-of-school (**činnost** activities *pl*)
mimoto besides, in addition, apart from that
mimoúrovňová křižovatka flyover
mimozemský extraterrestrial [ekstrətə'restriəl]
mina mine
mince coin
mincovna mint
mínění opinion; **podle mého ~** in my opinion; **mít dobré ~ o** think highly of
minerálka mineral water
minerální mineral
minim|ální, *též n* **-um** minimum
ministerský ministerial; **~ předseda** prime minister, premier
ministerstvo ministry, department; **~ školství** Ministry of Education; **~ vnitra** Home Office; **~ zahraničí** Foreign Office
ministr, ~yně minister
ministrant server, altar boy, acolyte

mínit mean*

minout 1 (*zmeškat*) miss **2** (*přejít kolem*) pass (**koho** sb.)

minout se 1 (*s kým*) pass (one another) **2** (*cílem*) miss the mark; **~ se účinkem na koho** be* lost upon sb.

minule last time

minulost the past

minulý last, previous

minuta minute; **je za 5 minut 6** it is five (minutes) to six

mír peace; **žít v ~u s** live in peace with; **holubice ~** dove of peace; **uzavřít ~** make* peace

mír|a 1 measure; measurement; **šitý na -u** made to measure; **vzít komu -u** take* sb.'s measurements **2** (*velikost, číslo*) size **3** (*měřidlo*) gauge ♦ **do určité -y** to a certain degree, in a manner / way

mírnit moderate, temper; **~ se** keep* one's temper

mírný 1 mild; **~ svah** gentle slope **2** (*klidný*) peaceful

mírov|ý: -á smlouva peace treaty; **-é soužití** peaceful coexistence

mírumilovný peaceful

míř|it aim (**na** at); **kam -íte?** what are you leading up to?

mísa dish, bowl; **polévková ~** tureen

misionář, *též adj* **~ský** missionary

miska dish

místenka seat-reservation ticket

místní local

místnost room

míst|o *n* **1** (*prostor*) room; **zabrat příliš mnoho -a** take* up too much room **2** (*konkrétní; též umístění, postavení, zaměstnání*) place; **být na dvou -ech**

najednou be* in two places at once; **vrátit se na své ~** go* back to one's place; **znát své ~** know* one's place; **mít všechno na svém -ě** have* everything in its place; **nebýt na -ě** be* out of place **3** spot; **zemřít na -ě** die on the spot **4** (*jen zaměstnání*) post, job, situation, appointment **5** (*stavební*) site ♦ **~ určení** (place of) destination; **~ dalekého rozhledu** scenic point ● *prep* instead of; **~ toho** instead

místopředseda deputy chairman

místopřísežné prohlášení statutory declaration

mistr 1 master **2** (*dílovedoucí*) foreman **3** (*sport.*) champion

mistrný masterly, brilliant

mistrovsk|ý masterly; **-é dílo** masterpiece

mistrovství 1 mastery **2** (*sport.*) championship

mistryně 1 master **2** (*sport.*) champion

místy here and there, in places

míšenec hybrid [haibrid] / (*člověk*) half-caste

mít have*, possess ♦ **~ za následek** result in; **~ raději** prefer; **už toho mám dost** I am sick of it; **měl bys jít** you ought to go; **co máte proti mně?** what have you got against me?; **mám teď být doma** I am supposed to be at home now; **co máte za lubem?** what are you up to?

mít se: dobře enjoy oneself, have* a good time; (*materiálně*) be* well off; **jak se máte?** how are you?

mixér blender

míza sap

M

mizerný miserable, wretched
mizet disappear, vanish
mlácení threshing
mládě young; (*šelmy*) cub
mládenec young man, lad, youth
mláď|ež, -í youth, young people, younger generation
mládežnický youth
mladík young man, youth, teenager
mladistvý *adj* youthful
● *n* juvenile
mládnout grow* / get* young(er)
mladší younger; junior
mladý young
mlaskat click one's tongue; smack one's lips
mlátička threshing machine, thresher
mlátit 1 beat* **2** (*obilí*) thresh
mlčenlivý (*nemluvný*) taciturn; (*diskrétní*) discreet
mlčet be* silent, say* nothing
mlčky silently, without a word
mléčn|ý 1 milk; ~ **bar** milk bar **2** dairy; **-é výrobky** dairy products **3** milky; **M-á dráha** Milky Way
mlékárna dairy
mlékař (*obchodník*) dairyman; (*při rozvozu*) milkman
mléko milk
mletí grinding, milling
mlha fog; (*lehká*) mist
mlhavý misty, foggy
mlít 1 grind*, mill **2** (*odříkávat*) rattle away
mlok salamander, newt
mlsat nibble; **rád ~ have*** a sweet tooth
mlsný fastidious
mluvčí 1 (*zástupce*) spokesman;

tiskový ~ PRO, public relations officer **2** (*mluvící*) speaker
mluvit speak*, talk; ~ **anglicky** speak English; **chci s tebou ~** I want to speak / talk to you; ~ **nahlas** speak out / up; ~ **o politice** talk politics; ~ **o zaměstnání** talk shop ♦ **moc toho nenamluví** he isn't much of a talker
mluvnice grammar
mluvnický grammatical
mlýn mill; **větrný ~** windmill
mlynář miller
mlýnek na kávu coffee grinder
mnich monk
Mnichov Munich
mník burbot [bə:bət]
mnohem much, far, a lot
mnoho 1 much, (*hovor.*) a lot of, lots of (**času** time) **2** many, (*hovor.*) a lot of, lots of (**stromů** trees) **3** a great / a good deal of, plenty of (**času** time)
mnohokrát many times
♦ **děkuji ~** thank you very much
mnohomluvný talkative
mnohonásobný manifold, multiple
mnohostranný many-sided; (*činnost*) versatile
mnohotvárný multiform
mnohoznačný having many different meanings, ambiguous, meaningful
mnohý ~ **člověk** many a man
mňoukat miaow
mnout rub; ~ **si ruce** rub one's hands
množina (*mat.*) set
množit se increase in number; multiply
množství 1 quantity **2** (*spousta*) plenty
mobilizace mobilization

mobilizovat mobilize

moc[1] **1** power **2** (*pravomoc*) authority **3** (*násilí*) force ♦ **plná ~** power of attorney; **dostat se k ~i** come* to power; **z úřední ~i** by authority; **vyšší ~** act of God

moc[2] very, much; (*dobře* very well; only too well; **~ zpívat neumí** she isn't much of a singer

moci be* able to + *inf*, be* in a position to + *inf*; **mohu** I can; **nemohu** I cannot; **mohu si to nechat?** may I keep it?; **mohl bych** I could, I might

mocnina power; **druhá ~** square; **třetí ~** cube

mocnost power

mocný powerful

moč urine

močál marsh, bog

močit urinate, make* / pass water

močový urinary [juərinəri]

mód|a fashion, style; **být v -ě** be* in fashion / in vogue

model 1 model **2** (*vzor*) pattern, design

modelář modeller

modelka model

modelovat model

moder|átor, *též v* **-ovat** emcee [em'si:]

moderní modern, fashionable, up-to-date

modernizovat modernize

modistka milliner

modlit se pray

modla idol

modlitba prayer

módní fashionable, smart, stylish; **~ přehlídka** fashion show

modrat se be* blue

modrý blue

modřín larch

modřina bruise; **být samá ~** be* black and blue

mohutný powerful, mighty; (*objemný*) bulky

mochna husí silverweed

mochyně winter cherry

moknout get* wet

mokr|o, *též adj* **-ý** wet

mol moth

molekula molecule

molekulární molecular

moll: **a moll** A minor

molo pier

momentka snapshot

monarchie monarchy

monarchistický monarchist

monitor (*počítače*) monitor

monografie monograph

monokiny topless bikini

monopol monopoly

monoskop (*televizní*) test card

montáž assembly; fitting, mounting, montage [mon'ta:ž]

montážní: **~ hala** assembly hall; **~ linka** assembly line

montér fitter

montérky overall, boilersuit

montovat fit, assemble, mount

monumentální 1 (*mistrovský*) superb **2** (*mohutný*) monumental

moped moped

morálk|a 1 (*mravnost*) morality **2** (*mravy*) morals *pl*; **člověk bez -y** a man without morals **3** (*mravní naučení*) moral **4** (*duch*) morale

morální moral

Morava Moravia

moravský Moravian

morče guinea pig

morfium morphia [mo:fjə], morphine [mo:fi:n]

morseovka Morse code

moruše mulberry
moř|e sea; na -i at sea; plout po -i
  sail on the sea; u ~ at the seaside;
  v -i in the sea; za ~(m) overseas
mořsk|ý sea; -é lázně sea resort;
  -á nemoc seasickness; mít -ou
  nemoc be seasick; -á ryba
  salt-water fish; -é pobřeží coast,
  seaside, seashore
mosaz brass
moskevský, též n Moskva
  Moscow
most bridge
mošt must; sweet cider
motat wind* up / in, reel in
motiv motive; incentive
motocykl motorcycle
motocyklist|a, -ka motorcyclist
motocyklový motorcycle
motor motor
motorismus motoring
motorka motorcycle
motorový motor
motyka hoe
motýl butterfly
motýlek 1 bow tie 2 (sport.)
  butterfly
moučník sweet
moudrost wisdom
moudrý wise; nebyl jsem z toho ~
  I couldn't make head or tail of it
moucha fly
mouka flour
movitost personal estate;
  ~i effects pl
mozaika mosaic
mozeček (jídlo) brains pl
moz|ek, též adj -kový brain
mozol horny skin, callus
možná perhaps, maybe; ~, že máš
  pravdu you may be right
možno: je ~ it is possible
možnost 1 possibility, chance;

  opportunity; dát ~ komu enable
  sb. 2 ~i pl facilities pl
možný possible
mračit se 1 (obloha) be* cloudy,
  be* overcast 2 (v obličeji) frown
mrak cloud
mrakodrap skyscraper
mramor, též adj ~ový marble
mrav custom, practice
mravenec ant
mraveniště ant hill
mravní moral
mravnost morals pl; morality;
  (mravopočestnost) decency
mravný moral
mravy 1 morals pl 2 (zvyky)
  customs pl
mráz frost
mrazírna cooling plant
mraznička freezer
mražený frozen; deep-frozen
mrholit drizzle
mrkat blink; wink (na at)
mrkev carrot
mrknout viz mrkat; ani ne~ not
  bat an eyelid
mrož walrus
mršina carrion
mrštný nimble, brisk
mrtvice apoplexy
mrtvola corpse, (dead) body
mrtv|ý dead; být na -ém bodě
  be* at a deadlock
mrva manure, dung
mrzák cripple
mrz|et: -í mě, že I am very /
  awfully sorry (that)
mrzn|out freeze*; -e it is freezing
mrzutost annoyance
mrzutý 1 (věc) annoying
  2 (rozmrzelý) peevish
mřenka loach [ləuč]

mříž lattice; bars *pl*; **být za ~emi** be* behind bars

msta vengeance, revenge

mstitel avenger

mstít se revenge oneself (**komu zač** on sb. for sth.)

mstivý revengeful

mše mass

mučedn|ík, -ice martyr

mučit 1 (*též při výslechu*) torture **2** torment

MUDr. M.D. (Doctor of Medicine)

mucholapka flypaper

muchomůrka fly agaric, toadstool

můj 1 my (**kabát** coat) **2** mine; **ten kabát je** ~ the coat is mine

mul gauze

munice ammunition

můra moth; **noční** ~ nightmare

mus|et have* (got) to + *inf*, be* obliged to + *inf*; **musím** I must; **nemusím** I need not; **musil jsem** I had to; **nemusil jsem** I didn't have to ♦ **to se ~f oslavit** this calls for a celebration

můstek (*na loď*) gangway; (*kapitánský*) bridge; (*lyžařský*) ski jump; (*zubní*) bridge(work)

mušle shell

muškát 1 nutmeg **2** (*víno*) muscatel **3** (*pelargónie*) geranium

muškátový: ~ **oříšek** nutmeg; ~ **květ** mace

muzeum museum

muzikál musical

muž man; male; **jako jeden** ~ to a man; ~ **činu** a man of action

mužný virile, manly

mužský male, masculine

mužstvo (*posádka*) crew; (*družstvo*) team

my we; ourselves; **u nás** *1.* (*v ČR*) in this country *2.* (*doma*) at our place

mycí washing

myčka na nádobí dishwasher

mydlice soapwort

mydlit, *též n* **mýdlo** soap

mýdlov|ý soap; **-á pěna** lather

mýlit se be* mistaken, be* wrong

mýlka mistake

mylný wrong

mys cape

mysl mind; **být dobré ~i** be* of good cheer; **mít na ~i** have* in mind; **pustit co z ~i** dismiss sth. from one's mind, forget* sth.

mysl|et think* (**na** of / about); (*předpokládat*) suppose ♦ **nevím, co si o tom ~** I don't know what to make of it; **-ím to dobře** I mean well; **-ím to vážně** I mean it; **to jsem si -el** I thought as much; **proč -íte?** what makes you think so?

myslivec huntsman

myslivna gamekeeper's lodge

myš mouse

myšlení thinking, thought

myšlenka thought

mýt wash; ~ **nádobí** wash up; ~ **si ruce** wash one's hands; ~ **si hlavu** wash one's hair, shampoo one's hair

mýt se wash, have* a wash

mýto toll

mzda wage(s) (*pl*); **hrubá hodinová** ~ gross hourly wages; **postačitelná** ~ living wage

mzdový wage (**spor** dispute)

mžít drizzle

mžourat blink

M

N

na 1 on; ~ **stole** / ~ **stůl** on the table; ~ **stěně** / ~ **stěnu** on the wall; ~ **dovolené** / ~ **dovolenou** on holiday; ~ **Nový rok** on New Year's Day **2** to; **jít** ~ **koncert** / **nádraží** / **schůzi** go* to a concert / the station / a meeting; **jet na hory** / **Slovensko** go* to the mountains / Slovakia **3** at; **být** ~ **nádraží** / **rohu** / **schůzi** be* at the station / the corner / a meeting; ~ **první pohled** at first sight; ~ **Vánoce** at Christmas **4** in; **být** ~ **horách** / **náměstí** / **Slovensku** be* in the mountains / the square / Slovakia; **ležet** ~ **slunci** lie* in the sun; ~ **ulici** in the street; ~ **jaře** / **podzim** in (the) spring / autumn **5** for; **jít** ~ **procházku** go* for a walk; ~ **okamžik** for a moment; ~ **tři měsíce** for three months ♦ **být** ~ **mizině** be* down and out; ~ **tom není nic divného** there's nothing strange about it; **spravit co** ~ **počkání** repair sth. while you wait; ~ **shledanou** goodbye, see* you later; **je** ~ **vás, abyste** it's up to you to

nabádat urge, incite, instigate, encourage

nabarvit 1 (*natřít barvou*) paint **2** (*obarvit*) dye

naběhlý swollen

nabídka 1 offer; ~ **a poptávka** supply and demand **2** (*sňatku*) proposal

nabídnout 1 offer **2** (*sňatek*) propose

nabíjet *viz* **nabít 1, 2**

nabírat *viz* **nabrat**

nabít 1 load (**pušku** a gun, **aparát** a camera) **2** charge (**akumulátor** a battery) **3** (*zbít*) beat*, thrash (**komu** sb.)

nabízet offer

nabodnout stick* on, stab

náboj 1 (*patrona*) cartridge **2** (*elektr.*) charge

nábor recruitment; (*reklama*) advertising campaign

naboso barefoot

náboženský religious

náboženství religion

nábožný devout, pious

nabrat 1 take* in **2** gather (**sukni v pase** a skirt at the waist)

nabrousit sharpen

nábřeží quay; (*řeky ve městě*) embankment

nabýt acquire, gain

nábytek furniture

nabývat *viz* **nabýt**

nacionalismus nationalism

nacionální national

nacismus Nazism

nacpaný crammed, filled

navcič|it, -ovat study, drill

nácvik study, drill, training, practice

načas on time

načatý begun; (*téma*) broached; (*činnost*) initiated

náčelník chief; ~ **stanice** station master

načerno: kupovat ~ buy* under the counter / on the black market; **cestovat** ~ stow away

načerpat draw*

načež hereupon, whereupon, thereupon

načichnout catch* the smell (**čím** of sth.)

načínat start; (*téma*) broach; (*činnost*) initiate

náčiní implement(s *pl*); kit

načisto completely; **přepsat ~** make* a fair copy (**co** of sth.)

načíst *viz* **načínat**

náčrt, ~ek sketch; (*obrys*) outline

načrtnout sketch; **~ si** jot down

nad 1 above; **~ obzorem / mraky / kolena / průměrem** above the horizon / the clouds / the knees / the average **2** over; **lampa ~ stolem** a lamp over the table; **usnout ~ prací** fall* asleep over one's work; **hovor ~ šálkem kávy** a chat over a cup of coffee

nadále from now on, in the future

nadání talent, gift

nadaný talented, gifted

nadarmo in vain

nadávka bad name, term of abuse, insult

nádavkem over and above, in addition, into the bargain

nadbytečný superfluous, redundant

nadbyt|ek abundance; **žít v -ku** live in affluence

naděje hope (**na** of, **že** of -ing)

nadějný hopeful, encouraging; promising

nádeník navvy

nadepsat inscribe

nádhera splendour

nádherný wonderful, splendid, gorgeous, (*hovor.*) fabulous

nadhodnota surplus value

nadchnout inspire

nadiktovat dictate

nadílka distribution of presents

nádivka stuffing; (*masová*) forcemeat

nadjezd overhead crossing, flyover

nadlidský superhuman

nadlouho for a long time

nadměrn|ý excessive; **-á velikost** outsize

nadmořský above sea level

nádoba vessel; **~ na odpadky** rubbish bin

nádobí (*jídelní*) dishes *pl*, tableware; (*kuchyňské*) crockery; **~ pro snídani** breakfast things *pl*

nadobro for good

nádor tumour

nadpis inscription

nadpoloviční většina absolute majority

nadporučík first lieutenant

nadprůměrný above the average

nadpřirozený supernatural

ňadra bossom, breasts *pl*

nádraží (railway) station; **nákladové ~** goods station; **seřaďovací ~** shunting station

nádrž basin; (*cisterna*) tank

nadsázka exaggeration

nadstavba superstructure

nadšení enthusiasm

nadšený enthusiastic; dedicated, devoted (**kánoista** canoeist, **sportovec** sportsman)

nadváha overweight

nadvláda rule; domination

nádvoří court(yard)

nadvýroba overproduction

nadzvukový supersonic

nafoukaný conceited, haughty

nafouknout (se) inflate

nafta oil; (*motorová*) diesel

nafukovat (se) inflate

nahlas (a)loud, loudly; **mluvit ~** speak* up / out

náhle suddenly, all of a sudden

nahluchlý hard of hearing

náhlý sudden, abrupt

nahmatat feel*

nahnout (se) tilt, tip

náhoda 1 chance; **šťastná ~** a stroke of (good) luck; **nešťastná ~** accident, misadventure **2** (*shoda okolností*) coincidence ♦ **co kdyby náhodou** on the off chance

náhodný accidental; hit-or-miss; **~ vzorek** random sample

náhodou by chance, as it happens; **~ jsem ho potkal** I happened to meet him; **nešťastnou ~** as ill luck would have it, by misfortune

náhon (*motor.*) drive

naho|ru up; upwards; (*po schodech*) upstairs; **~ a dolů** up and down; **-ře** up there; (*v patře*) upstairs

náhrada compensation, amendments *pl*; **~ škody** damages *pl*, indemnity

nahradit 1 (*odškodnit*) compensate (**komu co** sb. for sth.); reimburse (**výlohy** expenses); make* up (**co** for sth.); **~ ztracený čas** make up for lost time **2** (*vyměnit*) replace (**koho kým** sb. by sb.); (*zaujmout čí místo*) take* the place of sb.

náhradní spare; **~ díl** spare (part)

náhradník substitute; (*sport.*) stand-in

nahrá|t, -vat record

nahrávka recording

nahrazovat *viz* **nahradit**

náhražka substitute

náhrdelník necklace

náhrobek tomb

nahromadit heap, pile (up), accumulate; **~ se** heap / pile up, accumulate

náhubek muzzle

nahustit: ~ pneumatiku pump up / inflate a tyre

nahý naked

nahýbat se: ~ z okna lean* out of the window

nacházet find*; **~ se** occur, find* oneself

nachladit se catch* (a) cold

nachlazení cold

nachlazený: být ~ have* a cold

náchylný (*k nemocem atd.*) liable to, susceptible to; (*k omylům*) prone to

naivní naive, artless

najednou 1 suddenly, all of a sudden **2** (*současně*) at the same time

nájem hire; (*podle smlouvy*) lease

nájemce hirer, renter

nájemné rent

nájemník tenant

najet run* (**nač** against sth.)

najevo: dát ~ show*; **vyjít ~** come* to light

najímat hire

najíst se have* sth. to eat, have* a meal

najít find*

najmout hire

nákaza infection

nakazit infect; **~ se** contract (*nemocí* a disease)

nakažlivý infectious

náklad 1 (*břemeno*) load, freight; (*lodní*) cargo **2** (*výdaje*) expense, cost **3** (*počet výtisků*) circulation (**novin** of a newspaper); impression (**knihy** of a book)

nakládat load
nakladatel publisher
nakladatelství publishing house
nákladní: ~ **auto** lorry; ~ **list** bill of freight, (*konosament*) bill of lading; ~ **vlak** goods train
nákladný expensive, costly
nakl|ánět (se), -onit (se)
1 lean*; ~ **se z okna** lean out of the window 2 slant, slope; **písmo se -ání** the handwriting slants / slopes (**vlevo** to left)
naklíčit germinate
naklon|ěný inclined; **být nakloněn čemu** be* inclined to; **-á rovina** inclined plane
náklonnost inclination, affection
nakonec in the end, finally, eventually
nakoupit buy*
nakrájet cut*; ~ **cibuli** chop up an onion; ~ **salám** slice a sausage
nakrátko for a short time
nákres drawing, design
nakreslit draw*
nakrmit feed*
nakropit (*prádlo*) sprinkle (with water)
nákup purchase; **jít na** ~ go* shopping
nakupit heap, pile
nákupčí buyer, buying agent
nákupní buying, purchasing
nákyp pudding, soufflé [su:flei]
nálad|a mood, temper; **být v dobré / špatné -ě** be* in a good / bad temper; **nemít -u na** be in no mood for; **mít smutnou -u** have* the blues
naladit tune
náladový moody, capricious
náledí: je ~ the streets are slippery (with ice)

naléhat insist
naléhavý pressing, urgent
nalepit stick* (on); ~ **známku** stick on a stamp; ~ **fotografii** mount a photo
nalepovat stick* (on)
nálepka label
nálet air raid
nalevo (to the) left, on the left
nález find; (*objev*) discovery
nálezce finder
naleziště (*rudy*) deposit; ~ **nafty** oil field
nalézt find*; (*objevit*) discover; **není nikde k nalezení** he is nowhere to be found
náležet belong
náležitý appropriate; (*řádný*) proper
nalíčit (se) make* up
nalít pour (out); ~ **si šálek čaje** pour oneself (out) a cup of tea
nalodit se embark
nálož (*explosive*) charge
naložen|ý: -é okurky pickled cucumbers *pl*; **-é ovoce** preserved fruit; **dobře** ~ good-humoured; **špatně** ~ out of sorts
naložit 1 load (**zboží na vůz** goods on a cart, **vůz zbožím** a cart with goods)
2 (*konzervovat*) preserve; (*do octa*) pickle 3 (*s kým*) treat sb. (**špatně** badly, **jako s dítětem** as a child)
namáčet soak
námaha effort, pains *pl*; ~ **spojená se studiem** the strain of studying
namáhat strain (**oči** one's eyes); ~ **se** exert oneself, take* pains
namáhavý troublesome, difficult
namalovat paint; ~ **se** make* up
namátkou at random

namazat 1 (*stroj*) grease, lubricate, oil **2** spread; **~ chléb máslem** spread* (a slice of) bread with butter, spread butter on (a slice of) bread

námel ergot [ə:gət]

náměsíčník sleepwalker, somnambulist

náměstek deputy, (*hovor.*) stand- -in; **~ ředitele** deputy manager

náměstí square, place; (*kruhové*) circus

námět 1 subject **2** (*návrh*) suggestion

námezdní práce wage labour

namíř|it aim (**na** at); **kam máte -eno?** where are you off to?

namítat object (**proti** to)

námitka objection

namítnout object (**proti** to)

namluv|it 1 (*přesvědčit*) persuade (**komu co** sb. of sth.) **2 ten toho -í** he talks nineteen to the dozen

namluvit si pick up (**děvče** a girl)

namočit soak; **~ ruku do vody** dip one's hand into the water

námořnick|ý sailor('s); **-á blůza** sailor blouse

námořník sailor

namožený kotník sprained ankle

namydlit soap; **~ se** soap oneself down

nanejvýš at most

naneštěstí unfortunately

nános deposit

naobědvat se have* one's lunch

naolejovat oil

naopak on the contrary; **a ~** and the other way round

nápad idea

napad|at 1 (*útočit*) attack **2 teď mě -á, že budeme musit** come* to think of it, we shall have to; **co**

tě -á! that's out of the question! **3** (*na mou*) walk with a limp

napadnout 1 (*zaútočit*) attack **2 to mě nenapadlo** I didn't think of it, it didn't occur to me; **napadlo mě** it flashed upon me

nápadný striking, conspicuous, loud

napajedlo watering place

napařovací žehlička steam iron

napětí tension; (*vypětí*) strain

napínáček drawing pin, thumbtack

napínat 1 stretch **2** (*vzrušovat*) thrill ♦ **~ uši** prick up one's ears

napínavý thrilling

nápis 1 inscription **2** (*firma*) sign

napít se have* a drink

napjatý 1 tense **2** (*natažený*) tight

naplánovat plan

náplast sticking plaster, adhesive tape

náplň 1 (*kuličkové tužky*) refill; (*pera*) cartridge; (*zapalovače*) fuel

naplnit fill

naplno: jít / hrát ~ go* (at) full blast

naplňovat fill

napnout 1 (*natáhnout*) stretch; (*utáhnout*) tighten **2** (*vzrušit*) thrill

napodobenina imitation

napodobit imitate

nápodobně (the) same to you

napodobovat imitate

nápoj drink

napojit 1 give* to drink **2** (*spojit*) join, attach

napolovic half

napom|enout, -ínat warn, admonish

napomenutí warning

nápor storm, attack

naposled finally, last(ly), for the last time

napouštět *viz* **napustit**

nápověda prompter

napovídat prompt

náprava 1 remedy **2** (*vozu*) axle

napravit put* right, remedy (**chybu** a mistake); undo* (**škodu** harm); reform (**hříšníka** a sinner)
♦ ~ **křivdu** make* amends

nápravný corrective; ~ **tělocvik** rehabilitation exercises *pl*

napravo (*kam*) (to the) right; (*kde*) on the right

napravovat *viz* **napravit**

naprázdno: běžet ~ idle

naprosto entirely, absolutely, altogether, utterly

naprostý absolute

naproti *prep* opposite (**nádraží** the station); ~ **tomu** on the other hand
● *adv:* **jít ~ komu** (go to) meet sb.

náprsní taška wallet, pocketbook

náprstek thimble

náprstník foxglove

napřed 1 (*vpředu*) in front, ahead **2** (*nejdříve*) first of all

napříč across

například for example, for instance; **já ~ ...** I, for one, ...

napsat write* (down), put* down

napudrovat powder; ~ **se** powder one's face

napůl half; **dělit se ~** go* halves (**s kým o** with sb. in)

napumpovat pump up, inflate

napustit: ~ **vanu** run* a bath

náramek bracelet

nárameník epaulet [epə'let]

náramkové hodinky wristwatch

náraz at a blow, at one go

náraz blow; (*vzduchové vlny*) blast

narazit hit (**na zeď** a wall); bump (**hlavou oč** one's head against sth.); ~ **na odpor** meet* with opposition

nárazník bumper, buffer

náráž|et drive* (**na** at); **nač -íte?** what are you driving at?

narážka allusion; (*pro herce*) cue

narcis narcissus

narkóza narcosis [naːˈkəusis], anaesthesia

náročný exacting

národ nation, people

narodit se be* born

národní national; ~ **důchod** national income; ~ **hospodářství** national economy, (*věda*) economics

národnost nationality

národnostní national

národohospodářský economic

národopis ethnography

národopisný ethnographic

nárok claim (**na** to); **činit si ~y** lay* claims (**na** to)

narovnat (se) straighten

narození birth

narozeniny birthday

narozený born

nárt instep

naruby wrong side out, inside out

náruč|, -í 1 arms *pl*; **s otevřenou ~í** with open arms; **vzít do ~í** take* into one's arms, embrace **2** (*čeho*) armful

narukovat join the army, join up

narůst, ~at grow*, increase

narušovat disturb, disrupt; (*vzdušný prostor*) violate

nárživý passionate, ardent, enthusiastic

narýsovat draw*, outline

nářadí tools *pl*, kit

nářečí dialect
nářek lament; wails *pl* (**dítěte** of a child)
nářez 1 (*bití*) thrashing, hiding **2** (*uzeniny*) sliced salami
nařezat 1 (*zbít*) thrash **2** (*krájet*) cut*, slice
nařídit 1 (*poručit*) order **2** ~ **hodiny** put* the clock right; ~ **budík na sedm hodin** set* the alarm (on) for seven
naříkat 1 complain (**na** of) **2** (*bědovat*) lament
nařízení order; ruling
nařizovat *viz* **nařídit**
nasadit set*, put*; ~ **si** put on (**klobouk** one's hat)
nasazovat (si) *viz* **nasadit (si)**
nasbírat collect
nased|at, -nout get* (**do autobusu** on bus, **do vlaku** into a train)
násep bank
naschvál on purpose, deliberately
násilí violence; (*porušení práv*) outrage
násilný violent
nask|akovat, -očit jump (**do** into)
náskok start; advantage
naskytnout se present oneself; arise*
následek consequence; **mít za** ~ result in, entail
následkem: ~ **čeho** owing to, due to, in consequence of; ~ **toho** consequently
následky aftereffects *pl*
následník successor
následovat follow; succeed (**po kom** sb.)
následování follow-up
následující following
nasnídat se have* breakfast
násobení multiplication

násobilka multiplication table
násobit multiply
nast|at, -ávat start, set* in; **-ává noc** night is falling
nastavit 1 (*nohu komu*) trip up sb. **2** (*prodloužit*) extend
nastavovat (*čeho je málo*) eke out; ~ **noci** burn* the midnight oil
nastěhovat se move in
nástěnka notice board; bulletin board
nástěnn|ý wall; **-á malba** mural
nástin outline
nastoupit 1 (*do řady*) form up **2** (*po kom*) succeed sb. **3** (*do vlaku*) get* (on train) **4** (*službu*) enter upon one's duties
nástraha snare, trap
nástroj implement; (*jemný, hud., med.*) instrument; (*rukodělný*) tool
nástrojař toolmaker
nástup 1 (*do práce*) entrance (upon one's duties) **2** (*voj., sport.*) lining up
nástupce successor
nástupiště platform
nastupovat *viz* **nastoupit**
nastydlý having a cold
nastydnout catch* (a) cold
nasvačit se have* one's afternoon tea; (*dopoledne*) have* a midmorning snack
nasvědč|ovat be* in favour (*čemu* of sth.); **všechno -uje tomu, že** the indications are that, everything points to the fact that
nasypat pour, sprinkle
nasytit feed*; (*tekutinou a přen.*) saturate; ~ **se** eat* one's fill
náš our; ours
našinec one of us
naštěstí fortunately, luckily

nať tops pl; leaves pl

natáhnout, natahovat
 1 (*prodloužit*) stretch, extend
 2 hold* out (**ruku** one's hand)
 3 wind* up (**hodiny** a clock)

nátěr (coat of) paint

natěrač painter

natírat paint, coat

nátlak pressure

natočit 1 turn on (**vodu** water);
 ~ **vodu do vany** run* the bath
 2 shoot* (**film** a film)

natolik to such an extent (**že** that)

natrhat pick, pluck (**květiny**
 flowers, **ovoce** fruit)

nátrubek mouthpiece

natřít paint, coat

naturálie: v -ích in kind

naturalistický naturalistic

natvrdo vařené vejce hard-boiled
 egg

naučit teach*; ~ **se** learn*

naučný instructive; ~ **slovník**
 encyclopaedia

nauka doctrine

náušnice earring

nával (*lidí*) rush; **vánoční** ~ the
 Christmas rush; ~ **krve do hlavy**
 hot flush; ~ **vzteku** surge of anger

navázat styky open up / enter
 into relations (**s** with)

náves village green

návěští signal; (*avízo*) advice

navézt (*na hromadu*) heap up, pile

navíc (*ještě*) into the bargain

naviják reel; **sežrat i s ~em**
 (*hovor.*) swallow hook, line and
 sinker

navíjet, navinout wind* up, reel in

navléci, -kat (-í) put* on, slip on

navlhčit, -ovat wet

návnada bait, lure

návod k použití directions pl for
 use

navonět perfume, scent; ~ **se**
 apply scent to oneself

návrat return

návrh proposal; (*nadhození*)
 suggestion; (*konstrukční*) design;
 (*na schůzi*) motion

návrhář designer

navrh|nout, -ovat propose;
 (*doporučit*) suggest; (*výrobek*)
 design; (*na schůzi*) move

návrší hill, elevation, rise

návštěva 1 visit (**Prahy** to
 Prague); call (**u koho** on sb.)
 2 (*docházka*) attendance (**školy**
 at school)

návštěvní hodiny visiting hours pl

návštěvn|ice, -ík visitor, caller

navštěvovat 1 visit, frequent
 2 attend (**školu** school)

navštívenka visiting card, calling
 card

navštívit call (**koho** on sb.); (*též
 město*) visit; (*formálně*) pay*
 a call / visit; (*krátce*) drop in

návyk habit, custom

navyk|at, -nout accustom; ~ **si**
 get* used, get* accustomed (**na**
 to), get* into the habit of

navzájem one another, each other;
 mutually

navždy for ever

nazdar (*při setkání*) hallo; (*při
 rozchodu*) cheerio

název name, title

nazmar: přijít ~ go* to waste

naznač|it, -ovat indicate;
 (*nepřímo*) imply, insinuate;
 signify

náznak suggestion, implication,
 insinuation

názor opinion, view (**na** of); **mít**

~ view (**nač** sth.), take* a view
(**na** of); **podle mého ~u** in my
opinion
názorné pomůcky visual aids *pl*
nazpaměť by heart
nazvat name, call
nazývat call; ~ **se** be* called
naživu alive
ne 1 not; ~ **že bych ...** not that
I ... **2** (*nikoli*) no
nealkoholický non-alcoholic
neamerický un-American
nebe heaven; (*obloha*) sky; **pod
širým ~m** in the open air
nebeský heavenly
nebezpečí danger; **v ~** in danger;
na vlastní ~ at one's own peril /
risk
nebezpečný dangerous
nebo or; (*sice*) or else, otherwise;
buď – nebo either – or
nebojácný fearless
neboli or
neboť for
nebozez auger [o:gə]
nebydlící homeless
nebývalý unprecedented
necelý incomplete; **za ~ch dvacet
let** in less than twenty years
necesér vanity bag; travel set
necitelný unfeeling, callous
necitlivý insensitive; numb
něco 1 something; **mám ~ pro
vás** I have something for you
2 anything; **máte ~ pro mne?**
have you got anything for me?
♦ ~ **jiného** something else; **o ~
lepší** somewhat better, a little
better
nečekaný unexpected
nečestný dishonest
něčí somebody's

nečinnost inactivity; (*lenost*)
idleness
nečinný idle
nečisto: napsat co na ~ make*
a rough copy of
nečistota impurity
nečitelný illegible
nedaleko not far (**od** from); **bydlí
~** he does not live* far (away)
from here
nedat se hold* one's own
nedávn|o not long ago, lately,
recently; **až do ~a** until recently
nedávný recent, late
nedbalost carelessness,
negligence; **nehoda byla
zaviněna ~f** the accident was
due to negligence
nedbalý careless; (*nepořádný*)
slovenly; (*povrchní*) slapdash
nedbat 1 (*zanedbávat*) neglect
(**o děti** one's children, **studium**
one's studies) **2** (*přehlížet*)
disregard (**dopravních předpisů**
the highway code)
neděl|e Sunday; **v ~i** on Sunday;
každou ~i on Sundays
nedělní Sunday; ~ **šaty** one's
Sunday clothes, one's best *pl*
nedílný inseparable
nediskrétní indiscreet, tactless
nedobytný impregnable
nedočkavý impatient
nedokonalý imperfect
nedokonavý (*jaz.*) imperfective
nedokončený unfinished,
incomplete
nedopalek stub
nedopatření oversight
nedorozumění misunderstanding
nedoslýchat be* hard of hearing
nedoslýchavý hard of hearing
nedostatečný insufficient

nedostatek 1 (*naprostý*) lack; absence; **pro ~ důkazů** in the absence of evidence; (*částečný*) shortage; **pro ~ pracovníků** owing to shortage of staff 2 (*vada*) defect, shortcoming

nedostavit se fail to turn up

nedostupný inaccessible; unapproachable; **-é ceny** prohibitive prices

nedotknutelný inviolable [in'vaiələbl]

nedovolený illicit

nedůsledný inconsistent

nedůstojný undignified

nedůtklivý touchy

nedůvěra mistrust, want of confidence

nedůvěřivý distrustful

nefrankovaný unstamped

negace negation

negativ, *též adj* **~ní** negative

negramotný illiterate

něha tenderness

nehet nail

nehezký plain, unattractive

nehledě na apart from, irrespective of

nehlučný noiseless

nehod|a accident; **mít dopravní -u** meet* with / have* a road accident

nehospodárný uneconomical, wasteful

nehybný immobile, motionless

nech|at, -ávat 1 let*, leave*; **~ koho být** leave / let sb. alone; **~ co na poslední chvíli** leave sth. till the last minute; **~ okno otevřené** leave the window open; **~ vzkaz** leave a message; **~ koho na holičkách** let sb. down, fail sb. **2** (*čeho*) give* up sth.; **~ kouře-**

ní give up smoking; **-te toho come*** off it, (*hovor.*) chuck it

nechat si keep*; **~ si co pro sebe** (*zamlčet*) hold* sth. back, keep sth. to oneself

nechráněný ~ plamen naked flame; **~ přejezd** level crossing

nechuť dislike (**k** of); aversion (**k** to)

nechutný unpalatable (**pokrm** food); nasty (**případ** case)

nechvalný infamous

nějak somehow, in one way or another ♦ **vy ~ nemáte strach** you don't seem to be afraid

nějak|ý some; a sort of, a kind of ♦ **máte ~ dobrý román?** what have you got in the way of a good novel?; **znáte ~ého Smithe?** do you know a man named Smithe?

nejasný 1 (*mlhavý*) hazy; (*rozmazaný*) dim **2** (*neurčitý*) vague; ambiguous

nejdříve first (of all), in the first place; **co ~** as soon as possible

nejednotný not united, not uniform

nejen, nejen že not only; **~ – ale také** not only – but also

nejistota uncertainty

nejistý 1 (*neurčitý*) uncertain (**věk** age) **2** (*nepevný*) insecure (**led** ice)

nejméně at least

nejprve first of all, in the first place

nejvýše at most

někam somewhere, anywhere; some place

nekázeň indiscipline

někde somewhere, anywhere; some place

někdo somebody, someone; anybody, anyone

někdy 1 (*občas*) sometimes **2** (*jednou*) sometime, one day, one of these days; ~ **jindy** some other time

neklid 1 unrest; **politický ~** political unrest **2** (*nervozita*) restlessness, uneasiness

neklidný restless, uneasy

několik a few, some, several

několikanásobný multiple, manifold

několikrát several times

nekompromisní uncompromising

nekonečný endless

nekritický undiscriminating

některý some

někudy some way

nekuřák nonsmoker

nekvalifikovaný unqualified, unskilled, incompetent

nekvalitní inferior, substandard; (*hovor.*) bad quality

nelíčený unfeigned

nelidský inhuman

nelítostný merciless; (*bezohledný*) ruthless

nelogický illogical

nelze it is not possible

nemačkavý crease-resistant

nemajetný poor, needy

nemanželský illegitimate

němčina German

Němec German

Německo Germany

německý German

německy in German; **mluvit ~** speak* German

neměnný unchangeable

nemilosrdný merciless, ruthless

nemilý unpleasant

nemístn|ý out-of-place; **-á poznámka** untimely remark

nemluvně baby

nemluvný taciturn, inarticulate

nemoc illness; (*vážná choroba*) disease; **dostat mořskou ~** get* seasick

nemocenské sickness benefit; (*placené zaměstnavatelem*) sick pay

nemocenské pojištění health insurance

nemocnice hospital; **odvézt do ~** take* to hospital

nemocn|ý *adj* sick; ill; ~ **člověk** a sick man; **jsem ~** I am ill ● *n* patient; **pro staré a -é** for the aged and infirm

nemoderní old-fashioned, outdated

nemotorný clumsy, awkward, uncouth

nemovitost real estate

nemožnost impossibility

nemožn|ý (*neproveditelný*) impossible; (*nerozumný*) absurd

nemravný immoral; (*neslušný*) indecent

němý dumb; (*neschopný slova*) speechless

nenadálý sudden, unexpected

nenahraditelný irreplaceable [iri'pleisəbl]

nenápadný inconspicuous

nenapodobitelný inimitable

nenapravitelný: ~ **omyl** irreparable mistake; ~ **zločinec / pijan** habitual criminal / drunkard; ~ **hlupák** hopeless idiot

nenáročný modest

nenasytný insatiable [in'seišəbl]

nenávidět hate

nenávist hatred

nenucený informal

neobdělaný incultivated

neoblomný unyielding

neobratný awkward, clumsy
neobvyklý unusual; (*mimořádný*) extraordinary
neobydlený uninhabited
neocenitelný priceless
neočekávaný unexpected
neodborník layman, amateur
neodborný lay, amateurish
neodbytný importunate
neoddělitelný inseparable
neodkladný urgent, pressing
neodpovědný irresponsible
neodpustitelný unpardonable
neodůvodněný baseless, unfounded
neodvolatelný irrevocable
neodvratný inevitable
neoficiální unofficial
neohebný inflexible, stiff
neohrabaný clumsy, awkward
neohrožený intrepid, dauntless
neochotný unwilling
neomalený blunt
neomezený unlimited; boundless
neomluvitelný unforgivable, unpardonable
neomylný infallible; impeccable [im'pekəbl], unerring (**vkus** taste)
neón, *též adj* ~**ový** neon; ~**ová reklama** neon sign
neopatrný careless
neopodstatněný unjustified
neoprávněný unauthorized
neosobní impersonal
nepatrný slight; tiny
neplatný invalid
neplavec nonswimmer
neplodný (*též přen.*) sterile, barren
nepoctivý dishonest; (*proti pravidlům*) unfair
nepočítajíc apart from, not counting / including
nepodařený unsuccessful

nepoddajný unyielding
nepohoda bad / foul weather; **člověk do nepohody** a man of all seasons
nepohodlný uncomfortable
nepochopení lack of understanding
nepochopitelný incomprehensible; (*tajemný*) mysterious, obscure
nepochybně doubtless, indubitably
nepolepšitelný incorrigible
nepolitičnost political disinterestedness
nepoměr disproportion
nepomě|r|ný, *též adv* -**ně** out of (all) proportion
nepopiratelný undeniable
neporušený intact
nepořád|ek disorder, muddle, clutter; **nechat pokoj v -ku** leave* the room in a muddle
nepořádný disorderly
neposedný fidgety, restless
neposkvrněný immaculate
neposlušný disobedient
nepostradatelný indispensable
nepotřebný unnecessary
nepovinný voluntary
nepoznání: změnit k ~ change beyond recognition
nepozorný inattentive; (*nedbalý*) careless; (*bezohledný*) thoughtless, inconsiderate
nepozorovaně without being noticed, stealthily
nepoživatelný uneatable, unfit to eat
nepraktický impractical, unpractical
nepravděpodobný improbable, unlikely
nepravdivý untrue, false
neprávem wrongfully, unjustly

N

nepravidelný irregular

neprav|ý wrong; (*imitace*) imitation, sham, mock; **-á želví polévka** mock turtle soup

neprodejný unsaleable

neproduktivní unproductive

neprodyšný airtight

nepromokavý waterproof; **~ plášť** mac(kintosh)

nepropustný watertight

neprospěch: v ~ to the detriment (**koho** of sb.)

neproveditelný impracticable

neprozřetelný unwise

neprůhledný opaque

neprůchodný (*slang.*) unacceptable

nepřátelský 1 (*zlovolný*) unfriendly **2** (*válečný*) hostile

nepřátelství enmity, hostility; (*nepřátelské akce*) hostilities *pl*

nepředstavitelný inconceivable

nepředvídaný unforeseen

nepřehledn|ý confused, badly arranged; **-á zatáčka** blind bend

nepřechodný (*jaz.*) intransitive

nepřekonatelný insuperable

nepřemožitelný invincible

nepřesný inaccurate, inexact

nepřesvědčivý inconclusive

nepřetržit|ý continuous; **-é předvádění** (*filmu*) continuous performance

nepříčetný insane

nepřijatelný unacceptable

nepříjemnost inconvenience, nuisance

nepříjemn|ý unpleasant, disagreeable; **to je -é!** what a nuisance!

nepřiměřený inadequate

nepřímý indirect; **~ důkaz** circumstantial evidence

nepřípustný inadmissible

nepřirozený unnatural

nepřístupn|ý inaccessible; (*o člověku*) unapproachable; **-é ceny** prohibitive prices

nepřítel enemy

nepřítomnost absence (**ve škole** from school)

nepřítomný absent (**ve škole** from school)

nepříznivý unfavourable

nepřízvučný unstressed, unaccented

nerad: ~ jezdím vlakem I don't like / I hate going by train; **~ vidím, když** I resent it when; **já polévku ~** I don't care for soup

nerez stainless steel

nerost, *též adj* **~ný** mineral

nerovnoměrný uneven, disproportionate

nerozbitný unbreakable, break-resistant

nerozhodně: hrát ~ draw*; **skončit ~** end in a draw

nerozhodný indecisive; **~ výsledek zápasu** draw

nerozlučný inseparable

nerozumný unreasonable, unwise, silly, foolish

nerozvážný thoughtless, ill-advised

nerušený undisturbed

nerv nerve; **jít komu na ~y** get* on sb.'s nerves

nervový nervous

nervózní nervous (**kvůli** about); restless

nesčetný innumerable

neselhávající unfailing, infallible; fool-proof

neshoda disagreement

neschopnost inability; impotence

neschopný incapable; (*činu*) inef-

fective; *(nekvalifikovaný)* incompetent; *(po úrazu)* disabled; ~ **platit** bankrupt; ~ **slova** speechless
neschůdný, nesjízdný impassable
neskutečný unreal
neslaný unsalted; ~ **nemastný** dull, insipid
neslušný impolite, badly behaved; *(oplzlý)* indecent
neslýchaný unheard-of
nesmělý shy, self-conscious
nesmírný immense
nesmiřitelný irreconcilable
nesmrtelný immortal
nesmysl nonsense
nesmyslný absurd, meaningless
nesnadný difficult, hard
nesnášenlivost intolerance
nesnášenlivý intolerant
nesnáz 1 difficulty; ~ **porozumět čemu** difficulty in understanding sth.; **bez velkých ~í** without much difficulty; **finanční ~e** financial difficulties *pl* **2** trouble; ~ **je v tom, že** the trouble is that; **rodinné ~e** family troubles *pl*
nesnesitelný unbearable, beyond endurance
nesouhlas *(neshoda)* disagreement; disapproval
nesouměrný assymetrical
nesourodý heterogeneous [hetərəu'dʒi:njəs]
nesouvislý incoherent
nespavost sleeplessness
nesplniteln|ý impracticable; **-é přání** a wish which cannot come true
nespokojenost dissatisfaction
nespokojený dissatisfied, discontented
nespolehlivý unreliable

nesporný positive, indisputable [indis'pju:təbl]
nespravedlivý unjust, unfair
nesprávný wrong, incorrect
nesrozumitelný incomprehensible
nést 1 carry (**bednu na rameni** a box on one's shoulder, **dítě v náručí** a child in one's arms, **váhu střechy** the weight of the roof, **úrok** interest); **jak daleko nese ta puška?** how far does the gun carry? **2** ~ **vejce** lay* eggs **3** bear* (**stopy po ranách** the marks of blows, **odpovědnost** the responsibility, **náklady** the expenses, **ovoce** fruit)
nést se 1 *(vznášet se)* fly* **2** carry oneself (**jako voják** like a soldier) **3** *(vykračovat si)* strut, sweep*
nestálý unstable, unsteady; *(proměnlivý)* changeable, fickle
nestejný unequal
nestraník non-party man
nestranný impartial, unbias(s)ed
nestravitelný indigestible [indi'dʒestbl]
nestřídmý intemperate
nestvůra monster
nestydatý impudent, shameless
nesvědomitý irresponsible
nesvůj: být ~ be* / feel* ill at ease; be out of sorts, be not oneself
nešetrný *(marnotratný)* uneconomical **2** *(bezohledný)* inconsiderate
nešikovný awkward, clumsy; incompetent
neškodný harmless
nešťastný 1 unhappy **2** *(smolař)* unlucky
neštěstí 1 *(nešťastný život)* unhappiness, misfortune **2** *(smůla)*

bad luck **3** (*katastrofa*) disaster;
accident; **dopravní** ~ (street /
road) accident
neštovice smallpox
nešvar abuse
netaktní tactless, inconsiderate
netečný impassive
neteř niece
netopýr bat
netrpělivý impatient
netto net, clear
netvor monster
neúcta disrespect
neúčast absence (**na** from)
neúčelný useless
neúčinný ineffective
neudržitelný untenable [an'tenəbl]
neukázněný undisciplined,
difficult
neúměrný disproportionate
[disprə'po:šnit]
neúmyslný unintentional
neúnavný untiring
neúplný incomplete
nepraven|ý untidy; **vypadat** ~
not look very tidy, (*hovor.*) look
a mess
neupřímný insincere
neurčitý indefinite; (*nejasný*)
vague ♦ (*jaz.*) ~ **člen** indefinite
article; ~ **způsob** infinitive
neúroda crop failure
neúrodný barren, infertile
neuskutečnitelný unrealizable
neúspěch failure
neúspěšný unsuccessful
neuspokojivý unsatisfactory
neustálý steady, constant
neútočení nonaggression;
smlouva o ~ nonaggression pact
neutralita neutrality
neutrální neutral; nonaligned
(**země** country)

neútulný dreary, dismal
neuvědomělý 1 (*bezděčný*)
instinctive **2** (*neosvícený*)
unenlightened
neuvěřitelný incredible,
unbelievable
neužitečný useless
nevázaný 1 (*kniha*) unbound
2 (*smích*) unrestrained; (*radost*)
exuberant
nevděčný ungrateful
nevděk ungratefulness, ingratitude
nevědomky unawares
nevěrný unfaithful
nevěřící Tomáš doubting Thomas
nevěsta bride; **Prodaná** ~ The
Bartered Bride
nevěstinec brothel
nevhod inconvenient,
embarrassing (**komu** to sb.); **to
mi přichází** ~ this comes at an
awkward moment for me
nevhodný inconvenient,
inappropriate
nevídaný unprecedented
neviditelný invisible
nevidomý blind
nevina innocence
nevinný innocent
nevítaný unwelcome
nevkus bad taste
nevkusný tasteless; in bad taste
nevlastní: ~ **otec** *atd.* stepfather
atd.
nevměšování nonintervention
nevodič nonconductor
nevolnictví serfdom
nevolno: je mi ~ I feel* sick, I am
out of sorts; (*hovor.*) I feel seedy
nevolnost nausea; **trpět -í
v letadle** get* airsick
nevšední uncommon, remarkable
nevšímavý indifferent (**k** to)

nevybíravý undiscriminating [andis'krimineitiŋ]
nevybuchl|ý live; **-á puma** live bomb
nevyčerpatelný inexhaustible
nevyhnutelný inevitable, unavoidable
nevýhoda disadvantage
nevýhodný disadvantageous
nevychovaný ill-mannered, rude, impolite, badly behaved; (*rozpustilý*) naughty
nevyjímaje including
nevylíčitelný indescribable [indis'kraibəbl]
nevyplacený dopis unstamped letter
nevypočitatelný incalculable
nevýrazný drab
nevýslovný unspeakable
nevyspalý: jsem ~ I didn't have a wink of sleep last night
nevysvětlitelný inexplicable
nevytopený unheated
nevzdělaný uneducated, ignorant
nevzhledný plain, ugly, unsightly, unattractive [anə'træktiv]
nezadržitelný irresistible
nezájem lack of interest (**o** in)
nezákonný illegal
nezaměstnanost unemployment
nezaměstnaný unemployed, out of work, jobless
nezaopatřený unprovided for
nezapomenutelný unforgettable
nezaručený 1 (*nezajištěný*) not guaranteed **2** (*nepotvrzený*) unconfirmed
nezaujatý unbias(s)ed
nezávazn|ý *adj* not binding; **-á od-pověď** noncommittal answer ● *adv* **-ě** without obligation
nezávislost independence

nezávislý independent (**na** of)
nezáživn|ý dull; **-á četba** stiff reading
nezbytný necessary
nezdaněný tax-free
nezdar failure; **setkat se s ~em** fail
nezdárný mischievous, naughty
nezdravý 1 (*nemocný*) unhealthy **2** (*zdraví škodlivý*) unwholesome
nezdvořilý impolite
neziskový non-profit(-making)
nezištný unselfish, disinterested
nezkušený inexperienced
nezletilý minor, under age
neznalost ignorance
neznámý unknown; (*cizí*) strange; **~ člověk** stranger
nezpůsob bad habit
nezralý unripe
nezvěstný missing
nezvyklý uncommon, strange
než 1 than; **starší ~ vy** older than you; **lépe pozdě ~ nikdy** better late than never **2** before; **udělej to, ~ půjdeš domů** do it before you go home
něžný tender
nic 1 nothing; **to ~ není** that's nothing; **z ničeho ~** all of a sudden; **pro ~ za ~** for nothing; **~ než** nothing but
ničema scoundrel, a bad lot
ničí no one's
ničit destroy, ruin
ničivý destructive
nijak in no way; **není to ~ lehké** it is by no means easy
nikam nowhere, not anywhere
nikde nowhere, not anywhere; **~ jinde** nowhere else
nikdo nobody, no one; **~ z vás** none of you

nikdy never; **již ~** never more, never again
nikl nickel
nikoli no
nikotin nicotine [nikəti:n]
nit thread; **cívka ~i** a reel of thread; **viset na ~i** hang* by a thread; **navléci ~ do jehly** thread a needle
nitro interior; soul, heart
nízko low; **letět ~** fly* low; **zpívat ~** sing* flat
nízký low (*též přen.*)
Nizozemsko the Netherlands
níže (*tlaková*) depression
nížina lowlands *pl*
noc night; **přes ~** overnight; **v ~i** at night, in the night, by night; **ve dne v ~i** day and night; **celou ~** all night (long)
nocleh a night's lodging; **~ se snídaní** bed and breakfast
noclehárna hostel
noční night; **~ košile** (*dámská*) nightgown, (*pánská*) nightshirt; **~ podnik** nightclub; **~ stolek** bedside table
noh|a 1 (*celá, též u nábytku*) leg **2** (*od kotníku dolů*) foot
 ♦ **dát si -u přes -u** cross one's legs; **vzít -y na ramena** take* to one's legs; **stát na vlastních -ou** stand* on one's own feet; **být jednou -ou v hrobě** have* one foot in the grave
nohavice leg
noky gnocchi [noki]
normalizovat normalize
normální normal; standard
normovat standardize
Norsko Norway
nor|ský, *též n* **-ština** Norwegian
nos nose ♦ **ohrnovat ~ nad** turn one's nose up at; **strkat ~ do**

poke one's nose into; **vodit koho za ~** lead* sb. by the nose
nosič 1 porter **2** (*přimontovaný*) carrier
nosit 1 carry (**v ruce** in one's hand, **v kapse** in one's pocket) **2** wear* (*šaty* clothes, **brýle** spectacles, **náramkové hodinky** a wristwatch, **dlouhé vlasy** one's hair long)
nositel, **~ka** bearer; (*držitel*) holder
nosítka stretcher
nosník girder
nosnost load; (*střelné zbraně*) range
nosný sloup supporting pillar
nosohltan nasopharynx [neizou'færiŋks]
nosorožec rhino(ceros)
nota, **nóta** note
notář notary (public)
notářství notary's office
notes notebook, diary
noty (*hudebniny*) (sheet) music
nouze 1 (*chudoba*) poverty, distress **2** (*nedostatek*) want, need (**o peníze** of money)
 ♦ **v případě ~** in an emergency
nouzový: ~ stůl makeshift table; **~ východ** emergency exit
nováček novice, newcomer (**v to**); (*voják*) recruit
novátor innovator
novela long short story, short novel
novinář, **~ka** journalist
novinářský newspaper
novinka novelty
novinový newspaper; **~ papír** newsprint
noviny (news)paper, journal
novomanžel newly married man, bridegroom

novomanželé newly married couple, (*hovor.*) newlyweds *pl*

novomanželka newly married woman, (young) bride

novoroční New Year's; **~ přání** greetings of the season

novorozeně newborn baby

novostavba new building

novověk modern times *pl*

nov|ý **1** new; **~ film** new film; **-é šaty** new clothes *pl* **2** fresh; **~ nátěr** fresh paint; **-á košile** fresh shirt; **-é zprávy** fresh news; **~ list papíru** fresh sheet of paper

nožní brzda foot brake

nucen|ý forced; **-é práce** hard labour; **~ smích** strained laughter

nuda boredom

nudipláž nudist beach

nudit se be* bored, feel* bored

nudle noodle

nudlov|ý noodle; **-á polévka** noodle soup

nudný boring; (*bez událostí*) uneventful
♦ **~ patron** bore, dull fellow

nukleární nuclear

nul|a 1 zero, nought; **nad / pod -ou** above / below zero **2** (*sport.*) nil; **prohrát 3:0** lose three nil; (*v tenise*) **15 : 0** fifteen love ♦ (*přen.*) **jedna nula** fifteen love **3** (*při čtení číslic*) O [əu]

nutit force (**koho k čemu** sb. into doing sth.), make* (**koho k čemu** sb. do sth.)

nutnost necessity; **v případě ~i** in case of necessity; **z ~i** (out) of / from necessity

nutný necessary; essential

nutrie (*zvíře*) coypu [koipu:]; (*kožešina*) nutria [nju:triə]

nůž knife; **vystřelovací ~** flick knife, switchblade

nůžky scissors *pl*; (*zahradnické*) shears *pl*, secateurs

nýbrž but

nylon, *též adj* **~ový** nylon

nynější present, present-day

nyní now, at present, these days

nýt rivet

N

O

o 1 about; ~ **tobě** about you
2 starší ~ dva roky two years
older **3** at; ~ **čtvrté hodině** at
four o'clock; ~ **Vánocích** at
Christmas **4** on; ~ **nedělích** on
Sundays **5** against; **narazit
hlavou ~ dveře** hit one's head
against the door ◆ ~ **co jde?** what
is the matter?; **jde ~ to, že** the
point is that; ~ **co, že** ten to one
(that); ~ **překot** head over heels

oáza oasis

ob: ~ **den** every other day; ~ **dva
roky** every two years

ob|a both; ~ **domy** both (the)
houses; **vy ~** you both, both of
you; **v -ou rukou** in both hands

obal cover; (*tovární balení*) pack-
ing ◆ **bez ~u** (*přímo*) bluntly

obalit (*knihu*) wrap up; (*řízky*)
cover with breadcrumbs

obálka envelope

obarvit dye

obava (*strach*) fear; (*starostlivost*)
anxiety

obávaný dreaded

občan, ~ka citizen

občansk|ý civil; ~ **průkaz**
identity card; **-á výchova** civics

občanství citizenship; **státní ~**
nationality

občas from time to time, at odd
moments, now and again, every
now and then

občerstvení refreshment

občerstvit refresh; ~ **se** refresh
oneself (**šálkem čaje** with a cup
of tea)

oděl|at, -ávat cultivate

obdélník oblong

obdiv admiration (**k** of, for)

obdivovat se admire (**čemu** sth.)

obdivovatel admirer

období period; **funkční ~** term of
office; **roční ~** season

obdržet obtain, get*; **další
informace lze ~** further
information is available

obec community

obecenstvo audience, the public

obecný common

oběd lunch(eon); (*hlavní jídlo dne
n. ve školní jídelně*) dinner; **mít
k ~u** have* for lunch; **pozvat
na ~** invite to dinner

obědvat have* (one's) lunch,
dinner

oběh circulation; **dát do ~u** put*
into circulation; **stáhnout z ~u**
withdraw* from circulation

oběhnout run* round

objet 1 go* round **2** evade
(**otázku** a question)

objet se do* (**bez** without)

objemout embrace, put* one's
arms round; ~ **se** embrace

obelstít outwit

obeplout sail round

oběsit hang; ~ **se** hang oneself

oběť 1 (*od koho*) sacrifice
2 (*čeho*) victim **3** (*neštěstí*)
casualty; **počet obětí** the
(casualty / death) toll

obětavý devoted

obětovat sacrifice

oběživo currency

oběžnice planet

oběžník circular

oběžná dráha orbit

obhájce barrister; (*též zastánce*) advocate

obhajoba defence

obhajovat defend

obcházet 1 go* round **2** evade (**zákon** the law)

obchod 1 business, commerce, trade; **zahraniční ~** foreign trade; **vnitřní ~** home trade; **~ ve velkém** wholesale; **~ v drobném** retail; **výhodný ~** bargain **2** (*prodejna*) shop

obchodní commercial, business; **~ blokáda** embargo; **~ dům** department store; **~ korespondence** business correspondence; **~ loďstvo** mercantile marine; **~ známka** trademark

obchodnice businesswoman

obchodník businessman; (*majitel obchodu*) shopkeeper

obchodovat trade (**kožešinami** in furs, deal* (**zbožím všeho druhu** in goods of all kinds)

obchodovatelný negotiable [niˈgəuʃiəbl]

obchvat detour [diːtuə]

obíh|at 1 circulate; **peníze rychle -ají** money circulates quickly **2** go* round; **měsíc -á kolem země** the moon goes round the earth

obilí corn

obilnářský corn-growing

obilniny cereals *pl*

obinadlo bandage

objas|nit, -ňovat make* clear, clarify, explain

objedn|at, -ávat order; **~ se** make an appointment (**k zubnímu lékaři** with the dentist); **jste -ány?** have* you an appointment?

objednávk|a order (**na** for); **vyrobený na -u** made to order

objekt object

objektiv lense

objektivní objective

objem volume; **~ přes prsa** bust measurement / size

objemný bulky

objet go* round

objetí embrace

objev discovery

objevit discover; (*zjistit*) find* out

objevit se appear, put* in an appearance; (*dostavit se*) turn up

objevovat discover; **~ se** appear

objímat embrace, put* one's arms round

objímka socket

objíždět bypass

objížďka bypass, (traffic) diversion, detour [diːtuə]

obklad 1 compress **2** (*omítka*) plaster

obklíčení encirclement

obklíčit encircle

obklopit surround, hem in; **~ se** surround oneself

obkres|lit, -ovat copy

oblačno cloudy; **je ~** it is cloudy, the sky is overcast

oblačnost cloudiness

oblak cloud

oblast 1 region, area **2** (*přen.*) sphere, field; **~ vědění** field of knowledge

oblastní regional

obléci put* on; **~ se** dress, put* on one's clothes; **~ si** put* on one's (**šaty** clothes, **kabát** coat)

oblek suit; **vycházkový ~** lounge suit

oblék|at, -nout (se, si) *viz* **obléci**

obletět fly* round

obleva thaw

obležení siege

oblib|a favour, popularity; **být / nebýt v -ě u** be* in / out of favour with; **těšit se velké -ě u koho** stand* high in sb.'s favour

oblíbený popular (**u** with)

oblíbit si take* a fancy / liking (**co** to sth.)

obličej face

oblo|ha sky; **na -ze** in the sky

oblouk bow; (*tech.*) arch; (*mat.*) arc; **~ová lampa** arc lamp

obložený garnished; **~ chléb** open sandwich

obměkčit soften, move; **~ se** give* in

obměna modification

obnažený stripped

obnos amount, sum

obnošený worn-out, shabby

obnova (*do původního stavu*) restoration; (*renovace*) renovation, refurbishing

obnov|it, -ovat restore, renew; (*opět začít*) resume (**styky** contact)

obočí (eye)brows *pl*; **svraštit ~** knit one's brows

oboha|covat, -tit enrich; **~ se** enrich oneself

obojek (dog) collar

obojí both; **~ho pohlaví** of both sexes

obojživelník amphibian

obor line

obora (deer / game) park

oboustranný mutual

obou|t, -vat (se, si) put* on (one's shoes)

obr giant

obráběcí stroj machine tool

obrábět work

obráceně the other way round

obrácený turned over; (*vzhůru nohama*) upside down

obracet (se) turn round

obrana defence

obránce defender; (*v kopané*) back

obranný defensive

obrat turn; (*obch.*) turnover; **~em pošty** by return of post

obratel vertebra [və:tibrə]

obrátit turn; **~ čí pozornost** turn sb.'s attention (**na** to); **~ list** turn over a new leaf; **~ na ruby** turn inside out

obrátit se 1 turn round **2** (*s žádostí*) apply (**na** to), turn (**na** to)

obratlovec vertebrate

obrátka turn; (*otočení*) revolution

obratník tropic

obratný deft; (*zručný*) skilful

obraz picture

obrazárna picture gallery

obrázkový illustrated

obrazný symbolic

obrazotvornost imagination

obrazovka screen

obrna polio/myelitis) [pəuliəu(maiə'laitis)]

obrněný armoured

obroubit border, hem

obroučka rim

obrousit grind* off

obrovský gigantic

obrození revival

obruba border; (*látky*) hem

obruč hoop

obrys outline

obřad ceremony

obsadit 1 occupy (**území** a territory, **důležité místo** an important position) **2** reserve (**sedadlo** a seat) **3** fill (**volné místo** a va-

cancy) **4 (telefonní) linka je obsazena** the line is engaged / busy
obsah 1 contents *pl* (**knihy** of a book, **kapes** of the pockets, **sudu** of a barrel) **2** (*přehled obsahu*) table of contents
obsáhnout 1 (*rukou*) span **2** (*zahrnout*) include, involve
obsahovat contain, comprise
obsazovat *viz* **obsadit**
obsažný comprehensive
observatoř observatory
obsloužit serve, attend to, wait on
obsluha service, attendance
obsluhovat 1 (*koho*) serve, attend to **2** operate (**stroj** a machine)
obstar|at, -ávat (si) get*, provide, obtain
obstarožný elderly
obstát hold* one's ground
obsírný full, detailed
obtěž|ovat 1 trouble, bother; **promiňte, že -uji** excuse my troubling you; **neobtěžujte se tím** don't trouble about that **2** (*sexuálně*) molest
obtíž difficulty; (*nesnáz*) trouble
obtížný difficult
obuv footwear
obuvník shoemaker, cobbler
obvaz dressing, bandage
obv|ázat, -azovat dress (**ránu** a wound)
obvesel|it, -ovat cheer up, amuse, entertain
obvi|nit, -ňovat accuse (**koho z** sb. of)
obvod 1 circumference (**kruhu** of a circle) **2** (*okruh, okrsek*) district
obvykle usually; **jako ~** as usual
obvyklý usual
obyčej habit, custom
obyčejně usually

obyčejný ordinary
obydlený inhabited
obydlí dwelling
obytn|ý: -á čtvrť residential district
obývací: ~ ložnice bed-sitting room; **~ pokoj** living room, sitting room
obyvatel inhabitant
obyvatelstvo inhabitants *pl*, population
obzor horizon
obžaloba accusation, charge
obžalovaný the accused, defendant
obžalovat accuse (**z** of)
obživ|a living; **nalézt -u** make* one's living
ocas tail
oceán ocean
ocel steel
ocejchovat (*přístroj*) calibrate; (*přen.*) brand, stigmatize
ocelárna steel works
ocelový steel
ocenění appreciation; (*odhad*) estimate
oce|nit, -ňovat appreciate, value; (*odhadnout cenu*) estimate
ocet vinegar
octan hlinitý aluminium acetate [ˈæljəˌmɪnjəm ˈæsɪteit]
octnout se find* oneself
ocún meadow saffron
očekávání expectation; **proti ~** contrary to expectation
očekáv|at 1 (*čekat na*) await; **-áme vaše pokyny** we await your instructions **2** (*čekat od*) expect; **-ají, že budu pracovat v sobotu** they expect me to work on Saturdays; **to se dalo ~** that was to be expected
očíslovat number

O

očis|tit, -ťovat clean, cleanse, (*přen.*) purge

očko private eye

očkování inoculation

očkovat inoculate

oční: ~ **choroba** eye complaint; ~ **klinika** eye hospital; ~ **lékař** oculist, ophthalmologist

od 1 from (**tebe you, prvního května** the first of May, **pěti do šesti** five to six, **začátku do konce** beginning to end) 2 since (*až do přítomné doby*); **jsem tu** ~ **neděle** I have been here since Sunday; **prší** ~ **večera** it has been raining since last night; ~ **té doby (co)** since 3 by; **hra** ~ **Shakespeara** a play by Shakespeare

odbarv|it, -ovat bleach

odbelhat se limp away / off

odběr 1 subscription (**časopisu** to a periodical) 2 consumption (**elektřiny** of electricity)

odběratel 1 (*obch.*) customer, buyer 2 (*pravidelný, např. časopisu*) subscriber

odbíjená volleyball

odbírat subscribe to, take* in (**časopis** a periodical)

odboč|it, -ovat 1 (*od směru*) deflect 2 digress (**od tématu** from the subject)

odbočka digression

odboj resistance

odbojové hnutí resistance movement

odbor department

odborář, *též adj* ~**ský** trade unionist

odborn|ík, *též adj* -**ý** specialist, expert

odborový trade union

odbory trade unions *pl*

odbýt 1 scamp (**práci** work) 2 (*koho*) rebuff, snub 3 pass (**si zkoušku** an exam)

odbyt, ~**iště** market

odbývat scamp (**práci** work)

odcestovat go* away, leave*

odcizit 1 steal* (**peníze** money) 2 estrange (**si přítele** one's friend); alienate (**koho přátelům** sb. from his friends)

odčerp|at, -ávat draw* on

odčítání subtraction

odčítat subtract, deduct

odepsaný written-off

oddací list marriage certificate

odd|álit, -alovat take* away, remove (**od** from)

oddaný devoted, loyal

oddat marry (**s kým** to sb.)

oddech rest, respite; **pracovat bez ~u** work without (a) respite

oddělení 1 (*odloučení*) separation 2 (*oddíl*) department, section 3 (*ve vagónu*) compartment

oddělený separate

odděl|it, -ovat separate, detach

oddíl section, department; (*vagónu*) compartment

odebrat take* away

odebírat 1 take* away 2 take* in, subscribe to (**noviny** a newspaper)

odečíst subtract

odedávna for a long time; from time immemorial

odehnat drive* away

odehrávat se take* place

odejít (*odkud*) go* away (from); leave*, quit (sth.)

odejmout take away

odemknout unlock

odep|isovat, -sat 1 (*na dopis*) an-

swer (a letter), reply (to a letter)
2 write* off (**ztrátu** a loss)
odepnout (*řemínek*) unstrap;
(*knoflík*) unbutton
odepřít deny
oděrka scratch
odesílat send* away, dispatch
odesílatel sender
odeslat *viz* **odesílat**
oděv clothes *pl*, clothing, dress
oděvní průmysl garment-making
industry
odevšad from all parts
odevzd|at, -ávat 1 give* in
(**kompozice** examination papers,
výkresy drawings) **2** return
(**vypůjčenou knihu** a borrowed
book) **3** cast* (**hlas** a vote)
odevzdat se surrender (**osudu** to
fate)
odezva response
odhad estimate
odhad|nout, -ovat 1 (*též posou-
dit*) assess **2** (*jen cenu*) estimate
odhal|it, -ovat 1 disclose, reveal
(**tajemství** a secret) **2** unveil
(**pomník** a statue)
odhánět *viz* **odehnat**
odhazovat *viz* **odhodit**
odhlásit: ~ noviny cancel /
discontinue the subscription to a
newspaper; **~ se** sign out / off
odhláška (form of) notice of
departure
odhodit throw* away
odhodlaný resolute
odhodl|at se, -ávat se decide,
make* up one's mind
odhrab|at, -ávat rake off
odhrn|out, -ovat draw* aside
odcházet *viz* **odejít**
odchod departure
odch|ýlit se, -ylovat se depart;

~ od stanovené dráhy stray off
the course
odchylka departure
odívání clothing
odjakživa ever
odjet leave*, depart
odjezd departure
odjinud from elsewhere
odjíždět *viz* **odjet**
odkašlat si clear one's throat
odkaz 1 (*dědictví*) legacy,
heritage **2** (*nač*) reference (to)
odkazovat 1 (*komu*) bequeath,
leave* (to sb.) **2** (*na*) refer (to)
odkdy since when
odklad delay; (*voj.*) deferment
odkládat delay, postpone, put*
off (**na zítřek** until tomorrow)
odklánět (se) deflect (**od** from)
odkl|idit, -ízet 1 remove, take*
away **2** (*odložit*) put* away
3 clean (**ze stolu** the table)
odklonit deflect
odkrást se steal* away
odkrýt uncover; detect
odkud where … from
odkvést wither (up / away)
odlakovač varnish remover
odlep|it, -ovat unstick*; **~ se** get*
unstuck
odlesk reflection
odlet departure
odl|etět, -état fly* away, depart
by plane
odliš|it, -ovat distinguish (**jeden
od druhého** one from the other)
odlišný different, distinct (**od**
from), unlike
odl|ít, *též n* -ítek cast*
odliv ebb (tide), low tide
odložit 1 lay* aside **2** leave* off,
discard (**zimní oděv** one's winter

clothing) **3** postpone, put* off
(**na zítřek** till tomorrow)
odložit si take* off (**kabát** one's
coat); **~ si v šatně** leave* one's
things in the cloakroom
odluka separation
odměna reward; (*prémie*) bonus;
(*honorář*) fee
odmě|nit, -ňovat reward
odměřený measured, stiff
odpírač vojenské služby
conscientious objector
odmítavý negative
odmítnout refuse; (*zamítnout*)
reject, turn down (**nabídku an**
offer)
odmlčet se stop talking, pause
odmlouvat answer / talk back
odmocnina root; **druhá ~ ze 100**
the square root of 100
odmoc|nit, -ňovat find* the
root of
odmontovat dismount
odmrazit defrost
odmykat unlock
odnášet *viz* **odnést**
odnaučit undo* the teaching of;
~ se unlearn*
odněkud from some place
odnést take* away, carry away
odnož offshoot
odol|at, -ávat resist (**čemu** sth.)
odolný tough, sturdy
odpad 1 (*odtok*) sink
2 (*odpadky*) waste
odpadky garbage, refuse, rubbish,
litter
odpadnout fall* off, drop off
odpálit let* off; **~ raketu** launch
a rocket
odpalovací rampa launching site
odpára|t undo*, unpick; **~ se**

come* undone; **knoflík se -l**
a button has come off
odpeckovat stone
odplata retaliation
odplatit pay* back
odplou|t, -vat sail off
odpočinek rest
odpoč|inout si, -ívat have* a rest,
relax
odpoledne *n* afternoon
 • *adv* (*kdy?*) in the afternoon;
p.m.; **v pět odpoledne** at 5p.m.
odpor 1 (*odporování*) resistance,
opposition; **postavit se na ~** re-
sist (**čemu** sth.) **2** (*nechuť k*) dis-
gust (at), repugnance (to); **cítit ~**
k čemu resent sth.; **látky vzbu-**
zující ~ offensive materials *pl*
odporný abominable, digusting;
(*nechutný*) distasteful
odporovat 1 (*klást odpor*) resist
(**komu v čem** sb. in sth.) **2** (*v ná-*
zoru) contradict (**komu** sb.)
odporovat si contradict oneself
odpouštět forgive*
odpověď answer, reply (**na** to);
znát na všechno ~ know all the
answers
odpovědět (*na dopis, na otázku*)
answer (a letter, a question),
reply (to a letter, to a question)
odpovědnost responsibility (**za**
for)
odpovědný responsible
odpovídat 1 (*na otázky*) answer
(questions), reply (to questions)
2 (*účelu, popisu*) answer,
correspond (to a purpose, to
a description)
odpracov|at, -ávat work off
odpradávna from time
immemorial
odpřisáhnout swear*

odpůrce adversary; opponent
odpustit forgive*
odradit dissuade (**od** from)
odraz 1 (*odskok*) bounce; (*odraziště*) take-off **2** (*odlesk*) reflection
odr|azit, -ážet knock off (**ránu** a blow); (*od břehu*) cast* off
odr|azit se, -ážet se 1 (*odskočit*) bounce (off) **2** reflect, be* reflected (**v zrcadle** in the mirror)
odrážka natural (sign)
odrůda variety
odřenina scratch
odřený scratched, grazed; (*látka*) threadbare
odřezat cut* off
odříci cancel; **~ se** (*čeho*) renounce
odřít rub; **~ si** scrape (**koleno** one's knee)
odříznout cut* off
odsoudit condemn (**špatné chování** bad behaviour, **k smrti** to death, **ke dvěma letům vězení** to two years' imprisonment); (*vynést rozsudek*) sentence
odsouzený convicted person, convict
odstartovat start (off)
odstavec paragraph
odstěhovat se move out; **~ k rodičům** go* to live with one's parents
odstín shade, hue
odstoupit 1 (*z cesty*) step off / back **2** (*vzdát se*) resign, retire **3** (*postoupit co*) cede
odstra|nit, -ňovat remove
odstrašující deterrent
odstr|čit, -kovat push aside, push back
odstředivka centrifuge, separator

odstřediv|ý centrifugal; **-á síla** centrifugal force
odstřižek bit, scrap, clipping
odstup (*času*) lapse of time
odstupné compensation
odstupovat *viz* **odstoupit**
odsun transfer
odsuno|ut, -vat 1 shift aside **2** displace (**tisíce lidí** thousands of people) **3** postpone, put* off (**o týden** for a week)
odškodné damages *pl*, indemnity
odškod|nit, -ňovat indemnify
odškrtnout tick off, check off
odšroubovat unscrew, screw off
odtáhnout 1 pull away **2** (*odejít*) draw* off
odtamtud from there
odté|ci, -kat flow away
odtok discharge; (*odtoková cesta*) drain
odtrhnout 1 tear* off **2** divorce (**od života** from life)
odtrhnout se break* away (**od** from)
odtučňovací kúra reducing / slimming diet
odtud from here; **dvě míle ~** two miles away
odův od|nit, -ňovat justify, motivate
odvádět 1 take* away **2** drain (**vodu** the water away) **3** divert (**pozornost** one's attention)
odvah|a courage; **dodat si -y** pluck up courage
odv|ázat, -azovat untie, undo*
odvážet take* away, carry away
odv|ážit se, -ažovat se dare*; (*riskovat*) risk, venture
odvážný courageous
odvažovat weigh out
odvděčit se reciprocate

odvést 1 (*vrátit*) give* back,
return 2 (*pryč*) take* away
3 (*na vojnu*) conscript, enlist
(**nováčka** a recruit)
odveta retaliation
odvetný zápas return match
odvětví line, branch
odvézt take* away, carry away,
cart away
odvlé|ci, -kat drag off, carry away
odvod conscription
odvod|nit, -ňovat drain
odvodňovací systém drainage
system
odvolání 1 (*zrušení*) repeal, with-
drawal 2 (*rekurs*) appeal 3 recall
(**velvyslance** of an ambassador)
odvol|at, -ávat 1 call off
(**zasnoubení** an engagement);
withdraw* (**tvrzení** a statement);
cancel (**schůzi** a meeting)
2 recall (**velvyslance** an
ambassador)
odvol|at se, -ávat se 1 refer (**na
to**) 2 appeal (**k soudu o milost**
to the court for mercy)
odvoz transport, carting;
~ **odpadků** refuse collection
odvozenina derivative
odvr|acet, -átit 1 avert, stave off
(**neštěstí** an accident) 2 avert,
divert (**oči** one's eyes,
pozornost one's attention)
odvr|acet se, -átit se turn away
odvyk|at si, -nout si unlearn*
odzátkovat uncork
odzbrojení disarmament;
všeobecné a úplné ~ general
and complete disarmament
odzbroj|it, -ovat disarm
odznak badge
ofenzíva offensive
oficiální official

ohánět se brandish, swing* (**čím**
sth.); (*přen.*) show* off (sth.)
ohavn|ý abominable; -é počasí
atrocious weather
ohebný flexible, supple
oheň fire; rozdělat ~ make*
a fire; uhasit ~ put* out the fire
ohlas response
ohl|ásit, -ašovat announce; být
-ášen have* an appointment (**u**
with)
ohlášky banns pl
ohled respect, consideration (**k**
for); bez ~**u na** irrespective of,
regardless of; bez ~**u na to, zda**
no matter whether; brát ~ **nač** re-
spect sth., take* sth. into consid-
eration; v tomto ~**u** in this respect
ohledně as to, as regards,
concerning (**čeho** sth.)
ohlédnout se look back / round
ohleduplný considerate
ohlížet se 1 (*dozadu*) look back,
look round 2 (*mít ohled*)
respect (**na** sth.)
ohluchnout turn deaf
ohlušující deafening
ohmat|at, -ávat feel*
ohnisko focus
ohniště fireplace
ohnivý fiery
ohnivzdorný fireproof
ohňostroj fireworks pl
ohnout (se) bend*
ohnutý bent; (*zkřivený*) crooked
oholit shave; ~ se shave (oneself),
have* a shave
ohrada fence; (*též prostor*)
enclosure
ohradit enclose, fence
ohradit se protest (**proti** against)
ohranič|it, -ovat border, bound
ohrazovat (se) viz ohradit (se)

ohromit stagger, cause consternation

ohromný huge, immense

ohro|zit, -žovat 1 endanger (**svou nadĕji na úspĕch** one's chances of success) **2** threaten (**válkou** with war)

ohryzek core; (*v krku*) Adam's apple

ohř|át, -ívat warm up, heat up

ohyb bend

ohýbat (se) bend*; (*sklonit se*) bow (down), stoop

ochablý slack; (*schlíplý*) limp

ochladit (se) cool (down)

ochlazení cooling

ochlazovat (se) cool (down)

ochočit, -ovat tame

ochota readiness, willingness

ochotnick|ý amateur(ish); **-é divadlo** amateur dramatics

ochotný willing, obliging, accommodating

ochrana protection

ochránce protector

ochranka bodyguards

ochranný protective; **~ pás** safety belt

ochraptĕt get* hoarse

ochrnout become* paralysed

ochromit paralyse

ochutn|at, -ávat taste

ojedinĕlý isolated, unique

ojetina, ojetý vůz second-hand car

okamžik moment, minute; **v tom ~u** at that moment; **v posledním ~u** at the last moment; **za ~** in a moment; **počkejte ~** wait a moment / minute, just a moment / minute

okamžitĕ immediately, at once

okamžitý immediate

okap gutter

okartáčovat brush off

okenice shutter

oklamat deceive

oklik|a roundabout; **-ou** in a roundabout way

okno window; **křídlové ~** casement window; **stahovací ~** sash window

ok|o 1 eye; **pouhým -em** with the naked eye; **válka (jen) na ~** mock war; **na vlastní oči** with one's own eyes; **od -a** by rule of thumb; **mezi čtyřma očima** in private; **jdi mi z očí** clear out of my sight **2** (*sítĕ*) mesh; (*na zvĕř*) snare; (*na punčoše*) ladder

okolí environs *pl*; (*prostředí*) surroundings *pl*

okolní neighbouring, surrounding

okolnost circumstance; **polehčující ~i** extenuating circumstances; **za tĕchto ~í** in / under the circumstances

okolo (a)round; about

okop|at, -ávat hoe

okopírovat copy

okořenit season, flavour

okoun perch

okouzlit charm, fascinate

okouzlující charming

okov pail, bucket

okované boty hobnailed [hobneild] shoes *pl*

okovat shoe (**konĕ** a horse)

okrádat rob

okraj margin, edge; (*pokraj*) brink; **~ chodníku** kerbstone; **~ mĕsta** outskirts (of a town) *pl*; **na ~i Prahy** on the outskirts of Prague

okr|ájet, -ajovat cut* off

okrasa ornament, decoration

okrást rob

okr|es, -sek district

O

okruh 1 circle (**přátel** of friends)
2 circuit; radius; **v ~u 10
mil** within a radius of 10 miles
3 scope (**činnosti** of activity)

okružní circular; ~ **jízda** circular
tour; ~ **plavba** cruise

oktáva octave

okupa|ce, *též adj* -**ční** occupation

okupovat occupy

okurka cucumber; **kyselá ~**
pickled gherkin

okurková sezóna silly season

okusit try, taste

oleandr rose bay, oleander
[ˈəuliˈændə]

olej oil

olejnička oilcan

olejomalba oil painting

olejovka sardine

olejov|ý oil; -**á barva**, ~ **nátěr** oil
paint

olemovat hem, border, trim

oliva olive

oloupat peel (**banán** a banana,
brambory potatoes); pare, peel
(**jablko** an apple)

olověný lead; (*též přen.*) leaden

olovo lead [led]

olše alder

oltář altar

olympiáda Olympiad

olympijsk|ý Olympic; -**é hry**
Olympic Games *pl*

omáčka sauce

omámit drug

omastek fat, grease; (*sádlo*) lard

omastit add fat (**co** to sth.)

omdl|ít, -**évat** faint

omeleta omelet(te)

oměj monkshood

omezený limited

omez|it, -**ovat** limit (**výdaje** the ex-
pense); confine (**své poznámky**

na one's remarks to); ~ **se** 1 con-
fine oneself (**na téma** to the sub-
ject) 2 (*setřít*) retrench [riˈtrenʃ]

omítka plaster

oml|ouvat, -**uvit** excuse (**čí
nepřítomnost při vyučování** sb.
from a lesson); ~ **se** apologize

omluva apology

omráčit (*též přen.*) stun; stagger

omrzet weary

omrzlina frostbite, chilblain

omrznout get* chilblains

omyl mistake, error; (*hloupý,
z nepozornosti*) blunder; ~**em** by
mistake; **být na ~u** be*
mistaken, be wrong

on he; ~ **sám** himself

ona she; ~ **sama** herself

onanovat masturbate

ondatra muskrat

ondulace perm, (permanent) wave

onehdy the other day

oněmět become* dumb

onemocnět fall* / be* taken ill

onen that; ~ ~ **tento** the former
– the latter

opačný contrary, opposite

opad|nout, -**at**, -**ávat** 1 fall*;
listy -ávají the leaves are falling
2 lose* its leaves 3 (*zmenšovat
se*) fall* off, decrease, abate,
diminish

opak contrary, opposite

opakování repetition; (*soustavné*)
revision

opakovat 1 repeat, say* again
2 (*učivo*) revise 3 (*ročník*) stay
on probation for a year

opál opal [aupl]

opálený sunburnt, tanned

opálit se get* tanned / sunburnt;
tan

opalovačky (*dětské*) sunsuit, (*dámské*) bikini
opalovat se sunbathe, bask (in the sun)
opánky sandals *pl*
opar 1 mist, haze 2 (*na rtu*) herpes (on the lip)
opařit scald; **~ se** get* / be* scalded
opatrnost caution, care
opatrný careful
opatrovat take* care of, tend, look after
opatření 1 measure; **učinit potřebná ~** take* the necessary measures 2 (*zákona*) provision 3 (*předběžné*) precaution
opatřit (si) get*, provide, secure
opé|ci, -kat roast, grill
opékač topinek toaster
opera opera; (*budova*) opera house
operace operation
operační sál operation theatre
opěradlo back; (*pro paže*) arm
operatér surgeon
operátor operator
operet|a, *též adj* **-ní** operetta, musical comedy
operní opera
opěrný bod base
operovat operate
opět again
opevnění fortification
opice monkey; (*lidoop a přen.*) ape
opičit se ape, copy
opíjet se drink* in excess, get* drunk; (*hovor.*) booze
opilství drunkenness
opilý drunk, intoxicated; **být ~** be* drunk / intoxicated
opírat (se) lean* (**o** against)
opis copy
opisovat copy; (*ve škole*) crib

opít make* drunk, intoxicate; **~ se** get* drunk
oplácet *viz* **oplatit**
opl|áchnout, -achovat rinse; **~ se** have* a wash
oplatit repay*, pay* back
oplatka wafer
oplátk|a return; **-ou za** in return for
oplod|nit, -ňovat fertilize
oplývat abound (**čím** in)
oplzlý lewd
opon|a curtain; **~ jde nahoru //
dolů** the curtain rises / goes up // falls; **děkovat se před -ou** take* curtain calls
oponent opponent
oponovat (*komu*) object (to sb.), contradict (sb.)
opora support
opotřebovat se wear* (out)
opouštět leave*
opovážlivý rash, foolhardy, reckless
opovrhovat despise (**kým** sb.)
opovržení contempt
opovržlivý contemptuous
opozdilec latecomer
opozdit se be* late
opozi|ce, *též adj* **-ční** opposition
opožď|ovat se 1 be* late; **hodiny se -ují** the clock is losing 2 (*zaostávat*) fall* behind, lag behind
opracov|at, -ávat work up, make* smooth, polish
opratě reins *pl*
oprátka noose
oprav|a 1 (*chyby*) correction 2 (*správka*) repair (**bot** to shoes); **neschopný -y** beyond repair
opravář repairman
opravářská dílna repair shop

O

opravdový real, true; ~ **kůň** *(tj. živý)* live horse
opravdu indeed
opravit 1 *(chybu)* correct **2** *(spravit)* repair, mend
oprávněný authorized
opr|ávnit, -avňovat 1 *(ospravedlnit)* justify **2** *(zmocnit)* authorize, entitle
opravovat 1 *(chyby)* correct **2** *(spravovat)* repair, mend; ~ **přírodu** improve upon nature
opruzenina sore spot / place
opřít lean*, prop up **(o** against); ~ **se** lean* **(o zeď** against a wall, **o stůl** on a table)
opsat 1 copy **2** *(ve škole)* crib **3** *(vyjádřit jinak)* express in other words
optický optical **(klam** illusion)
optik optician
optika optics
optimismus optimism
optimista optimist
optimistický optimistic
opulentní luxurious
opustit abandon, desert
opuštěný desolate, abandoned
orámovaný framed
oranžový orange
orat plough
orazítkovat rubber-stamp
orba tillage
ordinace surgery
ordinační hodiny surgery hours *pl*
ordinovat hold* surgery
orel eagle
orgán organ
organický organic
organismus organism
organizace organization; **O~ spojených národů** the United Nations Organization

organizační záležitosti matters of organization *pl*
organizátor organizer
organizovat organize
orchestr orchestra
orchidej orchid
orientac|e orientation; **ztratit -i** lose* one's bearings
orientovat se orientate oneself **(na** on); *(zjistit pozici)* take* one's bearings
originál, *též adj* **~ní** original
orloj astronomical clock
ornice mould
orný arable
ortel sentence, verdict
ořech: vlašský ~ walnut; **para ~** Brazil nut
ořez|at, -ávat 1 *(odříznout)* cut* off **2** *(ztenčit)* whittle **(kousek dřeva** a piece of wood)
 ♦ ~ **tužku** sharpen a pencil
ořezávátko pencil-sharpener
oříšek: lískový ~ hazel nut; **burský ~** peanut; **tvrdý ~** a hard nut (to crack)
osa 1 axis; **zemská ~** the Earth's axis **2** *(kola)* axle
osada parish; **uzavřená ~** residential zone
osádka crew
osamělý lonely
osamostatnit se gain independence, become* independent
osazenstvo staff, personnel
osázet plant
osek|at, -ávat hew* off
osel donkey, ass *(též přen.)*
osevní sowing
oschnout dry
osídl|it, -ovat settle
osiřet be orphaned, lose* one's parents

osít sow*

osivo seed corn

oslab|it, -ovat weaken

osladič polypody [polipəudi]

osladit sweeten

oslava celebration

oslav|it, -ovat celebrate

oslepnout become* blind

oslnit dazzle

oslovení 1 form of address **2** (*v dopise*) greeting

oslovit address

osm eight

osmažit fry

osmdesát eighty

osmdesátý eightieth

osmerka octavo

osmička eight, Number Eight

osmihodinov|ý eight-hour; **-á pracovní doba** eight-hour working day

osmina eighth

osmiveslice eight

osmnáct eighteen

osmnáctý eighteenth

osmý eighth

OSN U.N.O. (the United Nations Organization)

osnova 1 (*notová*) staff **2** (*přednášky*) syllabus **3** (*školní*) curriculum **4** (*tkalcovská*) warp

osoba person

osobitý individual

osobně personally; **být ~ přítomen** be* present in person

osobní personal

osobnost personality

osolit salt

ospalý sleepy

ospravedl|nit, -ňovat justify; **~ se** clear oneself

ostatně after all; besides; by the way

ostatní the other(s), the rest

osten prickle, prick; (*ježka, též přen.*) sting

ostnatý drát barbed wire

ostražitý wary, watchful

ostropes trubil Scotch thistle

ostrouhat grate

ostrov island

ostružina blackberry

ostrý sharp; **~ čich** acute sense of smell; **~ úhel** acute angle

ostřelovač sniper

ostří edge

ostříhat cut*; **dát se ~** have* one's hair cut, have* a haircut

ostříž hawk

ostud|a shame, discredit, disgrace; **dělat -u** be* a discredit / disgrace (**komu** to sb.); **to je ~!** what a disgrace!

ostudný shameful, disgraceful, scandalous

ostýchavý shy

osud fate, lot

osudný fatal

osušit dry (up); **~ se** dry one's hands / face / body

osvěta adult education

osvědčení certificate

osvědč|it se, -ovat se prove (**jako** to be)

osvětlení lighting; **veřejné ~** street lighting

osvětlený lit up; **slavnostně ~** floodlit

osvětlit light* (up)

osvětlovací těleso lighting fixture

osvětlovat light* (up)

osvětov|ý: -é zařízení adult education centre; **~ pracovník** worker in adult education

osvěžit refresh

osvobo|dit, -zovat 1 (*propustit*)

set* free **2** (*z nesvobody*)
liberate **3** (*rozsudkem*) acquit
osvobo|dit se, -zovat se free
oneself (**od** from)
osvobození liberation; ~ **od daní**
exemption from taxes
osvojit si 1 pick up (**cizí jazyk**
a foreign language) **2** adopt
(**dítě** a child)
ošetření treatment (**menšího**
zranění for a minor injury)
ošetř|it, -ovat treat (**koho**
v nemoci sb. for an illness);
attend (**koho sb. / on sb.**)
ošetřovatel male nurse
ošetřovatelka nurse
ošidit cheat
ošklivý ugly; (*přen.*) nasty
oškrábat scrape, scratch off
oškubat pluck
oštěp javelin; **hod ~em** throwing
the javelin
ošumělý shabby
otáčení rotation, revolution
otáčet (se) turn (round), revolve
otakárek swallowtail
otázk|a 1 question; **položit -u**
komu ask sb. a question
2 (*sporná*) issue, problem
otazník question mark
otec father
oté|ci, -kat swell*
oteklý swollen
oteplení: nastává ~ it is
warming up
otepl|it se, -ovat se warm up
otevřený open; (*upřímný*) frank
otevřít (se) open; ~ **láhev** uncork
a bottle
otírat wipe
otisk print; ~**y prstů** fingerprints *pl*
otisknout print
otlačit si chafe (**krk** one's neck)

otlou|ci, -kat batter
otlučený battered
otočit (se) turn (round)
otok swelling
otop 1 (*topení*) heating
2 (*palivo*) fuel
otrava 1 poisoning **2** (*nuda*)
bore; (*nepříjemnost*) nuisance
otr|ávit, -avovat 1 poison
2 (*nudit*) bore
otrávit se 1 (*úmyslně*) take*
poison **2** (*náhodou*) get*
poisoned **3** (*nudit se*) get bored
otravný (*jedem*) poisonous
2 (*nudný*) boring
otravovat se be* bored (stiff / to
death / to tears)
otrhaný ragged (**kabát** coat,
člověk man)
otrhat pick (**květiny** flowers,
ovoce fruit)
otrocký 1 slavish (**překlad**
translation) **2** servile
otroctví slavery
otrok slave
otrokář|ský: -á loď slave ship;
-é státy slave states *pl*
otrokářství slavery; slave trade
otruby bran
otryskávat (*pískem*) sandblast
otřás|at, -t (se) shake
otřepaný 1 threadbare, frayed
2 trite, hackneyed (**vtip** joke)
otřes shock
otřesný ghastly
otřít whipe off
otupělý dull; (*otrlý*) callous
otupit blunt
otužilý hardy
otuž|it, -ovat harden; ~ **se**
become* hardened
otvírací doba hours of opening
otvírač konzerv tin opener

otvírat (se) open; **~ se do zahrady** open on to the garden

otvor opening; (*díra*) hole; (*štěrbina*) slot

otylost obesity [əu'bi:səti]

otylý obese [əu'bi:s]

otýpka bundle

ovace ovation; **připravit ~ komu** give* sb. an enthusiastic welcome / reception

ovál, *též adj* **~ný** oval

ovar boiled pork

ovce sheep

ovčák (*člověk*) shepherd; (*pes*) sheepdog

ovčí: ~ kožišina sheepskin; **~ vlna** sheep's wool

ovdovět be* left a widow(er)

ověř|it, -ovat verify; (*překontrolovat*) check

oves oats *pl*

ovesn|ý: -á mouka oatmeal; **-á kaše** porridge

ovládání control; **~ na dálku** remote control

ovládat control; **dobře ~ jazyk** have* a good command of a language; **~ se** control oneself; control / keep* one's temper

ovládnout 1 (*řízení, vedení*) get* control (**co** over sth.) **2** master (**jazyk** a language)

ovládnout se keep* one's temper

ovliv|nit, -ňovat influence

ovoce fruit

ovocnářský fruit-growing

ovocn|ý fruit; **-á zahrada** orchard

ovšem of course

ovzduší atmosphere

oxidace oxidization

ozařování irradiation

ozbrojen|ý armed; **-é síly** armed forces *pl*

ozbroj|it, -ovat (se) arm

ozdoba decoration, ornament

ozdobit decorate; garnish (**rybu plátky citrónu** fish with slices of lemon)

ozdobný decorative, ornamental

ozdravovna convalescent home

ozim|ý: - ječmen winter barley; **-á pšenice** winter wheat

označ|it, -ovat mark, indicate; (*nálepkou*) label; designate, describe (**koho za** sb. as)

oznámení announcement; (*vyhláška*) notice

ozn|ámit, -amovat announce (**komu co** sth. to sb.), inform (sb. of sth.)

ozón ozone [əuzəun]

ozubené kolo cogwheel, gearwheel

oz|vat se, -ývat se 1 (*znít*) sound **2** (*být slyšen*) be* heard **3** protest (**proti** against)

ozvěna echo

ožehnout singe, scorch

oženit marry (**s** to); **~ se** marry (**s kým** sb.); get* married

ož|írat, -rat nibble (**listí** the leaves)

O

P

pacient patient
paběrkovat glean
pád 1 fall; (*též přen.*) downfall **2** (*jaz.*) case
padák parachute
pad|at fall* ♦ ~ **únavou** drop with fatigue; **-á sníh** it is snowing; **-á omítka** the plaster comes off
padělat forge
padělaný forged
padělek forgery
padesát fifty
padesátiny fiftieth anniversary
padesátý fiftieth
pádlo, *též v* **-vat** paddle
padnout 1 fall*, drop **2** (*slušet*) fit; be* a good fit ♦ ~ **komu kolem krku** fall on sb.'s neck
pádný weighty; convincing (**důkaz** argument)
pahorek hill
pahýl stump
pachatel offender, trespasser
páchnout reek (**čím** of sth.)
pájka solder
pak then
páka lever
paklíč master key, pass key; (*zlodějský*) picklock
pakt pact; ~ **o neútočení** nonaggression pact
palác palace
palačinka pancake
palanda plank bed; (*poschoďová*) bunk bed
palba fire
palčivý burning; (*naléhavý*) pressing
palec 1 (*na ruce*) thumb; (*na noze*) big toe **2** (*míra*) inch

paleta palette [pælit]
palice mallet
paličatý stubborn
palička pestle
pál|it 1 burn* **2** bake (**cihly** bricks) **3** (*kořalku*) distil **4** (*střílet*) fire ♦ **co tě nepálí, nehas** let sleeping dogs lie; **-í mě záha** I have heartburn
palivo fuel
pálka bat
palma palm
palouk meadow
palub|a deck; **na -ě lodi** on board (a) ship; **přes -u** overboard
památk|a 1 memory (**na** of) **2** (*upomínka*) souvenir **3** (*historická, literární*) monument ♦ **nechte si to na -u** keep it as a souvenir
památník monument, memorial
památný memorable
pamatovat si / se remember (**nač** sth.)
paměť memory; **mít dobrou / špatnou ~** have* a good / poor memory; **selhala mi ~** my memory failed me
pamětní memorial (**deska** tablet)
pamflet pamphlet, leaflet; (*hanlivý*) lampoon
pamlsek titbit, dainty
pampeliška dandelion
pan: ~ **Smith** Mr. Smith; **~e Sir; ~e Browne** Mr. Brown
pán 1 (*muž*) man, gentleman; **~ové** gentlemen **2** (*majitel*) master ♦ **být ~em situace** control the situation; **být svým ~em** be* one's own master

pancéřový armoured
panel panel; **~ový dům**
  prefab(ricated) house
panenka 1 (*hračka*) doll
  2 (*v oku*) pupil
pánev 1 frying pan **2** (*zeměp.*)
  basin **3** (*med.*) pelvis [pelvis]
paní 1 (*žena*) woman, lady **2** (*jen
  v oslovení bez jména*) madam
  3 (*též v oslovení*) **~ Smithová**
  Mrs. Smith **4** (*majitelka*)
  mistress; **~ domu** the lady of the
  house **5** (*manželka*) wife; **moje
  ~ my** wife
panika panic
panikář alarmist, panicmonger
pankáč punk
panna 1 virgin; **stará ~** spinster,
  old maid **2** (*loutka*) doll
panoráma panorama [pænə'ra:mə]
panoramatický panoramic
  [pænə'ræmik]
panovačný possessive, masterful
panovat 1 (*v zemi*) rule (a coun-
  try / over a country), reign (over
  a country) **2** (*převládat,
  existovat*) prevail; **~ující poměry**
  prevailing conditions *pl*
panský: **vést ~ život** live like
  a lord
pánský: -á čtyřhra men's
  doubles *pl*; **-á jízda** stag party;
  -á košile man's shirt; **-é rukavi-
  ce** (gentle)men's gloves *pl*
pantofel slipper
pantomima dumb show
papaláš bigwig
papež *n* pope ● *adj* **~ský** papal
papír paper; **balicí ~** brown
  paper, wrapping paper; **cenné ~y**
  stock, securities *pl*; **dopisní ~**
  notepaper; **hedvábný ~** tissue
  paper; **karbonový ~** carbon

  (paper); **linkovaný ~** ruled
  paper; **novinový ~** newsprint
papírenský průmysl paper
  industry
papírna paper-mill
papírnictví stationer's
papírový paper
papoušek parrot
paprika paprika [pæprikə]
paprsek ray; **-ky slunce** the rays
  of the sun; **~ naděje** a ray of
  hope; **sluneční ~** sunbeam;
  ultrafialové -ky ultraviolet
  [altrə'vaiəlit] rays *pl*
pár 1 pair (*bot* of shoes, **rukavic**
  of gloves) **2** pair, couple
  (**milenců** of lovers, **tanečníků**
  of dancers); **šťastný ~** the happy
  pair / couple **3** (*několik*) (*hovor.*)
  a couple of, a few, several
para ořech Brazil nut
pára steam; **plnou parou vpřed**
  full steam ahead
paradox paradoxical
parafovat initial; (*mezinárodní
  dohodu před ratifikací*) sign
paragraf paragraph
paralelní parallel
parašutist|a, *též adj* **-ický**
  parachutist; (*voj.*) paratrooper
párat unpick [an'pik]; **~ se**
  (*s jídlem*) pick at one's food;
  (*s prací*) dawdle [do:dl] (away)
párátko toothpick
parcela site, plot
pardon (I) beg your pardon,
  pardon me; sorry
párek 1 (*uzenka*) frankfurter
  [fræŋkfətə] **2** (*dvojice*) pair,
  couple
parfém perfume
park park; **vozový ~** rolling stock
parket; ~a, *též adj* **-ový** parquet

P

parkety parquet(ed) floor, parquet flooring

parkování parking; **P~ zakázáno** No parking

parkovat park

parkoviště park, car park, parking lot

parlament parliament

parlamentní parliamentary

parma barble

parní steam (**stroj** engine); **~ lázně** Turkish baths

parník steamship

parno: je ~ it is sultry, the heat is stifling

parný sultry

parodie parody (**na** of)

parohy antlers *pl*; **nasadit ~** cuckold [kakəld] (**komu** sb.)

paroplavba steam navigation, steamboating

parta (*pracovní*) team, gang; (*veselá*) company

parte death notice

partie 1 (*část*) part, section **2** (*ve hře*) game **3** (*na vdávání*) match

partiové zboží seconds *pl*

partner partner

partyzán guerilla

partyzánsk|ý guerilla; **-á válka** guerilla warfare

paruka wig

pařák steam basket

pařeniště hotbed

pařez stump

Paříž, *též adj* **pařížský** Paris

pas 1 waist; **svlečený do ~u** stripped to the waist **2 cestovní ~** passport

pás 1 belt; **~ zeleně** green belt; **podvazkový ~** suspender belt; garter belt; (*bokovka*) girdle

pasáž passage

pásek 1 (*opasek*) belt **2** (*magnetofonový*) tape

paseka clearing

pasivita passivity

pasívní passive

páska: cílová ~ the tape; **lepící ~** adhesive tape; **~ do psacího stroje** typewriter ribbon

pásmo zone

pasová kontrola passport examination / control

pásový traktor caterpillar tractor

past trap

pást (se) graze

pasta paste; **zubní ~** toothpaste

pastel, *též adj* **~ový** pastel

pasterizovaný pasteurized [pæstəraizd]

pastinák wild parsnip

pastv|a, -ina pasture

pastýř shepherd

pašovat smuggle

paštika pâté [pæ'tei]; pasty, pie

pat stalemate

pat|a 1 heel **2** (*úpatí*) foot ♦ **být komu v -ách** be* at sb.'s heels; **nemá to hlavu ani -u** I can't make head or tail of it

pátek Friday; **Velký ~** Good Friday

patent patent

patentka press stud

páteř backbone

patnáct fifteen

patnáctý fifteenth

patník guard stone

pátrání investigation

pátrat search (**kde po čem** sth. for sth.); (*provádět pátrání*) investigate

pátravý searching, scrutinizing, questioning

patrně apparently, probably

pat|ro 1 (*podlaží*) storey; floor;

dům o jednom -ře *(dvou podlažích)* a two-storeyed house; **v prvním -ře** on the first floor **2** *(v ústech)* palate
patrona cartridge
patronát patronage
patronátní sponsored
patrový autobus double-decker
patř|it 1 belong **(komu** to sb.) **2** rank **(mezi** among); **-í k nejlepším spisovatelům své doby** he ranks among the best authors of his time
♦ **k vašim povinnostem bude ~** your duties will include; **to nepatří k věci** that is beside the point
pát|ý fifth ♦ **-é kolo u vozu** fifth wheel; **mlít -é přes deváté** talk nineteen to the dozen
paušál lump sum
pauza interval
páv peacock
pavilón pavilion
pavlač gallery
pavouk spider
pavučina cobweb
paže arm
pažitka chive [čaiv]
pec furnace; **vysoká ~** blast furnace
péci 1 *(pečivo)* bake **2** *(maso)* roast
pecka stone
péče care **(o** of); attendance; **lékařská ~** medical attendance
♦ **neměj péči!** not to worry!
pečené roast; **hovězí ~** roast beef
pečený roast; baked
pečeť seal
pečivo pastry
pečlivý careful
pečovat take* care **(o** of); (at)tend
pedagog pedagogue

pedagogický pedagogic
pedagogika pedagogy
pedikúra pedicure
pěchota infantry
pekáč baking / roasting tin
pekárna bakery
pekař baker
pekařství baker's
peklo hell
pěkně nicely, fine; **je ~** the weather is fine, the day is fine
pěkný nice, fine; *(částka peněz)* tidy
pelargónie geranium [dži'reinjəm]
pelichat moult [məult]
pelyněk wormwood
pěna foam; *(na koni)* lather
penalta penalty kick
pendlovky pendulum clock
peněženka purse
peněžní financial; **~ poukázka** money order; **~ reforma** monetary reform; **~ ústav** banking institution
penicilín penicillin
pěnit foam, froth; *(kůň)* lather
peníz coin
peníze money; **hotové ~** ready money, cash
pěnkava finch
pěnové cukroví meringues
penze 1 *(důchod)* pension **2** *(v hotelu)* **plná ~** full board, inclusive terms *pl;* **částečná ~** partial board
penzijní pension; **~ pojištění** pension / old age insurance
penzión boarding house, guest house
penzista pensioner
pepř, *též* **v ~it** pepper
periferní peripheral [pə'rifərəl]
periodický periodic(al)
perla pearl

P

perleť mother-of-pearl, nacre [neikə]

perleťový mother-of-pearl

perlička guinea hen

perník gingerbread

pero (*na psaní*) pen; (*špička*) nib; **plnicí** ~ fountain pen; **kuličkové** ~ ballpoint (pen)

péro 1 (*ptačí*) feather 2 (*pružina*) spring

perokresba pen-and-ink drawing

pérovat be* springy

perský Persian

personál personnel, staff; **vlakový** ~ car attendants *pl*; guards *pl*

perspektiv|a, *též adj* **-ní** perspective

perzián astrakhan [æstrə'kæn]

peří feathers *pl*

peřina eiderdown

pes dog; **hlídací** ~ watch dog; **lovecký** ~ hound

pesimismus pessimism

pesimistický pessimistic

pěst fist; **zatínat ~i** clench one's fists; **na vlastní** ~ on one's own (hook)

pěstit si care for, tend (**vlasy** one's hair, **nehty** one's nails)

pěstitel grower, cultivator, planter

pěstovat 1 grow* (**růže** roses), raise (**plodiny crops**, **ovce** sheep), breed (**dobytek** cattle), cultivate (**plodiny** crops, **přátelství** friendship) 2 (*sport*) go* in for

pestrý motley, many-coloured; bright

pěšák infantry man

pěší: ~ **túra** hiking tour; **přechod pro** ~ pedestrian crossing

pěšinka 1 footpath 2 (*ve vlasech*) parting

pěšky on foot; **jít** ~ **go*** on foot, walk

pět five

pětiboj pentathlon [pen'tæθlən]

pěticíp|ý five-pointed; **-á hvězda** (*obrazec*) pentagram

pětiletý five-year

pětina fifth

pětka five; Number Five

petrklíč cowslip, primrose

petrolej petroleum; (*na svícení*) kerosene

petrolejový oil

petržel parsley

pěvecký sbor choir

pevně firm(ly), fast; ~ **se držet čeho** hold* firm / fast to sth.; **držte se** ~ (*v autobusu*) hold tight; **stát** ~ stand* firm

pevnina mainland, continent

pevnost 1 (*stavba*) fortress 2 (*odolnost*) firmness, stability

pevný 1 firm 2 (*nikoli tekutý*) solid 3 (*stálý*) stable, steady, set; ~ **plán cesty** a set itinerary 4 (*silný*) sturdy

pianino upright (piano)

pianista pianist

piano piano

píce forage; (*sušená*) fodder

píča (*vulg.*) cunt

piha freckle

pích|at, -nout prick, sting; ~ **příchod** clock in (at the gate); ~ **odchod** clock out

piják 1 drinker 2 (*papír*) blotting paper

pijan serious drinker, drunkard

pijavice leech

pikantní piquant [pi:kənt]

pila saw

píle diligence

piliny sawdust

pilíř pillar; (*mostu*) pier

pilková podešev ripple sole

pilně hard; **~ pracovat** work hard, **~ se učit** study hard

pilník file

pilný industrious, diligent; hardworking

pilot, *též v* **~ovat** pilot

pilulka pill

ping-pong, *též adj* **~ový** ping pong

pinzeta tweezers *pl*

pionýr pioneer

písařka typist

pisatel, ~ka writer

písčitý sandy

písek sand; **hrubý ~** gravel

písemně in writing

písemn|ý written, in writing; **-á práce** essay, thesis

píseň song

písk|at, -nout whistle

pískovec sandstone

pískový sand

písmeno letter; **malé ~** small letter; **velké ~** capital letter

písmo writing; (*tiskařské*) type; (*rukopis*) hand

píst piston

pistole pistol

piškot sponge biscuit / finger

píšťala whistle; (*varhan*) pipe

pít drink*

pití drinking; (*nápoj*) drink

pitná voda drinking water

pitomý silly

pitva (*studijní*) dissection; (*úřední*) autopsy

pivo beer; **černé ~** porter, stout; **světlé ~** ale

pivoňka peony

pivovar brewery

pižmo musk

placený paid

placka flat cake

pláč weeping, crying

plagiát plagiarism [pleidžarizm]

plachetnice sailing boat, sailboat

plachta canvas; (*lodní*) sail; (*nepromokavá na vůz*) tarpaulin

plachtit (*vzduchem*) glide, sail

plachý shy, self-conscious

plakat cry, weep*

plakát bill, poster, placard; **lepení ~ů zakázáno** stick* no bills

plaketa plaque

plamen flame

plán 1 plan, schedule; **podle ~u** according to plan, on schedule; **splnit ~** meet the target 2 (*města*) map

planeta planet

planetárium planetarium [plænɪˈteərɪəm]

plánov|ací, *též n* **-ání** planning

plánovaný planned

plánovat plan; arrange

plánovitý planned

plantáž plantation

planý 1 barren 2 (*marný*) vain, idle, futile 3 false (**poplach** alarm)

plastick|ý plastic; **-á hmota** plastic (material)

plastik plastic

plastika sculpture

plašit scare, frighten; **~ se** get* frightened

plášť 1 coat; **~ do deště** raincoat, mac(kintosh) 2 (*pneumatiky*) tyre 3 (*hodinek*) case

pláštěnka cape, cloak

plat pay; (*příjem*) income, salary; (*mzda*) wage(s)

plátce payer

platební payment; **~ podmínky** conditions *pl* of payment

plátek slice (**chleba** of bread, **šunky** of ham, **citrónu** of lemon)
plátěný linen
platina platinum
plat|it 1 pay* (**za** for); ~ **účet** pay a bill; ~ **fakturu** pay an invoice; ~**!** the bill, please! **2** (*mít platnost*) **jízdenka -í tři dny** the ticket is good / available for three days; **pravidlo ještě -í** the rule still obtains / holds good **3** (*týkat se koho*) apply to, go* for; **to -í také pro vás** that applies to you / that goes for you, too
plátno linen; (*knihařské*) cloth; (*malířské*) canvas; (*filmové*) screen; **široké** ~ wide screen; **voskové** ~ oilcloth
platnost validity; force; **být v** ~ be* in force, hold* good; **vejít v** ~ come* into force; **uvést v** ~ put* into force
platný valid
platov|ý pay, salary; **-á stupnice** salary scale
plavání swimming
plavat swim*
plavba navigation
plavčík lifeguard
plavební navigation, shipping
plavec swimmer
plaveck|ý swimming; **-é závody** swimming competitions *pl*
plavit float; ~ **se** sail
plavky (*dámské, jednodílné*) swimsuit; (*pánské*) slips *pl*, (bathing) trunks *pl*
plavkyně swimmer
plav|ovlasý, -ý fair
plavuň stag's-horn clubmoss
plazit se crawl
pláž beach
plážový beach (**oblek** dress)

plebiscit plebiscite
plec shoulder
plech 1 sheet of tin, tinplate **2** (*na pečení*) baking tin
plechový tin
plechovka tin, can
plemenný brood; ~ **kůň** stud horse, breeding mare
plemeno breed
plena napkin, diaper
plenární plenary (**schůze** meeting)
plénum general assembly
ples ball; **pořádat** ~ give* a ball; **maškarní** ~ fancy-dress / masked ball
plesnivět become* mouldy
plesnivý mouldy
plést 1 (*svetr*) knit **2** (*koho*) puzzle **3** ~ **si** mistake* (**koho s kým** sb. for sb.)
plést se 1 (*při počítání*) make* mistakes **2** (*do čeho*) meddle in, butt in
pleš: mít ~ be* bald
pleť complexion
pleten|ý knitted (**svetr** sweater); **-á vesta** cardigan
pletivo network
plevel weed
plíce lungs *pl*
plicní lung
plicník lungwort
plíseň mould
plisovaný pleated
plít weed
pliv|at, -nout spit*
plížit se creep*; (*kradmo*) steal*
plnicí pero fountain pen
plnit 1 fill (**láhev** a bottle) **2** discharge (**své povinnosti** one's duties)
plno plenty, a lot (**práce** of work),

a great many, a great number
(**lidí** of people)
plnoletý of age
pln|ý 1 full; **-á moc** power of
attorney **2** (*korpulentní*) plump
plod fruit
plodina product; **hlavní ~** staple
plodný fertile, fruitful
plocha area; (*mat.*) plane;
plakátovací ~ hoarding,
billboard; **vodní ~** sheet of water
plochý flat
plomba 1 (*zubní*) stopping,
filling **2** (*pečeť*) seal
plombovat stop, fill (**zub** a tooth)
plošina platform; (*autobusu*) deck
plošná míra area
plot fence; **živý ~** hedge
plotice roach
plotna 1 (*plát*) plate **2** (*kamna*)
(cooking) stove, (cooking) range
plotýnka slipped disc
plout float, sail
ploutev fin
plovárna (*bazén v přírodě*)
swimming pool; (*krytý bazén*)
swimming bath(s)
plst, *též adj* **~ěný** felt
pluh plough
pluk regiment
plukovník colonel
plurál plural
plus plus
plyn gas; **pustit / zastavit ~** turn
the gas on / off; (*motor.*) **přidat
~** step / put* one's foot on the
accelerator
plynárna gasworks
plynně fluently
plynojem gasometer
plynoměr gas meter
plynov|ý: ~ hořák gas burner;

-á maska gas mask; **~ pedál**
accelerator
plynulý fluent, smooth
plyš, *též adj* **~ový** plush
plýtvat waste (**čím** sth.)
pneumatický pneumatic
pneumatika tyre
po 1 (*časově*) after (**tobě** after
you, **jeho smrti** after his death);
past (**dvě minuty ~ sedmé** two
minutes past seven); for (**tři
roky** for three years); in (**dvou
dnech** in two days); up to, until
(**tuto chvíli** up to now, until now)
2 (*místní*) over (**celém světě** all
over the town); about (**městě**
about the town); along (**ulici**
along the street); up to (**kolena**
up to the knees) **3** (*cena*) **~ dvou
librách** at two pounds a piece,
two pounds each **4** (*způsob*) **roz-
vod ~ italsku** divorce Italian style
♦ **být ~ ruce** be* handy; **být ~
otci** take* after one's father; **ať
je tedy ~ vašem** have* it your
own way
pobavit amuse, entertain; **~ se**
have* a good time
pobídnout invite; (*podnítit*)
incite; (*popohnat*) urge
pobízet (*k jídlu*) coax
pobočka branch (office)
pobouření anger, indignation
(**nad** at)
pobouřit anger; fill with
indignation; (*mravně*) disgust
pobožný pious
pobřeží coast
pobřežní coastal
pobyt stay (**v hotelu** at a hotel);
přechodný ~ temporary stay,
sojourn; **trvalý ~** residence
pocákat splash, (be)spatter

P

pocit feeling, sensation

poct|a homage, tribute; **vzdát -u** pay* homage / tribute; (*čest*) honour

poctivost honesty

poctivý honest

pocukrovat (sprinkle with) sugar

počasí weather; **krásné / špatné / deštivé / proměnlivé ~** fine / bad / rainy, wet / changeable weather; **za každého ~** in all weathers; **dovolí-li to ~** weather permitting

počáteční initial, original, opening

počát|ek beginning; **na -ku** at the beginning

počest honour; **na ~ koho** in honour of sb.

počet number; **~ obětí dopravních nehod** the toll of the roads

početní arithmetical

početnice arithmetic book

početný numerous

počítač computer

počítat 1 count, reckon **2** (*vypočítávat*) calculate, compute **3** (*účtovat*) charge **4** (*mezi*) number (among) **5** (*spoléhat se na*) reckon on; (*počítat s kým*) reckon with, count on

počkání: na ~ while you wait

počkat 1 wait (**na koho** for sb.) **2** (*u telefonu*) hold* the line; (*na časový signál*) stand* by for the time signal

počty arithmetic

pod 1 under (**stolem** the table, **kopcem** the hill, **dvacet korun** twenty crowns) **2** below (**kolena** the knees, **obzorem** the horizon, **nulou** the freezing point / zero, **hladinou moře** the sea level, **průměrem** the average, **moji dů-**

stojnost my dignity) **3** beneath (**moji důstojnost** my dignity)

podání 1 (*na úřad*) handing in (**žádosti** an application) **2** (*sport.*) (*v kopané*) pass; (*v tenise*) service **3** (*léku*) administering, dispensing

podaří|t se: -lo se mi I succeeded, I was successful

pod|at, -ávat give*, hand, pass; **~ lék** administer a medicine; **~ ruku komu** shake* hands with sb.; **~ trestní oznámení proti** file a charge against

podběl coltsfoot [kəultsfut]

podce|nit, -ňovat underestimate

poddajný supple, soft

poddůstojník noncommissioned officer

podebrat se fester

podej zavazadel luggage office

poděkovat thank (**komu** sb.)

podél along

podélný lengthways, lengthwise, oblong

podepřít prop up, support

poděsit alarm, shock, scare, frighten, terrify

podepsat sign; **~ se** sign one's name

podezírat suspect (**z** of)

podezíravý suspicious

podezřelý suspicious; **~ člověk** suspect (**z** of)

podezření suspicion (**z** of)

podezřívat suspect (**z** of)

podchy|covat, -tit catch* up

podíl share; (*k dělení*) portion; (*výsledek dělení*) quotient [kwəušnt]

podílet se share (**s kým na čem** sth. with sb.)

podít se: kam se poděl? what has become of him?

pódium platform

podívan|á spectacle; **na tebe je ale ~!** what a sight you are!; **stojí to za -ou** it is worth seeing

podívat se 1 look, have* a look **(na** at); **~ do zrcadla** look into the mirror; **~ komu do očí** look into one's eyes **2 ~ do Prahy** make* a trip / pay a visit to Prague

podivín freak

podivný strange, quaint

podivuhodný admirable, wonderful

podjezd underpass

podklad basis

podkolenky knee socks *pl*

podkop|at, -ávat sap, undermine

podkova horseshoe

podkožní subcutaneous [sʌbkjuˈteɪnjəs]

podkrov|í, -ní místnost garret, attic

podlaha floor

podlahová krytina flooring

podlamovat sap, undermine **(své zdraví** one's health)

podle 1 (*podél*) along **(řeky** the river) **2** according to, in accordance with **(tvého přání** your wish) **3 malováno ~ Rembrandta / ~ přírody** painted after Rembrandt / from nature ♦ **~ mého názoru** in my opinion; **~ poslední módy** in the latest fashion; **~ všeho** to all appearances; **musíte jednat ~ toho** you must act accordingly

podléhat 1 be* liable, be* subject (**čemu** to sth.) **2** be* inferior, be* subject (**komu** to sb.)

podlehnout succumb (**čemu** to sth.); yield (**nátlaku** to pressure)

podlévat baste

podléz|t, -at creep* under; **-at komu** toady / cringe to sb.

podlitina blotch

podlomené zdraví undermined health

podloubí arcade [aːˈkeɪd]

podlouhlý oblong

podložit 1 underlay*; (*vycpávkou*) pad **2** (*důkazy*) found

podložka (writing) pad

podlý base, mean

podmáslí buttermilk

podmínk|a condition; term; **klást -y** lay* down conditions; **pod -ou, že** on condition that; **za jakých podmínek** on what conditions; **za žádných podmínek** on no condition, under no circumstances

podmítka break-up

podnájem lodgings *pl*; (*hovor.*) digs *pl*

podnájemník lodger

podnapilý tipsy

podnebí climate

podněcovat instigate, incite

podnět stimulation; (*návrh*) suggestion; **dát ~, aby** prompt to

podnětný stimulating

podnik undertaking, enterprise; (*obchod*) business

podnikání enterprise

podnikat *viz* **podniknout**

podnikatel contractor, businessman

podnikavý enterprising

podnik|nout undertake*; **~ cestu** make* / set* out on a journey; **~ potřebné kroky** take* the necessary steps

podnos tray

podoba 1 (*vzhled*) form, shape **2** (*podobnost*) resemblance

podobat se resemble, look like (**komu** sb.)

podobizna portrait

podobně in a similar way, likewise; **a tak ~** and so on

podobn|ý similar; **obě sestry jsou si velmi -é** the two sisters are very much alike; **to je ti -é** that's just like you

podojit milk

podotknout add

podpalubí lower deck

podpatek heel

podpaží armpit

podpěra support, prop; (*konzole*) bracket

podpírat prop up, support

podpis signature

podpisovat sign; **~ se** sign one's name

podpl|ácet, -atit bribe

podpor ležmo pressup, pushup

podpora 1 support **2** (*mravní*) encouragement, backing **3** (*výživa*) maintenance, relief **4** (*v nezaměstnanosti*) dole

podporovat 1 support **2** (*vydržovat*) maintain, aid, support **3** (*mravně*) encourage, back, patronize; (*akci*) advocate, sponsor

podporučík second lieutenant

podpořit *viz* **podporovat**

podprahový subliminal [sab'liminal]

podprsenka brassière, (*hovor.*) bra

podprůměrn|ý below the average; **-á velikost** undersize

podrazit: ~ boty sole the shoes; **~ komu nohy** trip up sb.

podrážděný irritated, irritable, edgy, cross

podráždit irritate

podrážet *viz* **podrazit**

podrážka sole

podrobit subject; **~ se** submit, yield (**čemu** to sth.); **~ se zkoušce** take* an examination, sit* for an examination; **~ si** subdue

podrobnost detail

podrobně in detail

podrobný detailed

područí bondage

podruhé a second time; (*příště*) next time

podržet hold*, keep*, retain; **~ se** hold* (on to sth.)

podřadný inferior

podřeknout se let* out

podřídit se submit (**čemu** to sth.)

podřízený subordinate

podřizovat se submit (**čemu** to sth.), put* up with

podstat|a substance, essence; **máte v -ě pravdu** you are right in the main

podstatný essential

podstavec stand, base; (*sochy*) pedestal [pidistl]; (*malířský*) easel

podšívka lining

podtitulek subtitle

podtrh|ávat, -nout underline

poduška cushion

podvádět deceive, cheat

podvazek (*dámský*) garter; (*pánský*) suspender

podvědomí subconsciousness

podvědomý subconscious

podvést deceive, cheat; (*hovor.*) double-cross

podvod deception, deceit

podvodník cheat, swindler; (*kdo se vydává za jiného*) impostor

podvozek undercarriage
podvratný subversive
podvýživa undernourishment
podvyživený undernourished, underfed
podzemí underground
podzemní dráha underground, (*v Londýně*) tube, *US* subway
podzim, *též adj* ~**ní** autumn, *US* fall
poezie poetry
pohádat se quarrel
pohádka fairy tale
pohan heathen
pohanět blame
pohánět drive*, propel
pohár cup
pohladit stroke, caress
pohlavek box on the ear
pohlaví sex
pohlavní sexual; ~ **choroba** venereal disease
pohled 1 (*pohlédnutí*) look; (*letmý*) glance; (*upřený, pátravý*) gaze; **na první** ~ at first sight, on the face of it **2** (*výhled*) sight; view (**na hrad** of the castle) **3** (*pohlednice*) (picture) postcard
pohledávka claim; outstanding debt
pohlednice (picture) postcard
pohmožd|ěnina, *též v* ~**it** bruise
pohnojit manure; (*uměle*) fertilize
pohnout (*též dojmout, přimět*) move; ~ **k slzám** move to tears; ~ **ho, aby šel** move him to go
pohnutí emotion
pohnutka motive; incentive
pohodlí comfort
pohoda wellbeing, contentment
pohodlný comfortable
pohon drive, propulsion
pohonná hmota fuel

pohoršení scandal
pohoršovat shock; ~ **se** be* shocked (**nad** at)
pohoří (range of) mountains
pohostinný hospitable
pohostinství hospitality
pohostit treat (**koho čím** sb. to sth.); (*dát komu oběd / večeři*) entertain sb. to dinner / supper
pohoštění entertainment; **děkuji vám za** ~ thank you for your hospitality
pohotovost 1 (*připravenost, bystrost*) promptness, readiness **2** (*voj.*) alert
pohotovostní emergency
pohotový ready, prompt
pohov! (stand) easy!; **stát v** ~**u** stand at ease
pohovka couch, settee, sofa
pohovor talk, chat; interview
pohovořit (si) have* a talk / chat
pohraničí border region(s *pl*), frontier territory
pohrdání contempt
pohrdat despise, disdain (**čím** sth.)
pohrdavý contemptuous
pohrobek posthumous child
pohroma calamity, fatality, disaster
pohromadě gathered; together
pohrozit threaten (**komu čím** sb. with sth.)
pohrudnice pleura [pluərə]; **zánět** ~ pleurisy [pluərisi]
pohřbí|t, -vat bury
pohřeb funeral
pohřební: ~ **obřad** burial service; ~ **ústav** undertaker's; ~ **vůz** hearse
pohřešov|at miss; **být -án** be* missing
pohyb motion; (*určitý, též hnutí*)

movement; (*tělesný, cvičení*)
exercise

pohyblivý mobile; (*pohybující se*)
moving; (*přemístitelný*) movable

pohybovat (se) move

pocházet come* (z from);
(*původem*) descend (**od** from)

pochlubit se boast (**čím** of)

pochmurný gloomy

pochod, *též* v ~**ovat** march

pochopení understanding

pochopit understand*; take* in

pochopitelný comprehensible,
understandable

pochoutka dainty, titbit

pochutn|at si, -ávat si relish (**na
čem** sth.)

pochvala praise, compliment

pochválit praise; speak* highly
of, compliment

pochybnost doubt; **mít ~i o** be*
doubtful about; **brát v ~ co**
challenge sth.; **nade vší ~**
beyond all doubt, indubitably

pochybný doubtful; (*podezřelý*)
dubious

pochybovat doubt (**o čem** sth.);
nepochybuji, že I do not doubt
that, I am satisfied that

pojednání treatise (**o** on)

pojednávat deal* (**o čem** with
sth.); treat (sth. / of sth.)

pojem concept; (*představa*)
notion, idea (**o** of)

pojetí conception

pojistit insure (**proti ohni** against
fire)

pojistk|a 1 (insurance) policy
2 (*elektr.*) fuse; **spálit -u** blow*
a fuse, fuse the lights

pojištění insurance; **národní ~**
national insurance; **nemocenské**

~ health insurance; ~ **na život**
life assurance

pojišťovna insurance company

pojízdný mobile

pojmenovat name, call

pojmout hold*; (*diváky*) seat

pokání repentance

pokárat reprove, reprimand

pokazit mar

pokaždé every time, each time

poklad treasure

pokládat 1 (*klást*) lay* (down),
deposit **2** (*považovat*) take* for
(**za přítele** a friend)

pokladna (*nádražní*) booking
office; (*divadelní*) box office;
(*státní*) public treasury;
(*kontrolní*) cash register;
(*nedobytná*) safe

pokladní kniha cash book

pokladní(k) cashier

pokles fall (**návštěvnosti** in
attendances); drop (**počtu
zraněných** in the number of
injured); decline (**cen** in prices)

poklička lid

poklonit se bow

pokoj 1 (*klid*) peace, quiet; **žít
v míru a ~i** live in peace and
quiet; **nechat na ~i koho** leave*
sb. alone; **dej ~** keep* quiet
2 (*místnost*) room; **obývací ~**
living room, sitting room;
jednolůžkový / dvoulůžkový ~
single / double bedroom;
nemocniční ~ ward

pokojný quiet, peaceful

pokojská chambermaid

pokolení generation

pokorný humble

pokoř|it, -ovat humiliate

pokousat bite*

pokoušet se try, attempt; dabble (**o psaní / psát** in writing)

pokovování plating

pokožka skin; (*pleť*) complexion

pokračování continuation, sequel

pokračovat go* on, go* ahead (**v čem** with sth.); continue

pokrčit wrinkle; **~ rameny** shrug one's shoulders

pokrm food, dish

pokročilý advanced; **~ věkem** advanced in years

pokrok advance; progress; **dělat ~y** make* progress

pokrokový progressive

pokropit sprinkle

pokrýt (se) cover (oneself)

pokrytecký hypocritical

pokrytectví hypocrisy

pokrývač tiler, slater

pokrývat (se) cover (oneself)

pokrývka cover; (*deka*) blanket; **prošívaná ~** quilt; **~ na postel** bedspread

pokřik cry; **strhnout ~** raise a hue and cry (**proti** against)

pokud 1 (*dokud*) as long as 2 (*jestli*) if ♦ **~ možná** as far as possible; **~ jde o** as to, as for, as far as … is concerned

pokus 1 attempt (**oč** at sth., to do sth., at doing sth.); **nezdařený ~** abortive attempt 2 (*vědecký*) experiment

pokusit se 1 attempt (**oč** sth.); **~ o sebevraždu** attempt to commit suicide 2 (*snažit se*) try, do* one's best

pokusný experimental

pokušení temptation

pokuta penalty; (*peněžní částka*) fine

pokutovat fine

pokyn direction, hint (**o** on)

pól pole; **severní / jižní ~** north / south pole

Polák Pole

polák (*kachna*) pochard [pəʊtʃəd]

polární polar; **~ kruh** the Arctic Circle; **~ záře** aurora borealis [bɔːˈriːˈeilis], northern lights *pl*

pole field

poledne noon, midday; **v ~** at noon, at midday

polední midday (**jídlo** meal)

poledník meridian

polekat frighten, scare; **~ se be*** frightened, be* scared

polemika polemic, controversy

polemizovat argue

poleno log

polepšit: ~ si improve one's conditions; **~ se** correct oneself

poleva (*na nádobí*) glaze; (*na pečivu*) icing

polévat pour over

polévka soup; **bílá ~** thick soup; **hnědá ~** clear soup

pol|íbek, *též* n **-íbit** kiss

polic|ejní, *též* n **-ie** police

policista policeman, police officer

políček slap in the face

polička shelf; ledge (**na křídu** for chalk)

polít pour over

politický political

politik politician

politika 1 (*věda i praxe*) politics 2 (*politická linie*) policy

politování regret

polka polka

polknout swallow

polní field; **~ maršál** Field Marshal

pólo polo [pəʊləʊ]; **vodní ~** water polo

polobotky shoes *pl*

poločas half-time

polodrahokam semiprecious stone

poloha position, situation

polokoule hemisphere

pololetí half-year; (*školní*) term

pololetní: ~ **prázdniny** midyear holidays *pl*; ~ **vysvědčení** midyear / half-yearly report

poloměr radius

poloostrov peninsula

polorozpadlý dilapidated

polotovar (*kuch.*) oven-ready / ready-to-cook food

polovi|ční, *též n* **-na** half

polovodič semiconductor

položit lay* (down), put*, set* (down), deposit

položka item; (*zapsaná*) entry

Polsko Poland

polsk|ý Polish

polštář cushion; (*jen na lůžku*) pillow

polština Polish

polykat swallow

polymer polymer [polimə]

polytechnický polytechnic

pomačkaný battered

pomáhat help (**komu** sb.)

pomalu slowly ♦ ~ **ale jistě** slowly but surely; ~, ~! easy, easy!

pomalý slow

pomást se become* (**mentally deranged**, go* insane

pomatený insane

pomazánka spread

poměr 1 proportion; **v ~u k vykonané práci** in proportion to work done **2** (*vztah*) relation, relationship (**mezi matkou a dětmi** between mother and children) **3** (*postoj*) attitude (**k práci** towards work) ♦ **mít** ~ carry on (**s kým** with sb.)

pomeranč orange

poměrně relatively, comparatively

poměrn|ý 1 relative, comparative **2** (*úměrný*) proportionate; ~ **počet** proportion; **-é zastoupení** proportional representation

pomfrity chips, French fries

pomlčet not mention (**o čem** sth.)

pomlčka dash

pomlouvačný slanderous

poml|ouvat, -uvit, *též n* **-uva** slander; (*tiskem*) libel

pomněnka forget-me-not

pomník (*socha*) monument

pomoc 1 help; **lékařská** ~ medical help **2** (*organizovaná*) aid; **první** ~ first aid **3** (*částečná*) assistance; **přijít na** ~ **komu** come* to sb.'s assistance **4** (*zvl. sociální*) relief, assistance

pomocí by means of, with the assistance of, with the aid / help of

pomoci help (**komu** sb.); **give* / lend* a hand; pomoz mi s tím kufrem** would you mind giving me a hand with this suitcase?

pomocn|ice, -ík helper; assistant (**ředitele** manager's assistant)

pomocný auxiliary

pomsta revenge

pomstít avenge (**bezpráví** an injustice, **přítele** one's friend); ~ **se** take* revenge (**na kom zač** on sb. for sth.)

pomůck|a aid; **audiovizuální -y** audiovisual aids *pl*; **vyučovací** ~ teaching aid

pomyslit think* (**na** of); **jen si pomysli!** just fancy!

pomýšlet think* (**na** of); **get* one's mind set** (**na** on); intend (**na / že to +** *inf*)

ponaučení warning

pondělí Monday
poněkud rather, somewhat
ponětí idea; **nemám ~ o** I have no idea of
poněvadž because, as, since
poní|žit, -žovat humiliate; **~ se** humiliate oneself
ponižující humiliating
ponorka submarine
ponořit plunge (**ruku do vody** one's hand into water); **~ se i** plunge (**do bazénu** into a swimming pool); dive 2 become* engrossed (**do knihy** in a book)
ponožka sock
popálenina burn
popel 1 ash, ashes *pl* 2 (*tělesné pozůstatky*) one's ashes *pl*
popelnice 1 (*pohřební*) urn 2 (*na odpadky*) dustbin
popelník ashtray
popírat deny (**obvinění** the charge); dispute (**nárok** a claim)
popis 1 description 2 (*líčení*) account
popisovat 1 describe 2 (*líčit*) give* an account of
poplach alarm
poplašn|ý: -á zpráva alarming news; **-é zařízení** alarm; **-é znamení** alarm signal
poplatek charge; fee; **za malý ~** on payment of a small fee
poplést (*co*) mix up; (*koho*) puzzle, perplex; (*uvést do rozpaků*) embarrass
♦ **~ komu hlavu** turn sb.'s brain
poprat se have* a row
poprava execution
popravit execute
poprosit ask
poprsí bust
poprvé (for) the first time

popředí: stavět do ~ bring* into prominence; **v ~ in** the foreground
popřípadě respectively, as the case may be
popřít deny
popsat describe, give* a description / an account of
poptávka 1 (*dotaz*) inquiry 2 (*nedostatek*) demand (**po** for)
popud impulse
populace population
popularita popularity
popularizovat popularize
populární popular; **~ zpěvák** (*hovor.*) pop singer
pór 1 pore 2 (*pórek*) leek
porada meeting, conference
porad|it (*komu*) advise (sb.), give* sb. (a piece of) advice (**v čem** o sth.); **dát si** (*odborně*) **~ od koho** take* sb.'s (expert) advice; **nějak si s tím -íme** we'll manage somehow
poradit se consult (**s advokátem** a lawyer); take* sb.'s advice
poradna: advokátní ~ legal aid (and advice) centre; **~ pro matky a děti** maternity and child welfare centre
poranit hurt*, injure; **~ se** get* hurt
porazit 1 knock down; overthrow* 2 (*protivníka*) beat*, defeat 3 (*dobytče*) kill
porážet 1 (*stromy*) fell 2 (*dobytek*) slaughter
porážka 1 defeat 2 (*dobytka*) slaughter
porce helping
porcelán china; (*kvalitní*) porcelain
porod childbirth; **zemřít při ~u** die in childbirth

P

porodit give* birth to
porodní ~ **bolesti** labour;
~ **asistentka** midwife
porodnice maternity hospital
porodnost birth rate
porota jury
poroučet order, command; ~ **si**
order
porozumění understanding
porozumět understand* (**čemu**
sth.)
portrét portrait
Portugalec Portuguese
Portugalsko Portugal
portugal|**ský**, *též n* -**ština**
Portuguese
poručík lieutenant
poručit order
poručník guardian
poruch|**a** 1 disorder (**zažívací**
soustavy of the digestive
system) 2 (*tech.*) failure, defect;
atmosférické -**y** atmospherics *pl*
3 breakdown
poruš|**it**, -**ovat** break* (**zákon** the
law); violate (**něčí soukromí**
sb.'s privacy); disturb
pořad programme; ~ **jednání**
agenda; **dát na** ~ **jednání** put*
on the agenda
pořadač file
pořádat 1 (*dát do pořádku*) put*
in order, sort 2 (*konat*) arrange,
give* (**ples** a ball)
pořadatel organizer, promoter
pořád|**ek** order; **dát do** -**ku** put*
in order; **něco není v** -**ku** there
is something wrong; **po** -**ku** one
by one; ~ **slov** word order;
v -**ku!** all right!, O.K.!; **ve**
vzorném -**ku** in apple-pie order
pořadí order
pořadník list

pořádný 1 proper, sound;
(*pořádkumilovný*) orderly
2 (*notný*) substantial, square
pořadové číslo serial number
pořekadlo saying
pořezat se cut* oneself
pořídit si get*, buy
posadit seat; ~ **se** sit* down,
take* a seat
posádka garrison; (*osádka*) crew
posekat mow* (down) (**trávu**
grass); cut* (**pšenici** wheat)
poselství message
poschodí floor; **v druhém** ~ on
the second floor
posila 1 help; (*morální*)
encouragement 2 (*zvl. voj.*)
reinforcement
posílat send*
pos|**ílit**, -**ilovat** 1 (*morálně*) en-
courage; (*vzpružit*) (*hovor.*) buck
up 2 (*voj.*) fortify, reinforce
poskytnout provide
poslanec deputy; *GB* Member of
Parliament (M.P.)
poslanecký parliamentary
poslání mission
poslat send*; (*lodí*) ship;
~ **poštou** post, send* by post /
through the post; ~ **pro doktora**
send for a doctor
poslední last time
poslední last; **v** ~ **době** lately, of
late, recently
♦ ~ **kapka** the last straw
poslech listening; ~ **rozhlasu**
listening-in
poslechnout 1 obey (**rodiče**
one's parents) 2 follow, take*
(**čí rady** sb.'s advice)
poslouchat 1 listen (**hudbu** to
music); (*rozhlas*) listen in;
~ **přednášku v rozhlase** listen

in to a lecture **2** obey (**rodiče** one's parents)

posloužit (*komu*) serve (sb.), do* a service (to sb.); **dobře ~ komu** stand* sb. in good stead; **~ si** help oneself (**ještě kousek** to another piece)

posluhovačka charwoman; (*hovor.*) daily

posluchač listener; (*student*) undergraduate

posluchárna lecture-hall

poslušný obedient

posměch mockery; **být pro ~ be*** the laughing stock; **být vydán ~u** be held up to ridicule

posměšný mocking

posmívat se (*komu*) jeer (at sb.), mock (sb.)

posolit (sprinkle with) salt

posoudit 1 judge; **posuďte sami** judge for yourself **2** review (**knihu** a book)

posouvat shift

pospíchat, -šit si hurry (up), be* in a hurry, make* haste
 ♦ **nepospíchej** take your time

postarat se 1 (*o*) look after, see* about (**děti** the children); take* care of; (*hmotně zabezpečit*) provide for, cater for **2** (*aby*) see* to it that

postava 1 figure; physique; **muž silné -y** a man of strong physique **2** (*v uměleckém díle*) character

postavení position, situation; (*společenské*) rank

postavit place, stand*; pitch (**stan** a tent); **~ se** oppose (**proti komu** sb.); **~ se na vlastní nohy** strike* out on one's own

postel bed; **v ~i** in bed; **zůstat v ~i** lie* in

poste restante poste restante [paust 'resta:nt]

postěžovat si complain (**na** of)

postižený afflicted (**reumatismem** with rheumatism); **tělesně ~** invalid

postoj 1 (*držení těla*) posture **2** (*stanovisko*) attitude; **přátelský ~** a friendly attitude; **~ k práci** attitude towards work

postoupit 1 (*pokročit*) advance **2** refer (**spor do OSN** the dispute to the U.N.O.) **3** (*majetek*) cede

postrádat 1 (*nemít*) lack **2** (*hledat*) miss; **velmi jsme vás -li** we missed you very much

postrach fright

postranní side-, lateral; **~ cesta** by-way; **~ úmysl** secondary motive

postrašit terrify, scare

postřeh perception

postřelit shoot*, wound (**~ z a gun**); (*do ruky*) wing

postřik spray; **~ proti hmyzu** fly spray

postříkat sprinkle, spray; (*počáky*) splash

postup 1 (*vpřed*) advance **2** (*metoda*) method, procedure **3** (*pokrok*) progress **4** (*v zaměstnání*) promotion

postupně gradually, step by step

postupný gradual

postupovat 1 (*vpřed*) advance; pass (**dál do vozu** along / down the bus) **2** (*pokračovat*) proceed

posudek 1 (*recenze*) review; **lektorský ~** reader's report **2** (*kádrový*) character

posunout, -vat shift, move; (*vpřed*) advance

posuzovat judge

posvátný sacred

P

posvěcovat hallow, sanctify

posypat sprinkle, strew* (**pískem** with sand)

pošeptat whisper

pošetilý foolish, silly

poško|dit, -zovat damage (**nábytek** furniture); harm (**čí dobré jméno** sb.'s reputation)

poškrábat scratch; (**při můění**) graze

pošlapat trample (**co** on sth.)

pošpinit 1 soil, dirty **2** sully (**čí pověst** sb.'s reputation); **~ se** bring* discredit upon oneself

pošt|a post, mail; (**úřad**) post office; **poslat -ou** post, send by post / through the post; **dát na -u** post; **obratem -y** by return of post; **leteckou -ou** by air mail

poštípat (**žihadlem**) sting*; (**štěnice**) bite; (**prsty**) pinch

poštolka kestrel

poštovné postage

poštovní post(al); **~ úřad** post office; **~ poukázka** postal order; **~ schránka** letter box, *GB* pillar box; **~ spořitelna** post office savings bank; **~ známka** postage stamp

pot sweat; (**pocení**) perspiration

potácet se stagger, reel

potah 1 (**spřežení**) team **2** (**na nábytek**) upholstering

pot|áhnout, -ahovat 1 cover, coat **2** (**nosem**) sniff **3** (**kovem**) plate

potápěč diver

potápět plunge; **~ se** sink*; (**úmyslně**) dive

potápka grebe [gri:b]

potaz: brát něco v ~ take sth. into consideration

potěšení pleasure, delight; **mít ~** enjoy (**z čeho** sth.)

potěšit please, give* pleasure; **~ se** be* pleased (**čím** with sth.), enjoy (sth.)

potěšitelný pleasant

potírat spread*, rub

potit se sweat, perspire

potíž 1 difficulty, trouble; **nemít ~e při cestování** have* no difficulty in travelling **2** (**překážka**) snag; **~ je v tom, že** the snag is that ♦ **s tím chlapcem je ~** what a nuisance the boy is; **nedělejte ~e** don't be difficult

potkan sewer rat

potk|at (se), -ávat (se) meet* (**přítele / se s přítelem** a friend); **-alo ho neštěstí** he met with an accident

potlač|it, -ovat suppress; **~ zívnutí** stifle a yawn

potlesk applause

potlouci se get* battered all over

potmě in the dark

potměchuť bittersweet, woody nightshade

potočnice watercress

potok brook

potom then, afterwards, later on; **~ když** after; **hned ~** next

potomek descendant

potopit plunge, sink*; **~ se** sink*; (**úmyslně**) dive

potrat miscarriage; (**umělý**) abortion

potrava food

potravina foodstuff

potravinářský food; **~ obchod** grocery

potrestat punish

potrpět si (**na**) set* great store (by); **be* particular (about)**

potrubí piping

potřeb|a 1 need, necessity;

v **případě -y** in case of need;
konat svou -u relieve oneself
2 **-y** *pl*: **-y pro domácnost**
household utensils; **kancelářské
-y** writing materials; **sportovní
-y** sports equipment; **školní -y**
school books and stationery;
toaletní -y toilet articles
potřebný necessary
potřebovat need, want; **nutně** ~
need badly
potřít smear, rub
potud (*prostorově*) as far as here;
(*časově*) ~ – **pokud** as long – as
potvr|dit 1 (*správnost*) certify,
confirm; **tímto se -zuje, že** this
is to certify that 2 acknowledge
(**příjem čeho** receipt of)
potvrzení 1 (*správnosti*)
confirmation, certificate
2 acknowledgement (**příjmu** of
receipt)
potvrzovat *viz* potvrdit
pouč|it, -ovat instruct, enlighten
(**o tématu** on a subject); ~ **se**
learn*
poučka precept [pri:sept]
poučný instructive
pouhý mere
poukaz 1 (*odkaz*) reference (**na**
to) 2 (*na zboží, služby*) voucher
3 (*peněz*) remittance
pouk|ázat, -azovat 1 (*nač*) refer
(to), suggest 2 (*peníze*) remit
(money)
poukázka: poštovní ~ postal
order, money order
pouliční: street; ~ **ruch** traffic
poupě bud
poušť desert
pouštět 1 let* go (**co** of)
2 (*upustit*) drop 3 (*dovolit*)
permit 4 (*barva*) lose* colour

pouť fair
poutavý attractive
poutko loop
pout|o tie, bond; **-a** shackles *pl*,
handcuffs *pl*
pouzdro case
pouze only
použít 1 use, make* use of (**peněz**
money, **násilí** force) 2 employ
(**kamene při stavbě** stones in
building) 3 apply (**pravidla na
určitý případ** a rule to a case)
4 avail oneself (**každé příleži-
tosti** of every opportunity)
♦ ~ **tramvaje** take* a tram;
~ **práva veta** exercise the veto
použití use; **návod k** ~ directions
for use
používat *viz* použít
povaha character; nature
povaleč idler, loafer
poválečný postwar
povalit 1 knock down (**člověka**
a man) 2 overthrow* (**vládu** the
government)
povalovat se lounge
považov|at consider, regard (**za**
as); take* (**za** for); ~ **za
samozřejmé** take for granted;
být -án za Angličana pass for
an Englishman
pověd|ět tell*
povědomý familiar
povel command
pověra superstition
pověrčivý superstitious
pověřenec commissioner
pověření commission
pověř|it, -ovat (*koho čím*) entrust,
charge (sb. with sth.); delegate
(**koho, aby** sb. to + *inf*)
pověsit hang* (up)
pověst 1 (*vypravování*) tale,

story; (*starobylá*) saga **2** (*jméno*)
dobrá ~ (good) reputation;
(*špatná*) bad reputation, discred-
it; **udělat si špatnou ~ u** bring*
discredit upon oneself with
povést se go* off well
pověstný notorious
povětrnostní weather (**podmínky**
conditions)
povídat talk, tell*, chat; **~ si**
have* a chat
povídka (short) story, tale
povidla jam
povinnost duty; **konat svou ~**
do* one's duty; **pokládám za
svou ~** I think* it my duty;
smysl pro ~ sense of duty
povinn|ý compulsory; **-é ručení**
third-party insurance; **-á školní
docházka** compulsory school
attendance; **-á vojenská služba**
compulsory military service
povlak cover; (*barvy, rzi*)
coat(ing); (*na polštář*)
pillowcase, pillowslip; (*na
nábytek*) loose cover; slipcover
povlé|ci, -kat (*postel*) change the
bedclothes
povlé|ci se, -knout se get* coated
(**čím** with sth.)
povodeň flood
povolání occupation; (*vysoce
kvalifikované*) profession
povolaný competent, qualified
povol|at, -ávat call (in);
(*k vojenské službě*) call up
povolení 1 (*svolení*) permission
2 (*koncese*) licence
povol|it, -ovat 1 (*dovolit*) allow,
permit; (*úředně*) relent; (*ustoupit*) give* in, give*
way (**násilí** to force) **3** (*zvětšit*)

let* out (**kalhoty** the trousers)
4 (*uvolnit*) ease (**šroub** a screw)
povoz vehicle, carriage
povrch surface
povrchní superficial
povrchov|ý surface; **~ důl**
opencast coalmine; **-á těžba**
opencast mining, strip mining
povstalec rebel
povstání (up)rising
povstat 1 stand* up, get* up; (*též
přen.*) rise* **2** (*vzbouřit se*)
rebel, revolt
povýšený haughty, patronizing
povýšit, povyšovat 1 promote,
advance **2** (*mat.*) (*na druhou*)
square
povyšovat se give* oneself airs
povyk din, racket
povzbudit cheer up, encourage
povzbuzení encouragement
povzbuzovat cheer up, encourage
povzdech sigh
pozadí background
pozadu backward(s); **být ~ be***
behind (**s** with); **být ~ za** lag
behind; **být ~ s placením činže**
be in arrears with the rent
pozdě late; **hodiny jdou ~** the
clock is slow / losing; **přijít ~ be***
late (**do / na** for) **♦ ~ bycha honit**
it's no use crying over spilt milk
pozděj|í, *též adj* **-ší** later
pozdní late
pozdrav greeting; **vyřiďte mu
můj ~** give* him my regards
pozdravit greet
pozdravný greeting
pozdrav|ovat: -uj ho ode mne
remember me to him
pozem|ek (*parcela*) plot;
rekreační ~ recreation ground;
-ky lands *pl*

pozice position
pozitiv, *též adj* **~ní** positive
poznamen|at, **-ávat** remark; **~ si**
make* a note (**co** of sth.);
(*chvatně*) jot down
poznámk|a remark, note;
(*kritická*) comment (**o** on);
~ pod čarou footnote; **dělat si**
-y take* notes (**o** of)
poznání knowledge
poznávací: **~ schopnost** power of
perception; **státní ~ značka**
registration number
pozn|at, **-ávat 1** (*get** to) know
2 recognize (**starého přítele** an
old friend, **fotoamatéra** an ama-
teur photographer) **3** (*zjistit*)
find* out **4** (*koho*) make* sb.'s
acquaintance, meet sb.; **těší mě,**
že vás -ávám pleased to meet you
pozor attention; **dát si ~ na** take*
care of, be* careful about;
(*varovat se čeho*) beware of; **mít**
se na ~u před be on the watch
for; **~! look out!**; (*voj.*) **P~!**
Attention!
pozornost attention; **s napjatou**
~í with rapt attention; **odvádět ~**
distract attention (**od** from);
věnovat ~ pay* attention (**čemu**
to sth.)
pozorný attentive; (*ohleduplný*)
thoughtful, considerate
pozorovat 1 (*sledovat*) watch,
observe **2** (*všimnout si*) notice
pozorovatel observer
pozoruhodný remarkable
pozpátku backwards
pozůstalost inheritance
pozůstalý *n* (*truchlící*) mourner
pozvání invitation
pozvánka invitation card

pozvat invite (**na oběd** to dinner;
k sobě to one's house)
požádání: na ~ on application
požádat ask (**o** for); (*důrazně*)
demand; (*nač mám nárok*) claim
požadavek demand; (*nárok*)
claim; (*nezbytnost*) requirement
požadovat demand; (*nač mám ná-*
rok) claim; (*jako nutnost*) require
požár fire
požární: ~ sbor fire brigade;
~ pojištění fire insurance
požehnat bless
požitek enjoyment, pleasure
prababička great-grandmother
prác|e work; (*povolání*) job;
(*námaha*) labour; **duševní ~**
brain work; **manuální ~** manual
work; **~ přes čas** overtime
♦ **být v ~i** be* at work; **být bez**
~ be out of work / off work; **jít**
do ~ go* to work; **mít mnoho ~**
be very busy (**s čím** doing sth.)
prací washable; **~ prášek**
washing powder
pracovat 1 work (*pilně* hard);
~ přes čas work overtime
2 (*stroj též*) operate
pracoviště workplace
pracovitý hard-working
pracovna study
pracovní: ~ doba working hours
pl; **~ četa** work squad / gang;
~ síla hand; **~ oděv** working rig
pracovník worker
pracující *n* working man; *pl*
working people; **střední škola**
pro ~ adult education college
pračka washing machine
pradědeček great-grandfather
prádelna laundry; (*v domě*)
wash-house; (*se samoobsluhou*)
launderette

P

prádlo 1 (*spodní*) underwear, underclothing; **ložní ~** bedclothes *pl*; **stolní ~** linen **2** (*do prádelny*) washing, laundry
práh threshold
Praha Prague
prach 1 (*nečistota*) dust; **utřít ~ z nábytku** dust the furniture **2** **střelný ~** gunpowder **3** (*peří*) down
prak catapult; slingshot
praktický practical; **~ lékař** general practitioner
praktik: starý ~ old hand
prales virgin forest
pramen 1 (*zřídlo*) spring; **minerální ~** mineral spring **2** (*zdroj*) source **3** (*původ*) origin **4** (*provazu*) strand ♦ **~ informací** a mine of information
pramen|it rise*; **Labe -í v Krkonoších** the Elbe rises in the Giant Mountains
pramenitý spring
prapor flag; (*vojenský oddíl*) battalion
prase pig
praskat crackle
praskl|ý cracked, burst; **-á žárovka** broken bulb
prask|nout crack, burst*; **-ly pojistky** the light has fused
prášek 1 (*prach*) powder; (*zrníčko*) speck of dust **2** (*lék*) pill; **~ pro spaní** sleeping pill
prášit stir up the dust
práškový powdered; **~ cukr** castor [ka:stə] sugar
prát wash; **do* the washing**
prát se 1 fight* (**s kým oč** with sb. for sth.) **2** launder; **tato prostěradla se dobře perou** these sheets launder well

pravd|a truth; **máš -u** you are right; **nemáš -u** you are wrong / mistaken; **to je ~** it is true; **mluvit -u** tell* the truth; **abych řekl -u** to tell the truth
pravděpodobnost probability; **s nejvtěší -í** as likely as not
pravděpodobný probable, likely
pravdivý true
pravdomluvný truthful
právě just; **~ teď** just now, at this moment; **~ !** precisely!; **to je ~, co potřebujeme** that is the very thing we need; **~ tak jako** as well as; **proč ~ on?** why he of all people?
pravěk primeval ages *pl*
pravěký primeval
právem rightly, justly; **plným ~** with good reason
pravice right hand; (*politická*) the Right
pravicový right-wing
pravidelný regular
pravidlo rule
pravítko ruler; **logaritmické ~** slide rule
právní legal (**pomoc** aid, **porada** advice); **~ zástupce** attorney; counsel
právnický juridical [džu'ridikl]
právník lawyer
právo 1 right; **~ na práci** right to work; **volební ~** right to vote, franchise **2** law; **mezinárodní ~** international law
pravomoc authority
pravopis spelling
právoplatný valid
pravoúhlý right-angled; **~ trojúhelník** right(-angled) triangle
pravý 1 (*vpravo*) right, right-

-handed 2 (*skutečný*) true, real
3 (*nefalšovaný*) genuine, real
praxe practice
prázdninový holiday
prázdniny holidays *pl*
prázdno: mít ~ have* a day off;
máme zítra ~ we have a day off
tomorrow, we have no lessons
tomorrow
prázdn|ý empty; **-é sedadlo**
vacant seat; **-é místo** (*na papíře*)
blank
Pražan, -ka inhabitant of Prague
pražec sleeper
pražlený, *též v* **-it** roast
pražský Prague
prdel (*vulg.*) arse; **do ~e!** fuck it!
prdět (*vulg.*) fart
prémie bonus
premiéra first night; **~ filmu** first
run
preparát preparation
prestiž prestige
preventivní preventive
prezenc|e attendance; **zjistit -i**
call the roll
prezenční: ~ listina list of those
present; **~ služba** national service
prezervativ condom [kondəm]
prezident president
prezidium board
prchlivý hot-headed
primář head physician
primitivní primitive
princ (royal) prince
princezna (royal) princess
princip principle
privatizace privatization
[praivətai'zeišən]
privatizovat privatize [praivətaiz]
privilegovaný privileged
prkno board, plank; **rýsovací ~**

drawing board; **žehlicí ~** ironing
board
pro 1 for; **~ tebe** for you; **~ tvé
zdraví** for your health; **být (hla-
sovat) ~ návrh** be* (vote) for the
proposal; **plakat ~ koho** cry for
sb.; **potrestat ~ krádež** punish
for stealing; **jít ~ lékaře** go* for
a doctor, fetch a doctor **2** because
of (**špatné počasí** bad weather)
♦ **být ~** (*souhlasit*) be all for it,
be agreeable; **~ každý případ** to
make sure
proběhnout (*uplynout*) pass
probíhat pass
probírat 1 take* up (**téma** sub-
ject) **2** sift (**důkazy** evidence)
problém problem
problematický questionable
probodnout stab
proboha! my goodness!
probojovat fight* out
probo|řit, -urat break* through
probouzet (se) wake* (up)
probrat 1 deal* with (**téma**
a subject) **2** (*roztřídit*) sift
probudit (se) wake* (up)
procento 1 percent, per cent;
deset procent ten per cent
2 percentage; **malé ~ knih**
a small percentage of books
proces 1 process **2** (*soudní*) trial
procesí procession
procestovat tour
prociení: máte něco k ~? have*
you anything to declare?
proclít declare
proč 1 why; **~ jste tady?** why
are you here? **2** what ... for;
~ to potřebuješ? what do you
need it for?
prodat sell*
prodavač, ~ka shop assistant

P

prodávat (se) sell*

prodej sale; **být na ~ be*** on sale;
~ v drobném retail; **~ ve
velkém** wholesale

prodejna shop; **~ novin**
newsagent's

prodejní: ~ cena selling price;
~ doba hours *pl* of business

prodělat, -ávat 1 (*ztrácet*) lose*
2 (*zakusit*) experience; undergo*
(**operaci** an operation); go*
through (**nemoc** an illness)

prodiskutovat discuss

prodloužit 1 lengthen (**sukni**
a skirt); prolong, extend (**pobyt**
one's stay) **2** renew, prolong (**si
pas** one's passport)

prodloužit se get* longer, lengthen

prodlužovat make* longer,
lengthen; **~ se** get* longer,
lengthen

produkce 1 production
2 (*představení*) performance

produkt product

produktivita productivity

produktivní productive

profesionál, *též adj* **~ní**
professional

profesor, ~ka (*zvl. vysokoškolský*)
professor; schoolmaster
(schoolmistress)

profík (*hovor.*) pro

profil profile

program programme, schedule;
(*cestovní*) itinerary; (*v nočním
podniku*) floor show; **být na ~u**
be* on the programme; **co je na
~u v divadle?** what's on at the
theatre?

prohlásit declare, state

prohlášení statement; **P~
nezávislosti** Declaration of
Independence

prohlašovat declare

prohled|at, -ávat search

prohlédnout examine
(**nemocného** a patient); **~ si
have*** a look / a gaze at; **~ si Lon-
dýn** see* the sights of London

prohlídka 1 examination
2 sightseeing (**Londýna** in
London) **3** visit (**muzea** to
a museum)

prohlížet examine (**nemocného**
a patient); **~ si knížky** browse
among the books; **~ si výkladní
skříně** go* window-shopping

prohl|oubit, -ubovat deepen

prohnaný artful

prohnout se sag; (*v zádech*) arch
one's back

prohra loss; (*porážka*) defeat

prohrá|t, -vat 1 lose* (**peníze**
money, **s mužstvem** to a team)
2 (*hazardně*) gamble away

prohýb|at se 1 sag; **strop se -á**
the ceiling sags **2** double up
(**smíchy** laughing)

procházet pass (**dveřmi** through
a door)

procházet se walk, stroll

procházk|a walk, stroll; **jít na ~u**
go* for a walk

projedn|at, -ávat discuss

projekt project

projektovat project; (*nakreslit*)
design

projet (*autobus*) ride* (**ulicí**
through the street); (*auto*) drive*

projet se go* for / have* a joy-ride

projev 1 display (**odvahy** of cour-
age) **2** address (**v rozhlase** over
the radio), speech **3** utterance

projev|it se, -ovat se be* shown,
manifest oneself, express oneself

projímadlo laxative

projít pass (through) ♦ **to ti nepro-jde** you won't get away with it
projít se go* for a walk
projíždět ride* / drive* through; **~ se** go* for / have* a joy-ride
projíždka joy ride, pleasure ride, drive
prok|ázat, -azovat 1 prove (**svou nevinu** one's innocence) **2** do* (**laskavost** a favour); render (**službu** a service)
prokazatelný conclusive
prokurátor public prosecutor
prokuratura prosecution
prolhaný mendacious
prolomit (se) break* through
promarnit squander, waste (**čas** time, **peníze** money); misspend* (**mládí** one's youth)
proměna change
proměnit 1 (*též* ~ **se**) change (**stokorunu** a hundred-crown note) **2** (*sport.*) gain a point
proměnlivý changeable
promeškat miss (**příležitost** an opportunity)
promíjet pardon, forgive*
prominout excuse; (*odpustit*) forgive*, pardon; **promiňte!** (I) beg your pardon; sorry
prominutí: prosím za ~ (I) beg your pardon; **~ části trestu** remission of sentence
promítací: ~ plátno screen; **~ přístroj** projector
promítat project; screen, show*
promlčený out-of-date
promluvit (*s kým*) talk to sb., have* a word with sb.
promoce graduation ceremony
promoknout get* wet through, get* wet to the skin
promovaný graduate

promovat take* one's degree (**z** in)
prom|yslet (si), -ýšlet (si) think* sth. over, work sth. out
pronaj|mout, -ímat, let*, rent
pronásledování 1 pursuit **2** (*šikanování*) persecution
pronásledovat 1 (*honit*) pursue **2** (*šikanovat*) persecute
pronést deliver, make* (**řeč** a speech)
pronik|at, -nout penetrate (**do** sth. / into sth.)
pronikavý 1 penetrating (**hlas** voice), shrill (**výkřik** cry) **2** sweeping (**úspěch** success) **3** pungent (**pach** smell)
propadák (*hovor.*) flop
propad|nout 1 fall*, sink* (**otvorem** through a hole) **2** fail (**při zkoušce** an examination) **3** be* forfeit; **záloha -á** the deposit is forfeit **4** flop; **hra propadla** the play flopped / was a flop **5** abandon oneself (**zoufalství** to despair)
propadnout se 1 fall* in; **střecha se propadla** the roof has fallen in **2 ~ se hanbou** die with shame
propaga|ce, *též adj* **-ční** publicity, advertising
propaganda propaganda
propagátor propagator [propgejtə]
propagovat propagate, spread* (**znalosti** knowledge); promote (**jeho dílo** his works)
propan-butan Calor gas
propast abyss
propást miss
propíchnout pierce; (*proštípnout*) punch; puncture (**pneumatiku** a tyre)
propiska ballpoint

P

propočet calculation
propočítat calculate
proporcionální proportionate
propouštět 1 discharge, dismiss
(**zaměstnance** employees) 2 let*
in (**světlo** light); (**vodu**) leak
propracovat work out
propustit 1 discharge (**ze zaměst-
nání** from work, **z nemocnice**
from hospital) 2 dismiss (**z prá-
ce** from work, **z armády** from
the service) 3 release (**z vězení
na kauci** from prison on bail)
propustka permit
prorazit pierce; ~ **tunel** drive*
a tunnel
prorok prophet
prosa|dit, -zovat enforce; **-dit
svou** carry one's point
prosba appeal
prosebný dopis appeal letter
prosím 1 please; **kolik je hodin,
~ (vás)?** what is the time,
please? 2 certainly; **omluvte mě
na okamžik – -ím** excuse me for
a moment – certainly 3 **děkuji
vám – ~ ~** thank you – not at all,
that's quite all right, don't men-
tion it 4 **~?** (I) beg your pardon?
prosinec December
prosit ask, beg, implore (**soud
o milost** the judge for mercy)
proslavit make* famous; **~ se**
become* famous
proslov speech, address
proso millet [milit]
prospěch 1 advantage, benefit;
ve váš ~ in your favour; **mít ~ z**
benefit by 2 (**ve škole**) marks *pl*
prospěchář self-seeker
prospekt prospectus
prospěšný useful; beneficial (**pro
zdraví** to one's health)

prospět (**komu**) do* sb. good
prospívat 1 do* good, be*
beneficial (**čemu** to sth.) 2 (**ve
škole**) have* good marks; do*
well, succeed
prostě simply; just; **~ a jasně** in
plain English
prostěradlo sheet
prostírat: **~ na stůl** lay* the table;
~ se spread*, stretch (**na tisíce
mil** for thousands of miles)
prostituce prostitution
prostitutka prostitute
prostná gymnastics
prostor space
prostorný spacious
prostorový space
prostořeký flippant
prostovlasý bareheaded
prostranství space
prostřed|ek 1 (**střed**) middle;
v -ku in the middle 2 (**k čemu**)
means; **dopravní ~** means of
transport; **peněžní -ky** funds *pl*
prostředí environment, (**okolí**)
surroundings *pl*; (**pozadí**)
background
prostřední middle, central
prostřednictví mediation; **~m**
through, by means of
prostřít spread* (**ubrus na stůl**
a cloth on the table); **~ k obědu**
lay* the table for dinner
prostudovat study
prost|ý 1 (**jednoduchý**) simple
2 (**nehledaný**) plain
♦ **-á většina** a bare majority
prošedivělý grizzled
prošívan|ý quilted (**župan** dress-
ing gown); **-á pokrývka** quilt
prošlý overdue (**účet** bill)
prošpikovat lard
prot|áhnout, -ahovat protract

(**návštěvu** a visit, **hádku** an argument); ~ **se** stretch one's body
protějšek counterpart
protější opposite
protékat flow (**zemí** through a country)
protekce patronage
protektorát protectorate
protest protest
protestant Protestant
protestní protest
protestovat protest (**proti** against)
protéza prosthesis [pros'θi:sis]; (**zubní**) denture, dental plate
protěž edelweiss [eidlvais]
protežovat push
proti 1 opposite (**poště** the post office) 2 against (**nepříteli** the enemy, **větru** the wind, **své vůli** one's will, **rannímu nebi** the morning sky) 3 for; **prostředek** ~ **nachlazení** remedy for colds; **vezmi si prášek** ~ **bolení hlavy** take* an aspirin for a headache ♦ **lék** ~ **kašli** cough drop, cough mixture; ~ **proudu** upstream; **něco** ~ **mně má** he has a grudge against me
protiatomový anti-atomic
protifašistický antifascist
protihodnota antidote
protiklad contradiction
protiletecký anti-aircraft
protínat intersect
protinávrh counterproposal
protiopatření countermeasure
protiprávní (*nezákonný*) illegal; (*odporující právu*) contrary to law
protisměr: vozidla v ~u on-coming vehicles
protistátní hostile to the state

protitankový antitank
protiúčet: dát na ~ starý vysavač trade in one's old vacuum cleaner
protiútok counterattack
protiválečný antiwar
protivit se resist (**čemu** sth.)
protivit si detest
protivník adversary; (*odpůrce*) opponent
protivný 1 (*opačný*) opposite 2 (*nepříjemný*) nasty; objectionable
protizákonný illegal
protlak: rajský ~ tomato paste
proto therefore; that is why; **už jenom ~, že** if only because
protokol minutes *pl* (**o schůzi** of a meeting)
prototyp model
protože because, since, as
proud stream, current; **~y lidí** streams of people; **stejnoměrný / střídavý ~** direct / alternating current; **po ~u** downstream; **proti ~u** upstream ♦ **být v plném ~u** be* in full swing
proudit stream
proutěný wicker (**nábytek** furniture)
proužkový striped
provádět 1 show* (**po městě** round the town) 2 (*konat*) perform, practise
provaz rope, cord
provazolezec tightrope walker
provdaná married (**za to**)
provdat marry (**dceru za** one's daughter to); ~ **se** marry (**za koho** sb.), get* married (**za koho** to sb.)
prověrka screening; ~ **efektivnosti** efficiency test
prověř|it, -ovat screen, test

P

provést 1 show* (**cizince po městě** a foreign visitor round the town) **2** (*vykonat*) perform, carry out, execute; ~ **potřebná opatření** take* the necessary steps
♦ (*voj.*) **Provedu!** Yes, Sir!

provinění offence

provinilec offender

provinilý guilty

provinit se offend (**proti dobrým mravům** against good manners)

proviz|e, *též adj* **-ní** commission

provizorní makeshift (**lůžko** bed), provisional

provokace provocation

provokatér agent provocateur [eidžònt provokà'tə:], heckler

provokativní provocative

provokovat provoke

provolání proclamation

provoz 1 (*dopravní*) traffic **2** (*služební*) service **3** (*stroje, podniku*) operation; **uvést do ~u** put* into operation

provozní operational, working; ~ **místnosti** premises *pl*

provozovat carry on; practise

provozovna premises *pl*

provrt|at, -ávat bore (**díru do dřeva** a hole in wood, **tunel** a tunnel)

próza prose

prozaický prosaic; (*nezajímavý*) prosy [prəuzi]

prozaik prose writer

prozatím meanwhile; for the time being

prozatímní provisional (**vláda** government); temporary (**pobyt** stay)

prozíravý wise

prozkoumat investigate, explore

prozradi|t 1 disclose (**tajemství** a secret) **2** betray; **jeho cizí**

přízvuk ho -l his foreign accent betrayed him

prozradit se give oneself away

proží|t, -vat live through (**dvě války** two wars); spend* (**sobotu a neděli venku** a weekend in the country)

prs, ~a breast

prst finger; (*na noze*) toe

prsten ring

prš|et rain; **-í** it rains, it is raining (**jako z konve** cats and dogs)

průběh course

průběžný running

průčelí front

prudk|ý 1 violent (**vítr** wind, **-á rána** blow, **-á bolest zubů** toothache) **2** abrupt (**-á zatáčka** turn)

průdušky bronchi [broŋkai] *pl*

pruh stripe; ~ **země** tract / strip of land

průhledný transparent

pruhovaný striped

průchod passage; **dát volný ~ čemu** let* sth. take its course; ~ **zakázán** no thoroughfare

průchodný acceptable

průjem diarrhoea [daiə'riə]

průjezd passage; ~ **zakázán** no thoroughfare

průkaz card; **občanský ~** identity card; **řidičský ~** driving licence

průkazný conclusive

průklep carbon (copy)

průkopník pioneer

průliv channel; **Lamanšský ~** English Channel

průměr average; (*geom.*) diameter

průměrně on an / the average; ~ **činit** average

průměrný average
♦ ~ **občan** the man in the street

průmysl industry; **lehký / těžký / klíčový** ~ light / heavy / key industry
průmyslník industrialist
průmyslový industrial
průplav canal
průřez cross section
průsmyk pass
průsvitný translucent [trænsˈluːsnt]
prut rod; **rybářský** ~ fishing rod
průtrž mračen cloudburst
průvan draught; **sedět v ~u** sit* in a draught
průvod 1 procession **2** (*doprovod*) train
průvodce 1 (*společník*) companion **2** (*vůdce*) guide; (*kniha*) guide(-book)
průvodčí (*v autobuse*) conductor; (*ve vlaku*) guard
průvodka dispatch note
průvodní incidental
průzkum (*vědecký*) research; (*voj.*) reconnaissance; ~ **veřejného mínění** (public) opinion poll
pružina spring
pružnost elasticity
pružný elastic (*též přen.*)
prvek element
prvenství priority
první first; **P~ Máj** May Day; **na ~ pohled 1** at first sight **2** (*při povrchním pozorování*) on the face of it
prvobytný primitive
prvotní primary
prvotřídní first-class
prý they say; **je ~ nemocen** he is said to be ill, I hear he is ill
pryč away; **zima je ~** winter has gone
♦ **ruce ~ od ...!** hands off ...!

pryskyřice resin [rezin]
přádelna (spinning) mill
přadeno skein [skein]
přání 1 wish; **podle vašeho ~** as you wish; **P~ je otcem myšlenky** The wish is father to the thought **2** (*blahopřání*) congratulations *pl* (**k** on); wishes; **s ~m všeho nejlepšího k Novému roku** with best wishes for the New Year
přát wish (**komu dobré jitro** sb. good morning, **mnoho štěstí** good luck, **šťastnou cestu** a pleasant journey, **mnoho štěstí k narozeninám** many happy returns of the day); **ne~ nikomu nic zlého** wish nobody ill
přát si 1 want; **budete si ještě něco ~?** will you want anything else?; **přejete si, abych to otevřel?** do you want me to open this? **2** wish for; **má všechno, co si může člověk ~** he has everything a man can wish for **3** desire (**zdraví** health) **4 velmi si ~** be* anxious to + *inf* (**vyhovět** please) ♦ **co si přejete?** (*čím vám posloužím?*) can I help you?, what can I do for you?; **jak si přejete** as you please
přátelit se associate, mix (**s mladými lidmi** with young people)
přátelský friendly
přátelství friendship
přeběhnout, přebíhat run* over; (*dezertovat*) desert
přebírat 1 (*třídit*) sort **2** (*převzít*) take* over
přebor championship
přeborník champion
přebrat 1 (*třídit*) sort **2** (*převzít*) take* over **3** (*opít se*) have*

P

one over the eight **4 ~ komu
dívku** cut* sb. out with a girl
přebudovat rebuild*
přebytečný superfluous
přebyt|ek, -ky surplus
přece 1 (~ *jenom*) still, yet, all
the same **2** (*vždyť*) **vy mě
~ znáte** you know me, don't
you?; **vy jste ~ pan ...**
I suppose you are Mr. ...
přece|nit, -ňovat overestimate
přečin misdemeanour,
transgression
přečíst read* (out); **~ si o čem**
read* up (on) sth.
přečkat live through (**dvě války**
two wars)
před 1 (*časové*) before (**válkou**
the war, **Vánoci** Christmas);
ago; **~ dvěma lety** two years
ago **2** (*místní*) (*vně*) outside
(**nádražím** the station); (*přímo
před*) in front of (**domem** the
house); before; **stát ~ soudem**
stand* before the judge; **mluvit
~ dětmi** speak* before children;
(*též pořadí*) **já přijdu ~ tebou**
I come* before you
předák (*politický*) leader;
(*v práci*) foreman
před|at, -ávat hand over
předběhnout outdistance
předběžný preliminary
předbíhat anticipate (**čemu** sth.);
~ ve frontě go* ahead of the
queue
**předbíhat se: hodiny se
předbíhají** the clock is fast
předčasný premature
předčíslí city code
předehra overture
předejít 1 (*čemu*) prevent sth.

2 forestall (**konkurenta**
a competitor)
předěl|at, -ávat do* again, remake
předem in advance, beforehand
předepsat prescribe; **~ komu
dietu** put* sb. on a diet
předešlý previous
předevčírem the day before
yesterday
především first of all
předhánět *viz* **předhonit**
předhistorický prehistoric
předhonit outdistance, outstrip
(**koho v závodě** sb. in a race)
předcházet 1 prevent (**nemocem**
illnesses) **2** precede (**před
bouřkou** the storm)
předchůdce predecessor
před|jet, -jíždět overtake* (**vůz
na silnici** a car on the road)
předkládat present, submit
předklon forward bend
předkrm hors d'oeuvre [o:'dɔ:v],
(*hovor.*) starter
předloha model; **~ zákona** bill
předloni the year before last
předložit 1 present, submit
2 (*k jídlu*) serve
předložka 1 (*na podlahu*) rug,
mat **2** (*jaz.*) preposition
předměstí suburb
předmět 1 object; (*obchodu*)
article **2** (*školský, též námět*)
subject; (*téma*) topic
předmluva preface
přednášející lecturer
přednášet lecture (**o** on)
přednáška lecture (**o** on)
přední front; (*vynikající*)
prominent
přednost priority, preference; **dá-
vat ~** prefer (**čemu před** sth. to)
přednostní priority

předpis 1 (*lékařský*) prescription **2** (*zvl. kuch.*) recipe **3** (*úřed.*) regulation

předpisovat prescribe

předpjatý beton prestressed concrete

předpl|ácet, -atit subscribe (**co to** sth.)

předplatné subscription fee

předpoklad assumption; **za ~u, že** on the assumption that, provided that

předpokládat assume, suppose

předpona prefix

předposlední second last, last ... but one; **naše ~ lekce** our last lesson but one

předpověď forecast; **~ počasí** weather forecast

předpov|ědět, -ídat foretell* (**komu budoucnost** sb.'s future)

předprodej advance booking office, ticket-agency

předseda chairman; **~ třídy** monitor

předsedat preside (**schůzi at** a meeting), chair (a meeting)

předsednický presidential

předsednictvo board

předsíň hall, lobby

představa idea (o of)

představení 1 performance **2** (*seznámení*) introduction

představený chief; (*voj.*) superior

představ|it, -ovat introduce (**koho komu** sb. to sb.); **~ se** introduce oneself; **dovolte, abych se -il** let* me introduce myself; **~ si** imagine

představitel, -ka representative

předstírat pretend; (*simulovat*) simulate

předsudek prejudice

předškolní preschool

předtím before

předvádět show*, perform; **~ se** show* off

předválečný prewar

předvést show*, perform; demonstrate (**novou pračku the** new washing machine)

předvídat anticipate

předvoj vanguard

předvolání summons

předvolat summon (**jako svědka** to appear as a witness)

předvolební preelection

předzápas preliminary

přehánět exaggerate

přeháňka shower

přehlasovat outvote

přehled survey; **~ zpráv** (*v rozhlase*) news summary

přehlédnout 1 (*zběžně*) survey, view **2** (*omylem*) overlook, miss **3** (*prominout*) overlook, condone

přehledný lucid; (*graficky*) tabular

přehlídka (*vojenská*) parade, march-past; **módní ~** fashion show; (*hudby apod.*) festival

přehnat exaggerate

přehodit throw* over; **~ rychlost na vyšší** gear high; **~ rychlost na nižší** gear low; **~ si nohu přes nohu** cross one's legs

přehrada 1 barrier **2** (*údolní*) dam

přehradit bar (**silnici** a road); dam (**řeku** a river)

přecházet pass, cross; **~ sem a tam** pace up and down (**po pokoji** the room)

přechod passage; **~ pro chodce** pedestrian crossing

přechodník (*jaz.*) participle

přechodný 1 temporary **2** (*jaz.*) transitive

P

přejet run* over (**koho** sb.); cross (**co** sth.)

přejezd passage, crossing; **nechráněný ~** level crossing

přejíst se overeat*

přejít 1 cross (**přes ulici** the street) **2** (*pominout, např. novinka*) wear* off

přejíždět cross (**přes řeku** the river)

přejmenovat rename

překazit thwart (**komu plány** sb.'s plans)

překážet 1 obstruct (**v pohledu** the view) **2** hinder (**komu v práci** sb. in his work)

překážka obstacle; (*sport.*) hurdle

překážkový běh hurdle race

překlad translation; **čtený ~** voice over

překládat translate

překladatel translator

překlep typing error

překližka plywood

překonaný out-of-date, outdated

překon|at, -ávat overcome*; (*sport.*) **~ rekord** break* a record

překousnout bite* (in two)

překračovat *viz* **překročit**

překročit 1 cross **2** overstep (**svou pravomoc** one's authority)

překrojit cut* (in two)

překvapení surprise

překvapený surprised

překvapit surprise

přelet passage, flight

přel|état, -etět fly* past / over; cross

přelézt climb over

přeliv tint; **dát si dělat ~** have* one's hair tinted

přeložit 1 translate (**do**

angličtiny into English) **2** (*přemístit*) transfer

přemáhat overcome*; **~ se** control oneself

přemet somersault; **udělat ~** turn a somersault

přemís|tit, -ťovat transfer

přeml|ouvat, -uvit (*koho, aby*) talk sb. into -ing sth., argue sb. into -ing sth.

přemoci overcome*, get* the best of; **~ se** control oneself

přemýšl|et think* over, reflect; **když tak o tom -íte** when you come* to think of it

přenášet (*rozhlasem*) broadcast*; (*televizí*) televise

přenesený metaphorical (**význam** meaning)

přenést 1 transfer **2** (*účetně*) carry over

přenocovat stay overnight, stay the night

přenos 1 (*rozhlasový*) transmission **2** (*účetní*) carry-over

přenosný 1 transferable (**lístek** ticket) **2** portable (**psací stroj** typewriter)

přepadení assault, attack

přepadnout attack

přepážka 1 (*přepažení*) partition **2** (*např. na poště*) counter

přepínač switch

přepis transcription

přepisovat copy

přeplavat swim* across

přeplněný overflowing; **~ lidmi** overcrowded; **~ byt** cramped flat

přepl|nit, -ňovat overfill; (*lidmi*) overcrowd

přepoč|íst, -tat, -távat recount; **-tat se** miscalculate

přepoj|it, -ovat switch over (**na to**)

přepracovan|ý overworked; **-é vydání** revised edition

přepracovat revise; **~ se** overwork

přeprava transport

přeprav|it, -ovat transport, carry

přepsat 1 rewrite* **2** (*na stroji*) retype; copy

přepych luxury

přepychový luxury, luxurious

přeruš|it, -ovat break* (off), interrupt; (*dočasně*) suspend; **~ spojení** disconnect; (*a nedokončit*) abandon (**fotbalový zápas** a football match)

přeřa|dit, -zovat rearrange

přeřeknout se make* a slip of the tongue

přeříznout cut* (in two); (*vulg.*) fuck

přes 1 over (**obličej** one's face, **hranice** the frontier, **neděli** Sunday, **deset mil** ten miles); across (**ulici** the street, **řeku** the river) **2** via, by way of; **jet do Londýna ~ Paříž** travel to London via / by way of Paris **3** in spite of, for all (**všechny své peníze** his money, **všechnu svou snahu** all his efforts)

přesadit transplant

přesahovat exceed

přesazovat *viz* **přesadit**

přesčas, *též adj* **~ový** overtime

přesedat change (**na jiný vlak** trains)

přesednout (si) change (**na autobus** to a bus)

přeseknout cut* (in two)

přesídlenec displaced person

přesídlit displace; (*přestěhovat se*) move

přesila superiority

přesk|očit, -akovat 1 jump; **~ (přes) potok** jump (over) a brook **2** skip (**řádku** a line)

přeslička field horsetail

přeslechnout miss, not catch*; **~ se** misunderstand*

přesmyčka anagram

přesně precisely, exactly; (*dochvilně*) punctually

přesnídávka mid-morning snack

přesnost precise, exactness; (*dochvilnost*) punctuality

přesný precise, exact; (*též přísný*) strict; (*dochvilný*) punctual

přespat pass the night, stay overnight

přespolní nonresident; from the neighbourhood; **~ běh** cross-country (race)

přestárlý superannuated

přest|at, -ávat stop, cease; **to už -ává všechno** that's the limit

přestavba reconstruction

přestavět reconstruct

přestávka break, interval; **~ na oběd** lunch hour

přestavovat reconstruct, rebuild*

přestěhovat (se) move (**do jiného bytu** to / into another flat)

přesto in spite of that, even so; **~, že prošlo** in spite of the rain

přestoupit 1 overstep (**svou pravomoc** one's authority) **2** change (**na tramvaj č. 3** to tram No. 3, **na autobus** to a bus) **3** turn (**k profesionálům** professional)

přestože although

přestrojit se disguise oneself (**za ženu** as a woman)

přestřelka brush, shoot-out

přestřihnout cut* (in two)

přestupek offence

P

přestupní: ~ **stanice** transfer stop, connection junction; ~ **lístek** transfer ticket

přestupný rok leap year

přestupovat change (**na autobus** to a bus, **na trojku** to tram No. 3, **do jiného vlaku** trains)

přesvědčení conviction, belief

přesvědč|it, -ovat convince, persuade (**o** of); ~ **se** make* sure

přeši|t, -vat alter

přeškolit (se) retrain

přeškrtnout cross (out)

přeté|ci, -kat overflow

přet|ěžovat, -ížit overload, overburden

přetrhnout (se) break*, snap

přetvářet reform, reshape

přetvářka hypocrisy

přetvařovat se dissemble

převádět viz **převést**

převaha superiority

převařit boil

převaz re-bandage

přev|ázat, -azovat 1 bandage **2** tie up (**balíček** a parcel / a package)

převážet carry across

převést take* across; (*účetně*) carry over

převézt carry across, take* over

převino|ut, -vat rewind*

převládající prevailing

převlád|at, -nout prevail

převlé|ci, -kat se change (**do letních šatů** into a summer dress, **z kostýmu do letních šatů** one's suit for a summer dress)

převod 1 (*úřední*) transfer **2** (*soustrojí*) gear

převodovka gearbox

převrat revolution

převrátit (se) turn upside down

převrhnout (se) topple (over)

převýchova re-education

přev|ýšit, -yšovat exceed, surpass; (*počtem*) outnumber

převzetí take-over, taking over

převzít take* over; assume (**plnou odpovědnost** full responsibility)

přezimovat winter

přezíravý patronizing

přezka buckle

přezkoušet test; check

přezou|t se, -vat se change one's shoes

přezůvky galoshes, rubbers *pl*

přežít 1 (*žít déle než*) outlive **2** (*zůstat na živu*) survive

přežitek survival

přežvykovat ruminate; munch

při 1 at (**hře** play, **jídle** table, **obědě** dinner, **práci** work, **vyučování** the lesson); **být ~ ruce** be* (near) at hand **2** on (**mém příjezdu** my arrival, **této příležitosti** this occasion) ♦ **být ~ sobě** be conscious; ~ **nejmenším** at least

příběh (*vypravování*) story; (*případ*) event

přiběhnout come* / run* along

přibí|jet, -t nail (down)

přibl|ížit, -ižovat (se) approach

přibližně approximately

příboj surf, surge

příbor knife, fork and spoon; cover

přibrat 1 (*koho*) take* on **2** (*na váze*) put* on weight

příbuzenský family

příbuzenstvo family; relatives *pl*, relations *pl*

příbuzný adj related (**s** to) • *n* relative, relation

přibýt arrive (**kam** at, in)

přibývat (*na váze*) put* on weight

příčestí (*jaz.*) participle

příčina cause (**požáru** of the fire); (*důvod*) reason

příčka bar; (*dělící*) partition

příčný transverse

příď bow

přid|at, -ávat add; **~ se** join in; **~ se ke komu** join sb.

přídavek addition; (*k platu*) bonus; **rodinný ~** family allowance

přídavné jméno adjective

příděl allocation

přiděl|at, -ávat attach

přidělenec attaché

příděl|it, -ovat allocate (**byt** a flat)

přihl|ásit (se), -ašovat (se) report; **~ se** (*ve škole*) put* up one's hand

přihláška 1 application (**členská** for membership) **2** (*policejní*) registration form

přihl|édnout, -ížet 1 take* account (**k čemu** of sth.) **2 -ížet** watch (**zápasu** a match)

přihnat se dash along; come* rushing up

příhoda incident, event

přihodit se happen, occur

příhodný suitable, appropriate, opportune

přihrádka shelf; (*na zámek*) locker

přihrá|t, -vat pass (**míč** a ball)

přihrávka pass

přicházet *viz* **přijít**

příchod arrival (**do** at, in)

příchuť smack, flavour

přijatelný acceptable

příjem 1 (*čeho*) receipt; **potvrdit ~** acknowledge receipt **2** (*plat*) income **3** (*rozhlasový, televizní*) reception

příjemce recipient

příjemný agreeable, pleasant, nice

přijet come*; arrive (**kam** at, in)

přijetí 1 reception (**hostů** of guests) **2** adoption (**nových metod** of new methods)

příjezd arrival (**do** at, in); **při ~u** on arrival

přijímací reception; **~ zkouška** entrance examination

přijímač receiver

přijímat 1 receive **2** (*hosty*) entertain (guests)

přijít 1 come* (**do, na** to), arrive (**do, na** at, in) **2** (*dostavit se*) be* along, turn up (*hovor.*)

♦ **~ draho** come* expensive; **to přijde na 10 korun** it comes to / works out at 10 crowns; **nemohu na to ~** I can't work it out; **~ na kloub čemu** get* the hang of sth.; **~ na návštěvu** come and see, come round; **~ na oběd** come and have lunch (**k** with); **~ pozdě do divadla** be late (**do divadla** for the theatre); **~ nevhod** come amiss; **~ k penězům** come into money; **~ o zdraví** forfeit one's health

přijíždět come*, arrive

příjmení surname, family name

přijmout 1 (*co se nabízí*) accept **2** (*návštěvu*) receive **3** (*za své*) adopt **4** admit (**za člena** into membership) **5** take* up (*zaměstnání* employment)

příkaz order

příklad example, instance; **následovat ~u** follow suit; **jít ~em** set a good example

přikládat 1 put* (**do kamen** fuel on the fire) **2** attach (**velkou důležitost čemu** much importance to sth.) **3** enclose (**fakturu k dopisu** an invoice with a letter)

příkon load

příkop ditch

P

příkrm garnish(ing), vegetables

příkrý steep; (strohý) abrupt

příkrý|t, -vat cover; ~ **se** cover oneself

přikrývka cover; (vlněná) blanket; **prošívaná** ~ quilt

přilba helmet

přiléhat 1 (látka) fit tight **2** (místnost) adjoin

příléhav|ý tight-fitting, clinging (**svetr** sweater)

♦ **-á poznámka** apposite remark

přilepit stick* (on); ~ **se** get* stuck

přílet arrival (by plane)

přil|etět, -état arrive (by plane)

přilévat pour (on)

příležitost 1 opportunity; **vhodná** ~ good / favourable opportunity; **mít ~, aby** have* an opportunity to do sth.// of / for -ing; **propást** ~ miss an opportunity **2** occasion; **při této šťastné / smutné ~i** on this happy / sad occasion

příležitostný occasional

příliš too

přílišný excessive

přilít pour (on)

příliv flood; (mořský) high tide

příloha (dopisu) enclosure

přiložit 1 (do kamen) put* (fuel on the fire) **2** apply (**obklad** a compress) **3** enclose (**k dopisu** with a letter)

přiložník T-square

přiměřený adequate; (cena) reasonable

příměří truce, armistice

přimět make* (**koho k čemu** sb. do sth.); induce (sb. to do sth.)

přimhouřit: ~ **oko** connive (**nad** at), wink an eye (at)

přimíchat admix, add

přímka straight line

přimlouvat se viz **přimluvit se**

přímluva a good word (**za** for)

přimluvit se put* in a good word (**za** for)

přímo direct(ly); **jděte** ~ go* straight on; ~ **domů** straight home

přimontovat mount

přímořsk|ý: -é město seaside town; **-é oblasti** maritime provinces pl

přímý 1 (rovný) direct, straight **2** (vzpřímený) upright

♦ ~ **vlak** through train; ~ (**rozhlasový) přenos** live broadcast

přin|ést, -ášet bring*; (jít a ~) fetch; ~ **s sebou** entail (**potíže** trouble)

přínos contribution

přinucení compulsion; **z** ~ under compulsion

přinutit compel, force; ~ **se** bring* oneself (**aby** to + inf)

případ case; (událost) event

♦ **v** ~**ě, že** in case; **v žádném** ~**ě** on no account, by no means; **v nejhorším** ~**ě** at the worst; **pro každý** ~ just in case

připada|t seem; **-lo mi, že** it seemed to me that; ~ **si** feel* (**jako v ráji** like paradise)

připadnout 1 fall* (**na neděli** on a Sunday, **na tebe** on you) **2** hit* (**na myšlenku** on an idea)

případný incidental

připáli|t (se) singe; ~ **si** light* (a cigarette); **-l byste mi laskavě?** may I trouble you for a light?

připev|nit, -ňovat fasten, fix

připíjet viz **připít**

připínáček drawing pin

přípis note

připít: ~ **komu na zdraví** drink* sb.'s health

přípitek toast; **pronést** ~ propose a toast

příplatek extra charge

připlatit (si) pay* extra charge

připlout arrive (**do přístavu at a port**)

připnout attach

připočí|st, -távat add

připoj|it, -ovat attach, affix; ~ **se** join (**k čemu** sth.)

připomenout remind (**komu co** sb. of sth.); ~ **si** recall

připomínat commemorate (**památku** the memory)

připomínka reminder

přípona (*jaz.*) suffix

připouštět admit

připoutat tie, attach; ~ **se** (**pásem**) belt oneself, fasten one's belt

příprav|a, -ek preparation

připravený prepared, ready

připravit prepare; ~ **se** get* ready

přípravka preparatory school

přípravný preparatory

připravovat *viz* **připravit**

připsat: ~ **k dobru** credit, place to the credit; ~ **na vrub** debit, place to the debit (**komu** of sb.)

připustit admit; (*přiznat*) let* on

přirážka extra charge; ~ **k dani** surtax

přírod|a nature; **horská** ~ mountain scenery; **krásy -y** beauties of scenery; **ve (volné) -ě** outdoors, in the open

přírodní natural; ~ **kino** open-air cinema

přírodovědecký scientific

přirovnání comparison

přirovn|at, -ávat compare (**k** to)

přirozený natural

příručka book of reference, handbook

příruční hand; ~ **knihovna** reference library

přírůstek addition; acquisition

přísada ingredient

přísaha oath

přísahat swear*

přísedící assessor [ə'sesə]

příslovce (*jaz.*) adverb

přísloví proverb

přisluhovač toady

příslušenství accessories *pl* (**auta** of a car); **moderní** ~ (**bytu**) modern conveniences *pl*

příslušník member; **státní** ~ citizen, *GB* subject; **rodinný** ~ dependant

příslušnost: **státní** ~ nationality

příslušný (*odpovídající*) corresponding; (*zvl. případu se týkající*) respective, relevant

přísný severe, strict (**na** with)

přispět contribute, subscribe (**na** to)

příspěvek contribution; (*peněžní*) allowance; (*členský*) subscription

přispívat *viz* **přispět**

příst 1 (*len*) spin* **2** (*kočka*) purr

přistání landing

přistát land

přístav port

přistávat *viz* **přistát**

přístavba extension

přistavět annex

přístaviště quay, wharf

přístavní port; ~ **dělník** stevedore

přistěhovalec immigrant

přistěhovat move (in); ~ **se** move in; (*do země*) immigrate

přistihnout catch*

přistoupit 1 come* nearer, step

nearer (**k oknu** the window)
2 accede (**na návrh** to a proposal)
přístroj apparatus; (*vědecký*)
instrument
přístřeší shelter
přístup access (**k domu** to the
house, **ke knihám** to books);
approach (**k problému** to
a problem)
přístupný accessible (**veřejnosti**
to the public)
přistupovat *viz* **přistoupit**
přísudek (*jaz.*) predicate
přísun supply
přisvědč|it, -ovat agree, consent
(**čemu** to sth.)
přišíl|t, -vat sew* on
přišroubovat screw on
příště next (time)
příští next, following
přít se argue
přit|áhnout, -ahovat attract
přitažlivost attraction (**země** of
the earth, **kina** of the cinema)
přitažlivý attractive
přítel friend; **~kyně** girl / woman
friend
přítěž ballast; **být ~í pro koho**
be* a burden to / on sb.
přitěžující okolnosti aggravating
circumstances *pl*
přitisknout se press (**k** against)
přitlou|ci, -kat nail (down)
přítok tributary (**Labe** of the Elbe)
přitom at the same time
přítomnost 1 (*dnešek*) present;
pro ~ for the present **2** (*kde*)
presence
přítomný present
příušnice mumps
přivádět *viz* **přivést**
přiv|ázat, -azovat tie (up), bind*
(up)

přívažek makeweight
přívěs trailer, caravan; **cestování
v ~u** caravanning
přívěsek pendant
přívěsný: ~ **vozík** sidecar; ~ **mo-
tor** (*na člunu*) outboard motor
přivést bring*; (*jít pro*) fetch;
~ **komu na mysl co** remind sb.
of sth.; ~ **koho k životu** bring
sb. back to life
přivézt bring*; (*jet pro*) fetch
přivítat welcome
přívlastek attribute
přivlastnit si appropriate
přívod supply; (*antény*) lead-in
přivolat call in
přívoz ferry
přívrženec follower, supporter
přivřít: ~ **dveře** leave* the door
ajar
přivydělávat si eke out one's
income (**čím** by)
přivyk|at si, -nout si get* used
to, get* accustomed to
příze yarn
přízemí ground floor; (*v divadle*)
stalls *pl*
přízemní dům one-storey house;
bungalow
přízeň favour
příznak symptom
příznačný typical, characteristic
přizn|at, -ávat admit, concede;
~ **se** confess (**k čemu** sth.);
(*připustit*) let* on; **~ejme si to!**
let's face it!
příznivý favourable
přizpůsobit adapt, adjust; ~ **se**
conform (**čemu** to sth.)
přízrak phantom, spectre,
apparition
přízvučný stressed
přízvuk accent, stress; **mluvit**

s cizím ~em speak* with a foreign accent

příživnický parasitic

příživník parasite

psací: ~ **potřeby** writing materials; ~ **stroj** typewriter; ~ **stůl** desk

psaní 1 writing **2** (*dopis*) letter

psát write*; ~ **perem / inkoustem / tužkou** write with a pen / in ink / in pencil; ~ **komu** write (to) sb.; **píši ti, že** I am writing to tell you that; ~ **si s kým** be* in correspondence with sb.; ~ **na stroji** type

pseudonym pseudonym, pen name

pstruh trout

psychiatr psychiatrist

psychiatrická léčebna mental hospital

psychický psychic(al)

psycholog psychologist

psychologický psychologic(al)

psychologie psychology

pšeni|ce, *též adj* **-čný** wheat

pštros ostrich

pták bird; **stěhovavý** ~ bird of passage

ptákovina (*hovor.*) nonsense

ptát se 1 ask (**koho na cenu** sb. the price, **na cestu** one's way, **na jméno** sb.'s name, **na to** about it; **po kom** after sb., **po tvém zdraví** after your health) **2** inquire (**na tvé zdraví** after / about your health, **na vlak do Prahy** about a train to Prague, **po řediteli** for the manager) ♦ **ty se mě moc ptáš** ask me another

puberta puberty [pju:bəti]

publikace publication

publikovat publish

puč putch [puč]

pučet bud, sprout

pud instinct; drive

půda 1 (*země*) land; (*též prsť*) soil **2** (*podstřeší*) loft, attic

pudink (*nákyp*) pudding; (*z prášku*) custard

půdorys ground plan

pudr, *též* v ~**ovat** powder

pudřenka compact

puchýř blister

půjč|it, -ovat lend*; ~ **si** borrow; (*za poplatek*) hire, rent

půjčka loan

půjčovn|a: ~ **knih** lending library; **vypůjčit si vysavač z -y** (*průmyslového zboží*) hire a vacuum cleaner

puk[1] (*na kalhotách*) crease

puk[2] (*v hokeji*) puck

půl half; ~**hodina** half hour; ~ **hodiny** half an hour; **dva a** ~ **dne** two days and a half

pulec tadpole

půlit halve

půlkruh semicircle

půllitr half a litre

půlnoc midnight; **o** ~**i** at midnight

pulovr pullover

pult counter; (*na noty*) music stand

puma bomb

pumpa pump; **benzínová** ~ filling station

pumpovat pump

punč punch

punčocha stocking; **bezešvá** ~ seamless stocking

punčochové kalhoty tights *pl*

puntíkovaný dotted

pupen bud

působiště place (of work)

působit 1 (*pracovat*) work **2** affect (**na čí zdraví** one's health) ♦ ~ **bolest** pain (**rodičům** one's parents)

P

působivý impressive

půst fast(ing)

pustit 1 (*na zem*) drop, let* ... fall **2** (*koho, aby šel*) let* sb. go; (*na svobodu*) release; (*dát komu volno*) let* sb. off **3** (*nedržet co*) let* go of ♦ **~ z hlavy** dismiss, forget*

pustit se 1 (*nedržet se čeho*) let* go of **2** go* into (**do podrobností** details); take* up (**do němčiny** German); set* out (**do světa** into the world)

pustošit ravage

pustý 1 (*neobydlený*) waste, desert **2** (*ponurý*) dreary, bleak

puška gun; (*vojenská*) rifle; (*lovecká*) shotgun

puškvorec sweet flag

putovní travelling; **~ pohár** challenge cup

půvab charm, grace

půvabný attractive, charming

původ 1 origin, descent, lineage, extraction, ancestry; (*rodinný*) parentage **2** (*zdroj*) source

původní original

pých|a pride (**na** in); **je -ou rodiny** he is the pride of his family

pyl pollen

pýr couch (grass)

pyramida pyramid

pyré purée [pjuərei]

pyšný proud (**na** of)

pytel sack; (*vak*) bag

pyžam|o pyjamas *pl*; **kabátek / kalhoty od -a** pyjama jacket / trousers

R

rabat discount
rabín rabbi [ræbai]
racek (sea) gull
racionalizace rationalization
ráčit deign; **račte se posadit** will you take a seat, please; **jen račte** go* ahead
rád 1 (*s radostí*) glad; **~ vám pomohu** I'll be only too glad to help you **2** (*čemu*) glad (of, to); **jsem ~, že máte úspěch** I am glad of your success; **jsem ~, že vás vidím** I am glad to see you; **~ slyším, že** I am glad to hear that **3 ~ bych** I should like to (**přišel** come) **4** (*dělat co*) like, love, enjoy, be fond of; **~ číst** reading, **chodit do kina** going to the pictures) **5 mít ~** like, be* fond of; (*láskou*) love (**děti** children, **svou ženu** one's wife, **hudbu** music, **čaj** tea) ♦ **on ~ zapomíná** he is apt to forget
rad|a 1 advice (**jak žít** on how to live); **řídit se čí ~ou** take* / follow sb.'s advice; **žádat koho o ~u** ask / seek* sb.'s advice; **na tvoji ~u** on your advice; **požádat o ~u lékaře / právníka** take* medical / legal advice; **dobrá ~** a piece of good advice ♦ **nevědět si ~y** be* at one's wits' end **2** (*osoba*) counsellor, adviser **3** (*instituce*) council, board; **závodní ~** works council; **ministerská ~** cabinet
radar, *též adj* **~ový** radar
rádce adviser
raději 1 better, rather; **~ se podívej na** better look at; **~ postojím** I'd rather stand **2 mít ~** like bet-

ter (**hokej než kopanou** hockey than football), prefer (**čaj než kávu** tea to coffee) **3 ~ bych měl** I had better, I had rather (**jít** go)
radiátor radiator
rádio radio; broadcasting station
radioaktivita radioactivity
radioaktivní radioactive; **~ spad** (radioactive) fallout
radioamatér radio ham [hæm]
radiotechnika radio engineering
rádiovka beret
rádiov|ý 1 radio (**přijímač** set); **-á lampa** valve **2** radium; **-é paprsky** radium rays *pl*
radit advise, give* sb. advice (**v čem** on sth.); **~ se** consult (**s kým** sb.)
rádium radium
radnice town hall
radost pleasure, joy; **s ~í** with pleasure; **k mé velké ~i** to my great delight; **mít ~ z** be* glad of, be pleased with; **udělat komu ~** please sb.
radostný cheerful
radovat se rejoice (**z čeho** in / at sth.)
rafinerie refinery
rafinovaný 1 refined (**cukr** sugar, **vkus** taste) **2** cunning (**trik** trick)
ragby rugby (football)
ragú ragout [rægu:]
rachot crash, roll (**hromu** of thunder)
ráj paradise, Eden
rajón (*oblast*) area; (*policisty*) beat; (*číšníka*) station
rajské jablíčko, rajče tomato

rajský paradisiac [pærə'disiæk], paradise

rak crayfish; **obratník R~a** the tropic of Cancer

raketa 1 (*tenisová*) racket **2** (*zápalná*) rocket; **kosmická ~** space rocket **3** (*světelná*) flare

raketov|ý rocket; **-á základna** missile base

rakev coffin

rákos reeds *pl*

Rakousko Austria

rakouský Austrian

rakovina cancer

Rakušan Austrian

rám frame

rámcový in outline, skeleton; general

rámeček frame

ramenatý square-shouldered

rameno 1 shoulder **2** (*řeky*) arm

ramínko 1 (*na šaty*) coat hanger **2** (*na prádle*) shoulder strap **3** (*vepřové*) shoulder (of pork)

rampa 1 platform; (*šikmá*) ramp **2** (*div.*) footlights *pl*

rampouch icicle

rámus din, racket

rána 1 blow (*též přen.*); **~ do hlavy** blow on the head; **jednou ranou** at a (single) blow; **byla to pro něho těžká ~** it was a great blow to him **2** (*otevřené zranění*) wound; (*řezná*) cut; (*bodná*) stab **3** report (**z pušky** of a gun)

ranec bundle, pack

raněný 1 (*zbraní*) wounded (**do nohy** in the leg) **2** (*při nehodě*) injured

ranit 1 (*zbraní, též přen.*) wound (**koho do ruky** sb. in the arm, **čí ješitnost** sb.'s vanity) **2** (*při nehodě, též přen.*) injure, hurt*;

ranil se do hlavy he injured / hurt his head

ranní morning

ráno *n* morning
● *adv* (*kdy?*) in the morning
♦ **dnes ~** this morning; **zítra ~** tomorrow morning; **v neděli ~** on Sunday morning; **v 6 hodin ~** at six a.m.

raný early

rasa race

rasismus racialism, racism

rasistický racialist

rasový racial

rašelina peat

rašit sprout

rašple rasp

ratifikace ratification

ratifikovat ratify

ráz 1 stroke; **~ dva, tři** one, two, three; **na jeden ~** at one blow **2** (*povaha*) nature, character

razantní forcible, impressive, strong

rázem suddenly, all of a sudden

razit coin

razítko rubber stamp; **poštovní ~** postmark

rdesno bistort [bisto:t], snakeroot, snakeweed

rčení saying

reagovat react, respond (**na** to)

reakce 1 reaction **2** (*jen reagování*) response (**na** to)

reak|cionář, -cionářka, *též adj* **-ční** reactionary

reaktivní reactive; **~ letadlo** jet plane

reaktor reactor, atomic pile

realistický realistic

realizovat bring* into being, achieve

reálný real

recepce reception
recepční receptionist
recept 1 (*med.*) prescription
2 (*kuch.*) recipe
recenze review
recitační recitation
recitátor, ~ka reciter
recitovat recite
recyklovatelný recyclable
[ri:'saɪkləbl]
redakce 1 (*místnost*) editor's
office **2** (*činnost*) edition, editorship **3** (*redaktoři*) editorial board
redaktor, ~ka editor
redigovat edit
referát report, account; **mít ~**
read* a paper (**o** on)
referent 1 (*řečník*) speaker
2 (*funkcionář*) secretary
referovat report (**o** on); review
(**o knize** a book)
reflektor spotlight; (*vozu*)
headlight
reflex reflex
reforma reform
reformátor reformer
refrén chorus
regál shelf
regionální regional
registratura filing cabinet
regulovat regulate; adjust
rehabilitace rehabilitation
rehabilitovat rehabilitate; **~ se**
reestablish one's good name
rejstřík 1 (*v knize*) index
2 (*úřed., hud.*) register
reklam|a 1 (*zvl. v tisku*) advertisement; (*činnost*) advertising
2 publicity; **herec, který se
vyhýbá -ě** an actor who avoids
publicity ♦ **neónová ~** neon sign
reklamace claim
rekomando: dopis ~ a registered

letter; **poslat dopis ~** have* a
letter registered
rekonstrukce reconstruction
rekonvalescent, ~ka convalescent
rekord record; **překonat ~** beat* /
break* a record
rekordman, ~ka champion,
record-breaker
rekordní record; **~ sklizeň**
record / bumper harvest
rekreace recreation
rekreační recreation(al); **~ plocha**
recreation grounds *pl*
rekreant holiday-maker;
vacationer, vacationist
rektor rector
relativita relativity
relativní relative
reliéf relief
relikvie relic
remilitarizace remilitarization
remíza 1 tram depot, tram shed
2 (*sport.*) draw
remorkér tug
rendlík saucepan
renesan|ce, *též adj* **-ční**
renaissance
renta annuity
rentabilní paying
rentgen, *též v* **~ovat** X-ray; **poslat
koho na ~** send* sb. to have* an
X-ray taken
rentovat se pay*
reorganizace reorganization
reorganizovat reorganize
reostat rheostat [ri:əʊstæt]
repertoár repertory
reportáž reportage
reportér reporter
represálie reprisals *pl*
reprezentační 1 representative
(**mužstvo** team) **2** (*vybraný*)
choice

R

reprezentant, ~ka representative
reprezentovat represent
repríza (repeat) performance;
  (*filmu*) rerun
reprodukce (*též ekon.*)
  reproduction
reprobedna (*hovor.*) speaker
reprodukovat reproduce
reproduktor loudspeaker
republika republic
respekt, *též v* ~**ovat** respect
restaurace 1 restaurant; **lidová** ~
  tearoom, teashop; ~ **se samoob-**
  sluhou cafeteria **2** restoration
  (**obrazu** of a painting)
restaurovat restore
resumé summary
ret lip; **horní / dolní** ~ upper /
  lower lip; **kousat se do rtů**
  bite* one's lips
réva vine
reveň rhubarb
revír (*honební*) hunting ground;
  (*uhelný*) coalfield
revize revision; (*účtů*) auditing
revizionismus revisionism
revizor (*účetní*) auditor
revma, ~tismus rheumatism
revoluce revolution
revolu|cionář, -cionářka, *též adj*
  -ční revolutionary
revolver revolver, gun
revue 1 (*časopis*) review;
  (*zábavná, obrázková*) magazine
  2 (*div.*) revue, show; **lední** ~ ice
  show / revue
rez rust
rezavět get* rusty
rezavý rusty
rezerva reserve
rezervace reserve; reservation;
  indiánská ~ Indian reservation

rezervní spare (**kolo** wheel, **náplň**
  refill)
rezervovat (si) reserve, book
  (**místa v divadle** seats at the
  theatre, **pokoj v hotelu** a room
  at a hotel)
rezignovat resign (**na funkci**
  tajemníka one's position as
  secretary)
rezoluce resolution
rezonanční deska soundboard
režie 1 (*div.*) direction, staging,
  stage-managing **2** (*podniku*)
  overheads *pl*, oncost
režijní 1 (*div.*) direction(al)
  2 (*ekon.*) ~ **náklady** overhead
  expenses *pl*
režim regime
režisér stage manager, director
ribstol wall bars *pl*
rifle jeans *pl*
rigol pothole
ring pothole ring, boxing ring
riskovat risk
rizik|o risk; **vydávat se -a, že**
  run* the risk of -ing
rizoto risotto [ri'zotəu]
robertek dildo
robot (*kuch.*) (food) processor
ročky (*hodiny*) lantern clock
ročně annually
roční annual
ročník 1 (*časopisu*) volume
  2 (*školní*) form, class
rod 1 (*přírodvědný*) genus
  [dʒi:nəs]; race; **lidský** ~ the
  human race; **~em** by birth
  2 (*jaz.*) gender; (*slovesný*) voice
rodák native
rodiče parents
rodičovské sdružení
  parent-teacher association

rodin|a family; **máme to v -ě** it runs* in the family

rodinný family; **~ přídavek** family allowance; **~ příslušník** family dependant

rodiště birthplace

rodit bear*; (*dávat úrodu*) yield

rodný native; **~ list** birth certificate

roh 1 (*zvířete, též hud. nástroj*) horn **2** corner; **na ~u** at the corner; **v ~u** in the corner; *též* **v kopané**

roháč (*brouk*) stag beetle

rohlík roll, croissant [krwa:saŋ]

rohování boxing

rohovník boxer

rohož(ka) mat

ro|k year; **v letošním / minulém / příštím -ce** this / last / next year; **za ~** in a year; **v -ce 1989** in 1989; **před ~em** a year ago; **je mladší o dva ~y** he is two years younger; **školní ~** school year; **Nový ~** New Year's Day; **Šťastný Nový ~!** Happy New Year!

rokle gorge [go:dž]

rokoko rococo [rə'kəukəu]

rolák (*svetr*) polo neck, turtleneck

role role, part

roleta (roller-)blind

rolnický farming

rolnictvo farmers *pl*, farming community

rolník farmer

román novel

románský 1 Romance [ro'mæns] (jazyk language) **2** Romanesque [rəumə'nesk] (sloh style)

romantický romantic

romantika romance

romantismus romanticism

ropa crude oil

ropovod pipeline

ropucha toad

rosa dew

rosnička tree frog

rosol jelly

rostlina plant

rostlinný vegetable

rošt grate; grill

roštěná sirloin steak

rota (*voj.*) company

rotace rotation

rotačka rotary printing machine

rotační frézka (*elektr. holicího strojku*) floating head

roubovat graft

rouhat se blaspheme [blæs'fi:m]

rouhavý blasphemous [blæsfəməs]

roura pipe, tube

rovina 1 (*geom.*) plane **2** (*zeměp.*) plain **3** (*vodorovná*) level

rovnat put* in order; arrange; **~ se** equal (**čemu** sth.)

rovně straight; **jděte pořád ~ go*** straight on

rovnice equation

rovník equator

rovnoběž|ka, *též adj* **-ný** parallel (s to / with)

rovnocenný equivalent

rovnoměrný even

rovnoprávnost equality (before the law)

rovnoprávný with equal rights

rovnost equality

rovnováh|a balance; **udržet / ztratit -u** keep* / lose* one's balance

rovný 1 (*přímý*) straight **2** (*plochý*) level **3** (*stejný*) equal, even

rozbal|it, -ovat unpack

rozběhnout se start; **~ k tramvaji** make* a dash for the tram

rozbíhat se diverge; (*vidlicovitě*) fork

rozbí|jet, -t break* (up), smash (**na kusy** to pieces)

rozbor analysis

rozbourat pull down, demolish

rozbouřené moře rough / stormy sea

rozbroj discord, trouble

rozcestí crossroads

rozcuchaný dishevelled

rozcuchat ruffle (**koho** sb.'s hair)

rozcvička limbering up

rozčilení excitement

rozčilený excited

rozčil|it, -ovat excite; **~ se** get* excited, lose* one's temper (**kvůli** about); (*hartusit*) make* a fuss

rozd|at, -ávat 1 give* away; (*rozdělit*) distribute **2** (*karty*) deal*

rozděl|at, -ávat 1 (*rozvázat*) undo* **2** (*namíchat*) mix ♦ **~ oheň** make* a fire

rozděl|it, -ovat distribute (**knihy** the books); divide (**peníze** the money)

rozdíl difference; **na ~ od** in distinction from, unlike

rozdílný different

rozdrtit crush up

rozdvojka adaptor

rozeb|írat, -rat 1 take* to pieces, take* apart, dismantle (**stroj** a machine, **hodinky** a watch, **motor** an engine) **2** analyse (**příčiny** the causes) **3** parse (**větu** a sentence) ♦ **kniha je -rána** the book is out of print

rozedn|ít se: -vá se the day is breaking / dawning

rozehnat disperse, scatter (**dav** the crowd); dispel (**mlhu** the fog)

rozehřát warm, heat (up)

rozejít se 1 (*rozptýlit se*) disperse

2 (*odloučit se*) separate **3** part company (**s kým v názoru** with sb. on a question)

rozemlít grind* (down)

rozen|ý born (**řečník** orator); **-á née** [nei]

rozepnout undo* (the buttons); **~ se** unbutton (one's coat *etc.*)

rozepře dispute

rozes|ílat, -lat send* (off)

rozesmát make* sb. laugh; **~ se** burst* out laughing

rozetřít 1 spread* (**máslo na chleba** butter on bread) **2** crush (**česnek** garlic)

rozeznat 1 distinguish **2** make* out (**co říká** what he is saying) ♦ **~ Angličana od Američana** know an Englishman from an American

rozhalenka open-neck shirt

rozhánět *viz* **rozehnat**

rozh|ázet, -azovat 1 scatter (**písek** gravel) **2** squander (**peníze** money)

rozhlas radio, wireless; (*vysílání*) broadcast(ing); **místní ~** public address system; **~ po drátě** rediffusion ♦ **vysílat ~em** broadcast; **oznámit ~em** announce over the radio; **bude to v ~e** it will be on the air; **slyšet v ~e co** hear sth. on the radio

rozhlasový radio; **~ hlasatel / posluchač** radio announcer / listener

rozhled outlook (**do údolí** over the valley); (*též přen.*) **člověk s úzkým ~em** a man with a narrow outlook

rozhl|édnout se, -ížet se look round

rozhodčí (*sport.*) referee; (*v tenise*) umpire

rozhodně by all means; ~ **odmítnout** refuse point-blank; ~ **ne** by no means

rozhod|nout, -ovat 1 (*činit rozhodnutí*) decide **2** (*určit*) determine

rozhodnout se decide, determine, make* up one's mind

rozhodnutí decision

rozhodný decisive; (*energický*) resolute

rozhodující decisive; crucial

rozhořčení indignation

rozhovor 1 conversation, talk **2** (*novinářský, přijímací*) interview

rozhrnout push aside

rozcházet se *viz* **rozejít se**

rozchod 1 separation, parting **2** (*kolejí*) gauge **3** (*voj.*) R~! Dismiss!

rozchodník stonecrop

roz|jet se, -jíždět se 1 (*různými směry*) leave* in various directions **2** (*vlak*) move out

rozkaz order

rozk|ázat, -azovat order (**komu, aby** sb. to + *inf*)

rozkazovací způsob (*jaz.*) imperative

rozklad decay

rozkládací folding (**člun** boat, **lůžko** bed, **židle** chair)

rozkládat take* to pieces; decompose (**světlo** light)

rozkládat se 1 (*tlít*) decay **2** extend (**až k řece** as far as the river)

rozkladný destructive, disruptive

rozkop|at, -ávat dig* up

rozkošný lovely, delightful

rozkousat chew

rozkr|ájet, -ajovat, -ojit (*na půl*) cut* sth. in half; (*na kusy*) cut* to pieces

rozkrá|st, -dat pilfer

rozkročmo astride

rozkvé|st, -tat burst* into bloom, (*strom*) blossom

rozkvět bloom; **v** ~**u mládí** in the bloom of youth

rozlámat break*

rozléhat se resound (**křikem** with shouts)

rozlepit unstick*; ~ **se** come* unstuck

rozl|etět se, -étnout se 1 disperse, scatter **2** (*dveře*) fly* open

rozliš|it, -ovat distinguish

rozlít (se) spill*

rozloha area

rozloučen|í farewell; **večírek na -ou** farewell (party)

rozloučit se (*s kým*) take* leave (of sb.), say* goodbye (to sb.)

rozložit take* to pieces; (*chem.*) analyse; spread* out (**po stole** on the table)

rozluštit solve (**křížovku** a crossword puzzle); decipher (**škrabanici** a scrawl)

rozmačkat crush

rozmáhat se spread*

rozmach high tide

rozmanitý varied; diverse

rozmarýn rosemary

rozmazat blur

rozmazl|it, -ovat spoil*

rozměnit change (**stokorunu** a hundred-crown note)

rozměr dimension

rozmíchat mix

rozmís|tit, -ťovat distribute

rozmlouvat talk (**s kým o čem** to sb. about sth.)

R

rozmluva talk, conversation
rozmluvit talk (**komu co** sb. out of doing sth.)
rozmnož|it, -ovat 1 increase (**počet** the number) **2** (*dělat kopie*) reproduce
rozmnožovat se breed*, multiply (**jako králíci** like rabbits)
rozmoci se spread*
rozmotat disentangle
rozmrazit defrost, unfreeze
rozmrznout thaw
rozmyslit se change one's mind
rozmys||lit si (*co*) think* sth. over; **já si to -ím** I'll think it over; **dobře si to -ete** think twice
rozmýšlen|á: čas na -ou time to think / for thought
rozmýšlet se think* twice
rozmýšlet si reflect (**co** upon sth.)
rozn|ášet, -ést distribute; (*poštu*) deliver
roznětka (percussion) primer
rozpačitý embarrassed; (*zmatený*) puzzled, confused
rozpad disintegration
rozpad|at se, -nout se crumble, fall* into ruin
rozpa|ky embarrassment; **být na -cích** be* at a loss (**co říci** for words); **uvést do -ků** embarrass, puzzle
rozpárat rip up (**švy** the seams, **břicho** the belly); **~ se** come* unsewn
rozpětí 1 span **2** margin (**cenové** on the price)
rozpínavost expansion (**plynů** of gases)
rozpis specification
rozplakat se burst* into tears
rozpočet budget
rozpor contradiction

rozpouštědlo solvent
rozpouštět dissolve; (*tavit*) melt; **~ se** dissolve, melt
rozpoutat unleash (**válku** a war); **~ se** burst* out
rozpraskaný cracked (**ret** lip)
rozpr|ášit, -ašovat 1 disperse (**dav** the crowd) **2** spray (**parfém** a perfume)
rozprod|at, -ávat sell* out
rozproudit se start moving
rozpt|ýlit, -ylovat divert (**hudbou** with music)
rozpůlit cut* in half
rozpustilý 1 naughty, unruly (**chlapec** boy) **2** naughty, dirty (**vtip** joke)
rozpustit 1 dissolve (**sůl** salt, **parlament** Parliament) **2** dismiss (**žáky** the class)
rozpustit se dissolve
rozpustný soluble
rozrazil health speedwell
rozruch stir; **zbytečný ~** fuss
rozrůst se, ~at se spread*
rozrušit upset*; **~ se** be* upset
rozře|dit, -ďovat dilute
rozřešit solve
rozř|ezat, -ezávat, -íznout cut* (**knihu** a book); **~ obálku** slit an envelope open
rozsadit divide (up), separate, seat apart (**žáky** the pupils)
rozsah extent
rozsáhlý extensive
rozsek|at, -nout cut* (in two, to pieces), cut* up
rozsoudit sit* in judgement (**případ** on a case)
rozstonat se fall* ill
rozstříh|at, -nout cut* (in two, to pieces)

rozsudek sentence; **osvobozující ~** acquittal; **vynést ~ pass sentence**

rozsvě|covat, -ítit switch / turn on the light

rozsypat (se) spill*

rozš|ířit, -iřovat (se) spread*, extend

rozšroubovat unscrew

roztštípat split

rozt|áhnout, -ahovat stretch

roztát thaw

roztavit melt

roztěkaný distrait, absent-minded

roztlouci pound, crush, hammer, break* (to pieces)

roztok solution

roztomilý sweet, charming, nice

roztrh|at, -nout tear* up

roztrpčit embitter, gall

roztržitý absent-minded, preoccupied

roztřídit assort (**vzorky** samples); classify (**knihy podle oborů** books by subjects)

rozum reason

♦ **být s ~em v koncích** be* at one's wits' end; **to dá ~** it's common sense, that stands to reason; **máš ~?** are you serious?; **to mi nejde na ~** it's quite beyond me; **přijít k ~u** come* to one's senses; **zdravý ~** common sense

rozum|ět understand* (**čemu** sth.); **promiňte, nerozuměl jsem vám** I am afraid I didn't get what you mean; **nerozumí žertu** he can't take a joke; **to se -í samo sebou** that goes without saying; **~ si s kým** see* eye to eye with sb.

rozumn|ý 1 (*inteligentní, též přiměřený*) reasonable; **-á omluva** reasonable excuse; **-é ceny** reasonable prices **2** (*praktický*)

sensible; **-é oblečení** sensible clothing ♦ **to je -á řeč** now you're talking sense

rozvádět se be* having a divorce (**s manželkou** from one's wife)

rozv|ázat, -azovat undo*, untie

rozvážet deliver

rozvedený divorced

rozveselit (se) cheer up

rozvést se have* a divorce (**s kým** from sb.)

rozvézt deliver

rozvědka espionage (group)

rozv|íjet, -inout 1 unfold (**ubrousek** a table napkin, **plány** one's plans) **2** develop (**průmysl** industry)

rozvíjet se develop

rozvít se open out, burst* into bloom

rozvod divorce (**s kým** from sb.)

rozvodka adapter

rozvod|nit se, -ňovat se overflow the banks

rozvodná deska switchboard

rozvoj development

rozvojové země developing countries *pl*

rozvrat ruin, decay

rozvrátit subvert

rozvrh timetable; schedule

rozvrhnout plan; lay* out

rozzlobit make* angry; **~ se** get* angry

rozžhavit heat, make* sth. glow; **~ se** glow

rožeň spit

rožnit grill

rtěnka lipstick

rtuť mercury

rub the reverse side (**látky** of cloth, **mince** of a coin)

rubat mine (**uhlí** coal)

R

rubín ruby
rubl rouble
rubrika column
ručička hand
ručit guarantee (**zač** sth.)
ruční hand
ručník towel
ruda ore
rudnout grow* red
rudný ore (**důl** mine)
rudý red
ruch bustle; **dopravní ~** traffic
ruina ruin
ru|ka hand; (*celá paže*) arm; **po pravé / levé -ce** on one's right / left hand ♦ **práce mu jde od -ky** he's a deft worker; **po -ce** at hand; **pod -kou** underhand; **z první -ky** at first hand; **přiložit -ku k dílu** pull one's weight; **-ku v -ce** hand in hand; **je to z -ky** it is out of hand; **z -ky do -ky** from hand to hand; **vzít za -ku** take* by the hand
rukáv sleeve
rukavice glove
rukávník muff
rukojeť handle
rukojmí hostage
rukopis 1 hand(writing); **mít hezký ~ write*** a good hand 2 (*díla*) manuscript
rula gneiss [nais]
ruláda (*piškotová s džemem*) Swiss roll
rulík deadly nightshade
rum rum
rumělka (*barva*) red cinnabar; (*barvivo*) vermillion [vəˈmiljən]
rumpál winch, windlass
Rumun, ~ka Romanian [rəuˈmeinjən]
Rumunsko Romania

rumun|ský, též *n* **-ština** Romanian
Rus, ~ka Russian
Rusko Russia
ruský Russian
růst *n* growth (**výroby** of production)
♦ *v* grow*; (*dospívat*) grow up
rušit 1 disturb (**spící dítě** the sleeping child, **veřejný pořádek** the peace) 2 trouble; **nedejte se tím ~** don't let it trouble you 3 jam (**nepřátelské vysílání** the enemy's broadcasts)
rušno: je zde ~ this is a busy place
rušný busy
ruština Russian
různobarevný many-coloured
různorodý diverse, varied
různ|ý (*odlišný*) different; **-í lidé se stejným jménem** different people with the same name 2 (*rozmanitý*) various; **z ~ch důvodů** for various reasons
růž rouge
růže rose
růženec rosary
růžový pink, rosy
rvačka brawl, row
rvát tear*
ryb|a fish; **chytat -y** fish, (*na udici*) angle; **jít na -y** go* fishing
rybář fisherman; (*na udici*) angler
rybářsk|ý fishing; **~ prut** fishing rod; **-é náčiní** fishing tackle
rybí fish; **~ karbanátek** fish cake; **~ polévka** fish soup
rybíz (red, black, white) currant
rybník (*vesnický*) pond; (*velký*) lake
rybolov fishing
rýč spade
rýha (*žlábek*) groove; (*vráska*) furrow

rychle 1 fast; **mluvit ~** speak*
fast **2** quick(ly); **jdeš moc ~**
you're walking too quick
rychlík fast train
rychlit speed*
rychlobruslař speed skater
rychlobruslení speed skating
rychločistírna express
dry-cleaner's
rychlodabing voice over
rychlosprávkárna express repair
shop
rychlost 1 speed; **~í 10 mil za
hodinu** at a speed of 10 miles
an hour; **plnou ~í** at full speed
2 (*motor. vozidla*) gear; **zařadit
vyšší / nižší ~** gear // change
up / down
rychlostní skříň gearbox
rychlý fast, quick
rým rhyme
rým|a cold (in one's head);
dostat -u catch* (a) cold
Rýn the Rhine
rypadlo excavator
rypák snout

rýp|at, -nout dig*, jab; **-nout
koho do žeber** dig sb. in the ribs
rys[1] lynx
rys[2] **1** (*znak, charakteristika*)
feature, trait **2** (*výkres*) drawing
3 (*obrys*) outline; **v hrubých
~ech** in rough / broad outline
rýsovací: ~ pero drawing pen;
~ prkno drawing board
rýsovadlo geometry set
rýsování technical drawing
rýsovat draw*; **~ se** (*na obzoru*)
loom
rýt 1 dig* (**půdu** the ground)
2 engrave (**do kovové desky** on
a metal plate) **3** nag (**do koho**
at sb.)
rytec engraver
rytina engraving
rytíř knight
rytmický rhythmic(al)
rytmus rhythm
ryzí pure
rýž|e, *též adj* **-ový** rice
ržát neigh, whinny

R

Ř

řád **1** order; **společenský ~** social order **2** (*organizační*) rules *pl* **3** (*vyznamenání*) decoration
♦ **jízdní ~** timetable, (*kniha*) railway guide, (*abecední*) ABC; **prvního ~u** of the first order, of the first water

řad|a **1** row (**domů** of houses, **sedadel** of seats) **2** (*série*) series (**známek** of stamps) **3** (*časový sled*) succession (**porážek** of defeats) ♦ **celá ~** a number of; **je na mně ~** it's my turn; **kdo je teď na ~ě?** whose turn is it now?; **v jedné -é** abreast (**s** of, with)

řádek line

řadicí páka gear lever

řadit **1** arrange (**knihy na police** books on shelves, **abecedně** in alphabetical order) **2** rank (**koho mezi velké spisovatele** sb. among the great authors) **3** **~ rychlosti** change gear **4** (*do kartotéky*) file

řádit rage

řádný **1** (*vhodný*) proper **2** (*poctivý*) righteous **3** (*patřičný*) due **4** (*odpovídající předpisu* / *řádu*) regular, ordinary

řadov|ý ordinary; **-á číslovka** ordinal numeral; **-é snímkování** mass miniature radiography

řapík leafstalk, petiole

řasa **1** (*oční*) eyelash **2** (*mořská*) seaweed

řasenka mascara [mæˈskaːrə]

řebříček yarrow [jærəu], milfoil

Řecko Greece

řeckořímský zápas wrestling

řecký Greek

řeč **1** (*jazyk*) language, tongue; **mateřská ~** mother tongue **2** (*proslov*) speech; **přímá / nepřímá ~** direct / indirect speech
♦ **dát se do ~i s kým o čem** start sb. off on sth.; **zavést ~ nač** broach sth.

řečiště river bed

řečník speaker; (*profesionální*) orator

řečtina Greek

ředidlo thinner

ředit dilute

ředitel director; manager; **~ školy** headmaster

ředitelství management

redk|ev, -vička radish

řehole (religious) order

Řek Greek

řeka river

řemen strap; (*obtahovací*) strop; (*opasek, též hnací*) belt

řemesln|ický, *též n* **-ík** craftsman

řemesln|ý (*ruční*) hand-made; **-é provedení** workmanship, craftsmanship

řemeslo (handi)craft

řemínek strap

řepa beet; **červená ~** beetroot; **cukrová ~** sugar beet

řepařský beet-growing

řepka rape

řepný beet

řeřicha watercress

řešení solution

řešeto riddle

řešit tackle (**úlohu** a problem); work out; try to solve

řetěz chain

řetězov|ý chain; **-á reakce** chain reaction

řetízek chain

řev roar

řez cut

řezačka cutter

řezák incisor [in'saizə]

řezat 1 cut* **2** (*pilou*) saw* **3** (*bít*) thrash

řezbář (wood)carver

řeznictví butcher's

řezník butcher

řezný cutting

říci 1 say*; **řekněte to ještě jednou** say it again; **co jste říkal?** what did you say?; **co říkáte malé procházce?** what do you say to a short walk?; **řekl mi: „Já tomu nerozumím"** he said to me: 'I don't understand it' **2** tell*; **řekni mi, jak se jmenuješ** tell me your name; **řekl mi, že tomu nerozumí** he told me he didn't understand it; ~ **pravdu** tell the truth **3** ~ **si o** ask for

♦ **řekněme** let us say

říční river

řídicí steering

řidič driver

řidičský průkaz driving licence

řídit 1 direct (**práci** the work); manage, run (**obchod** a business,

prodejnu a shop); control (**dopravu** the traffic); guide (**střelu** a missile) **2** drive* (**auto** a car)

řídit se follow (**pokyny** the instructions)

řiditelný dirigible

řídítka handlebar(s)

řídký 1 thin, rare **2** (*vzácný*) rare; scarce

říje rut

říjen October

říkat *viz* **říci**

Řím Rome

Říman Roman

římsa ledge; (*ozdobná*) cornice

římský Roman

řinčet clatter

říše empire

řítit se dash, rush

řízek steak; cutlet; escalope; **smažený telecí** ~ Wiener schnitzel

řízení 1 (*vedení*) direction, management **2** (*ovládání*) control; **dálkové** ~ remote control **3** (*mechanismus*) steering (gear); controls *pl*

říznout (se) cut* (**do prstu** one's finger)

řízný smart

řvát 1 roar (**smíchem** with laughter) **2** bawl (**na** at)

Ř

S

s, se 1 with; **s přítelem** with
a friend; **s vaší pomocí** with
your help; **kabát s dvěma
kapsami** a coat with two pock-
ets; **dívka s modrýma očima**
a girl with blue eyes; **nemám
s sebou peníze** I have no money
with me **2** and; **chléb s máslem**
bread and butter; **whisky se
sodovkou** whisky and soda
♦ **film s Melem Gibsonem**
a film starring Mel Gibson
sabot|áž, *též v* **-ovat** sabotage
sací suction (**potrubí** pipe)
sáček bag
sad orchard
sada set
sadař fruiter, fruit grower
sadařství fruit-growing farm
sadba seed
sadismus sadism
sadist|a, *též adj* **-ický** sadist
sádlo lard
sádra plaster of Paris
sahat 1 reach out (**po noži** one's
hand for a knife) **2** reach,
extend (**až k řece** as far as the
river) **3** touch (**na exponáty** the
exhibits) **4** go* back (**do 18.
stol.** to the 18th century)
sáhnout 1 (*nač*) touch, feel*,
(*prsty*) finger (sth.) **2** reach out
one's hand (**po novinách** for
a newspaper) **3** put* one's hand
(**do kapsy** in one's pocket)
4 resort (**k násilí** to force)
sajdkár sidecar
sako jacket
sál hall; **operační ~** operating
theatre

salám (highly-seasoned) sausage,
salami [sə'la:mi]
salát salad; (*hlávkový*) lettuce
sálat radiate
saldo balance
salón drawing room; **~ krásy**
beauty parlour, beauty salon
[selon]
salónní drawing-room
salto somersault
sám 1 (*samoten*) alone, on one's
own, by oneself; **je dnes ~** he is
alone / on his own / by himself
today **2** (*osobně, samostatně*)
-self, on one's own, by oneself;
musím to udělat ~ I must do it
myself; **pracuje ~** he is working
(all) on his own / (all) by him-
self **3** (*samovolně*) of one's own
accord; **řekl mi to ~** he told me
of his own accord ♦ **samo
sebou** it goes without saying
samec male
samet velvet
samice female
samočinný automatic
samohláska vowel
samolepka self-adhesive label
samolibý self-satisfied,
complacent
samomluva soliloquy [sə'liləkwi]
samoobsluh|a self-service; **ob-
chodní dům se -ou** supermarket;
prádelna se -ou launderette;
restaurace se -ou cafeteria
samopal submachine-gun
samorostlý original, racy
samospráva self-government;
autonomy
samostatnost independence

samostatný independent

samota solitude; (*též osamocenost*) loneliness

samotář recluse [ri'klu:s]; **žít jako ~** live the life of a recluse

samotný alone

samoúčelný: být ~ be* an end in itself

samouk self-taught person

samovazba solitary confinement

samozřejmě *adv* as a matter of course • *částice* ~! of course!, that stands to reason!, naturally!

samozřejmost matter of course

samozřejm|ý obvious; **považovat za -é** take* for granted

sam|ý 1 very; **na -ém začátku** at the very beginning **2** nothing but; **-é dobré zprávy** nothing but good news

sanatorium nursing home

sandál sandal

sáně sledge, sled, sleigh; toboggan *sg*

sanitní sanitary; **~ auto** ambulance

sáňkovat toboggan, sledge; **jít ~** go* tobogganing / sledding

saponát detergent

sardelka anchovy, sardelle [saː'del]

sardinka sardine

sasanka anemone

Sasko Saxony

sát suck

satira satire

satirický satirical

satisfakce satisfaction

savec mammal

saxofon saxophone

sazba rate, tariff

saze soot *sg*

sazeč compositor

sazenice seedling

sázenka football coupon, pools coupon

sázet 1 plant (*květiny* flowers) **2** set* up (*rukopis* a manuscript) **3** stake, bet* (**na koně** on horses)

sázet se make* a bet, lay* a wager

sáz|ka stake, bet; **být v -ce** be* at stake

sazka football pools *pl*

sběr (*odpadových surovin*) salvage

sběračka skimmer

sběratel collector

sbíhat se 1 (*do jednoho bodu*) converge **2** (*shromažďovat se*) gather

sbíječka chipping hammer, pneumatic drill

sbíjet hammer together

sbírat 1 collect (*známky* stamps, **poházené papíry** the wastepaper) **2** gather (**informace** information, **zkušenosti** experience) **3** skim (**mléko** milk) **4** (*odpadových surovin*) salvage • **jít ~ houby** go mushrooming

sbírka collection

sbít hammer together

sblížení approach, understanding

sbl|ížit se, -ižovat se get* closer (**navzájem** to each other / together)

sbohem goodbye

sbor 1 (*pěvecký*) choir **2** (*učitelský*) staff **3** (*vojenský, diplomatický, baletní, policejní*) corps

sborník symposium

sborovna staff room

sborový choral [koːrəl]

scel|it, -ovat consolidate; (*látku*) **do*** invisible mending

scéna scene

scénář screenplay, script

S

scestovalý travelled

scestovat travel (**celý svět** the whole world / all over the world)

sčítání addition; (*lidu*) census

sdělení communication; (*vzkaz*) message

sděl|it, -ovat (*komu co; komu, že*) inform (of; that); let* sb. know (about; that); ~ **špatnou zprávu šetrně komu** break* the bad news to sb.

sdělovací communication

sdělovat *viz* **sdělit**

sdílný communicative

sdružení association; **rodičovské** ~ parent-teacher association

sdružovat (se) associate

se 1 -self; **bavit se** amuse oneself **2** *u mnoha sloves není u angl. vyjádřeno:* **učit se** learn; **dívat se** look; **snažit se** try **3** (*vzájemnost*) each – other, one – another; **měli se rádi** they loved each other

sebedůvěra self-confidence

seběhnout run* down (**ze schodů** the steps)

sebekritický self-critical

sebekritika self-criticism; self-examination

sebemenší the least

sebeobrana self-defence

sebeurčení self-determination

sebevědomí self-confidence

sebevědomý self-confident

sebevra|h, -žda suicide

sebevzdělání self-education

sebezapření self-denial

sebou: vezměte s ~ syna take* your son with you

sebrat 1 pick up (**minci** a coin, **člověka na ulici** a person on the street) **2** (*odcizit*) pinch (**někomu tužku** sb.'s pencil)

secese Art Nouveau [a: ˈnuːvəu]

sečí|st, -tat add up, sum up

sedačka stool

sedadlo seat

sedat si sit* down, take* a seat

sedět sit*; ~ **na bobku** squat; ~ **modelem** pose as a model; ~ **na vejcích** brood

sedlář saddler

sedlák farmer

sedlina sediment

sedlo saddle; (*krejčovské*) yoke

sedm seven

sedmdesát seventy

sedmička seven; Number Seven

sedmikráska daisy

sedmiletý seven-year old

sedmina seventh

sedmnáct seventeen

sedmnáctý seventeenth

sedmý seventh

sednout si sit* down, take* a seat

sehnat get*; ~ **peníze** raise / rake up the money; ~ **něco k jídlu komu** fix sb. up with sth. to eat

sehnout se bend* down, stoop

sehrát play (**zápas** a match); put* on (**scénu** an act)

sejít 1 walk down (**ze schodů** the stairs); step off (**z chodníku** the pavement) **2** (*zchátrat*) run* to seed ♦ **sešlo z toho** it came to nothing, it fell through

sejít se meet* (**s kým** sb.); (*náhodou*) meet* (**s kým** with sb.)

sejmout take* off, take* down; ~ **karty** cut* cards

sekaná meat loaf

sekat cut*, chop; (*trávu*) mow*, (*obilí*) reap; (*na drobno*) mince

sekce section
sekera axe
seknout cut*; **~ se do prstu** cut one's finger
sekretariát secretariat
sekretář, ~ka secretary
sektor sector
sekunda second
selanka idyll
sele suck(l)ing pig
selh|at, -ávat fail; (*puška, motor*) misfire
sem here; **pojď ~!** come* here!, come this way!, come over here!; **pobíhat ~ a tam** rush about; **~ a tam** to and fro
semafor traffic lights, the lights
semeno seed
semestr term
semifinále semifinal(s *pl*)
seminář seminar
semiš suède
sen dream
senát senate
senátor senator
senilní senile
senná rýma hay fever
seno hay; **sklízet ~** make* hay
senoseč haymaking
sentimentální sentimental
senzace sensation
senzační sensational
sep|isovat, -sat write* down; (*do seznamu*) list
septik septic tank
seriál serial
série series
sériový serial
seriózní respectable
serpentina hairpin bend
sérum serum [siərəm]
servilní servile, obsequious
servírka waitress

servírovat serve (**komu co** sb. with sth.)
servis (*ve všech významech*) service
seřadit (se) line up
seř|ídit, -izovat regulate, adjust
sesa|dit, -zovat depose, remove
sesk|akovat, -očit jump off
seskok jump; **~ padákem** parachute jump
sesou|t se, -vat se slide down
sestava arrangement; system
sestav|it, -ovat make* up; compile; draw* up (**plán** a plan)
sestoupit come* down, descend (**ze schodů** the stairs)
sestra 1 sister **2** (*zdravotní*) nurse; **vrchní ~** matron
sestrojit construct
sestřelit shoot* down
sestřenice cousin
sestup descent
sestupovat *viz* **sestoupit**
sešit 1 notebook, exercise book **2** (*časopisu*) number
seš|ít, -vat sew* up; (*sešívačkou*) staple
sešívačka stapler
sešlý (*vzhledem*) shabby; (*věkem*) decrepit
set set
set|ba, -í sowing
setina hundredth
setkání meeting
setk|at se, -ávat se meet* (**s kým** sb.)
setmět se grow* dark
setrvačník flywheel
setrvačnost inertia
setřít wipe off
sever north; **na ~ od** (to the) north of; **na ~u** in the north
severně north (**od** of)

severní 1 north; ~ **pól** the north pole; ~ **vítr** a north wind; **S~ Amerika** North America **2** northern; ~ **polokoule** the northern hemisphere; **S~ Irsko** Northern Ireland

severoamerický North American

severovýchod northeast

severovýchodní northeast(ern)

severozápad northwest

severozápadní northwest(ern)

severský Scandinavian

sevřít clasp; grip

sexuální sexual

seznam list

seznámení acquaintance

sezn|ámit, -amovat acquaint, make* acquainted (**koho s** sb. with); (*představit*) introduce (**koho komu** sb. to sb.); ~ **se** get* acquainted (**s** with); make* sb.'s acquaintance

sezóna season

sezónní seasonal

sežrat devour

sfinga sphinx

shánět hunt (**co** for sth.)

shazovat 1 throw* down, cast* off **2** shed* (**listí** leaves, **parohy** horns)

shledan|á: na -ou see* you later, goodbye (for the present)

shledání meeting again, next meeting; reunion

shnilý rotten

shnít rot (away)

shoda 1 agreement, conformity; ~ **okolností** coincidence **2** (*tenis*) deuce

shodit 1 throw* down, cast* off **2** shed*, lose* (**přebytečnou váhu** excess weight)

shodnout se agree (**s kým v čem** with sb. on sth.)

shodný identical

shodovat se tally; **oba seznamy se shodují** the two lists tally

shon rush; **předvánoční** ~ the pre-Christmas rush

shora from above; **zmíněný** ~ mentioned above, above-mentioned

shořet be* burnt down

shovívavý indulgent

shrbený stooping, bent (**stářím** with old age)

shrn|out, -ovat 1 draw* (**záclonu přes okno** a curtain across the window) **2** (*na hromadu*) pile up **3** (*obsah*) sum up, summarize

shromáždění gathering, meeting; (*manifestace*) rally; **Národní** ~ National Assembly

shrom|áždit (se), -ažďovat (se) gather, assemble

shýb|at (se), -nout (se) bend* down; ~ **se pro** reach down for

scházet 1 go* down, walk down (**ze schodů** the stairs) **2** (*chybět*) be* missing, be* absent

scházet se meet* (**s kým** sb.)

schéma design, pattern

schematický schematic

schnout (get*) dry

schod step, stair

schodek deficit

schodiště staircase

schod|y stairs *pl*; **po -ech nahoru / dolů** upstairs / downstairs

schopnost 1 ability; **podle svých nejlepších ~í** to the best of one's abilities **2** (*kvalifikace*) competence

schopný 1 able, capable **2** (*kvalifikovaný*) competent **3** (*tělesně*) fit, able-bodied

schov|at (se), -ávat hide*; **~ co (do kapsy)** put* sth. away (in one's pocket), pocket away
schovávaná hide-and-seek
schránka box; **poštovní ~** (*též soukromá*) letter box, GB pillar box
schůdný passable
schůze meeting
schůzka appointment; (*hovor.*) date
schválení approbation; (*souhlas*) consent; (*dohoda*) agreement
schvál|it, -ovat 1 pass (**předlohu zákona** the bill) **2** ratify (**smlouvu** an agreement) **3** approve (**její sňatek** of her marriage, **zápis o schůzi** the minutes of the meeting)
schválně on purpose, deliberately
♦ **~ se jdi na to podívat** make* a point of going to see it
si 1 *v angl. zpravidla sloveso nezvratné:* **koupit si** buy, **myslit si** think, **představit si** imagine, **uvědomit si** realize **2** *v angl. zájm. přivlastňovací:* **oblékl si kabát** he put on his coat, **vyčistil si zuby** he cleaned his teeth, **dal si to do kapsy** he put it away in his pocket **3** *při vzájemnosti:* each – other, one – another; **pomáhali si** they helped each other
sice 1 (*jinak, nebo*) or else; **pospěš si, ~ přijdeš pozdě** hurry or else you will be late **2** (*přípustkové*) it is true; **činže je ~ vysoká, ale ...** the rent is high, it is true, but ...
síci mow
Sicílie Sicily
sídliště housing estate
sídlo seat, residence
sifon siphon [saifən]

signál signal; (*světelná raketa*) flare
signalizovat signalize
signatura (*knihy*) class mark, shelf mark; (*podpis umělce*) autograph
síl|a 1 strength **2** (*též násilí*) force **3** (*energie, moc*) power ♦ **koňská ~** horsepower; **kupní ~** purchasing power; **odstředivá ~** centrifugal [sen'trifjugәl] force; **pracovní -y** manpower; **snažit se ze všech sil** do one's best; **to je nad mé -y** that is beyond my power
siláž, *též v* **~ovat** ensilage
sílit grow* strong
silnice road; (*hlavní*) highway
siln|ý 1 strong (**čaj** tea, **-á hůl** stick, **-é nervy** nerves, **pach** smell, **-é světlo** light, **vítr** wind, **-á vůle** will) **2** powerful (**lék** remedy, **nepřítel** enemy) **3** keen (**zájem** interest) **4** heavy (**déšť** rain, **kuřák** smoker, **-á poptávka po** demand for)
silueta outline; (*na obzoru*) skyline
silvestr New Year's Eve; **slavit ~a** celebrate New Year's Eve
simulovat malinger (**nemoc** illness); simulate (**nadšení** enthusiasm)
síň hall
síra sulphur
siréna siren [sairən]
sirka match
sirotek orphan
sirup treacle
sít sow*
síť 1 net **2** (*soustava*) network
sítnice retina [retinə]
síto sieve
síťovka string bag
situace situation

S

sjedn|at, -ávat arrange (**co** sth.; **aby** for sth. to + *inf*)

sjednocení unification

sjedno|covat (se), -tit (se) unite

sjezd 1 (*shromáždění*) congress; **2** (*lyžařský*) downhill run / race

sjezdař downhill racer

sjízdný passable, carriageable

skafandr diving suit / dress; (*pro kosmonauta*) spacesuit

skákat *viz* **skočit**

skála rock

skandál scandal

Skandinávie Scandinavia

skandinávský Scandinavian

skica sketch

sklad stock; **být / nebýt na ~ě** be* in / be out of stock

skládací folding, collapsible (**člun** boat, **židle** chair)

skládat 1 (*do záhybů*) fold (**dopis** a letter) **2** compose (**hudbu** music)

skládat se z be* composed of, consist of

skladatel composer

skladba 1 composition **2** (*jaz.*) syntax

skladiště warehouse

skladný space-saving

skladovat store, keep

sklánět se 1 (*o terénu*) slope (down) **2** (*před kým*) bow to sb.

sklápěcí sedadlo tip-up seat

sklárna glassworks

sklář glassworker

sklářský průmysl glass industry

sklenářství glazier

sklenář glazier

sklen|ěný, *též* n **-ice** glass

sklenička tumbler; **~ hořčice** jar of mustard

skleník hothouse, greenhouse

sklep cellar

skleróza sclerosis [sklə'rəusis]

sklíčený dejected, gloomy

sklidit 1 remove, clear away (**nádobí po svačině** the tea things) **2** harvest (**obilí** the corn, **brambory** potatoes), reap (**obilí** the corn); get* the crops in

sklizeň 1 (*žně*) harvest **2** (*výtěžek*) crop(*s pl*)

sklízet *viz* **sklidit**

sklo 1 glass; **tabulové ~** plate glass; **broušené ~** cut glass **2** (*výrobky*) glassware

sklon 1 inclination (**hlavy** of the head); slope (**střechy** of the roof); **dvacetiprocentní ~** a slope of 1 in 5 **2** (*náklonnost*) inclination, tendency (**k tloustnutí** to grow* fat)

sklonit incline, bow (**hlavu** the head); **~ se** bow (**před** to)

skloňování (*jaz.*) declension

skloňovat (*jaz.*) decline

sklopit sedadlo tip a seat forward

sklouznout slip off

skluzavka slide

skoba hook; (*tesařská*) cramp; (*na obraz*) picture hook

skočit jump, spring*; **~ do řeči** butt in; **~ do vody** dive

skok jump; **~ daleký / vysoký** long / high jump; **~ o tyči** pole vault; **~ na lyžích** ski jump; **~ do vody** (*po hlavě*) dive

skokan (*člověk*) jumper; (*žába, zelený*) edible frog

skokanský můstek ski jump

skončit 1 end (up), come* to an end, be* over, finish; **~ s kým** be* through with sb. **2** (*ukončit*) end, finish, put* an end to

skopové maso mutton

skóre score
skoro almost, practically ♦ **já jsem ji ~ neznal** I hardly knew her; **~ nic** next to nothing; **~ stejný** much the same; **~ hodinu** the best part of / nearly an hour
skořápka shell
skořice cinnamon
skot cattle
Skot Scotchman, Scotsman
Skotsko Scotland
skotsk|ý Scotch, Scottish; **-á suknice** kilt
skoupý mean, stingy
skráň temple
skrčit (se) stoop; duck (**hlavu** one's head)
skrečovat (*zápas*) annul, declare void
skromný modest
skrovný scanty, meagre (**oběd** dinner)
skrýš hiding place
skrý|t (se), -vat (se) hide*
skrz(e) through; **znát co ~ naskrz** know* sth. inside out
skřehotat croak
skříň: ~ na šaty wardrobe; **~ na knihy** bookcase; **výkladní ~** shop window
skříňka box; (*v šatně na zámek*) locker
skřípat creak, grate; **~ zuby** grind* one's teeth
skřivánek skylark
skulina opening, chink
skupenství state of aggregation
skupina group
skupinový group; **~ telefon** party line
skutečně really; indeed
skutečnost reality, fact; **ve ~i** as a matter of fact, actually

skutečn|ý 1 (*pravý*) real (**důvod** reason, **ředitel** manager, **život** life) **2** actual; **-é cifry** actual figures *pl*
skutek act, deed
skútr scooter
skvělý brilliant, fine, wonderful
skvost jewel
skvrn|a 1 (*přirozená*) patch, spot; **pes s bílými ~mi** a dog with white patches; **levhart má -y** a leopard has spots **2** (*špíny, barvy*) spot (**od bláta** of mud); stain (*též přen.*); **-y od krve / inkoustu** blood / ink stains; **na vaší pověsti** stain on your reputation
slabika syllable
slabikář primer
slabikovat spell* out
slabina 1 (*na těle*) groin **2** (*nedostatek*) weak point
slábnout grow* weak, weaken
slaboch weakling
slabomyslný idiotic
slabost weakness; **~ pro co** indulgence in sth.
slabý 1 weak **2** (*tenký*) thin **3** (*špatný*) poor
slad malt
sládek brewer, maltster
sladit¹ sweeten (**čaj** one's tea)
sladit² harmonize (**barvy** colours, **zájmy** interests)
sladkokyselá okurka sweet pickled gherkin
sladkovodní freshwater
sladký sweet
slalom slalom; **obří ~** giant slalom
sl|áma, *též adj* **-aměný** straw; **-aměný vdovec** grass widower
slamník straw mattress
slaneček pickled herring
slang slang

S

slanina bacon
slánka saltcellar, salt shaker
slaný salt(y)
slaňovat rope down
slast delight, bliss
sláv|a 1 (*proslulost*) fame; **toužit po -ě** be* anxious for fame **2** (*v historii, náboženství*) glory
♦ **provolávat komu -u** cheer sb.
slavík nightingale
slavistika Slavonic studies *pl*
slavit celebrate (**narozeniny** one's birthday, **Vánoce** Christmas, **vítězství** victory)
slavnost festival; **zahradní ~** garden party
slavnostní 1 festive (**příležitost** occasion, **tabule** board) **2** solemn (**přísaha** oath, **tváře** faces)
slavný famous, celebrated (**čím** for sth.)
slazený sweetened
slečn|a young lady; **~ Smithová** Miss Smith; **-o** madam; **Vážená -o** Dear Madam
sled sequence
sleď herring
sledovat follow, watch; (*detektiv*) tail
slepec blind man
slepeck|ý for the blind; **-é písmo** braille [breil]
slepice chicken, hen
slepičí hen; **~ polévka** chicken soup
slep|it, -ovat paste / glue together
slepota blindness
slep|ý blind; **-á ulička** blind alley; **~ pasažér** stowaway; **zánět -ého střeva** appendicitis [əpendi'saitis]; **hrát si na -ou bábu** play (at) blindman's buff

slepýš slowworm
sleva reduction (**z ceny** in price)
slevač founder
slévárna foundry
slev|it, -ovat 1 make* a reduction (**z ceny** in price) **2** reduce (**z požadavků** one's requirements)
slez mallow
slézat: ~ horu climb up a mountain
slezina spleen
Slezsko Silesia [sai'li:zjə]
slézt 1 get* off (**z tramvaje** the tram), get* out of (**z postele** bed) **2** descend (**ze schodů** the stairs)
slib, *též v* **slíbit, slibovat** promise
slída mica
slídit spy (**za** on)
slimák slug
slin|a saliva; (*vyplivnutá*) spittle; **sbíhaly se mi na -y** it made my mouth water
slintáček bib
slintat slobber
slintavka mouth disease
slitina alloy
slitování pity (**s** for)
slitovat se have* pity (**nad** on)
slíva greengage [gri:ngeidž]
slivovice plum brandy
slizký slimy
sloh 1 style **2** (*slohové cvičení*) composition
sloka verse
slon elephant
slonovina ivory
slosování draw
sloučenina compound
sloučit (se) fuse; (*chem.*) compound
sloup post; (*archit.*) column
sloupec column
sloupnout (se) strip

sloužit serve (**jako** as / the purpose of)

Slovák Slovak

Slovan Slav

slovanský Slav, Slavonic

Slovenka Slovak (woman / girl)

Slovensko Slovakia

slovensk|ý Slovak; **S-á republika** Slovak Republic

slovenština Slovak

sloveso verb

slovní: ~ **hříčka** pun; ~ **zásoba** vocabulary

slovníček (*školní*) vocabulary

slovník dictionary; **naučný** ~ encyclopaedia

slov|o word; **čestné** ~ my word upon it; **držet** ~ keep* one's word; **jinými -y** in other words; **svými -y** in one's own words; **vzít koho za** ~ take* sb. at his word

slovosled word order

složení composition

složenka postal order

složit 1 (*přeložením*) fold up **2** deposit (**peníze** money) **3** pass (**zkoušku** an exam) **4** lay* down (**funkci** one's office)

složitý complicated

složka component

slučovat unite, combine, join

sluha servant; (*zřízenec*) attendant

sluch hearing

sluchátk|o 1 (*telefonu*) receiver **2 -a** *pl* headphones *pl*

sluchový auditory [o:ditəri] (**nerv** nerve)

slunce sun; **elektrické** (**topné**) ~ electric fan heater; **horské** ~ sunlamp

slunéčko sedmitečné ladybird

sluneční: ~ **hodiny** sundial;

~ **soustava** solar system; ~ **světlo** sunshine

slunečnice sunflower

slunečník sunshade

slunečný sunny

slunit se bask

slunovrat solstice [solstis]

slupka skin; peel

slušet become*, fit; ~ **se be*** necessary; **to se nesluší** it is not done

slušivý becoming

slušnost decency; **ze ~i** for reasons of delicacy

slušný fair; (*též přijatelný*) decent; **docela** ~ **oběd** quite a decent dinner

služb|a 1 service; **státní** ~ *GB* Civil Service **2** (*povinnost*) duty; **ve -ě** on duty **3** (*prokázaná*) favour

služebná servant girl, maid servant

služební service

slyšet hear*; **špatně** ~ **be*** hard of hearing

slyšitelný audible

slza tear

slz|et: -í mi oči my eyes are watering

slzný plyn tear gas, CS gas

smalt enamel

smaltovaný enamel(led)

smát se 1 laugh (**čemu** at sth.) **2** smile (**na koho** at sb.)

smazat wipe off (**písmo z tabule** the writing from the blackboard)

smažen|ý fried; **-é brambůrky** chips *pl*

smažit fry

smeč smash

smečka pack

smek|at, -nout take* off one's hat

smělý daring

směna 1 (*pracovní*) shift
2 (*výměna*) exchange
směnárna exchange office
směnit exchange (**za** for)
směnka bill (of exchange); draft
směr direction; (*studijní*) stream
♦ **proti ~u hodinových ručiček**
anticlockwise; **ve ~u jízdy**
facing the engine; **jdete stejným
~em?** are you going my way?
směrnice instruction, guideline
směrodatný decisive
směrovací číslo postcode, zip code
směrová tabulka (direction)
signpost
směrovka indicator
směs mixture
smést sweep* off
směšný ridiculous; (*nemožný*)
absurd
smět be* allowed to + *inf*, be* at
liberty to + *inf*; **smím** I may;
nesmím I may not / I must not;
směl jsem I was allowed to,
I could; **nesměl jsem** I wasn't
allowed to, I couldn't
smeták soft broom
smetana cream; **šlehaná ~**
whipped cream
smetanový cream
smetí sweepings *pl*; rubbish
smetiště dump, junk heap
smích laughter; **dát se do ~u**
burst* out laughing; **to není
k ~u** that's no laughing matter
smíchat mix up
smirkovat sandpaper
smirkový emery
smíření reconciliation
smířit, smiřovat reconcile; **~ se
1** become reconciled, make* it up
(**s kým** with sb.) **2** reconcile one-
self (**s čím** to sth.); put* up (with)

smířlivý conciliatory
smísit (se) mix up, blend*
smíšený mixed
smlouv|a 1 contract
2 (*mezistátní*) treaty; **mírová ~**
peace treaty ♦ **uzavřít -u** make*
a contract; conclude a treaty
smlouvat 1 (*dohodnout*) arrange
2 (*při koupi*) bargain
smlouvat se negotiate
smluvit se agree
smluvní contract(ual)
smoking dinner jacket, tuxedo
smrdět stink*
smrk spruce, fir
smrkat blow* one's nose
smršť whirlwind, tornado
smrt death; **~ hladem** starvation;
odsoudit k ~i sentence to death;
rozsudek ~i death sentence; **trest
~i** capital punishment ♦ **být na
~ nemocen** be* dangerously ill;
být k ~i unaven be dead tired;
až do ~i for the rest of one's life
smrtelný mortal; (*ve významu
„smrtící" též*) deadly
smůl|a 1 pitch **2** (*neštěstí*) bad
luck; **mít ~u** have* bad luck, be*
down on one's luck
smuteční: ~ šaty mourning;
~ vrba weeping willow
smutek 1 grief; sadness **2** (*za
zemřelého*) mourning
smutno: je mi ~ I feel* sad / lonely
smutný sad
smyčcový: ~ kvartet string quar-
tet; **~ nástroj** stringed instrument
smyčec bow
smyčka sling
smyk skid; **dostat ~** skid
smysl sense; **pět ~ů** the five
senses; **~ pro humor / povin-
nost** sense of humour / duty;

~ slova the sense of the word
♦ **v pravém slova ~u** in the proper sense of the word; **nedává to ~ it** doesn't make* sense; **nejsou při ~ech** they are not in their right senses; **nemá ~ to dělat** there's no point / sense in doing it
smyslný sensual, voluptuous
smyslový sensuous
smýšlení opinion
smýt wash (off), wipe (off)
snad perhaps, maybe, possibly;
~ máte / jste měl pravdu you may be / may have been right
snadno easily
snadný easy; **~ recept** easy-to-make recipe
snaha endeavour, effort
snacha daughter-in-law
snášenlivý tolerant
snášet 1 (*vejce*) lay* (eggs)
2 (*trpět*) bear*; (*vystát*) suffer, tolerate ♦ **~ dobré i zlé** take* the rough with the smooth
snášet se 1 drift (**k zemi** to the ground) **2** (*s kým*) be* on easy terms with
sňatek 1 marriage **2** (*svatba*) wedding
snažit se try, be* anxious, take* pains; **velmi se ~** go* out of one's way to + *inf*
snědý swarthy
sněhov|ý snow; **-á koule** snowball; **-á vločka** snowflake; **-á závěj** snowdrift
sněhulák snowman
sněm parliament, assembly
sněmovna parliament, house; *GB* the Houses of Parliament; **horní ~** the House of Lords, Upper House; **dolní ~** the House of Commons, Lower House

snesitelný tolerable
snést 1 (*vydržet*) bear*, stand*, endure **2** (*na hromadu*) pile (up)
snést se alight; swoop down (**na kořist** on the prey)
sněženka snowdrop
sněž|it snow; **-í** it is snowing
snídaně breakfast
snídat (have* one's) breakfast
sníh 1 snow; **~ s deštěm** sleet **2** (*cukrová pěna*) stiff froth, whisked whites, meringue;
šlehat ~ beat* whites of eggs
snímat ~ zvuk record sound;
~ karty cut* cards
snímek photo, snap(shot)
snížení 1 lowering **2** reduction (**cen** in prices), cut (**mezd** in wages)
snížit, snižovat 1 lower, bring* down **2** cut*, reduce (**ceny** prices, **platy** salaries, **rychlost** speed)
snížit se degrade oneself (**ke lži** by telling lies); stoop (**k podvodu** to cheating)
snop sheaf
snouben|ec fiancé; **-ka** fiancée
snubní prsten wedding ring
sob reindeer
sobec egoist
sobecký selfish
sobectví selfishness
soběstačný self-sufficient
sobota Saturday
socialismus socialism
socialist|a, *též adj* **-ický** socialist
sociální social
soda soda

S

sodík sodium
sodovka soda (water)
socha statue
sochař, ~ka sculptor
sochařství sculpture
sój|a, *též adj* **-ový** soya [soiə]
sojka jay [džei]
sokl plinth; pedestal, base
sokol falcon
solený salted
sólista soloist
solit salt
solný salt
sólo, *též adj* ~**vý** solo
sonáta sonata
sonda probe
sopečný volcanic [vol'kænik]
sopka volcano
soprán, sopranistka soprano [sə'praːnəu]
soptit 1 (*o sopce*) be* in a state of eruption **2** be* foaming (**hněvem** with rage)
sortiment assortment, range; **široký ~ výrobků** a wide range of products
sosna pine
soška statuette [stætju'et]
sotva *adv* hardly; ~ **stojím na nohou** I can hardly walk; ~ **můžete očekávat** you can hardly expect; ● *conj* as soon as; no sooner ... than; ~ **mě spatřil, ...** no sooner did he see me than ...
soubor 1 set, collection **2** ensemble; **pěvecký ~** choir
souborný collective; (*úplný*) complete
soucit pity (**s kým** for sb.)
soucitný sympathetic
současně at the same time
současník contemporary

současn|ý 1 contemporaneous, simultaneous **2** (*nynější*) present-day; **v -é době** at present
součást, ~ka part
součet total, sum
součin product
součinnost cooperation
soud 1 (*instituce i budova*) court (of law), law court **2** (*proces*) trial **3** (*úsudek*) judg(e)ment
soudce 1 judge; (*policejní, vyšetřující*) magistrate **2** (*sport.*) referee; (*v tenise*) umpire
soudcovat referee (**zápas v kopané** a football match); umpire
soudit 1 try, put* on trial (**koho pro zločin** sb. for a crime) **2** (*mít názor*) judge, tell*, be* of the opinion
soudní law, judicial; ~ **pře** lawsuit; ~ **řízení** proceeding at law, legal proceeding(s)
soudnictví justice
soudný judicious
soudobý contemporary
souhlas 1 consent (**s návrhem** to the proposal); approval (**s plánem** of the plan) **2** conformity; **v ~e se zákonem** in conformity with the law
souhlasit 1 agree (**s kým v čem** with sb. on / about sth., **s čím** to sth.) **2** (*schvalovat*) approve (**s** of sth.)
souhláska consonant
souhra teamwork
souhrn (*shrnutí*) summary; (*celek*) total
souhrnný total, comprehensive
souhvězdí constellation
souchotiny consumption
soukolí (*ozubené*) gear
soukromí privacy

soukromý private
soulad harmony
soulož coitus [kəuitəs], sexual intercourse
souložit have sex
souměrný symmetrical
soumrak dusk
souostroví archipelago [a:ki'peligəu]
soueř opponent; (*sok*) rival
soupis list; (*obyvatelstva*) census
souprava set, service; **jídelní ~** dinner service; **~ nábytku** suite
sourozenci brothers and sisters *pl*
souřadný co(-)ordinate
soused neighbour
sousedit (s) adjoin (sth.)
sousedka neighbour
sousední neighbouring; adjoining, next-door
sousedství neighbourhood
souslednost sequence; (*jaz.*) **~ časů** sequence of tenses
sousoší group of statues
soustava system
soustavný systematic
sousto mouthful
soustrast 1 sympathy 2 (*vyjádření soustrasti*) condolences *pl*; **projevit ~ komu** condole with sb. on
soustruh lathe
soustružník turner
soustředěný concentrated
soustře|dit (se), -ďovat (se) concentrate (**na** upon)
souš (dry) land; **po ~i** by land, overland
soutěska pass
soutěž competition; **hudební ~** musical contest / competition
soutěžení emulation
soutěžící competitor, contestant
soutěžit compete (**v závodě** in

a race, **o cenu** for a prize, **s jinými** with others)
soutok confluence
souvětí complex sentence
souviset cohere, be* connected, have* something to do (**s** with)
souvislost continuity
souvislý coherent
soužit harass, plague
soužití: manželské ~ married life; **mírové ~** peaceful coexistence
sova owl
spací: ~ pytel sleeping bag; **~ vůz** sleeping car
spad fallout
spád 1 slant, slope 2 (*tempo*) pace
spadnout fall* down, fall* off
spáchat commit (**přestupek** an offence, **sebevraždu** suicide)
spájet solder, weld
spála scarlet fever
spálenina burn
spálit burn* (down); cremate (**tělo** a corpse)
spalničky measles *pl*
spalovací motor combustion engine
spalovat burn*
spánek 1 sleep 2 (*kost*) temple
spaní sleep; **mluvit ze ~** talk in one's sleep; **před ~m** at bedtime
spása salvation
Spasitel the Saviour
spát sleep; **~ jako dřevo** sleep like a log; **jít ~** go* to bed
spatra: dívat se ~ na look down on; **mluvit ~** speak* off the cuff
spatřit see*, behold*
speciál charter plane / flight
specialista specialist
specialita speciality
specializace specialization
specializovat se specialize (**na** in)

speciální special
specifický specific
spěch haste, hurry; **proč ten ~?** why all this hurry?; **ve ~u** in a hurry
spěchat hurry, be* in a hurry; **to nespěchá** there's no hurry
spektrum spectrum
spekulace speculation
spekulant speculator
spekulovat speculate
spěšně hurriedly, in a hurry
spěšnina express parcel; express goods *pl*
spěšný hasty; **~ dopis** express letter
spiklenec conspirator
spiknout se conspire, plot
spiknutí conspiracy, plot
spínač switch
spirála spiral
spis publication; (*úřední*) folder
spisovatel writer, author
spisovatelka woman writer, authoress
spisovný literary
spíše rather; **tím ~, že** the more so because
spíž larder, pantry
splácet pay* off by instalments
spláchnout, splachovat flush; rinse off
splašit se take* fright; **kůň se splašil** the horse shied
splatit pay* up (**dluh** a debt)
splátk|a an instalment; **koupit na -y** buy* on instalments
splatnost maturity (**směnky of** a bill)
splatný payable, due
splav weir
splávek (*rybářsky*) float
splavný navigable

splést 1 twine (**květiny do věnce** flowers into a garland) 2 confuse (**koho sb.**)
splést se make* a mistake
splín melancholy, depression, low spirits
splnění fulfilment
splnit 1 fulfil 2 perform, do* (**povinnost** one's duty) 3 grant (**přání** sb.'s wish)
splnit se come* true
splňovat fulfil (**požadavky zákona** the requirements of the law)
splynout, splývat merge, melt; **barvy splývaly** one colour melted into another
spočítat count
spodek bottom; (*v kartách*) knave, jack
spodem down through
spodky drawers *pl*, underpants *pl*
spodní bottom (**police** shelf)
spodnička petticoat, slip
spoj communication
spojenec ally
spojenecký allied
spojenectví alliance
spojení 1 connection; **~ mezi oběma názory** connection between the two ideas; **zmeškat (vlakové) ~** miss one's connection; **telefonní ~** telephone connection; **dostat (telefonické) ~** get* through 2 (*různého*) combination; **ve ~ s** in combination with 3 (*styk*) communication; touch; **být ve ~ s kým** be* in communication / touch with; **udržovat ~ s přáteli** keep* in touch with friends
♦ **krátké ~** short circuit
spojen|ý united; combined; **S-é státy** United States; **S-é národy** United Nations

spoj|it, -ovat 1 link, connect (**dvě města železnicí** two towns by railway) 2 unite; **společné zájmy -ují obě naše země** common interests unite our two countries 3 combine (**práci se zábavou** work with pleasure) 4 join (**muže a ženu v manželství** a man and a woman in marriage) 5 (*v duchu*) associate

spoj|it se 1 unite (**v boji za** in fighting for) 2 join; **horské potoky se -ují ve velké řeky** mountain torrents join up to form large rivers

spojitost connection

spojiv|ka conjunctiva [kondžaŋk'taivə]; **zánět -ek** conjunctivitis [kəndžaŋkti'vaitis]

spojka 1 (*auta*) clutch 2 (*jaz.*) conjunction

spojovací důstojník liaison [li'eizən] officer

spokojenost satisfaction

spokojený satisfied

spokojit se (*s čím*) be* satisfied with, put* up with

společensk|ý 1 social; **-é místnosti** social-purpose rooms 2 (*společensky obratný, družný*) sociable

společenství 1 companionship 2 (*obchodní*) partnership 3 (*lidské*) community 4 (*národů*) commonwealth

společně together, in common (**s** with)

společn|ice, -ík companion; (*obchodní*) partner

společnost 1 (*také obchodní*) company; **akciová ~** joint-stock company; **dceřiná ~** daughter company 2 (*zábavní*) party

3 (*vyšší, též vědecká*) society; **lidská ~** human society

společn|ý common; **~ trh** common market; **-é prohlášení** joint statement ♦ **nemám s tím nic -ého** I have nothing to do with it

spoléhat se rely (**na** on)

spolehlivý reliable

spolehnout se rely, depend (**na** on)

spolek union, association, club

spolknout swallow (up)

spolkov|ý 1 club (**život** life) 2 federal; **-á republika** federal republic

spolu together, at the same time; **~ s** along with

spoluautor joint author

spolubojovník fellow combatant [kombətənt]

spolucestující fellow passenger

spoluhráč partner

spoluobčan fellow citizen

spolupachatel accomplice [ə'komplis]

spolupráce cooperation

spolupracovat cooperate

spolupracovn|ice, -ík co-worker, fellow worker, collaborator, associate

spoluúčinkovat take* part (**na** in)

spoluviník accomplice [ə'komplis]

spolužá|ačka, -ák classmate, schoolmate, schoolfellow

spolužití coexistence

spona clasp; (*přezka*) buckle

sponka (*do vlasů*) hairgrip

spontánní spontaneous

spor dispute, argument; **beze ~u** beyond dispute; **o tom není ~u** there's no mistake about it

sporák cooker; **plynový ~** gas cooker

S

sporný controversial; (*problematický*) questionable
sport sport; **pěstovat ~ go*** in for sport
sportov|ec sportsman; **-kyně** sportswoman
sportovní sports, sporting; (*sportovce důstojný*) sportsmanlike ♦ **~ oblečení** sports togs *pl*; **po ~ stránce** sportswise; **~ disciplína** event
spořit save
spořitelna savings bank
spořitelní knížka bankbook, passbook
spotřeba consumption
spotřebič: elektrický ~ electrical appliance
spotřebitel consumer
spotřební zboží consumer goods *pl*
spotřebovat consume, use up
spousta a lot, lots
spoušť 1 (*zpustošení*) devastation 2 (*kohoutek*) trigger; (*fot.*) release
spouštět let* down; drop (**oponu** the curtain)
spoutat fetter
správa 1 (*řízení*) administration, management 2 (*oprava*) repair
správce 1 manager, administrator 2 (*hospodářský*) steward 3 (*domu*) caretaker
správcová caretaker
spravedlivý just
spravedlnost justice
spravit repair, mend
správka repair, mending
správkárna repair shop
správní administrative
správný right, correct
spravovat 1 (*opravovat*) repair, mend; darn (**punčochy**

stockings) 2 (*řídit*) manage, administer
sprcha shower
sprchovací kout shower cabinet
sprchovat se have* a shower
sprint sprint
sprinter sprinter
spropitné tip; **dát ~ komu** tip sb.
sprostý mean (**trik** trick); **-é slovo** dirty word; **-é chování** vulgar behaviour
spřátelit se make* friends (**s** with)
spustit 1 let* down 2 (*uvést do chodu*) start, get* going; **~ magnetofon** get* the tape recorder going 3 (*zbraň*) go* off 4 launch (**novou loď na vodu** a new ship) 5 (*začít*) start
sraz meeting; rally
sráz precipice
srazit, srážet 1 knock down 2 cut* (**ceny** the prices) 3 (*odečíst*) deduct
srazit se 1 clash 2 (*v dopravě*) collide 3 (*látka*) shrink* 4 (*mléko*) curdle
sraženina sediment
srážk|a 1 (*konflikt*) clash 2 (*katastrofa*) collision 3 (*snížení*) deduction, reduction ♦ **vodní -y** rainfall
Srb Serb
srbochorvat|ský, *též n* **-ština** Serbo-Croatian [sə:bəukro'eišən]
Srbsko Serbia
srbský Serbian
srdc|e 1 heart 2 (*zvonu*) tongue ♦ **v hloubi ~** in one's heart of hearts; **co máš na -i?** what's on your mind?; **mít to ~ a** have* the heart to + *inf*; **vzít si co k -i** take* sth. to heart; **z celého ~** with all one's heart; **zlaté ~** a heart of gold

srdečně: ~ **děkovat** thank very much; ~ **uvítat** give* sb. a hearty welcome

srdeční 1 heart; ~ **choroba** heart disease **2** cordial (**lék** medicine) **3** cardiac (**příznaky** symptoms)

srdečník motherwort [maðəwɔ:t]

srdečný cordial, hearty

srkat sip

srna doe

srnčí roe; (*maso*) venison

srnec roebuck

srolovat roll up

srostlý coalesced [kəuə'lest]

srovnání comparison; **ve ~ s** in comparison with

srovn|at, -ávat 1 (*uspořádat*) arrange **2** (*zarovnat*) level, plane **3** settle (**spor** a dispute) **4** (*přirovnávat*) compare

♦ **tyto dvě věci se nedají ~** there's no comparison between these two things

srozumitelný intelligible

srp sickle

srpek (*měsíce*) crescent (of the moon)

srpen August

srst hair, fur

sršeň hornet

srub log cabin

srůst concretion [kən'kri:ʃn]

srůstat grow* together; coalesce [kəuə'les]; (*o ráně*) heal up

stabilizace stabilization [steibilai'zeiʃn]

stabilizovat stabilize [steibilaiz]; ~ **se** become* stabilized

stabilní stable

stačit 1 (*postačovat*) be* enough, do*; **dva kusy budou ~ two** pieces will be enough / will do **2** (*vydržet*) last; **jídlo nám bude**

~ **na tři dny** the food will last us three days; **to mu bude ~ na celý život** that will last him a lifetime **3** (*v hloubce*) be* within one's depth **4** (*stihnout co*) make*, take* in; **co můžeme ~ za jeden den** what we can take in in one day **5** cope (**na problém** with a problem) ♦ ~ **s příjmem** make* both ends meet; **na to nestačím** it is beyond me

stadión stadium

stadium stage

stádo herd (**dobytka** of cattle); flock (**ovcí** of sheep)

stagnace stagnation

stáhnout, stahovat 1 pull down (**roletu** a blind); take* off (**ubrus** the tablecloth, **rukavice** one's gloves); skin (**králíka** a rabbit) **2** contract (**slovo** a word, **sval** a muscle); knit (**obočí** the brows) **3** withdraw* (**peníze z oběhu** money from circulation)

stáhnout se contract

stáj stable

stále always; all the time; ~ **ještě** still; ~ **větší počet** an ever greater number

stálice fixed star

stálobarevný colourfast

stáložárná kamna slow combustion stove

stál|ý constant, permanent; steady (**vítr** wind, **-á rychlost** speed)

stan tent; **postavit ~** put up / pitch a tent; **hlavní ~** headquarters *pl*

standard standard

standarta banner

stánek stall; (*s knihami a časopisy*) bookstall

stání 1 (*soudní*) hearing **2 místo k ~** standing room

stanice 1 tram stop; bus stop;
  ~ na znamení request stop
  2 (*nádraží*) station 3 (*konečná*)
  terminal, terminus

staniol tin foil

stanné právo martial law

stanovat camp in tents

stanoven|ý: ve -é lhůtě within
  the fixed period of time

stanovisk|o standpoint, point of
  view; **z mého -a** from my point
  of view

stanoviště stand

stanovit fix (**datum** a date, **ceny**
  prices); lay* down (**pravidla**
  rules); **~ si úkol** set* oneself
  a task

stanovy rules *pl*

starat se 1 look after (**o děti** the
  children) 2 care; **nestarám se
  o to, co říkají** I don't care what
  they say ♦ **o to se nestarejte**
  that's no business of yours

stárnout grow* old, be* getting
  on in years

starobní důchod old-age pension

starobylý time-honoured

starodávný old-time

staromódní old-fashioned

starost 1 (*péče*) care (**o** of); **mít
  na ~i co** be* concerned with sth.
  2 (*nesnáz, úzkost*) sorrow,
  trouble; anxiety (**o** for, about)

starosta mayor

starostlivý solicitous (**o** about)

starověk antiquity

starověký ancient

starozákonní Old Testament

starožitnictví antique shop

starožitník antique dealer

starožitnost antique

start start

startér starter

startovat start; (*letadlo*) take* off

startovní starting

sta|rý old; **~ chléb** stale bread;
  ~ papír waste paper; **-ré železo**
  scrap iron; **~ mládenec** bachelor;
  -rá panna spinster, old maid; **-ří
  a nemocní** the aged and infirm
  ♦ **na -rá kolena** in one's old age

stařec old man

stařena old woman

stáří 1 age; **ve tvém ~** at your
  age 2 (*vysoký věk*) old age

stát¹ *n* state

stát² *v* 1 stand*; **na stole** (**na stole**
  the table); **~ při kom** stand* by sb.;
  ~ komu v cestě stand in sb.'s
  way; **obrázek nechce ~** the
  picture won't stay put; **~!** stop!;
  ~ na svém insist 2 (*nepracovat*)
  be* idle; **stroj stojí** the machine
  is idle 3 (*oč*) care for, be* keen
  on; **o polévku nestojím** I don't
  care for soup; **on o ni nestojí** he
  isn't keen on her 4 (*kolik, zač*)
  cost*, be*; **kolik to stojí?** how
  much does it cost?, how much is
  it?; **ten film stojí za zhlédnutí**
  the film is worth seeing; **stojí to
  za to** it is worth while; **jako
  herec za mnoho nestojí** he isn't
  much of an actor; **za mnoho to
  nestojí** it isn't up to much
  5 (*sdělení*) say*, read*; **na
  firmě stálo** the sign said;
  v telegramu stálo the wire read

stát se 1 (*kým, čím*) become*,
  get*, turn; **stal se malířem** he
  became a painter; **~ hašteřivým**
  get quarrelsome 2 (*přihodit se*)
  happen, occur; **co se stalo?** what
  happened?, what is the matter?;
  ať už se to nestane don't let this

occur again; **kdyby se něco (zlého) stalo** if anything went wrong
stať essay, article
statečnost bravery, courage
statečný brave, courageous
statek estate, farm
statický static
statista extra
statistický statistical
statistika statistics
stativ tripod
statkář landowner
státní state
státník statesman
statný robust, sturdy
statut statute
stav[1] (*tkalcovský*) loom
stav[2] state, condition; **v dobrém / špatném ~u** in good / bad condition ♦ **být v jiném ~u** be* in the family way
stávat se *viz* **stát se**
stavba building, construction
stavební: ~ dělník construction worker; **~ dříví** timber; **~ inženýr** civil engineer; **~ hmoty** building materials *pl*; **~ místo** (building) site
stavebnictví building trade
stavení building
staveniště building site
stavět 1 stand*, put* (**lampu / knihu na stůl** a lamp / a book on the table) 2 build*, construct (**dům** a house) 3 (*o vlaku*) stop
stavět se 1 (*do řady*) line up 2 make* a stand (**za svoje zásady** for one's principles, **proti nepřáteli** against the enemy) ♦ **~ se do cesty čemu** obstruct sth.; **~ se na odpor čemu** defy sth.
stavit se drop in
stavitel builder, architect

stavitelství architecture; **pozemní ~** civil engineering
stávka strike; **generální / okupační / solidární / výstražná ~** general / sit-down / sympathetic / token strike
stávkokaz blackleg
stávkovat strike*, be* on strike
stávkující striker
stéblo (*slámy*) straw; (*trávy*) blade of grass
steh stitch
stehlík goldfinch
stehno thigh; **~ z kuřete** chicken leg
stěhovací vůz removal van
stěhování removal
stěhovat move; **~ se** move house
stejně 1 (*totožně*) in the same way, equally 2 (*beztak*) as it is; **~ jdeme pozdě** we are late as it is; **~ utrácíme už tak dost peněz** we're spending too much money as it is
stejnokroj uniform
stejnoměrný (*rysy*) regular; (*teplota*) constant; (*rozdělení*) even
stejnosměrný even, equable
stejnosměrný proud direct current
stejný the same (**jako** as)
stékat flow down
stelivo bed of straw
stěna wall; **bledý jako ~** as white as a sheet
sténat groan
stenograf stenographer
stenografovat take* down in shorthand
stenotypistka shorthand typist
step, *též adj* **~ní** steppe
stěrač windscreen wiper

S

stereofonní stereophonic
[steriə'fəunik]

stereotypní stereotyped
[steriətaipt]

sterilizovat sterilize

sterilní sterile

stesk longing; **~ po domově**
homesickness

stevardka air hostess

stezka path; trail

stěžeň mast

stěží hardly

stěžovat si complain (**na** of,
komu to sb.)

stíhací: ~ letadlo fighter plane,
interceptor; **~ letec** fighter pilot

stíhačka viz **stíhací letadlo**

stíhat prosecute (**pro
nepřiměřenou rychlost** for
exceeding the speed limit)

stihnout catch* (**vlak** the train);
be* in time for (**začátek** the
beginning)

stín 1 (*vržený*) shadow; **bojí se
svého vlastního ~u** he is afraid
of his own shadow; **ani ~
podezření** not a shadow of
suspicion 2 (*chladivý*) shade;
jaká je teplota ve ~u? what is
the temperature in the shade?

stínidlo lamp shade

stínit shade

stinný shady

stíny eye shadows *pl*

stipendista aided student,
scholarship holder

stipendium scholarship; grant

stírat wipe (off)

stisknout press, squeeze

stísněn|ý 1 (*prostor*) cramped;
jsme tu -i we are cramped for
room here 2 (*duševně*) distressed

stížnost complaint (**na** of)

stlač|it, -ovat compress

stlát 1 strew (**slámu** straw)
2 (*postel*) make* the bed

stmív|at se: -á se it is getting dark

sto hundred

stočit 1 roll up (**koberec** the
carpet, **mapu** the map) 2 coil
(**lano** a rope) 3 turn (**auto
vpravo** the car to the right)

stodola barn

stoh stack

stojací lampa standard lamp,
floor lamp

stojan stand; **malířský ~** easel

stojka (*na rukou*) handstand; (*na
hlavě*) headstand

stoka sewer, drain

stokoruna hundred-crown note

stolek table; **noční ~** bedside table

století century

stolice 1 stool 2 (*katedra*) chair

stolička (*zub*) molar

stolní table; **~ prádlo** table linen;
~ tenis table tennis

stonat be* ill, be in bad health

stonek stalk, stem

stop: cestovat ~em hitchhike

stop|a 1 (*vytlačená*) track, foot-
print 2 trace (**staré civilizace** of
an ancient civilization, **po
zloději** of a thief) 3 (*míra*) foot
♦ **zmizet beze -y** disappear
without (leaving) a trace

stopař(ka) hitchhiker

stopka 1 (*auta*) rear light,
taillight 2 (*ovoce, sklenice*) stem

stopky stopwatch *sg*

stopovat 1 trace (**zločince** a crim-
inal) 2 track (**zvíře** an animal)
3 (*auto*) hitch [hič], thumb

stoprocentní hundred-percent

stornovat cancel

stoupání rise (**cen** in prices)

stoupat rise*; climb, mount (**na horu** a mountain)

stoupenec follower

stoupnout 1 rise* **2** (*šlápnout*) tread* (**komu na nohu** on sb.'s toes)

stovka hundred

stožár mast; pole; (*elektrického vedení*) pylon

strach fear (**z čeho** of sth.); **ze ~u před** for fear of; **ze ~u aby** for fear that; **mít ~ fear** (**z čeho** sth.), be* afraid (**z čeho** of sth., **o koho** for sb.)

strakapoud spotted woodpecker

strakatý motley

stráň slope

stran|a 1 side; **levá ~ ulice** the left side of the street; **psát po jedné -ě papíru** write on one side of the paper; **na všech -ách** on all sides; **ze všech stran** from all sides; **na druhé -ě stolu** on the other side of the table **2** (*v knize*) page **3** (*politická*) party **4** (*směr*) direction; **rozprchnout se na všechny -ny** scatter in all directions; **světové -y** cardinal points ♦ **na druhé -ě 1** (*naproti tomu*) on the other hand **2** (*na rubu*) overleaf; **na kterou -u je váš dům?** which way does your house face?

stranický 1 party **2** (*zaujatý*) bias(s)ed

straník party member

stránka 1 (*v knize*) page **2** (*hledisko*) aspect **3** point; **dobrá / slabá ~** good / weak point

strašidelný ghostly

strašidlo ghost, spectre

straš|it frighten; **v domě -í** the house is haunted

strašný awful, dreadful, terrible; (*velmi špatný*) (*hovor.*) ghastly (**oběd** dinner)

strategický strategic

strategie strategy

stratosféra stratosphere

strava (*jídlo*) food **2** (*způsob stravování*) diet; **bohatá ~** rich diet **3** (*stravování*) board; **~ a byt** board and lodging

strávit 1 (*potravu*) digest **2** (*čas*) spend*, pass

stravitelný digestible

strávník boarder

stravování board

stravovat se take* meals

stráž guard; (*vojenská*) sentry; **pomocná dopravní ~** traffic warden

strážce guard

strážní služba guard duty

strážník policeman

strčit 1 push (**do čeho** sth.) **2** put* (**do kapsy** in / into one's pocket)

strefit se hit* the target

strhnout 1 tear* down (**vyhlášku** a notice); pull down (**budovu** a building) **2** být stržen (**uměním**) be* swept off one's feet (by the art) **3** deduct (**částku** a sum)

striptérka stripper

strkat push; **~ nos do cizích věcí** poke one's nose into other people's affairs

strmý steep

strnad bunting [bantıŋ]

strniště stubble

strnout stiffen

strnulý stiff, rigid

strohý abrupt

stroj 1 machine; (*motor*) engine **2 ~e** *pl* machinery

strojek na maso mincer
strojený affected
strojírenství engineering
strojírna machine works
strojit 1 decorate (**vánoční stromek** Christmas tree) 2 (*úklady*) scheme
strojit se dress, get* dressed
strojník mechanic, engineer
strojopis typescript
strojovna engine room
strojov|ý mechanical, machine-made; **-é pohyby** mechanical movements
strojvůdce engine driver
strom, ~ek tree; **vánoční ~ek** Christmas tree
strop ceiling
strouha ditch, gutter
strouhač electric grater
strouhanka breadcrumbs *pl*
stroužek česneku clove of garlic
strouhat grate (**sýr** cheese)
strpení: okamžik ~! just a moment, please
stručný brief; (*zhuštěný*) concise ♦ **~ a jasný** succinct
struhadlo grater
struktura structure; pattern
struna string
strun|ový, -ný stringed (**nástroj** instrument)
strup scab [skæb]
struska slag
strýček uncle
strž ravine
střádat save (up)
střapec tassel
střed 1 centre (**kruhu** of a circle, **Londýna** of London) 2 middle (**místnosti** of a room, **století** of the century, **ulice** of the street)
středa Wednesday

středisko centre; **zdravotní ~** health centre
střední 1 central; **S~ Evropa / Amerika** Central Europe / America 2 middle; **zlatá ~ cesta** middle course; **S~ východ** the Middle East 3 mean (**roční teplota** annual temperature) 4 secondary (**škola** school) 5 medium (**vlny** waves)
středník semicolon
středoevropský Central European
středoškolsk|ý secondary (school); **-é vzdělání** secondary education
středověk the Middle Ages *pl*
středověký medieval
Středozemní moře the Mediterranean (Sea)
střecha roof; **~ klobouku** the brim of a hat
střela bullet, shell; **řízená ~** guided missile; **~ na branku** a shot at the goal
střelba fire, shooting
střelec 1 shot, marksman; **vynikající ~** crack shot 2 (*v šachu*) bishop
střelit shoot*, fire; **~ branku** score a goal
střelivo ammunition
střelnice (*vojenská*) shooting range; (*zábavní*) shooting gallery
střeln|ý: ~ prach gunpowder; **-á zbraň** firearm
střemhlav headlong; **letět ~** nosedive
střenka knife handle
střep crock
střepina splinter
střeva bowels *pl*
střevíc shoe
střevle minnow

střevní intestinal
střevo intestine
střežit guard, watch
stříbr|ný, *též n* **-o** silver
stříbřit silverplate
střídat 1 change (**názory** one's views, **obleky** one's clothes) **2** alternate (**vlídnost s přísností** kindness with severity)
střídat se 1 alternate **2** take* turns (**v čem** at sth.)
střídavý alternating (**proud** current)
střídmý moderate, self-restrained
střih 1 cut **2** (*krejčovský*) model, pattern
stříh|at, -nout cut*
střik squirt; (*ovocný*) fruit cup
stříkačka (*injekční*) syringe; (*hasičská*) fire engine
stříkl|at, -nout squirt
střílet shoot*, fire
střízlivý sober
stud shame
studánka spring
student, ~ka student; (*vysokoškolák*) undergraduate
studentský student
studený cold; ~ **jako led** ice-cold; (*o člověku*) cold as ice
studie study
studijní research; ~ **cesta** educational journey, study tour
studio studio
studium study; **školské** ~ studies *pl*; **dálkové / večerní** ~ extramural / evening courses *pl*
studna well
studovat study; ~ **ke zkoušce** read* up for an examination
studující student
stuha ribbon, bow

stůl table; **psací** ~ writing desk; **sedět u stolu** sit* at a table
stulík yellow waterlily
stupačka (*na motorce*) footrest
stupátko footboard
stupeň 1 (*schod*) step, stair **2** (*dílek*) degree, grade; **40 °C** forty degrees Celsius; **ve vysokém stupni** to / in a high degree
stupnice scale; (*přijímače*) dial
stupňovat 1 step up (**výrobu** production) **2** (*jaz.*) compare
stupňovat se increase
stužka bow, ribbon
stvol stalk, stem
stvoření 1 (*čin*) creation **2** (*tvor*) creature
stvrzenka receipt
stý hundredth
stydět se be* ashamed (**za** of); **měl by ses stydět** you should be ashamed of yourself
stydlivý bashful
styk 1 intercourse; **obchodní** ~ commercial intercourse; **pohlavní** ~ sexual intercourse **2** contact, touch; **být ve ~u s** be* in contact with; **udržovat** ~ **s** keep* in touch with; **navázat** ~ **s kým** make* a contact / get* into contact with sb., contact sb.; **ztratit** ~ **s** lose* touch with ♦ **písemný** ~ correspondence
stýkat se be* in contact, associate, mix (**s přáteli** with friends)
styl style
stylistický stylistic
stylový stylish
stýská|t se: -á se mi po domově I am homesick; **-á se mi po něm** I miss him
subjektivní subjective

S

subskripce subscription
subtilní subtle
subtropický subtropical
subvence subsidy, grant
sud barrel
sudý even
sugesce hypnotic suggestion
sugestivní suggestive
suchar 1 biscuit, cracker, rusk 2 *(nudný člověk)* killjoy, wet blanket
such|o drought; **být na -u** *(bez peněz)* be* broke
suchopárný dry, tedious, unimaginative
suchý dry; ~ **zip** velcro
suk knot
sukně skirt
sukno cloth
sůl salt
suma sum (of money)
sumec barbel
sundat take* down, take off
sup vulture
surovec brute
suplent supply teacher
surovina raw material
surovinový raw-material
surový 1 *(nezpracovaný)* raw, crude 2 *(brutální)* brutal, cruel
sušenka cracker, biscuit
sušen|ý dried; **-é mléko** powdered milk, milk powder; **-á vejce** dried eggs
sušit (se) dry; ~ **vyvěšením** drip-dry
suterén basement
suvenýr souvenir
suverénní 1 sovereign (**stát** state) 2 masterful (**způsoby** manners) 3 *(mistrovský)* masterly
svačina *(dopolední)* midmorning snack; *(odpolední)* tea

svádět 1 tempt (**k pití** to drink); seduce (**ženu** a woman) 2 *(dolů)* lead* down, take* down 3 blame (**co na koho** sth. on sb., sb. for sth.)
svah slope
sval muscle
svalit 1 roll down (**kámen** a stone) 2 *(vinu)* blame (**na koho zač** sth. on sb.)
svalit se roll down; *(upadnout)* fall* down
svalnatý muscular (**muž** man)
svalový muscular (**revmatismus** rheumatism)
svářeč welder
svářet weld
svařit 1 *(tech.)* weld 2 boil (**vodu** water); mull (**víno** wine)
svatba wedding
svatebčan wedding guest
svatební: ~ **obřad** wedding ceremony; ~ **cesta** honeymoon
sváteční festive; ~ **den** holiday, red-letter day
svátek 1 holiday; *(slavnost)* festival; **státní** ~ statutory public holiday 2 *(jmeniny)* name day
svatodušní svátky Whitsuntide [witsəntaid]
svátost sacrament
svatostánek tabernacle
svatý *(posvátný)* holy; saint; ~ **Jan** St. John
svaz federation; **odborový** ~ trade union
svázat tie, bind* (up)
svazek 1 bunch (**klíčů** of keys) 2 *(kniha)* volume 3 alliance (**států** of states)
svazovat *viz* **svázat**
svážet *(dolů)* bring* down; *(dohromady)* bring* together

svěcená voda holy water

svědčit 1 give* evidence (**u soudu** in court); testify (**proti komu** against sb., **o rychlém vývoji** to a rapid development) **2** (*jít k duhu*) agree; **káva mi nesvědčí** coffee does not agree with me

svědectví testimony, evidence

svědek witness

svědět itch

svědkyně witness

svědomí conscience; **mít čisté ~** have* a clear conscience; **mít co na ~** have sth. on one's conscience

svědomitý conscientious

svépomoc self-help

svěrák vice

svérázný peculiar

svěřenec ward

svěř|it, -ovat 1 confide (**děti péči koho** the children to the care of sb.) **2** entrust (**úkol komu** a task to sb., sb. with a task)

svěř|it se confide (**se svými potížemi příteli** one's troubles to a friend, **matce** in one's mother; **-il se mi, že** he confided to me that)

svést 1 (*dokázat*) manage **2** (*na scestí*) mislead*, lead* astray; seduce (**ženu** a woman) **3** blame (**co na koho** sth. on sb., sb. for sth.)

svět world; **na ~ě** in the world; **po celém ~ě** all over the world; **za nic na ~ě** for the life of me

světadíl continent

světelnost (*objektivu*) lens speed

světelný luminous

světle: ~ modrý / zelený light blue / green

světlice signal rocket

světlík meadow eyebright; (*okno*) light

světlo light; **bleskové ~** flashlight, flashbulb; **denní ~** daylight; **přední ~** (*auta*) headlight; **~ reflektoru** spotlight; **sluneční ~** sunlight; **umělé ~** artificial light

světlomet searchlight

světlovlasý fair

světl|ý light; **-é pivo** ale

světov|ý world(-wide); **~ jazyk** world language; **~ kongres** world congress; **~ názor** world outlook; **-á sláva** worldwide fame; **-é strany** cardinal points; **-á válka** world war

světoznámý world-famous

svetr pullover; (*lehký dámský*) jumper; (*vesta*) cardigan; (*vlněný sportovní*) sweater

světsk|ý 1 worldly; **-é radosti** worldly pleasures **2** secular; **-á hudba** secular music

svézt 1 (*dolů*) bring* down; (*dohromady*) bring together **2** (*koho autem*) give* sb. a lift

svěží fresh

svícen candlestick

svíčka 1 candle **2** (*do auta*) spark(ing) plug

svíčková fillet (of beef)

svině sow

svin|out, -ovat roll up (**koberec** a carpet); coil (**lano** a rope)

svírat 1 (*pevně*) hold* tight **2** contain (**úhel** an angle)

svislý perpendicular

svišť marmot [ma:mət]

svítání dawn; **za ~** at dawn

svítat dawn

svítilna lamp; **kapesní ~** torch, flashlight; **pouliční ~** street lamp

svítiplyn gas

S

svít|it 1 shine*; **-í měsíc** the moon is shining **2** light* (**komu na cestu** sb. on his way) **3** (*mít rozsvíceno*) keep* the lights on

svízel 1 (*potíž*) trouble, difficulty **2** (*rostlina*) lady's bedstraw

svižný supple, numble

svlačec field bindweed

svlé|ci, -kat take* off, strip; **~ se** undress, take* off one's clothes, strip (oneself)

svobod|a 1 freedom (**projevu** of speech, **svědomí** of conscience, **tisku** of the press) **2** liberty (**socha -y** Statue of Liberty)
♦ **pustit koho na -u** set* sb. free, release sb.

svobodník lance corporal; private 1st class

svobodn|ý 1 free **2** (*neženatý, neprovdaná*) single, unmarried; **-á matka** unmarried mother

svol|at, -ávat convene, call (**schůzi** a meeting)

svolení consent; **dát ~ (k)** give* one's consent (to), acquiesce (in)

svolit consent (**k návrhu** to the proposal)

svolný willing, ready

svorka clip

svorný united, unanimous

svrhnout overthrow* (**vládu** the government)

svrchník overcoat

svrchovanost sovereignty

svrchu: dívat se ~ na look down one's nose at; **~ uvedený** the above-mentioned

svůdný tempting

svůj: nejsem ve své kůži I am not myself; **hleď si svého** mind your own business; **všechno má ~ čas** all in good time; **udělej si to po svém** have* it your own way

sýček screech owl

syčet hiss; (*tuk*) sizzle

syfilis syphilis

sychravý raw

sýkora tit

symbol symbol

symbolický symbolic(al)

symetrický symmetric(al)

symfonický symphonic; **~ orchestr** symphony orchestra

symfonie symphony

sympatický nice, pleasant, likable

sympatie liking (**k** for)

sympatizovat 1 sympathize (**s kým v jeho ztrátě** with sb. in his loss) **2** (*stranit komu*) side (with sb.)

syn son

synovec nephew

syntetický synthetic

syntéza synthesis

sypat shower, sprinkle

sýpka granary

sypký loose

sýr cheese

syrov|ý raw; **-é maso** red meat

sysel ground squirrel

systém system

systematický systematic

systematizace systematization [sistimətai'zeišn]

sytit feed*

syt|ý 1 (*nasycený*) replete **2** (*vydatný*) substantial

sžíravý savage, vitriolic [vitri'olik]

Š

šablona pattern; (*malířská*) stencil

šach: dát ~ check; **držet koho v ~u** keep* sb. at bay; **~ mat** checkmate

šachista chessplayer

šachová figura chessman

šachovnice chessboard

šach|ový, *též* n **-y** chess *sg*

šachta shaft

šála scarf, shawl

šálek cup; **~ na čaj** teacup

šálivý deceptive, illusory

šalvěj clary, sage

šamot fireclay

šampaňské champagne

šampión champion

šampon shampoo

šanson chanson [šanˈson]; song

šasi chassis [šæsi]

šaš|ek (*dvorní*) fool, jester; (*cirkusový*) clown ♦ **dělat ze sebe ~ka** make* a fool of oneself

šátek (*na hlavu*) headscarf; (*kapesník*) handkerchief

šatna cloakroom; (*pro herce*) dressing room

šatnářka cloakroom attendant

šatník wardrobe

šaty clothes *pl*; (*dámské*) dress *sg*, frock *sg*

šavle sabre

šedesát sixty

šedesátý sixtieth

šedivět (grow*) grey

šedivý grey

šedomodrý greyish blue

šedovlasý grey-headed

šéf principal, chief, boss

šéfkuchař chef [šef]

šéfredaktor editor-in-chief

šek cheque; **vydat ~ na koho** draw* a cheque on sb.

šeková knížka chequebook

šelma beast of prey

šep|lot, *též* v **-tat** whisper

šeptem in a whisper

šerm fencing

šermovat fence; **~ rukama** make* gestures

šer|o dusk, twilight; **za -a** in the dusk / twilight

šeřík lilac

šeř|it se: -í se it is getting dark

šest, **~krát** six

šestiúhelník hexagon

šestnáct sixteen

šestnáctý sixteenth

šestý sixth

šetrný economical, thrifty

šetřit 1 save, put* by (**peníze** money) 2 (*neutrácet*) economize 3 conserve (**si síly** one's strength) 4 (*vyšetřovat*) investigate

šev seam

šibenice gallows

šicí stroj sewing machine

šidit cheat

šídlo 1 (*nástroj*) awl 2 (*hmyz*) dragonfly

šifra cipher

šifrovaný in cipher, coded

šíje 1 neck 2 (*zemská*) isthmus

šik line, file

šikmo aslant

šikmý oblique, slanting

šikovný handy; (*jen o lidech*) dexterous, competent, capable

šílenství madness, frenzy; (*odb.*) insanity

šílený mad; (*odb.*) insane

šílet be* mad; be* crazy (**po čem** about sth.)

šilhat squint

šilink shilling

šiml (*úřední*) red tape

šimrat tickle

šíp arrow

šípek 1 (*keř*) dog rose **2** (*plod*) hip

šipka 1 dart **2** (*ukazatel*) arrow

šípkov|ý: Š-á Růženka the Sleeping Beauty

širokorozchodný wide-gauge

širokoúhlý panoramic

širok|ý 1 wide; **látka -á pět stop** cloth five feet wide; **-é dveře** wide doorway **2** broad; **-á ramena** broad shoulders

šíř|it (se) 1 spread* (**nemoc** disease); **oheň se rychle -í** fire spreads quickly **2** enlarge (**o problému** on a problem)

šířka 1 width **2** (*zeměp.*) latitude

šiška cone

šišlat lisp

šít sew*; **šitý na míru** made-to-measure, tailored

šití sewing; needlework

škádlit tease

škaredý ugly

škeble shell

šklebit se grin

škoda 1 damage, harm **2 to je** what a pity; **~, že nemám ...** I wish I had

škodit (*komu*) harm sb., do* sb. harm; be* harmful to sb.

škodlivý harmful

škodná vermin

škodolibý malevolent

škol|a 1 school; **ekonomická ~** school of economics; **mateřská ~** nursery school, **odborná ~** vocational school; **průmyslová**

~ technical school; **střední** (*všeobecně vzdělávací*) **~** secondary (modern) school; **střední ~ pro pracující** adult education college; **večerní ~** night school, evening courses *pl*; **vysoká ~** university; **základní ~** primary school **2** (*vyučování*) lessons; **dnes nemáme ~u** there are no lessons today ♦ **být po -e** be* kept in (after school); **chodit do -y** go* to school, attend school; **chodit za -u** play truant

školačka schoolgirl

školák schoolboy

školení training, schooling

školit train, school; **~ se** train (**jako** as)

školka nursery

školné schoolfee(s *pl*)

školní school; **~ rok** school year

školník school caretaker

školský school, education(al); **~ zákon** Education Act

školství (system of) education; **ministerstvo ~** Ministry of Education

škráb|at, -nout scratch, scrape

škrabka scraper

škraboška mask

škraloup skin

škrob, *též v* **~it** starch

škrtat cross out

škrtit strangle

škrtn|out 1 strike* (**zápalku** a match) **2** (*přeškrtnout*) cross out, strike* (**ze seznamu** off the register); delete; **nehodící se -éte** delete which is not applicable

škubat jerk

škůdce 1 (*člověk*) evildoer **2** (*zvíře, hmyz, rostlina*) pest

škvára slag

škvarky pork scraps, greaves [gri:vz] *pl*
škvařit stew; (*máslo*) melt
škvor earwig
škytat hiccup
šlágr hit; evergreen
šlacha sinew
šlapat trample; (*na kole*) pedal
šlápnout tread* (**komu na nohu / na paty** on sb.'s toes / heels); **~ na plyn** step on the gas
šle braces *pl*
šlehačka whipped cream
šleha|t whip, beat*; **-né vejce** beaten egg
šlehnout 1 lash 2 flash; **hlavou mu šlehla myšlenka** an idea flashed through his mind
šlechetný noble, generous
šlechta aristocracy
šlechtěný improved, refined, cultivated
šlechtic nobleman
šlechtitel cultivator
šmelina profiteering
šmelinář profiteer, spiv
šnek (*šroub*) worm
šněrovací boty lace-up boots, lace-ups *pl*
šněrovadlo bootlace
šněrovat lace (up)
šňůra 1 line, cord, string; **~ na prádlo** clothesline 2 (*k elektrickému spotřebiči*) flex 3 (*série představení*) tour
šofér driver; (*zaměstnavatelova osobního vozu*) chauffeur [šəufə]
šokovat shock
šortky shorts *pl*
šoupátko slide valve
šoustat (*vulg.*) fuck
šovinismus jingoism [džiŋɡəuizm]

špaček 1 starling 2 (*nedopalek*) stub; (*tužky*) stump
špagety spaghetti [spə'ɡeti]
špachtle spatula [spætjulə]
špalek block
Španěl, ~ka Spaniard
Španělsko Spain
španělsk|ý Spanish; **-á stěna** folding screen; **to je pro mne -á vesnice** it's Greek to me
španělština Spanish
špatně badly, wrong; **je mi ~** I feel sick; **je na tom ~** he is badly off
špatný 1 bad 2 (*nesprávný*) wrong 3 (*zlý*) evil 4 (*chatrný*) poor
špehovat spy (**koho** upon sb.)
špenát spinach
špendlík pin; **spínací ~** safety pin
šperk jewel
špičatý pointed
špičk|a 1 point, tip 2 (*hory*) peak 3 (*boty*) toe 4 (*kuřácká*) holder 5 (*dopravní*) rush hours *pl*, peak time; (*energetická*) peak load ♦ **po -ách** on tiptoe
špičkový peak
špikovat (*maso*) lard
špína dirt
špinavý dirty
špinit dirty, soil
špión spy
špionáž, *též adj* **~ní** espionage
špíz skewer [skju:ə]
šplhat climb (**na strom** a tree)
šplhat climb (**na strom** a tree)
šponovky stretch slacks *pl*
šproty (smoked) sprats *pl*
šprým joke
šrot scrap (iron)
šroub screw; (*s maticí*) bolt
šroubek screw
šroubovák screwdriver
šroubovat screw

Š

štáb staff
štafeta relay
šťastn|ý 1 (*blaženy*) happy
2 (*úspěšny*) lucky ♦ **-ou cestu!**
(a) pleasant journey!
šťáva juice; (*z masa*) gravy
šťavnatý juicy
štěbetat twitter
štědrý generous; **Š~ večer**
Christmas Eve
štěkat bark
štěně puppy
štěnice bug (*též odposlouchávací*
zařízení)
štěpit (se) split*
štěpovat graft
štěrbina slot
štěrk gravel
štěstí 1 (*šťastny život*) happiness
2 (*šťastná náhoda*) good luck;
zkusit ~ try one's luck; **to je ale**
~! what a (great) piece of luck!;
mnoho ~! good luck! **mít ~** be*
lucky ♦ **~ v neštěstí** a blessing
in disguise
štětec brush
štětina bristle
štětka 1 (*nástroj*) brush
2 (*prostitutka*) streetwalker
štíhlý slender, slim
štika pike
štípat split*, chop (**dříví** wood)
štipec pinch
štípnout pinch (**koho do tváře**
sb.'s cheek, **komu tužku** sb.'s
pencil)

štít 1 shield **2** (*vyvěsní*) sign
3 (*domu*) gable
štítek 1 (*nálepka*) label
2 (*čepice*) peak
štítit se 1 loathe (**jídla** the food)
2 shrink* (**práce** from work)
štítná žláza thyroid [θairoid]
(gland)
štoček (*process*) block
štola gallery
štvanec outlaw
štvát 1 (*zvěř*) hunt with hounds;
chase **2** agitate (**proti** against)
šuměnka sherbet [ʃəːbət] powder
šumět (*potok*) murmur; (*listí*)
rustle; (*nápoj*) fizz
šumivé víno sparkling wine
šunka ham
šupina scale
šustět rustle
šváb cockroach
švadlena dressmaker
švagr brother-in-law
švagrová sister-in-law
švec shoemaker, cobbler
Švéd, ~ka Swede
Švédsko Sweden
švéd|ský, *též* n **-ština** Swedish
švestka plum
švihadlo skipping rope, jump rope
švih|at, -nout lash
Švýcar, ~ka Swiss
Švýcarsko Switzerland
švýcarský Swiss

T

tabák tobacco
tablet|a, -ka tablet (**aspirinu** of aspirin)
tábor, *též adj* **~ový** camp
tábořiště camping site
tábořit camp
tabule 1 sheet (**skla** of glass, **plechu** of iron) **2** (*okenní*) pane **3** (*školní*) blackboard **4** (*vývěsní*) signboard
tabulka 1 (*diagram*) chart **2** (*s nápisem*) tablet **3** bar (**čokolády** of chocolate)
tác tray
tácek saucer
tady here
taft taffeta
tágo cue
tah 1 (*zatažení*) pull **2** (*v loterii*) draw **3** (*vzduchu*) draught; (*pece*) blast **4** (*rys*) feature **5** (*v šachu*) move
tahací harmonika accordion
tahák crib
tahat pull (**vůz** a cart); pull out (**zuby** teeth)
táhlý 1 drawn-out (**zvuk** sound) **2** gradual (**vrch** hill)
táhnout 1 pull; drag **2** (*v šachu*) move **3** (*ptáci*) migrate ♦ **~ za jeden provaz** pull at the same end of the rope; **příklady táhnou** example works miracles
tachometr speedometer
tajemník secretary
tajemný mysterious
tajemství secret
tajit (*co před kým*) conceal (sth. from sb.), keep* sb. in the dark about sth.

tajný secret; **volí se ~m hlasováním** election is decided by secret ballot
tak 1 so; **~ krásný** so beautiful; **~ – jako** as – as; **ne ~ – jako** not so – as; **~ že** so that **2** (*hovor.*) that; **vždyť to není ~ těžké** it's not that heavy ♦ **~ tedy** well; now then; **~ asi** thereabout; **~ já to nemyslím** I don't think it that way; **píše ~, jak hovoří** he writes the way he talks; **nelíbí se mi to ~ ani ~** I don't like it either way; **~ ~ že ho zachránili** he was only just saved
také also; too ♦ **a ~** as well; **já ~** so ... I; **já ~ ne** neither ... I
takov|ý such (**člověk** a man); **něco -ého** something like that, that sort of thing
takt 1 (*hud.*) bar **2** (*taktnost*) tact ♦ **udávat ~** beat (the) time
taktický tactical
taktika tactics
taktní tactful
takto like this, in this way, thus
taktovka baton
takže so that
talár gown, robe
talent talent, gift
talíř plate; **hluboký ~** soup plate; **mělký ~** dinner plate
talířek 1 (*dezertní*) tea plate **2** (*podšálek*) saucer
tam there
tamější local, of that place
tamten that (over there)
tančit dance
tandem pillion; **jet na ~u** ride* pillion

tanec dance
taneční: ~ **hodiny** dancing
  lessons; ~ **hudba** dance music;
  ~ **škola** dancing school
tanečn|ice, -ík dancer
tání thaw
tank tank
tankovat tank up
tápat grope (**po** for)
tapeta wallpaper
tarif tariff
tasemnice tapeworm
taška 1 (*brašna*) bag; (*školní*)
  satchel; (*náprsní*) wallet,
  notecase **2** (*krytina*) tile
tát thaw, melt; **taje** it is thawing
tatarský Tartar
tatínek dad(dy)
Tatry: Vysoké / Nízké ~ the
  High / Low Tatra (Mountains)
tavba smelting
tavený sýr processed cheese
tavič smelter
tavit smelt, melt
taxa rate, charge
taxi taxi, cab
taxikář taxi driver, cabman
tázací interrogative
tázat se ask (a question), inquire
tázavý inquiring
tažební listina listed results *pl* of
  the draw
tažení campaign
tažný: ~ **kůň** draught horse;
  ~ **pták** bird of passage
teatrální dramatic, showy
téci 1 flow, run* **2** (*propouštět
  vodu*) leak
tečka 1 point, dot **2** (*interpunkční
  znaménko*) full stop, period
teď now; (*v dnešní době*) at
  present, nowadays, these days;
  ~ **když** now (that)

tedy then, so; accordingly;
  consequently
teflonový non-stick
tehdejší of that time, the then
tehdy then, at that time
těhotenství pregnancy
těhotná pregnant
technick|ý technical; **vysoká
  škola -á** College / Institute of
  Technology
technik (technical) engineer
technika 1 technology; **věda a** ~
  science and technology
  2 (*vypěstovaná zručnost*)
  technique
technolog technologist
technologie technology
tekoucí: ~ **horká a studená voda**
  hot and cold running water
tekut|ina, *též adj* **-ý** liquid
tele calf
telecí: ~ **maso** veal; ~ **léta** the
  awkward age
telefon telephone; **meziměstský** ~
  long-distance call; **mít** ~ be on
  the phone
telefonický telephonic
telefonist(k)a (switchboard)
  operator
telefonní: ~ **budka** call box, phone
  booth; ~ **seznam** telephone dir-
  ectory, phone book; ~ **ústředna**
  exchange; ~ **vzkaz** message
telefonovat phone, ring* up, call
  up (**komu** sb.)
telegraf telegraph
telegrafický telegraphic, wire
telegrafie telegraphy
telegrafista operator
telegrafní wire
telegrafovat telegraph, wire,
  cable; send* a wire

telegram telegram, wire, (*kabelogram*) cable
telekomunikace telecommunication
teleobjektiv telephoto [telifəutəu] lens
tělesn|ý 1 physical; **-é cvičení** physical exercise **2** manual; **-á práce** manual labour **3** animal; **-é potřeby** bodily needs *pl*
televiz|e television, TV, (*hovor.*) telly; **dívat se na -i** watch TV; **v -i** on the telly; **vysílat -í** televise
televizor television (set), TV set
těl|o body; **držet koho od -a** keep* sb. at arm's length
tělocvična gymnasium
tělocvik physical training, P.T.
tělocvikář P.T. master
tělovýchova physical culture
tělovýchovný P.T.
téma subject, topic
tematický of subjects
tematika scope of problems
téměř almost, nearly, practically
temn|ý dark; **-á komora** dark room
temperament temperament, disposition
temperamentní temperamental
temp|o pace; **udávat ~ set*** the pace; **rychlým -em** at a good pace
ten 1 the; **tohle je ~ dům** this is the house **2** that; **kdo je (tamhle)~ člověk?** who is that man?; **~ tvůj ošklivý zvyk** that bad habit of yours
♦ **pan T~ a ~** Mr. So-and-so
tendence tendency, trend
tendenční tendentious [ten'denšəs]
tenis tennis

tenisky plimsolls *pl*, tennis shoes *pl*
tenisový: ~ kurt tennis court; **~ míček** tennis ball
tenista tennis player
tenkrát at that time
tenký thin
tenor, ~ista tenor
tento this; (*ze dvou jmenovaných*) the latter
tentokrát this time; **pro ~ for** this once
tentýž the same (**jako** as)
teolog theologian [θiə'loudžn]
teoretický theoretical; academic
teorie theory
tep pulse
tepelný heat, thermal
tepláky track suit
teplárna district heating plant
teplo warmth ♦ **je ~ it** is warm; **je mi ~ I** am warm
teploměr thermometer
teplomet electric fan heater
teplot|a temperature; **mít (zvýšenou) -u** have* a temperature
tepl|ý 1 warm **2** heavy(weight); **~ zimník** heavy winter coat; **-é ponožky** heavy(weight) socks
tepna artery
teprve 1 only; **přišel ~ včera** he only came yesterday **2** not – till; **přijde ~ zítra** he won't come till tomorrow
terasa terrace
terceto trio
tercie third; **malá / velká ~** minor / major third
terč target
terén ground, country; (*voj.*) terrain [te'rein]
termín 1 term **2** (*konečný*)

T

deadline
♦ **před ~em** ahead of schedule
terminologie terminology
termoska vacuum flask
teror terror
terorist|a, *též adj* **-ický** terrorist
terpentýn turpentine
tesař carpenter
tesařská pila carpenter's saw
tesat hew*
těsnění packing
těsnopis shorthand; **psát ~em** take* down in shorthand
těsn|ý close, tight; **v -é blízkosti** in close proximity; **v -é souvislosti** in close connection; **bota je příliš -á** the shoe is too tight
test test
těst|o dough; **být ze stejného / z jiného -a be*** made in the same / in a different mould
těstoviny pasta [pæstə]
těš|it please; **velmi mě -í, že vás poznávám** I am very pleased to meet you
těšit se 1 enjoy (**z čeho** sth.) 2 look forward (**na to**)
teta aunt
tetanus tetanus [tetənəs]
tetička auntie [a:nti]
tetovat tattoo [tə'tu:]
tetřev capercailzie [kæpə'keilzi]
texasky (blue) jeans *pl*
text text; **~ písně** lyric
textil textiles *pl*
textilní textile
teze thesis
též also, too
těžba output
těžce: ~ pracovat work hard; **~ dýchat** breathe heavily
těžiště centre of gravity, point of balance

těžit 1 exploit, extract 2 make* the best (**z čeho** of sth.)
těžítko paperweight
těžko: ~ chápat be* slow on the uptake; **to půjde ~** that won't be easy; **~ říci** it's difficult to say
těžkopádný clumsy
těžký 1 heavy (**kámen** stone, **průmysl** industry) 2 difficult, hard (**úkol** task)
tchán father-in-law
tchoř polecat [pəulkæt]
tchyně mother-in-law
tíha weight, load
ticho silence
tichý 1 silent, quiet 2 low, soft (**hlas** voice)
♦ **T~ oceán** the Pacific Ocean
tílko (*nátělník*) vest
tikat tick
tiket coupon
tip tip (**na** for)
tipovat tip (**vítěze** the winner)
tis yew [ju:]
tíseň distress
tisíc thousand; **T~ a jedna noc** the Arabian Nights *pl*
tisk 1 print(ing) 2 (*noviny*) the press
tiskací: ~ písmeno block letter; **~m písmem** in block letters
tiskárna printing works
tisknout 1 press (**tlačítko zvonku** the button of a bell); squeeze (**čí ruku** sb.'s hand) 2 print (**knihu** a book)
tiskopis 1 form 2 (*v poštovní dopravě*) printed matter
tiskov|ý press; **-á konference** press conference; **-á chyba** misprint
tísnit oppress, vex
tísnit se 1 throng (**kolem koho**

around sb.) **2** be* cramped for
space (**v bytě** in a flat)

tísnivý oppressive

tísňové volání emergency call

tištěný printed

titul title

titulek headline; (*pod obrázkem*)
caption; (*filmový*) subtitle

tíže weight; **zemská** ~ gravity

tíž|it weigh down (**koho** on sb.);
co tě -í? what's your problem?

tj. i.e. (that is)

tkadle|c, -na weaver

tkalcovna weaving mill

tkalcovský weaving; ~ **stav** loom

tkáň tissue

tkanička (*do bot*) shoelace,
shoestring

tkanina fabric, tissue

tkát weave*

tlačenice crush, crowd, throng

tlačenka headcheese

tlačit 1 (*mačkat*) press; (*bota*)
pinch **2** (*strkat*) push (**vozík**
a cart); wheel (**kolečko** a barrow)

tlačítko button

tlak pressure

tlakoměr barometer

tlakov|ý: -é mazání forced lubric-
ation; **-á výše** pressure height

tlampač loudspeaker

tlapa paw

tleskat applaud, clap

tlouci beat*, strike*, knock (**na
dveře** at the door); (*máslo*) churn

tloustnout grow* fat, put* on
weight

tloušťka 1 thickness (**podrážky**
of the sole) **2** (*člověka*)
corpulence, stoutness

tlumený subdued

tlumit subdue (**hlasy** voices),

dampen (**svoje nadšení** one's
ardour)

tlumočit 1 interpret, act as inter-
preter **2** (*vyřídit*) tell*, express

tlumočn|ice, -ík interpreter

tlumok knapsack

tlupa band, gang

tlustý 1 thick **2** (*člověk*) fat, stout

tm. inst. = of this month

tm|a darkness, dark; **je** ~ it is
dark; **za -y** in the dark; ~ **jako
v pytli** pitch darkness

tmavomodrý navy-blue

tmavovlasý dark(-haired)

tmavý dark

tmel putty

to it, that

♦ **a to** namely; **to jest** that is (to
say); **to jsem já** that's me; **to je
krásný obraz!** what a beautiful
picture!; **to jsem si myslil**
I thought so, I thought as much;
to je ono that's it; **v tom s tebou
souhlasím** I agree with you there;
deštník, a k tomu ještě nový an
umbrella and a new one at that

toaleta toilet

toaletní: ~ mýdlo toilet soap;
~ **papír** toilet / lavatory paper,
toilet tissue; ~ **potřeby** toilet
requisites *pl*

tobogan roller coaster

tobolka 1 purse **2** capsule
[kæpsju:l]

toč|it 1 turn (**kolem** the wheel)
2 roll (**cigarety** cigarettes)
3 shoot* (**film** a film)

točit se turn (**kolem slunce** round
the sun)

♦ **-í se mi hlava** I feel* dizzy /
giddy, my head is going round

točitý winding

T

točna pole; **severní ~** the North Pole

tok flow; **vodní ~** stream

tolik so much / many; **dvakrát ~** twice as much / many

tolikrát so many times, so often

tomatový tomato

tombola raffle

tón tone; (*barevný*) shade; (*hud.*) note

tonáž tonnage

tónina key

topení heating

topič stoker

topinka toast

topit (*v kamnech*) heat

topit se be* drowning

topivo fuel

topné těleso radiator

topol poplar

torna knapsack

torpédo torpedo

torpédoborec destroyer

torzo torso [to:səu]

totální total (**válka** war)

totiž namely; that is to say

totožnost identity

totožný identical

touha longing, desire (**po** for)

toulat se wander, stroll, ramble

toulec quiver

touš puck

toužebný wistful

toužit long (**po** for)

továrna factory, plant

tovární factory

továrník manufacturer

tr. this year

tradice tradition

tradiční traditional

trafika tobacconist's

tragédie tragedy

tragický tragic

traktor tractor; traction engine

traktorista tractor driver

trám beam

tramp 1 (*osoba*) rambler 2 (*trampování*) ramble; **jít na ~** go* on a ramble, go tramping

tramvaj tram; **jet ~í** go* by tram, take* a tram

transformátor transformer

transfúze transfusion

transport transport

transportér conveyer belt

tranzistor transistor

tranzistorové rádio transistor (set)

tranzit, *též adj* **~ní** transit

trápení worry

trápit trouble, worry, bother

trapný painful; awkward

trasa line, track

trať 1 line, track 2 (*směr*) route ♦ **~ pouliční dráhy** tramline; **železniční ~** railway line

tráva grass

trávení digestion

traverza girder

trávit 1 digest (**potravu** food) 2 spend* (**čas** time)

travnatý grassy

trávní|ček, -k lawn; (*účes*) crew cut, buzz

trefit 1 (*zasáhnout*) hit 2 find* one's way, know one's way (**domů** home)

tréma (*divadelní*) stage fright; (*školní*) exam fever

trenér trainer, coach

trénink training

trénovat train

trenýrky trunks *pl*, training shorts *pl*

trepky slippers *pl*

treska cod

trest 1 punishment; **~ smrti**

capital punishment; **za ~** for a
punishment **2** (*školní písemný*)
imposition [impəˈzišn]
tresť essence
trestanec convict
trestat punish
trestní: ~ právo criminal law;
~ soud Criminal Court;
~ zákoník penal code
trestný: ~ bod penalty point;
~ čin criminal act; offence
tretry spiked shoes *pl*
trezor safe
trh market; **výroční ~** fair
trhat 1 tear* (**na kusy** to pieces)
2 pick (**květiny** flowers, **ovoce**
fruit, **chmel** hops) **3** pull
(**provazem** at a rope, **zub** out
a tooth)
trhavina explosive [ikˈspləusiv]
trhlina breach; (*podélná*) split
trhnout jerk; **~ sebou** jerk, start
triangulační triangulation
[traiæŋgjuˈleišn]
tribuna platform; (*sport.*) stand
tričko vest, top; (*bez límce,
s krátkými rukávy*) T-shirt
triedr fieldglasses, binoculars *pl*
trik trick; **reklamní ~** publicity
stunt, gimmick
triko vest
trikot tights *pl*
trikotýn stockinet [stokiˈnet]
trio trio
tristní (*smutný*) sad; (*trapný*)
pathetic
triumf triumph
triumfovat triumph, be*
triumphant (**nad** over)
trknout butt; (*přen.*) strike*
trn thorn; **být jako na ~í be*** on
pins and needles
trnka (*keř*) blackthorn; (*plod*) sloe

trnout (*strachem*) be* in fear (**o**
of) ♦ **trnou mi zuby** my teeth
are (set) on edge
trnož footrest
trofej trophy
trochu a little, a bit, slightly;
~ čaje a little / some / a spot of
tea; **~ unaven** a little / a bit /
slightly tired
trojí three sorts of, of three sorts
trojka three; Number Three
trojklanný (*nerv*) trigeminal
[traiˈdžeminl]
trojkolka three-wheeler
trojskok triple jump
trojúhelník triangle
trolejbus trolleybus
trombóza thrombosis
[θromˈbəusis]
tropick|ý tropical; **-á přílba** sun
helmet
tropy tropics *pl*
trosky ruins *pl*, debris [deibri:]
trouba 1 (*trubka*) trumpet **2** (*na
pečení*) oven **3** (*roura*) pipe
4 (*hlupák*) fool
troubit blow* (**na trubku**
a trumpet)
troufat si dare*
trouchnivět moulder, rot
trpaslík dwarf, midget
trpělivost patience
trpělivý patient
trpět 1 suffer (**čím** from sth.)
2 tolerate, stand* for (**co** sth.)
trpký bitter
trpný passive; **~ rod** (*jaz.*)
passive voice
trsátko plectrum
trubec drone (bee)
trubička tube
trubk|a 1 (*hud.*) trumpet
2 (*trubice*) tube, pipe

T

♦ **-y** *(úzké kalhoty)* *(hovor.)*
drainpipe trousers *pl*

truhlář joiner

truchlit mourn (**nad** for, over)

truchlivý mournful

trumf trump; **dát ~** play one's
trump card

trůn throne; **nastoupit na ~** ascend
the throne; **sesadit z ~u** dethrone

trup trunk

truskavec knotgrass

trust trust

trvalka perennial

trval|ý lasting, permanent;
-á ondulace perm

trvání duration

trvanliv|ý durable, long-lasting;
(barva) fast; **-é pečivo** biscuits *pl*

trva|t 1 last; **vánoce -jí tři dny**
Christmas lasts three days;
(činnost) take*; **práce -la tři
hodiny** the work took three
hours **2** *(naléhat)* insist (**na
čem** on sth.)

trychtýř funnel

trysk 1 *(běh)* gallop **2** *(proud)* jet

tryska nozzle, jet

tryskat jet, produce a jet

tryskov|ý jet-propelled; **~ motor**
jet engine; **-é letadlo** jet plane

tržba receipts *pl*

tržiště marketplace

tržit *(za zboží)* take* in

tržní market; **~ hospodářství**
free-market economy

tržnice market hall

třaskavina explosive

třást (se) shake* (**stromem** a tree,
zimou with cold)

třeba 1 *(nutno)* **je ~** it is necessary;
bude-li ~ if necessary **2** *(možná)*
~ je to pravda it may be true;
~ přijde pozdě he may be late

♦ **mohu spát ~ v křesle** I can
sleep in a chair for that matter

třebaže (al)though

třecí ručník bath towel, rough
towel

tření friction

třepat shake* (**lahví** the bottle)

třesk: velký ~ Big Bang

třeš|eň, -ně cherry

třešňovka cherry brandy

třetí third

třetice: do ~ všeho dobrého third
time lucky

třetihory the Tertiary [tə:ʃəri]
(period)

třetina third

třezalka St. John's wort

tři three

tříbarevný in three colours

třicátý thirtieth

třicet thirty

třčtvrteční three-quarter

třída 1 *(společenská, studijní)*
class **2** *(jen studijní)* form
3 *(místnost)* classroom **4** *(ulice)*
road

třídit classify; grade

třídní class; **~ kniha** class register;
~ učitel class master, form master

třináct thirteen

třináctý thirteenth

třípatrový four-storey(ed)

třípokojový three-room

třísk|a splinter; **vrazit si -u do ru-
ky** run* a splinter into one's hand

tříslo groin

tříštit shatter; **~ síly** fritter away
one's energy

třít rub

třít se 1 rub oneself (**o** against)
2 *(ryby)* spawn

třmen stirrup

třpytit se glitter

třtina cukrová sugarcane
tu here; **tu máš** here you are; **tu a tam** here and there, at odd moments
tuba tube
tuberkulóza tuberculosis
tucet dozen
tučňák penguin
tučný fat
tudy this way
tuhnout grow* stiff, stiffen
tuhý stiff, tough; severe (**mráz** frost)
tuk fat; **umělý ~** margarine
ťukat tap, knock (**na dveře** at the door)
ťuknout tap; **~ si** clink glasses (**s kým** with sb.)
tulák tramp
tuleň seal
tulipán tulip
tůň pool
tuna ton
tuňák tunny [tani]
tunel tunnel
tupírovat backcomb
tupý 1 blunt (**nůž** knife) **2** dull, slow-witted (**člověk** person)
túra tour
turbína turbine
turbovrtulový turboprop
Turecko Turkey
ture|cký, *též n* **-čtina** Turkish
Turek Turk
turista tourist
turistick|ý tourist; **-á chata** mountain hut; **-á značka** tourist sign
turistika tourism; (*pěší*) hiking
turnaj tournament
turné tour
turnus shift
tuš Indian ink
tušení presentiment

[pri'zentiment], inkling; **nemám ~** I have no idea
tušit anticipate
tuzemský inland, home
tuzér tip
tužka pencil
tvar 1 form **2** (*vnější, obrys*) shape
tvárnice moulded brick
tvaroh curds *pl*, cottage cheese
tvář 1 (*líce*) cheek **2** (*obličej*) face
♦ **říci co komu do ~e** say* sth. to sb.'s face; **~í v ~ čemu** in the face of sth.
tvářit se look
tvor creature
tvorba production; (*dílo*) work(s) *pl*
tvořit create, form
tvořivost: lidová ~ folk art
tvořivý creative
tvrdě hard; **spát ~** sleep* soundly
tvrdit affirm, allege
tvrdohlavý headstrong, obstinate
tvrdý hard; **~ jako kámen** as hard as rock; **~ spánek** sound sleep
tvrz fortress, stronghold
tvrzení assertion
tvůj your; yours
tvůrce creator
tvůrčí creative
ty you
tyč pole, bar
tyčinka stick
týden week; **tento / minulý / příští ~** this / last / next week; **ode dneška za ~** today week; **dnes ~** a week ago today
týdeník weekly; **filmový ~** newsreel
týdenní weekly (**mzda** wages)
týdně every week; **dvakrát ~** twice a week

tyfus typhoid fever
tygr tiger
tykat si be* on familiar terms
 (**s kým** with sb.)
týkat se (*čeho*) concern (sth.);
 refer, apply (to sth.)
 ♦ **to se tě netýká** that doesn't
 concern you; **pokud se mne
 týká** as far as I am concerned;
 ta poznámka se mě netýká that
 remark does not refer to me; **co
 se týká jídla** as regards food

tykev pumpkin
tyl tulle [tju:l]
týl nape; (*voj.*) rear
tým team
tympán kettledrum
typ type
typický typical
typizace standardization
typizovat standardize
týrat maltreat
tyrkys turquoise [tə:kwoiz]
tzv. the so-called

U

u 1 at; **u stolu** at the table; **u oběda** at dinner; **u tabule** at the blackboard; **u moře** at the seaside; **u nás** *(doma)* at our place; **u strýce** at my uncle's 2 by; **u řeky** by the river; **u kamen** by the fire 3 with; **bydlit u rodičů** live with one's parents 4 about, on; **nemám u sebe peníze** I haven't any money about / on me
♦ **u nás** *(v ČR)* in this country; **brát hodiny u koho** take* lessons from sb.; **bitva u Trafalgaru** the battle of Trafalgar

uběhnout 1 *(čas)* pass, fly* 2 *(lhůta)* expire

ubít 1 *(zabít)* beat* to death 2 kill *(čas* the time)

ubikace quarters *pl*

ubl|ížit, -ižovat hurt* *(komu* sb., **jeho zájmům** his interests); injure *(svému zdraví* one's health, **čí dobré pověsti** sb.'s reputation)

uboč slope

ubohý poor

úbor dress, rig; **cvičební ~** gym suit; **sportovní ~** sportswear; **večerní ~** evening dress

ubránit maintain; **~ se** resist *(čemu* sth.)

ubrousek napkin, serviette

ubrus tablecloth

ubýt, *též n* **úbytek** decrease

ubytování accommodation

ubytovat (se) put* up *(v hotelu* at a hotel)

ubýv|at decrease, (be* on the) wane; **měsíc -á** the moon is on the wane

ucítit 1 *(hmatem)* feel* 2 *(čichem)* smell*

ucelený self-contained, integral

ucp|at, -ávat stop

úcta respect **(k** for)

uctít 1 pay* tribute *(čí památku* to sb.'s memory) 2 treat **(koho dobrým obědem** sb. to a good dinner)

uctívat worship **(koho jako hrdinu** sb. as a hero)

uctivý respectful

účast 1 *(podíl)* part; **mít ~** take* part **(na** in) 2 *(soustrast)* sympathy **(s** with)

účastn|ice, -ík participant; **-íci** those taking part

účastnit se take* part **(čeho** in sth.)

učebna classroom

učebnice textbook

účel purpose; **za tímto ~em** to this purpose; **za tím ~em, aby** in order to / that

účelný expedient

učeň apprentice

učenec scientist, scholar

učení 1 *(studium)* study 2 *(vyučování, nauka)* teaching 3 *(řemesla)* apprenticeship

účes hairdo, hairstyle

učesat comb; **chci ~** I want my hair set; **~ se** comb / do* one's hair

účet 1 account; **otevřít ~ u banky** open an account with a bank; **vyrovnat ~** settle the account 2 *(účtenka)* bill 3 *(za zboží)* invoice

účetní *n* book-keeper
● *adj* book-keeping; **~ hodnota** book value; **~ zápis** record

U

účetnictví book-keeping

učiliště training institution

účinek effect

učinit do*, make*; ~ **možným** make* possible

účinkovat 1 (*lék*) take* **2** (*vystupovat*) perform

účinkující performer

účinný effective

učit teach* (**děti** children, **děti počtům** mathematics to children)

učit se 1 learn* (**cizímu jazyku** a foreign language) **2** study; **musím se ~ í** I must study **3** be* apprenticed (**řemeslu** to a trade / craft)

učitel, ~ka teacher, (school)master

učivo subject matter

učňovská škola school for apprentices

účtárna accounting department

účtenka bill

účtovat 1 (*vést účty*) keep* books **2** (*počítat*) charge (**komu 50 korun za opravu** sb. 50 crowns for a repair)

úd limb

údaj(e) data, information

událost event

udání indictment, denunciation

udat 1 state, tell* **2** (*policii*) denounce, inform (**koho against** sb.)

udát se happen, occur

udavač, ~ka informer

udávat: ~ **tempo / módu** set* the pace / the fashion; *jinak viz* **udat**

udělat make*, do*; **dát si co ~** have* / get* sth. made; ~ **co pro koho** do sb. a good turn; ~ **se** (*vulg.*) come; ~ **si obrázek o čem** build* up a picture of sth.

udělí|it, -ovat give*, grant (**komu co** sb. sth.)

úder blow, hit; ~ **hromu** clap of thunder

uderit strike*, hit

úděs fright, alarm, consternation

udice fish hook

údiv astonishment

udivený astonished (**čím** at sth.)

udiv|it, -ovat astonish

údolí valley

údržba upkeep, maintenance

údržbář maintenance / service man, repairer

udrž|et, -ovat keep*, maintain (**styky** relations)

udupat trample (down); ~ **k smrti** trample to death

udusit stifle, smother, suffocate; ~ **se** be* stifled, suffocate

udýchaný out of breath

uhádnout guess

uhájit defend

uhasit 1 put* out, extinguish **2** quench (**žízeň** thirst)

uhel coal; (*kreslířský*) charcoal

úhel angle

uheln|ý coal; **-á oblast** coalfield; ~ **důl** colliery

uher pimple

uherský Hungarian

uhlí coal; **černé** ~ black coal; **hnědé** ~ brown coal; **dřevěné** ~ charcoal

úhloměr protractor [prə'træktə]

uhlový papír carbon paper

uhnout (se) swerve, turn aside

uhodit strike*, hit

uhodnout guess

úhoř eel

uhořet be* burnt to death

úhrad|a settlement, payment; **na -u** in settlement

uhradit 1 (*vyrovnat*) settle
2 (*krýt*) cover (**výdaje** the
expenses)

úhrn (sum) total

úhrnem altogether

uhřát se become* hot, become*
flushed

uhýbat (se) *viz* **uhnout (se)**

uchazeč applicant

ucházet 1 (*být uspokojivý*) be*
fairly good, pass muster
2 (*unikat*) leak, escape

ucházet se apply (**o** for)

ucho 1 ear **2** (*jehly*) eye
3 (*tašky*) handle

uchopit grasp, grip, seize

uchovat preserve, keep*; **~ se**
keep* well

úchylka deviation

úchylný abnormal, perverted

uchylovat se resort (**k násilí** to
force)

ujas|nit, -ňovat make* clear; **~ si**
size up (**situaci** the situation)

ujednání arrangement, settlement

ujedn|at, -ávat arrange, settle

ujet leave*, go* away

ujímat se 1 (*čeho*) take* up
(sth.), take* possession (of sth.)
2 (*uchytit se*) catch* on

ujistit assure; **můžete být ujištěn**
you may rest assured

ujištění assurance

ujít (*být přijatelný*) be* fairly
good, pass muster ♦ **nechat si
co ~** miss sth.; **nenechat si ujít
návštěvu těch míst** make*
a point of visiting those places

ujmout se 1 take* possession
(**dědictví** of the heritage); take*
charge (**dítěte** of the child);
enter (**úřadu** upon one's office);

set* about (**úkolu** one's task)
2 (*uchytit se*) catch* on

ukázat 1 show* (**lístek** one's
ticket, **komu cestu** sb. the way)
2 point (**k severu** to the north,
prstem na koho one's finger at
sb.)

ukáza|t se 1 (*dostavit se*) appear,
turn up **2** (*jako*) prove to be,
prove as ♦ **-lo se, že** it turned out
that; **to se ukáže!** time will tell!

ukazatel (*cesty*) signpost

ukázk|a 1 (*zboží*) specimen,
sample; **zboží na -u** goods on
approval **2** (*reprezentativní*)
showpiece (**moderní architektu-
ry** of modern architecture)
3 (*literární úryvek*) passage

ukázněný well-disciplined, orderly

ukazováček index finger,
forefinger

ukazovat *viz* **ukázat**

ukazovátko pointer

ukládat 1 (*stranou*) put* aside
2 put* (**děti do postele** children
to bed) **3** put* by (**peníze**
money); save up (**peníze na do-
volenou** money for a holiday);
deposit (**peníze do banky**
money in a bank) ♦ **~ komu
o život** attempt sb.'s life

úklid cleaning up, cleanup

ukl|idit, -ízet clean, tidy up; **~ ze
stolu** (*po snídani*) clear away
(the breakfast things)

uklidnit (se) calm down

uklízečka cleaner, cleaning lady

uklonit se bow

uklouznout slip

úkol 1 task **2** (*penzum*) stint;
domácí ~ homework; **uložit
domácí ~** set* homework
3 (*písemný*) exercise

U

úkolov|ý: -á mzda piece wage;
  -á práce piecework
ukončit finish, bring* to an end
úkor: na ~ čeho to the detriment
  of sth.
ukousnout bite* off
Ukrajina Ukraine [juːˈkrein]
ukrást steal*; pinch
ukrojit cut* off
úkryt hiding place
ukrý|t, -vat (se) hide*
ukvapený hasty
ukvapit se rush things; act rashly
úl hive
ulehč|it, -ovat (si) facilitate,
  make* easy (**práci** one's work)
ulehnout take* to one's bed
uletět fly* away
úleva 1 (*oddech*) relief, letup
  2 (*prominutí čeho*) concession
ulevit give* vent (**svým citům** to
  one's feelings); **~ si** let* off steam
ulic|e street; **na -i** in the street
ulička (*mezi domy*) lane, alley;
  (*mezi sedadly*) gangway
úloha 1 (*školní*) exercise;
  (*šachová*) problem **2** (*herecká*)
  part, role
úlomek fragment
ulomit (se) break* off
úlovek, *též v* **ulovit** catch*
uložit 1 (*uschovat*) put* away
  2 set* (**úkol** a task) **3** deposit
  (**peníze ve spořitelně** money in
  a savings bank) **4** impose (**daň**
  a tax)
ultrafialový ultraviolet
  [ˌʌltrəˈvaiəlit]
ultrakrátké vlny very high
  frequency (v.h.f.)
ultrazvuk ultrasound
umazat soil; **~ se** get* soiled
umělec artist; **estrádní ~** artiste

uměleckoprůmyslová škola
  college of applied arts
uměleck|ý artistic; **-é dílo** a work
  of art
umělkyně artist
uměl|ý artificial; **-é dýchání**
  artificial respiration; **-é hedvábí**
  rayon; **-á hmota** plastic;
  -é vlákno man-made fibre
umění art; **výtvarné ~** the fine
  arts *pl* ♦ **v tom je celé to ~** that
  is all there is to it
úměrný proportionate
um|ět know*, know how to + *inf*;
  can*; be* good at ♦ **-í anglicky**
  he knows English, he speaks
  English; **-í tančit** he knows how
  to dance; **-í matematiku** he is
  good at mathematics; **-í s dět-
  mi** he has a way with children;
  -í rychle počítat he is quick at
  figures; **německy moc neumí** his
  German is on the sketchy side
umíněný obstinate
umínit si set* one's mind (**co** on
  sth.)
umírat be* dying
umístění 1 placement **2** (*též
  zaměstnání*) place, situation
um|ístit, -isťovat place, situate,
  house; **~ se** (*v závodě*) be* placed
  ♦ **v kině se -ístí 500 diváků** the
  cinema accommodates 500
  people
umlčet silence
umlít grind*
úmluva agreement, arrangement
umoc|nit, -ňovat (*na druhou*)
  square, (*na třetí*) cube
úmorn|ý: -á práce wearisome
  work; **-é vedro** scorching heat
umož|nit, -ňovat 1 (*co*) make*

(sth.) possible **2** enable (**komu, aby** sb. to + *inf*)

úmrtí death

úmrtnost mortality; (*statisticky*) death rate, mortality rate

umrtv|it, -ovat 1 mortify (**tělo** the flesh) **2** anaesthetize [æˈniːsθitaiz] (**zub** a tooth)

umřít die

umučit torture to death

úmysl intension ♦ **mít v ~u** intend; **mám s vámi dobré ~y** I mean* well by you; **měl jsem ten nejlepší ~** I had the best of intentions

úmyslně on purpose, purposely, deliberately

úmyslný intentional, deliberate

umýt wash; **~ se** (have* a) wash

umývadlo washbasin, washbowl

umývárna lavatory; **~ nádobí** scullery

umývat (se) wash

únava fatigue

unavený tired

unavit tire; **~ se** get* tired

únavný tiresome, tedious, tiring

Unesco UNESCO (United Nations Educational, Scientific, and Cultural Organization)

unést 1 be* able to carry (**náklad** a load) **2** (*uloupit*) kidnap (**dítě** a child); hijack (**letadlo** a plane) ♦ **nenechte se ~ hněvem** don't let your rage run away with you

unie union

uniforma uniform

únik escape; **~ o vlas** a narrow escape; **daňový ~** evasion

unik|at escape, leak; **plyn -á** gas is escaping / leaking

uniknout 1 escape (**z vězení** from prison) **2** evade (**vojenské službě** military service)

úniková četba escapist reading

univerzální universal; **~ klíč** master key, pass key

univerzita university

únor February

únos (*dítěte*) abduction, kidnap(ping); (*letadla*) hijack(ing)

únosný bearable, endurable

upadat decline

úpadek decline; (*obch.*) bankruptcy; **udělat ~ go*** bankrupt

úpadkový decadent

upadnout fall* down; **~ do špatných návyků** lapse into bad habits

úpal sunstroke

upálit burn* to death

úpatí foot (**hory** of a mountain)

upéci bake (**chléb** bread); roast (**maso** meat); **~ se** bake, be* baked, be* melted

upejpavý coy, demure, bashful

úpěnlivý imploring, pleading

úpět groan

upev|nit, -ňovat 1 fasten, fix **2** (*posílit*) strengthen

úpis bond

upjatý prim

uplakaný tearful

uplatek bribe

uplat|nit, -ňovat 1 (*použít*) put* into practice **2** exercise (**svá práva** one's rights) **3** exert (**svůj vliv** one's influence)

uplést knit

úplně fully, completely; **máte ~ pravdu** you are perfectly right

úplněk full moon

úplný complete, entire

uplynout pass, elapse

uplynul|ý past; **v -ém týdnu** during the past week

upom|enout, -ínat 1 remind

(**koho nač** sb. of sth.) **2** claim
(**o zaplacení** payment)
upomínka 1 souvenir [su:və'niə]
2 (*dopis*) reminder
upomínkový: ~ **předmět**
souvenir; **obchod s ~mi**
předměty gift shop
úporný fierce, stubborn
uposlechnout obey
upotřebit use, make* use of
upouštět give* up (**od čeho** sth.)
upout|at, -ávat attract (**pozornost**
attention)
upozornění warning; reminder
(**na** of)
upozor|nit, -ňovat 1 call sb.'s
attention (**na** to) **2** (*dát
výstrahu*) warn
úprava arrangement
upravený prepared; (*úhledný*)
trim, neat
uprav|it, -ovat 1 arrange
2 (*přizpůsobit*) adjust, adapt
3 (*uklidit*) tidy up **4** (*přizdobit*)
trim **5** (*salát*) dress (**salát** salad)
uprázdnit vacate; ~ **se** become*
vacant
upražit roast
uprchlík 1 fugitive **2** (*zvl.
politický*) refugee
uprchnout fly*, run* away,
escape (**z vězení** from prison)
uprostřed in the middle (**čeho** of
sth.)
upřený pohled stare
upřímný sincere, frank
upustit 1 drop (**špendlík** a pin)
2 (*od čeho*) give* up (sth.),
desist (from sth.)
uragán hurrican
uran, též adj ~ový uranium
úraz accident, injury; **přijít k ~u**
have / meet with an accident

urazit 1 (*co*) knock off **2** (*koho*)
insult, offend
urazit se take* offence
uražený offended
urážet 1 (*koho*) insult, offend
2 outrage (**veškerou slušnost** all
decency)
urážka insult, offence
urážlivý 1 (*urážející*) insulting,
offensive (*citlivý*) sensitive
určení destination
urč|it, -ovat determine (**čí
budoucnost** sb.'s future);
appoint (**čas pro schůzku** the
time for the meeting)
určitě surely, certainly; **on ~ při-
jde** he is sure / bound to come
určit|ý certain, definite; **v -ém
smyslu** in a way
urgence reminder, follow-up letter
urgovat press (**co u koho** sth.
with sb.)
urna 1 urn **2** (*volební*) ballot box
úroda crop, harvest
urodi|t se crop; **letos se -lo
hodně pšenice** the wheat
cropped well this year, there was
a heavy crop of wheat this year
úrodný fertile
úrok(y) interest
urostlý shapely
úroveň level, standard; **životní ~**
standard of living, living standard
urovn|at, -ávat settle, arrange
(**spor** a dispute)
Uruguay Uruguay
urychleně speedily
urychl|it, -ovat speed* up,
accelerate
úryv|ek (*literární*) passage; **-ky
rozhovoru** scraps of
conversation
úřad 1 (*též místnost*) office

2 (*úřední moc*) authority
♦ **pracovní** ~ job centre
úřadovat be* in office ♦ **dnes se neúřaduje** Office closed today
úřední official; ~ **kruhy** officials *pl*; ~ **osoba** official
úřední|ce, -ík (*státní, veřejný*) official; (*podřízený a soukromý*) clerk ♦ **státní** ~ Civil Servant
uříznout cut* off
USA the United States of America *sg*
usa|dit se, -zovat se 1 (*na židli*) sit* down, take* a seat **2** (*též přen.*) settle (down); establish oneself **3** (*prach*) collect
úsečka abscissa [æbˈsisə]
úsečný brief, short
usedlost (*zemědělská*) holding, farm
úsek section; length (**dálnice of** the motorway)
useknout cut* off
useň leather
uschnout (get*) dry
úschova custody, safekeeping
úschovna zavazadel cloakroom, left-luggage office
usídlit se settle down
úsilí effort (**o** at); endeavour; **pracovní** ~ the working effort
usilovat endeavour, make* an effort; aspire (**o** after / **to** + *inf*); aim (**o** at)
usínat doze off
úskalí (*přen.*) stumbling block
usklad|nit, -ňovat store
úskočný tricky, cunning
uskrov|nit se, -ňovat se skimp
uskuteč|nit, -ňovat realize, bring into effect; ~ **se** come* true, materialize
úsloví saying, phrase

uslyšet hear*
usmát se smile (**na** at), give* a smile (**na** to)
usmažit fry
usměr|nit, -ňovat coordinate, unify
úsměv smile
usmíření reconciliation
usmí|řit, -iřovat reconcile; ~ **se** become* reconciled
usmívat se smile (**na** at)
usmrtit kill; (*domácí zvíře*) destroy
usnad|nit, -ňovat facilitate, make* sth. easy
usnesení resolution; **vypracovat a schválit** ~ draw* up and pass a resolution
usnést se resolve; pass a resolution
usnout fall* asleep
usoudit conclude
usp|at, -ávat 1 lull sb. to sleep **2** (*před operací*) narcotize [naːkətaiz]
úspěch 1 success (**v životě** in life) **2** achievement; **vědecké ~y** scientific achievements
♦ **mít** ~ be* successful (**v** in); **nemít** ~ fall, be a failure
uspěchaný flurried
úspěšný successful
uspokojení satisfaction
uspokoj|it, -ovat satisfy
uspokojivý satisfactory
uspokojování gratification
(**potřeb** of one's needs)
úspor|a saving; **mít svoje -y v poštovní spořitelně** keep* one's savings in the Post Office
úsporn|ý economical; **-á kamna** economical stove
uspořádat 1 (*dát do pořádku*) arrange, put* in order **2** give* (**koncert** a concert)

U

uspořit save (**komu práci** sb.
a lot of work); save up (**trochu
peněz** some money)
ústa mouth *sg* ♦ **z ruky do úst**
from hand to mouth
ust|álit, -alovat (*fot.*) fix
ustálit se get* settled
ustalovač (*fot.*) fixing bath
ustanovení 1 appointment (**za
ředitele** as manager)
2 provision (**zákona** of the law)
ustanovit 1 appoint (**koho ředite-
lem** sb. manager) **2** (*nařídit*) de-
termine, order, provide (**že pone-
sete náklady za opravu** that you
shall bear the cost of the repair)
ustaraný anxious, worried
ustát se set*; **nechat pudink ~**
leave* the jelly to set
ústav institute
ústava constitution
ustavit set* up (**výbor**
a committee)
ústavní 1 (*k „ústava"*) constitu-
tional **2** (*k „ústav"*) institute('s)
ústavodárn|ý constituent
(-é shromáždění assembly)
ustavovat set* up
ústí mouth (**řeky** of a river, **tunelu**
of a tunnel); (*do moře*) estuary
ústit empty (**do moře** into the sea)
ústně by word of mouth
ústní oral; **~ zkouška** oral
(examination)
ustoupit 1 (*stranou*) step aside;
(*zpět*) step back, (*couvat*) retreat
2 (*povolit*) yield (**tlaku** to force);
ne~ ani o krok not yield an inch
ústraní retirement; **odejít do ~**
retire
ustrašený frightened, scared
ústrojí organ
ustrojit (se) dress, get* dressed

ústředí headquarters *pl*
ústředna: telefonní ~ (telephone)
exchange
ústřední central (**topení** heating)
ústřice oyster
ustřihnout cut* off
ústřižek (*látky*) cutting; (*lístku*)
counterfoil
ústup retreat
ústup|ek concession; **politika -ků**
appeasement policy
ustupovat *viz* **ustoupit**
úsudek judg(e)ment; opinion (**o**
of)
usušit dry
usuzovat assume, judge; (*jako
závěrem*) conclude
uvědě|lit, -ovat convict (**ze
zločinu z** a crime)
ušetřit save (**komu námahu** sb.
the trouble); save up (**částku
peněz** a sum of money)
ušít sew*, make*; **dát si ~ oblek**
have* a suit made
ušití: zaplatit za ~ pay* the
tailor's bill
uškodit (do*) harm; **~ si do**
oneself harm
uškrtit strangle
ušlechtilý noble, generous
ušní ear; **~ lékař** otolaryngologist
[əutəuˌlærɪŋˈgɒlədʒɪst]
ušpinit soil; **~ se** get* soiled
uštěpačný mocking, derisive
[dɪˈraɪsɪv]
uštknout bite*
utábořit se put* up a tent
ut|áhnout, -ahovat tighten
(**šroub** a screw, **provaz** a rope)
utajit keep* secret, conceal
utéci run* away, escape
útěcha comfort
útěk flight, escape; **dát se na ~**

take* (to) flight; **zahnat na ~**
put* to flight
utěrka tea cloth; (*na prach*) duster
úterý Tuesday
útes cliff
utěs|nit, -ňovat pack
utichnout quiet down, calm down
utíkat run* away
utírat wipe, dry (up); **~ nádobí**
wipe (up) the dishes; **~ se** wipe
(one's face / hands *atd.*)
útisk oppression
utiskovat oppress
utiš|it, -ovat soothe (**dítě** a baby,
bolavý zub an aching tooth);
~ se calm down
utišující soothing
utkání match, meeting
utkat se play (**s kým v šachu** sb.
at chess); meet (**s ním v semifi-
nále** him in the semifinals)
utkvělá myšlenka fixed idea
utlačovat oppress
útlak oppression
útlý slender
útočiště refuge
útočit attack (**proti komu** sb.)
útočník aggressor; **střední ~**
centre forward
útok attack (**proti** against / on)
utopie Utopian scheme; (*polit.*)
Utopia
utopit drown; **~ se** be* drowned,
drown
utrácet squander
útrat|a: na státní -y at the public
expense; **soudní -y** the costs (of
the action); **zaplatit -u** pay* the
bill
utratit 1 spend* (**mnoho peněz**
a lot of money) **2** destroy
(**kočku** a cat)

utrhačný slanderous; (*poznámka*)
vituperative [vi'tju:pərətiv]
utrhnout 1 tear* off **2** pluck
(**květinu** a flower)
utrhnout se come* off
utrpení suffering
utrpět suffer (**těžké ztráty** heavy
losses)
útržek 1 scrap (**hovoru** of
conversation) **2** counterfoil
(**vstupenky** of a ticket)
utřít wipe (sth. dry, dry);
~ nádobí wipe the dishes; **~ si**
wipe (**nos** one's nose, **ruce do
ručníku** one's hands on a towel,
slzy the tears away)
útulek shelter
útulný cosy, homely
útvar formation
utvářet form, shape; **~ se** form
utvořit (se) form
uvaděč usher
uvaděčka usherette [ašə'ret]
uvádět 1 (*prohlašovat,
oznamovat*) state; set* out
(**základní informace** basic
information) **2** (*zavádět*)
introduce **3** put* (**do pohybu** in
motion); put on (**hru** a play)
4 list (**seznam hotelů** the hotels)
5 (*konferovat*) emcee [em'si:]
úvah|a consideration; **vzít v -u**
take* sth. into consideration;
přicházet v -u come* into
question; **to nepřichází v -u** that
is out of the question
uvařit 1 boil (**vodu** water)
2 cook (**oběd** dinner) **3** make*
(**čaj** tea, **kávu** coffee)
uvařit se boil
uvázat tie, bind*; **~ si kravatu** tie
a tie (around one's neck)
úvazek: učební ~ teaching load

U

uváznout get* stuck, stick*

uvazovat tie, bind*

uvážit take* into account

uvažovat 1 (*dobře*) think* twice (**než** before) **2** (*o čem*) take* into account, consider (sth.)

uvědomělý: třídně ~ class conscious; **politicky ~** politically mature

uvědomění consciousness

uvědom|it, -ovat inform; **~ si** realize

úvěr credit

uveřej|nit, -ňovat publish, make* public

uvěřit believe (**čemu** sth.)

uvést 1 (*zavést*) introduce; (*do úřadu*) install; show* (**do pokoje** into the room) **2** put* on, stage (**hru** a play) **3** (*říci*) state, set* out (**potřebné údaje** the necessary data) **4** (*v diskusi*) bring* up (**otázku** a question)

uvěznit imprison

uvidět see*; **~ se** see* each other, meet*

uvítací: ~ proslov welcome address; **~ výbor** reception committee

uvítání welcome, reception

uvítat welcome

uvnitř inside, within

úvod introduction; (*předmluva*) preface

úvodní opening

úvodník leader

uvolnění 1 relaxation (**svalů** of muscles) **2** easing (**mezinárodního napětí** of international tension), détente

uvolněn|ý: -á kázeň lax discipline

uvol|nit, -ňovat loosen, release

uvol|nit se come*

undone **2** (*oddychnout si*) relax **3** ease; **situace se -nila** the situation has eased (up)

uvozovky inverted commas *pl*

uzákonit enact

uzávěr (*láhve*) cap, stopper

uzávěra barrier; (*silnice*) roadblock

uzávěrka (*fot.*) shutter; (*redakční*) time of going to press

uzav|írat, -řít 1 close down, shut* down (**závod** a factory) **2** conclude (**smlouvu** a treaty); take* out (**pojistku** an insurance policy); make* (**mír** peace) **3** wind* up (**debatu** a debate)

uzda bridle

uzdrav|it, -ovat cure, restore to health; **~ se** get* well, recover

uzel knot

území territory

uzemnění earth

územní territorial

uzem|nit, -ňovat earth

uzenáč kipper

uzenář pork butcher

uzenářství pork butcher's

uzené smoked / cured meat

uzeniny smoked sausages *pl*

uzený smoked

úzkost anxiety

úzkoprsý narrow-minded

úzkostlivý meticulous

úzk|ý 1 narrow (**most** bridge) **2** close (**styk** contact) **3** tight; **-é kalhoty** tight trousers ♦ **~ profil** bottleneck; **být v ~ch** be* in a tight corner

uznání acknowledgement; **dojít všeobecného ~** find* general recognition; **mluvit s ~m o** speak* highly of

uzn|at, -ávat 1 acknowledge

(**jeho zásluhy** his merits, **svou chybu** one's mistake); admit (**svou chybu** one's mistake) **2** recognize (**novou vládu** the new government)
uzrá|t, -vat ripen
už 1 je ~ pozdě it's too late now; **~ to vím** now I know* **2 ~ před rokem** already a year ago; **to jste ~ snídal?** you have had breakfast already?; *viz též* **již**
úžasný amazing, marvellous
úžeh sunstroke
úžina straits *pl*

užít 1 use (**čeho** sth.), make* use of (sth.) **2** enjoy (**si dovolené** one's holiday)
užitečný useful
užitek 1 use **2** (*zisk*) profit; (*výhoda*) benefit
užitkový utility
užitý applied
užívat 1 use (**čeho** sth.); **~ se** be* used **2** (*lék*) take* (a medicine)
uživit maintain (**rodinu** one's family); **~ se** make* a living
užovka ringed snake

U

V

v, ve I *místní* **1** in; ~ **Londýně** in London; ~ **pokoji** in the room; ~ **nemocnici** in hospital; ~ **třídě** in the classroom; ~ **uniformě** in uniform; ~ **dobrém stavu** in good repair; ~ **dálce** in the distance; **žít** ~ **míru** live in peace **2** at; ~ **Etonu** at Eton; ~ **škole** at school **II** *časové* **1** in; ~ **roce 1978** in (the year) 1978; ~ **prosinci** in December; ~ **létě** in (the) summer; ~ **noci** in the night; ~ **mé nepřítomnosti** in my absence; ~ **době války** in time of war **2** at; ~ **poledne** at noon; ~ **pět hodin** at five o'clock; ~ **noci** at night; **vždy** ~ **sobotu a** ~ **neděli** at weekends; ~ **každém okamžiku** at any moment; ~ **věku 15 let** at (the age of) 15; ~ **pravidelných intervalech** at regular intervals; **být** ~ **válce s kým** be* at war with sb. **3** on; ~ **neděli (odpoledne)** on Sunday (afternoon); ~ **předvečer** on the eve of ♦ ~ **minulém roce** last year; ~ **těchto dnech** (in) these days; ~ **dne** by day; **cestovat** ~ **noci** travel by night
vada fault, defect
vábný enticing, tempting
vadi|t 1 hamper; **-l mi těžký zimník** I was hampered by a heavy overcoat **2** (*v záporu*) mind; **zima mi nevadí** I don't mind the cold; **nevadí vám, když kouřím?** do you mind my smoking? ♦ **to nevadí** never mind, it doesn't matter
vadnout wither
vadný defective

vagón wag(g)on; **železniční** ~ carriage, coach; **nákladní** ~ truck
váh|a 1 (*přístroj*) balance; scales *pl* **2** (*hmotnost*) weight; **hrubá / čistá** ~ gross / net weight ♦ **brát co na lehkou -u** make* light of
váhat hesitate
vaječný egg
válcovat roll
valach gelding
válcovna rolling mill
valčík waltz
válčit be* at war (**s** with)
válec cylinder; **parní** ~ steamroller
válečník warrior
válečn|ý war; ~ **materiál** munitions *pl*; **-á loď** warship; **-é námořnictvo** navy
válenda divan [di'væn]
válet roll; roll out (*těsto* dough)
válet se 1 roll (**v penězích** in money) **2** (*lenošit*) lounge ♦ ~ **se smíchy** roar with laughter
valcha washboard
válk|a war; **občanská / obranná / světová / útočná** ~ civil / defensive / world / aggressive war; **za -y** during the war, in wartime
valník dray [drei]
valuty foreign exchange *sg*
vana bath
vánice snowstorm
vanilka vanilla
Vánoc|e Christmas *sg;* **o -ích** at Christmas (time)
vánočka Christmas loaf
vánoční Christmas (**stromek** tree, **dárek** present)
vápenec limestone
vápenný lime

vápník calcium [kælsiəm]

vápno lime

var: bod ~u boiling point

varhany organ *sg*

varhaník organist

varieté music hall, variety theatre, vaudeville [vəudəvil]

várka batch

varovat warn (**před** against); **~ se** avoid, shun (**špatné společnosti** bad company)

Varšava Warsaw

vařečka (wooden) ladle

vařený boiled

vařící boiling hot

vařič cooker

vařit 1 boil (**vodu** water, **brambory** potatoes) **2** cook (**oběd** dinner) **3** make* (**čaj** tea)

vařit se boil, be* boiling

váš your; yours; **ať je tedy po vašem** have* it your own way

vášeň passion

vášnivý passionate

vata cotton wool; (*literární*) padding; **cukrová ~** candy floss

vavřín laurel; **získat ~y** gain laurels

váza vase

vázání (*lyžařské*) binding; **bezpeč-nostní ~** safety-release binding

vázanka (neck)tie

vázaný bound; **-á kniha** bound book

vázat bind* (**knihu** a book, **oba státy** the two countries, **pšenici do snopů** wheat in sheaves)

vazba 1 (*knihy*) binding **2** (*soudní*) custody **3** (*jaz.*) phrase

váznout stagnate; **kde to -e?** where's the hitch?, what's the catch?; **někde to -e** there's a catch in it

vážený respected, esteemed; **~ pane** dear sir

vážit weigh (**cukr** sugar, **deset liber** ten pounds)

vážit si 1 esteem, respect (**svého otce** one's father) **2** appreciate (**čí pomoci** sb.'s help)

vážka dragonfly

vážně in earnest, seriously; **myslím to ~** I mean* it; **myslíte to ~?** are you serious?

vážný 1 (*snaživý*) earnest (student) **2** serious; **-á nemoc** serious illness; **-á kniha** serious book; **~ obličej** serious face

vcelku altogether, on the whole

včas in (good) time; (*přesně*) on time; **přijít ~ na představení** be* in (good) time for the performance; **vlak přijel ~** the train came in on time

včasný timely

včela bee

včelař beekeeper, apiarist [eipiərist]

včelařství beekeeping

včera yesterday

včerejší yesterday's

včetně including

vdaná married (**za to**)

vdá|t, -vat marry off (**dceru za koho** one's daughter to sb.); **~ se** marry (**za koho** sb.), get* married (**to** sb.)

vděčnost gratitude

vděčný grateful

vdech|nout, -ovat breathe in

vdova widow

vdovec widower

věc 1 thing **2** (*záležitost*) matter, affair **3** (*soudní, mravní*) cause; concern ♦ **to je tvoje ~** that's your business, it's up to you; **to**

V

je ~ **celého státu** it is the concern of the whole country; **přistupme k ~i** let's get* down to business; **zjistit, jak se ~i mají** find* out how the land lies; **mluvit k ~i** speak* to the point

věcný matter-of-fact, factual

večer *n* evening • *adv* in the evening; **dnes** ~ tonight, this evening; **včera** ~ last night

večerní evening (**škola** classes *pl*, **šaty** dress *sg*)

večerník evening paper

večeř|**e** supper; (*hlavní jídlo dne / slavnostní*) dinner; **jít někam na -i** dine out

večeřet have* dinner / supper; (*mimo domov*) dine out

večírek (evening) party

věčnost eternity

věčný eternal

věda 1 (*zvl. přírodní*) science 2 (*učenost*) learning, scholarship

vědec 1 (*zvl. přírodní*) scientist 2 (*učenec*) man of learning, scholar

vědecký scientific; scholarly

vedení 1 lead, leadership; **ujmout se** ~ take* the lead 2 (*správa*) management 3 (*elektr.*) circuit

vědět know* ♦ **člověk nikdy neví** you can never tell; **pokud vím** to my knowledge; ~ **si rady** know what to do; **ne~ si rady** be* at one's wits' end; **ne~ o sobě** be unconscious

vedle *prep* 1 beside, next to (**mne** me, **našeho domu** our house); (*podél*) alongside 2 (*navíc*) in addition to • *adv* next door

vedlejší 1 adjoining (**pokoj** room) 2 side; ~ **činnost** sideline;

~ **účinky** side effects 3 (*navíc*) extra (*poplatky* charges)

vědom: být si ~ čeho be* aware of sth.

vědomí consciousness; **brát na ~** note

vědomosti knowledge *sg*

vědomý conscious

vedoucí *adj* leading • *n* head, chief, manager

vedro heat (wave)

vegetace vegetation

vegetarián vegetarian

věhlasný famous, renowned

vejce egg; ~ **na tvrdo** hard-boiled egg; ~ **na měkko** soft-boiled egg; **míchaná** ~ scrambled eggs ♦ **být si podoben jako ~ vejci** be* as like as two peas

vějíř fan

vejít 1 enter (**do pokoje** the room) 2 come* (**v platnost** into force) ♦ ~ **ve styk s** get* in touch with, contact sb.

vejít se: do kufru se ty šaty nevejdou the trunk will not hold these clothes

věk 1 (*stáří*) age; **ve tvém ~u** at your age 2 (*epocha*) era

veka French loaf

velbloud camel

velení command

velet command; **be*** in command (**komu** of sb.)

veletoč grand circle

veletrh fair

velice very, greatly, most

veličina 1 (*mat.*) quantity 2 (*osobnost*) big bug; V.I.P. (Very Important Person)

Velikonoce Easter *sg*

velikost 1 greatness (**Shakespearova** of

Shakespeare) **2** size (**místnosti** of a room, **rukavic** of gloves); **nadměrná ~** oversize

veliký viz **velký**

velitel commander

velitelství command; **vrchní ~** the Supreme Command

Velká Británie Great Britain

velkoměsto city

velkoobchod wholesale

velkorysý liberal

velkostatek estate

velký 1 large (**dům** house, **majetek** fortune) **2** big (*hovorovější než* large) **3** great (*citově zabarvené*); **~ umělec** great artist **4** loose (**límec** collar) **5** tall; **je větší než její sestra** she is taller than her sister

velmi very, greatly, most; **~ mnoho** very much / many, (*hovor.*) a lot; **~ krátké vlny** very high frequency (v.h.f.)

velmistr grand master

velmoc great / big power

velryba whale

velvyslanec ambassador

velvyslanectví embassy

vemeno udder

ven out, outwards; **~ s tím** out with it

věnec wreath

venkov the country(side); **na ~** into the country; **na ~ě** in the country

venkovan countryman; **~ka** countrywoman

venkovský country; (*provinciální*) provincial

venku outside; (*pod širým nebem*) in the open air

věno dowry

věnování dedication

věnovat devote; **~ pozornost** give*

one's attention (**čemu** to sth.); **~ se** devote oneself (**čemu** to sth.)

ventil valve

ventilace ventilation

ventilátor (electric) fan

vepř pig

vepřín piggery [pigəri]

vepřov|ý: vepřová, -é maso pork

veranda veranda, porch

vermut vermouth [və:məθ]

věrnost faithfulness, loyalty

věrný faithful, loyal

verš verse, line

veřejnost the public

veřejný public

věřící believer

věřit 1 believe (**čemu** sth., **komu** sb., **v koho** in sb.) **2** (*důvěřovat*) trust (**komu** sb., **své paměti** to one's memory)

věřitel creditor

veselo: bylo ~ all went merrily

veselohra comedy

veselý merry

veslař oarsman

veslo oar

veslování rowing

veslovat row

vesměs altogether

vesmír universe

vesnic|e village; **na -i** in the village

vesnický village, country

vespod below

vést 1 lead* (**koho za ruku** sb. by the hand, **návštěvníky** the visitors, **výpravu** an expedition, **pěvecký sbor** the choir, **v závodě** in a race, **k závěru** to the conclusion, **dvojí život** a double life; **silnice vede přes most** the road leads across a bridge) **2** run* (**podnik** a business,

divadlo a theatre) **3** keep* (**domácnost** house, **účetní knihy** books) **4** direct (**práci** the work)
♦ **okna vedou na ulici** the windows look out on to the street; ~ **válku** make* war (**proti** upon)

vesta waistcoat; **pletená** ~ cardigan; **plovací** ~ life jacket

vestavěný built-in

vestibul (*divadla*) (entrance) hall, foyer [foiei]; (*hotelu*) lobby; (*nádraží*) (station) hall

věstník bulletin

veš louse

věšák rack, peg; (*v předsíni*) hall stand, hall tree

věšet hang* (up)

veškerý all, entire

věštba prophesy, prediction

věta 1 (*jaz.*) sentence; (*v souvětí*) clause **2** (*hud.*) movement

větev branch; (*studijní*) stream

vet|o veto; **uplatnit právo -a** (exercise the) veto

větrák air shaft

větrání ventilation

větrat ventilate

větrný windy; ~ **mlýn** windmill

větroň glider

větry flatulence

větrovka windcheater, windjammer; (*s kapucí*) anorak

většina majority; **mlčící** ~ silent majority

většinou mostly

veverka squirrel

vevnitř inside

vězeň prisoner

vězení prison, jail

věznit keep* in prison

vézt carry; drive*

věž tower; (*šachy*) castle

vhod: přijít ~ **komu** come* in handy to sb.

vhodný suitable; suited (**pro moje potřeby** to my needs); (*doporučeníhodný*) advisable; eligible (**kandidát** candidate)

vcházet enter (**do pokoje** the room)

vchod entrance

viadukt viaduct [vaiədakt]

víc(e) more; ~ **než** more than, over
♦ ~ **méně** more or less; **stále** ~ more and more, increasingly; **o jednoho** ~ one too many; **ať se snaží sebe**~ no matter how he tries

víčko 1 lid, cover, cap **2** (*oční*) eyelid

vid[1] (*jaz.*) aspect; **(ne)dokonavý** ~ (im)perfective aspect

vid[2]: **není po něm** ~**u ani slechu** he vanished (into space)

Vídeň Vienna

video video [vidiəu]

vid|ět 1 see* (**na vlastní oči** with one's own eyes, **pouhým okem** with the naked eye, **do koho** through sb.) **2 být** ~ show* (up); **je vám** ~ **spodnička** your petticoat is showing; **světla jsou dobře** ~ the lights show up well
♦ **nemohu ho ani** ~ I hate the sight of him; **přijde co ne**~ he will be coming in no time; **tak -íte!** there you are!

viditelnost visibility

vidle pitchfork

vidlička fork

vichřice gale

víkend weekend; **jet na** ~ weekend; **o** ~**u** at the weekend

vikev vetch

viklat se be* loose

víko lid, cover

vila villa

víla nymph

vin|a 1 guilt (**obžalovaného** of the accused) **2** fault; **je to moje ~** it's my own fault **3** blame; **dávat -u zač komu** put* the blame for sth. upon sb.; **čí je to ~?** who is to blame?

vinárna wine cellar, wine restaurant

vinařství viniculture [vinikalčə]

vinice[1] vineyard

vin|ice[2], **-ík** culprit, offender

vinit blame (**koho z chyby** sb. for a mistake, a mistake on sb.)

vinný[1] guilty (**ze zločinu** of a crime)

vinn|ý[2] wine; **~ kámen** wine stone, tartar; **~ sklep** wine cellar / vault; **-á réva** vine

víno wine

vinobraní vintage

vinohrad vineyard [vinjəd]

viola viola [vi'əulə]

violoncello violoncello

vír whirl

víra 1 belief (**v jeho poctivost** in his honesty) **2** (*náboženská*) faith

virový virus [vaiərəs]

virtuos virtuoso

vir(us) virus [vaiərəs]

vířit whirl

viset hang*

viš|eň morello [mə'reləu]; **-ně** morello cherries

višňový morello; **~ likér** cherry brandy

vít weave*

vitamín vitamin

víta|ný, *též* v **-t** welcome

vítěz 1 (*sport.*) winner **2** (*dobyvatel*) conqueror

vítěz|it win*; **pravda -í** the truth prevails

vítězný victorious

vítězství victory

vítr wind

vitrína showcase

viz see

vizitka visiting card, calling card

vízum visa *sg*

vjem perception

vj|et, -íždět enter (**do města** a town)

vjezd 1 (*brána*) gateway **2** (*příjezdová cesta*) drive **3** (*vstoupení*) entry

vkl|ad, *též* v **-ádat** deposit

vkladatel depositor

vkladní knížka bankbook, passbook

vkus taste; **podle mého ~u** to my taste

vkusný tasteful

vláčet 1 (*vléci*) drag **2** harrow (**pole** a field)

vlád|a 1 government; **sestavit -u** form a government; **předseda -y** Prime Minister **2** (*nadvláda*) rule **3** control (**nad motorovým vozidlem** of a motorcar)

vládce ruler

vládní government(al)

vládnoucí ruling

vládnout govern; rule

vláha moisture; (*déšť*) rainfall

vlahý tepid, mild

vlajka flag

vlak train; **osobní ~** slow train; **nákladní ~** goods train; **jet ~em** go* by train; **~ přijíždí // odjíždí ve 2 hodiny** the train arrives // leaves / departs at 2 o'clock

vláknina roughage

vlákno fibre

vlas hair; ~ **v polévce** a hair in the soup; ~**y** hair *sg;* **vstávají mi z toho ~y** it makes my hair stand on end

vlast (home / native) country

vlastenec patriot

vlastenecký patriotic

vlastizrada high treason

vlastně as a matter of fact

vlastní 1 own; **jeho ~ syn** his own son **2** proper; ~ **Anglie má 44 miliónů obyvatel** England proper has 44 million inhabitants

vlastnický proprietary

vlastnictví ownership

vlastník owner

vlastnoručně podepsat sign

vlastnost quality, characteristic; **dobrá ~** merit

vlaštovičník celandine [seləndain]

vlaštovka swallow

vlát fly*

vlažný lukewarm

vlčák Alsatian [ælˈseiʃən]

vlčí mák field poppy

vléci drag; (*na laně*) tow; ~ **se** drag along

vlečka 1 (*šatů*) train **2** (*dráhy*) siding

vlečný: ~ **člun** tug; ~ **vůz** trailer

vlečňák trailer

vlek tow; **vzít do ~u** take* in tow

vlévat se empty, fall* (**do moře** into the sea)

vlevo (to the) left, (on the) left

vlézt crawl into

vleže lying

vlhk|o, *též adj* **-ý** damp

vlhnout become* damp, damp(en)

vlídný kindly, friendly

vliv influence; **mít dobrý ~ na** have* a good influence upon

vlivný influential

vlk wolf

vln|a 1 (*ovčí*) wool **2** (*zvlnění*) wave; **dlouhé / krátké / střední -y** long / short / medium waves; **velmi krátké -y** very high frequency

vlněný woollen

vločk|a flake; **ovesné -y** rolled oats *pl*

vloha talent, ability, aptitude

vloni last year

vloupat se break* (**do bytu** into a flat)

vložit put* in(to), insert; invest (**peníze** money); feed* (**do počítače** into the computer)

vložka 1 (*do bot*) insole; (*do kabátu*) wadding **2** (*v programu*) interlude **3** (*do tužky, pera*) refill

vměšování interference

vměšovat se interfere, meddle (**do in**)

vnadidlo decoy, bait

vnějšek outside, exterior

vnější outside

vnik|nout, -at penetrate (**do sth. / into sth.**)

vnímat perceive, take* in

vnitrozemí inland

vnitřek interior, inside

vnitřní internal; ~ **obchod** home trade

vnitřnosti bowels *pl*

vnucovat impose (**co komu** sth. upon sb.); ~ **se** impose oneself

vnučka granddaughter

vnuk grandson

vod|a water; **dešťová ~** rainwater; **měkká / tvrdá ~** soft / hard water; **držet se nad -ou** keep* afloat

vodácký aquatic

vodárna waterworks

vodič conductor

vodík hydrogen

vodit show* (**po městě** round the town)

vodivý conductive [kən'daktiv]

Vodnář Aquarius [ə'kweəriəs]

vodní water; ~ **sporty** aquatics *pl*

vodník water sprite

vodojem reservoir

vodoléčba watercure

vodoměrka water measurer

vodomil water beetle

vodopád waterfall

vodorovný horizontal

vodotěsný watertight

vodotrysk fountain

vodouš (*rudonohy*) redshank; (*kropenaty*) green sandpiper

vodovod water supply

vodov|ý water; **-é barvy** watercolours

voják soldier

vojensk|ý military; **-á služba** military service; ~ **soud** court martial

vojín private

vojsko army, troops *pl*

vojtěška alfalfa

volačka (*slang.*) city code

volant steering wheel

volavka (*popelavá*) heron; (*stříbřitá*) little egret [i:grit]

volat call (**na koho** to sb.); call up (*žáka* a pupil) (*telefonicky*) ring* sb. up, give* sb. a ring

volba 1 (*výběr*) choice (**povolání** of career) 2 (*kandidáta*) election; (*hlasování*) voting

volební: ~ **místnost** polling station; ~ **okres** constituency; ~ **právo** suffrage; ~ **seznam** register of electors

volejbal volleyball

volič, ~ka voter, elector

volit 1 choose* (**mezi kinem a di-**

vadlem between the cinema and the theatre) 2 elect (**kandidáta** a candidate) 3 (*účastnit se voleb*) go* to the polls, vote

volno 1 free time, leisure; **odpoledne mám** ~ I am free in the afternoon; **vzít si den** ~ take* a day off 2 (*vstupte!*) come in!

voln|ý 1 (*svobodný*) free 2 (*uvolněný*) loose 3 (*uprázdněný*) vacant, free ♦ ~ **čas** leisure; **-é místo** vacancy

voňavka perfume

voňavý fragrant

vonět smell* good

vor raft

vosa wasp

vosk wax

vousatý bearded

vousy beard *sg*

vozidlo vehicle

vozík cart; (*ruční*) trolley; (*invalidní*) wheelchair

vozit carry; drive*

vozovka roadway, carriageway

vpád invasion

vpadlý sunken

vpadnout 1 invade (**do města** a city) 2 burst* in (**ke komu** on sb.)

vplout sail into

vpravo (to the) right, (on the) right

vpřed forward

vpředu in front, ahead

vrabec sparrow

vracet return, give* back

vrah murderer

vrak wreck

vrán|a crow ♦ ~ **k -ě sedá** birds of a feather flock together

vráscitý wrinkled

vráska wrinkle

vrata gate *sg*

V

vrátit 1 return (**knihu** a book, **odesílateli** to the sender); give* back, hand back (**kapesník** the handkerchief) **2** refund (**zálohu** the deposit)

vrátit se return, come* back (**domů** home, **z cesty** from a journey)

vratký unsteady, unstable

vrátnice porter's lodge

vrátný doorman, porter

vrávorat stagger

vrazit 1 bump (**do koho** into sb., **do zdi** against a wall) **2** thrust* (**nůž do těla** a knife into the body, **ruce do kapes** one's hands into one's pockets) **3** burst* (**do místnosti** into the room)

vražda murder; (*politická*) assassination

vraždit murder

vrba willow

vrčet snarl

vrh koulí putting the weight, shot put

vrhat 1 cast* (**stín** a shadow) **2** put* (**koulí** the weight)

vrhat se dash

vrhnout 1 (*zvracet*) vomit **2** throw* (**zlý pohled na** an angry look at)

vrhnout se throw* oneself, pounce (**na** on)

vrch hill

vrchní *adj* top, upper • *n* (*číšník*) headwaiter

vrchol summit (**hory** of a mountain, **ctižádosti** of one's ambition)

vrcholek peak

vrcholn|ý peak, highest; **-é baroko** baroque at its peak

vrozený inborn

vrstevnice contour line [kontuə]

vrstva 1 layer **2** section (**obyvatelstva** of the community)

vrt bore

vrt|ačka, -ák drill

vrtat drill, bore; ~ **komu hlavou** bother sb.

vrtě|t 1 shake* (**hlavou** one's head); wag; **pes -l ocasem** the dog wagged its tail **2** churn (**máslo** cream)

vrtět se fidget

vrtoch whim, caprice [kə'pri:s]

vrtule propeller

vrtulník helicopter

vryp nick

vrý|t, -vat engrave; ~ **se be* /** become* engraved (**komu do paměti** in sb.'s memory)

vrzat creak

vřed ulcer

vřel|ý 1 boiling hot **2** warm; **-é přivítání** a warm welcome

vřes heather

vřeteno spindle

vřídlo spring

vřít boil

vsadit 1 fix (**okno** a windowpane); put* (**koho do vězení** sb. in prison) **2** back (**na vítěze** a winner); stake (**deset liber na favorita** ten pounds on the favourite)

vsadit se bet* (**s kým o deset liber, že** sb. ten pounds that)

vsáknout se get* soaked

vsedě sitting

vstá|t, -vat get* up, stand* up, rise*

vstoje standing

vstoupit 1 enter (**do pokoje** the room); come* (**do třídy** into the classroom, **v platnost** into force) **2** set* foot (**na britskou půdu**

on British soil) **3** join (**do strany the party**) ◆ **vstupte!** come in!

vstřelit score (**branku** a goal)

vstříc: vyjít komu ~ meet* sb. halfway

vstup 1 (*vchod*) entrance **2** (*vpuštění*) admittance, admission; **~ volný** admission free; **~ zakázán** no admittance

vstupenka ticket

vstupné admission

vstupovat enter

však however; **později si to ~ rozmyslil** later, however, he changed his mind ◆ **~ ty si vzpomeneš** you'll remember all right

vše all, everything

všední ordinary, everyday; **~ den** weekday

všechen all, entire

všelijak in all sort of ways

všelija|**ký** all sorts of; **lidé jsou -cí** it takes all kinds

všeobecně generally, in general; **~ řečeno** generally speaking, by and large

všeobecn|**ý** general, universal; **-é hlasovací právo** universal suffrage

všestranný allround (**sportovec** sportsman); versatile (**umělec** artist)

vsímat si, všimnout si (*čeho*) notice (sth.), take* notice of (sth.)

všude everywhere; **~, kde** wherever

vtéci flow, empty (**do** into)

vteřin|**a** second; **přesně na -u** right on the dot

vtip 1 (*žert*) joke **2** (*vtipnost*) wit; **jiskřit ~em** sparkle with wit ◆ **~ je v tom, že** the point is (that)

vtipný witty

vtom at that moment; suddenly

vtrhnout invade (**do města** a city)

vůbec in general; **~ ne** not at all

vůči towards

vůdce 1 leader **2** (*turisticky*) guide

vůl ox

vůl|**e** will; **při nejlepší -i** with the best will in the world; **děkuji za dobrou -i** thanks for trying

vulgarizovat vulgarize [valgəraiz]

vulgární vulgar

vůně sweet smell, fragrance

vůz car; **dodávkový ~** delivery van; **jídelní / spací ~** dining / sleeping car; **kuřácký ~** smoking carriage; **nákladní ~** truck; **stěhovací ~** removal van ◆ **Velký vůz** Plough, Charles Wain, Big Dipper; **Malý vůz** Little Bear, Little Dipper

vy you

vybal|**it, -ovat** unpack

výbava 1 (*nevěsty*) trousseau [tru:səu] **2** (*vybavení*) outfit, equipment

vybavení equipment

výbavička (*pro novorozeně*) layette

vybavit equip

vyběhnout run* out

výběr selection, choice

výběrčí collector

výběrový choice

výběžek projection

vybídnout ask, invite

vybíjet discharge

vybírat 1 choose* (**nové rukavice** new gloves) **2** clear out (**popel** the ashes); levy (**daně** taxes)

vybíravý finicky

vybít discharge (**baterii** a battery)

vybízet ask, invite

vybledlý faded

výbojný aggressive

vybojovat fight* out

výbor 1 committee; **dílenský ~** workshop committee **2** (z díla) anthology

výborně excellent, fine; **to se mi bude ~ hodit** that'll suit me fine

výborný excellent

vybraný choice, exquisite

vybrat 1 choose*, select (**vánoční dárek** a Christmas present) **2** withdraw* (**peníze z banky** money from the bank)

vybrat si choose*, take* one's choice

vybudovat build* up

výbuch 1 explosion **2** outburst (**hněvu** of anger)

vybuchnout explode

výbušn|ina, též adj **-ý** explosive

vyclít declare

vycpat stuff

vycvičit train

výcvik training, drill

výčep bar

vyčerpaný exhausted; all in

vyčerpat exhaust; **~ se** exhaust oneself, wear* oneself out (**těžkou prací** with hard work)

vyčerpávající exhaustive (**odpověď** answer); exhausting (**práce** work)

vyčerpávat viz **vyčerpat**

výčet enumeration

vyčichnout evaporate

vyčistit clean; (chemicky) dry-clean

vyčítat reproach; (zahrnout výčitkami) nag

vyčítavý reproachful

výčit|ka reproach; **-y svědomí** the prick of conscience; compunction

vyčnívat protrude, jut out, stick* out

výdaj expense, outlay

vydání 1 (finanční) expenses pl, expenditure **2** (uveřejnění) publication **3** (náklad knihy) edition; issue **4** (provinilce) extradition [ekstrə'diʃn]

vydařit se pan out well

vyd|at, -ávat 1 (odevzdat) give* up / in, surrender **2** (utratit) spend* **3** (uveřejnit) publish **4** (redigovat) edit **5** expose (**koho riziku** sb. to a risk) **6** utter (**zvuky** sounds) **7** draw* (**směnku na koho na £ 100** a bill on sb. for £100)

vyd|at se, -ávat se 1 set* out (**na dlouhou túru** on a long tour), start (**na cestu** a journey) **2** expose oneself (**nebezpečí** to danger) **3** set* up (**za lékaře** for / as a doctor); pass off

vydatný substantial, hearty (**oběd** dinner)

vydavatel publisher

výdech expiration

vydechnout (naposled) expire

vydechovat breathe out

výdej issue

výdejna (jídel) servery

vyděl|at, -ávat earn, make* money; **~ si na živobytí** earn one's living

výdělečně: ~ činný gainfully employed; **osoba ~ činná** wage earner

výdělek earnings pl

vyděrač blackmailer

vyděračský blackmail(ing); (o cenách) extortionate

vyděsit startle, scare; **~ se be*** startled

vyděšený startled
vydírat blackmail (**koho** sb.);
extort (**peníze** money)
vydra otter
výdrž tenacity, persistence
vydrž|et 1 stand* (**chladné poča-**
sí the cold weather); ~ **to** stick* it
out **2** hold*; **počasí -í** the weath-
er is going to hold **3** last; **-í mi**
to dva měsíce it will last me two
months **4** (**klást odpor**) hold* out
vydržovat keep* (up), maintain
vyfotografovat photograph;
make* a picture (**koho** of sb.)
výfuk exhaust
vygumovat rub our, erase
vyhánět turn out
vyhasnout go* out
vyhazovat throw* out
výherce winner
vyhl|ásit, -ašovat declare,
proclaim
vyhláška notice
výhled view (**na** of)
vyhledat look up (**číslo**
v telefonním seznamu a number
in the telephone book, **známého**
ve městě a friend in a town)
vyhlédnout look (**z okna** out of
the window); ~ **si** choose*
vyhlídk|a outlook (**do údolí** over
the valley, **pro průmysl** for the
industry); **dům s -ou do zahra-**
dy a house overlooking a garden
vyhlídkov|ý: ~ autokar
sightseeing coach; **-á restaurace**
terrace restaurant with a view
vyhlížet 1 look out (**koho** for
sb.) **2** look (**dobře** well)
vyhnanec exile, expatriate
vyhnanství exile
vyhnat expel, turn out
vyhnout se 1 avoid (**nebezpečí**

the danger) **2** evade (**povinnosti**
one's duty)
výhoda advantage
vyhodit throw* out; (**do vzduchu**)
blow* up; (**ze zaměstnání**) sack,
fire
výhodný advantageous
vyhořet burn* out
vyhovět comply (**přání koho** with
sb.'s wish); accommodate
(**komu** sb.)
vyhovovat suit (**komu** sb.)
vyhovující suitable, convenient
výhra winning, prize; (**v sázce**,
sportce) dividend
výhrada reservation
vyhradit (si) reserve (**místo** room)
výhradně exclusively
výhradní exclusive
vyhrá|t, -vat I win* (**dvě libry**
na kom two pounds from sb.)
2 gain a victory (**nad** over);
(**hovor.**) lick (sb.)
vyhrazený reserved
vyhrazovat si reserve
vyhrnout si rukávy roll up / tuck
up one's (shirt)sleeves
vyhrožovat threaten (**komu čím**
sb. with sth.)
výhrůžka threat
výhřevný calorific
vyhřívat se bask (**na slunci** in the
sunshine)
vyhubit exterminate, root out
vyhubovat scold (**komu** sb.)
vyhýbat se 1 avoid (**nebezpečí**
danger) **2** evade (**povinnostem**
one's duties); shirk (**škole**
school); shun (**pokušení**
temptation)
vyhýbavý evasive
výhybka points **pl**
vyhynout die out, become* extinct

V

vycházet 1 go* out, come* out **2** (*slunce*) rise* **3** (*časopis*) appear, be* published **4** (*s kým*) get* on (with sb.), be* on good terms (with sb.)

vycházka outing

vycházkový oblek lounge suit

vychladlý cool, cold

vychladnout cold, get* cold

východ 1 (*odkud*) exit, way out **2** (*světová strana*) east; **na ~ě** in the east; **na ~** to the east, eastward ♦ **~ slunce** sunrise; **Blízký / Střední / Dálný ~** the Near / Middle / Far East

východisko 1 starting point **2** (*z nouze*) way out

vychodit finish (**školu** school)

východní east (**vítr** wind, **Afrika** Africa); eastern (**Evropa** Europe)

výchova education, upbringing; **tělesná ~** physical training, P. T.

vychování manners *pl*

vychovaný well-mannered

vychovatel tutor

vychovatelka governess

výchovný educational

výchozí starting

vychrtlý skinny

vych|ýlit (se), -ylovat (se) deflect

vyinkasovat withdraw

vyjádření statement

vyj|ádřit, -adřovat express; **~ se** express oneself

vyjas|nit se, -ňovat se clear up

vyjednat arrange

vyjednávání negotiation

vyjednat negotiate

vyjet pull out (**z nádraží** of the station); **~ si** go* (**autem for** a drive, **na výlet** for an outing, for / on a trip)

výjezdní: **~ vízum** exit visa; **~ povolení** exit permit

vyjímat take* out

vyjímat se 1 ~ dobře / špatně cut* a fine / poor figure **2** stand* out (**proti obloze** against the sky)

výjimečně exceptionally

výjimečný exceptional; **~ stav** state of emergency

výjimka exception (**z pravidla** to the rule)

vyjít 1 go* out, come* out **2** (*kniha*) appear **3** (*slunce*) rise* **4** (*podařit se*) come* off ♦ **~ s platem** make* both ends meet; **~ vstříc (komu)** assist (sb.), meet* (sb.) halfway; **~ ze cviku** get* out of practice

vyjíždět pull out (**z nádraží** of the station)

vyjížďka drive; ride, outing

vyjmenovat enumerate, name

vyjmout take* out; produce (**z kapsy** from one's pocket)

vykácet fell

vykartáčovat brush

vykat (*komu*) not be* on familiar terms with sb.

výkaz return, statement

vyk|ázat, -azovat 1 assign (**místo** room) **2** (*vyhnat*) turn out **3** show* (**výsledky** results)

výklad 1 (*vysvětlení*) explanation **2** (*výkladní skříň*) shop window, display

vykládat 1 (*vysvětlovat*) explain, expound **2** unload (**zboží** the goods) **3** inlay* (**zlatem** with gold)

výkladní skříň shop window

vyklánět se lean* out (**z okna** of the window)

vyklápět *viz* **vyklopit**

výklenek recess; (*arkýř*) bay

vyklepat beat* (**koberec** the carpet)

vykl|idit, -ízet clear; (*uprázdnit*) vacate

vyklonit se lean* out

vyklopit (*z pečicí formy*) turn out; (*vysypat*) dump

vykloubený dislocated

vykloubit (si) dislocate (**ruku** one's arm)

vyklouznout slip out

vykolejit derail

výkon performance; (*skvělý*) accomplishment, feat, achievement

vykon|at, -ávat 1 perform (**úkol** a task) **2** discharge (**svou povinnost** one's duty, **funkci** a function)

výkonnost efficiency

výkonn|ý efficient (**stroj** machine); **-á moc** executive power

výkop 1 excavation **2** (*v kopané*) kickoff

vykop|at, -ávat dig* (**studnu** a well); dig up (**strom** a tree); lift (**brambory** potatoes)

vykopávka excavation

vykořisťování exploitation

vykořisťovat exploit

vykoupat 1 bathe (**ránu** the wound) **2** bath (**dítě** the baby)

vykoupat se 1 (*v koupelně*) (have* a) bath **2** (*v přírodě*) (have* a) bathe

vykrást rob (**banku** a bank)

výkres drawing

vykrmit fatten

vykrvácet bleed* to death

vykřičník exclamation mark

výkřik, *též v* **vykřiknout** scream, shriek

výkup purchase

výkupní: ~ cena purchasing price; **~ středisko** buying centre

výkvět flower

vykynout rise*

výkyv swing

vyladit tune (up)

vyléčit cure (**nemoc** an illness, **koho ze špatných návyků** sb. of bad habit(s))

vyléčit se recover

vyleštit polish (up)

výlet trip, outing, excursion; **jet na ~** go* on a trip

vyl|etět, -étnout fly* out; (*do výše*) soar

výletník excursionist

vylévat pour out

výlevka sink

vyléz|t, -at 1 creep* out (**z díry** of a hole) **2** climb (**na strom** up a tree)

vylíčit give* an account (**co of** sth.), depict

vylíhnout se hatch

vylisovat press (**hrozny** grapes)

vylít pour out

vylodit (se) disembark

výloha shop window, display

vylosování draw

vylosovat draw* (**the winning numbers**)

vyloučeno: to je ~ that's out of the question

vyloučený expelled (**ze školy** from school)

vyloučit 1 expel (**ze školy** from school) **2** eliminate (**možnost** a possibility)

vyloupat (*ořechy*) shell; (*luštěniny*) husk; (*ovoce*) stone

výlov draught of fish

vylovit catch*

vyložený 1 unloaded (**vagón**

V

waggon) **2** displayed (**ve výkladech** in the shop windows)
3 downright (**nesmysl** nonsense)

vyložit 1 expound (**svoje názory** one's views) **2** unload (**zboží** the goods) **3** display (**ve výkladní skříni** in the shop window) **4** inlay* (**slonovou kostí** with ivory) ♦ ~ **karty** put* one's cards down; ~ **karty komu** tell* sb. his fortune

výložky facings *pl*

vylučovací závod elimination contest

vylučovat 1 expel (**ze školy** from school) **2** eliminate (**možnost** a possibility) **3** discharge (**hnis** pus)

vylúštit solve

vymačkat squeeze

vymáhat (si) exact

vymáchat rinse

vymazat erase; (*z magnetofonového pásku*) wipe out

výměna exchange

vymě|nit (si), -ňovat (si) exchange (**pozdravy** greetings); swop (**místo s kým** places with sb.)

výměra area, acreage

vyměř|it, -ovat 1 survey (**plochu** an area) **2** allot (**čas** time)

výměšek secretion

vymez|it, -ovat define

vym|ínit si, -iňovat si stipulate

vymírat die out

vymknout (si) sprain (**kotník** one's ankle)

vymlouvat (se) *viz* **vymluvit (se)**

výmluva excuse

vymluvit talk (**komu co** sb. out of sth.); ~ **se** blame (**na špatné nářadí** bad tools, **na učitele** the teacher)

výmluvný eloquent

vymoci (si) exact

výmol pothole

vymoženost achievement, gain

vymřít die out

vymykat se defy (**řešení** solution); baffle (**jakémukoli popisu** all description)

výmysl invention, fabrication

vymyslit devise, think* out / up

vymyšlený fabricated

vymýšlet (si) fabricate

vynadat (*komu*) call sb. names; tell* sb. off

vynahra|dit, -zovat (*komu co*) make* it up to sb.; ~ **si** (*co na kom*) take* it out of sb.

vynález invention

vynalézavý inventive, ingenious

vynálezce inventor

vynaléz|t, -at invent

vynaložit expend (**úsilí** effort)

výňatek extract

vynd|at, -ávat take* out; produce (**z kapsy** from one's pocket)

vynech|at, -ávat 1 leave* out; omit **2** skip (**řádku** a line)

vynést 1 take* out, carry out **2** (*kolik*) fetch **3** pass (**rozsudek** sentence)

vynikající excellent, distinguished, outstanding

vynik|at, -nout excel

vynořit se emerge; (*náhodou se objeví*) crop up

výnos 1 (*rozhodnutí*) decree **2** (*výtěžek*) yield; proceeds *pl*

výnosný lucrative

vynu|covat, -tit (si) enforce

vyorávač brambor potato digger

vypáčit force (open); ~ **dveře** force (open) a door

vypadat look (**mladě** young,

unaveně tired, **na svůj věk**
one's age, **jako ze škatulky** as
if one came out of a bandbox)
vypad|ávat, -nout fall* out; **~ z pa-
měti** slip from one's mind; **-la mi
plomba** the filling has come out
vypálit 1 burn* down (**město**
a town) **2** brand (**značku
dobytku** cattle); cauterize
[ko:təraiz] (**ránu** a wound)
3 (*střelnou ránu*) fire (off)
výpalné protection money
vypárat unpick
výpary fumes *pl*
vypař|it se, -ovat se evaporate
vypátrat detect
vypěstovat grow*
vypětí strain
vypíchnout jab out
vypínač switch
vypínat switch off
výpis z účtu statement of account
výpisek note, abstract
vypískat hiss sb. of the stage
vypisovat *viz* **vypsat**
vypít drink* up
vyplacené carriage free
vyplacený post paid
vyplácet se pay*
vypl|áchnout (si), -achovat (si)
rinse (out)
vyplašit startle
výplata wages *pl*, salary
vyplatit se pay*
vyplavat emerge (**z vody** from the
water)
vyplivnout spit* out
vypl|nit, -ňovat 1 fill in
(**formulář** a form) **2** fulfil (**slib**
one's promise) **3** comply (**čí
přání** with sb.'s wish)
vyplnit se 1 fill (**čím** with sth)
2 (*splnit se*) come* true

vyplou|t, -vat sail, put* to sea
vyplývat result, follow (**z** from)
vypnout switch off
výpočet calculation
vypočítaný calculated
vypočítat calculate
vypom|áhat, -oci help
výpomocný auxiliary
vypořádat se dispose (**s čím** of
sth.)
vypotit se sweat out
(**z nachlazení** a cold)
vypotřebovat use up
vypouklý convex; (*vytlačený*)
embossed
vypouštět let* out
výpověď 1 (*prohlášení*) statement
2 (*propuštění*) notice; **dát ~**
give* notice; **měsíční ~**
a month's notice **3** deposition
(**svědka** of a witness)
vypov|ědět, -ídat 1 (*prohlásit*)
state, declare **2** (*propustit koho*)
give* sb. notice **3** terminate
(**dohodu** an agreement)
4 banish (**koho ze země** sb.
from the country)
vypracovat work out; **~ se** work
one's way up
vypraný washed
výprask thrashing, hiding
vyprášit dust
vyprat wash
výprava 1 expedition **2** (*jevištní*)
setting, scenery
výpravčí train dispatcher
vyprávění story(telling)
vyprávět tell*, relate
vypravit se 1 equip oneself **2** set*
out (**na cestu** on a journey)
výpravný narrative
vypravovat tell*, relate

vypravovat se 1 equip oneself **2** be* setting out
vypr|ázdnit (se), -azdňovat (se) empty
vyprch|at, -ávat evaporate
vyprodáno all seats sold; full house
vyprod|at, -ávat sell* out
výprodej (clearance) sale
vyprov|ázet, -odit see* (**koho domů** sb. home, **z domu** out, **koho při odjezdu** sb. off)
vyprovokovat provoke
vypršet expire
vypsat 1 excerpt (**pasáž z knihy** a passage from a book) **2** write* out (**slovy in words**) **3** (*podrobně*) write* up **4** (*konkurs*) invite applications (**na** for)
vypsat si excerpt; make* notes (**co** of sth.)
vypůjčit si borrow; (*za poplatek*) hire
vypuknout break* out
vypustit let* out; ~ **kosmickou loď na oběžnou dráhu** launch a space ship into orbit
výr eagle owl
vyrábět make*, manufacture, produce, turn out
výraz expression
vyrazit 1 knock out (**zátku** a stopper) **2** (*rostlina*) shoot*, sprout **3** (*na cestu*) set* out, get* started on one's journey
výrazný striking, significant
vyrážet *viz* **vyrazit**
vyrážka rash
výroba production; (*vyrobené zboží*) output
výrobce manufacturer, producer
výrobek product, make

vyrobit make*, produce, manufacture
výrobní production
výročí anniversary
výroční annual
výrok statement; (*soudu*) sentence
výron discharge
výrostek adolescent, teenager
vyrovnaný well-balanced
vyrovn|at, -ávat 1 balance (**rozpočet** the budget) **2** (*uhladit*) smooth; ~ **nesnáze** smooth the difficulties **3** settle (**účet** a bill) **4** (*sport.*) level
vyrovnat se arrive at a settlement (**s** with); (*smířit se*) reconcile oneself (**s to**) ♦ **jemu se nevyrovnáš** you can't compare with him; **tomu se nic nevyrovná** there's nothing to beat it
vyrozumění notification
vyrozumět 1 (*pochopit*) understand* **2** (*oznámit*) notify
vyrůst, ~at grow* up
vyruš|it, -ovat disturb
vyrý|t, -vat engrave
vyřadit discard
vyřazený discarded
vyřazovat *viz* **vyřadit**
vyřešit solve; sort out (**problém** a problem)
vyřezat carve
vyřezávaný carved
vyřezávat carve (**sochu ze dřeva** a statue out of wood)
vyřídit 1 carry out, execute (**objednávku** an order) **2** (*vzkázat*) tell* ♦ **mám něco ~?** will you leave a message?
vyříznout cut* out
vyřizovat *viz* **vyřídit**
výsada privilege
výsadek landing force

vysadit 1 plant out (**stromy** trees) **2** land (**cestující z letadla** passengers); drop (**koho z auta před domem** sb. off at his flat) **3** (*z práce*) lay* off

výsadkář paratrooper

výsadní privileged

vysá|t, -vat suck; (*vysavačem*) hoover, vacuum

vysavač vacuum cleaner

vys|ázet, -azovat *viz* **vysadit**

vyschnout dry up; run* dry

vysílací stanice broadcasting station

vysílač, ~ka transmitter

vysílání broadcasting; (*relace*) transmission

vysílat transmit, broadcast; **~ televizí** televise

vysk|akovat, -očit jump up

výskyt occurrence

vyskyt|nout se, -ovat se occur, crop up

vyslanec minister

vyslanectví legation

výsled|ek result; **volební -ky** election returns *pl*

výslech interrogation, examination

vyslechnout listen (**koho** to sb.)

vyslovit 1 pronounce (**správně** correctly) **2** (*vyjádřit*) express, utter

výslovnost pronunciation

vyslovovat pronounce

výslužb|a pension; **odejít do -y** retire

vyslýchat examine, question

vysmát se laugh (**komu** sb. down)

výsměch mockery

výsměšný derisive

vysmívat se mock (**komu** sb.)

vysmrkat se blow one's nose

vysoce highly

vysočina highlands *pl*

vysokoškol|ák, -ačka undergraduate

vysokoškolský university

vysok|ý 1 high (**dům** house, **úředník** official, **hlas** voice) **2** (*a štíhlý*) tall (**muž** man, **stožár** mast) **3** heavy; **-é clo** heavy duty; **-á pokuta** heavy fine
  ♦ **-á škola** university

vysoustruhovat turn out

vyspat se have* a sleep; (*z čeho*) sleep* off sth.

vyspělý mature

vystačit 1 make* do (**se starým oblekem** with one's old suit) **2** keep*; **to mi vystačí do oběda** that will keep me going till lunchtime **3** last (**komu dva měsíce** sb. two months) ♦ **~ s platem** make both ends meet

výstava exhibition

výstavba construction; **bytová ~** housing (scheme)

vystavět build*

výstaviště exhibition ground(s *pl*)

vystav|it, -ovat 1 display, exhibit (**zboží** goods) **2** expose (**nebezpečí** to danger) **3** make* out (**šek** a cheque, **potvrzení** a receipt)

vystav|it se, -ovat se expose oneself (**nebezpečí** to danger)

výstavní exhibition

vystěhovalec emigrant

vystěhovat evict; **~ se 1** (*z bytu*) move out **2** (*z vlasti*) emigrate

vystihnout grasp (**jak to myslíte** your meaning); choose* (**pravý okamžik** the right moment)
  ♦ **správně co ~** hit the nail on the head

výstižný lifelike (**portrét** portrait)

vystoupení (*umělce*) performance

vystoupit 1 get* out of, get* off, alight from (**z vlaku** the train, **z autobusu** a bus) **2** mount (**na pódium** a platform) **3** (*před publikum*) appear, make* one's appearance **4** stand* up (**proti** against) **5** secede (**z organizace** from an organization)

výstra|ha, *též adj* **-žný** warning

vystrašit frighten, scare

vystrčit push out

výstroj equipment, outfit

výstřední eccentric

výstřednost eccentricity

výstřel shot

výstřelek (*módní*) fad

vystřelit shoot*; fire (a shot)

vystřídat relieve (**koho** sb.); **~ se** take* turns

výstřih decolletage; **šaty s ~em** low-cut / low-necked dress

vystřih|nout, -ovat cut* out

vystřízlivět sober (down)

výstřižek cutting

vystudovat finish (one's studies)

výstup 1 (*na horu*) climb **2** (*div.*) appearance; (*výkon*) performance; (*scéna, též hádka*) scene

vystupňovat intensify

vystupovat 1 behave; conduct oneself (**dobře** well); **~ sebevědomě** give* oneself airs **2** (*před obecenstvem*) appear, perform **3** get* off, alight from (**autobusu** a bus)

vystydnout get* cold

výsuvný (*deska*) extensible; (*anténa*) telescopic

vysvědčení (*školní*) report; **lékařské ~** health certificate; (*pracovní*) testimonial

vysvětlení explanation

vysvětl|it, -ovat explain; **~ se** be* explained

vysvětlivka explanatory note

vysvobodit set* free; deliver (**od** from)

vysypat (se) pour out, empty

výše[1]: **~ uvedený** the above (mentioned); **uvedený ~** mentioned above

výš|e[2] height; **být na -i** be* at one's best; **na -i situace** equal to the occasion; **ve -i očí** at eye level ♦ **držet ve -i** hold* sth. aloft

vyšetření examination

vyšetř|it, -ovat examine (**nemocného** a patient, **svědka** a witness); look into, investigate (**případ** a case)

vyšetřovací vazba custody on remand

vyšetřování investigation

vyšetřující: ~ komise fact-finding commission; **~ soudce** magistrate

vyšívat embroider

výšivka embroidery

výška height

vyškolit train

výškoměr altimeter [æl'timitə]

výškový: ~ dům high rise (building); **~ rozdíl** difference in altitude

vyšroubovat (*ven*) unscrew

vyšší moc force majeure [ˌfɔːs mæˈʒɜː]

výt howl

výtah 1 (*zdviž*) lift **2** (*obsah*) abstract, summary, digest

vyt|áhnout, -ahovat pull out (**hřebík** a nail, **zásuvku** a drawer, **zub** a tooth); **~ zátku z láhve** uncork a bottle

vytápět heat

výtažek extract

vytéci flow / run* out

výtečný excellent

vytékat *viz* **vytéci**

výtěžek proceeds *pl*

vytěžit 1 extract (**uhlí** coal)
2 profit (**ze zkušenosti** by the experience)

výtisk copy

vytisknout print

výtka rebuke

vytknout 1 (*zdůraznit*) point out **2** (*vyčítat*) rebuke (**komu co** sb. for sth.)

vytlač|it, -ovat 1 squeeze out (**šťávu z hroznů** juice from grapes) **2** (*koho z místa*) displace, oust **3** push (**vozík z kůlny** a cart out of the shed)

vytlak displacement

vytočit telefonní číslo dial a (telephone) number

vytopit heat (**pokoj** a room)

výtopna locomotive shed

vytrénovaný trained

vytrh|at, -ávat, -nout pull out

vytrpět suffer

vytrvalec long-distance runner

vytrvalostní běh long-distance run

vytrvalý persistent, assiduous

vytrysknout spurt out

výtržnost riot, disturbance

výtržník troublemaker, rowdy

výtvarné umění the fine arts *pl*

výtvarník artist; (*scénický*) designer

vytvářet (se) form

výtvor creation

vytvořit form; **~ rekord** set* up a record; **~ se** form, be* formed

vytyč|it (si), -ovat (si) set* (**úkol** a task)

vytýkat rebuke (**komu co** sb. for sth.)

vyučený skilled (**řemeslník** craftsman)

vyučit se: ~ truhlářem become* a skilled joiner

vyučovací teaching (**metody** methods)

vyučování 1 teaching (**jazyků** of languages) **2** (*vyučovací hodiny*) classes, lessons *pl*; **nemáme dnes ~** we have no lessons today **3** (*soukromé*) tuition, lessons *pl*

vyučovat teach* (**děti hudbě** music to children)

vyúčtování clearance of accounts

vyúčtovat account (**co** for sth.)

využí|t, -vat use; make* the most of; take* advantage of (**této příležitosti** this opportunity)

využití use, utilization

vyvádět 1 *též* **vyvést** take* out **2** (*skotačit*) romp

vývar: hovězí ~ broth, beef tea, beef stock

vyvařit (se) boil

vyvařit boil down; (*prádlo*) boil; **~ se** boil out

vyvážet export

výveska notice

vývěsní štít signboard

vyvést take* out; **~ z omylu** undeceive; **~ z rovnováhy** unbalance

vyvětrat air

vyvézt export

vyvíjet (se) develop

vývin development

vyvinout (se) *viz* **vyvíjet (se)**

vyvinutý developed

vyvlast|nit, -ňovat expropriate [eks'prəuprieit]

vyvodit závěry draw* conclusions (**z** from)

vývoj 1 development (**událostí** of

V

events) **2** (*zákonitý,
k dokonalosti*) evolution
vývojka developer
vývojové země developing
countries
vyvol|at, -ávat 1 call (**herce** an
actor before the curtain; **žáka**
a boy's name) **2** develop (**film**
a film) **3** excite (**obdiv**
admiration, **výtržnost** a riot);
give* rise to (**nedorozumění**
misunderstandings)
vývoz export
vývozce exporter
vývozní export
vyvr|acet, -átit refute (**argument**
an argument); disprove (**teorii**
a theory)
vyvrcholit culminate (**čím** in sth.)
vyvrtat bore, drill
vývrtka corkscrew
vyvrtat bore
vyvrtnout si sprain (**kotník** one's
ankle)
vyzařovat radiate
výzbroj 1 armaments *pl*,
munitions *pl* **2** (*odborné
znalosti*) stock-in-trade
vyzbroj|it, -ovat arm, supply
with arms
výzdoba decoration, décor
vyzdobit decorate; ~ **ulice prapo-
ry** dress the streets with flags
vyzdvih|nout, -ovat 1 raise, lift
2 (*zdůraznit*) stress
vyzkoušet 1 examine (**žáka**
a pupil) **2** test (**lék** a medicine)
výzkum research; ~ **veřejného
mínění** public opinion poll
výzkumník research worker
výzkumný research
význačný prominent, distinguished

vyznačovat se be* distinguished
(**čím** for sth.)
význam 1 meaning (**slova** of
a word) **2** (*důležitost*)
importance, significance ♦ **to
nemá ~** that's of no importance
vyznamenání 1 distinction (**za
statečnost** for bravery); (*školní*)
honours *pl* **2** (*řád*) decoration,
order
vyznamenat 1 distinguish
2 (*řádem*) decorate
vyznamenat se distinguish oneself
♦ **nijak zvlášť se ne-** make*
a poor showing
významný important, significant,
outstanding
vyznání confession; **náboženské
~** denomination; ~ **lásky**
declaration of love
vyznat confess (**svou vinu** one's
guilt); ~ **lásku komu** declare
one's love to sb.
vyzn|at se 1 confess (**z čeho**
sth.) **2** (*v čem*) make* sth. out;
be* familiar with
♦ **ten se -á** he's been around a lot
výzv|a 1 call; **volat telefonicky
na -u** make* a fixed-time /
a person-to-person call
2 (*k soutěži*) challenge
vyzvání invitation
vyzvat 1 invite **2** (*k soutěži*)
challenge
vyzvědač spy
vyzved|at, -nout 1 (*do výše*) lift
2 (*zdůraznit*) stress, emphasize
3 withdraw* (**peníze z banky**
money from the bank) **4** collect
(**šaty z čistírny** one's clothes
from the cleaner's)
vyzvědn|ý reconnaissance;
-á služba intelligence service

vyzvídat pump information (**na kom** out of sb.)

vyzývavý provocative

vyžádat si demand, ask for

vyžadovat require, call for

vyždímat wring*

vyžehlit iron (**košili** a shirt); press (**oblek** a suit)

vyžilý dissipated, debauched

výživa 1 (*jídlo*) nourishment 2 (*podpora*) support

výživné maintenance grant

výživný nourishing

vzácný rare; ~ **kov** precious metal

vzadu behind, at the back

vzájemně mutually, one another

vzájemný mutual

vzbouřenec rebel, insurgent

vzbouření rebellion, mutiny

vzbouřit raise; ~ **se** rebel, revolt

vzbudit 1 *též* ~ **se** wake* (up) 2 arouse (**podezření** suspicion, **zájem** interest)

vzbuzovat arouse (**podezření** suspicion, **sympatie** sb.'s sympathy); ~ **dojem** make* an impression

vzdálenost distance

vzdálený distant; a long way off

vzdalovat se recede

vzdá|t, -vat (*závod*) scratch; ~ **čest** pay* tribute

vzdát se 1 surrender (**nepříteli** to the enemy) 2 give* up (**kariéry** one's career); abandon (**veškeré naděje** all hope)

vzdělání 1 education; **všeobecné / středoškolské / vysokoškolské** ~ general / secondary / university education 2 (*souhrn znalostí*) knowledge

vzdělaný educated

vzdělávat educate; ~ **se** study

vzdor defiance

vzdorovat defy, brace (**čemu** sth.)

vzduch air; **na čerstvém** ~**u** in the open air

vzducholoď airship

vzduchoprázdný vacuum

vzduchotěsný airtight

vzduchovka air gun

vzduš|ný|ý; dopravit -ou cestou (transport by) airlift

vzdych|at, -nout si sigh

vzejít (*o obilí*) sprout (up)

vzepřít se resist (**čemu** sth.)

vzestup rise (**výroby** in output)

vzestupný rising

vzhled looks *pl*, appearance; ~**em k tomu, že** in view of the fact that

vzhůru up(wards)
  ♦ ~ **být** ~ be* up; **hlavu** ~**!** cheer up!; ~ **nohama** upside down

vzcházet sprout (up)

vzchopit se pull oneself together

vzít 1 take* (**co do ruky** sth. in one's hand, **koho za ruku** sb.'s hand, **čí klobouk** sb.'s hat, **dopis na poštu** a letter to the post, **dceru do kina** one's daughter to the cinema, **dítě ze školy** the child away from school, **v úvahu** into account, **komu míru na šaty** sb.'s measurements for a suit of clothes, **koho za slovo** sb. at his word) 2 accept (**dar** a gift, **nového zaměstnance** a new employee; conscript (**na vojnu a recruit**)
  ♦ ~ **na sebe odpovědnost** assume the responsibility; ~ **komu odvahu** discourage sb.

vzít se get* married
  ♦ **jak se to vezme** that's a matter of opinion; **když se to tak vezme** considering

vzít si 1 take (**s sebou jídlo** some

V

food); **~ si do hlavy** take into one's head **2 ~ si za ženu / muže** marry **3** (*posloužit si*) help oneself to sth.

vzkaz message; **nechat ~ u** leave* word with

vzk|ázat, -azovat (*komu*) let* sb. know, give* sb. a message

vzklíčit sprout (up)

vzkřísit revive

vzl|etět, -étnout (*letadlo*) take* off

vzlykat sob

vzmáhat se 1 (*růst*) grow*, increase **2** (*zlepšovat se*) improve (one's position)

vznášedlo hovercraft

vznášet se float, hover, drift

vznést se (*letadlo*) take* off

vznešený noble

vznětlivý 1 inflammable (**látka** material) **2** excitable (**člověk** person)

vznik rise, origin; **dát ~** give* rise (**čemu** to sth.)

vznik|at, -nout arise*, originate, come* into being

vznítit se catch* fire

vzor 1 model; **~ píle** a model of industry; **pařížský ~** a Paris model **2** example (**pro použití** for use); **řídit se ~em koho** follow sb.'s example; **být ~em pro** set* an example to **3** design; **květinový ~** a design of flowers **4** (*též střih*) pattern; **geometrický ~** a geometrical pattern

vzorec formula

vzorek 1 (*hromadného zboží*) sample **2** (*část celku*) pattern; **~ bez ceny** a free sample

vzorný model

vzpamatovat se come* to one's senses

vzpažit raise one's arms

vzpěrač weightlifter

vzpírání weightlifting

vzpírat se defy, resist (**čemu** sth.)

vzplanout flare up

vzpom|enout, -ínat commemorate (**čeho** sth.); **~ si** remember, recollect (**nač** sth.) ♦ **nemohu si ~, odkud ho znám** I can't place him

vzpomínka memory (**na** of)

vzpoura mutiny

vzpruha 1 stimulus, incentive **2** (*povzbuzení*) encouragement

vzpružit buck up, pep up

vzpřímený upright

vzpřímit se rise*

vzrůst *n* increase (**výroby in** production) ● *v též* **-at** grow*; (**be*** on the) increase

vzrušení excitement; (*rozruch*) commotion

vzrušený excited; upset

vzruš|it, -ovat excite; **~ se** get* excited

vzrušující exciting, thrilling, intriguing

vztah relation(ship)

vztahovat reach (**ruku po čem** for sth.); **~ se** relate, refer, extend (**na** to)

vztažný (*jaz.*) relative

vztek rage, fury, anger (**na koho** with sb., **nač** at sth.)

vzteklina rabies

vzteklý furious; **~ pes** mad dog

vztyč|it, -ovat erect; **~ vlajku** hoist a flag

vzývat invoke

vždy(cky) always; **~ když** whenever

vždyť why; **~ přece létat je snadné!** why, it's quite easy to fly!

vžít se do čí situace stand* in sb.'s shoes, put* oneself in sb.'s shoes

Z

z, ze 1 from (**Londýna** London, **ci-ziny** abroad / overseas, **domova** home, **dne na den** day to day); **ukázka ~ Shakespeara** a passage from Shakespeare; **pít ~ potoka** drink* from a brook; **víno ~ hroz-nů** wine from grapes; **jednat ~ nutnosti** act from necessity; **pře-loženo ~ angličtiny** translated from the English **2** out of; **vysko-čit ~ postele** jump out of bed; **dí-vat se ~ okna** look out of the win-dow; **udělat to ~ soucitu / zvěda-vosti** do* it out of pity / curiosity; **být ~ módy** be* out of fashion; **pít ~ šálku** drink* out of a cup **3** of; **dům ~ dřeva / cihel** a house of wood / brick; **dopis ~ 1. dub-na** a letter of 1st April; **kdo ~ vás** which of you; **pocházet ~ dobré rodiny** come* of a good family ♦ **~ tohoto důvodu** for this reason; **zkouška ~ fyziky** examination in physics; **jen dva ~ sta** only two people in a hundred. *viz též* **s, se**

za 1 (*místní*) behind (**stromem** the tree, **mraky** the clouds, **ostat-ními žáky** the other boys); bey-ond (**řekou** the river) **2** (*pořadí*) after; **den ~ dnem** day after day; **~ sebou** one after another **3** (*zastoupení; též cena*) for; **jednat ~ koho** act for sb.; **trpět ~ svoje chyby** suffer for one's mistakes; **medaile ~ statečnost** medal for bravery; **zboží ~ £ 100** goods for £100 **4** (*o čase*) during (**války** the war, **mé nepřítom-nosti** my absence); in (**dvacet let**

twenty years); under (**socialismu** socialism) ♦ **již tři dny ~ sebou** for three days running; **koupit ~ babku** buy dirt-cheap; **překládat slovo ~ slovem** translate word for word; **zavřít ~ sebou dveře** shut the door after oneself; **~ pr-vé** first(ly); **~ druhé** secondly; **~ třetí** in the third place

zabalit pack up, wrap up; **~ se** muffle oneself up

zábava 1 (*potěšení, příležitost*) amusement **2** (*organizovaná*) entertainment **3** pastime; **šachy jsou jeho oblíbená ~** chess is his favourite pastime

zabavit seize, confiscate

zábavní park funfair

zábavný amusing

záběh: v ~u running in

záběr (*filmový*) shot; **~ zblízka** close-up

zabezpečení security

zabíjet kill

zabírat take*, occupy

zabít (se) kill (oneself); **~ dvě mouchy jednou ranou** kill two birds with one stone

zablácený muddy

záblesk flash

zablokovat block, obstruct

zabloudit lose* one's way

zabodnout stick*; **~ se** get* stuck

zabořit (se) sink*, bury (oneself)

zábradlí railing, banisters *pl*

zabránit prevent (**komu v čem** sb. from -ing sth.)

zabrat 1 occupy (**území** a territory); take* up (**málo**

místa little space) **2** (*lék*) take*
3 take* in (**šaty** a dress)
zabrzdit brake
zábst: zebe mě I'm freezing
zabýv|at se occupy oneself (**čím**
with sth.); **čím se teď -áte?**
what are you at now?
záclona curtain
zácpa constipation; (*dopravní*)
traffic jam
začáteční elementary
začátečník beginner
začát|ek beginning; **na -ku** at the
beginning; **na -ku příštího**
týdne early next week
začervenat se blush
začí|nat, -t begin*, start; **~ od**
začátku / z ničeho start from
scratch; **~ rozhovor** strike* up a
conversation
začlenit incorporate
zád|a back; **obrátit se -y ke**
komu turn one's back upon sb.;
za mými -y behind my back
zadaný engaged, occupied,
reserved; **ne~** (*mládenec*) fancy
free
zadarmo free of charge; **nechtěl**
bych to ani ~ I wouldn't take*
it as a gift
zad|at, -ávat 1 reserve, book
(**pokoj** a room) **2** place
(**objednávku** an order)
zadek (*zvířete*) rump; (*člověka*)
buttocks *pl*; (*vozu*) rear
zadělávaný thickened
zadlužený in debt
zadní back (**osa** axle), rear (**kola**
wheels, **vchod** entrance); hind
(**nohy koně** legs of a horse)
zadostiučinění satisfaction
zadrž|et, -ovat stop, hold (up)
záducha asthma [æsmə]

zadusit suffocate
zádušní mše requiem mass
zadýchat se get* out of breath
záhada mystery
záhadný mysterious
zah|ájit, -ajovat open; (*kampaň*)
launch
zahajovací opening
zahálet idle
zahalit envelop, veil
zahanbit shame, make* sb. feel
ashamed
zahladit efface
záhlaví title, heading
zahlédnout catch* sight (**koho** of
sb.)
zahnat drive* away; **~ na útěk**
put* to flight
zahnout bend*
zahodit throw* away
zahojit se heal
záhon flower bed
zahoukat hoot
zahrabat bury
zahrada garden; (*ovocná*) orchard
zahrádka 1 (*za domem*) back
garden **2** (*na střeše auta*) roof
rack
zahrádkář spare-time gardener
zahradní garden
zahradnictví gardening
zahradník gardener
zahraničí foreign countries *pl*; **v ~**,
do ~ abroad; **zprávy ze ~** news
from abroad, overseas news; **mi-**
nisterstvo ~ Ministry of Foreign
Affairs, *GB* Foreign Office
zahraniční foreign, overseas
zahrát play
zahrn|out, -ovat include
zahř|át, -ívat warm (up)
zahřmět thunder
záhyb fold, crease

zahýbat bend*
zahynout perish
záhuba ruin, undoing
zacházet 1 enter (**do podrobností** into details) **2** work (**s karmou v koupelně** the geyser) **3** handle (**s knížkou opatrně** the book carefully)
zacházka detour [deituə]
záchod lavatory, toilet
zachovalý well-preserved
zachovat 1 preserve (**své zdraví** one's health) **2** maintain (**mír** peace)
zachovávat keep*, observe (**pravidla** the rules)
záchrana rescue
záchránce rescuer
zachr|ánit, -aňovat rescue, save; **~ co se dá** make* the best of a bad job
záchrann|ý: -á brzda communication cord; **-á četa** rescue party; **~ člun** lifeboat; **-á vesta** life jacket
záchvat fit; **srdeční ~** a heart attack
zachvět se tremble, shake
zachy|covat, -tit 1 (*záznamem*) take* down; (*na desku, pásek*) record **2** (*v pohybu*) intercept **3** (*vyjádřit*) express
zainteresovanost financial interest (**v** in)
zajatec prisoner (of war)
zajatý captive
záj|em interest (**o** in); **v tvém vlastním -mu** in your own interest; **mít ~ be*** interested (**o** in)
zájemc|e person interested; **-i** *pl* those interested
zajet 1 drive* (**do ulice** into the street) **2** (*koho*) run* over
zajetí captivity

zájezd trip; (*okružní*) tour
zajíc hare
zajímat interest; **~ se** be* interested (**o** in)
zajímavost matter of interest
zajímavý interesting
zaji|stit, -šťovat secure, ensure
zajít 1 call (**pro knížku** for a book, **pro koho** for sb.) **2** (*slunce*) set*; **slunce zašlo** the sun has set **3** (*zahynout*) perish
zajíždět 1 visit (**kam** sth.) **2** run* in (**auto** a car)
zajížďka detour [deituə]
zájmeno pronoun
zajmout capture
zájmový kroužek hobby group
zákal (*oční*) cataract [kætərækt]
zákaz ban (**jaderných pokusů** on nuclear tests); **~ zastavení** no stopping
zakáz|at forbid*, prohibit; (*úředně*) ban ♦ **kouření -áno** no smoking; **-ané uvolnění** (*v hokeji*) icing; **vstup -án** no entry
zakázk|a order; **oblek na -u** suit made to order
zákazník customer; shopper
zakazovat forbid*, prohibit
zákeřný insidious
základ basis, foundation; **mít dobré ~y v angličtině** have* a good grounding in English; **začít od ~u** start from scratch
zakládat 1 found (**nové město** a new city, **důvody na faktech** one's arguments on facts) **2** take* in (**šaty** a dress)
zakladatel founder
základna base; **letecká / námořní / raketová ~** air / naval / rocket base; **krmivová ~** fodder resources *pl*

Z

základní 1 basic, fundamental **2** (*počáteční*) elementary ♦ ~ **barvy** primary colours; ~ **číslovky** cardinals; ~ **devítiletá škola** elementary nine-year school

zaklepat knock (**na dveře** at the door, **na okno** on the window)

záklon backward bend

záklopka valve

zákon law; (*schválený parlamentem*) act ♦ ~ **schválnosti** sod's law; **Starý / Nový** ~ the Old / New Testament

zakončit finish, close

zákoník code

zákonitost regularity

zákonný rightful (**majitel** owner)

zákonnost legality

zákonný legal, legitimate

zákonodárný legislative

zákop trench

zakopat bury

zakouřený smoke-stained (**strop** ceiling); smoky (**vzduch** atmosphere)

zakouřit si have* a smoke

zakročit intervene

zákrok intervention

zakrý|t, -vat cover; (*ukrýt*) hide*

zakuckat se choke

zákulisí behind the scenes; **život v** ~ backstage life

zákusek sweet; dessert

zalepit stick* down (**obálku** an envelope)

zales|nit, -ňovat afforest

zalévat water

zalézt crawl (**do** into)

zálež|et 1 matter, count; **-í na charakteru** it's character that matters / counts **2 dát si** ~ do* one's best; put* one's mind (**na** to) **3** depend (**na** on); **-í na vás** (**abyste rozhodl**) it's up to you (to decide)

záležitost matter, affair

záliba liking (**pro** for); (*koníček*) hobby

zalidněný populated

zalít water

záliv gulf

zálivka sauce, dressing

záloha 1 (*peněžní*) deposit, advance **2** (*voj.*) reserve

založit 1 found (**město** a town); establish (**podnik** business) **2** take* in (**šaty** a dress) **3** (*někam*) mislay*

záložka 1 (*do knihy*) bookmark(er) **2** (*kalhot*) turn-up

záložník reservist

zamastit grease; ~ **se** get* greasy

zamazat soil; ~ **se** get* soiled

zamčený locked (up)

zámečník locksmith

zámek 1 (*u dveří*) lock **2** (*dům*) castle

zamě|nit, -ňovat mistake* (**co zač** sth. for sth.)

záměr design, scheme

záměrný deliberate

zaměření direction

zaměřit direct (**pozornost na** one's attention to); ~ **se** aim (**na** at)

zamést sweep*

zaměstnanec employee

zaměstnání employment; ~ **na částečný úvazek** part-time employment

zaměstn|at, -ávat 1 (*dát zaměstnání*) employ **2** (*udržovat v činnosti*) occupy, keep* busy

zaměstnavatel employer

zameškat miss

zametat sweep*
zamhouřit oči 1 close one's eyes **2** shut* one's eyes (**nad** to)
zamíchat stir (**čaj** one's tea)
zamilovaný in love (**do** with)
zamilovat si (**co**), **zamilovat se** (**do**) fall* in love (with)
záminka pretext
zamířit 1 aim (**pušku na** one's gun at) **2** (**kam**) make* one's way to
zamítavý negative
zamítnout reject
zamknout lock (up)
zamlčet (**co**) keep* sth. secret
zamluvit si book, reserve
zamontovat install, fit in
zamořit infest; contaminate
zámořský oversea(s)
zamotat entangle
zamračený 1 (**obloha**) cloudy **2** (**člověk**) frowning
zamračit se frown (**na** at)
zamrzlý frozen over
zamrznout freeze* over
zamykat lock
zamyslit se think* (**nad** about); think* to oneself (**nad tím, jak** how)
zamyšlený lost in thought; brooding
zanedbávat, -ávat neglect
zaneprázdněný busy
zanést 1 (**vodou, větrem**) drift **2** (**zapsat**) enter, register
zánět inflammation
zánik downfall, decline, ruin
zanícený 1 (**podebraný**) festered **2** (**nadšený**) dedicated, devoted
zaniknout become* extinct
zaoceánský transatlantic
zaokrouhlený round
zaopatření provision,

maintenance; **celé ~** full board and lodging
zaostalý backward
západ 1 west; **Západ** the West; **na ~ě** in the west; **na ~** (to the) west, westward; **na ~ od** west of **2 ~ slunce** sunset
zapad|at 1 dobře ~ do fit in well with **2 slunce -á** the sun sets*
západní west (**vítr** wind, **Z~ Indie** West Indies); western (**polokoule** hemisphere, **Evropa** Europe)
zapadnout 1 (**dolů**) sink* **2** (**do sebe**) fit in **3** (**být zapomenut**) sink* into oblivion **4** (**slunce**) set*
zápach (bad) smell; stink
zapáchat smell* (**česnekem** of garlic); (**intenzívně**) stink*
zápal 1 inflammation; **~ plic** pneumonia **2** (**nadšení**) zeal
zapálit light* (**svíčku** a candle, **cigaretu** a cigarette, **oheň** a fire)
zápalka match
zápalný 1 (**hořlavý**) inflammable **2** (**zapalující**) incendiary (**puma** bomb)
zapalovač lighter
zapalovat light*; **jemu to zapaluje** he is quick on the uptake
zapamatovat si remember; keep* sth. in mind
zápas 1 fight; struggle (**o existenci** for existence) **2** (**zvl. sport.**) contest, match; **řeckořímský ~** wrestling
zápasit 1 fight*, struggle **2** (**soutěžit**) contend, contest, compete
zápasník wrestler
zapečený oven-baked
zapečetit seal (up)

Z

zapínání fastening (with buttons); (*kalhot*) fly
zapínat button (up)
zapírat deny
zápis 1 (*záznam*) entry, record **2** (*protokol*) minutes *pl* (**o schůzi** of a meeting)
zápisné registration fee
zápisník notebook, diary
zapisovat note down; make* notes (**co** of sth.)
zapisovatel secretary
zapít 1 (*lék*) wash down; (*tvrdý nápoj*) chase down **2** (*oslavit*) celebrate
zaplacený paid(-for)
záplata patch
zaplatit pay* (**komu** sb., **za** for)
záplava flood
zaplav|it, -ovat flood (**čím** with sth.)
zápletka (*ve hře*) plot
zaplombovat 1 stop (**zub** a tooth) **2** seal (**žok** a bale)
zapnout 1 button up; zip up; fasten up (**háčky** the hooks) **2** start (**motor** a motor); switch on
zapnutý 1 (*na knoflíky*) buttoned up; (*na zip*) zipped up, done up **2** (*motor*) switched on, on
započít|at, -ávat include; reckon in
zapoj|it, -ovat connect; plug in (**rádio** the radio)
zapom|enout, -ínat forget* (**nač** sth.) ◆ **abych nezapomněl** that reminds me
zapomnětlivý forgetful
zápor negation
záporný negative
zapovědět forbid*

zapracovaný skilled, familiar (with the work)
zapracov|at, -ávat train, make* sb. familiar (with the work)
zaprášený dusty
zaprodat sell*
zapř|áhnout, -ahovat harness
zapřít deny
zapsat 1 write* down, put* down **2** enter (**položku do účetní knihy** an item in an account book)
zapsat se enroll (**do kursu** for a course, **do spolku** in a society)
zapůsobit impress (**na koho** sb.)
zaradovat se rejoice (**nad čím** over / at sth.)
zarazit 1 (*zastavit*) stop, check **2** (*překvapit*) puzzle, intrigue
zarazit se stop, pause
zarazit si get* (**třísku do prstu** a splinter into one's finger)
zaražený puzzled
zármutek grief
zárodek embryo; germ
zarostlý bearded
zároveň at the same time; **~ s** along with
zaručit warrant, guarantee; **~ se** vouch (**za** for)
záruční: ~ lhůta period of guarantee; **~ list** guarantee, certificate of warranty
záruka guarantee
zařadit class, classify; **nevím, kam vás mám ~** (*nevzpomínám si na vás*) I can't place you
zařazovat file (**došlou korespondenci** incoming correspondence)
záře glare; shine, light
záření radiation
zářný shining
zářez notch; score
září September

zařídit (si) 1 (*obstarat*) arrange; (*hovor.*) fix up 2 (*nábytkem*) furnish

zářit shine*; beam (**štěstím** with happiness)

zářivka fluorescent tube / fitting

zařízení 1 (*bytu*) furnishings *pl* 2 (*vybavení*) equipment 3 (*mechanismus*) device, appliance 4 **rekreační ~** recreational amenities *pl* / facilities *pl*

zařizovat 1 arrange 2 (*byt*) furnish

zásad|a 1 principle; **ze -y** on principle 2 (*chem.*) alkali [ǽlkəlai]

zasadit 1 plant (**strom** a tree) 2 put* in, insert 3 **deal*** (**ránu komu** sb. a blow)

zásadní fundamental

zásah 1 (*trefa*) hit 2 (*zákrok*) intervention; (*zasahování*) interference

zas|áhnout, -ahovat 1 (*trefit*) hit 2 intervene (**do sporu** in a dispute), interfere (**do mých věcí** in my business)

zasazovat *viz* **zasadit**

zase 1 (*opět*) again 2 (*naproti tomu*) on the other hand, for one's part; **já ~ s vámi nesouhlasím** I for my part don't agree with you

zasedací síň assembly hall

zasedání session, sitting, meeting

zasedat be* sitting, be* in session

zasílat send*

zásilka (*poštovní*) parcel; (*zboží*) consignment; (*lodní*) shipment

zásilkový obchodní dům mail-order house

zasít sow*

zaslat send*

zaslechnout overhear*

Zaslíbená země Promised Land

zasloužený well-deserved

zasloužit (si) deserve

zásluh|a merit; **vaší -ou** thanks to you; **mít -u o be*** credited with

zasluhovat deserve

záslužný creditable (**pokus** attempt)

zasmát se laugh

zasněný lost in dreams

zasnoubit se get* engaged (to be married)

zásob|a supply, stock; **udělat si -u** lay* a stock

zásob|it, -ovat supply (**čím** with sth.)

zásobování supply (**obyvatelstva potravinami** of food / **surovinami** of raw materials / **vodou** of water for the population)

zaspat oversleep* (oneself)

zastaralý obsolete, out of date, outmoded

zastarat become* obsolete

zastat be* stand* up, stick* up (**koho** for sb.)

zastavárna pawnshop

zastávat hold* (**úřad** an office)

zastavení 1 suspension; cessation (**jaderných pokusů** of nuclear tests) 2 (*křížové cesty*) station 3 **zákaz ~** no stopping

zastavěný built up, developed (**pozemek** area)

zastavět build* up

zastavit 1 stop, cease 2 (*dát do zástavy*) pledge, pawn 3 clutter (**nábytkem** with furniture)

zastavit se 1 stop; (*vůz též*) pull up, draw* up 2 (*na krátkou návštěvu u koho*) drop in (on sb.)

zastávka stop; **~ na znamení** request stop

zastavovat stop

Z

zástěra apron

zastihnout reach, catch*

zastoupení agency

zastoupit 1 block, obstruct (**komu cestu** sb.'s way) **2** (*nahradit*) substitute (**koho** for sb.)

zástrčka plug

zastřelit shoot* (dead)

zástřih haircut

zástup 1 crowd **2** (*jeden za druhým*) line

zástupce 1 (*představitel*) representative **2** (*obchodní*) agent **3** (*právní*) lawyer **4** (*lékaře*) locum

zastupitelství agency

zastupovat 1 (*reprezentovat*) represent **2** (*u soudu*) defend; plead (**koho** for sb.)

zásuvka 1 (*stolu*) drawer **2** (*elektr., ve zdi*) power point

zásyp talcum [tælkəm] powder

zasyp|at, -ávat (*hlínou*) bury; scatter (**prachem** with dust, **pískem** with sand); load (**balíčky** with parcels)

zašít sew* up

záškodnický sabotage

záškodník saboteur [sæbə'tə:]; (*střelec*) sniper

záškrt diphtheria

zaškrtnout tick off

zašlápnout crush (with one's foot)

zašpinit soil; **~ se** get* soiled

zašroubovat screw down, screw in

zášť hatred

záštita sponsorship

zatáčet turn, bend*

zatáčk|a 1 bend; **ostrá ~** a sharp bend in the road **2** turning; **dejte se první -ou vpravo** take* the first turning to the right

zat|áhnout, -ahovat pull, draw*; **~ záclony** draw the curtains

zataj|it conceal (**co před kým** sth. from sb.); **se -eným dechem** with bated breath

zatčen(ý) under arrest

zatelefonovat (*komu*) ring* sb. up

zatemnit black out

zatěžkávací zkouška loading test

zatěžkávat load

zatím 1 meanwhile, in the meantime **2** (*prozatím*) for the time being **3** (*do té doby*) by then

zatímco while

zátiší 1 seclusion **2** (*malířské*) still life

zatížení load, burden

zátka stopper, cork

zatknout arrest

zatleskat clap (one's hands)

zatloući drive* (**hřebík do prkna** a nail into a plank)

zatmění eclipse

zato 1 (*na oplátku*) in return **2** (*naproti tomu*) on the other hand

zatočit turn, swing* (**za roh** round the corner)

zátoka inlet

zatopit 1 (*v kamnech*) make* a fire **2** (*vodou*) flood

zatřást shake* (**čím** sth.)

zatřpytit se glitter

zatykač warrant

zatýkat arrest

zauč|it, -ovat train; **~ se** make* oneself familiar (**do** with)

zaúčtovat place to account

zaujatý partial, prejudiced

zaujímat occupy; (*plochu*) cover

zaujmout 1 occupy, take* (**sedadlo** a seat, **své místo** one's place) **2** (*upoutat*) catch* sb.'s fancy, attract (**čí pozornost** sb.'s attention)

zaútočit attack (**nač** sth.)

závada defect

zavádět introduce

závadný defective, faulty; offending

zavalit overwhelm

zavařenina preserve; jam; **pomerančová** ~ marmalade

zavař|it, -ovat preserve

zavát: ~ **cestu sněhem** snow up the way

zavazadlo luggage

zavázat 1 bind* (**provazem** with a rope); tie (**si šněrovadla** one's shoelaces) **2** (*koho*) engage, oblige

závazek commitment

závazný binding

zavazovat *viz* **zavázat**

závaží weight

závažný weighty

zavděčit se oblige (**komu** sb.)

závěj snowdrift

závěr 1 (*konec*) finish, close **2** (*úsudek*) conclusion, deduction; **dělat ukvapené ~y** jump to conclusions

závěrečný final

závěs hangings *pl*

zavést 1 (*kam*) take*, lead* **2** (*uvést*) introduce **3** (*nesprávně*) mislead*

závěť (last) will, testament

zavézt take*; (*vlastním vozem*) drive*

závidět envy (**komu co** sb. sth.)

závin (a sort of) apple pie, apple strudel

zavinit cause, be* the cause of

zavírací: ~ **hodina** closing hour; ~ **špendlík** safety pin

zavírat close, shut*

záviset depend (**na** on)

závislý dependent (**na** on)

závist envy; **ze ~i** out of envy

závistivý envious

závit (*šroubu*) thread; (*spirály*) coil

zavlaž|it, -ovat irrigate

zavlažovací irrigation

závod 1 (*závodění*) race, contest, competition; ~ **s časem** race against time **2** (*podnik*) plant, works, establishment

závodit race, contest, compete

závodní 1 race, racing; ~ **dráha** racing track, (*lyžařská*) ski run **2** works (**jídelna** canteen, **lékař** doctor, **výbor** committee); ~ **rozhlas** intercom system

závodn|ice, -ík competitor

zavod|nit, -ňovat irrigate

zavodňovací irrigation

závoj weil

zavolat 1 call; ~ **lékaře** call in a doctor **2** (*telefonicky*) ring* sb. up, give* sb. a ring **3** (*též mávnutím*) hail (**na taxi** a taxi)

závor|a 1 (*na dveřích*) latch, bolt **2 -y** (*železniční*) gates *pl*

závorka bracket

závrať dizziness; **mám** ~ I am dizzy

zavraždit murder

zavrženíhodný reprehensible

zavřít shut*, close; turn off (**plyn** gas, **vodu** water)

zázemí (*voj.*) the rear; (*přen., zvl. kulturní / politické*) background

záznam 1 (*zápis*) note, entry **2** (*též gramofonový / magnetofonový*) recording **3** (*na pokoj v hotelu*) reservation

záznamník answerphone

zaznamen|at, -ávat 1 (*zapsat si*) write* down, make* a note of

2 (*do seznamu*) register **3** (*též na desku / pásek*) record
zaznít sound
zazpívat (si) sing*
zázračný miraculous
zázrak miracle; **dělat ~y** work miracles
zazvonit ring* the bell
zážitek experience
zaživa alive
zažívací ústrojí digestive organs *pl*
zažívání digestion
zbabělec coward
zbabělý cowardly
zbavit deprive (**koho čeho** sb. of sth.); **~ se** get* rid (**čeho** of sth.)
zběh deserter
zběžně casually; perfunctorily
zbít beat* up
zbláznit se go* mad; be* crazy (**do** about)
zblednout turn pale
zblízka closely; at close quarters
zbohatnout get* rich
zbořit, zbourat demolish
zboží goods *pl*; (*nabízené k prodeji*) wares *pl*; **partiové ~** seconds *pl*, substandard goods *pl*
zbra|ň weapon; **-ně** arms *pl*; **střelná ~** gun
zbrojařský průmysl armaments industry
zbrojení armament
zbrojit arm
zbylý leftover, remaining
zbý|t, -vat be* left, remain; **do zvonění -vá 5 minut** there's 5 minutes left before the bell
zbytečný unnecessary
zbyt|ek remainder; **-ky** remains *pl*; (*jídla*) leftovers *pl*
zcela quite, entirely
zčernat turn black

zčervenat turn red
zda whether, if
zdaleka **1** (*zdálky*) from afar; **~ i zblízka** from far and near **2** by far (**nejlepší** the best)
zdali whether, if
zdání appearance; **~ klame** appearances are deceptive; **nemám ani ~** I have* no idea
zdanit tax
zdánlivý seeming; apparent
zdar success
zdarma free (of charge); **~ na požádání** free on application
zdařilý successful
zdát se seem, appear
 ♦ **jak se zdá** apparently; **zdá se mi to lehké** I find* it easy; **zdálo se mi** I had a dream (**o** of, **že** that)
zdatný efficient
zde here
zdědit inherit
zdechlina carcass
zdejší local
zděný brick(-built)
zděšení dismay, alarm
zdivočet run* / go* wild
zdířka socket
zdlouhavý lengthy, tedious
zdokonal|it (se), -ovat (se) improve
zdramatizovat dramatize
zdraví health; (*dobrý zdravotní stav*) good health; **duševní ~** sanity; **na vaše ~** to your health; **pít na čí ~** drink* a health to sb.
zdravit greet
zdravotní health; **~ středisko** health centre
zdravotn|ice, -ík (*lékař / ~ka*) doctor; (*sestra*) nurse
zdravotnický medical
zdravotnictví health service

zdravý 1 healthy (**hoch** boy, **způsob života** way of living); sound (**názor** view) 2 wholesome (**pokrm** food, **vzhled** appearance)

zdražit raise the price (**co** of sth.)

zdroj source

združstevnit form a cooperative (**co** out of sth.)

zdržení delay; ~ **se hlasování** abstention

zdrženlivý 1 (*rezervovaný*) reserved 2 (*odpírající si*) abstemious [æb'sti:mjəs]

zdrž|et, -ovat detain, delay, hold* back; ~ **se** abstain (**čeho** from sth.)

zdůraz|nit, -ňovat stress, emphasize

zdv|ihnout, -íhat lift, hoist

zdviž lift

zdvojnásobit double

zdvořilý polite

zdymadlo lock

zebra zebra

zeď wall

zedník bricklayer

zejména especially

zelenat se be* green

zelenina vegetables *pl*

zelený green

zelí cabbage; **kyselé** ~ sauerkraut

zelinářský vegetable-growing

zelinářství greengrocer's, greengrocery

země 1 (*území*) country; (*pozemek*) land 2 (*půda*) soil, ground, earth 3 (*zeměkoule*) the earth

zemědělec farmer

zemědělsk|ý farming; agricultural; ~ **stroj** farming

machine; **-é družstvo** farming / agricultural cooperative

zemědým fumitory [fju:mitəri]

zeměkoule globe

zeměměřičský surveying

zeměpis geography

zeměpisný geographical

zemětřesení earthquake

zemřít die (**na** of)

zemský 1 (*administrativně*) provincial 2 (*pozemský*) earthly

zeptat se ask (**koho na něco** sb. a question)

zes|ílit, -ilovat intensify, amplify, strengthen

zesilovač amplifier

zeslabit weaken

zesměš|nit, -ňovat ridicule

zesnulý the deceased, the late

zespod from below

zestárnout get* / grow* old

zestátnění nationalization

zestát|nit, -ňovat nationalize

zešedivět turn grey

zeť son-in-law

zevně outwardly

zevnějšek exterior

zevnitř from within

zezadu from behind

zezdola from below

zfilmovat film

zhasínat 1 put* out (**plamen** a flame) 2 switch off, turn off (**elektrické světlo** electric light)

zhasnout 1 go* out 2 (*vypnout světlo*) switch off, turn off

zhmožděnina contusion

zhodnotit evaluate

zhorš|it (se), -ovat (se) deteriorate, worsen

zhospodárnit economize

zhoubný pernicious (**vliv** influence); malignant (**nádor** tumour)

Z

zhroutit se collapse, break* down

zhubnout se lose* weight

zhudebnit put* to music

zchoulostivělý squeamish

zchudnout become* poor, be* improverished

zim|a 1 winter; **v -ě** in (the) winter **2** (*chlad*) cold; **je ~** it is cold; **je mi ~** I am cold

zimní winter; **~ stadion** ice rink, winter sports stadium

zimnice ague [eigju:]

zimník overcoat

zimolez honeysuckle [hanisakl]

zimomřivý shivery [ʃivəri]

zimostráz box tree

zinek zinc

zip zip (fastener), zipper; **zapnout na ~** zip up

zisk profit; gain

získ|at, -ávat obtain (**knihu** a book); gain (**zkušenosti** experience); win* (**čí přátelství** sb.'s friendship, **stipendium** scholarship)

zištný egoistic

zítra tomorrow

zítřejší tomorrow's

zívat yawn

zjednoduš|it, -ovat simplify

zjev appearance; (*jev*) phenomenon

zjil|stit, -šťovat find* out, discover, ascertain

zkamenělina fossil

zkapalnit liquefy [likwifai]

zkáz|a destruction, ruin; **podléhající -e** perishable

zkazit spoil*; **~ se** go* bad

zklamání disappointment

zklamaný disappointed; (*po marném úsilí*) frustrated

zklamat disappoint; (*nechat koho na holičkách*) let* sb. down

zkolabovat collapse

zkomolenina garble

zkomolit corrupt (*text*); (*znetvořit*) disfigure

zkomplikovat complicate

zkontrolovat check (**hodinky podle rozhlasu** one's watch with the radio time signal)

zkoumat examine, investigate, look into

zkoušet 1 examine (**žáka** a pupil) **2** test (**komu zrak** sb.'s eyesight, **přístroj** a machine, **lék** a medicine) **3** rehearse (**hru** a play) **4** try on (**oblek** a suit)

zkoušet si (*velikost*) try on (sth. for size)

zkoušk|a 1 examination, (*hovor.*) exam (**z matematiky** in mathematics) **2** (*pokus*) test **3** (*divadelní*) rehearsal; **generální ~** dress rehearsal **4** (*u krejčího*) fitting **5** (*útrapy*) ordeal, trial ♦ **dělat -u** sit* for an exam, go* (up) for an exam; **udělat -u** pass an exam

zkrat short circuit

zkrátit shorten; (*text*) abridge

zkratka abbreviation; (*zkrácená cesta*) short cut

zkrátka in short; **~ a dobře** to cut a long story short

zkreslit, -ovat distort

zkritizovat criticize

zkřehlý numb (**zimou** with cold)

zkřivit (se) bend*, crook

zkřížit cross

zkumavka test tube

zkus|it 1 try; **já to -ím** I'll try, let* me have a try **2** (*trpět*) suffer

zkusmo tentatively

zkušební: ~ jízda trial ride; ~ let
trial flight; ~ pilot test pilot
zkušenost experience; dlouholeté
~i long accumulated fund of
experience
zkušený experienced
zkvalitnit improve the quality of
zlatnictví goldsmith's
zlatník goldsmith
zlato gold
zlatobýl goldenrod [gəuldn'rod]
zlat|ý 1 gold (prsten ring)
2 golden (věk age) ♦ ~ hřeb highlight; -á mládež gilded youth;
-á střední cesta the golden mean
zle: je mi ~ I am sick; bylo ~ the
fat was in the fire
zledovatělý iced
zlehka lightly, gently
zlepšení improvement
zlepšit improve; ~ si kvalifikaci
extend one's qualifications
zlepšovat improve
zletilý: být ~ be* of age
zleva from the left
zlevnění reduction in prices, price
reduction
zlev|nit, -ňovat reduce the price of
zlo evil, wrong
zlobit annoy; ~ se be* angry (na
with sb., at / about sth.); (hovor.)
be* cross (na koho with sb.),
be* huffy
zločin crime
zločinec criminal
zločinnost criminality
zloděj thief; krámský ~ shoplifter
zlomek 1 (úlomek) fragment
2 (mat.) fraction
♦ na ~ vteřiny for a split second
zlomenina fracture
zlomit (se) break*
zlomyslný malicious

zlořád abuse
zlořečený damned
zlořečit curse
zlost anger (na with sb., at sth.);
annoyance; k naší velké ~i
much to our annoyance
zlostný angry
zlozvyk bad habit
zl|ý 1 (k jiným) evil; ~ jazyk evil
tongue 2 (špatný) bad
♦ to je -é! that's too bad!; brát
co ve -ém take* sth. amiss
zmačkaný crumpled, crushed
zmačkat crumple, rumple, crush
zmařit foil, frustrate (čí plány
sb.'s plans)
zmatek 1 confusion
2 (nepořádek) mess
3 (ohromení) bewilderment
♦ uvést ve ~ confuse, bedevil
zmatený confused, chaotic;
(v rozpacích) puzzled
změknout soften
změn|a 1 change (k lepšímu for
the better, počasí in the weather,
v programu in the programme,
vzduchu of air); pro -u for
a change 2 (pozměnění, úprava)
alteration (plánu to the plan)
změnit change; (přizpůsobit,
opravit) modify; (pozměnit)
alter; ~ se change
zmenš|it (se), -ovat (se) diminish,
decrease
změřit measure
zmeškat miss
zmetek (ve výrobě) reject
zmije viper
zmi|nit se, -ňovat se mention
(o čem sth.)
zmínka reference (o to)
zmírnění mezinárodního napětí

easing of international tension,
détente

zmír|nit, -ňovat 1 alleviate
(**bolest** pain); mitigate (**trest the**
punishment) **2** ease (**napětí**
a tension); (*rychlost*) slow down

zmizet disappear, vanish

zmlknout hush

zmocnění warrant

zmocnit authorize; ~ **se** (*čeho*)
take* possession (of sth.), seize
(sth.)

zmodernizovat update, bring*
up-to-date

zmoknout wet* (**na kůži** to the
skin)

zmrzačit cripple, mutilate; ~ **se**
become* a cripple

zmrzlina ice cream

zmrzlý frozen

zmrznout freeze* (to death)

zmýli|t mislead*; ~ **se** make*
a mistake; **-li jsme se v čísle**
we've mistaken the number

značka 1 sign, mark **2** (*turistická*)
way-mark **3** (*zboží*) brand
♦ **dopravní** ~ traffic sign; **státní**
poznávací ~ registration number

značný considerable

znak 1 sign, mark; symbol
2 (*erb*) coat of arms

znalec 1 expert, connoisseur
2 (*schopný posuzovat*) judge

znalost knowledge;
(*obeznámenost*) familiarity
(**čeho** with sth.)

znamenat mean*

znamení 1 sign; **staré domovní**
~ old house sign **2** signal;
časové ~ time signal

znaménko 1 mark; **interpunkční**
~ punctuation mark; **rozdělovací**
~ division sign **2** (*mat.*) sign

známka 1 sign (**života** of life)
2 (*školní*) mark **3** (postage)
stamp

známost 1 (*styky*) connexion; **mít**
~**i** have* connexions **2** (*s dívkou,*
chlapcem) courtship; **po roční ~i**
after a year's courtship; **mít** ~
s kým court sb., walk out with sb.
♦ **uvést ve všeobecnou** ~
make* sth. public

známý *adj* well-known
● *n* friend, acquaintance

znárodnění nationalization

znárod|nit, -ňovat nationalize

znát know*; **dát komu** ~ give*
sb. to understand; ~ **koho od**
vidění know* sb. by sight

znázor|nit, -ňovat represent,
demonstrate

znečistit pollute

znehodnotit debase

znehybnět stiffen

znělka 1 (*báseň*) sonnet
2 (*rozhlasová*) signature tune

znemož|nit, -ňovat make*
impossible

znění wording (**textu** of a text)

znepokojení concern

znepokoj|it, -ovat worry; ~ **se**
be* concerned (**kvůli** about)

znepřátelit se s kým, ~ **si koho**
make* an enemy of sb., fall*
out with sb.

znervóz|nit, -ňovat make*
nervous

zneškod|nit, -ňovat make*
harmless

zneuží|t, -vat abuse (**čeho** sth.)

zničit destroy

znít 1 sound (**krásně** sweet,
přijatelně plausible); **tahle**
klávesa nezní this key won't
sound **2** run*, read*, say*; **věta**

zní takto the sentence runs as follows; **vyhláška zněla** the notice read / said **3** din (**komu v uších** in sb.'s ears)

znova again; (*ještě jednou*) once more, once again
♦ **~ a ~** time and again

zobák beak, bill ♦ **mluv, jak ti ~ narost** speak* plain English

zobat peck (**zrní** at the corn)

zobcová flétna recorder

zobec|nit, -ňovat generalize

zobrazit render (**malířsky** with brush)

zobrazovat represent (**scénu** a scene)

zodpovědný responsible (**za** for); answerable (**komu** to sb.)

zóna zone

zoologick|ý zoological; **-á zahrada** zoological gardens *pl*, the zoo

zoologie zoology

zootechnik animal husbandry adviser

zootechnika animal husbandry

zopakovat (si) 1 recapitulate **2** revise (**učivo** one's lessons)

zorat plough (**pole** a field)

zorganizovat organize; (*hovor.*) fix up

zorný úhel 1 viewing angle **2** (*přen.*) viewpoint

zostř|it (se), -ovat (se) sharpen

zotav|it se, -ovat se recover

zotavovna convalescent home

zotročit enslave

zoufalství despair

zoufalý desperate

zou|t (se), -vat (se) take off one's shoes

zpaměti by heart ♦ **mluvit ~** speak* from memory; **naučit se ~** learn* by heart, memorize

zpáteční: ~ lístek return ticket; **~ rychlost** reverse (gear)

zpátečn|ický, *též n* **-ík** reactionary

zpátky back(wards); **dát ~ komu** give* sb. change (**na libru for a pound note**); **tady máte ~** here's your change

zpestřit vary

zpět *viz* **zpátky**

zpětn|ý reverse; **se -ou platností** retrospectively

zpěv singing; **není mi dnes do ~u** I don't feel* like singing today

zpěvák singer

zpívat sing*

zpocený 1 perspiring (**člověk** person) **2** sweaty (**prádlo** underwear)

zpočátku at first, at the beginning

zpod from under

zpomalený film slow-motion picture

zpomal|it, -ovat slow down

zpopelnit cremate

zpotit se perspire

zpověď confession

zpo|zdit se, -žďovat se be* late; **hodiny se -žďují o 10 minut** the clock is 10 minutes slow

zpoždění delay

zpracov|at, -ávat 1 work (**hlínu** clay) **2** process (**maso** meat) **3** work up (**téma** a theme)

zprava from the right

zpráv|a 1 (*novina*) news; **-y** news *sg*; (*hlášení zpráv*) news bulletin; **přehled zpráv** news headlines; **vyslechněte si -y** here is the news ♦ **to je důležitá ~** this is important / great news; **dostat -u od koho** hear* from sb. **2** (*hlášení, reportáž*) report;

Z

~ **o zdravotním stavu** a report / bulletin on the state of health

zpravidla as a rule

zpravodaj reporter

zpronevěra embezzlement

zpronevěřit embezzle

zprostit acquit (**koho obvinění** sb. of a charge)

zprostředkovat mediate

zprostředkovatel intermediary

zprošťovat acquit (**koho čeho** sb. of sth.)

zprotivit se disgust (**komu** sb.)

zpředu from the front; **fotografie** ~ full face; **pohled** ~ front view

zpřes|nit, -ňovat specify

zpříjem|nit, -ňovat make* pleasant

zpříma straight; **dívat se** ~ look straight ahead; **stát** ~ stand* erect

zpuchřelý rotten

způsob 1 way, method; **tímto ~em** in this way, like this; **určitým ~em** in a way **2** (*jaz.*) mood

způsobilý qualified, competent

způsobit cause, bring* about

způsobný well-mannered

způsoby manners *pl*; **co je to za ~?** aren't you forgetting your manners?

zpustlý 1 dilapidated (**dům** house) **2** dissolute [disəlu:t] (**život** life)

zpustnout become* desolate; (*mravně*) become* dissolute

zpustošit ravage

zrada 1 treachery **2** (*státu*) treason

zrádce traitor

zradit betray

zrádný treacherous

zrak (eye)sight

zralý ripe; (*vyspělý*) mature

zranění 1 injury **2** (*násilné*) wound

zranit 1 injure, hurt* **2** (*násilně*) wound

zrát ripen

zrazovat 1 betray **2** dissuade [di'sweid], discourage (**od** from)

zrcadlo mirror, looking glass

zrcadlovka reflex camera

zrcátko mirror; **zpětné** ~ wing mirror, side mirror

zrezavět rust

zrn|í, -o corn, grain

zrovna: potkat koho ~ **na nádraží** meet* sb. at the station of all places

zručný skilful

zrudnout turn red

zrušit 1 abolish (**otroctví** slavery) **2** cancel (**objednávku** an order)

zrychl|it (se), -ovat (se) speed* up, accelerate

zrzavý ginger-haired, red-haired

zředit dilute

zřejmě obviously

zřejmý obvious, evident

zřetel respect ♦ **bez ~e na** irrespective of; **brát** ~ **nač** take* sth. into consideration

zřetelný distinct

zřícenina ruin

zříci se renounce (**čeho** sth.)

zřídit set* up, establish

zřídka seldom

zřídlo spring; fountain

zříkat se renounce (**čeho** sth.)

zřítit se crash

zřízenec attendant

zřízení institution, establishment; **společenské** ~ social order

zřizovat set* up, establish

ztěžovat make* difficult

ztížený aggravated

ztížit make* difficult, aggravate

ztloustnout get* fat, put* on weight

ztlumit subdue

ztmavět darken

ztracený lost

ztrácet lose*

ztrát|a 1 loss (**krve** of blood, **času** of time) 2 (*plýtvání*) waste (**času** of time, **energie** of energy) 3 (*na životech*) casualty; **těžké -y** heavy casualties
♦ **oddělení ztrát a nálezů** lost property office

ztratit lose* (**peníze** one's money)
♦ **~ vědomí** pass out; **nechci ten zub ~** I don't want to part with that tooth

ztratit se get* lost; (*o dopise*) go* astray

ztrátový losing

ztroskotat be* wrecked; (*přen.*) fail

ztuhlý stiff

ztuhnout stiffen

ztvrdnout harden

zub tooth; **bolí mě ~** I have* (the) toothache; **mít čeho plné ~y** be* fed up with sth.; **dát si vytrhnout ~** have a tooth out; **zatnout ~y** grit one's teeth

zubit se grin

zubní dental; **~ kámen** tartar; **~ kartáček** toothbrush; **~ lékař** dentist; **~ pasta** toothpaste

zúčastnit se take* part (**čeho** in sth.)

zúročit (*přen.*) make use of

zúrod|nit, -ňovat fertilize

zuřit rage, be* furious

zuřivý 1 furious 2 ardent (**fanoušek** fan)

zůst|at, -ávat stay, remain; **-at**

stát stop; **-at vzhůru** stay up; **-at u telefonu** hold* the line

zúžit se taper

zužitkovat utilize

zužovat (se) taper

zvadlý faded, withered

zvadnout wither (away)

zvan|ý invited; **jen pro -é** admission by invitation only
♦ **tak~** the so-called

zvát invite

zvážit 1 weigh 2 (*uvážit*) consider

zvážnět become* serious

zvěd scout

zvedat heave, lift; **~ se** rise*

zvědavý curious; inquisitive
♦ **být ~, zda / jak / kdy** *apod.* wonder if / how / when *etc.*

zvednout raise, lift; (*sebrat*) pick up; **~ se** rise*, stand* up, get* up

zvenčí from without, from the outside

zvěrolékař veterinary surgeon, vet

zvěrstvo atrocity

zvěř animals *pl*; **vysoká ~** red deer

zvěřina game; (*jen z vysoké*) venison

zvěstovat announce

zvětšit 1 increase (**rychlost** speed) 2 enlarge (**dům** a house, **fotografii** a photograph)

zvětšit se increase; grow*

zvětšovací: ~ aparát enlarger; **~ sklo** magnifying glass

zvětšovat (se) *viz* **zvětšit (se)**

zvíře animal; (*zvl. domácí, též přen. člověk*) beast

zvířit stir up

zvítězit 1 win* 2 beat*, conquer (**nad kým** sb.)

zvládnout (*co*) cope (with sth.); manage (sth.)

zvlášť 1 separately; **svaž je**

každý ~ tie them up separately
2 extra; **balení se účtuje ~**
packing is extra

zvláště especially, particularly

zvláštní 1 special, particular;
(*oddělený*) separate; (*navíc*)
extra 2 (*podivný*) strange,
extraordinary, peculiar

zvláštnost peculiarity

zvlhnout get* damp

zvolit elect

zvon, ~ek bell

zvon|it 1 (*znít*) ring*; **zvonek -í**
the bell rings 2 (*zazvonit*) ring
the bell; **~ na koho** ring for sb.

zvracet vomit

zvrhlý vicious

zvučný 1 sonorous (**hlas** voice)
2 high-sounding (**titul** title)

zvuk sound; **rychlejší než ~**
supersonic

zvukotěsný soundproof

zvyk 1 (*návyk*) habit (**kouřit** of
smoking, **pozdě vstávat** of get-
ting up late) 2 (*zvyklost*) custom
♦ **mít ve ~u** be* in the habit of
-ing; **ze ~u** from habit

zvykat si get* used (**na** to)

zvyklý (*na*) used (to), accustomed
(to)

zvyknout si get* used (**na** to)

zv|yšit, -yšovat increase; raise;
step up
♦ **~ ceny** raise prices; **~ si kvalifi-
kaci** extend one's qualifications;
~ výrobu step up production

zv|yšit se, -yšovat se increase,
rise*

zženštilý effeminate

Ž

žába 1 frog 2 (*dívka*) lassie [læsi]

žací stroj reaper

žádanka application form

žádat 1 ask (**co** for sth.); request;
(*energicky vyžadovat*) demand
2 (*podat si žádost*) apply (**oč** for
sth.)

žadatel applicant

žádný 1 no; (*samostatně*) none;
(*ze dvou*) neither 2 (*nikdo*)
nobody, no one 3 (*po záporu*)
any ♦ **~ jiný** nobody else; **není to
~ herec** he isn't much of an actor

žádost 1 request (**o** for); **na moji
~** at my request 2 (*zvl. písemná*)
application (**o** for); **podat si ~**
make* an application

žák pupil

žákovský domov hostel

žákyně pupil

žal grief

žalář jail; prison

žalob|a 1 (*stížnost*) complaint (**na**
about) 2 (*soudní*) suit; **podat -u**
bring* a suit (**proti** against)
3 (*obžaloba*) prosecution

žalobce 1 (*žalující strana*) plaintiff
2 (*prokurátor*) prosecutor

žalovat 1 complain (**komu na** to
sb. of / about) 2 (*školní slang*)
sneak (**koho u soudu** bring*
an action / a suit against sb.

žalud acorn; (*med.*) glans

žaludeční gastric (**vřed** ulcer)

žaludek stomach

žampión champignon
[šɛmˈpinjən]
žánr genre [ža:nr]
žár glow; (*sálavý*) heat; (*přen.*)
fervour
žargon jargon [dža:gən]; (*argot*)
cant
žárlit be* jealous (**na** of)
žárlivost jealousy
žárlivý jealous (**na** of)
žárovka bulb
žáruvzdorný heat resisting
žasnout be* astonished (**nad** at)
ždímačka wringer; (*odstředivá*)
spin drier
ždímat wring* (out)
že 1 that; **vím, ~ máš pravdu**
I know (that) you are right **2** if (+
zápor); **~ jsem to nechal ve sto-
le!** if I haven't left it in my desk!
žebírko cutlet, chop
žebrák beggar
žebrat beg
žebro rib; (*pokrm*) cutlet, chop
žebřík ladder
žeh: pohřeb ~em cremation
žehlení 1 pressing (**obleku** of
a suit) **2** ironing (**košile** of a
shirt)
žehlička iron
žehlit 1 press (**oblek** a suit)
2 iron (**košili** a shirt)
želé jelly
železárna ironworks *pl*
železářství ironmonger's,
ironmongery
železitý ferrous
železni|ce, *též adj* **-ční** railway
železničář railwayman
železný iron
želez|o iron; **staré ~** scrap iron;
dát do starého -a scrap

♦ **kuj ~, dokud je žhavé** make*
hay while the sun shines
železobetonový
reinforced-concrete
želva (*sladkovodní*) tortoise;
(*mořská*) turtle
žemlovka (*s jablky*) apple pudding
žena 1 woman; (*úředně a opovrž-
livě*) female **2** (*manželka*) wife
ženatý married
Ženeva Geneva
ženich bridegroom
ženijní engineering
ženit marry (**syna s dívkou** one's
son to a girl); **~ se** (*s kým*) marry
(sb.), get* married (to sb.)
žensk|ý 1 female; **-é volební
právo** female suffrage
2 feminine; **-á zvědavost**
feminine curiosity **3** womanly;
-á něha womanly tenderness
žerď mast; (*praporu*) flagstaff
žert fun, joke; **nerozumí ~u** he
can't take* a joke; **tropit si ~y**
make* fun (**z** of) ♦ **~y stranou**
joking apart; **nejsou s ním
žádné ~y** he isn't to be trifled
with, there's no joking with him
žertovat joke
žertovný funny
žezlo sceptre
žhář incendiary, arsonist
žhavý red-hot, glowing
žid Jew
židle chair
židovka Jewess
židovský Jewish
žihadlo sting
žíla vein; (*horniny*) seam
žiletka razor blade
žíně horsehair
žíněnka mattress
žíněný horsehair

Ž

žínka face cloth, face flannel; washcloth

žirafa giraffe [dži'ra:f]

žírav|ina, *též adj* **-ý** corrosive [kə'rousiv]

žít[1] live; (*být naživu*) be* alive
♦ **ať žije …!** long live …!

žít[2] mow* (*trávu* grass); reap (*obilí* corn)

žit|ný, *též* n **-o** rye

živ|el element; **být ve svém -lu** be* in one's element

živelní pohroma natural disaster

živelný unrestrained; elemental

živit 1 (*sytit*) feed*, nourish
2 (*vydržovat*) maintain; support

živit se make* one's living

živnostník tradesman

živobytí subsistence; **holé ~** a bare subsistence

živoči|ch, *též adj* **-šný** animal; **-šná výroba** livestock farming

živořit live a wretched existence

život life; **celý svůj ~** all one's life; **na celý ~** for a lifetime

životní vital; **~ dráha** career; **v ~ velikosti** as large as life

životný (*jaz.*) animate

životopis biography

životopisný biographical

životospráva diet

živ|ý 1 living (**jazyk** language)
2 (*čilý*) lively, agile, active; vivid (**popis** description); busy (**dopravní ruch** traffic)
3 (*skutečný, opravdovský*) live

(**kůň** horse, **herec** actor);
-é vysílání live broadcast
♦ **tít do -ého** sting* to the quick

žízeň thirst; **mít ~** be* thirsty

žíznivý thirsty (**po vodě** for water, **po poznání** for knowledge)

žížala earthworm

žlab trough

žlábek groove

žláza gland

žloutek yolk

žloutenka jaundice

žloutnout grow* / get* yellow

žluč bile

žlučník gall bladder

žluklý rancid [rænsid]

žluna green woodpecker

žlutý yellow; (**dopravní světlo**) amber

žně 1 (*úroda*) crop, harvest
2 (*doba*) harvest time

žňový harvest

žoldnéř mercenary

žonglér juggler

žralok shark

žrát eat*

žul|a, *též adj* **-ový** granite

župan dressing gown, bathrobe

žurnalista journalist, newspaper man, reporter

žvanit drivel

žváro ciggy

žvatlat babble

žvýkací chewing (**guma** gum)

žvýkačka chewing gum

žvýkat chew

STRUČNÝ SOUHRN ANGLICKÉ GRAMATIKY

Slovosled

VĚTA OZNAMOVACÍ

Angličtina má pevný slovosled a z toho vyplývá, že

❶ v anglické větě musí být **vždy** *vyjádřen podmět*. Po podmětu následuje přísudek a další větné členy v pořadí: předmět – doplněk – příslovečné určení (místa, času, způsobu):

He studied English in London last year.	Loni studoval v Londýně angličtinu

❷ pozice slova ve větě určuje jeho funkci:

podmět	přísudek	předmět (přímý + nepřímý)	
I	gave	**John a book.**	Dal jsem Johnovi knihu.
John	gave	**me a book.**	John mi dal knihu.

Volnější pozici v anglické větě má především příslovečné určení:

❶ Pro zdůraznění lze *časové určení* předsunout před podmět:

Yesterday I watched an interesting film.	Včera jsem viděl zajímavý film.

❷ Jednoslovné *výrazy pro frekvenci* (např. **always** *vždy*, **often** *často*, **sometimes** *někdy*, **never** *nikdy*) stojí často mezi podmětem a přísudkem:

She *often* goes there.	Často tam chodí.

Jde-li o přísudek složený, klade se tento výraz za pomocné či modální sloveso:

I have *never* seen it.	Nikdy jsem to neviděl.

VĚTA TÁZACÍ

❶ Otázka se tvoří inverzí (přehozením podmětu a ohebného přísudkového tvaru) ve větách, kde je přísudkem sloveso *být* – **be**, nebo jsou součástí přísudku pomocná slovesa **be** či **have** nebo některé modální sloveso:

Is the book on the table?	Je ta kniha na stole?

Have you written the article?   Napsal jsi ten článek?
Can I have a Coke?   Můžu si vzít kolu?
Will he come tomorrow?   Přijde zítra?

❷ Pokud se ve větě sloveso **be** (ani jako pomocné), ani žádné modální sloveso nevyskytuje, tvoříme otázku pomocí **do** (ve tvaru **do / does** pro přítomný čas a tvaru **did** pro minulý):

Do you know her sister?   Znáš její sestru?
Does he have the book?   Má tu knížku?
Did she buy new shoes last week?   Koupila si minulý týden nové boty?

❸ Otázka může začínat tázacím výrazem (např. **what** *co*, **where** *kde; kam*, **who** *koho*, **when** *kdy*, **why** *proč*):

Where did you meet them?   Kde jsi je potkal?
What do you usually do in summer?   Co obvykle děláš v létě?
Who did you see?   Koho jsi viděl?

Ptáme-li se na podmět (**who** = kdo), zůstává zachován slovosled věty oznamovací:

podmět	přísudek	předmět	
Who	saw	you?	Kdo tě viděl?

VĚTNÝ ZÁPOR

❶ Ve větách, kde je přísudkem sloveso *být* – **be**, nebo jsou součástí přísudku pomocná slovesa **be** či **have** nebo některé modální sloveso, se zápor tvoří přidáním **not** za toto sloveso (stažené záporné tvary se zapisují jako jedno slovo s **n't**, např. **isn't, hasn't, can't**):

That man is not my father.   Ten muž není můj otec.
She has not finished her work yet.   Ještě práci nedokončila.
He can't help them.   Nemůže jim pomoct.
You need not do that.   Nemusíte to dělat.

❷ Pokud se ve větě sloveso **be** (ani jako pomocné), ani žádné modální sloveso nevyskytuje, tvoříme zápor pomocí **do** (ve tvaru **do not / does not** pro přítomný čas a tvaru **did not** pro minulý; v písmu se užívají zkrácené tvary **don't / doesn't** a **didn't**):

They don't have any time.   Nemají čas.
My friend doesn't speak French.   Můj přítel nemluví francouzsky.
It did not rain last Sunday.   Minulou neděli nepršelo.

Podstatná jména

POČITATELNOST – NEPOČITATELNOST

U anglických podstatných jmen je důležité to, zda je lze počítat, či nikoli. Většina podstatných jmen je **počitatelných** a označují především konkrétní osoby, zvířata, rostliny, věci apod. Lze užít **s číslovkou a se členem určitým i neurčitým**, např. **a cat** *(jedna) kočka*, **the dog** *pes*, **one hour** *jedna hodina*, **three friends** *tři přátelé*.

Nepočitatelná podstatná jména jsou abstrakta (**time** *čas*, **love** *láska*, **culture** *kultura*), jména látková (**water** *voda*, **coffee** *káva*, **chocolate** *čokoláda*, **meat** *maso*), jména hromadná (**money** *peníze*, **hair** *vlasy*) či názvy jazyků (**Czech** *čeština*, **English** *angličtina*, **German** *němčina*). Většinou se užívají bez členu, **nikdy** je nelze užít **se členem neurčitým a s číslovkou**:

I like tea.	Mám rád čaj.
Finnish is not easy.	Finština není snadná.
Do you drink wine?	Piješ víno?

ROD

Anglická podstatná jména nemají gramatický, ale přirozený rod – neživotná podstatná jména jsou obecně středního rodu, u podstatných jmen označujících živé bytosti hraje roli pohlaví:

John = he, Mary = she, book = it.

MNOŽNÉ ČÍSLO

Většina podstatných jmen v angličtině tvoří množné číslo pravidelně. Nepravidelné tvary jsou uváděny u příslušných hesel ve slovníku.

Množné číslo se u většiny podstatných jmen tvoří přidáním koncovky **-s** ke tvaru jednotného čísla. Výslovnost ovlivňuje předcházející znělá [+z], neznělá [+s] nebo stejnodruhová [+iz] souhláska:

dog	pes	**dogs**	psi	[dogz]
book	kniha	**books**	knihy	[buks]
house	dům	**houses**	domy	[hauziz]

Od podstatných jmen zakončených na **-s, -ss, -sh, -ch** nebo **-x** se množné číslo tvoří koncovkou **-es** [+iz]:

bus	autobus	**buses**	autobusy	[basiz]
boss	šéf	**bosses**	šéfové	[bosiz]

wish	přání	**wishes**	přání	[wišiz]
witch	čarodějnice	**witches**	čarodějnice	[wičiz]
box	krabice	**boxes**	krabice	[boksiz]

Podstatná jména zakončená na **-y**, kterému předchází souhláska, mají plurálovou koncovku **-ies** [+z]:

| lady | paní, dáma | **ladies** | paní, dámy | [leidiz] |
| family | rodina | **families** | rodiny | [fæmiliz] |

(Výslovnost se nemění – koncové [i] zůstává krátké!)

Podstatná jména zakončená na **-y**, kterému předchází samohláska, připojují v plurálu jednoduše **-s** [+z]:

| day | den | **days** | dny | [deiz] |
| toy | hračka | **toys** | hračky | [toiz] |

Přídavná jména

Anglická přídavná jména mají vždy stejný tvar:

| My *new friend* bought a *new bicycle.* | Můj *nový přítel* si koupil *nové kolo.* |
| The three bicycles over there *are old.* | Tamhleta tři kola *jsou stará.* |

Slovesa

V angličtině rozlišujeme slovesa plnovýznamová (ta mohou mít pravidelné nebo nepravidelné tvary), pomocná a modální.

TVARY PLNOVÝZNAMOVÝCH SLOVES

-s	Plnovýznamová slovesa neznají časování. Výjimku tvoří *tvar 3. osoby jednotného čísla přítomného času prostého*.	I speak you catch we carry they play	he/she/it speak**s** he catch**es** she carr**ies** she play**s**
-ed	Pravidelná slovesa tvoří *příčestí minulé a minulý čas* přidáním této koncovky k základu slova. Tvary nepravidelných sloves jsou uvedeny v samostatné tabulce.	work play carry	work**ed** play**ed** carr**ied**
-ing	Touto koncovkou se tvoří *příčestí přítomné*.	work play carry	work**ing** play**ing** carry**ing**

MODÁLNÍ SLOVESA

Modální slovesa mají pro všechny osoby obou čísel stejný tvar (*I can, he can, they can*). Tabulka uvádí, jak se anglicky vyjádří *možnost* (**can**), *nutnost* (**must**) a *dovolení* (**may**):

	can	moci
Přítomný čas	I **can**	*mohu*
Otázka	can I?	*mohu?*
Zápor	I cannot, I can't	*nemohu*
Minulý čas	I **could** I **was able to**	*mohl jsem*
Otázka	could I? was I able to?	*mohl jsem?*
Zápor	I could not I was not able to	*nemohl jsem*
Budoucí čas	I **will be able to**	*budu moci*
Otázka	will I be able to?	*budu moci?*
Zápor	I will not be able to	*nebudu moci*

	must	muset
Přítomný čas	I **must**	*musím*
Otázka	must I?	*musím?*
Zápor	I **need not**	*nemusím*
Minulý čas	I **had to**	*musel jsem*
Otázka	did I have to?	*musel jsem?*
Zápor	I did not have to	*nemusel jsem*
Budoucí čas	I **will have to**	*budu muset*
Otázka	will I have to?	*budu muset?*
Zápor	I will not have to	*nebudu muset*

	may	*smět*
Přítomný čas	I may	*smím*
Otázka	may I?	*smím?*
Zápor	I must not	*nesmím*
Minulý čas	I might	*směl jsem*
	I was allowed to	
Otázka	might I?	*směl jsem?*
	was I allowed to?	
Zápor	I might not	*nesměl jsem*
	I was not allowed to	
Budoucí čas	I will be allowed to	*budu smět*
Otázka	will I be allowed to?	*budu smět?*
Zápor	I will not be allowed to	*nebudu smět*

SLOVESA BE A HAVE

Tato dvě slovesa mohou ve větě vystupovat jako plnovýznamová (ve významech *existovat* a *vlastnit*) i jako pomocná (ve složených tvarech minulého a budoucího času a časů průběhových).

be jako pomocné sloveso se užívá pro tvoření průběhových časů (ve spojení s přítomným příčestím plnovýznamového slovesa, např. *I am writing*).

have jako pomocné sloveso se užívá pro tvoření předpřítomného, předminulého a předbudoucího času (ve spojení s minulým příčestím plnovýznamového slovesa, např. *I have written*).

Časování sloves BE a HAVE

BE				HAVE			
Přítomný čas							
I	**am**	we	**are**	I	**have**	we	**have**
you	**are**	you	**are**	you	**have**	you	**have**
he/she/it	**is**	they	**are**	he/she/it	**has**	they	**have**
Minulý čas							
I	**was**	we	**were**	I	**had**	we	**had**
you	**were**	you	**were**	you	**had**	you	**had**
he/she/it	**was**	they	**were**	he/she/it	**had**	they	**had**

PŘEHLED SLOVESNÝCH ČASŮ V ČINNÉM RODĚ

přítomný	prostý	I work	he works
	průběhový	I **am** work**ing**	he **is** working
předpřítomný	prostý	I **have** worked	he **has** worked
	průběhový	I **have been** working	he has been working
minulý	prostý	I worked	he worked
	průběhový	I **was** working	he **was** working
předminulý	prostý	I **had** worked	he had worked
	průběhový	I **had been** working	he had been working
budoucí	prostý	I **will** work	he will work
	průběhový	I **will be** working	he will be working
předbudoucí	prostý	I **will** have worked	he will have worked
	průběhový	I **will have been** working	he will have been working

Užívání

Je třeba rozlišovat mezi časem skutečným a časem slovesným.

1. nadčasovost

• Pro vyjádření obecných pravd a existenciálních stavů užíváme **přítomný čas prostý**:

Water boils at 100°C.	Voda se vaří při 100 °C.
The *shops* here *close* at 5 p.m.	Obchody tady zavírají v pět hodin.

• Pro vyjádření dlouhodobého, obvyklého nebo pravidelného děje užíváme **přítomný čas prostý**. Takové věty mohou obsahovat frekvenční příslovce nebo časové výrazy:

My *uncle works* in the local factory.	Strýček pracuje v místní továrně.
He goes there every day.	Chodí tam každý den.
Do *you play* tennis?	Hraješ tenis?
They often *drink* coffee.	Často pijí kávu.

• Pro vyjádření stavu, který stále trvá (přes hranici minulosti do přítomnosti a pravděpodobně i budoucnosti), se užívá **předpřítomný čas průběhový**:

I *have been living* here for six years / since 1999.	Bydlím tady (už) šest let / od roku 1999.

2. přítomnost

● Pro vyjádření právě probíhajícího děje se používá **přítomný čas průběhový**:

The *water is boiling*.	Voda se vaří. *(můžu udělat čaj)*
What *are you doing?*	Co (právě teď) děláš?
I *am listening* to my new CD.	(Zrovna) poslouchám své nové cédéčko.

● Pro vyjádření současného stavu jako výsledku či následku předchozího děje používáme **předpřítomný čas prostý**:

I *have known* him for a long time.	Znám ho už dlouho.

● Pro vyjádření současného stavu jako dovršení předchozího děje („mám uděláno") používáme **předpřítomný čas prostý**:

I *have eaten up* everything.	Už jsem všechno snědl. / Mám dojedeno.
She *has written* 5 stories.	(Až dosud) napsala pět povídek. / Má napsáno pět povídek.

● Pro vyjádření trvání děje k určitému časovému bodu v přítomnosti používáme **předpřítomný čas průběhový**:

I *have been watching* them for two hours.	Teď už je pozoruju dvě hodiny. / Teď jsou to dvě hodiny, co je pozoruju.
It *has been raining* since Sunday.	Od neděle (v jednom kuse) prší.

3. minulost

● Pro vyjádření děje ukončeného v minulosti použijeme **minulý čas prostý**. Takové věty mohou obsahovat časové výrazy odkazující k určitému bodu v minulosti:

I *stayed* at home yesterday.	Včera jsem zůstal doma.

● Pro vyjádření děje probíhajícího v určitém časovém momentě nebo období v minulosti se používá **minulý čas průběhový**:

I *was learning* English when the phone rang.	Zrovna jsem se učil angličtinu, když zazvonil telefon.

● Pro vyjádření děje, který proběhl v nedávné minulosti a má návaznost na přítomnost, používáme **předpřítomný čas průběhový**:

I need a shower. I *have been tidying* the rooms the whole afternoon.	Potřebuju si dát sprchu. Celé odpoledne jsem uklízel.

- Pro vyjádření děje ukončeného ještě před jiným dějem v minulosti použijeme **předminulý čas prostý**:

  She had finished the Než odešla, dokončila tu práci.
  work before she left.

- Pro vyjádření děje, který trval po delší dobu před jiným dějem minulým, se používá **předminulý čas průběhový**:

  I was sleepy because *I had been* Byl jsem ospalý, protože jsem
  ***watching* TV all evening.** se celý večer díval na televizi.

4. budoucnost

- Chceme-li pouze konstatovat budoucí stav nebo děj či vyjádřit své momentální rozhodnutí, použijeme **budoucí čas prostý**:

  He will finish his studies next year. Příští rok skončí studia.
  Stay seated, *I will answer* the phone. Zůstaň sedět, já ten telefon vezmu.

- Chceme-li vyjádřit děj, o němž předpokládáme, že bude probíhat v určitou nebo po určitou dobu v budoucnosti, použijeme **budoucí čas průběhový**:

  He will be meeting her on Sunday. Setká / Uvidí se s ní v neděli.

- Chceme-li vyjádřit děj v budoucnosti, který je pevně stanoven, použijeme **přítomný čas prostý**:

  The *train leaves* at 5. Vlak odjíždí v pět hodin.

- Vyjadřujeme-li se o námi stanoveném plánu nebo programu, použijeme **přítomný čas průběhový**:

  We are leaving for our holidays Příští pondělí odjíždíme
  next Monday. na dovolenou.

- Pro vyjádření děje, který bude ukončen do určitého časového okamžiku v budoucnosti, použijeme **předbudoucí čas prostý**:

  By the end of this month, *I will* Do konce tohoto měsíce tu knihu
  ***have translated* the book.** přeložím / budu mít tu knihu
  přeloženu.

- Pro vyjádření trvání děje, který přesahuje současnost a pokračuje do budoucnosti, se používá **předbudoucí čas průběhový**:

  Next Tuesday, *they will have* Příští úterý to (už) budou dva
  ***been waiting* for your answer** měsíce, co čekají na tvou
  for two months. odpověď.

PŘEHLED SLOVESNÝCH ČASŮ POUŽÍVANÝCH V TRPNÉM RODĚ

Trpný rod se tvoří *složením určitého tvaru pomocného slovesa* be a *příčestí minulého plnovýznamového slovesa*.

přítomný	prostý	I **am** (not) prepared	am I prepared?
	průběh.	I **am** (not) being prepared	am I being prepared?
minulý	prostý	I **was** (not) prepared	was I prepared?
	průběh.	I **was** (not) being prepared	was I being prepared?
budoucí	prostý	I **will** (not) be prepared	will I be prepared?
předpřít.	prostý	I **have** (not) been prepared	have I been prepared?
předmin.	prostý	I **had** (not) been prepared	had I been prepared?
předbud.	prostý	I **will** (not) have been prepared	will I have been prepared?

Angličtina používá trpný rod častěji než čeština – je to totiž způsob, jak např. vyjádřit „česky"

❶ všeobecný podmět:
   Dali mi knihu.   *I was given a book.*
   Neřekli mu to.   *He wasn't told.*

❷ podmět (konatele děje) jako jádro výpovědi. (Nové a důležité informace se kladou na konec věty. Angličtina je však vázána pevným slovosledem a v koncové pozici podmět mít nemůže.)

			KONATEL DĚJE
Čeština – volný slovosled	**předmět**	**přísudek**	**podmět**
	Tu hru	napsal	G. B. Shaw.
Angličtina – pevný slovosled	**podmět**	**přísudek**	**předmět**
	The play	was written	by G. B. Shaw.

SEZNAM NEPRAVIDELNÝCH SLOVES

infinitiv	český překlad	minulý čas	minulé příčestí
abide [əˈbaid]	snášet, (s)trpět	abided [əˈbaidid]	abided [əˈbaidid]
	zůstat, setrvat	abode [əˈbəud]	abode [əˈbəud]
arise [əˈraiz]	vzniknout	arose [əˈrəuz]	arisen [əˈrizn]
awake [əˈweik]	probudit (se)	awoke [əˈwəuk]	awoken [əˈwəukən]
be [bi:]	být	I / he was [woz / wəz], you etc. were [wə(:)]	been [bi:n]
bear [beə]	nést	bore [bo:]	borne [bo:n]
beat [bi:t]	bít, tlouci	beat [bi:t]	beaten [bi:tn]
become [biˈkam]	stát se	became [biˈkeim]	become [biˈkam]
befall [biˈfo:l]	postihnout, potkat	befell [biˈfel]	befallen [biˈfo:lən]
begin [biˈgin]	začít	began [biˈgæn]	begun [biˈgan]
behold [biˈhəuld]	spatřit	beheld [biˈheld]	beheld [biˈheld]
bend [bend]	ohnout	bent [bent]	bent [bent]
bet [bet]	sázet	bet [bet]	bet [bet]
bid [bid]	nabídnout	bid [bid]	bid [bid]
	vybídnout; popřát	bade [beid / bæd], bid [bid]	bidden [bidn], bid [bid]
bind [baind]	vázat	bound [baund]	bound [baund]
bite [bait]	kousat	bit [bit]	bitten [bitn]
bleed [bli:d]	krvácet	bled [bled]	bled [bled]
blow [bləu]	foukat	blew [blu:]	blown [bləun]
break [breik]	lámat	broke [brəuk]	broken [brəukən]
breed [bri:d]	chovat (*zvířata*)	bred [bred]	bred [bred]
bring [briŋ]	přinést	brought [bro:t]	brought [bro:t]
broadcast [bro:dka:st]	vysílat (*rozhlasem / televizí*)	broadcast [bro:dka:st]	broadcast [bro:dka:st]

infinitiv	český překlad	minulý čas	minulé příčestí
browbeat [braubi:t]	zastrašovat	browbeat [braubi:t]	browbeaten [braubi:tn]
build [bild]	stavět	built [bilt]	built [bilt]
burn [bə:n]	hořet; pálit	burnt [bə:nt], burned [bə:nd]	burnt [bə:nt], burned [bə:nd]
burst [bə:st]	prasknout	burst [bə:st]	burst [bə:st]
buy [bai]	kupovat	bought [bo:t]	bought [bo:t]
can *(he can)* [kən / kæn]	moci; umět	could [kud]	–
cast [ka:st]	házet	cast [ka:st]	cast [ka:st]
catch [kæč]	chytit	caught [ko:t]	caught [ko:t]
choose [ču:z]	vybrat (si)	chose [čəuz]	chosen [čəuzn]
cleave [kli:v]	rozštípnout	cleaved [kli:vd], *řidčeji* cleft [kleft] *n.* clove [kləuv]	cleaved [kli:vd], *řidčeji* cleft [kleft]
cling [kliŋ]	lpět	clung [klaŋ]	clung [klaŋ]
come [kam]	přijít	came [keim]	come [kam]
cost [kost]	stát *(kolik)*	cost [kost]	cost [kost]
creep [kri:p]	lézt, plazit se	crept [krept]	crept [krept]
cut [kat]	řezat, krájet	cut [kat]	cut [kat]
deal [di:l]	zabývat se	dealt [delt]	dealt [delt]
dig [dig]	kopat	dug [dag]	dug [dag]
do [du:] *(he does)* [daz]	dělat	did [did]	done [dan]
draw [dro:]	táhnout	drew [dru:]	drawn [dro:n]
dream [dri:m]	snít	dreamed [dri:md], dreamt [dremt]	dreamed [dri:md], dreamt [dremt]
drink [driŋk]	pít	drank [dræŋk]	drunk [draŋk]
drive [draiv]	hnát	drove [drəuv]	driven [drivn]
dwell [dwel]	bydlet	dwelt [dwelt], dwelled [dweld]	dwelt [dwelt], dwelled [dweld]

infinitiv	český překlad	minulý čas	minulé příčestí
eat [iːt]	jíst	ate [et / *zvl. US* eit]	eaten [iːtn]
fall [foːl]	padat	fell [fel]	fallen [foːlən]
feed [fiːd]	krmit	fed [fed]	fed [fed]
feel [fiːl]	cítit	felt [felt]	felt [felt]
fight [fait]	bojovat	fought [foːt]	fought [foːt]
find [faind]	nalézt	found [faund]	found [faund]
flee [fliː]	uprchnout	fled [fled]	fled [fled]
fling [fliŋ]	mrštit, hodit	flung [flaŋ]	flung [flaŋ]
fly [flai]	letět	flew [fluː]	flown [fləun]
forbear [foː'beə]	zdržet se čeho	forbore [foː'boː]	forborne [foː'boːn]
forbid [fə'bid]	zakázat	forbade [fə'bæd / fə'beid]	forbidden [fə'bidn]
forecast [foːkaːst]	předpovídat	forecast [foːkaːst], forecasted [foːkaːstid]	forecast [foːkaːst], forecasted [foːkaːstid]
foresee [foː'siː]	předvídat	foresaw [foː'soː]	foreseen [foː'siːn]
foretell [foː'tel]	předpovídat	foretold [foː'təuld]	foretold [foː'təuld]
forget [fə'get]	zapomenout	forgot [fə'got]	forgotten [fə'gotn]
forgive [fə'giv]	odpustit	forgave [fə'geiv]	forgiven [fə'givn]
forsake [fə'seik]	opustit	forsook [fə'suk]	forsaken [fə'seikən]
freeze [friːz]	mrznout	froze [frəuz]	frozen [frəuzn]
get [get]	dostat	got [got]	got [got], *US hovor.* gotten [gotn]
give [giv]	dát	gave [geiv]	given [givn]
go [gəu] *(he goes)* [gəuz]	jít	went [went]	gone [gon]
grind [graind]	mlít	ground [graund]	ground [graund]
grow [grəu]	růst	grew [gruː]	grown [grəun]
hang [hæŋ]	pověsit; viset	hung [haŋ]	hung [haŋ]
	oběsit	hanged [hæŋgd]	hanged [hæŋgd]

infinitiv	český překlad	minulý čas	minulé příčestí
have [həv / hæv] *(he has)* [həz]	mít	had [həd / hæd]	had [həd / hæd]
hear [hiə]	slyšet	heard [hə:d]	heard [hə:d]
hew [hju:]	sekat	hewed [hju:d]	hewed [hju:d], hewn [hju:n]
hide [haid]	skrýt, schovat	hid [hid]	hidden [hidn]
hit [hit]	udeřit	hit [hit]	hit [hit]
hold [həuld]	držet	held [held]	held [held]
hurt [hə:t]	zranit	hurt [hə:t]	hurt [hə:t]
input	vložit	input [input], inputted [inputid]	input [input], inputted [inputid]
keep [ki:p]	držet	kept [kept]	kept [kept]
kneel [ni:l]	pokleknout, klečet	knelt [nelt], *US též* kneeled [ni:ld]	knelt [nelt], *US též* kneeled [ni:ld]
knit	plést	knitted [nitid]	knitted [nitid]
	pevně spojit, svázat	knit [nit]	knit [nit]
know [nəu]	znát, vědět	knew [nju:]	known [nəun]
lay [lei]	položit	laid [leid]	laid [leid]
lead [li:d]	vést	led [led]	led [led]
lean [li:n]	opřít (se)	leaned [li:nd], *GB též* leant [lent]	leaned [li:nd], *GB též* leant [lent]
leap [li:p]	skákat	leapt [lept], leaped [li:pt]	leapt [lept], leaped [li:pt]
learn [lə:n]	učit se	learnt [lə:nt], learned [lə:nd]	learnt [lə:nt], learned [lə:nd]
leave [li:v]	opustit	left [left]	left [left]
lend [lend]	půjčit	lent [lent]	lent [lent]
let [let]	nechat	let [let]	let [let]
lie [lai]	ležet	lay [lei]	lain [lein]
light [lait]	rozsvítit	lit [lit], lighted [laitid]	lit [lit], lighted [laitid]

infinitiv	český překlad	minulý čas	minulé příčestí
lose [lu:z]	ztratit	lost [lost]	lost [lost]
make [meik]	dělat	made [meid]	made [meid]
may *(he may)* [mei]	smět	might [mait]	–
mean [mi:n]	mínit	meant [ment]	meant [ment]
meet [mi:t]	potkat	met [met]	met [met]
mow [məu]	žnout	mowed [məud]	mown [məun], mowed [məud]
must *(he must)* [mast]	muset	–	–
pay [pei]	platit	paid [peid]	paid [peid]
put [put]	položit	put [put]	put [put]
quit [kwit]	přestat *(s čím)*	quit [kwit], *GB též* quitted [kwitid]	quit [kwit], *GB též* quitted [kwitid]
read [ri:d]	číst	read [red]	read [red]
rid [rid]	zbavit	rid [rid]	rid [rid]
ride [raid]	jet	rode [rəud]	ridden [ridn]
ring [riŋ]	zvonit	rang [ræŋ]	rung [raŋ]
rise [raiz]	vstávat	rose [rəuz]	risen [rizn]
run [ran]	běžet	ran [ræn]	run [ran]
saw [so:]	řezat pilou	sawed [so:d]	sawn [so:n]
say [sei] *(he says)* [sez]	říkat	said [sed]	said [sed]
see [si:]	vidět	saw [so:]	seen [si:n]
seek [si:k]	hledat	sought [so:t]	sought [so:t]
sell [sel]	prodávat	sold [səuld]	sold [səuld]
send [send]	poslat	sent [sent]	sent [sent]
set [set]	umístit	set [set]	set [set]
sew [səu]	šít	sewed [səud]	sewn [səun], sewed [səud]
shake [šeik]	třást	shook [šuk]	shaken [šeikən]

infinitiv	český překlad	minulý čas	minulé příčestí
shear [šiə]	stříhat (ovce)	sheared [šiəd]	shorn [šo:n], sheared [šiəd]
shed [šed]	shodit	shed [šed]	shed [šed]
shine [šain]	svítit	shone [šon / US šəun]	shone [šon / US šəun]
	leštit	shined [šaind]	shined [šaind]
shoe [šu:]	obout	shod [šod]	shod [šod]
shoot [šu:t]	střílet	shot [šot]	shot [šot]
show [šəu]	ukazovat	showed [šəud]	shown [šəun], řid- čeji showed [šəud]
shrink [šriŋk]	srazit (se)	shrank [šræŋk], shrunk [šraŋk]	shrunk [šraŋk]
shut [šat]	zavřít	shut [šat]	shut [šat]
sing [siŋ]	zpívat	sang [sæŋ]	sung [saŋ]
sink [siŋk]	klesat	sank [sæŋk], řid- čeji sunk [saŋk]	sunk [saŋk]
sit [sit]	sedět	sat [sæt]	sat [sæt]
sleep [sli:p]	spát	slept [slept]	slept [slept]
slide [slaid]	klouzat	slid [slid]	slid [slid]
sling [sliŋ]	mrštit	slung [slaŋ]	slung [slaŋ]
slit [slit]	rozříznout	slit [slit]	slit [slit]
smell [smel]	čichat	smelled [smeld], GB též smelt [smelt]	smelled [smeld], GB též smelt [smelt]
sow [səu]	sít	sowed [səud]	sown [səun], sowed [səud]
speak [spi:k]	mluvit	spoke [spəuk]	spoken [spəukən]
speed [spi:d]	spěchat	sped [sped], speeded [spi:did]	sped [sped], speeded [spi:did]
spell [spel]	hláskovat	spelt [spelt], spelled [speld]	spelt [spelt], spelled [speld]
spend [spend]	strávit	spent [spent]	spent [spent]

infinitiv	český překlad	minulý čas	minulé příčestí
spill [spil]	rozlít	spilled [spild], *GB též* spilt [spilt]	spilled [spild], *GB též* spilt [spilt]
spin [spin]	příst	spun [span]	spun [span]
spit [spit]	plivat	spat [spæt], *US též* spit [spit]	spat [spæt], *US též* spit [spit]
split [split]	rozštípnout	split [split]	split [split]
spoil [spoil]	zkazit	spoiled [spoild], *GB též* spoilt [spoilt]	spoiled [spoild], *GB též* spoilt [spoilt]
spread [spred]	rozprostřít	spread [spred]	spread [spred]
spring [spriŋ]	skákat	sprang [spræŋ], *US též* sprung [spraŋ]	sprung [spraŋ]
stand [stænd]	stát	stood [stud]	stood [stud]
steal [sti:l]	krást	stole [stəul]	stolen [stəulən]
stick [stik]	strčit	stuck [stak]	stuck [stak]
sting [stiŋ]	píchnout	stung [staŋ]	stung [staŋ]
stink [stiŋk]	páchnout	stank [stæŋk], stunk [staŋk]	stunk [staŋk]
strew [stru:]	posypat	strewed [stru:d]	strewed [stru:d], strewn [stru:n]
stride [straid]	kráčet	strode [strəud]	stridden [stridn]
strike [straik]	udeřit	struck [strak]	struck [strak], *US též* stricken [strikən]
string [striŋ]	napnout	strung [straŋ]	strung [straŋ]
strive [straiv]	usilovat	strove [strəuv], *řidčeji* strived [straivd]	striven [strivn], *řidčeji* strived [straivd]
swear [sweə]	přísahat	swore [swo:]	sworn [swo:n]
sweep [swi:p]	mést	swept [swept]	swept [swept]
swell [swel]	nadout	swelled [sweld]	swollen [swəulən], swelled [sweld]

infinitiv	český překlad	minulý čas	minulé příčestí
swim [swim]	plavat	swam [swæm]	swum [swam]
swing [swiŋ]	mávat	swung [swaŋ]	swung [swaŋ]
take [teik]	brát	took [tuk]	taken [teikən]
teach [ti:č]	vyučovat	taught [to:t]	taught [to:t]
tear [teə]	trhat	tore [to:]	torn [to:n]
tell [tel]	říci	told [təuld]	told [təuld]
think [θiŋk]	myslet	thought [θo:t]	thought [θo:t]
throw [θrəu]	házet	threw [θru:]	thrown [θrəun]
thrust [θrast]	vrazit	thrust [θrast]	thrust [θrast]
tread [tred]	šlapat	trod [trod]	trodden [trodn], trod [trod]
understand [andə'stænd]	rozumět	understood [andə'stud]	understood [andə'stud]
wake [weik]	vzbudit (se)	woke [wəuk]	woken [wəukən]
wear [weə]	nosit (na sobě)	wore [wo:]	worn [wo:n]
weave [wi:v]	tkát	wove [wəuv]	woven [wəuvn]
	klikatit se; proplétat se	weaved [wi:vd]	weaved [wi:vd]
wed [wed]	vzít se	wedded [wedid], wed [wed]	wedded [wedid], wed [wed]
weep [wi:p]	plakat	wept [wept]	wept [wept]
wet [wet]	namočit	wet [wet], wetted [wetid]	wet [wet], wetted [wetid]
win [win]	získat; vyhrát	won [wan]	won [wan]
wind [waind]	točit (se)	wound [waund]	wound [waund]
withdraw [wið'dro:]	stáhnout (se); vybrat *(peníze)*	withdrew [wið'dru:]	withdrawn [wið'dro:n]
wring [riŋ]	ždímat	wrung [raŋ]	wrung [raŋ]
write [rait]	psát	wrote [rəut]	written [ritn]

Tvoření slov – odvozovací předpony a přípony

Angličtina využívá i možnosti odvozování pro vytváření různých slovních druhů, gramatických tvarů a významů (např. záporného tvaru slova). V následujících přehledech jsou uvedeny nejtypičtější předpony, přípony a koncovky, které vám mohou „napovídat" u slov, s nimiž se setkáte poprvé.

PŘEDPONY

	význam	příklad
a-	opak, **ne-**	**amoral** *amorální, nemorální*
be- *slovesná nepřízvučná předpona – přízvuk je vždy na kmeni*	1. pokrytí 2. změna stavu	**besprinkle** *postříkat*, **bedazzle** *oslnit*, **befog** *zamlžit*, **befriend** *spřátelit se (s kým)*
bi-	dvojitost	**bifocal** *bifokální*, **bilateral** *oboustranný*
by-	vedlejší	**by-product** *vedlejší produkt*, **by-street** *vedlejší ulice*
de-	odstranění, zrušení	**decentralize** *decentralizovat*, **defrost** *rozmrazit*
dis-	1. opak, **ne-** 2. odstranění, zrušení	**dislike** *nemít rád*, **disloyal** *neloajální* **disarm** *odzbrojit*, **disconnect** *rozpojit*
en- / em-	1. uvedení do určitého stavu 2. umístění dovnitř	**enrich** *obohatit*, **enlarge** *zvětšit*, **enable** *umožnit* **encage** *zavřít do klece; uvěznit*, **emplane** *nastoupit / naložit do letadla*
ex-	bývalý	**ex-husband** *bývalý manžel*
ill-	zlý, špatný	**ill-bred** *špatně vychovaný*

in- (im-, il-, ir-)	1. opak, *ne-*	**invisible** *neviditelný,* **impossible** *nemožný,* **illegal** *nezákonný,* **irregular** *nepravidelný*
in-	2. pohyb směrem dovnitř nebo poloha uvnitř	**infiltrate** *infiltrovat, proniknout,* **influence** *vliv; ovlivnit,* **inland** *vnitrozemský*
inter-	vztah vzájemnosti	**international** *mezinárodní,* **interdependence** *vzájemná závislost*
intra-	vnitřní	**intranet** *podniková komunikační síť*
mis-	špatný, chybný, *ne-*	**misunderstanding** *nedorozumění,* **misfortune** *neštěstí,* **misprint** *tisková chyba*
non-	opak, *ne-*	**nonsense** *nesmysl,* **non-smoker** *nekuřák*
out-	umístění na okraji, mimo střed či vně	**outdoor** *venkovní,* **outdoors** *venku,* **outpatient** *ambulantní pacient*
over-	1. umístění nahoře / nad 2. úplné pokrytí 3. přemíra	**overhead** *nadzemní; visutý* **overcast** *zatažený, oblačný,* **overcoat** *svrchník* **overtime** *přesčas,* **overeat** *přejídat se*
re-	opakování nebo vrácení do původ- ního stavu	**rebuild** *přestavět,* **rewrite** *přepsat,* **re-elect** *znovu zvolit*
un-	opak, *ne-*	**unhappy** *nešťastný,* **untruth** *nepravda*
under-	1. umístění pod / dole nebo pohyb pod / dolů 2. nedostatečnost, podceňování	**underground** *podzemí,* **undermine** *podkopat,* **underside** *spodní strana* **underpay** *špatně / málo platit (koho,* *komu),* **undervalue** *nedocenit, podcenit*
up-	umístění nahoře nebo pohyb vzhůru	**uphill** *na kopci / na kopec,* **uproot** *vytrhnout z kořenů / s kořeny*

PŘÍPONY PŘÍDAVNÝCH JMEN

	význam / překlad	příklad
-able / -ible	schopnost, možnost	**reasonable** *rozumný*, **changeable** *proměnlivý*, **convertible** *směnitelný*
-al (-ial, -ical)	vztahující se k	**cultural** *kulturní*, **celestial** *nebeský*, **historical** *historický*
-en	vytvořený z čeho, podobající se čemu	**wooden** *dřevěný*, **ashen** *popelavý, popelavě šedý*
-est	3. stupeň (i příslovcí)	**(the) biggest** *největší*, **(the) highest** *nejvyšší; nejvýše*
-ic	*-ický*	**classic** *klasický*, **economic** *ekonomický*
-ious	charakterizovaný čím, plný čeho, vyznačující se čím	**religious** *náboženský; zbožný*, **contagious** *nakažlivý*, **spacious** *prostorný*
-ish	národní příslušnost; *často hanl.:* charakterizovaný čím, plný čeho; přibližnost	**British** *britský*, **Danish** *dánský*, **slavish** *otrocký*, **childish** *dětinský*, **bookish** *pedantický*, **reddish** *načervenalý*, **roughish** *přihroublý*
-ive	*-ivní*	**offensive** *ofenzivní*, **active** *aktivní*
-less	*bez-, ne-*	**hopeless** *beznadějný*, **endless** *nekonečný*, **speechless** *neschopný slova*
-like	podobný čemu	**winterlike** *podobný zimě, „jako" zimní*
-ous	oplývající čím, vyznačující se čím	**marvellous** *úžasný*, **mountainous** *hornatý*, **poisonous** *jedovatý*
-some	typický čím	**awesome** *děsivý, hrůzný*, **tiresome** *únavný*
-ward	směřující určitým směrem	**upward** *směřující nahoru, vzestupný*, **downward** *směřující dolů, sestupný*

PŘÍPONY PODSTATNÝCH JMEN

	význam	příklad
-ability	schopnost, možnost	**reliability** *spolehlivost*
-ance / **-ancy,** **-ence / -ency**	stav nebo vlastnost	**distance** *vzdálenost*, **arrogance** *arogance, drzost*, **fluency** *plynulost*
-dom	abstrakta	**kingdom** *království*, **freedom** *svoboda*
-ery	soubor věcí, osob nebo zvířat, případně zařízení, kde daná zvířata žijí nebo které je pro ně určené	**cutlery** *příbory*, **greenery** *zeleň, vegetace*, **citizenry** *občané, občanstvo*; **cattery** *chovatelská stanice koček; hotel pro kočky*
-ess	ženský rod (od podstatných jmen mužského rodu)	**actress** *herečka*, **princess** *princezna*, **lioness** *lvice*
-ette	malost, zdrobnělost; imitace, napodobenina; ženský rod	**kitchenette** *kuchyňka*, **cigarette** *cigareta* (doslova: *malý doutník*); **leatherette** *koženka*; **usherette** *uvaděčka*
-hood	abstrakta	**childhood** *dětství*, **likelihood** *pravděpodobnost*
-ics	vědy, umění nebo různá odvětví činnosti	**mathematics** *matematika*, **politics** *politika*
-ion (-tion, **-ation,** **-ition)**	děj, proces, stav	**action** *akce*, **decision** *rozhodnutí*, **suggestion** *návrh*
-ist	osoba něčím se zabývající	**motorist** *motorista*, **physicist** *fyzik*
-ity	stav nebo vlastnost	**activity** *aktivita*, **security** *bezpečí, bezpečnost, jistota*

-ment	stav; výsledek činnosti; proces, akce	**amazement** *úžas*; **agreement** *souhlas, dohoda*; **measurement** *měření*
-ness	stav nebo vlastnost	**happiness** *štěstí*, **kindness** *laskavost*
-our / US -or	slova přejatá ze starofrancouzštiny	**behaviour** *chování*, **colour** *barva*
-ship	stav; postavení nebo profese; společenství	**friendship** *přátelství*; **professorship** *profesura*; **membership** *členství; členstvo*, **readership** *čtenářstvo, čtenářská obec*

SLOVESNÉ PŘÍPONY

	význam	příklad
-en	učinit jakým	**widen** *rozšířit*, **heighten** *zvýšit*
-(i)fy	učinit jakým, uvést do určitého stavu	**simplify** *zjednodušit*, **satisfy** *uspokojit*, **beautify** *zkrášlit*, **verify** *ověřit (si)*
-ize / -ise	*-izovat, -ovat*	**modernize** *modernizovat*, **oxidize** *oxidovat*

PŘÍSLOVEČNÉ PŘÍPONY

	význam	příklad
-wards	směrem kam	**backwards** *zpět*, **upwards** *nahoru*
-ways	způsob nebo směr	**sideways** *stranou*, **lengthways** *podél*
-wise	způsob	**otherwise** *jinak*
-worthy	zasluhující si co	**noteworthy** *pozoruhodný*, **praiseworthy** *chvályhodný*

PŘÍPONY A KONCOVKY S VÍCE VÝZNAMY

-an (-ean, -ian, -ician)	1. *podst. jm.*	**historian** *historik*, **European** *Evropan*
	2. *příd. jm.*	**European** *evropský*
-ate	1. *podst. jm.* [-it]	**condensate** *kondenzát*, **episcopate** *episkopát*
	2. *příd. jm.* [-it]	**duplicate** *dvojitý*, **separate** *oddělený*
	3. *sloveso* [-eit]	**fascinate** *fascinovat*, **separate** *oddělit*
-ed	1. *příd. jm.*	**talented** *talentovaný*, **iced** *ledový*
	2. *slovesné tvary:*	
	a) minulý čas pravidelných sloves	he **wished** *přál si, chtěl*
	b) minulé příčestí pravidelných sloves	he has **wished** *přál si, chtěl*
-er / -or	1. *podst. jm.* činitel; zaměstnání; obyvatel	**driver** *řidič*, **teacher** *učitel*, **villager** *vesničan*
-er	2. 2. *stupeň příd. jmen a příslovcí*	**longer** *delší; déle*, **happier** *šťastnější*
-ese	1. *podst. jm.* národnost; obyvatel města; jazyk	**Chinese** *Číňan*, **Viennese** *Vídeňan*, **Japanese** *japonština*
	2. *příd. jm.* vztahující se k určité zemi nebo městu	**Japanese** *japonský*, **Viennese** *vídeňský*
-ful	1. *podst. jm.* plnost, plná míra čeho	**handful** *plná ruka, hrst* (*of* *čeho*), **spoonful** *plná lžíce* (*čeho*)
	2. *příd. jm.* plný čeho, charakterizovaný čím	**painful** *bolestivý*, **helpful** *nápomocný*, **forgetful** *zapomnětlivý*
-ing	1. *podst. jm.* (*gerundium*) činnost, akce, proces; výsledek	**walking** *chůze*, **meeting** *setkání; schůze*, **building** *budování; budova*
	2. *příd. jm.* (*přít. příčestí s adjektivní funkcí*)	**drinking** water *pitná voda*
	3. *přítomné příčestí*	I am **reading**. *Zrovna si čtu.*

-ly	1. *příslovce (od přídavných jmen)*	**quickly** *rychle*, **slowly** *pomalu*, **poetically** *poeticky*
	2. *příd. jm. (od podstatných jmen)*	**brotherly** *bratrský*, **daily** *denní, každodenní*
-s	1. *plurál podst. jmen*	**cars** *auta*, **boys** *chlapci*, **girls** *dívky*
	2. *3. osoba jednotného čísla přítomného času prostého*	**he works / does / reads** *pracuje / dělá / čte*
-'s	1. *přivlastňovací pád*	**Paul's girlfriend** *Pavlova přítelkyně*, **Mrs Aldiss's / Aldiss' car** *auto paní Aldissové*
	2. *zkrácený tvar 3. osoby jednotného čísla pomocných sloves* **be** *a* **have**	**He's busy. (he is)** *Je zaneprázdněn.* **He's got a sister. (he has)** *Má sestru.*
-th	1. *podst. jm. děj nebo vlastnost*	**growth** *růst*, **length** *délka*
	2. *řadová číslovka (od 4 výše)*	**tenth** *desátý*, **hundredth** *stý*
-y / -ie	1. *podst. jm.* a) *něco / někdo malý, milý, oblíbený*	**doggy / doggie** *pejsek*, **granny** *babička*, **Johnny** *Jeníček*
	b) *osoba zabývající se čím nebo charakterizovaná čím*	**goalie** *brankář*, **rookie** *nováček, zelenáč*, **fatty** *tloušťík*
-y	2. *příd. jm. vyznačující se čím, týkající se čeho, podobajíci se čemu apod.*	**sunny** *slunný*, **smoky** *zakouřený*, **shiny** *svítící, svítivý, lesklý*, **sticky** *lepkavý*

ČÍSLOVKY

Základní		Řadové	
0	zero, *GB* nought		zero, null
1	one	1st	first
2	two	2nd	second
3	three	3rd	third
4	four	4th	fourth
5	five	5th	fifth
6	six	6th	sixth
7	seven	7th	seventh
8	eight	8th	eighth
9	nine	9th	nineth
10	ten	10th	tenth
11	eleven	11th	eleventh
12	twelve	12th	twelfth
13	thirteen	13th	thirteenth
14	fourteen	14th	fourteenth
15	fifteen	15th	fifteenth
16	sixteen	16th	sixteenth
17	seventeen	17th	seventeenth
18	eighteen	18th	eighteenth
19	nineteen	19th	nineteenth
20	twenty	20th	twentieth
21	twenty-one	21st	twenty-first
22	twenty-two	22nd	twenty-second
23	twenty-three	23rd	twenty-third
30	thirty	30th	thirtieth
40	forty	40th	fortieth
50	fifty	50th	fiftieth
60	sixty	60th	sixtieth
70	seventy	70th	seventieth
80	eighty	80th	eightieth
90	ninety	90th	ninetieth
100	hundred	100th	hundredth
101	hundred and one	101st	hundred and first
200	two hundred	200th	two hundredth
1,000	thousand	1,000th	thousandth
10,000	ten thousand	10,000th	ten thousandth
100,000	hundred thousand	100,000th	hundred thousandth
1,000,000	million	1,000,000th	millionth
1,000,000,000	billion, *GB též* milliard	1,000,000,000th	billionth, *GB též* milliardth

Matematické symboly

+	plus	plus
−	minus	minus
×	multiplied by *n.* times	krát *n.* násobeno
÷	divided by	děleno
=	equals *n.* is	rovná se
%	per cent *n.* percent *(např. 5% – píše se dohromady)*	procento *n.* procent *(např. 5 % – píše se zvlášť)*
>	is greater than	je větší než
<	is less then	je menší než
≥	is greater than or equal to	je větší nebo rovno
≤	is less than or equal to	je menší nebo rovno
≠	does not equal	nerovná se
≈	approximately equals	se rovná přibližně
∞	infinity	nekonečno
$\sqrt{9}$	square root of 9	druhá odmocnina z devíti
5^2	five squared	pět na druhou
3^3	three cubed	tři na třetí
8^4	eight to the power of four	osm na čtvrtou

Matematické operace

addition	sčítání	$6 + 2 = 8$	six plus two equals / is eight
subtraction	odčítání	$7 − 3 = 4$	seven minus three equals / is four
multiplication	násobení	$2 × 5 = 10$	two multiplied by five is ten *n.* two times five is ten *n.* two fives are ten
division	dělení	$16 ÷ 2 = 8$	sixteen divided by two equals / is eight

squaring	umocňování na druhou	$3^2 = 9$	the square of three is nine
square root extraction, squaring root	odmocňování dvěma	$\sqrt{25} = 5$	the square root of twenty-five is five
cubing	umocňování na třetí	$3^3 = 27$	the cube of three is twenty--seven
cube root extraction	odmocňování třemi	$\sqrt[3]{125} = 5$	the cube root of one hundred and twenty-five is five

Zlomky a desetinná čísla

1/2	a half *n.* one half	0.5	(nought / zero) point five
1/3	a third *n.* one third	0.33	(nought / zero) point three three
1/4	quarter *n.* a quarter *n.* one quarter	0.25	(nought / zero) point two five
3/4	three quarters	0.75	(nought / zero) point seven five
4 1/2	four **and** a half	4.5	four point five
6 3/5	six and three fifths	6.6	six point six
1/6	one sixth		
2/7	two sevenths		
7/8	seven eighths	0.1	Tečkou se oddělují desetinná místa.
6/9	six nineths	1,000	Čárkou se oddělují tisíce.
3/10	three tenths		
15/244	fifteen **over** two four four		

SYMBOLY

&	and	a
∗	asterisk	hvězdička
@	at	zavináč
#	hash; number	křížek *n.* zahrádka; číslo
©	copyright	copyright
°	degree *(např. 5°C – píše se celé dohromady)*	stupeň *(např. 5 °C – číslice se píše odděleně)*
c *n.* **ct** *n.* **¢**	cent	cent *(setina měnové jednotky, např. eura, doleru)*
$	dollar *(např. \$5 – znak měny se píše před číslicí a bez mezery)*	dolar *(např. 5 \$ – znak měny se píše za číslicí a odděleně od číslice)*
€	euro	euro
£	pound sterling	libra sterlingů
®	trademark *hlavně v GB*	registrovaná obchodní značka, ochranná známka
™	trademark *hlavně v USA*	registrovaná obchodní značka, ochranná známka

ČÍSLICOVÁ ZÁHLAVÍ

1040 [ten ˈfɔːrti] *US*	1040 form	daňové přiznání
3-D [θriːˈdiː]	a 3-D film / picture	trojrozměrný film / obraz
4×4 [fɔːr bai ˈfɔːr] *US*		auto s pohonem na čtyři kola
24-hour [twentifɔːrˈauə]	24-hour clock	24hodinový systém určování času
24/7 [twentifɔː ˈsev(ə)n]	24/7 (work) schedule	nepřetržitý pracovní cyklus (24 hodin 7 dní v týdnu)

INTERPUNKČNÍ ZNAMÉNKA A TYPOGRAFICKÉ ZNAČKY

,	comma	čárka
.	*GB* full stop, *US* period, *Internet* dot	tečka
:	colon	dvojtečka
;	semicolon	středník
–	dash	pomlčka
-	hyphen	spojovník, spojovací čárka
' ' *n.* " "	quotation marks, quotes, speech marks, *GB* inverted commas	uvozovky
?	question mark	otazník
!	*GB* exclamation mark, *US* exclamation point	vykřičník
'	apostrophe	apostrof
/	slash, *GB* oblique	lomítko
\	backslash	obrácené lomítko
( )	parentheses, *GB* (round) brackets	kulaté závorky
[ ]	square brackets	hranaté závorky
{ }	braces, curly brackets	složené závorky
< >	angle brackets	lomené závorky

MĚRNÉ JEDNOTKY

V GB se užívá metrický i nemetrický systém jednotek. V USA přetrvává používání nemetrického systému měření i v odborných kruzích. V tabulce jsou výběrově uvedeny jednotky nemetrického systému používané v každodenním životě.

	jednotka	zkratka	český název	přepočet
vzdálenost	yard	yd		0.914 m
	mile	m	míle	1.609 km
objem tekutin	pint	pt	pinta (*např. piva, mléka*)	GB 0.568 ℓ US 0.471 ℓ
	quart	qt		GB 1.136 ℓ US 0.946 ℓ
	gallon	gal	galon (*např. benzinu*)	GB 4.546 ℓ US 3.785 ℓ
míra v kuchyni	ounce	oz	unce	28.35 g
	pound	lb	libra	0.454 kg
	cup		hrnek	GB 0.284 ℓ US 0.237 ℓ
váha osoby	pound	lb	libra	0.454 kg
	GB stone	st	kámen	6.356 kg
výška osoby	inch	in	palec, coul	2.54 cm
	foot	ft	stopa	30.48 cm
rozloha pozemku	acre	ac	akr	4.047 m²
	hectare	ha	hektar	100.0 m²
rozloha území	square mile	sq mile	čtvereční míle	2.59 km²
teplota	degree Celsius	1°C	stupeň Celsia	$5/9 \times (X°F - 32)$
	degree Fahrenheit	1°F	stupeň Fahrenheita	$(9/5 \times X°C) + 32$
doba	hour	h	hodina	
	minute	min	minuta	
	second	sec	vteřina	
rychlost	miles per hour, miles an hour	mph	míle za hodinu	

ČAS

	běžné vyjadřování času	oficiální vyjadřování času
09:00	nine o'clock	(oh) nine hundred hours
09:05	*GB* five past nine, *US* five after nine	(oh) nine oh five
09:10	ten (minutes) past nine (o'clock)	(oh) nine ten
09:15	(a) quarter past nine	(oh) nine fifteen
09:20	twenty past nine	(oh) nine twenty
09:25	twenty-five past nine	(oh) nine twenty-five
09:30	half past nine, *hovor.* half nine	(oh) nine thirty
09:35	*GB* twenty-five to ten, *US* twenty--five to / of ten	(oh) nine thirty-five
09:40	twenty to ten	(oh) nine forty
09:45	(a) quarter to ten	(oh) nine forty-five
09:50	ten to ten	(oh) nine fifty
09:55	five to ten	(oh) nine fifty-five
15:00	three o'clock	fifteen hundred (hours)
18:56	four minutes to seven	eighteen fifty-six

Datum

1906	nineteen oh six	
1965	nineteen sixty-five	
2000	two thousand	
2004	two thousand and four	
the 1900s	the nineteen hundreds	20. století
the 1970s	the nineteen seventies	70. léta 20. století
600 AD 600 CE	six hundred AD (= Anno Domini) six hundred CE (= Common Era)	600 let po Kristu / našeho letopočtu
55 BC 55 BCE	fifty-five BC (= before Christ) fifty-five BCE (= before the Common Era)	55 let před Kristem / před naším letopočtem

Uvedení data

GB	17th July 2005 17 July 2005	17/07/05	the seventeenth of July two thousand and five
US	July 17, 2005	7/17/05	July the seventeenth two thousand and five

VÝZNAMNÉ DNY A SVÁTKY

New Year's Day	Nový rok	1. ledna	*)
Epiphany, **Twelfth Day**	Zjevení Páně, Tří králů	6. ledna	
St Valentine's Day	sv. Valentýna	14. února	
Shrove Tuesday, *GB* **Pancake Day**	masopustní úterý	před Popeleční středou	
Ash Wednesday	Popeleční středa	první den postní doby před Velikonocemi	
Holy / Maundy **Thursday**	Zelený čtvrtek	pohyblivý	
Good Friday	Velký pátek	pohyblivý	*)
Holy Saturday	Bílá sobota	pohyblivá	
Easter Sunday	Velikonoční neděle	pohyblivá	
Easter Monday	Velikonoční pondělí	pohyblivé	*)
May Day	První máj	*GB* 1. května	
Labour Day, *US* **Labor Day**	Svátek práce	*GB* 1. května *US* první pondělí v září	
May Day Bank **Holiday**		*GB* první pondělí v květnu	*)
Spring Bank Holiday		*GB* čtvrté pondělí v květnu	*)
Memorial Day	Den památky padlých	*US* čtvrté pondělí v květnu	
Whit Sunday	Svatodušní neděle	pohyblivá	

Whit Monday	Svatodušní pondělí	pohyblivé
Independence Day *US*	Den nezávislosti	4. července ***)**
Summer / August Bank Holiday		*GB* poslední pondělí ***)** v srpnu
Halloween	předvečer svátku Všech svatých	31. října
All Saints' Day	svátek Všech svatých	1. listopadu
All Souls' Day	Dušičky	2. listopadu
Guy Fawkes Day	výroční den pokusu G. Fawkese o vyhození parlamentu do vzduchu (1605)	5. listopadu
Remembrance Sunday, *GB* **Poppy Day**	Den památky padlých	neděle nejblíže 11. listopadu
Thanksgiving Day	Den díkůvzdání	*US* čtvrtý čtvrtek ***)** v listopadu
Christmas Day	Hod boží vánoční	25. prosince ***)**
Boxing Day	sv. Štěpána	26. prosince ***)**
New Year's Eve	Silvestr	31. prosince

*) = den pracovního klidu

ZEMĚ, NÁRODNOSTI A ODVOZENÁ PŘÍDAVNÁ JMÉNA

země	český překlad	národnost	příd. jméno
Afghanistan	Afghánistán	Afghani	Afghan
Albania	Albánie	Albanian	Albanian
Algeria	Alžírsko	Algerian	Algerian
Argentina	Argentina	Argentine, Argentinian	Argentinian, Argentine
Austria	Rakousko	Austrian	Austrian
Belarus, Belorussia	Bělorusko	Belarusian, Belorussian	Belarusian, Belorussian
Belgium	Belgie	Belgian	Belgian
Bosnia-Herzegovina	Bosna a Hercegovina	Bosnian	Bosnian
Brazil	Brazílie	Brazilian	Brazilian
Bulgaria	Bulharsko	Bulgarian	Bulgarian
Canada	Kanada	Canadian	Canadian
China	Čína	Chinese	Chinese
Croatia	Chorvatsko	Croat	Croatian
Cuba	Kuba	Cuban	Cuban
Cyprus	Kypr	Cypriot	Cypriot
the Czech Republic	Česká republika	Czech	Czech
Denmark	Dánsko	Dane	Danish
Egypt	Egypt	Egyptian	Egyptian
England	Anglie	Englishman	English
Estonia	Estonsko	Estonian	Estonian
Finland	Finsko	Finn	Finnish
France	Francie	Frenchman	French
Germany	Německo	German	German
Great Britain, the United Kingdom	Velká Británie, Spojené království	Briton	British
Greece	Řecko	Greek	Greek
Hungary	Maďarsko	Hungarian	Hungarian
Iceland	Island	Icelander	Icelandic
India	Indie	Indian	Indian
Indonesia	Indondonésie	Indonesian	Indonesian

země	český překlad	národnost	příd. jméno
Iran	Írán	Iranian	Iranian
Iraq	Irák	Iraqi	Iraqi
Ireland, the Republic of	Irsko	Irishman	Irish
Israel	Izrael	Israeli	Israeli
Italy	Itálie	Italian	Italian
Jamaica	Jamajka	Jamaican	Jamaican
Japan	Japonsko	Japanese	Japanese
(North / South) Korea	(Severní / Jižní) Korea	(North / South) Korean	(North / South) Korean
Latvia	Lotyšsko	Latvian	Latvian
Liechtenstein	Lichtenštejnsko	Liechtensteiner	Liechtenstein
Lithuania	Litva	Lithuanian	Lithuanian
Luxembourg	Lucembursko	Luxembourger	Luxembourg, Luxembourgian
Mexico	Mexiko	Mexican	Mexican
Moldova	Moldávie	Moldovan	Moldovan
Monaco	Monako	Monegasque, Monacan	Monegasque, Monacan
Mongolia	Mongolsko	Mongol	Mongolian
the Netherlands	Nizozemsko	Dutchman	Dutch
New Zealand	Nový Zéland	New Zealander	New Zealand
Northern Ireland	Severní Irsko	Northern Irishman	Northern Irish
Norway	Norsko	Norwegian	Norwegian
the Philippines	Filipíny	Filipino, Philippine	Philippine
Poland	Polsko	Pole	Polish
Portugal	Portugalsko	Portuguese	Portuguese
Romania	Rumunsko	Romanian	Romanian
Russia	Rusko	Russian	Russian
Saudi Arabia	Saúdská Arábie	Saudi Arabian	Saudi Arabian
Scotland	Skotsko	Scot	Scottish
Serbia and Montenegro	Srbsko a Černá Hora	Serb, Montenegran	Serbian and Montenegran
Slovakia	Slovensko	Slovak, Slovakian	Slovak, Slovakian

země	český překlad	národnost	příd. jméno
Slovenia	Slovinsko	Slovene, Slovenian	Slovene, Slovenian
South Africa	Jižní Afrika	South African	South African
Spain	Španělsko	Spaniard	Spanish
Sweden	Švédsko	Swede	Swedish
Switzerland	Švýcarsko	Swiss	Swiss
Thailand	Thajsko	Thai	Thai
Tunisia	Tunisko	Tunisian	Tunisian
Turkey	Turecko	Turk	Turkish
Ukraine	Ukrajina	Ukrainian	Ukrainian
the United States of America	Spojené státy americké	American	American
the Vatican City	Vatikán	–	Vatican
Vietnam	Vietnam	Vietnamese	Vietnamese
Wales	Wales	Welshman	Welsh

kontinent	český překlad	obyvatel	příd. jméno
Africa	Afrika	African	African
America	Amerika	American	American
Central A.	Střední A.	Central A.	Central A.
North A.	Severní A.	North A.	North A.
South A.	Jižní A.	South A.	South A.
Antarctica	Antarktida	–	Antarctic
Asia	Asie	Asian	Asian
Australia	Austrálie	Australian	Australian
Europe	Europa	European	European

NÁPISY

A

admission	vstupné
admission free	vstup volný
adults	dospělí
adults only	jen pro dospělé, mládeži nepřístupno
advance booking	předprodej
afternoons	(každé) odpoledne
airport	letiště
arrivals	příjezdy; přílety
at lunchtime	v poledne, kolem poledne
Attention!	Pozor!

B

B&B (= Bed and Breakfast)	penzion *(pokoj / nocleh se snídaní)*
bakery	pekařství
bank	banka
bank holiday	svátek, den pracovního klidu
barber('s)	holičství
Beware of pickpockets!	Pozor na kapesní zloděje!
Beware of the dog!	Pozor, pes!
bicycle hire	půjčovna jízdních kol
(Bureau de) Change	směnárna
bus lane	jízdní pruh pro autobusy
bus stop	autobusová zastávka
butcher('s)	řeznictví

C

camping site, campsite	kempink
car park	parkoviště
car rental	půjčovna aut
Caution!	Pozor!
centre	centrum
check-in	odbavení cestujících *(na letišti)*; registrace *(na konferenci)*
Children	Pozor, děti!
cloakroom	šatna
closed	zavřeno
cold	studená (voda)

collection	výběr *(poštovní schránky)*
concession	sleva
crossroads	křižovatka
customs	celnice

D

Danger!	Nebezpečí!
day return (ticket)	denní zpáteční jízdenka
Dead slow	Jeďte krokem!
delayed	zpoždění
departures	odjezdy; odlety
Diesel	diesel, nafta
Dish of the Day	specialita dne
diversion	objížďka
diverted traffic	odkloněná doprava
Do not lean out of the window	Nevyklánějte se z okna!
Do not obstruct entrance	Nechte volný vjezd!
Do not obstruct exit	Nechte volný výjezd!
Do not touch	Nedotýkejte se prosím!
Docks	přístaviště
domestic flights	vnitrostátní lety
drinking water	pitná voda
Drive slowly	Jeďte pomalu!
dry-cleaner('s)	čistírna
dual carriageway, *US* divided highway	dálnice

E

Emergency	Pohotovost, Záchranná služba
emergency exit	nouzový východ
emergency number	číslo tísňového volání
engaged	obsazeno
entrance	vchod, vjezd
entry	vstup
EU passports	(pro) cestující s pasy EU
exit	východ; výjezd *(z dálnice)*

F

fire assembly point	shromaždiště při požárním poplachu
fire brigade	hasičský sbor, hasiči

fire exit	nouzový východ *(při požáru)*
fire extinguisher	hasicí přístroj
first aid	první pomoc
First Class and Abroad	*(na poštovní schránce)* pro vnitrostátní dopisy, které budou doručeny následující den, a dopisy do zahraničí
fishmonger('s)	rybárna
fitting rooms	zkušební kabiny
floor	podlaží
for sale	na prodej
four-star	Super *(benzin)*
free	zdarma
fresh fish	rybárna; čerstvé ryby

G

Gentlemen, Gents	Muži, Páni *(toalety)*
Get in lane	Zařaďte se do jízdního pruhu
Give way	Dej přednost v jízdě
greengrocer('s)	ovoce – zelenina
ground floor	přízemí
(guided) tour	prohlídka (s průvodcem)

H

hairdresser('s)	kadeřnictví
handmade	ruční práce *(zhotoveno ručně)*
hot	horká (voda)
Humps for 1 mile	hrboly (na silnici) v úseku 1 míle

I

identification card, ID (card)	průkaz totožnosti, občanský průkaz
in	*(směr)* dovnitř
incl., included	včetně
Information	Informace
international flights	mezinárodní lety

J

jewellery	klenoty, klenotnictví
junction	křižovatka

K

Keep clear	Nechte volný průjezd!
Keep off the grass	Nevstupujte na trávník!
Keep off	Vstup zakázán!

L

Ladies	Ženy, Dámy *(toalety)*
laund(e)rette	pradlenka *(samoobslužná prádelna)*
Look right *GB*	Pozor zprava! *(u přechodu pro chodce)*
litter	odpadky

M

Main Post Office	hlavní pošta
market(place)	tržiště
Men	Muži *(toalety)*
Mind the step	Pozor, schod!
mornings	(každé) dopoledne
motorway	dálnice

N

next collection	příští výběr *(poštovní schránky)*
next tour	příští prohlídka
No change given	Drobné nevracíme!
No entry	Nevstupujte!, Vstup zakázán!
No left turn	zákaz odbočování vlevo
No parking	zákaz parkování
No right turn	zákaz odbočování vpravo
No smoking	Kouření zakázáno!
No waiting	zákaz zastavení
Not for drinking!	Voda není pitná!, Voda pouze užitková!

O

occupied	obsazeno
one-day ticket	jednodenní jízdenka
one-way street	jednosměrná ulice
open	otevřeno
opening hours	otvírací doba, úřední hodiny
opening time *GB*	otvírací doba v restauracích *(od kdy je možno čepovat alkoholické nápoje)*
optitian	optika
out	(směr) ven

P

Pay and Display	po zaplacení umístěte doklad *(parkovací lístek)* pod přední sklo
Pay here	pokladna
permanent residence	trvalé bydliště
Please enter	Vstupte tudy
police	policie
Post Office	pošta
Press	Stiskněte!
Private	soukromý pozemek, soukromé prostory
Pull	táhnout, k sobě, sem
Push	tlačit, od sebe, tam

R

Rd (= Road)	*(v názvech)* ulice, cesta
reception	recepce
Reduce speed now	Snižte rychlost!
request stop	zastávka na znamení
rescue service	záchranná služba
reserved	zadáno
return (ticket)	zpáteční jízdenka
Road narrows	(Pozor,) zúžená ulice / silnice
Roadworks	(Pozor,) práce na silnici
Rooms vacant	Volné pokoje

S

sale	výprodej
self-service	samoobsluha
senior citizens	senioři
Shoe repairs	opravna obuvi
single (ticket)	jízdenka jen tam *(ne zpáteční)*
Smoking area / section	Kuřáci
sold out	vyprodáno
special offer	speciální nabídka
stamps	známky *(poštovní)*
station	nádraží
Stop	Stůj!; zastávka, stanice
Stop Children	Pozor, děti!
straight ahead	rovně

T

taxi stand	stanoviště taxi
terminal	*(letecký, autobusový)* terminál; stanice *(železniční n. autobusové nádraží)*
terminus	konečná stanice / zastávka *(na železniční trati n. autobusové lince)*
ticket office	pokladna
timetable	jízdní řád
To escalators	k eskalátorům
To let	k pronájmu
tobacconist('s)	trafika
toilets	toalety
Tourist Information	Turistické informace
town hall	radnice
travel agent / agency	cestovní kancelář

U

Underground	metro, podzemní dráha
unleaded	bezolovnatý
Urban clearway	zákaz zastavení *(v celé ulici)*

V

Vacancies	volné pokoje; volná místa *(pracovní, parkovací apod.)*
Vacant	volno
valid from 8:30 am	platí od 8.30

W

waiting room	čekárna
way in	vchod, vjezd
way out	východ, výjezd
weekdays	ve všední dny
Wet paint	Čerstvě natřeno!
Wheelchair access	bezbariérový přístup, vjezd pro invalidní vozíky
Women	Ženy *(toalety)*

**Anglicko-český a česko-anglický
studentský slovník**

Břetislav Hodek a kol.

Obálka: Marek Jodas, Michal Špatz
Sazba: AMD, v. o. s., Návrší Svobody 26, 623 00 Brno
Grafické studio Michal Špatz, Ostrovní 30, 110 00 Praha 1
Vytištěno v EU / Printed in EU

Odpovědná redaktorka: PhDr. Jiřina Svobodová
Vydala LEDA spol. s r. o., 263 01 Voznice 64
http://www.leda.cz

Počet stran: 720
1. vydání 2005
Vychází jako součást edice ALFA

ISBN 80-7335-060-2

POZNÁMKY:

POZNÁMKY:

POZNÁMKY:

POZNÁMKY:

POZNÁMKY:

POZNÁMKY:

POZNÁMKY: